EGON BAHR · ZU MEINER ZEIT

Egon Bahr

Zu meiner Zeit

Karl Blessing Verlag

Umwelthinweis:
Dieses Buch und sein Schutzumschlag wurden auf
chlorfrei gebleichtem Papier gedruckt.
Die Einschrumpffolie (zum Schutz vor Verschmutzung) ist aus
umweltschonender und recyclingfähiger PE-Folie.

Der Karl Blessing Verlag ist ein Unternehmen
der Verlagsgruppe Bertelsmann.

1. Auflage
Copyright © 1996 bei
Karl Blessing Verlag GmbH, München
Umschlaggestaltung: Network, München,
unter Verwendung eines Fotos von
Margarete Motrach, München
Satz: Uhl + Massopust, Aalen
Druck: Graphischer Großbetrieb, Pößneck
Printed in Germany
ISBN 3-89667-001-8

Für
Dorothea Christiane
Wolfgang Ariane Marion
Jessica Anke Dirk Benjamin Judith

Inhalt

Statt eines Vorworts

Hier meldet sich eine Quelle zu Wort. Die Daten der letzten fünfzig Jahre sind bekannt und unrevidierbar; was den Ablauf angeht, gibt es Lücken. Henry Kissinger hat in der Einleitung seiner Memoiren zutreffend darauf aufmerksam gemacht, daß die Erinnerungen anderer, nicht nur aus Amerika, abgewartet werden müssen, um dem Historiker ein umfassendes Bild zu ermöglichen. Timothy Garton Ash, der seiner Darstellung der Entspannungspolitik den Titel *Im Namen Europas* gab, hat mich zum Schreiben aufgefordert. Valentin Falin, fast ausschließlich auf sein Gedächtnis angewiesen, hätte am liebsten mit mir ein deutsch-sowjetisches Team gebildet, um das komplizierte Geflecht eines wichtigen politischen Abschnitts von beiden Seiten her darzustellen. Willy Brandt hat in seinen Erinnerungen bewußt weiße Flächen gelassen: »Das mußt du erzählen.« Persönliche und politische Freunde haben gedrängt. Richard v. Weizsäcker schalt mich freundlich einen Tiefstapler; ich hätte doch viele draußen wie drinnen so geführt, daß ihnen gar nichts anderes übrigblieb, als zu folgen.

Auch ohne den Ehrgeiz, im Rampenlicht zu stehen, war es mir vergönnt, einen Beitrag zu leisten, ohne den ein geschichtlicher Abschnitt jedenfalls nicht so verlaufen wäre, und dabei die Erfahrung zu machen, wieviel von der europäischen Mitte her zu bewegen war.

Ostpolitik kann zwischen Bau und Fall der Mauer datiert werden. Das ist ein überschaubarer, abgeschlossener Zeitrahmen, nur erklärbar freilich durch den Vorlauf seit dem Datum des 8. Mai 1945, der wiederum ein Ende und einen Anfang markiert. Die Elemente aus dem Ende der Teilung und dem Anfang neuer deutscher Einheit haben sich zu vermischen begonnen, der Vermählung zweier Flüsse vergleichbar, noch unterscheidbar für lange Zeit im Strom der Geschichte, die am 3. Oktober 1990 begonnen hat. Geschichte kennt keine Stunde Null.

Zeitgeschichte verklammert Abschnitte, die im Abstand einmal als unterscheidbare gewachsene Ringe am Stamm der Entwicklung erkennbar sind. Der Zeitzeuge kann erzählen, wie er erlebt hat, was im Rückblick aussieht, als hätte es einfach so und nicht anders kommen müssen. Er kann berichten, daß und wie große Politik von Menschen gemacht wird, die nicht immer groß sind und die, auch wenn sie bedeutend sind, abhängig bleiben von Schwächen und Zufällen. Er kann nicht zuletzt deutlich machen, sofern die Kraft der Erinnerung reicht, wie das eigene Denken sich im Laufe der Jahre verändert hat, eingeschlossen die eigenen Irrtümer, Hoffnungen und Enttäuschungen. Sofern das gelingt, wird er zu einer Quelle, relevant für Historiker nicht nur durch die Verwendung bisher unveröffentlichter Papiere, sondern auch durch die Wiedergabe von Erinnerungen, die nicht aus Akten zu erfahren sind.

Als Handelnder wie als Beobachter habe ich den Weg verfolgt, der von Berlin über den langen Umweg Bonn nach Berlin zurückführte, der Stadt, von der aus wieder die Geschicke Deutschlands zu lenken sein werden, das geeint noch nie so klein war. Es war zugleich der Weg, der von der bedingungslosen Kapitulation über die von den Siegern geliehene Souveränität zweier Staaten zur völkerrechtlichen Selbstbestimmung über das eigene Schicksal führte, vom Objekt zum Subjekt unter den Völkern.

Nicht nur in den eigenen Lebensstationen spiegelt sich diese Entwicklung zwischen Berlin und Bonn, auch das Lebensgefühl machte sie durch: vom Befehlsempfänger, der strammzustehen hatte, über den kleinen Reporter, der innerlich eine Habtachtstellung vor der Autorität einnahm, in der er Pieck oder Schumacher, Adenauer und McCloy anhörte. Die Anpassung war ihm nicht fremd, die nötig oder klug war, und sie blieb, selbst nach der Erkenntnis, daß andere auch nur mit Wasser kochen, Intelligenz keine Nationaleigenschaft ist, Dummheit nicht einmal Vertreter mächtiger Staaten verschont und kleine Staaten es leichter haben, weise zu sein. Von der Unabhängigkeit des Denkens bis zum selbstverantworteten Handeln ist dann noch einmal ein großer Schritt.

Um möglichst direkt zu den interessanten Dingen zu kommen, beschränke ich mich, was Herkommen und Hintergrund angeht, auf Streiflichter, die für das Verständnis des Späteren wichtig erscheinen.

1. KAPITEL

Es fing so harmlos an

Von der Werra zur Elbe

Treffurt an der Werra liegt in Thüringen, im grünen Herzen Deutschlands. Die Stadt, mindestens 150 Jahre älter als Berlin, hatte einen Roland und etwas weniger als 3500 Einwohner, als wir nach Torgau »wegmachten«, 1928. Als ich zurückkam, 55 Jahre später, im gesetzten Alter von 61, fand ich alles wieder, fast unverändert. Angeblich hatte die Großmutter eine Laus auf dem Kissen des Säuglings gefunden und vorausgesagt, der Junge würde einmal weit herumkommen. Daß dazu Afrika, Amerika, Asien und Rußland gehören würden, hat sie sicher nicht gedacht. Jedenfalls hatten sechs Jahre Kindheitserinnerungen gereicht, um mich sofort zurechtzufinden zum Geburtshaus. Plötzlich fiel mir der Name des Bauern ein, gegenüber, dem ich beim Schlachten zugesehen hatte. Außerdem hatte ich das Schiebefenster zwischen Küche und Stall als praktisch empfunden; wenn es offen stand, sah die Kuh herein. Im Torbogen auf der anderen Seite der Straße lehnte ein Mann. Ich fragte: »Kann es sein, daß hier einmal die Familie Urban gewohnt hat?« Eine tiefe Stimme antwortete: »Mein Name ist Urban.«

Sonst war fast niemand auf der Straße, aber hinter den Fenstern sehr wohl. Einige winkten. Von Hermann Axen hatte ich die Genehmigung zum Besuch des Geburtsorts »geschenkt« bekommen, dazu einen freundlichen Begleiter. Die gute Arbeit der »Organe« war offensichtlich. Sie hatten dafür gesorgt, daß die Straßen leer waren, aber gleichzeitig der Termin verbreitet wurde, wann »er« kommt.

Dem Kopfsteinpflaster hatte die Zeit nichts anhaben können. Zum

15

erstenmal wurde die Vorstellung faßbar, daß es wirklich noch benutzbare Straßen geben kann, die einmal die Römer angelegt hatten. Treffurt mit noch immer knapp 3500 Einwohnern, lag inzwischen einen Kilometer hinter der Grenze, also in der Sperrzone, so idyllisch und ruhig, wie es sich seine Bewohner gar nicht wünschten, die sich fast im Niemandsland fühlen mußten.

Als die Grenze fiel, zog ich mit ein in Treffurt, das diesmal von Menschen wimmelte, die mit strahlenden Gesichtern einen Sohn der Stadt begrüßten. Auf dem Markt umarmte mich unter Freudentränen eine ältere Frau. Ich drückte sie an mich, glücklich, stellvertretend für das ganze Land, das bald nicht mehr DDR heißen würde.

Während der zehn Jahre in Torgau wurde ich zu einem bewußt denkenden Menschen und dabei von einem Sopran zum Baß. Schon in der Schule waren wir stolz, Preußen zu sein, obwohl die Provinz Sachsen-Anhalt hieß. Daß der Landkreis Torgau sich nach der Einheit mehrheitlich für die Zugehörigkeit zu Sachsen aussprach, habe ich mit Kopfschütteln zur Kenntnis genommen. Der Alte Fritz hätte die Schlacht verloren, wenn Ziethen nicht aus dem Busch gekommen wäre; trotzdem wurde dem großen Friedrich und nicht seinem Husarengeneral ein Denkmal gebaut. Ein weiteres an der Elbe erinnert heute daran, daß sich im April 1945 amerikanische und sowjetische Soldaten die Hände reichten, damit die Stadt ihren Platz in der Geschichte nicht verliert.

1928 pflegten zwei Schwadronen des feudalen Reiterregiments 10 ihre Tradition, bis bei Hitlers Aufrüstung das ganze Regiment in die frühere Festung verlegt wurde. Von der Veranda im dritten Stock beobachtete ich, wie die Pferde gestriegelt wurden, und nach den Treibjagden im Herbst, wenn volle Esquadrons über die Elbauen dröhnten, durften wir Jungen schon mal die Pferde durch das Glacis in die Ställe reiten, deren Besitzer mit ihren Damen in Equipagen davonfuhren. Zuweilen machte ich mit den Eltern einen sonntäglichen Ausflug in einem Jagdwagen oder einem Landauer, vom Regiment gestellt, saß stolz auf dem Bock und kutschierte im Wald.

Dieses Privileg verdankten wir meinem Vater, der sein schmales Lehrergehalt durch Stenographieunterricht in der Heeresfachschule aufbesserte. Er war ein begeisterter und begeisternder Pädagoge, der sich der schönen Aufgabe widmete, Sonderbegabungen schwer erziehbarer Kinder zu entwickeln. Ich lernte jedenfalls nur durch Zuhören

Stenographie, die ich, ohne nachdenken zu müssen, bald so schrieb wie andere ihre Langschrift. Das war schon in der Schule, später als Journalist und danach in der Politik ungeheuer nützlich. Die Tausende von stenographischen Notizen, die sich im Laufe von Jahrzehnten angesammelt hatten, wurden allerdings eine mehrfach verfluchte Last, als sie ausgewertet werden sollten. Im Steinbruch zu arbeiten, macht nur bedingt Spaß, selbst wenn köstliche Funde und längst Vergessenes dabei auftauchen.

Ein Test für die Bildung von Pastoren bleibt, ob sie wissen, wo Martin Luther die erste evangelische Kirche eingeweiht hat. Es war in Torgau – die Schloßkirche – und nicht in Wittenberg. Den näselnden Klang alter Kupferpfeifen in der kleinen Schloßkirche habe ich noch im Ohr. Johann Walther hatte dort mit Melanchthon das erste evangelische Liederbuch herausgegeben und einen Chor gegründet, der in mehr als 400jähriger Tradition jeden Sonntag den Gottesdienst mit einem Introitus und einer Motette bescherte. Ich war ein begeisterter Sänger, durfte sogar Soli in strahlend hellem Sopran schmettern oder verklingen lassen in der riesigen Hallenkirche St. Marien; natürlich nicht, wenn wir mit dem Gewandhausorchester Oratorien aufführten, wie Haydns *Schöpfung*. Noch heute kann ich Passagen aus der *Missa solemnis* auswendig, allerdings nur im Sopran, der langsam über Alt und Tenor in den Baß rutschte, ohne Stimmbruch. Zudem verdiente ich mein erstes Geld durch Singen. Die Zinsen einer Stiftung wurden alle sechs Monate verteilt und ergaben für die Jüngeren etwas unter fünf Mark, für die Älteren bis zu 17 Mark. Das war viel Geld; denn für fünf Pfennige konnte man eine Schnecke, einen Amerikaner, eine große Tüte mit Waffelbruch oder Erdnüssen erstehen. Später wurde es interessanter, für zehn Pfennige vier Lloyd-Zigaretten in einem Päckchen zu kaufen, das sogar noch Flottenbilder enthielt. Zum Rauchen fühlten wir uns verpflichtet, jedenfalls in der Form des Kalumets, einer »entliehenen« väterlichen Pfeife.

Meinen Musiklehrer Adalbert Möhring verehrte ich. Er war ein begnadeter Kantor und Komponist. Nie habe ich eine anrührendere Orchestrierung von »Stille Nacht« gehört als die seine. Zwischen uns war ausgemacht, daß ich Musik studieren würde, obwohl mein Vater das als brotlose Kunst bezeichnete. Daraus wurde nichts. »Schade«, meinte nicht nur im Scherz ein Kontrahent der CDU, Alois Mertes, ein paar Jahrzehnte später.

17

Seit Torgau begleitete mich der ungewöhnliche Dreiklang von Soldaten, Stenographie und Musik.

Als Soldat Schwein gehabt

Dissonanzen blieben nicht aus. Mein Vater befand 1933: »Die Nazis, das bedeutet Krieg.« Das stimmte aber nicht. Im Gegenteil: Es wurde immer besser. Die Arbeitslosen, die an Straßenecken herumstanden, verschwanden ebenso wie die Kommunisten mit ihren Schalmeien und blauen Hemden. Die Umzüge der Braunhemden waren zwar auch nicht sympathisch, aber dafür fand ich Reichswehr und Rheinland-Besetzung prima. Von Krieg keine Rede. Schwer verständlich, warum der Vater deprimiert war, als Ausländer dem »Führer« bei den Olympischen Spielen ihre Aufwartung machten; das Stadion war herrlich, der Medaillenregen überwältigend und der Ritt unseres Torgauer Rittmeisters mit gebrochenem Arm zum Mannschaftssieg begeisternd. Ich empfand Stolz, als Österreich ins Reich heimkehrte.

In diesen Jahren wurde mir langsam bewußt, daß mit meiner arischen Abstammung etwas nicht in Ordnung war. Zu Hause wurde nicht darüber gesprochen. Auch nicht, als mein Vater, vor die Alternative gestellt, den geliebten Beruf oder die Frau aufzugeben – es war keine harmonische Ehe –, entschied, in das große Berlin zu ziehen und sich eine Beschäftigung in der Industrie zu suchen. An einem Abend auf dem Anhalter Bahnhof verabschiedeten wir einen Onkel, der dort nur umstieg: Er kam aus Oranienburg auf dem Wege nach Schanghai und erwähnte zum erstenmal die zwei Buchstaben KZ. Das volle Haar war abrasiert, und die beiden bewunderten Goldzähne fehlten.

Für sich selbst grübeln und besinnen: Stimmte vielleicht wissenschaftlich etwas an der Rassentheorie, selbst wenn die Gesetze schrecklich waren? Und die Konsequenzen für mich? Natürlich rangiert das Schicksal des Landes vor dem persönlichen Interesse. Mußte ich also den Erfolg unserer Regierung wünschen, auch um den Preis von Elend, vielleicht Untergang der Familie? Geriet ich aber dann in Widerspruch zu humanistischen Grundsätzen? Wo blieb andererseits das von den Engländern verkündete Prinzip »right or wrong my country«? Hielten wir nicht wiederum den Lehrer, der gerade diese Haltung an den Engländern gepriesen hatte, für den einzigen Nazi an der Schule? Aber als anständigen Menschen hatte ich ihn doch kennengelernt? War der Widerstreit der Gefühle am Ende gar der Spiegel vom Widerspruch verschiedener ethischer Maximen? Wo lag dann der Archimedische Punkt, der Klarheit über falsch und richtig und Gewißheit über Recht und Unrecht brachte? Die Entscheidung wurde mir durch das abgenommen, was man Geschichte nennt.

Das schien mir damals klar: Die Sache mit der Tschechoslowakei hatte Adolf gut gemacht; München brachte sogar die Zustimmung der Engländer und Franzosen. Was will man mehr? Dieser unrühmliche polnische Korridor mußte noch beseitigt werden; das beendet dann auch die Zwitterstellung Danzigs, und wenn dann noch das Memelland kommt, reicht es wirklich für das großdeutsche Reich. Mehr wäre unheimlich; der Mensch versuche die Götter nicht. Der Pakt mit Stalin ist ein toller Coup. Unangefochtene demokratische Überzeugung und die Beteuerung, ich hätte es immer gewußt, kann ich mir im Rückblick nicht bescheinigen.

Nun war also doch Krieg. Aber die neue väterliche Prophezeiung, ihn nicht gewinnen zu können, erschien ziemlich unwahrscheinlich. Denn Polen in zwei und Frankreich in sechs Wochen besiegt, wofür beim letztenmal vier Jahre nicht gereicht hatten, nicht zu vergessen kurz zuvor noch Dänemark und Norwegen mit der kühnen Fahrt unserer Zerstörer nach Narvik – wer könnte das Reich gefährden? Die Sowjets sicher nicht, wie ihr beschämender Winterkrieg gegen die kleinen Finnen bewies.

Die jüdische Großmutter lebte inzwischen illegal in einer Laubenkolonie in Berlin-Köpenick. Sie erlitt einen Schlaganfall, der sie linksseitig lähmte. Wir überlegten, an welcher Stelle wir sie nachts im Garten verbuddeln würden, falls sie starb.

Krieg, den Vater aller Dinge, hatte ich mir ganz anders vorgestellt. Dieser Krieg enttäuschte den Sechzehnjährigen, jedenfalls zu Beginn. Statt die Würfel des Schicksals nun unmittelbar rollen zu lassen – immerhin konnten schließlich die anderen auch zurückschießen –, kamen nicht einmal die erwarteten Bomber. Die Luftschutzkeller blieben unbenutzt. Die Philharmoniker musizierten weiter unter Furtwängler, Theater und Kinos änderten ihre Spielpläne nicht, die Konditoreien boten Gebäck und Torten an, die Lebensmittelkarten brachten ab Kriegsbeginn kaum Einschränkung. Sogar die Schule ging weiter. Im Inneren wurde gelebt und draußen kurz, heldisch und siegreich gekämpft. Ich hatte mir Krieg vom ersten Tage an ernster und entschieden härter vorgestellt.

Der Vater war sofort eingezogen worden, schrieb erst langweilig aus Westfalen, später interessant aus der Bretagne und kehrte zurück, nachdem irgendwo befunden worden war, er würde in der Rüstung wichtiger sein denn als Sanitätsunteroffizier. Die Mutter, der eigentliche Stein des Anstoßes, blieb unbehelligt zu Hause, bis zum Ende. Dafür meldete ich mich freiwillig zur Luftwaffe, um der erwarteten Einberufung zuvorzukommen: besser fliegen als laufen.

Ganz besonders nach dem 22. Juni 1941. Als ich an jenem sommerblauen Tag zum erstenmal die Rußland-Fanfare im Radio hörte, eine meisterhafte Nutzung von Liszts *Les Préludes,* war es wie die Ankündigung eines Erdbebens, das titanische Kräfte freisetzt. Von diesem Augenblick an war der Krieg verloren, und keine Siegesfanfare und keine Meldung Hunderttausender von Gefangenen konnte an dieser Gewißheit Zweifel wecken. Stalingrad war »nur« die erwartete erste Bestätigung. An der väterlichen Klugheit würde nie mehr zu zweifeln sein. Nach dem Abitur und bestätigtem Studiumsverbot hatte ich bei Rheinmetall Borsig eine Lehre als Industriekaufmann begonnen. Die wurde nun für zwei Jahre unterbrochen.

Nur kurz die Stationen: Harte Infanterieausbildung, Schleiferei eingeschlossen in einem belgischen Ort an der flämisch-französischen Sprachgrenze, plötzliche Verlegung nach Rendsburg, wochenlanges Warten (»geht alles vom Krieg ab«) bis zum Verlust der gelben Fliegerspiegel. Statt dessen die roten der Flak. Mit dem Kommando »alle Abiturienten rechts raus« begann die Versetzung nach Zingst auf dem Darss zu einem Offiziersbewerberregiment und die Ausbildung am 2-cm- und 3,7-cm-Geschütz, Vierling und 60-cm-Scheinwerfer, gefolgt vom Unteroffizierslehrgang und der schönsten Zeit: Kraftfahrzeugausbildung in Neubiberg, wobei Nachtfahrschule in München besonders beliebt war mit der Ausgehuniform unter der Kluft. Damit war ein Jahr vorbei.

Das Wichtigste im Krieg ist für den Soldaten das Glück. Ich hatte es. Die Papiere für die Frontbewährung im Mittelabschnitt in Rußland waren schon ausgestellt, als es dem Führer und Reichskanzler gefiel, in das unbesetzte Frankreich einzumarschieren. Also wurden zwanzig

Fahnenjunker umdirigiert. Man findet sie am leichtesten, indem man die ersten zwanzig Namen der alphabetischen Liste abstreicht. Der Buchstabe B steht weit genug oben. Also statt Minsk zur Frontleitstelle Brüssel. Dort bekam ich das angenehme Kommando über vier weitere Fahnenjunkerunteroffiziere, Bestimmungsort Flakuntergruppe Dieppe. Der direkte, wenngleich nicht der nächste Weg dahin führte über Paris, wo wir beschlossen, den Zug nach Dieppe zu versäumen, um 24 Stunden Paris zu sehen und zu genießen; letzteres nur begrenzt mit zehn Mark in der Tasche. Dafür der Blick auf das tief gelegte Grab Napoleons, das jeden Besucher zwingt, sich vor dem großen Korsen zu beugen. »Ihr Führer war auch hier«, lächelte der französische Guide. Preußische Knobelbecher auf den Champs-Elysées – das konnte nicht von Dauer sein. In Dieppe wurde uns aus den Stellungen der Steilküste gezeigt, wo und wie die Engländer und Kanadier zusammengeschossen worden waren, die glücklicherweise ihren erkundenden Landungsversuch vier Wochen vorher unternommen hatten. Fünfunddreißig Jahre später sah ich die Stadt wieder, viel schöner, nicht nur vom Deck eines französischen Frachters, der Bananen aus der Karibik brachte; es gab auch mehr Deutsche als während des Krieges in den Restaurants am Strand. Sie trugen bequeme Straßenschuhe. Die Verpflegung war auch besser. Wozu der Krieg?

Die Vierlingsbatterie, der ich zugeteilt war, lag in gut ausgebauter Stellung zum Schutz eines Flugplatzes bei Abbéville und wurde eines Nachts verlegt – nur das Regiment hatte noch Fahrzeuge –, auf ein freies Feld abgesetzt und mußte sich eingraben. Am Waldrand hinter uns entdeckten wir eine V-1-Abschußrampe. Der Maquis, französische Partisanengruppen, sorgte dafür, daß nach Abschluß der Bauarbeiten unverzüglich die Engländer kamen, mit Tieffliegern und Bombern. Nach einigen Tagen waren sie erfolgreich. Am Silvesternachmittag 1943 wanderte ich über ein freies Feld mit der letzten Post des Jahres und hing Gedanken nach, plötzlich gestört durch bekanntes Motorengeräusch. Eine Mustang kam direkt auf mich zu und schoß. Winzige Unebenheiten im Rasen können etwas Wundervolles sein. Beim Aufrappeln bemerkte ich, daß der Tommy eine Schleife zog, zurückkam und Jagd machte, noch zweimal. Welch eine Gemeinheit am letzten Tag des Jahres. Wut balancierte die Angst, als er endlich abschwirrte. Schwein gehabt.

Wir hatten einmal eine lahme viermotorige Liberator abgeschossen. Trümmer und Leichen sahen ziemlich scheußlich aus. Aber beim Anblick der aufgemalten Bomben neben dem Wort »Berlin« am Leitwerk empfand ich weder Abscheu noch Bedauern, sondern Genugtuung. Vielleicht war diese Maschine der Grund für das Ausbleiben der Post aus der Heimat. Der Firnis der Zivilisation blättert im Krieg leicht.

Die Kriegsschule machte Spaß. Noch Jahre danach ertappte ich mich bei der Betrachtung von Landschaften, nach dem taktisch günstigen Standort für Geschützstellungen zu suchen. Eines Tages teilte mir der Vater brieflich mit, das Gau-Sippenamt hätte sich nach mir erkundigt. Meine Meldung quittierte der Kommandeur: »Das ist eine große Schweinerei« und suspendierte mich sofort vom Dienst. Ein Kriegsgerichtsverfahren wegen versuchten Einschleichens in die Wehrmacht wurde niedergeschlagen. Es stellte sich heraus, daß keine der zahlreichen Dienststellen sich die Wehrstammrolle angesehen hatte, in der die Abstammung vermerkt war. Außerdem bekam ich, inzwischen zum Oberfähnrich eingereicht, eine sehr gute Beurteilung. Bis auf den NS-Führungsoffizier haben sich die Offiziere der LKS 6 in Kitzingen am Main anständig verhalten.

Die Entlassung war für den 21. Juli vorgesehen. Da nach dem Attentat am 20. Juli eine Entlassungssperre verhängt worden war, wurde ich erst Anfang August dienstverpflichtet, zu Rheinmetall Borsig, nicht ins Stahlwerk oder die Gießerei, sondern in den vornehmen Stahlverkauf, um die Lehre als Industriekaufmann abzuschließen. Der Wehrunwürdige durfte zwar kein Gewehr mehr tragen, aber die Rüstungsproduktion des Werkes verteilen; die Transportwege wurden immer kürzer. Ich war also wieder zurück bei Muttern, dafür wurde der Vater durch eine »Aktion Mitte« zur Organisation Todt geholt.

Als die Evakuierung Ostpreußens begann, schickten gute Bekannte aus Elbing Evakuierungspapiere für die Großmutter – nur den neuen Namen mußte sie lernen – und teilten den Zug mit, der sie zum Umsteigen nach Berlin bringen würde. Wir brauchten nur noch einen Rollstuhl zu besorgen und konnten zur rechten Zeit auf dem Bahnsteig Großmutter samt Gepäck und Papieren der Inneren Mission übergeben, die sie ins Erzgebirge brachte. So wurde sie wieder legal und überlebte.

Meine Mutter und ich fanden bei meiner späteren Frau und ihren Angehörigen Unterschlupf in Tegel Ort, einer Halbinsel, von Wald umgeben, vor den Toren Berlins, schwer zu verteidigen, also unnötig anzugreifen – wie auf der Kriegsschule gelernt. Dort erlebten wir die unwirkliche Phase zwischen nicht mehr Krieg und noch nicht Frieden. Die Wehrmacht weg, und die Russen nicht da. Das Grollen der Geschütze und den Widerschein der Brände über Berlin bei Nacht. Mit Schaufeln, Säcken und Handwagen versorgte sich wer konnte mit braunem Zucker aus einem Kahn, der am Tegeler See auf das Ende wartete. Mit der Stadt konnte man noch telefonieren (»Sind sie schon da?«), und die Elektrizität funktionierte. Das fiel erst auf, als sie fehlte. Inzwischen waren aber die Iwans schon ein paar Tage da. Die bedingungslose Kapitulation konnten wir noch im Radio hören. Sie hat mich viel weniger beschäftigt als die Erlebnisse mit den Siegern. Ich erinnere mich nur an zwei Gedanken am 8. Mai: »Na endlich« und »Hoffentlich hat es das Väterchen überlebt.«

Der erste Ausflug, um festzustellen, wie es in der Wohnung in Weißensee aussah, führte mich über den Antonplatz. Schräg gegenüber dem Ufa-Theater hatte es ein kleines Kino gegeben. Es war ausgebrannt. Aber von Trümmern und herabhängenden Oberleitungen umgeben, war noch der Titel des letzten Films zu erkennen, trotz fehlender und schief hängender Buchstaben »Es fing so harmlos an«.

Es verging viel Zeit bis zu der Erkenntnis, daß die meisten elementaren Ereignisse, Veränderungen, geschichtlichen Abschnitte harmlos anfangen, zuweilen nur im Gehirn eines einzelnen Menschen.

Wirkliches, praktisches und echtes Leben

Wer damals vorausgesagt hätte, die Deutschen würden fünfzig Jahre später darüber diskutieren, ob sie 1945 besiegt oder befreit worden seien, wäre ausgelacht worden. Es war doch alles ganz klar: Elend und Neuanfang untrennbar. Man konnte mit den Händen greifen: Nachdem Hitler den Krieg begonnen hatte, wurde die Niederlage des eigenen Landes der Preis für die Befreiung; denn wir selbst hatten es ja nicht geschafft, das ewige Deutschland vom Nazismus zu trennen. Wer war denn damals erstaunt über das, was passierte? Ich habe niemanden getroffen, der sich wunderte, wenn Russen wegschafften, was ihnen gefiel, Fahrräder wegnahmen und wie Kinder dauernd klingelnd über die Straßen kurvten. Goebbels hatte es vorausgesagt, aber ich habe niemanden gehört, der darüber geklagt hätte, daß er einmal nicht gelogen hat. Etwa nach der Art: Wenn schon der Endsieg ausbleibt, werden auch Frauen nicht vergewaltigt werden.

Die Angst trieb eine Schwangere unter das Bett. Als die Gefahr vorbei war, mußte es angehoben werden, um ihr hervorzuhelfen. Zur Nacht stiegen die Frauen über Leitern auf den Heuboden, die am Morgen wieder angelegt wurden. In der Nachbarschaft wurde ein Soldat erschossen, ein Offizier hatte zufällig bemerkt, wie der Junge eine Frau nehmen wollte. Solche Offiziere tauchten selten auf.

Die meisten Ärzte haben selbstverständlich geholfen, um wenigstens die physischen Folgen erzwungener Empfängnis zu verhindern, psychische blieben oft. Wie viele Mütter mag es geben, die solche Kinder des Krieges austrugen, liebevoll großzogen und die heute unter uns leben, nicht nur in Deutschland? Dem Unbekannten Soldaten werden viele Kränze gewunden, ein Denkmal der Unbekannten Mutter gibt es nicht.

Die Erinnerung produziert zwei prägende Eindrücke jener seltsamen Zeit. Zum einen: In schwierigen Situationen kommt es weniger auf Bildung und Wissen an als auf Charakter und Mut. Zuverlässigkeit ist entscheidend, und die ist oft bei einem Arbeiter eher zu finden, jedenfalls nicht weniger als bei einem Akademiker. Die humanistische Bildung ist ein Geschenk, das nicht zu Überheblichkeit berechtigt. Diese Erkenntnis war wichtig und nötig für einen, der wie viele andere Abiturienten nicht nur glaubte, alles Wichtige zu wissen, sondern auch schwer verstehen konnte, warum die sogenannten Erwachsenen noch Schwierigkeiten hatten, die anstehenden Probleme zu lösen. Eigentlich und theoretisch erschien alles relativ einfach. Man mußte nur dem Verstand folgen.

Schon vorher gab es keinen Zweifel: Wenn du das tausendjährige Reich gesund überstehst, wirst du und mußt du alles tun, damit sich so etwas nie wiederholt. Das bedeutet, sich für die Res publica, die öffentlichen Dinge, Stadt und Staat, zu engagieren. Die Herrschaft des Volkes, Demokratie genannt, lebt vom Engagement ihrer Bürger. Wie macht man das?

Das Wissen des Industriekaufmanns von Stahlqualitäten war ebenso wenig gefragt wie die Neigung zur Musik; denn ich mußte schlicht Geld verdienen. Wir hatten fast alles ausgegeben; denn es würde bald nichts mehr wert sein. Dieser Auffassung waren jedenfalls auch Russen, die Reichsmarkscheine lachend von einem Lastwagen auf die Straßen warfen, ohne daß sie jemand aufhob.

Schreiben konnte ich; auch dieser Irrglaube wies den Weg. Die erste Zeitung hieß *Tägliche Rundschau* und wies sich als Organ der sowjetischen Streitkräfte aus, kam also nicht in Frage, übrigens erkennbar am Format auf den Maschinen des *Völkischen Beobachters* gedruckt, dem Blatt der NSDAP. Die nächste nannte sich *Berliner Zeitung* und unabhängig. So machte ich mich mit einem Kanten Brot auf den stundenlangen Weg von Weißensee nach Neukölln, durch Trümmerfelder und über Straßen, die zu Trampelpfaden zwischen Schuttbergen geschrumpft waren. Am Hermannsplatz hatte sich die Redaktion hinter dem zerstörten Karstadt-Gebäude etabliert. Die Naivität ließ mich staunen: Chefredakteur ein Major Kirsanow, Stellvertreter ein Hauptmann Feldmann. Später unterschieden wir zwischen dem Moskowiter Apparatschik und dem zugänglichen, eleganten Petersburger. Der erste Deutsche, den ich sprach, hieß Helmut Kindler. Er sollte ein großer Verleger werden. Da ich nichts vorzuweisen hatte, trottete ich müde nach Hause, immerhin mit der Aufforderung, aus Weißensee zu berichten, was interessant genug schiene. Das war der Anfang.

Ein Nachbar, Ingenieur, von den Russen für irgend etwas eingesetzt, nahm mich zu »seinem« Offizier mit. Wir trafen ihn in einer beschlagnahmten Wohnung. Auf dem Wohnzimmertisch schmutziges Geschirr und Essensreste. Er nahm die vier Ecken des Tischtuchs zusammen, zog sie hoch, drehte alles zu einem Bündel zusammen, das er elegant und vorsichtig auf dem Fußboden abstellte. Er holte ein neues weißes Tischtuch, schnitt darauf eine ganze Stange harter Salami (seit sehr langer Zeit entbehrt) in dicke Scheiben und zeigte uns: Man häufe auf jede Scheibe einen kleinen Berg Pfeffer, schmiere ihn mit Senf zu und beginne zu kauen. Das Brennen wird mit Wodka gelöscht. Das machte auch den Wodka milder. Das Gespräch begann mit Plänen für Weißensee und wendete sich später Gott und der Welt zu, ohne daß ich mich noch genau daran erinnern könnte.

Ein Zufall verschaffte den Auftrag, über ein erstes Wiedersehen ehemaliger KZ-Häftlinge zu berichten, das im großen Sendesaal des Funkhauses an der Masurenallee stattfand. Die kamen zum Teil noch in ihrer gestreiften Kleidung und umarmten einander. Die ärmliche Kleidung des Orchesters tat der Wirkung der 6. Sinfonie von Tschaikowsky keinen Abbruch. Im Gegenteil: Umgebung und Anlaß ließen das Werk ganz anders hören und verstehen als in der Schule, wo wir – immerhin – diese Musik durchgenommen hatten. Mein Bericht bescherte einen Propusk in deutscher und russischer Sprache, der mich und mein Fahrrad als Reporter der *Berliner Zeitung* auswies. Dennoch mußte man vorsichtig bleiben. Es sollte schon vorgekommen sein, daß eine Kontrolle mit dem Ergebnis endete: »Du Propusk – ich Fahrrad.« Jedenfalls gab das Gefühl Auftrieb, nun den Spuren des rasenden Reporters Egon Erwin Kisch zu folgen.

Dabei erwies sich die naheliegende Idee als fruchtbar, zur Quelle städtischer Nachrichten zu radeln, dem Magistrat, der hinter dem unbenutzbaren Roten Rathaus in der Parochialstraße untergekommen war. Ich war jedenfalls der erste Journalist, der ein Interview vom Oberbürgermeister Dr. Ing. Arthur Werner erbat, einem älteren, angenehmen Mann, der bald vorschlug, ich sollte doch an den Sitzungen des Magistrats teilnehmen. Das war zweifellos praktisch, zumal der Vorteil des Nachrichtenmonopols trotz vorsichtiger Nutzung den Ruf meiner Tüchtigkeit förderte. Dennoch konnte das nicht lange gutgehen. Karl Maron, zuständig für Inneres, natürlich zuverlässiger Kommunist (viel später erfuhr ich, daß er der Stiefvater von Monika Maron war), fragte schneidend und mit dem Finger auf mich zeigend: »Wer ist der?« Die freundliche Erklärung des Oberbürgermeisters half nichts. »Der muß raus!« hieß es, was ich sogar verstehen konnte.

Das hinderte nicht am Aufstieg und erster Bekanntschaft mit der großen Gesellschaft. Aus welchem Anlaß auch immer fand ein großes Bankett im Funkhaus statt. Die Tische bogen sich sozusagen unter lange nicht mehr oder noch nie gesehenen Delikatessen. Generaloberst Bersarin, so populär wie ein Stadtkommandant nur sein konnte, präsidierte, sprach kurz und lächelte. Natürlich entging ihm nicht, wie sich die ausgehungerten Deutschen über die Tafel hermachten. Mein Nebenmann packte zwei gebratene Hühnerschenkelchen in eine Serviette und steckte sie sich in die Hosentasche.

Bei einer Einladung des Oberbürgermeisters fand ich mich als Tischherr von Olga Tschechowa, die von der Leinwand in die Wirklichkeit herabgestiegen war, mein Schwarm. Was machte es, daß sie unerreichbar blieb, nachdem ich ihr so nahe gewesen war? Grau in Gesicht und

Kleidung, langsam und müde stieg eine Frau die Treppe zur Redaktion hinauf. Ich erkannte sie fast nicht, Marianne Hoppe. Sie fragte, ob wir etwas für ihren Mann Gustaf Gründgens tun könnten.

Fritz Erpenbeck, in der Redaktion auch wegen seines interessanten Romans *Die Gründer* hoch angesehen, forderte mich auf, mit ihm zusammen bei der Vorbereitung einer neuen Zeitung zu helfen. Das war ehrenvoll und machte Spaß. Eines Abends beim Gang durch die Setzerei stellte ich fest, wobei ich half. Es war die *Deutsche Volkszeitung*, das Zentralorgan der KPD. Mir wurde mulmig, als der Chefredakteur, Paul Wandel, später Kulturminister der DDR, mir den Schriftleiterposten für den Berliner Teil anbot. Der Naziausdruck Schriftleiter statt des demokratischen Redakteurs war noch geläufig. Auf meinen Einwand, ich sei nicht Mitglied der Partei, wurde mir ein freundliches Gespräch nahegelegt, an dem auch Anton Ackermann teilnahm, ideologisch routiniert, was ich von mir wirklich nicht behaupten konnte. Innerhalb von zwanzig Minuten hatten mich beide so an die Wand geredet, daß mir nur der gar nicht heldische Rückzug blieb, ich müsse mir den Parteieintritt noch überlegen. Erpenbeck war verständnisvoll und übermittelte dann mein Nein. Also zurück zur *Berliner Zeitung*.

Es wäre übertrieben zu behaupten, meine Entscheidung sei das Ergebnis einer gefestigten Position gewesen. Ich wollte nicht überrumpelt werden, mich nicht vereinnahmen lassen. Wolfgang Leonhard kam mit Schulung und Auftrag aus Moskau, wußte also, was er sollte und wollte für seine Partei. Ich dachte nicht daran, nach vielleicht verborgenen strategischen Absichten zu forschen. In der ganzen Stadt war die Erklärung Stalins zu lesen: »Die Hitler kommen und gehen – das deutsche Volk bleibt bestehen.« Sie beruhigte. Übereinstimmend damit wollte nicht einmal die KPD das sowjetische System auf Deutschland übertragen. Im praktischen Leben kam es auf anderes an: Erst mal die Trümmer aufräumen, dann mit dem Aufbau beginnen, Wasser- und Elektrizitätsleitungen reparieren und die Versorgung sichern, was nicht ohne Hilfe der sowjetischen Besatzung möglich war. Den Menschen mußte Mut gemacht werden; die Selbstmordraten waren hoch genug. Die Trümmerfrauen klopften Steine und fragten nach Zuteilungen auf ihre bessere Lebensmittelkarte II, nicht nach deutscher Politik. Der Bedarf nach Parteien war ohnehin gedeckt. Die politischste »deutsche« Formulierung, die in meinen Artikeln für die *Berliner Zeitung* zu finden ist, bezeichnet die Verwaltung als »Lehensträger der Siegermächte«. Das war die Realität.

Im wirklichen Leben wurde noch schnell geheiratet; denn es war nicht ratsam zu warten, bis der Vater zurück war. Fünf Wochen später kam der Sohn auf die Welt. Die Straßenbahn brachte uns zum Standesamt. Unterwegs stieg eine Frau zu, unter dem Arm einen kleinen Sarg, auf dem Weg zum Friedhof. Unser Sohn bekam als Folge von Ernährungsschwierigkeiten offene Beulen, kanadisches Weizenmehl rettete sein Leben.

Eines Tages auf der Treppe an der Parochialstraße, wo der Magistrat sein Unterkommen gefunden hatte, sah ich die ersten Amerikaner; auf dem linken Oberarm waren sie als »war correspondent« ausgewiesen. Sie als Kollegen zu sehen, wäre ähnlich vermessen gewesen wie der Vergleich einer Tante Emma in ihrem Laden mit Direktoren eines internationalen Großkonzerns. Sie traten auf mich zu und fragten, ob ich Vergewaltigungen von Frauen durch Russen erlebt hätte. Als ich bejahte, machten sie auf dem Absatz kehrt. Und einer sagte: »Auch ein Nazi.«

Professor Hans Scharoun lernte ich als Chef der Behörde für Städtebauplanung kennen. Er breitete seine Papiere für den Neuaufbau Berlins aus und erläuterte nuschelnd seine faszinierenden Ideen, so genialisch wie die Philharmonie oder die Staatsbibliothek, die viel später gebaut wurden. Aber als Leiter einer großen Behörde war er schwer vorstellbar. Als ich dann wieder vor die Tür trat, fand ich mein Fahrrad nicht mehr. Entsetzt schritt ich die Reihe von Fahrrädern zwei-, dreimal ab. Es war geklaut. Ohne Fahrrad war ich aufgeschmissen, hilflos, nicht nur im Augenblick. Es blieb gar nichts übrig, als ein anderes Fahrrad zu nehmen, schlechten Gewissens, aber froh, nicht erwischt worden zu sein.

Mit dem Umzug der Zeitung von Neukölln in den sowjetisch besetzten Sektor verkürzten sich nicht nur die Entfernungen, die mit dem Fahrrad zurückzulegen waren. Die Berliner Zeitung bekam auch einen deutschen Chefredakteur, Rudolf Herrnstadt. Er erschien mir ebenso intellektuell brillant wie kalt. Ihm waren meine Arbeiten zu blaß und sachlich. Er gab mir den Auftrag, eine Reportage über den Aufbau, die Schwierigkeiten und Mühen der Werktätigen zu schreiben, und ließ mir dafür drei Tage Zeit. Ich war sauer, fuhr zum Alexanderplatz und sah mir eine Baugrube an, in der Arbeiter damit beschäftigt waren, die Folgen einer Sprengung zu beseitigen, durch die die SS die U-Bahn überflutet hatte. Es war nicht ratsam, da lange zuzusehen. Zu Hause schrieb ich, tief in die Harfe greifend, über Lärm und Schweiß, daß es nur so dampfte, und dachte dabei, welche Metamorphose die Ideologie von Blut und Boden durchmachte. Zwei Tage genoß ich die Sonne. Als ich mein Elaborat Herrnstadt vorlegte, lobte er: »Das ist echt. Das ist Leben.« Hier war nicht mein Platz. Helmut Kindler und ich beschlossen, einfach zu Hause zu bleiben und damit das Kapitel *Berliner Zeitung* abzuschließen. Es hatte weniger als sechs Wochen gedauert.

Lehre für Beruf und Politik beginnt

Etwa eine Woche später klingelte es an der Tür. Vor mir stand ein amerikanischer Sergeant. »Hallo, Egon, wie geht es dir?« Ich erkannte Peter nicht auf den ersten Blick; denn er war als Junge vor zehn oder elf Jahren mit seinen Eltern, mit denen wir befreundet waren, ausgewandert, erst nach Paris, dann nach Amerika; dort war er Graphiker geworden, und nun war er zurückgekehrt und hatte uns gesucht und gefunden. »Was machst du?« – »Nichts.« – »Dann komm doch zu uns, wir machen eine Zeitung.«

So kam ich ins Ullstein-Haus nach Tempelhof, durfte Major Hans Habe und Captain Hans Wallenberg, komischerweise wieder ein Major und ein Hauptmann, guten Tag sagen und wurde Peter H. Weidenreich zur Ausbildung übergeben. Ich lernte, wer, wann, wo, wie, was möglichst im ersten Satz zu beantworten, Nachricht und Meinung scharf zu trennen, vor allem kurz zu sein. Als ich eines Tages einen kleinen Artikel begann, sah er mir über die Schulter und fragte, ob ich denn die Absicht hätte, *Krieg und Frieden* neu zu schreiben. Es war eine gute Schule. Die *Allgemeine Zeitung* war eine dolle Zeitung: Ihre erste Nummer berichtete vom Einsatz der ersten Atombombe, mit der zweiten Nummer beendete sie den Zweiten Weltkrieg.

Aber ich lernte nicht nur den Grundsatz der *New York Times*: What is fit to print, also zu drucken, was nach sorgfältiger Recherche stimmt, ob's gefällt oder nicht, sondern begriff etwas viel Wertvolleres: Toleranz. Hans Wallenberg zeigte nichts Triumphierendes, wie es für den ins Ullstein-Haus zurückgekehrten Juden verständlich gewesen wäre. Ganz anders als der ziemlich unnahbare, elegante Hans Habe mit der Arroganz des Siegers. Wallenberg lehnte deutsche Kollektivschuld ab, lange bevor der erste Bundespräsident seine berühmte Unterscheidung zur kollektiven Scham fand. »Ich kann doch nicht erwarten, daß die Leute, die in einer Schlange stehen und von den Frauen abgeklopfte Ziegelsteine weiterreichen, jedesmal dem Nebenmann wiederholen: Ich bin schuldig Herr Doktor; ich bin schuldig Herr Professor.« Abverlangtes öffentliches Bekenntnis schafft wenig neue Einsicht.

An einem Abend in seinem Haus zusammen mit Ernst Lemmer, dem stellvertretenden Vorsitzenden der CDU, bekannte Wallenberg: »Ich kann nicht ausschließen, ob ich nicht Mitglied der NSDAP geworden wäre, wenn ich hiergeblieben wäre.« Das war nicht nur Verständnis für die Notwendigkeit oder Versuchung von Anpassung, es war ein doppelter Verstoß; denn nach dem Fraternisierungsverbot hätte er uns gar nicht einladen dürfen.

Über dieses Fraternisierungsverbot haben wir den Kopf geschüttelt, denn so töricht würden die Amerikaner nicht lange bleiben können, zumal der Volksmund nicht log: »Mit einer Schachtel Chesterfield da macht er meine Schwester wield.« Wir haben auch gelächelt: Nicht nur Wallenberg hatte eine deutsche Freundin. Eines Nachts kamen wir aus der Setzerei, wo das Blatt umbrochen worden war, zurück in das Zimmer des Chefredakteurs, wo ein heißer Kaffee und Donuts warteten, und Hans, mit aufgekrempelten Ärmeln, klein, rund, energisch und sprühend von Ideen, gab seiner Sekretärin einen Klaps auf den Hintern: »Wir haben heute eine gute Nummer gemacht. Gib mir einen Kuß.« Evchen lief rot an: »Aber Hans, vor allen Leuten?« Er antwortete: »Warum nicht, wir tun's ja auch, wenn wir alleine sind.« Es wurde eine glückliche Ehe.

Von der Potsdamer Konferenz war nichts zu sehen. Was zu lesen war, machte den Eindruck, es hätte schlimmer kommen können. Hauptsache, Deutschland wurde nicht geteilt. Gebietsverluste nur im Osten war bitter, aber glimpflich. Daß wir entwaffnet blieben, war schließlich selbstverständlich. Was wir produzieren durften, erschien viel angesichts der Morgenthau-Ideen von einem reinen Agrarstaat. Von hohen Reparationszahlungen keine Rede. Man hatte also aus den Fehlern von Versailles gelernt. Ein Jahr später erfuhr ich, daß die schlesische väterliche Großmutter den Transport im Viehwagen mit den Tanten und Cousinen von Waldenburg nach Westfalen gut überstanden hatte. Erst fünfzig Jahre später sah ich die polnische Wochenschau vom April 1945. Sie zeigte, wie polnische Soldaten die neue Grenze ihres Landes an Oder und Neiße markierten, drei Monate vor der Potsdamer Konferenz!

»Wir sind noch einmal davongekommen« drückte ein allgemeines Grundgefühl der überlebenden Opfer aus, der Masse der Mitläufer wie der Nazis, die plötzlich verschwunden waren und die es kaum gegeben haben konnte, wenn man sich umhörte. Der Kampf um die Seelen der Deutschen begann schnell. Jeder Sieger zeigte, was er konnte. Alles war neu, unbekannt und wurde begierig aufgesogen: die amerikanische Scheinidylle *Unsere kleine Stadt* von Thornton Wilder oder der russische Märchenfilm *Die steinerne Blume* oder Sartres *Die Fliegen;* in der Inszenierung wand sich Joana Maria Gorvin so um einen Pfahl, daß die Kolportage nicht abwegig schien, ihr Regisseur und Freund, Jürgen Fehling, hätte ihr vom Balkon laut zugerufen: »Beeil dich, ich will ficken.« Trockenes Brot in der Pfanne rösten, was macht das angesichts eines aufregenden Lebens mit seinen unbegrenzten Möglichkeiten, Einsichten und Erfahrungen. Eine neue Philosophie, Existentialismus, mußte disputiert werden. Das war erregender als der schwarze Markt. Zugegeben: Ohne die tägliche warme Mahlzeit, markenfrei, die die deutschen Beschäftigten den Amerikanern verdankten, wäre dies skurrile Nebeneinander von Fülle und Dürre weniger bekömmlich gewesen. Alle sahen aus wie Asketen, obwohl wir kulturell der Völlerei huldigten.

Antifaschisten waren alle. Nicht nur in umgekehrter Sondersituation nach verlorenem Krieg als Neuauflage der Deklaration des letzten Kaisers: »Ich kenne keine Parteien mehr, ich kenne nur noch Deutsche.« Es galt auch für die Sieger, die ihre Zusammenarbeit pflegten, vor allem gegenüber den Deutschen. Der Triumph war noch frisch: Am 25. April hatten amerikanische und sowjetische Verbände in Torgau die Reste der Wehrmacht zerschnitten und gefeiert. An demselben Tag begannen die Sieger in San Francisco ihre Suche nach einer Welt ohne Krieg. Sie sollte durch die Vereinten Nationen verewigt werden. Wendungen, die als kritisch gegenüber den Sowjets ausgelegt werden konnten, wurden in der *Allgemeinen Zeitung* nicht durchgelassen. Die Anti-Hitler-Koalition reagierte verständlicherweise allergisch, nachdem Goebbels bis zuletzt auf ein Zerwürfnis spekuliert und damit die Phantasie angeregt hatte, die Deutschen würden noch gegen die Russen gebraucht werden. Das nun bestimmt nicht.

Derartig verrückte Gedankenspielereien lagen denen fern, die sich daran machten, auf deutscher Seite politischen Willen zu organisieren. Sie fühlten sich allesamt als Antifaschisten einander politisch nahe, jene, die Lager und Zuchthäuser überlebt hatten, Sozialdemokraten und Zentrumsleute, Liberale und Kommunisten. Das Zerfleischen der Parteien, sicher ein Grund für das Scheitern der Weimarer Republik, sollte es nicht mehr geben. Da brauchte es keine Anordnung der Besatzungsmacht. Das war originär deutscher Wunsch.

Schon in den letzten Maitagen saßen Frauen und Männer zusammen, die später sehr unterschiedliche Wege gehen sollten. Otto Grotewohl und Jakob Kaiser, Ernst Lemmer und Max Fechner, Andreas Hermes und Gustav Dahrendorf berieten, ob nicht eine deutsche Arbeiterpartei gegründet werden sollte, in der als Fazit der Erfahrungen Anhänger der früheren Sozialdemokratie ebenso Platz finden sollten wie die des Zentrums. Konfessionelle Unterschiede erschienen angesichts der Lage gegenstandslos. Ähnliches galt für die früheren Streitigkeiten um Revisionismus innerhalb der Sozialdemokratie. Organisationsformen der britischen Labour Party wurden erörtert. Linker als in Weimar sollte die politische Landschaft jedenfalls werden. Schwer zu sagen, wie die Entwicklung in Deutschland verlaufen wäre, wenn damals in Berlin nicht SPD und CDU, sondern eine Partei der linken Mitte gegründet worden wäre. Vielleicht hätte das auf Westdeutschland, von dem man kaum etwas wußte, Einfluß ausgeübt. Jedenfalls fanden übergreifende Parteineugründungen in Berlin statt, dank der Zulassung der sowjetischen Militäradministration, während im Westen nur örtliche Parteibildungen gestattet wurden.

Wie ich später durch Jakob Kaiser erfuhr, hat Grotewohl nervös reagiert, als die Gründung der KPD bekannt wurde. Die Sorge, die Arbeiterschaft würde sich zu den Kommunisten hin orientieren, wenn nicht schnell die SPD mit ihrem bekannten Namen und ihren Traditionen auftrete, ließ ihn vorschlagen, die Beratungen zu vertagen. Etwas später sollte versucht werden, die Idee einer neuen demokratischen Union zu verwirklichen. Das geschah nicht mehr. Weichenstellungen sind schwer korrigierbar.

Jedenfalls wußten die Sowjets, was sie wollten. Am 9. Juni gab der

»Befehl Nr. 1« die Einrichtung der sowjetischen Militärverwaltung für ihre Zone in Deutschland bekannt. Am 10. Juni erlaubte der »Befehl Nr. 2« die Bildung von Parteien und Gewerkschaften. Am 11. Juni wurde die KPD gegründet. Schlag auf Schlag – das hätte man zu einer anderen Zeit gesagt, die nur wenige Wochen zurücklag. Eine Woche später, ausgerechnet an einem 17. Juni, kamen einige hundert ehemalige SPD-Mitglieder zusammen und wählten durch Akklamation – Zeichen der Improvisation – einen Zentralausschuß, der die Partei provisorisch führen sollte. Eine weitere Woche später erhielt die Idee, ein völlig neues demokratisches Bündnis zu schaffen, den Namen CDU. Nicht alle Mitglieder wissen, daß ihre Partei in Berlin geboren wurde. Am 5. Juli fand das Parteienspektrum seinen vorläufigen Abschluß durch die Liberal-Demokratische Partei Deutschlands (LDPD), die so liberal war, wie es damals möglich schien.

In allen Parteien war man sich der Vorreiterrolle für Deutschland bewußt. Niemand wußte, wie es in den Westzonen aussah. Die meisten glaubten, die Grenzen der Besatzungszonen würden bald verschwinden, erst recht nach der Potsdamer Konferenz. Alle benutzten ganz selbstverständlich – im Rückblick erstaunlich und verständlich zugleich – das Wort »Reich«, wenn sie von Deutschland sprachen.

Den »Block der antifaschistischen Parteien« konstituierten die vier Parteien bereits am 10. Juli. Das schien vernünftig; denn was hatte Parteipolitik schon mit dem gemeinsamen Ziel des Wiederaufbaus zu tun? Zumal »volle Rechtssicherheit auf der Grundlage eines demokratischen Rechtsstaats und die Sicherheit der Freiheit des Geistes sowie die Achtung vor jeder sittlichen und religiösen Weltanschauung« postuliert wurde. Pluralismus und Privatwirtschaft hatte selbst die KPD auf ihre Fahnen geschrieben, zwar unerwartet, aber erklärlich, da es ja um ganz Deutschland ging. Hier könne eben die Sowjetunion nicht Vorbild sein. Stalin wurde nicht erwähnt. Es hat jedenfalls Jahre gedauert, bis klar war, daß die Entwicklung auf deutsche Teilung zulief, ehe Antifaschismus zu einem Totschlagargument wurde, im Osten gegen jeden, der Auffassungen vertrat, die den kommunistischen Absichten nicht entsprachen, im Westen sehr oft, indem Antifaschismus in einen ähnlichen Geruch wie Kommunismus gebracht wurde.

Zur politischen Grundstimmung nicht nur in der zweiten Hälfte des Jahres 1945 gehörte die Sache mit dem Sozialismus. Soweit das bedeutete, daß Schwerindustrie, Bergbau und Banken nicht wieder in die Hände privater Kapitalisten kommen sollten, unterschieden sich Kommunisten und Sozialdemokraten nicht grundsätzlich von der CDU. Zum Jahresende 1945 erklärte Kaiser den »Weg der Union«: »Den ewig Gestrigen, die glauben, wieder an die Zeit vor 1933 anknüpfen zu können, muß gesagt werden, daß der wirtschaftliche Weg unseres Volkes ein mehr oder weniger sozialistischer sein wird.« Dieser Sozialismus sei das Vermächtnis des Widerstands und werde Würde und Freiheit der Persönlichkeit achten. Das Ergebnis der ersten freien Wahlen in Berlin (20. Oktober 1946) erklärte Kurt Landsberg als Sprecher der CDU deshalb für schön, weil die Berliner sich zu 90 Prozent für die eine oder andere Form des Sozialismus entschieden hätten, den marxistischen oder den christlichen. Und noch Anfang 1947 bestätigte ein Sprecher der CDU, als es um die Sozialisierung wichtiger Betriebe und Konzerne in Berlin ging, es sei für seine Fraktion gar nicht schwierig, diese Sozialisierungsvorlage zu verabschieden; denn die drei sozialistischen Fraktionen des Hauses, SPD, SED und CDU, seien sich im Prinzip einig. In demselben Jahr verabschiedete die Union der Westzonen ihr »Ahlener Programm«. Dem hätte ich auch zustimmen können. Jedenfalls schien es plausibel, daß für die Gesellschaft wichtige große Unternehmen nicht dem privaten Profit, sondern der Allgemeinheit dienen sollten. Gemeinnutz geht vor Eigennutz, hatten die Nazis formuliert, aber trotzdem: Wer mochte einem Grundsatz widersprechen, der sich schon im alten Rom bewährt hatte?

Aber so elementare Fragen beschäftigten mich noch lange nicht. Ich erlebte zunächst, daß in dem von den Vier Mächten besetzten Berlin selbst die Lokalredaktion politisch wird, und lernte, daß Geschichte zuweilen eher das Ergebnis von Irrtümern als von Absichten ist. Den ersten Irrtum teilten Kommunisten und Sozialdemokraten. Beide nahmen an, die KPD werde, unterstützt von der Besatzungsmacht, allein am stärksten. Folge: Max Fechner, später stellvertretender Vorsitzender der SPD in der Zone, schrieb noch während der Kampfhandlungen an Walter Ulbricht: »Ich hätte gern mit dir darüber gesprochen, wie es möglich wäre, endlich die so ersehnte einheitliche Organisation der deutschen Arbeiterklasse zu schaffen.« Eine Antwort kam nie. Auch Versuche im Laufe des Monats Mai, Pieck und Ulbricht zu treffen, blieben vergeblich. Die Gründung der KPD wirkte wie eine Bestätigung der Befürchtungen und führte zu der Kurzschlußreaktion Grotewohls, die Verhandlungen mit der späteren CDU abzubrechen.

Noch saßen die Kommunisten auf dem hohen Roß. Als Grotewohl, konsequent, nach der Gründung der SPD dazu aufrief: »Wir wollen vor allem den Kampf um die Neugestaltung auf dem Boden der organisatorischen Einheit der deutschen Arbeiterklasse!«, erhielt er eine kühle Antwort Piecks: Zusammenarbeit ja, Einheit nein. Es war eine Ohrfeige, die Zusammenarbeit mit der SPD sogar praktisch neben die mit anderen Parteien zu setzen. Als kleine Draufgabe wurden Beratungen zur Klärung ideologischer Fragen angeboten. Das würde lange dauern. In der Pause würde man Machtfakten schaffen. Ulbricht (19. Juni) machte klar: »Eine verfrühte Einheit trägt den Keim neuer Zersplitterung mit sich und diskreditiert dadurch den Gedanken der Einheit. Der Vereinigung beider Parteien muß zunächst für lange Zeit eine gemeinsame Zusammenarbeit vorangehen.« Noch einen Monat später (19. Juli) fand Pieck, die Zeit sei nicht reif, »weil sich auch in der Arbeiterklasse noch erst eine geistige Umwälzung vollziehen muß«.

Aber auch im Westen hatte es ähnliche Impulse gegeben. Aus denselben Erfahrungen resultierten dieselben Wünsche, aus Fehlern der Vergangenheit zu lernen, zusammen mit den Kommunisten. Als Schumacher den Ortsverein Hannover der SPD gründete, kam er zum selben Ergebnis wie Ulbricht, daß nämlich eine einheitliche Arbeiterpartei nicht möglich sei, natürlich mit einer völlig anderen Begründung. Jeder habe den Wunsch, daß »die starken Spannungen aus der Zeit vor 1933 nicht wiederkehren mögen«. Aber die innere Logik sei gegen eine Einheitspartei: »Sie ist nicht möglich, kraft der machtpolitischen Gegebenheiten und der außenpolitischen Bindungen. Die Trennungslinie ist dadurch gezogen, daß die Kommunisten fest an eine einzige der großen Siegermächte gebunden sind. Wir demokratischen Sozialisten dagegen ... können und wollen nicht die autokratisch gehandhabten Instrumente eines fremden imperialen Interesses sein.« Dieses Urteil war um so mutiger, als noch gar nicht abzusehen war, wann regionale Parteiorganisationen im Westen zugelassen würden, zumal erst im Oktober eine Konferenz der Sozialdemokraten aus den drei Westzonen zustande gebracht wurde und auch die Briten kritische Äußerungen gegen die Sowjetunion nicht gern hörten.

Entscheidender als die Kalkulationen der Deutschen war freilich die falsche Einschätzung in Moskau. Von dort kam schließlich der Druck auf die KP-Führer. Ohne ihn wäre freiwillig und von der überzeugten Zustimmung breiter Kreise der Bevölkerung getragen eine demokratische Bewegung zu organisieren gewesen, die wohl Einfluß auf die Westzonen gehabt hätte mit Folgen, die schwer auszumalen sind. Ironischerweise verbaute sich Stalin seinen weiteren Einfluß nach Westen, indem er entschied, alle Territorien, die seine Truppen erreicht hatten, nach seinen Vorstellungen zu prägen, das deutsche eingeschlossen. Wie geschickt oder ungeschickt auch immer das Schwarze-Peter-Spiel der Diplomaten in der Folgezeit ablief – wer schuld an der Teilung habe: hier, im Sommer 1945, vor Potsdam, vor der Atombombe, während der Gründung der Vereinten Nationen, hatte sie ihren Ursprung. Bei anderer Entscheidung in Moskau wäre die Entwicklung in Mitteleuropa anders verlaufen, zumal die beiden Westmächte, besonders die Amerikaner, noch beeinflußbar waren. Zwei Jahre später bot sich noch einmal eine Korrektur an, aber die Sowjets sahen ihre Chance nicht, nahmen sie jedenfalls nicht wahr, die CDU in Deutschland nicht ins antisowjetische Lager zu treiben. Stalin tat wirklich alles, um nicht nur bedrohlich zu wirken – er war es.

Der doppelte Irrtum wurde schnell offenbar. Den stärkeren Zulauf bekamen die Sozialdemokraten, und zwar nicht nur in Deutschland. In Ungarn erhielten die Kommunisten im August bei Wahlen 17 Prozent der Stimmen, in Österreich im November wurden sie fast eine Sekte. Das muß zeitweilig ernüchternd, jedenfalls alarmierend gewesen sein. In der Folge verkehrten sich die Fronten. Nun begann Ulbricht zu drängen und Grotewohl abzuwehren. Auch die sowjetische Militärverwaltung bis auf die Ebene der Stadtkommandanten konnte nicht verhindern, daß auf einen Kommunisten drei, vier, in Berlin sogar fünf Sozialdemokraten kamen, und schaltete um in die Richtung Einheitspartei.

Zeitweilig konnte sich Grotewohl als Gewinner fühlen, vielleicht sogar mit Ambitionen, die über die Zone hinausgingen. Er hatte jedenfalls eine breitere Basis als Schumacher bei der ersten Konferenz von Sozialdemokraten aus den drei Westzonen mit dem Zentralausschuß aus Berlin Anfang Oktober in Wennigsen bei Hannover. Dabei wurde schnell klar: Eine zentrale Reichsorganisation konnte nicht beschlossen werden; das Besatzungsrecht stand dagegen; leider oder zum Glück, wie die aus dem Osten und die aus dem Westen schon unterschiedlich empfanden. Also einigte man sich, den Anspruch des Zentralausschusses auf Berlin und die sowjetisch besetzte Zone zu begrenzen, und verabredete im übrigen möglichst häufige persönliche Rücksprache und Kurierverkehr zur »Abstimmung der gegenseitigen Politik durch die Genossen Grotewohl und Dr. Schumacher«. In der Praxis erwies sich: Werden die Deutschen einmal geteilt, besorgen sie den Rest selbst perfekt und gründlich. Diese Erfahrung wiederholte sich in den nächsten Jahrzehnten bis zum Überdruß. Weltweit waren nur die Koreaner besser.

Persönliche Rivalität spielte wohl auch mit. Es gab da zwei, die Führungsansprüche für eine Gesamt-SPD erheben würden. Grotewohl plante den Wiederaufbau von Staat und Parteien von der Hauptstadt Berlin aus; nicht zufällig war das Führungsgremium Zentralausschuß genannt worden. Dabei wäre ihm nicht nur eine bedeutendere Rolle zugewachsen, sondern er hätte auch mit ganz anderem Gewicht der sowjetischen Administration gegenübertreten können. Sein Traum, der erste Mann zu werden, der für Deutsche in West und Ost stehen kann, ging jedenfalls nicht in Erfüllung. Schumacher konnte begründet zweifeln, ob denn die Leute in Berlin Handlungsfreiheit behalten würden. Er behielt schließlich recht mit seiner frühen Einschätzung sowjetischer Interessen. Wie sich Ernst Lemmer erinnert, erging es der CDU etwas später ebenso mit ihren Antipoden Adenauer und Kaiser: »Schumacher hat Grotewohl gewiß recht schlecht behandelt. Für ihn war Grotewohl einfach schon deshalb suspekt, weil der unter Kontrolle der Sowjets wirkte. Damit stimmte er mit einem anfänglich sicher vorhandenen Mißtrauen Adenauers gegenüber uns Berlinern überein.«

Grotewohl fühlte sich jedenfalls isoliert, in seinem Ehrgeiz verletzt, in seinen Absichten verkannt und legte eine härtere Gangart vor. Als Pieck Anfang November zur Vereinigung der beiden Parteien sobald wie möglich aufrief, konterte Grotewohl: »Eine zonenmäßige Vereinigung würde vermutlich die Vereinigung im Reichsmaßstab nicht fördern, sondern nur erschweren und vielleicht das Reich zerbrechen.« Noch deutlicher: »Die deutsche Arbeiterklasse hat die Einheit Deutschlands zu bewahren.« Das verlangt die »Schaffung einheitlicher Reichsparteien«. Hier wurden Voraussetzungen formuliert, von denen Grotewohl wußte, daß die Kommunisten sie nicht erfüllen konnten oder durften. Er wollte die Einheitspartei nicht mehr. Gleichzeitig gab er damit ein Signal an Schumacher, das ohne Echo blieb. Der Hannoveraner erkannte natürlich, daß der Berliner in eine Verteidigungslage gekommen war und fühlte sich in seiner Einschätzung nur bestärkt.

Ich suchte Grotewohl in seinem Büro auf und war fast erschrocken, in welcher Offenheit er über Vorladungen, Verhaftungen, Ablösungen und Redeverbote durch die sowjetische Administration sprach. Schikanöse Kürzungen von Papier- und Benzinzuteilung hatten begonnen. Alles zugunsten der KPD. Er erläuterte seine neue Linie – keine Einheitspartei in nur einer Zone – und begründete sie allein mit der Sorge vor der deutschen Spaltung. Das wirkte um so überzeugender und »parteiamtlicher«, als Max Fechner bis dahin anwesend blieb. Nachdem der gegangen war, führte Grotewohl noch an, in dieser Lage könne er leider auch keine Hilfe aus dem Westen von Dr. Schumacher erwarten. In seinem schweren Kampf gegen die Kommunisten bäte er um die publizistische Hilfe der *Allgemeinen Zeitung*. In der Redaktion wurde entschieden, daß wir die SPD unterstützen würden, ohne dabei die Sowjets zu kritisieren. Er dankte für die Mitteilung, die in der Praxis weniger wert war, als es schien; denn am 11. November stellte die *Allgemeine Zeitung* ihr Erscheinen ein zugunsten der *Neuen Zeitung*, die in München für die ganze amerikanische Zone herausgegeben wurde, mit einer Redaktion in Berlin, in die ich übernommen wurde. Naturgemäß gab es nicht mehr soviel Platz für die uns auf den Nägeln brennenden Probleme.

Peter H. Weidenreich kehrte in die USA zurück. Nachdem er sich schon verabschiedet hatte und hinausgegangen war, riß er noch einmal die Tür auf und donnerte mich barsch an: »Hier stehen ein Paar Schuhe. Die sind für Sie!«, und schmiß die Tür zu. Es waren amerikanische Armeehalbschuhe, mindestens eine Nummer zu groß. Ich habe sie wirklich gebrauchen können und dann 15 Jahre getragen. Danken konnte ich erst 40 Jahre später, als Peter Weyden nach Deutschland kam, um ein Buch über die Mauer zu schreiben, und ich ihm dafür ein Gespräch mit Hermann Axen vermitteln konnte.

Wir waren inzwischen nach Tempelhof umgezogen, nahe dem Flugplatz, und mußten uns auf den Winter vorbereiten. Für drei Fenster konnte ich Bakelit besorgen; das ließ Licht durch. Weil es keine Kohle für die Zentralheizung gab, wollten wir einen kleinen Kanonenofen installieren, um wenigstens ein Zimmer wärmen zu können. Es stellte sich aber heraus, daß das Abzugsrohr zu kurz war, das in dem Pappfenster steckte. Auf dem Wege des Nachdenkens fand sich eine Lösung: Der Ofen mußte an das Rohr herangehoben werden. Dafür erwiesen sich drei mal drei geklaute Ziegelsteine für die Eisenfüße als stabiler Untersatz. Dank persönlicher Verbindungen hatten wir eine Brotquelle. Dafür wurden 15 Zentner Koks auf die Straße geschüttet, in Körben hochgeschleppt, in ein nicht benutztes Zimmer auf die Dielen gekippt und nach und nach mit einem Hammer so klein geklopft, daß er für das Öfchen verwendbar wurde. Es reichte für eine warme Mahlzeit, nicht um das Zimmer wirklich zu heizen. Der Winter 1945/46 war hart.

»Wir lassen uns nicht unterbuttern!« versicherte Grotewohl im Vertrauen auf zahlenmäßige Überlegenheit und Tradition der SPD, bevor er in die 60er-Konferenz ging, drei Tage vor Weihnachten; je dreißig Vertreter beider Parteien diskutierten, die Sozialdemokraten sogar mutig. Gustav Klingelhöfer, später Chef der Wirtschaftsbehörde in West-Berlin, redete die Freunde von der KPD mit Engelszungen, also vergeblich, an: »Ihr könnt reden. Ihr habt nichts zu fürchten. Euch zieht niemand zur Verantwortung. In der Provinz Sachsen ist ein Genosse von der SPD außerhalb des Orts geführt worden. Es fiel ein Schuß. Der Genosse wurde nicht getötet, er hatte einen Schuß im Hals und ist wieder gesund geworden... Ist es denn gerecht, daß in unserer Sowjetzone über vier Millionen eurer Zeitungen verbreitet werden und von uns nur ein Bruchteil einer Million? Warum sind diese Sorgen nicht auch eure Sorgen? Ist es denn nur eine Angelegenheit, die die SPD mit der Sowjetadministration zu behandeln hat? Wenn wir eine gemeinsame Aktion machen, warum vertreten wir diese Gesichtspunkte nicht auch gemeinsam bei der Sowjetadministration?«

Herstellung der deutschen Einheit vor der organisatorischen Einheit, um neue Spaltung zu vermeiden, war inzwischen ein abgenutztes Argument. Die Stichhaltigkeit des weiteren Gesichtspunkts nutzte Grotewohl auch nichts: »Was wird die Sowjetunion sagen, wenn die Einheit in der Sowjetzone das praktische Ergebnis haben würde, daß die Einheit in Deutschland unmöglich werden würde?«

Es war eine nachhaltige Lehre: Auch die besten Argumente helfen nicht gegen den Willen des Mächtigeren, es sei denn, der Schwächere kann ihn überzeugen. Aber damals drang kein Wort eines Sozialdemokraten bis nach Moskau.

Die Statthalter, die Marschälle Schukow und Sokolowski, der politische Berater Semjonow oder der gebildete Glatzkopf Oberst Tjulpanow, mit der Aura von Halbgöttern umgeben, hatten dafür zu sorgen, daß die Entscheidungen des Kreml durchgeführt wurden. Wer hörte schon auf Deutsche? Als ich zehn Jahre später die Erinnerungen General Clays, *Entscheidung in Deutschland*, las, fiel auf, daß nicht einmal der Erfinder der Luftbrücke die erregende Entwicklung im Frühjahr 1946 in Berlin vermerkt hatte. Der Name Grotewohl kommt gar nicht vor. Die möglichst geräuschlose Regelung, wie mit sowjetischen Soldaten zu verfahren sei, die in die Westsektoren desertierten, beschäftigte die Sieger und mehr noch die Angelegenheiten des Kontrollrats hinter verschlossenen Türen, von denen die Deutschen nur die Ergebnisse erfuhren.

Die dann folgenden Rückzugsgefechte bekamen den Zug ins Unwirkliche. Ich erinnere mich nur an die Unterhaltungen über die Frage, die niemand beantworten konnte, wann und warum Grotewohl kapituliert hat. Da wurde von einer abendlichen Fahrt ins sowjetische Hauptquartier in Karlshorst geredet, von der er als Verwandelter wiedergekommen sei, und von seiner Vergangenheit in Braunschweig, die ihn druckanfällig gemacht haben könnte. Anfang Februar trafen sich Schumacher und Grotewohl das letzte Mal. Auf den Vorschlag, die SPD in der Zone aufzulösen, erwiderte Grotewohl, das sei lange und reiflich überlegt worden, aber nicht mehr möglich. Bezirksorganisationen würden einer entsprechenden Weisung nicht mehr folgen. Diese Bankrotterklärung dokumentierte auch, daß viele Sozialdemokaten in der Zone innerhalb von zehn Monaten einen Prozeß hinter sich hatten, zunächst etwas wollten, was sie nicht durften und später, nachdem sie nicht mehr wollten, nicht mehr konnten. Sie wurden zu Blutspendern, wie Schumacher plastisch formulierte. Unverlierbar der Eindruck: Es ist verdammt gefährlich, sich mit den Bolschewiken einzulassen.

An Demonstrationsmaterial von Macht und Ohnmacht herrschte wahrlich kein Mangel damals. 2000 Berliner sozialdemokratische Funktionäre trafen sich, genauer: Die Anwesenheit der Drei Mächte gestattete ihnen, ihren politischen Willen auszudrücken. Die Teilnahme der Mitglieder aus dem sowjetisch besetzten Sektor wurde von der Besatzungsbehörde verhindert. Die dramatische Auseinandersetzung spitzte sich auf zwei Standpunkte zu. Grotewohl: »Die Einheit der Arbeiterklasse ist die unbedingte Voraussetzung dafür, daß die Zonengrenzen in Deutschland fallen.« Das war das Gegenteil dessen, was er selbst vor wenigen Wochen vertreten hatte. Die Gegenposition: »Eure Zonenvereinigung der beiden Parteien spaltet Deutschland in Ost und West.« Grotewohl war unglaubwürdig geworden, als er dringend vor einer Urabstimmung warnte, die nur in den drei Westsektoren stattfinden konnte. Mit einer Vierfünftelmehrheit wurde sein Antrag für die Verschmelzung abgelehnt. Wer kann glauben, daß diese Einstellung der Sozialdemokraten in Ostberlin und in der Zone grundsätzlich anders gewesen wäre, wenn sie ihren Willen auch frei und geheim hätten ausdrücken können? Das ist der Grund geblieben, warum ich von Zwangsverschmelzung spreche.

Die Spaltung Deutschlands sei identisch mit der Spaltung der SPD. Diese Formulierung auf der Konferenz, die den unvergeßlichen Kampf für eine Urabstimmung erzwang, war auch umkehrbar. Sie war jedenfalls prophetisch für die nächsten 44 Jahre.

Es war im Theater (am Schiffbauerdamm), wo sich die KPD auflöste, es war die Bühne für Operetten und Revuen (der Admiralspalast), wo am nächsten Tag der Akt des Händedrucks zwischen Pieck und Grotewohl ablief. Ich erhielt wie alle Journalisten zur Erinnerung die *Geschichte der kommunistischen Partei der Sowjetunion (Bolschewiki) – Kurzer Lehrgang* mit dem Eindruck: »Den Delegierten zum Vereinigungsparteitag der SPD/KPD Groß-Berlin zur ›Sozialistischen Einheitspartei‹, Berlin, den 14. April 1946.«

Adenauer, dieser Separatist

Der Nürnberger Prozeß lief so mit. Die Menschen hatten andere Sorgen. Er drang wenig ins Bewußtsein. Mir kam es vor, als würde da etwas abgehandelt, was gar nicht zu mir gehörte, aus einem vergangenen Zeitalter. Was sollte es auch? Die Sieger saßen zu Gericht über die Hauptkriegsverbrecher und machten sich Mühe, wo doch das Urteil vorhersehbar war. Den Tod hatten alle verdient. Ich höre noch die tiefe Stimme im Radio: »Death by hanging« und war überrascht über das differenzierte Ergebnis: sogar Freiheitsstrafen und Freisprüche. Das war nun mal eine positive Seite der bedingungslosen Kapitulation: Die Sieger ersparten den Deutschen, die ja nun für fast nichts mehr verantwortlich waren, selbst zu einem Urteil über die zu kommen und zu verhängen, die den ganzen Schlamassel herbeigeführt oder zugelassen hatten.

Groß, schlank, blauäugig und blond, etwas schlaksig für einen Germanen war Enno R. Hobbing, unser neuer amerikanischer Chef in Berlin. Sein Vater war Inhaber eines angesehenen Verlages gewesen, bevor er auswanderte. Eines Tages kam ein Mann aus dem Erzgebirge: Bei Aue hätte man Uran gefunden, und die Sowjets wollten es im großen Stil ausbeuten. Das würde meine erste Nachricht von globaler Bedeutung werden. Entsprechend gestimmt ging ich zu Hobbing: »Ich habe eine Meldung für die erste Seite.« Er behielt sie, gab mir zwei Stangen Zigaretten, »eine für den Mann, der die Meldung gebracht, die andere für Sie. Die Meldung werden wir ein paar Tage zurückhalten. Sprechen Sie mit keinem darüber.« Die Zigaretten waren nach damaligem Kurs 1000 Mark wert. Eine ganze Menge bei 600 Mark Monatsgehalt. Außerdem merkte ich mir: Nicht alles wird gedruckt, was »fit to print« ist. Vor allem wurde klar, daß diese Meldung so wichtig war, daß andere Dienststellen bis nach Washington sie prüfen sollten, bevor die Sowjets wußten, daß die Amis das wußten. Das war zwar kein reiner Journalismus, schien aber legitim. Ob Hobbing damals schon für den CIA gearbeitet hat, weiß ich nicht. Es wäre mir auch egal gewesen. Später hat er es jedenfalls. Anfang der sechziger Jahre, ich arbeitete schon im Schöneberger Rathaus, sah ich ihn wieder. Er fragte, ob Brandt bereit wäre, amerikanische Gelder nach Chile zu transferieren. Da gäbe es einen Kommunisten, der sich als Christdemokrat tarnt. Eduardo Frei. Man müsse verhindern, daß der die nächsten Wahlen gewinnt. Brandt lehnte ab. Frei wurde Präsident und erwies sich als guter Demokrat; in Deutschland wäre er Mitglied der SPD gewesen.

Im Vorfeld der ersten freien Wahlen empfing mich Wilhelm Pieck in seinem Büro in der Lothringer Straße. Es war noch früh. Er bot eine Tasse Bohnenkaffee an, zog aus der Schublade seines Schreibtischs ein Stullenpaket und bot mir ein Brot mit Leberwurst an, so dick belegt, daß sie beim Zubiß hervorquoll, was ich noch immer nicht mag, aber damals gern annahm. Der Mann war sympathisch, gar nicht zu fürchten und sprach ganz unverbogen. Was er zur Oder-Neiße-Linie sagte, schien in der damaligen Zeit unaufregend: Das sei zwar schwer, aber im Prinzip wohl nicht mehr zu ändern. Aber wenn schon Oder-Neiße-Linie, dann sollte man später wenigstens einige kleine Korrekturen vornehmen und das zurückkriegen, was jetzt westlich davon liege. Stettin würde kompliziert, aber Swinemünde sollte wohl gehen. Ich stimmte zu. Aber dann kam die Sensation: Er sei real genug zu wissen, daß die SED nicht stärkste Partei werden würde. Das Gegenteil erwartete und verkündete seine Partei. Als wir druckten, was Pieck gesagt hatte, gab es ein geharnischtes Dementi, während die *Neue Zeitung*, gestützt auf meine Stenonotizen, dabei blieb und damit die Prognose Piecks noch einmal verbreitete. Sie erwies sich als richtig.

Zum Ende des Wahlkampfs schrieb Wallenberg einen genialen Artikel: »Fürchtet euch nicht.« Diese biblische Aufforderung habe ich später mehrfach benutzt, wenn es darum ging, Menschen nahezubringen, daß Freiheit auch Mut braucht. Damals mag es manchem Berliner noch riskant erschienen sein, selbst in der Wahlzelle sein Kreuz zu machen, ohne zu wissen, ob das allen Besatzungsmächten wohl gefallen würde. In feierlicher Stimmung wählte ich zum erstenmal in meinem Leben. Natürlich die SPD, die es am schwersten gehabt hatte. Das Ergebnis übertraf alle Erwartungen: SPD 48,7 Prozent, CDU 22,2 Prozent, SED noch dahinter, trotz aller Unterstützung durch die Sowjets im Ostsektor mit 19,7 Prozent, und die LDP mit 9,4 Prozent bei 92,3 Prozent Wahlbeteiligung. Die Berliner hatten sich nicht gefürchtet.

Für die *Neue Zeitung* hatte sich gezeigt, daß sie während der Zwangsverschmelzung in Berlin Boden verloren hatte. Das lag nicht daran, daß der *Tagesspiegel* sich als »unabhängig und unzensiert« empfahl, mit einer Einschränkung, die natürlich nicht veröffentlicht wurde: Die Herausgeber hatten versichern müssen, nicht gegen die Geschlossenheit der Verbündeten, also nicht gegen die Sowjetunion, zu wirken, um ihre Lizenz zu erhalten. Die Zeitungen am Ort des Geschehens wurden stärker, weil für eine in München gedruckte Zeitung die Dinge der amerikanischen Zone in den Vordergrund drängten. Schwierigkeiten und Zwischenfälle mit den Sowjets nahmen zu, der Kontrollrat trat auf der Stelle, kurz: Wir fanden bald ein offenes Ohr mit dem Vorschlag, ein »Berliner Blatt« der *NZ* zu machen, das dem Hauptblatt beigefügt werden und Platz für die erregenden Entwicklungen der Hauptstadt haben sollte. Zur Vorbereitung fuhr ich, ordentlich mit einer Travelorder ausgestattet, nach München. Erich Kästner war Chef des Feuilletons und erzählte am Abend sehr bescheiden, wie er den Nazis ein Schnippchen geschlagen und das Drehbuch für *Münchhausen* geschrieben hatte. Kästners Gesicht war eigentümlich gespalten, die eine Hälfte ernst, die andere verschmitzt. Luiselotte Enderle, seine Lebensgefährtin, saß dabei und sah gar nicht nach wilder Ehe aus. Bei der frischen, fröhlichen und schönen Hildegard Brücher war das schon eher vorstellbar. Aber »die Brücherin«, wie sie respektvoll genannt wurde, heiratete zur Enttäuschung mancher Kollegen einen Herrn Hamm. Ein Sonntagnachmittag blieb Zeit für einen Ausflug nach Garmisch. Ich sah zum erstenmal die Alpen. Die unversehrte Erhabenheit der Berge war überwältigend für einen, der aus der grauen Trümmerlandschaft kam. Ein großes Gefühl besänftigte: Wie schön, sehen zu können, daß der Mensch der Natur nichts anhaben kann.

Jakob Kaiser erweiterte meinen Gesichtskreis. Der spröde wirkende Mann mit der harten Sprache des Franken gewann im Gespräch Vertrauen. Der Gestapo entkommen, die nach allen am 20. Juli Beteiligten gesucht hatte, neun Monate im Keller versteckt, strahlte er eine natürliche Autorität aus. Der Attentatsversuch war mehr gewesen als der späte Aufstand des Gewissens einiger Offiziere. Am ersten Jahrestag, in frischer Erinnerung, schrieb Kaiser, daß dieser Tag »aus der Geschichte der deutschen Arbeiterbewegung nicht mehr wegzudenken ist. In dem Kreis der aktiven Opposition gegen das Hitler-Regime nahm eine Reihe von Arbeiterpersönlichkeiten einen ehrenvollen Platz ein« und nannte an erster Stelle Wilhelm Leuschner. Das war ebenso neu wie Kaisers Enttäuschung über die beiden Westmächte: Die Forderung nach bedingungsloser Kapitulation des Reichs habe dem Widerstand geschadet, politische Auswege abgeschnitten. Er schloß nicht einmal aus, daß ein kluges Zusammenwirken mit der deutschen Opposition anstelle der letztlichen Zurückweisung den Krieg hätte verhindern können. Aber dieser Gedanke übersah wohl das berechtigte Mißtrauen besonders in London nach allem, was die Wehrmachtsführung seit 1933 gezeigt hatte: Mangel an Zivilcourage, Anpassung und Schlimmeres. Unwahrscheinlich, daß ein begeistertes Volk einem Putsch von einigen Generalen gegen ihren obersten Befehlshaber gefolgt wäre. Es waren und blieben eben doch nur sehr wenige, die Loyalität zum Land über den Eid stellten.

»Mir scheint für Deutschland die große Aufgabe gegeben, im Ringen der europäischen Nationen die Synthese zwischen östlichen und westlichen Ideen zu finden. Wir haben Brücke zu sein zwischen Ost und West.« Kaiser wollte »in der gegenseitigen Abstimmung auf eine europäische Gemeinschaft« neue dauerhafte Verständigung suchen. Damals meinte man noch ganz Europa, wenn von europäischer Gemeinschaft gesprochen wurde. Die Sorge, Deutschland könnte zerrissen werden, ließ ihn den Siegern selbstbewußt und ruhig gegenübertreten. »Der Kollege Schumacher ist mir zu schneidend«, mit dieser Formulierung in einem unserer Gespräche kritisierte er die verbale Verpackung, nicht den Inhalt dessen, was der SPD-Vorsitzende gegenüber den Siegern vorbrachte. Die Art, in der Kaiser deutsche Interessen zu vertreten suchte, machte ihn in meinen Augen zum Anwärter auf den deutschen Außenminister, wenn in den nächsten zwei, drei Jahren eine deutsche Regierung gebildet werden würde. Und wenn ich überhaupt an Parteibindung gedacht hätte, wäre ich Mitglied der Kaiserschen CDU geworden.

Die Bodenreform hatte die CDU unterstützt. Nun ging es an die Enteignung der Produktionsmittel. Kaiser begann zu taktieren. Ich fand das bedenklich, besonders für sein Ansehen im Westen. Wir sprachen darüber bei einem sonntäglichen Mittagessen, zu dem er mich in seine Wohnung am Rüdesheimer Platz eingeladen hatte. Seine Frau öffnete die Tür und verschwand dann, während Elfriede Nebgen, seine Lebensgefährtin, die Pflichten der Gastgeberin erfüllte und die gute Erbsensuppe austeilte. Als krönenden Nachtisch schlürften wir ein Gläschen echten Cognac, »milde Gabe eines französischen Freundes«. Elfriede Nebgen war das, was man eine stattliche Frau nennt, hochintelligent und treffsicher in Urteil und Ausdruck. Ich muß gestehen, daß sie und Louise Schröder, viel milder, aber nicht weniger klug, entschieden und tapfer, die beiden Frauen gewesen sind, die mir zum erstenmal die politische Ebenbürtigkeit mit den Männern überzeugend machten. Später, in Bonn, bevor Kaiser nach dem Tod seiner Frau Elfriede Nebgen heiratete, mokierte sich Adenauer intern über diese Verbindung, die für einen Katholiken unschicklich sei.

Kaiser wischte mit einer kurzen energischen Handbewegung beiseite, daß Adenauer als einziger der Eingeladenen demonstrativ dem Parteitag der Zonen-CDU ferngeblieben war. Das zeige nur die Einstellung dieses Mannes, der schon vor dem Kriege geglaubt habe, er käme nach Sibirien, wenn er über die Elbe nach Berlin fahren mußte. Kaiser enthüllte seine Pläne. Er sei sich mit Karl Arnold aus Nordrhein-Westfalen und Josef Müller, dem »Ochsensepp«, Vorsitzender der CSU, einig, Adenauers Aufstieg an die Spitze der Union zu verhindern. Aus diesem Grund müsse er Kompromisse mit den Russen machen. Aus diesem Grunde müsse er an der Spitze der CDU in Berlin bleiben. Von einer Geste der knappen Entschiedenheit unterstrichen: »Ich muß. Es geht um Deutschland. Weihnachten wird man von diesem Adenauer nicht mehr sprechen. Adenauer, dieser Separatist, muß weg.«

Die Sowjets ließen Kaiser nicht einmal die Chance des Rücktritts. Über Kaiser und Lemmer formuliert Oberst Sergej Tjulpanow, damals Leiter der SMAD-Propagandaverwaltung, in seinen Erinnerungen: »Im Dezember 1947 wurden sie schließlich aus dem Parteivorsitz entfernt.« So neutral liest sich die sowjetische Hilfe für den Aufstieg Adenauers.

Die Russen, Adenauer und Schumacher gegen ihn, die Amerikaner, Engländer und Franzosen jedenfalls nicht für ihn, das konnte wohl nicht funktionieren. Jedenfalls verlor Kaiser den Wettlauf, der ihm als solcher bewußt war und an dessen Ziel er ein gesamtdeutscher Faktor geworden wäre, den niemand hätte übersehen können oder vernachlässigen dürfen. Seine Überzeugung, recht zu haben, nutzte wenig, weil er nicht mehr beweisen konnte, recht zu behalten. Es ist ein vornehmes und klares Dokument, in dem er im März 1948 Bilanz zog: »Es ist bekannt, daß ich zu den Männern gehörte, die in der Verständigungsbereitschaft mit den Vertretern des Kommunismus bis an die Grenze des Möglichen gegangen sind. Wir taten es, um den Zusammenhalt mit den 18 Millionen Deutschen in der Ostzone mit dem übrigen Deutschland zu wahren und zu halten. Wir bleiben der Überzeugung, daß diese unsere Haltung unsere menschliche, unsere politische, unsere nationale Pflicht war. In dieser Überzeugung lassen wir uns von keinem deutschen Politiker irre machen, welcher Partei er auch immer angehöre. Auch Meinungen von alliierter Seite können uns nicht irre machen; denn die Alliierten sehen die deutsche Situation immerhin vom Standpunkt ihrer eigenen Interessen aus.« Wenn auch die Kräfte fehlen, so ist doch der Wille zu loben.

Die Absetzung Kaisers und Lemmers markiert das Datum, nach dem die bürgerlichen Parteien immer stärker zu Satelliten der SED, den Blockflöten, wurden, die sie bis zum Ende der DDR blieben. Daran konnten auch einzelne wenig ändern, die sogar mutig das Schlimmste verhindern wollten. Andere spekulierten, daß der Sowjetunion die Zukunft gehöre. Georg Dertinger, der Kaiser nicht folgte und dafür erster Außenminister der DDR wurde, erläuterte mir, wie sich beide Thesen verbinden lassen. Auf der richtigen Seite sein, das waren Überlegungen, die sich umgekehrt auch im Westen fanden.

Die sowjetische Militäradministration glaubte es sich sogar leisten zu können, eine nationaldemokratische Partei gründen zu lassen. Nachdem sich kein richtiger Nazi fand, wurde als Vorsitzender ein Dr. Bolz gefunden, der im Nationalkomitee Freies Deutschland zuverlässig gesäubert worden war und nun die Aufgabe erhielt, »Ehemalige« zu sammeln, Soldaten vor allem, aber auch Beamte. Die Sowjets stellten alle ehemaligen Mitglieder der NSDAP, soweit sie keine schweren Verbrechen begangen hatten, frei für die politische Betätigung. Man nannte sie »Nominelle« und sprach nicht von Amnestie. Diese Wendung empfahl sich auch, weil mit dem Aufbau einer kasernierten Volkspolizei begonnen worden war und den Beratungen für die Verfassung einer deutschen demokratischen Republik. Es lief alles sehr schnell in diesem Jahr 1948 auf eine politische Teilung zu, die staatsrechtlich erst ein Jahr später vollzogen wurde.

Es begann mit den zwei Währungen und endete mit zwei Staaten. 1990 wiederholte sich diese Reihenfolge, auf wenige Monate gedrängt, erst die Währung, dann der Staat vereint. Die Marxisten sprachen von Materialismus, wir genossen ihn, allerdings noch nicht in Berlin. Dort gab es noch einige Monate zwei Währungen, nachdem die Sowjets ihre Währungsreform »für ganz Berlin« verfügt hatten. Sie verließen Kontrollrat und Allied Kommandatura, begannen mit der Sperrung der Interzonenwege, erreichten schnell eine vollständige Blockade, verweigerten dem gewählten Oberbürgermeister Ernst Reuter die Ernennung und ließen die Kommunisten das Rathaus stürmen. Bis zum Ende des Jahres war die verwaltungsmäßige Teilung vollzogen.

Inzwischen hatten die drei Militärgouverneure den Ministerpräsidenten ihrer Länder die Weisung gegeben, eine Verfassung auszuarbeiten und ihnen zur Genehmigung vorzulegen, um die drei Westzonen politisch und wirtschaftlich zu einer Föderation zusammenzufassen. Anfangs zögerten einige Ministerpräsidenten in der Sorge, einem westdeutschen Staat würde ein ostdeutscher folgen. Sie fürchteten das Odium der Spaltung. Der Blick nach Berlin, die sowjetischen Schikanen und der Hinweis, daß die drei Regierungen bereit seien, den Deutschen bedeutende Kompetenzen zu übertragen und ihre originären Rechte auf ein Besatzungsstatut zu beschränken, ließen sie den Parlamentarischen Rat bilden.

Inzwischen begann die begeisternde Luftbrücke, um die vollständige Absperrung der Stadt zu Land und Wasser zu überfliegen. Aber sicher war nicht, ob sie leisten könnte, mehr als zwei Millionen Menschen zu ernähren und über den Winter zu bringen. Im Fünfminutentakt donnerten die Dakotas, vom Sohn »Dackeltassen« genannt, und die imponierenden viermotorigen Skymaster je nach Windrichtung im Start oder Anflug über die Dächer. Ich wachte nur auf, wenn der vertraute und beruhigende Lärm wegen einer Verzögerung ausblieb. Als ich Anfang der siebziger Jahre einem sowjetischen Freund gegenüber von dieser grandiosen Leistung der Amerikaner schwärmte, erwiderte er: »Na gut, aber während dieser Zeit haben die Amerikaner China verloren.« Er lächelte, weil selbst den Amis die erforderliche Lufttransportkapazität in Asien gefehlt habe. Etwas anderes konnte der Russe nicht bestreiten: Die großartige Haltung der West-Berliner, die lieber Kartoffelpulver zubereiteten als frische Kartoffeln und anderes im Ostsektor zu kaufen. Um die Luftbrücke zu unterlaufen, hatte der Osten die Bevölkerung geradezu eingeladen, sich dort zu versorgen. Nur ein Bruchteil der Bevölkerung ging »rüber«, obwohl besonders für Rentner die Verlockung nicht gering war, mit der wertvolleren Westmark ihr Auskommen zu verbessern, und sei es beim billigeren Friseur. Die Mauer gab es ja noch nicht.

Nicht weniger eindrucksvoll muß es gewesen sein, als der Zivilist Reuter dem großen General Clay versicherte, er brauche keine Sorgen zu haben, die Berliner stünden neben den Amerikanern. Immerhin, ohne die Standfestigkeit dieser ausgemergelten und geschundenen Bevölkerung hätte die Luftbrücke ein Schlag ins Wasser werden können. Unbestreitbar haben die Berliner den Deutschen positive Schlagzeilen in Amerika beschert. Zum erstenmal nach dem Kriege konnte der Westen sehen, daß es Deutsche gab, die bereit waren, für ihre Freiheit einzustehen. Es war ein psychologischer Eisbruch, durch den der westdeutsche Staat leichter seine Fahrt aufnehmen konnte.

Inzwischen hatte ich das Angebot des *Tagesspiegel* angenommen, in Hamburg eine norddeutsche Redaktion aufzubauen. Jeder Erstflug ist ein Erlebnis. Die britische Maschine hatte Kohle gebracht und sah innen entsprechend aus, auch die heruntergeklappten, mit Tuch bespannten Sitzgelegenheiten, wie sie für den Transport von Fallschirmjägern gebraucht werden. Hamburg war ein kleiner Kulturschock. Ich sah eine hellerleuchtete Stadt und wurde mir bewußt, wie dunkel es im blockierten Berlin war. Die Augen gingen über vor den eleganten Auslagen an der Alster; an der Spree hatten wir die Wirkungen der Währungsreform verpaßt. Dachten die Menschen, die ungeniert und genußvoll Torten fraßen, eigentlich daran, wie andere ziemlich nahe vor den Toren ihrer Stadt lebten? Die Selbstverständlichkeit, mit der aus reichhaltigen Speisekarten ausgewählt wurde, hatte fast etwas Sündhaftes. Ich nahm mir vor, immer alles aufzuessen, was bestellt und aufgetischt wurde; der Vorsatz hielt nur wenige Monate. Und so war es sicher ungerecht, wenn ich ein »Hamburg im Zwielicht« (11. März 1949) beschrieb: »Nach dem überraschenden wirtschaftlichen Aufschwung hat die Gewöhnung das Staunen zugedeckt. Das schlechte deutsche Gedächtnis bildet den Humus, auf dem mit fragwürdiger Selbstverständlichkeit Ansprüche wuchern. Die Fassadenwirklichkeit hat den Hamburgern suggeriert, sie müßten einen Radioapparat und eine Clubgarnitur und einen Gänsebraten und Wildlederschuhe besitzen. Für die Leute ist der Krieg beendet, nicht verloren.« Aber ich stellte noch etwas anderes, viel Beunruhigenderes fest. Das war hier eine andere Welt, viel näher dem, wie sich die Phantasie die Schweiz vorgestellt hatte. In Berlin wurden Besatzer zu Beschützern, hier gaben sie Befehle, verboten ernüchternd den Zuzug. Hier wandte man sich, dem Feuersturm des Krieges entronnen, dem Leben zu; dort ging der Kampf ums Überleben weiter.

Die unübersehbaren Ruinen waren Teil der Vergangenheit, die man loswerden wollte. Jedes wirkte auf seine Art absurd: das Verfahren gegen Veit Harlan, den Meisterregisseur von *Jud Süß* und des Durchhaltefilms *Kolberg*; der vornehme Willy Birgel, für Deutschland geritten, ohne Nazi gewesen zu sein, der mich in Schümanns Austernkeller einlud, oder Hans Albers, dessen blaue Augen wirklich so leuchteten wie auf der Leinwand. In Hamburg konnte man die Wirklichkeit verändern, in Berlin konnte man ihr nicht entkommen. Den Beginn der deutschen Teilung im Fühlen und Denken der Menschen habe ich an der Elbe erlebt.

In Berlin war ich mit den drei Themen bekannt geworden, die eine zentrale Rolle für mich spielen sollten: der Konfrontation zwischen Ost und West, bei der sich die Sieger um die Beute stritten, den besiegten Deutschen, die unaufhörlich über die Einheit sprachen, während sie sich immer weiter teilten, und dem Verhältnis zwischen Sozialdemokraten und Kommunisten, die, abgestoßen und angezogen voneinander, einen gar nicht ganz kleinen Schlüssel für die Lösung dieses Knotens erhielten.

2. KAPITEL

Zwischen Bonn und Berlin

Kurt Schumacher

Bis jetzt, nach der Einheit, ist sich das Land nicht bewußt, welche Verdienste sich der erste Nachkriegsvorsitzende der SPD für Deutschland erworben hat. Er war der entscheidende Mann, der eine SED in den Westzonen verhindert hat. Ohne ihn hätte sich Westdeutschland nur schwer, vielleicht sogar nicht zu dem Staat entwickeln lassen, den wir kennen. Ohne ihn wäre die Bundesrepublik eher ein Staatenbund denn ein Bundesstaat geworden. Er hat durch sein Nein die Finanzhoheit für den Bund ertrotzt, die für den Aufbau, übrigens auch der Bundeswehr, unentbehrlich war. Ohne ihn wäre die einvernehmliche Vorbereitung zur Aufstellung deutscher Streitkräfte nicht erfolgt.

Sein offener Kampf gegen die NSDAP im Reichstag, seine zehnjährige Haft, davon acht im KZ Dachau, verliehen ihm das moralische Recht, den Siegern gegenüberzutreten, als sei er einer von ihnen. Hatte er nicht auch gesiegt, nachdem er die Ausrottung des Nazismus als notwendig für den Frieden zu einer Zeit gefordert hatte, nach der nicht wenige Engländer, Franzosen, Russen, sogar Amerikaner die Illusion noch vor sich hatten, ihren Frieden mit Hitler machen zu können? Wer konnte sein Selbstbewußtsein überbieten, sofern es sich aus makelloser Vergangenheit und bestätigter Weitsicht speiste?

Sein Charakter, ganz unterschiedlich zu dem seines Widersachers Adenauer, ließ ihn direkt agieren, undiplomatisch, als suche er den Kampf, ohne Zweifel in die Richtigkeit seiner Überzeugung. Es war gewissermaßen natürlich, daß diese Mischung ihn prädestinierte, deutschen politischen Willen, oft meinungsbildend, nicht nur zu formulieren, sondern deutsches Gewicht auftrumpfend in die Waagschale zu werfen. Im Osten wäre das unmöglich gewesen; im Westen wirkte das um so stärker, je unbestreitbarer seine antisowjetische Haltung gewesen war. Eine Kraftprobe gegen den schriftlich übermittelten Standpunkt der Alliierten zu den Bundesfinanzen im Grundgesetz hat sich Adenauer nicht erlaubt. Als die drei Westmächte nachgaben, sprach man erstmals von einem deutschen außenpolitischen Erfolg. Schumacher hatte die erste Runde für sich entschieden, freilich zu einer Zeit, als er auf gleicher Stufe mit Adenauer Vorsitzender einer der beiden großen Parteien vor den Bundestagswahlen war.

Das wiederholte sich nicht mehr; denn danach bestimmte der Kanzler nicht nur die Richtlinien der Politik, sondern Methode und Taktik. Adenauer ging eben davon aus, daß es klug wäre, als Vertreter eines besiegten Volkes sich anzupassen und nach und nach Kompetenzen zu erreichen, den Siegern abzuringen. Schumacher war souverän, bevor das Land es wurde. Adenauer wollte Souveränität gewinnen, schrittweise, zäh. Schumacher war unbequem. Die Eigenschaft der Listigkeit hat niemand bei ihm vermutet. Ein Fuchs wurde Adenauer genannt. Er erwies sich als der Überlegene, nicht nur in der Taktik.

Seit damals hat mich immer wieder die Frage beschäftigt, wie die Interessen des eigenen Landes am wirksamsten vertreten werden können. Hätten Zahl und geographische Lage den Deutschen nicht schon 1947 ein Gewicht geben können, um die Vier Mächte zu beeinflussen?

Es erstaunt noch nachträglich, daß die Sieger die Fähigkeit der Deutschen zur Erholung vor und nach dem Ende des Krieges stärker einschätzten als die Besiegten. Nicht einmal der Blick auf die Landschaft von Trümmern und Ruinen, der Zusammenbruch von Produktion und Infrastruktur ließen besonders Franzosen und Engländer an der Kraft zweifeln, die in diesen Deutschen steckt, unausrottbar bleiben wird, was also bleibende Vorsorge gegen sie empfiehlt. Mehr Einfluß hätten die Deutschen vielleicht schon damals nehmen können.

Hat es an der Uneinigkeit, dem Fehlen einer überzeugenden Führungspersönlichkeit gelegen, daß die Ministerpräsidenten der deutschen Länder in München versagt hatten? Oder waren die Deutschen damals zu schwach? Es scheint ein bißchen zu einfach, sich damit zu entschuldigen, daß ja die Großen schon auf dem Wege der Teilung waren und man dagegen doch nichts ausrichten konnte. Jedenfalls ist kein ernster Versuch festzustellen. Aber wie will man aus der Geschichte lernen, wenn sie oft nur so geschrieben wird, als hätte es nicht anders kommen können. Schumacher war ein Staatsmann, der nicht beweisen konnte, ob sein Weg und seine Methode schneller und direkter zum Ziel der politischen Volljährigkeit geführt hätten.

Nachdem die Rollen zwischen Kanzler und Oppositionsführer verteilt waren, bewies Schumacher seine staatsmännische Verantwortung, indem er vertraulich mit den Herren Adolf Heusinger und Hans Speidel, ehemalige Wehrmachts-, künftige Bundeswehrgenerale, über die Voraussetzungen für den Aufbau deutscher Streitkräfte konferierte, wohl ein dutzendmal, jeweils viele Stunden, ohne daß er darüber etwas verlauten ließ, was den Interessen des Landes geschadet hätte. Ähnlich wie Adenauer war ihm schon 1950 durch den Koreakrieg klargeworden: Jetzt werden die Deutschen gebraucht. Wieder zeigte sich der charakteristische Unterschied zwischen beiden. Adenauer hatte Soldaten angeboten, Schumacher wollte warten, bis die Deutschen gefragt würden, um aus dieser Position heraus unsere Bedingungen durchzusetzen: Verstärkung der amerikanischen Streitkräfte, direkter Eintritt in die NATO, gleichberechtigte deutsche Bewaffnung, strategische Stärke, die eine »offensive Verteidigung« nach Osten erlaubt, damit Deutschland nicht nur zum Schlachtfeld wird. Die beiden Generale äußerten sich voller Anerkennung und Lob über Schumachers Standpunkt des nationalen Interesses wie seine militärische Kompetenz in ihren Berichten an den Kanzler. Der wollte so viel gar nicht und zog leichtere Umwege vor. Aber in der neuen Rolle konnte Schumacher nur noch raten, nicht mehr erzwingen.

Man bietet doch nichts an, wenn man gebraucht wird. Da war wieder die Frage, wie deutsches Gewicht am besten zu nutzen ist. Unwillkürlich denkt man an die späte Neuauflage: Warten oder drängen wir auf einen Sitz im Sicherheitsrat der Vereinten Nationen? Aber der Nachfolger Schumachers, Brandt, ist tot; seine Auffassung, sich bitten zu lassen, wird nicht mehr beachtet.

Der Hauptpunkt Schumachers war, wenn es ohne die Deutschen nicht geht, die Aufstellung von Streitkräften für die Einheit zu nutzen. Zunächst negativ: Den Plan zu einer europäischen Verteidigungsgemeinschaft ohne eigenständige deutsche Armee bezeichnete Schumacher als »anti-europäisch«. Er mache Deutschland zu einem »Staat zweiter Klasse«, nur mit der »Chance des Blutvergießens in der ersten Klasse«. Der Oppositionsführer warnte den Kanzler, im Kriegsfall werde »die Ostzone aufgegeben und Berlin den Sowjets ausgeliefert«. Adenauers etappenweises Herangehen, erst einmal eine westdeutsche Truppe in der Stärke der kasernierten Volkspolizei aufzustellen, lehnte Schumacher ab: »Wenn die Volkspolizei marschiert, marschiert auch die Rote Armee. Die deutsche militärische Leistung hat nur dann einen Sinn, wenn die Westdemokratie Deutschland offensiv nach dem Osten verteidigt, Deutschland vor den schwersten Zerstörungen bewahren und als Antwort auf einen russischen Angriff die Kriegsentscheidung östlich von Deutschland suchen will. Das ist die erste und materiell einzige Voraussetzung für das Ja oder Nein der deutschen Aufrüstung.«

Dann positiv: Er forderte die deutsche Einheit als Ziel des deutschen Wehrbeitrags, auch für die anderen künftigen Verbündeten. Damit Deutschland nicht Vorfeld wird, verlangte er eine entsprechende Strategie der Stärke: »Man will die Deutschen kämpfen lassen und rüstet sie nicht ausreichend gegenüber einem solchen Gegner wie der Roten Armee aus.« Im März 1951 kritisierte er im Bundestag den Westen, daß die im letzten Jahr von dort begonnene, reichlich unbesonnene Diskussion über einen deutschen militärischen Beitrag daran gekrankt habe, »daß sie ohne die Fixierung absolut fester Voraussetzungen sei, ohne Rücksicht auf militärische Gefahren für das deutsche Volk eingeleitet worden ist. Es ist der alte Fehler des Westens, unser Volk gar zu sehr als Materie zu betrachten, die von fremdem Willen geformt werden könnte.«

Es bleibt festzuhalten, daß Schumacher einer Wiederbewaffnung prinzipiell zustimmte. Er kam zu einem Nein, weil das Ziel der Einheit fehlte, die Mittel ihm nicht ausreichten und die Deutschen zweitrangig behandelt würden. Es ist durchaus denkbar, daß Schumacher bei einem längeren Leben verhindert hätte, daß andere die SPD in den Verdacht brachten, sie sei gegen die Bundeswehr. Aber jenseits dieser Frage an die unkorrigierbare Vergangenheit bleibt es frappierend, daß die Überlegungen, Sorgen, Interessen, die der Oppositionsführer damals angesprochen hat, für Jahrzehnte Gegenstand der Auseinandersetzungen geblieben sind. Ein großes Thema war intoniert, die Nachfahren komponierten viele Variationen.

Meine Bekanntschaft mit Schumacher ergab sich im Bundestagswahlkampf 1949. Auf einer Kundgebung in Hamburg erlebte ich ihn wie erwartet: scharf, mit beißendem Spott, leidenschaftlich, ein Tribun des kleinen Mannes. Das Gespräch in der Ruhe des Rathauses milderte und ergänzte das Bild eines integren Menschen, der gewinnend klug argumentierte, statt gegen Abwesende verletzend zu polemisieren. Meinen Eindruck übermittelte ich der Redaktion: Es könnte sein, daß er gar nicht unglücklich wäre, als zweiter Sieger durchs Ziel zu gehen; überzeugt, daß Adenauer die großen Probleme des Landes nicht würde lösen können, wäre nach dessen Scheitern die SPD unangefochten für lange Zeit an der Macht. Sollte dieser Eindruck richtig gewesen sein, so ging die Kalkulation jedenfalls nicht auf. Nicht nur, weil die freigesetzte Energie der Menschen dafür sorgte, daß es eigentlich immer nur besser werden könnte; wer beim Aufbau eines neuen staatlichen Organismus fehlt, gerät strukturell in einen Nachteil, der später nur schwer aufzuholen ist. Die Koalitionsparteien bewiesen erstaunliche personelle Zielstrebigkeit und Machtbewußtsein, als die Apparate der neuen Ministerien zusammengesetzt wurden. Brandt war diese Erfahrung 1990 durchaus bewußt; auch deshalb riet er der SPD zum Eintritt in die große Koalition unter Führung de Maizières.

Drei Grundakkorde Schumachers bewirkten, daß ich mich immer stärker zu ihm und seiner Partei hingezogen fühlte. Schon im Herbst 1945 hatte er auf Neigungen zum Separatismus in allen westlichen Reichsteilen aufmerksam gemacht: »Wenn der Vorschlag des Kölner Oberbürgermeisters Adenauer verwirklicht würde, wonach die drei großen Besatzungszonen je ein Land im deutschen Reich darstellen sollten, so wäre diese Lösung im höchsten Maße reichsgefährdend. Abgesehen davon, daß ein solcher Versuch eine entsprechende russische Reaktion im Osten hervorrufen müßte, wären die innenpolitischen Konsequenzen in den einzelnen Besatzungszonen überraschend. Der Osten wäre dann nämlich sowjetisch, der Süden und Südosten klerikal und das dritte Land wäre es möglicherweise auch.«

Neben dem Willen zur Einheit als Priorität sogar im täglichen Geschäft des neuen Staates teilte ich Schumachers Antikommunismus, und zwar auch in der doppelten Begründung: Ideologisch mußte der Demokrat sich hart gegen die Diktatur des Proletariats abgrenzen, und machtpolitisch erkannte er die feste Bindung der Kommunisten an die Sowjetunion und ihre außenpolitischen Ziele.

Schließlich beeindruckte seine souveräne Haltung, lange bevor die staatliche Souveränität überhaupt diskussionsfähig wurde. »Die deutschen Sozialdemokraten sind nicht britisch und nicht russisch, nicht amerikanisch und nicht französisch. Wir sind bestrebt, mit allen internationalen Faktoren im Sinne des Ausgleichs und des Friedens zusammenzuarbeiten, aber wir wollen uns nicht von einem dieser Faktoren ausnutzen lassen.« Diesen Schlüsselsatz habe ich Brandt für einen Artikel zum 65. Geburtstag Schumachers empfohlen. Ich habe ihn noch später das »ungeschriebene Programm der SPD nach 1945« genannt. Schumacher verkörperte nationales Selbstbewußtsein mit Internationalismus für das Ziel der Selbstbestimmung.

Der explosive Tumult im Bundestag nach Schumachers Zwischenruf »Bundeskanzler der Alliierten« bleibt unvergessen. Die Sitzung wurde unterbrochen. Der Vorraum zum Plenarsaal summte von den erregten Gesprächen der Abgeordneten und Journalisten. Ich war auch der Auffassung, diese Formulierung sei unhaltbar. Das Ergebnis vieler Verständigungsbemühungen erstaunte einige Tage später, weil keine Seite ihren Standpunkt aufgegeben hatte. Der gemeinsame Text ist ein Zeitdokument, das über den Anlaß des Streits hinausgeht: »In der Sitzung des Bundestages vom 24. zum 25. November 1949 war der Bundeskanzler der Ansicht, daß ohne einen Eintritt in die Ruhrbehörde ein Demontagestopp nicht zu erreichen sei. Die sozialdemokratische Fraktion war der Ansicht, daß ein Demontagestopp auch ohne bedingungslosen Eintritt in die Ruhrbehörde zu erreichen sei. Der Bundeskanzler ist davon überzeugt, daß die sozialdemokratische Fraktion sich bei ihrer Haltung von der Überzeugung leiten ließ, auf diesem Wege das Beste zu erreichen, und hält Formulierungen, die anders ausgelegt worden sind, nicht aufrecht. Dr. Schumacher ist seinerseits der Auffassung, daß der Bundeskanzler überzeugt war, nur durch den Eintritt in die Ruhrbehörde den Demontagestopp erreichen zu können. Er hält daher den Zwischenruf ›Bundeskanzler der Alliierten‹ nicht aufrecht.« Hier war der Prinzipienstreit deutscher Nachkriegspolitik auf die Spitze getrieben worden zwischen Anpassung und Auftrumpfen. Der methodische Gegensatz war kurzfristig zu einem parlamentarischen Kriegszustand aufgebrochen zwischen dem, was Schumacher für verächtlich und Adenauer für töricht halten konnte. Beide bescheinigten einander die Ehrenhaftigkeit ihrer Motive, auch wenn die Gegensätze unvereinbar blieben.

Daß Schumacher sich derartig herausfordern ließ, zeigte einmal mehr die taktische Meisterschaft Adenauers. Etwas später hörte ich von einem Bekannten aus der französischen Besatzungsbehörde, man habe Schumacher Fotos angeboten, die den Vizekanzler und FDP-Vorsitzenden Franz Blücher in einer verfänglichen Situation in Paris zeigte. Schumacher habe abgelehnt, Adenauer nicht. Der habe, wie Kaiser abfällig bemerkte, das sogar am Kabinettstisch erwähnt mit dem Zusatz: »Sogar mit einer Farbigen!« und Blücher zu peinlichen Erklärungen veranlaßt. Auch wenn nichts an die Öffentlichkeit drang (oder gerade weil?), konnte sich niemand wundern, wenn der FDP-Vorsitzende ein bequemer Partner wurde. Der alte Herr war in der Wahl seiner Mittel wirklich nicht pingelig. Aber diese Episode gehört eben noch mehr zur Charakterisierung Schumachers.

Bewundert haben den Mann wohl alle, nachdem ihm ein Bein amputiert werden mußte. Bei mir ging das in Verehrung über. Was bedeuteten schon seine verletzenden Wortspielereien mit Namen (aus Adenauer machte er Lügenauer; den zeitweiligen Bundesminister v. Merkatz nannte er Tümpelmaus) angesichts der Integrität seines Wollens, der Unnachsichtigkeit sich selbst gegenüber und der selbstlosen Leidenschaft für das Schicksal seines Volkes und seines Staates, wohl im Wissen, daß ihm wenig Zeit blieb? Ich wollte Mitglied seiner Partei werden. Er empfahl, draußen zu bleiben. Da würde ich bei dem aufkommenden Quotendenken im Rundfunk wenigstens nicht den Sozialdemokraten angerechnet werden. Danach erzählte sein Mitarbeiter Hans Hermsdorf die Bemerkung des Chefs, man solle auf mich achten, ich sei eine außenpolitische Begabung. Jedenfalls bat er mich um eine außenpolitische Denkschrift.

Zum letztenmal sah ich ihn im Liegestuhl, zugedeckt, auf der sonnigen Terrasse des Hauses auf dem Venusberg, mit dem mich noch viele andere Erinnerungen verbinden sollten, nachdem es die Residenz Willy Brandts geworden war. Erschrocken und bewegt verfolgte ich seine Anstrengungen, nach dem Schlaganfall seine Sorgen zur deutschen Wiederbewaffnung zu artikulieren. Auf einer Bergkuppe in Spanien konnte ich nachts meinen Sender empfangen und hörte, daß Schumacher tot sei. Nicht einmal bei sofortigem Abbruch des Urlaubs hätte ich zur Beisetzung in Hannover zurück sein können. Bei der Überführung des Sargs zeigten Hunderttausende ihre Trauer. Der Anwalt des kleinen

Mannes, die deutsche Stimme, die Selbstvertrauen gegeben hatte, war verstummt. Ein solcher Abschied blieb Willy Brandt versagt.

Den Kern traf wohl Theodor Heuss in seinem Kondolenzbrief: »Dies aber steht sehr deutlich vor meinem Bewußtsein, daß er es vor allem gewesen ist, der den Einbruch der totalitären Ideologie abgefangen und damit die Sicherung demokratischer Ordnung sachlich und seelisch gestützt hat. Das bleibt sein unverlierbares vaterländisches Verdienst.«

Der alte Herr will die Einheit gar nicht

»Mit dem ersten Autobus nach Berlin«, hieß meine Reportage Anfang Mai 1949 nach dem Ende der Blockade. Nun fiel bei der Fahrt durch die Zone auf: kaum mehr Autos, grau die Dörfer und Städte. Auf einer Hauptstraße in Perleberg am Mittag eines Wochenendes zählte ich 27 Menschen. Die Stille des Landes kontrastierte mit der freudigen Sonntagsstimmung bei der Ankunft in Berlin, die Eintönigkeit der Spruchbandlosungen mit den bunten Reklamen. Was bedeutet Demokratie ohne Waren, das Ideal der Freiheit ohne volle Schaufenster? Es ist etwas Kostbares, was zu bewahren gewesen war für viele Monate unter dem Schutz der Drei Mächte. Die Selbstbehauptung war gelungen. Die Piloten, die während der Luftbrücke verunglückten, waren auch für uns gestorben. Mindestens die West-Berliner konnten sich schon etwas wie Alliierte der Alliierten fühlen. Da fiel es gar nicht auf, daß die großen Profidiplomaten der weitblickenden Außenämter bei ihren Verhandlungen in New York schlicht vergessen hatten, den deutschen zivilen Verkehr zu sichern. Die Rechte der Drei Mächte hatten gereicht, um die Blockade zu beenden und ihren Zugang zur Stadt wiederherzustellen. Das hat viel Ärger gegeben in den nächsten 23 Jahren, bis ich im Vier-Mächte-Abkommen zum erstenmal eine Vereinbarung über den unbehinderten Verkehr zwischen Berlin und Westdeutschland für die Deutschen verankern konnte.

Der *Tagesspiegel* mußte feststellen, daß sich eine Zeitung für Deutschland von Berlin aus nicht machen ließ. Die Überschriften in Westdeutschland und in Berlin differierten immer stärker und zeigten die Unterschiedlichkeit des Blicks. An der Spree mußte man weiterhin auch immer nach Osten sehen, in Bonn konnte und wollte man stärker auf Paris blicken. Also wurde die norddeutsche Redaktion geschlossen und ihr Korrespondent nach Bonn versetzt. Welch ein idyllisches und sympathisches Städtchen! Auf der Suche nach einem Zimmer winkte die Wirtin auf die Frage entschieden ab, ob sie sich denn freue, wenn Bonn vielleicht vorläufige Bundeshauptstadt würde: »Natürlich nicht; man kann ja jetzt schon kaum mehr über die Straße, ohne sich umsehen zu müssen, ob ein Auto kommt.«

Wir machten uns lustig über den Kanzler seines eigenen Vertrauens. Adenauer mit einer einzigen Stimme Mehrheit, das war kein Ergebnis, das Stabilität oder langes Lebens dieser ersten Regierung erwarten ließ. Hans Reif, FDP-Bundestagsabgeordneter aus Berlin, erzählte das Erlebnis, wie er seinen alten Freund Theodor Heuss wiedergefunden hatte. Der hatte sich fast entführt gefühlt, eingesperrt und bewacht in einer Villa in Godesberg, die dem neuen Bundespräsidenten zugewiesen war. »Ich kann ja kaum noch allein furzen. Ich furze trotzdem.« Klar, der Mann würde nicht an der neuen Würde ersticken.

Die Bonner Journalisten kannten ihre Vorzugsstellung. Die Gelegenheit, alle wichtigen Akteure kennenlernen zu können, zu beobachten, wie sich ein Staat entwickelt, gab einen Informationsvorsprung gegenüber den Heimatredakteuren und wurde für manche Kollegen das Sprungbrett zur Chefredaktion. Die Bundesregierung wußte bald auch für sich zu werben, indem sie die Mitglieder der Bundespressekonferenz mit einer großzügigen Werbungspauschale ausstattete. Niemand wies das Steuergeschenk zurück. Es wurde zur sozialen Errungenschaft, von keiner Regierung in Frage gestellt.

Auf dem Hintergrund der Berliner Erfahrungen war das Ringen um die Deutschland- und Außenpolitik eine Fortsetzung; die Auseinandersetzung um Sicherheit und Verteidigung kam hinzu. Die Wissenschaft hat darauf hingewiesen, wie wichtig die Eindrücke des Kleinkindes für sein ganzes Leben sind; meine politische Kleinkinderzeit hatte in Berlin stattgefunden. In Bonn war eine politische Lernzeit zu absolvieren; einzigartig in der aufregend gedrängten Fülle. Kein Bundestag konnte wieder so tiefe Furchen auf dem politischen Brachland ziehen, wie das in der 1. Legislaturperiode möglich und nötig war. Das Grundgesetz mit Leben erfüllen, wurde Ereignis, bei dem das Parlament reifte, seine Abgeordneten auch, und Spreu sich vom Weizen trennte. Für die Journalisten galt das genauso.

Ich jedenfalls fand mein zentrales Thema, das mal Deutschland-, mal Außen-, mal Ost- und mal Sicherheitspolitik genannt wurde, aber im Grunde immer dasselbe blieb: Deutschlands Selbstbestimmung in Europa. Wie es die Situation verlangte oder ermöglichte, als Beobachter und Handelnder konzentrierte ich mich auf dieses Ziel unter Vernachlässigung innen- und gesellschaftspolitischer Probleme, deren Wichtigkeit ich – auch zunächst noch begrenzt – erst im Kanzleramt wirklich erfaßte.

Im Bundeshaus-Restaurant sah ich Jakob Kaiser wieder. Der »Kaiser ohne Land« schien nur noch ein Schatten seiner selbst, ein Gebrochener. Nach dem Verlust der Machtposition als Vorsitzender der Berliner Ost-CDU hatte er sich nun in bitterer Ironie, von der Duldung Adenauers abhängig, zurückgeworfen auf sein gewerkschaftliches Herkommen, in den Sozialausschüssen der Union eine bescheidene Hausmacht aufgebaut und zögerte, in das erste Kabinett einzutreten. Er wollte sich nicht als Aushängeschild mißbrauchen lassen, aber er fühlte eine Verpflichtung, unbequemer Mahner zu werden, für den Regierungschef unbeliebt, nützlich, erträglich. Er wurde das gesamtdeutsche Feigenblatt für eine Politik, die sich immer stärker mit »rein rhetorischen Auffassungen« begnügte, wie ich schon damals fand. Seine Meinung über Adenauer hatte er nicht geändert.

In dem ersten Antrag, den die Kommunisten im Bundestag stellten, schlugen sie vor, die Bundeshauptstadt nach Berlin zu verlegen. Später habe ich mir mehrfach den Spaß gemacht, die Vertreter der DDR daran zu erinnern, was die gar nicht komisch fanden. Den Streit zwischen Frankfurt und Bonn hatten beide Städte mit Haken und Ösen geführt. Auch Journalisten kamen in den Genuß guter Weine aus hessischen Staatsgütern. Wir spotteten, Adenauer wolle als der einzige Regierungschef in die Geschichte eingehen, der sich die Hauptstadt vor die eigene Wohnung in Rhöndorf bauen lasse. Bonn gewann mit imponierend unverschämt verlogenen Ziffern, wie billig es sei und wie wenig Neubauten erforderlich wären, übrigens zu meiner Freude, weil Bonn zu klein und unbedeutend bleiben würde, um irgendwann für Berlin eine ernsthafte Konkurrenz werden zu können. Ich bemängelte in einem Kommentar fehlenden Mut zu symbolischen Maßnahmen und vermißte Flexibilität der demokratischen Parteien gegenüber Propagandaanträgen der extremen Linken. Dem Beobachter schien es, daß über den Antrag mehr gelacht wurde, als dem Ernst der Situation angemessen war. Man muß auch bezweifeln, ob alle Abgeordneten begriffen, was es bedeutete, daß die Kommunisten die Verlagerung von leitenden Bundesorganen nach Berlin forderten. Niemand kam auf den Gedanken, daß man diesen Antrag annehmen könnte, wenn er durch den Zusatz ergänzt würde: »Damit ist Berlin zwölftes Land der Bundesrepublik.« Der letzte Satz dieses Kommentars dokumentierte meine Unkenntnis, daß die drei Militärgouverneure gerade diesen Artikel des Grundgesetzes zu Berlin dispensiert hatten. Aber Zweifel meldeten sich, ob es klug sei, jeden Antrag von Kommunisten geschlossen abzulehnen, nur weil er von Kommunisten stammte, und ob es nicht interessant wäre, ihre Fehler auszunutzen.

Insgesamt verfolgte ich die Politik der Bundesregierung mit Wohlwollen, weil sie ihrer Linie folgend unbezweifelbare Erfolge aufzuweisen hatte, und begleitete die Opposition kritisch, weil sie zu viel forderte. Wenn es schon keine große Koalition gab, die angebracht gewesen wäre, falls die Wiedervereinigung wirklich die erste Aufgabe sein sollte, dann war es jedenfalls nötig, dem angelsächsischen Beispiel zu folgen, die Parteiinteressen zurückzustellen und in der Außenpolitik an einem Strang zu ziehen. Ich gründete einen Montagskreis, zu dessen vertraulichen und zwanglosen Zusammenkünften abwechselnd in den Wohnungen der beteiligten Kollegen außer dem Kanzler und dem Oppositionsführer alle Politiker kamen, die wir einluden. Das brachte Hintergrundinformationen; denn die Herren – Damen erschienen uninteressant – sprachen sehr offen und konnten sich auf Diskretion verlassen. Ab und zu gab es einen Journalisten-Tee bei Adenauer, und so konnte ich mich beruflich pudelwohl fühlen, zumal ein guter Bekannter aus Berliner Tagen »Bundespressechef« geworden war.

Paul Bourdin war Chefredakteur des französisch lizenzierten *Kurier* gewesen. Er hatte lange Jahre als Korrespondent der alten *Frankfurter Zeitung* in Paris gelebt, liebte Frankreich, sympathisierte mit Adenauers gleicher Neigung und brillierte mit geschliffenen Formulierungen auf seinen Pressekonferenzen. Eines Morgens rief er mich im Büro an und wollte mich sofort sprechen. »Stellen Sie sich vor, ich habe gestern abend den alten Herrn im Wagen nach Hause begleitet, und was er sagte, war schrecklich. Es gibt keinen Zweifel, der alte Herr will die Einheit gar nicht. Und ich muß täglich das Gegenteil verkünden. Was bleibt mir außer dem Rücktritt?« Den Rat, die Sache zu überschlafen, konnte ich nicht geben; denn seine Erregung hatte schon eine Nacht überstanden. Ein Mißverständnis schloß er aus und wollte mir Einzelheiten ersparen. Dreieinhalb Wochen beobachtete ich, wie Paul Bourdin auf den Pressekonferenzen Slalom lief. Dann trat er zurück. Das wurde das Schlüsselerlebnis für meine Gegnerschaft zu Adenauer.

Außenpolitische Appetithäppchen

Zur Eröffnung der Schumanplan-Konferenz im Juni 1950 durfte ich nach Paris fahren. Im D-Zug beklagte sich Herbert Blankenhorn, außenpolitischer Mitarbeiter des Kanzlers, über einen Herrn Hallstein, »ein Professor, ohne jede außenpolitische Erfahrung. Er soll die deutsche Delegation leiten, kommt aus Frankfurt. Wir haben ihn noch nicht einmal gesehen.« Aber so dilettantisch die Ouvertüre auch immer gewesen sein mag, Hallsteins vorzügliches Gehirn verschaffte ihm schnell Respekt. Nach Westen jedenfalls ließ der Kanzler es an Initiativen nicht fehlen. Im März hatte er eine deutsch-französische Wirtschaftsunion vorgeschlagen; eine Konsequenz aus der Erfahrung der Weimarer Zeit, wie wichtig Wirtschaft für gegenseitige Verständigung ist. Aber so weit wollte Frankreich nicht gehen. Sein Außenminister Schuman reduzierte auf eine deutsch-französische Stahl- und Kohleproduktion unter einer gemeinsamen obersten Aufsichtsbehörde. Im Uhrensaal des Quai d'Orsay (eine solche Pracht zum täglichen Gebrauch hatte ich noch nie gesehen) fand die feierliche Unterzeichnung statt, nun wirklich gleichberechtigt abgelichtet auf einem Parkett der Deutsche neben dem Franzosen, glaubwürdig in ihrem Willen, an die Stelle jahrhundertealter Rivalität den Grundstein für weitere und vertiefte Gemeinschaft zu legen. Paris war der Ort, an dem die deutsche außenpolitische Isolierung zum erstenmal durchbrochen wurde. Das ließ die Erinnerung verblassen, daß der französische Außenminister sich in Moskau gegen die Wiedervereinigung ausgesprochen und eine internationale Kontrolle von Ruhr und Saar gefordert hatte.

Die Begeisterung über das Wiedersehen mit dieser Stadt im Frieden konnte durch nichts geschmälert werden, schon gar nicht durch mein billiges »Grand-Hotel du Bac«, wo ein abgerissener alter Mann jeden

Morgen mit einem Reisigbesen den Staub des alten Teppichs aufwirbelte. Mein Salle de bain hatte eine Badewanne, die seit langem nicht mehr benutzbar gewesen sein mußte, und beim Betreten meines Zimmers verließ es eine Maus. Es erschien nötig, den Lesern zu erläutern, warum es in diesem schönen Land so viele Kommunisten gab, eine Volksbewegung, verstärkt von vielen angesehenen Intellektuellen. Neben der Unzufriedenheit über das Regime der Parteien, die geringe Löhne und verkrustete Strukturen zuließen, führte ich das auch auf traditionellen Antiklerikalismus zurück, vor allem auf völlige Unkenntnis der sowjetischen Realität. Man sah nicht gern, was in Berlin geschah. So schien das starke Votum für die Kommunisten weniger ein Bekenntnis zu dogmatischem Marxismus oder für das sowjetische System als vielmehr der vernünftige, vielleicht sogar nützlichste Protest gegen die eigene Regierung. Wäre dieser Befund grundsätzlich falsch gewesen, hätte wahrscheinlich Mitterrand die Kommunisten nicht so schnell ihre Anhängerschaft verlieren lassen.

Während der Konferenz hatte ich nebenbei für den Rias ein paar Kommentare gemacht. Bei der Rückkehr nach Bonn fand ich ein Angebot des Senders vor, das ich ablehnte, denn ich fühlte mich wohl beim *Tagesspiegel*. Im Herbst kam Erik Reger, der Chefredakteur, der mit seinen Artikeln wirklich dem Motto folgte »rerum cognoscere causas«, zu einer angenehmen Unterhaltung über die Bonner Dinge, bevor er nach Amerika flog. Am nächsten Tag fand ich meine Kündigung in der Post, zusammen mit dem Angebot, für 300 Mark weniger weiterzumachen. Die wirtschaftliche Lage sei der Grund, die Gehälter aller Redakteure auf 1000 Mark zu kürzen. Da Reger nicht das Geringste angedeutet hatte, hing ich mich ans Telefon und fragte, ob der Rias mich noch wollte. Der wollte; für 2200 Mark im Monat. So nahm ich die Kündigung des *Tagesspiegel* an und lehnte sein Angebot dankend ab. Damit begannen mehr als neuneinhalb Jahre Arbeit als Leiter des Bonner Studios; unterbrochen von einem Jahr als Chefredakteur.

Der Rias, Abkürzung für »Rundfunk im amerikanischen Sektor«, stand unter der Aufsicht amerikanischer Kontrolloffiziere. Sie waren tolerant und liberal. Es gab keine Zensur, kein Verbot, mit einer einzigen Ausnahme am 16. Juni 1953, von dem zu berichten sein wird. Zum größten Teil konnte ich meine Themen selbst bestimmen. Wenn der deutschen Leitung etwas nicht gefiel, wurde angerufen und gefragt, ob ich zu einer Änderung bereit sei. Ein einziges Mal habe ich einen Absatz herausschneiden lassen. Ein anderes Mal ließ ich den gesamten Kommentar nicht senden, weil ich auf meiner Meinung bestand. Der Kollege Schulze-Vorberg vom Bayerischen Rundfunk, später Bundestagsabgeordneter der CSU, gratulierte, ich sei bei den Amerikanern freier als die Korrespondenten, die auf Ausgewogenheit unter Aufsicht der Gremien mit ihren Parteiräten achten müßten. Niemand kam in Versuchung, das ungeschriebene Gesetz zu durchbrechen und den amerikanischen Präsidenten einen Idioten zu nennen.

Anlaß, kritisch nach Amerika zu sehen, gab es schon. Wie Senator McCarthy seine Hexenjagd gegen Menschen führte, denen er Nähe zum Kommunismus vorwarf, schädigte Amerikas Ansehen. Die Träger großer Namen wurden verfemt und verloren ihre Jobs. Wer vor den »Ausschuß gegen unamerikanische Umtriebe« geladen wurde, schien schon vorverurteilt. Wir ahnten nichts Gutes, als zwei seiner Schnüffler, ich glaube sie hießen Cohn und Shine, in Deutschland auftauchten, wo sie antisemitische Regungen weckten. Jedenfalls wurde bald danach unser Direktor, Gordon E. Ewing, vor den Ausschuß geladen. Alle leitenden deutschen Mitarbeiter verfaßten einen Brief an den Hohen Kommissar, stellten sich vor Ewing und erklärten, wenn er abberufen würde, würden wir alle gehen. Dann könnte der Sender zugemacht werden. Ewing war der erste, der nicht in Washington vernommen wurde, sondern blieb. Nicht nur deshalb bewunderten wir die fast selbstverständliche Kraft, mit der Amerika ein derartiges Problem überwand.

»Die Woche in Bonn« war eine neue Sendeform, mit der ich jeden Sonntag eine halbe Stunde lang über die wichtigen Debatten des Bundestags in Originalausschnitten berichtete. Das verlangte viel mehr Arbeit als die bequemeren Interviews. Bei den Kommentaren stellte ich mir die Hörer in der Zone vor, für die eine gute Analyse viel wichtiger als meine Meinung sein mußte. Unterschiedliche Auffassungen abzuwägen und in den Gesamtzusammenhang zu stellen, ist für den Journalisten nicht nur einfacher als für den Normalbürger, sondern gehört zu seiner Aufgabe als unentbehrlicher Vermittler zwischen Politik und Bevölkerung. Er verfolgt vollständig Debatten, kann also bloße Polemik von ernsthaften Argumenten unterscheiden. Auf diese Weise Interesse an demokratischer Auseinandersetzung zu wecken und zu fördern, wurde auch bei anderen Sendern üblich.

64

Das hat sich leider zurückentwickelt. Ein Gag, eine verletzende Spitze gegenüber einem Gegner, Heuchelei in schöner Form, eine diffamierende Vermutung – das alles verkauft sich besser und mag dazu beigetragen haben, ein Bild von der Politik zu vermitteln, das nicht gerade anziehend ist. Die Droge von Skandal und Sensation schmeckt gut und verlangt immer höhere Dosen, bis die Menschen merken, daß dahinter oft wenig oder nichts ist, und sie unwillkürlich meinen, die Politik sei so hohl, oberflächlich und vordergründig, wie sie dargeboten wird. Das Fernsehen hat diese Tendenz noch verstärkt. Die berühmt-berüchtigt gewordenen 25-Sekunden-Interviews über neue Aufgaben der deutschen Außenpolitik zwingen zur Konzentration auf Schlagworte mit der Gefahr, in Schlagworten zu denken, und diese Gefahr läuft der Interviewte genauso wie der Zuschauer. Für Politik zu werben, indem sie unterhaltend dargeboten wird, ist etwas anderes als Politik zur Unterhaltung zu degradieren.

Langsam wurde mir bewußt, daß mit der Reichweite des Mediums auch die Reichweite meiner Arbeit enorm gewachsen war. »Egon Bahr aus Bonn« wurde ein Markenzeichen, auf das mich Menschen noch nach Jahrzehnten ansprachen, beim Besuch der neuen Länder, darunter auch solche, die, wie Wolfgang Thierse, mich deshalb nicht nur in positiver Erinnerung hatten. Sein Vater hatte ihn angefahren: »Ruhe, jetzt spricht Egon Bahr aus Bonn.« Regelmäßige Gastkommentare im Westdeutschen und Hessischen, gelegentliche im Süddeutschen Rundfunk, abgedruckte Auszüge im von der Regierung unterstützten »Pressespiegel« kamen dazu, um sich einen Namen zu machen, der nicht nur leichter Türen öffnete, sondern auch die Ursache meiner Berufung ins Schöneberger Rathaus wurde. Brandt kannte mich aus den Kommentaren viel besser als aus persönlichen Begegnungen.

Nach Westen europäisch – nach Osten national

Die Gemeinschaft von Kohle und Stahl, die Montanunion, konnte das gespaltene Deutschland einbeziehen, ohne zu fragen, was denn im Falle der Wiedervereinigung wäre, um so eher als diese Frage von Bonn gar nicht gestellt wurde. Bei der Gründung der Europäischen Wirtschaftsgemeinschaft (EWG) durch die Römischen Verträge wurde es ernster.

Denn hier handelte es sich immerhin um einen Organismus, der die Wirtschaft als Mittel zum Zweck einer politisch auf Dauer angelegten Gemeinschaft begriff. Es schien nur konsequent, die Probleme einer europäischen Verfassung zu diskutieren. Die Integration zu einer neuen überstaatlichen Gemeinschaft war ernst gemeint, mindestens von deutscher Seite. Wer die Einheit ernst meinte, mußte das Problem klären, wie im Ernstfall verfahren werden würde: Würden dann die Deutschen frei und neu entscheiden, oder müßten sie jetzt, 1951, eine unlösbare Bindung eingehen, wie sie die anderen fünf Staaten eingehen sollten? Für diesen Ernstfall würde die Wiedervereinigung mit einer kaum tilgbaren Hypothek belastet; denn den bloßen Anschluß ihrer Zone zuzulassen, konnte niemand von den Sowjets erwarten, damals nicht und später immer weniger. Dieses Dilemma blieb ungelöst. Hallstein erklärte, er habe in den Verhandlungen mündlich zu Protokoll gegeben, daß das noch ein Problem sei. Niemand bestand darauf, in den Text des Vertrages den Bezug auf Einheit aufzunehmen oder wenigstens einen Brief zur deutschen Einheit bei den Vertragspartnern zu hinterlegen. So leicht machte man es sich oder so leicht nahm Bonn die deutsche Sache. Zwanzig Jahre später wurden andere Maßstäbe angelegt, von der Regierung wie von der Opposition.

Supranational nach Westen, national nach Osten, praktische Politik nach Westen, Forderungen nach Osten, Kompromißbereitschaft nach Westen, unnachgiebige Grundsatzpositionen nach Osten, so entwickelte sich die Bonner Politik der fünfziger Jahre.

1952 konnte nicht mehr so geschludert werden. Da ging es um Soldaten, Waffen, Kommandostrukturen. Wenn da die Deutschen erst einmal verschmolzen sein würden, die einen in die Europäische Verteidigungsgemeinschaft (EVG), gewollt unauflöslich, die anderen in einen osteuropäischen Pakt, dann wäre das vielleicht noch während sehr weniger kommender Jahre zu revidieren. Wenn sich aber die Bündnisse erst einmal verfestigt haben würden und die deutschen Streitkräfte in ihnen, dann würde das Problem, die Deutschen zusammenzubringen, eine ganz neue Qualität erhalten; unvorstellbar schwierig. War es ein Wunder, wenn die patriotischen Sorgen wuchsen und laut wurden? Zumal in dieser EVG die deutsche Einheit gar nicht vorgesehen war?

Eine mit diesen Fragen zusammenhängende Problematik sah ich für das Saargebiet. Da hatte Adenauer (1952) eine »Europäisierung« vorgeschlagen, die automatisch das Gebiet unter Aufsicht des Ministerkomitees des Europarates stellen sollte. Das bedeutete Abtrennung von Deutschland auf französischen Wunsch, während wir Abtretung der Gebiete östlich von Oder und Neiße ablehnten. Ein europäisches Statut würde von einem Friedensvertrag nur noch bestätigt werden, um so mehr, falls Frankreich seine Zustimmung zum Friedensvertrag davon abhängig machte. Als die Sache offenbar wurde, rauschte es gewaltig im deutschen Blätterwald, sogar in der Koalition. Deutschland dürfe nicht für Europa geopfert werden. Der Kanzler hatte angenommen, seine Zugeständnisse seien unerläßlich für das französische Ja zur EVG. Sein Kontrahent Mendès-France setzte ein Referendum über das ausgehandelte Statut durch. Dabei konnten die Saarländer nur mit ja oder nein stimmen und nicht über die Rückkehr zur Bundesrepublik. Kaiser vertrieb jedes Liebäugeln mit Rücktrittsgedanken und begann im Grunde gegen den Regierungschef gerichtete Aktivitäten nicht ohne konspirative Mittel. Er warb für eine »kleine Wiedervereinigung«, unterstützte die Parteien an der Saar, die das auch wollten, und erlebte die Genugtuung seines einzigen Erfolges über Adenauer. Statt des in Paris wie in Bonn allgemein erwarteten überwältigenden Ja zum Statut, lehnten es die Saarländer ab. Man konnte den Hut ziehen vor der großzügigen Selbstverständlichkeit, mit der Frankreich sich der Selbstbestimmung einer Bevölkerung unterwarf.

Doch das wurde gerade der springende Punkt: Die Bundesrepublik akzeptierte Diskriminierungen, im Truppenstatut, bei Zahlungen, blieb als einziger Partner von der NATO ausgesperrt und gewann dagegen das Ende des Besatzungsstatuts und die Verpflichtung der Drei Mächte, sich für die Wiedervereinigung einzusetzen; das allerdings nun wieder unter der Voraussetzung, daß Gesamtdeutschland an die Bestimmungen dieses Generalvertrags gebunden blieb. Eine bemerkenswerte Konstruktion. Adenauer hatte viel herausgeholt, mehr als die Westmächte, besonders Frankreich, geben wollten. Er konnte auf die negative Kraft des Faktischen vertrauen. Die unbestreitbaren Mängel und Geburtsfehler würden sich schon auswachsen. Die Alliierten konnten auf das gleiche Prinzip setzen: Sie bestimmten die Normen der deutschen Einheit; sie würden die politischen Fakten setzen oder auch nicht. Ernst Lemmer, inzwischen Vorsitzender der CDU in Berlin (West), kam im Bundestag zu dem Ergebnis, dieses Jahr werde als das Jahr der historischen Teilung in die Geschichte eingehen. Er habe kein Vertrauen zu den Westalliierten, daß sie die Deutschen in den nächsten Jahren für ihre Wiedervereinigung unterstützen würden. Der Preis für die Integration Europas werde von den Menschen in der Ostzone und vielleicht auch von Berlin gezahlt.

Wenn die SPD die Wiederbewaffnung wirklich für ein nationales Unglück hält, die Deutschland für unübersehbare Zeit spaltet, wenn sie das Äußerste fordert, um das zu verhindern, dann muß sie auf die Straße gehen, so argumentierte ich Schumacher gegenüber. Seine Antwort: »Das ist logisch, aber nicht praktisch. Man kann nicht auf die Straße gehen, wenn man dann ziemlich allein ist.« Ich habe oft daran denken müssen, wenn von der SPD bei anderen Gelegenheiten Verweigerung, Aufruf zum Streik oder gar Generalstreik verlangt wurde. Eine Kraftprobe kann nur eingehen, wer nach eigener Einschätzung von der Bevölkerung verstanden und unterstützt wird. Sonst lacht die Republik. Also empfiehlt sich ein vorsichtiger Umgang mit eigenen Forderungen. Maulradikalismus, der immer wieder die Lippen spitzt, ohne zu pfeifen, wirkt lächerlich.

In diese leidenschaftlichen Auseinandersetzungen hinein platzte die sowjetische Note vom 10. März 1952. Sie bot die Einheit eines neutralisierten Deutschland. Eine Viererkonferenz sollte sofort einberufen werden, um einen Friedensvertrag vorzubereiten, der Deutschland keine Beschränkungen seiner Friedenswirtschaft auferlegen, die eigene Produktion für nationale Land-, Luft- und Seestreitkräfte von 100 000 Mann zubilligen und den Abzug aller Besatzungsstreitkräfte ein Jahr nach Inkrafttreten beschließen sollte, Gewährleistung demokratischer Freiheiten eingeschlossen. Die Wirkung der Note entsprach ihrer Tragweite. Die Meinungen schwirrten durcheinander wie in einem aufgestörten Bienenstock. Bis zum heutigen Tag wird darüber gestritten, ob der Kreml es damals ernst gemeint und eine Chance zur Einheit versäumt wurde. Ich kenne keine andere Note, die eine derartige Langzeitwirkung entfaltet hat, nachdem die Geschichte längst einen anderen Weg genommen hatte.

In einem Punkt war es Stalin unbezweifelbar ernst. In seinen Augen war die Gefahr akut geworden, daß die Amerikaner sich einen deutschen Festlandsdegen schmiedeten. Das konnte nicht durch bloße Propaganda verhindert werden, sondern nur durch einen größeren Einsatz.

Damit war genauso klar, daß er das ganze Gebäude zum Einsturz bringen wollte, das sich seiner Vollendung näherte, also EVG und Generalvertrag, Bewaffnung und Ende des Besatzungsregimes für die Westzonen, alles, wofür Adenauer gekämpft hatte. Der reagierte denn auch souverän noch vor Washington, Paris und London. Das war ziemlich keß und riskant; denn die Note war gar nicht an ihn gerichtet. Aber er konnte darauf hinweisen, nicht wankelmütig erscheinen zu dürfen, um das Gespenst einer Verständigung der Vier über Deutschland zu bannen, das ihm die Ernte verhagelt hätte, kurz bevor sie eingefahren werden konnte. So deklarierte er das Ganze als Störmanöver, keiner ernsten Erörterung wert.

Aber so einfach war das nicht. Sein gesamtdeutscher Minister sprach sich für sorgfältige Prüfung aus. Der hatte nämlich eine Seite entdeckt, die öffentlich fast keine Rolle spielte. In seinem Büro wies er mich auf seine eindeutigen Quellen aus der Zone hin, wonach Ulbricht und andere SED-Führer in höchstem Maße beunruhigt waren. Sie fühlten sich – zum erstenmal – mit der Möglichkeit konfrontiert, daß die Sowjetunion sie fallenlassen könnte. Die Berichte besagten indirekt, daß die SED-Führung nicht vorher unterrichtet gewesen sein kann.

Ulbricht war der sowjetische Schritt genauso unangenehm wie Adenauer. Nur scheinbar eine Ironie; denn bei aller Ungleichheit gab es auch eine Gemeinsamkeit beider: Jeder sah Aufbau und Sicherung seines Teils als Priorität.

Daß Kaiser dann noch wissen ließ, er hätte von den Hochkommissaren ein positives Echo auf seinen öffentlichen »Prüfungs«eingang erhalten, konnte Adenauer erst recht nicht beruhigen. In der *Frankfurter Allgemeinen Zeitung* sprach Paul Sethe von »Stalins jäher Wendung« und stellte kritische Fragen an die Außenpolitik des Kanzlers. Außerdem antworteten die Westmächte, elegant, und verlangten freie Wahlen unter UN-Kontrolle. Die Sowjetunion ging darauf einen Schritt weiter und bot freie Wahlen an. Das sah nun noch weniger nach bloßer Propaganda aus. Aber inzwischen war schon der April gekommen und Washington wollte das ganze Vertragspaket im Mai unter Dach und Fach bringen. Adenauer drängte.

Soweit die Verträge fertiggestellt waren, erhielten die Fraktionsvorsitzenden die immer wieder geänderten und ergänzten Papiere. Es war die Stunde der Exekutive, wie später bei der deutschen Einheit. Doch die andere Methode, die wir bei der Ostpolitik gewählt haben durch frühe, laufende Unterrichtung und Einbeziehung einer Arbeitsgruppe der Fraktionen während der Verhandlungen, war vielleicht demokratischer, aber unbequemer, edler oder dümmer – Anerkennung oder Lob fanden wir nicht. Adenauer und Kohl haben es sich jedenfalls einfacher gemacht als Brandt.

Ich fragte Ernst Lemmer, wie er denn nun abstimmen würde. Er antwortete liebenswert entwaffnend: »Ich kann mir nicht den Luxus erlauben, meiner Meinung entsprechend abzustimmen.« Er erwähnte noch ein anderes Argument jener Wochen, gewissermaßen ein Kind der Auffassung, nur mit der nötigen Stärke seien Verhandlungen mit den Sowjets sinnvoll. Erst wenn die Verträge abgeschlossen seien, würden Verhandlungen aussichtsreich; denn erst dann könne man sie einsetzen, um in den Verhandlungen die Bedingungen für die Einheit zu verbessern. So beruhigten einige ihre Bedenken, um ein paar Wochen später, ohne die Augen niederzuschlagen, die Auffassung zu verfechten: Wir dürfen die Verträge nicht einsetzen. Wir sind zuverlässig und haben sie doch nicht mit dem geheimen Vorbehalt unterschrieben, sie zu verscherbeln. An deutscher Vertragstreue darf kein Zweifel entstehen.

»Wer diesem Generalvertrag zustimmt, hört auf, ein Deutscher zu sein«, diese Formulierung Schumachers war nicht nur eine Überspitzung, sondern traf schon nicht mehr das allgemeine Empfinden der Bevölkerung. Wer konnte sich in dem Wald von Paragraphen in fünf verschiedenen Verträgen zurechtfinden oder die vielleicht sogar unnötigen Befürchtungen beurteilen, die sich im Laufe der Jahre fast vollständig als unnötig erwiesen? Die Drei Mächte behielten sich zum Beispiel vor, im Falle eines Notstands die Dinge wieder selbst in die Hände zu nehmen; für gefestigt hielten sie deutsche Demokratie nicht.

Es war schon eindrucksvoll, die Bilder zu sehen, auf denen die vier Außenminister Acheson, Eden, Schuman und Adenauer, nun auch in seiner neuen Würde als Außenminister, unterschrieben, in dem Bundesratssaal, in dem auch das Grundgesetz unterzeichnet worden war. Der kühl wirkende Acheson fand den Punkt, den ich vermißte: »Ich fühle zutiefst die Abwesenheit der Repräsentanten des Ostens.« Seine folgenden Worte konnte nicht nur der Kanzler mit Genugtuung hören: »In Vorwegnahme der Ratifizierung begrüße ich die Bundesrepublik im Kreise der freien Völker und entbiete im Namen des Präsidenten der

Vereinigten Staaten das Willkommen bei ihrer Rückkehr in die Gesellschaft der Nationen.« Aus Besatzern waren nun Verbündete geworden. Eine meisterhafte Propaganda, modern Öffentlichkeitsarbeit genannt, verbreitete die Botschaft, daß wir nun souverän geworden seien, und überspielte wirksam, daß wir es in der für uns wichtigsten Frage, der deutschen Einheit, eben nicht wurden. Es drang nicht in das Bewußtsein des Volkes, daß die Drei Mächte ihre Rechte in bezug auf Deutschland als Ganzes behielten, behalten mußten, bis zu einem Friedensvertrag, den es ohne die Sowjetunion nicht geben würde. Aber was spielte das schon für eine Rolle: Der Vorbehalt der originären Besatzungsrechte in Berlin diente schließlich der Sicherung der Stadt, die das schwache Bonn gar nicht garantieren konnte. Den Rest würde man später sehen.

Der Aufstieg war unbestreitbar. Wer wollte da kleinmütige oder kleinliche Bedenken hegen. In der erfolgsgesättigten Stimmung jener Wochen ging die Prophetie des Schumacher-Briefes an Adenauer unter, »daß nichts unversucht bleiben darf festzustellen, ob die Sowjetunion die Möglichkeit bietet, die Wiedervereinigung Deutschlands in Freiheit durchzuführen. Um dies festzustellen, sollten sobald wie möglich Viermächteverhandlungen stattfinden.« Sogar bei negativem Ausgang »wäre doch in jedem Fall klargestellt, daß die Bundesrepublik keine Anstrengungen gescheut hat, um eine sich bietende Chance zur Wiedervereinigung Deutschlands und Befriedung Europas auszunutzen«.

Eigentlich verbot sich ein Zweifel, daß Westintegration und Wiederbewaffnung folgerichtig fast automatisch zur Wiedervereinigung führen würden, zumal der listenreiche Alte von zwei Jahren gesprochen hatte. Daß die Sowjetunion nun erklärte, damit sei die deutsche Wiedervereinigung für lange Zeit erledigt und Sache der beiden deutschen Staaten geworden, wirkte ein bißchen wie Trotzreaktion und konnte ganz ernst auch nicht genommen werden. Zu spät und zu wenig, um eine große Wende zu bewirken – das konnte Moskau sehr wohl vorgehalten werden.

Ist nun im Frühjahr 1952 die Chance verpaßt worden, uns 38 Jahre deutscher Teilung zu ersparen mit allem, was diese Jahre an Opfern gefordert haben, Toten, zerstörten Schicksalen, gespaltenem Bewußtsein? Mit innerem Engagement bin ich dieser Frage immer wieder nachgegangen. In dem letzten Gespräch vor seinem Abschied 1986 aus Bonn sagte der sowjetische Botschafter Semjonow, Stalin sei es ernst gewesen. Natürlich habe er sich einen Rückzug offengehalten, aber schließlich sei er ein hohes Risiko, ihm wohl bewußt, eingegangen; denn eine große Unsicherheit – Semjonow benutzte nicht das Wort Destabilisierung – der Verbündeten in Ost- und Mitteleuropa habe er einkalkuliert. Falin sagt in seinen Erinnerungen Gleiches mit zusätzlichen Begründungen.

Meine Vermutung, daß es Stalin ernst war, stützt sich auf zwei Eindrücke. Wir wissen aus inzwischen veröffentlichten Papieren, für wie wirklich bedeutend die beiden Westmächte in der Endphase des Krieges und danach die deutsche Kraft zum Wiederaufstieg gehalten haben. Sie haben insofern die Deutschen realistischer gesehen als diese sich selbst. Warum sollte Stalin diese Einschätzung nicht teilen; zumal doch sein Land durch diese Deutschen an den Rand der Existenz gebracht worden war? Deutsche Kraft mit amerikanischer Technik kombiniert – das konnte in seinen Augen den Horizont verdüstern. Außerdem bleibt ein Gespräch mit einem sowjetischen Partner in Moskau 1970 unvergessen. Ich hatte ein Sicherheitsbedürfnis der großen Sowjetunion gegenüber uns kleinen und schwachen Deutschen für ganz unglaubwürdig bezeichnet. Die Antwort war nachdenkenswert: »Das nehmen wir ernst: 1945 war Deutschland besiegt und waffenlos; nur zehn Jahre danach baut es wieder Streitkräfte auf; nur zehn Jahre später, 1965, ist es auch zahlenmäßig die stärkste konventionelle moderne Armee in Westeuropa; was wird weitere zehn Jahre später sein?« Was immer Stalin vorzuwerfen ist, dumm war er nicht.

Aber Gewißheit ist nicht mehr zu erlangen, selbst wenn durch neue Veröffentlichungen von Akten in Moskau die Ernsthaftigkeit der »jähen Wende« unbezweifelbar würde. Denn ob Verhandlungen wirklich zum Erfolg geführt hätten, ist nicht mehr beweisbar.

Es bleibt das schwere Versäumnis, nicht einmal sondiert oder erprobt zu haben, ob ein anderer Weg hätte gangbar gemacht werden können. Ein deutscher Wunsch hätte gereicht, bei dem Gewicht, das uns in den vier Hauptstädten zugemessen wurde. Mindestens eine quälende innere Diskussion wäre uns erspart geblieben. Es fiel gar nicht auf: Wenn die Wiedervereinigung wirklich unser wichtigstes, gar vordringlichstes Ziel war, wäre das nicht wenigstens einen Versuch wert gewesen, herauszufinden, ob sie zu unseren Bedingungen zu haben ist?

Vor der feierlichen Unterzeichnung durch die vier Außenminister war es zu einem ganz ungewöhnlichen Akt der Rebellion gekommen. Der Kanzler hatte den Vorschlag der Drei Mächte bereits angenommen, der Deutschland im Falle seiner Wiedervereinigung an die Verträge binden würde. Kaiser, Erler, Dehler, aber auch v. Brentano, eine ganz überraschende Gruppierung aus CDU, SPD und FDP, wollten nicht mittragen, daß eine gesamtdeutsche Regierung im Ergebnis freier Wahlen gar nicht mehr frei entscheiden dürfe. Da Adenauer schon gebunden war, setzten sie in einer direkten Verhandlung mit dem amerikanischen Außenminister eine passable Änderung durch. Die Entscheidungsfähigkeit eines vereinten Deutschlands mußte möglich bleiben, auch durch Lösung von Verpflichtungen, die unter den Gegebenheiten des Jahres 1952 eingegangen wurden; denn anders war Einheit damals gar nicht denkbar. Die Zustimmung der Sowjetunion wurde gebraucht, vielleicht in relativ kurzer Zeit, und sie würde den bloßen Anschluß ihrer Zone an den westlichen Block nicht zulassen. Auch die Änderung blieb fragwürdig genug, um sie zwei Jahre später ganz zu streichen, aber da hatte sich die politische Landschaft bedeutend gewandelt.

Es würde spannend werden, die Debatte über die Ratifizierung der EVG in der französischen Nationalversammlung zu verfolgen. Der ehrwürdige Edouard Herriot, schon vor dem Krieg mehrfach Minister und Ministerpräsident, Mitglied der Académie française, zog sich mühsam die steilen Stufen herauf; sein Sitz war links in dem Amphitheater des Parlaments. In seiner Hand zitterte das Manuskript störend gegen das Mikrofon. Aber er sprach unmißverständlich, aus dem Herzen kommend, auf die Herzen gerichtet: Wenn es denn noch einmal nötig sein würde, die Söhne zu den Waffen zu rufen, dann würden sie für Frankreich sterben und nicht für ein wesenloses Europa. Die linke Ablehnung der EVG wurde von rechts übertroffen. Da meldete sich ein ehemaliger General und beantragte Übergang zur Tagesordnung, das heißt, die Nationalversammlung sollte gar nicht mehr über den Vertrag abstimmen. Das hatte ich, wie auf Kohlen sitzend, gerade noch hören können; denn meine Leitung nach Berlin war bestellt. Aufgeregt rannte ich auf die Straße, erwischte ein Taxi, das mich zum Studio auf den Champs-Elysées brachte, hastete die Treppe hinauf, lief Gert v. Paczensky in die Arme, der mir das telefonisch übermittelte Ergebnis zurief, und saß nun vor dem offenen Mikrofon. Ich hatte live über den Sender mitzuteilen und zu kommentieren, was noch nicht einmal über die Agenturen gelaufen war: Eine große Mehrheit hatte es abgelehnt, sich mit der EVG auch nur zu befassen. Für den Rias war das Spitze, für mich nie wieder erlebte Konzentration und Anspannung am Mikrofon. Ich war danach wie aus dem Wasser gezogen.

Dieser 30. August 1954 markierte das Ende der deutschen Hoffnung auf die Integration. Frankreich würde sich nicht in einen europäischen Staatenbund oder gar Bundesstaat integrieren lassen. Die Interessen der Nation standen höher. Die Magie des Wortes Europa wies nicht den Weg, die Nation hinter uns zu lassen. Es muß ein bitterer Tag für Adenauer gewesen sein. Mir gab dieses Erlebnis Orientierung für eine Einschätzung Frankreichs, die sich in der Folge als sehr zuverlässig erwies.

Die Hektik danach ergriff auch die Journalisten. Eden reiste durch die Hauptstädte und zimmerte in sechs Wochen die Lösung: Nachdem der Bundesrepublik vorher eine nationale Armee auch in Washington abgelehnt worden war, wurde sie nun mit ihr direkt in die NATO aufgenommen. Dort gibt es nur gleichberechtigte Mitglieder, für die diskriminierende Sonderstellung sorgt eine Westeuropäische Union (WEU), die zur Kontrolle der begrenzten deutschen Wiederbewaffnung geschaffen wurde. Das funktionierte, wurde nach und nach gelockert und versank schließlich in einen scheinbar hundertjährigen Dornröschenschlaf, aus dem sie von Paris wachgeküßt und in mutierter Form wiederbelebt wurde als die Organisation, durch die Europa seine Sicherheitsinteressen ohne Amerikas Mitgliedschaft koordinieren kann. Vor dem Lancaster House in London, in dem letzte Hand an die Texte der WEU gelegt wurde, meinte ein französischer Kollege: »Wir müssen die deutsche Armee jetzt schlucken, aber sie bleibt an der Leine, und zwar für immer.«

Das konnte ich verstehen, nachdem Frankreich in Diên Biên Phu eine militärische Niederlage durch die Vietmin erfahren hatte, die zum Ende seiner Vorherrschaft in Indochina führte. Das Ende fand die Form eines Waffenstillstands, über den in Genf verhandelt wurde. Diese Konferenz verwirrte mich. Sie nahm eine ganz unübersichtliche Form an. Die vielen Delegationen besuchten sich bilateral in ihren Hotels. Die Journalisten hörten nichts Genaues, außer der Mitteilung, wer auf dem Flugplatz neu angekommen oder abgeflogen war. Außerdem konnte ich so schwer die Nord- von den Südvietnamesen und zwischen Laoten und

Kambodschanern unterscheiden. Um ungefähr richtig zu liegen in meinen Berichten, beschloß ich, mich an einen polnischen Kollegen »anzulehnen«. Da es von den Kommunisten abhing, ob die sich hinziehende Konferenz ihr Ziel erreicht oder scheitert, konnte ich in meiner Einschätzung vorsichtig optimistisch bleiben, solange er optimistisch blieb. Das stimmte dann auch.

Außerdem brachte mir die Indochina-Konferenz drei wichtige Erlebnisse: Das erste mit dem französischen Ministerpräsidenten Edgar Faure. Der saß neben mir am Schminktisch für das Fernsehen und wurde von einer Dame mit einem großen Ausschnitt bedient, die besonders, wenn sie sich über ihn neigte, tiefe und erregende Einblicke bot. Faure schnalzte und blinzelte mir zu. Beneidenswert, dieses Frankreich; ein deutscher Minister hätte mindestens so getan, als sähe er nichts.

Das zweite durch den großen Empfang zum Abschluß der Konferenz. Die Chinesen hatten ein altes Service für 1000 Personen einfliegen lassen; die Sowjets nur die Verpflegung, auch wenn es Kaviar war. Gromyko stand mit unbewegter Miene wie ein Holzfäller neben dem lächelnden Mandarin Tschou En-lai, ein frappierender Unterschied.

Die dritte Erfahrung war am interessantesten. Bruno Kreisky hatte mich fragen lassen, ob ich nicht ganz zwanglos bei den Chinesen anklopfen könnte, wie denn die Einstellung zu einem Kontakt zwischen Wien und Peking wäre; der könnte vielleicht in Moskau stattfinden, wo beide Länder vertreten wären. Mein Pole setzte mich in ein polnisches Auto mit Gardinen. Ich war beruhigt, als es wirklich zu den Chinesen fuhr. Die chinesische Antwort: »Dazu brauchen wir die Russen nicht. Das können wir auch direkt machen.« So weit war es also schon 1954.

17. Juni 1953

Vielleicht sollte erklärt werden, warum ich, ein Rias-Mann, erleichtert war, aus dem Auto eines Oststaates gut herausgekommen zu sein. In Berlin hatte es Entführungen gegeben. Es war nicht gerade beruhigend, als mir der Programmdirektor des Rias, Eberhard Schütz, in seinem Schlafzimmer den Platz zeigte, an dem die Pistole lag. »Für den Fall aller Fälle.« Während seines Urlaubs wohnte ich dort ein paar Wochen, entschlossen, die Waffe nicht zu benutzen. Ich habe auch später abgelehnt, als ich mit der Möglichkeit vertraut gemacht wurde, daß Bundesminister eine Waffe erhalten können.

Eberhard Schütz war das seltene Beispiel eines Mannes, der ebenso schön wie intelligent war. In jungen Jahren Kommunist, an den Waffentransporten für die republikanische Seite in Spanien beteiligt, in Moskau verhaftet, als die Komplizen Hitler und Stalin politische Gefangene austauschten, aus dem Zug gesprungen, der ihn ins Dritte Reich bringen sollte. Nach abenteuerlicher Flucht London erreicht, für den BBC gearbeitet und nach dem Krieg beim NWDR gelandet, dank seines Direktors Hugh Carlton Green, dem der deutsche Rundfunk viel verdankt. Er hatte wie manch andere erfahren müssen, daß der Wunsch nach vollem Aufgehen in einem religionsähnlichen Orden zerbrochen war und konnte, desillusioniert, keine neue absolute Bindung mehr gewinnen, anders als Wehner. Die Maßstäbe des eigenen Verhaltens und Urteilens in sich selbst zu finden, ist sehr schwer. Zynismus und Überheblichkeit tarnen in manchen Fällen innere Haltlosigkeit. Ihm erleichterte der Griff zur Flasche, deprimierenden Gedanken zu entfliehen. Das minderte gar nicht die freundschaftliche Verbundenheit und exzellente Zusammenarbeit während meiner Zeit als Chefredakteur.

Wir waren uns auch einig: Es konnte nicht in Frage kommen, den Sender zu verschlüsselten Botschaften in die Zone zu mißbrauchen. Auch deutsche Ansinnen dieser Art waren abzuweisen. Die Hörer sollten vertrauen können; nichts, was wir sendeten, sollte eine zweite verborgene Bedeutung haben. Wetterberichte eignen sich dafür. Schütz sorgte durch unregelmäßige Textumstellungen dafür, daß hier kein Mißbrauch hinter dem Rücken der deutschen Leitung möglich wurde.

Mein erster Kommentar als Chefredakteur galt dem Tod Stalins am 5. März 1953: »So sehr menschlich verständlich es auch ist, wenn die Bevölkerung in allen unterdrückten Gebieten – und das gilt nicht nur für die Zone – jetzt den Atem anhalten mag und neue Hoffnung auf eine schnelle Wende ihres Schicksals hegen möchte, niemand wird überrascht sein dürfen, daß auch Stalin, wenn auch der mächtigste Repräsentant, aber doch nur Repräsentant eines Systems war.« Ich warnte vor falschen Hoffnungen, als die neue kollektive Führung, Berija, Molotow und Malenkow, Friedenssignale aussandte. »Wir wissen heute, daß die Sowjetunion Entspannung will; ob sie den weltweiten Ausgleich will,

76

wissen wir bis zur Stunde nicht.« Ich hielt es für unwahrscheinlich, daß sich die Machtinteressen des Kreml ändern würden; außerdem mußten die neuen Herren sich erst mal stabilisieren, bevor sie wirklich den Mumm zu interessanten Verhandlungskonzepten finden konnten. Noch am 11. Juni fand ich: »Der Drang zum Verhandlungstisch sagt noch nichts aus über die Vorstellung des Kreml von dem Verhandlungsergebnis. Dazu kommt, daß den Sowjets vor den Bundestagswahlen nichts willkommener sein kann, als dem Westen zu suggerieren, die Verhandlungsbereitschaft bedeute schon das Versprechen zu einer ehrlichen Beseitigung des Ost-West-Konflikts.« Das war, zugegeben, in der Sprache des Kalten Krieges auch das Ergebnis der Erfahrung aus dem vergangenen Jahr: Wenn nicht einmal das Angebot Stalins Verhandlungen gebracht hat, was wollte die neue Riege anbieten, was interessant genug wäre, den Westen zur Unterbrechung des Ratifizierungsprozesses zu veranlassen?

Wir spürten, daß in der Zone der Druck zunahm und die Unzufriedenheit wuchs, weil die Normen erhöht wurden. Die Menschen sollten mehr arbeiten für gleiches Geld und wollten das nicht einfach hinnehmen. Diskussionen in Betrieben wendeten sich zunächst noch gegen die Vertreter des Freien Deutschen Gewerkschaftsbundes (FDGB), damit aber politisch schon gegen die SED; denn diese Gewerkschaften waren weniger Interessenvertreter ihrer Mitglieder als »Transmissionsriemen« der regierenden Partei. Der Druck wurde so groß, daß etwas Unerhörtes passierte: Die Regierung korrigierte sich zu einem »neuen Kurs«. Das hatten wir nicht erwartet.

Die Regierung gab nach, zeigte Schwäche, und darauf flog der Deckel vom Kessel, der unter Überdruck stand. Auch das hatten wir im Funkhaus nicht vorausgesehen.

Wir hörten und berichteten, daß Bauarbeiter, die in der Renommierstraße, der Stalin-Allee, arbeiteten, ihre Baustellen verließen und zum Haus der Ministerien marschierten, um der Regierung ihre Forderungen vorzutragen. Sie riefen Kollegen auf, sich anzuschließen, was auch Passanten veranlaßte mitzugehen. So bildete sich schnell ein Zug. Und da es nur genehmigte Demonstrationen gab, machte die Polizei in der Annahme den Weg frei, sie hätte nur aus Versehen von dieser Demonstration noch nichts gehört. Es gab noch keine Funksprechmöglichkeit. So waren es schon einige Tausend, die vor dem Haus der Ministerien ankamen (früher Görings Luftfahrtministerium, später Sitz der Treu-hand).

Lenin hatte die Etappen der Revolution analysiert: Sie beginnt mit wirtschaftlichen Forderungen, aus denen politische werden. An jenem Dienstag dauerte dieser Prozeß eine Stunde. Er begann mit dem Verlangen »Nieder mit den Normen« und mündete drei Kilometer weiter in die Forderung nach freien Wahlen. Die dritte Etappe ist erreicht, wenn die bewaffneten Verbände auf die Seite des Volkes übergehen. Das geschah am nächsten Tag.

Am Nachmittag des 16. Juni erschien eine Abordnung der Streiken-den mit dem Wunsch, der Rias solle zum Aufstand in der Zone aufrufen. Ich sehe sie noch vor meinem Schreibtisch mit den leuchtenden Augen des revolutionären Feuers. Ich fragte, ob es irgendwelche Vorbereitun-gen gäbe, irgendwelche Verbindungen zu anderen Städten, irgendeine Organisation. Sie verneinten; das spiele keine Rolle, dem Aufruf wür-den die Massen folgen. Aber ich wußte, daß es ohne Organisation keine Revolution geben kann. Außerdem: Mit welchem Recht durften wir Menschen zu Taten aufrufen, die erfolglos bleiben müßten und denen wir danach nicht würden helfen können? Es war zudem zweifelhaft, ob die Amerikaner zustimmten; denn in einer solchen Situation konnten wir nicht hinter ihrem Rücken handeln.

Die Bauleute waren enttäuscht. Wir hatten sie etwas beruhigt, indem wir mit ihnen zusammen ihre Forderungen formulierten, fünf oder sechs Punkte aufschrieben und ihnen zusagten, wir würden diese Forde-rung des Streikkomitees senden.

Drei Stunden später kam Ewing, aufgeregt, blaß, fast zitternd und gab zum ersten- und letztenmal einen klaren Befehl: Die Forderungen des Streikkomitees dürfen ab sofort nicht mehr gesendet werden, Anord-nung des amerikanischen Hochkommissars McCloy. Der habe angeru-fen und gefragt, ob der Rias vielleicht den dritten Weltkrieg beginnen wolle. Ich habe damals nicht gesehen, daß die Amerikaner damit, unge-achtet der Vier-Mächte-Rechte in Deutschland und Berlin, im Grunde der Sowjetunion überließen, was sie mit ihrem Teil des besetzten Landes machte. Ewing hatte eine ganz andere Gefahr im Auge: Was passiert, wenn die Sowjets ihre Panzer rollen lassen, im Ostsektor, und dann vielleicht weiterrollen lassen über die Sektorengrenze nach West-Ber-lin? Das war die Kriegsgefahr. Ich antwortete, das sei politisch unmöglich. Woher wollen Sie das wissen, fragte er; und garantieren können Sie es schon gar nicht, selbst wenn Sie vielleicht recht haben.

Am Abend kam die Meldung, die Streikenden wollten sich morgen früh um sieben Uhr am Strausberger Platz versammeln. Das war riskant; denn ein paar Leute sind schnell verhaftet. Es mußten also so viele dort sein, daß man sie nicht verhaften konnte. Da wir nicht aufrufen konnten, holten wir den DGB-Vorsitzenden Ernst Scharnowski aus dem Bett und überzeugten ihn. Er erhob die Forderung, und die konnten wir senden.

Wir blieben im Funkhaus und fanden kaum Schlaf. Am frühen Morgen des 17. Juni schickten wir einen unserer Amis im Jeep in den Ostsektor, um sich umzuschauen. Er kam zurück: Es seien Tausende; der ganze Sektor »summe«.

Am Vormittag erschien der Leiter unserer Nachrichtenabteilung, Hanns Werner Schwarze, mit der unglaublichen Äußerung Adenauers, das Ganze sei eine Provokation der Sowjets. Ich untersagte, diesen Unsinn zu melden; wir sollten den Bundeskanzler nicht so blamieren. Etwas später trafen sich die Chefredakteure der Zeitungen, Agenturen und Rundfunkstationen beim Bundesbevollmächtigten Heinrich Vockel, um die Lage zu erörtern. Der hatte die Äußerung Adenauers auch schon bekommen und bat mich, beim Chef des Kanzleramts, Staatssekretär Globke, anzurufen. Vielleicht sei ich überzeugender als er in der Schilderung der Lage. Die Zusammenkunft flog auf durch die Meldung, daß die Stahlarbeiter aus Henningsdorf im Norden, schon in der Zone, sich auf den Marsch gemacht hätten durch den französischen Sektor in Richtung Innenstadt. Am Mittag wurde der Ausnahmezustand verkündet. Wir riefen auf, ihn zu befolgen. Alles andere wäre Blutvergießen gewesen. Rebellion gegen die Besatzungsmacht ging nicht.

Mein Kommentar einen Tag später mußte die bittere Realität zu dem Erfolg ins Verhältnis setzen: Die Ostberliner hatten nicht nur gegen die Normen, sondern für die Einheit demonstriert. Die SED hatte die Ordnung nicht aufrechterhalten können. Sie war auch in den Augen der Besatzungsmacht kleiner geworden. Der Ausnahmezustand, durch die Sowjets verhängt, war das klare Eingeständnis. »Der 16. und 17. Juni 1953 ist für die Geschichte unserer Stadt nicht weniger ehrenvoll als für die Tradition der Arbeiterschaft; es ist ein außenpolitisches Faktum erster Ordnung. Nicht nur, weil das Ausland einen unwiderlegbaren

Beweis für den Willen zur deutschen Einheit bekam, nicht nur, weil hier der Welt – ich glaube zum erstenmal – bewiesen wurde, daß ein Teil des deutschen Volkes die Möglichkeit gefunden hat, unorganisiert in einem totalitären Regime den Willen zur Freiheit bekunden zu können, sondern weil hier im wahrsten Sinne des Wortes die Brüchigkeit eines verhaßten Regimes demonstriert wurde.«

An diesem Donnerstagabend kam ein Mann in nassen Kleidern ins Funkhaus. Er war durch einen Kanal geschwommen, um zu berichten, daß auch in der Stadt Brandenburg ein Aufstand stattgefunden hatte. Es war die erste Nachricht, daß die Sache nicht nur auf Berlin begrenzt war. Es dauerte acht oder zehn Tage, bevor sich das Bild verdichtete, bei weitem noch nicht vollständig, daß in anderen Städten ähnliches geschehen war. Die ganze Zone war hochgegangen. Als wir die Berichte verglichen, stellten wir zu unserer Überraschung fest: Überall waren die Forderungen, die wir in meinem Zimmer mit der Streikleitung aus der Stalin-Allee formuliert hatten, und zwar auch in dieser Reihenfolge, übernommen worden. Gerade weil es keine Organisation gegeben hatte, war unbestreitbar: Der Rias war, ohne es zu wissen und ohne es zu wollen, zum Katalysator des Aufstandes geworden. Ohne den Rias hätte es den Aufstand so nicht gegeben.

Der Haß der SED auf den Rias war verständlich. Die Verschwörungstheorie, die Anschuldigungen, wir hätten das bewußt herbeigeführt: Quatsch. Der Westen wurde, wie auch später in Ungarn und Polen, selbst überrascht. Stefan Heym erwies sich in seinem Roman über den 17. Juni als Gefangener des Kalten Krieges. Er würde ihn nicht mehr so schreiben können, versicherte er mir in einem Gespräch, als es die DDR noch gab.

Wichtiger: Zum erstenmal wurden Verantwortung und Macht eines elektronischen Mediums deutlich, das, ohne den zeitraubenden Vorgang des Denkens und ohne von Grenzen aufgehalten zu werden, Menschen verbindet, die am Lautsprecher hängen, und sie innerhalb weniger Stunden zu gleichem Verhalten veranlaßt. In den Jahrzehnten seither ist das Netz des Rundfunks ungeheuer verdichtet und globalisiert worden. Und ein neues Netz der bewegten, sogar farbigen Bilder ermöglicht, daß praktisch die Menschheit gleichzeitig Augenzeuge erregender Vorgänge werden kann. Es gibt viele Gründe für den Zusammenbruch der Warschauer-Pakt-Staaten; die stille Revolution der

Kommunikation ist gewiß nicht die geringste Ursache für die Implosion des Sowjetreichs.

Diese Revolution ist nicht beendet. Man kann Rechtlosen immer schlechter verbergen, welche Rechte sie vermissen, und den Armen immer weniger, wie angenehm das Leben im Reichtum ist, im Osten nicht und im Süden nicht. Die Revolution der Medien wird gewaltige Veränderungen in Europa wie global bewirken, unausweichlich; nur die spannende Frage, ob auf revolutionärem Weg, durch Gewalt, Krieg oder evolutionär, ist noch nicht beantwortet. Bisher scheint die Welt darauf ebensowenig vorbereitet, wie wir es in der Mitte Europas am 17. Juni 1953 gewesen sind.

In jenen Tagen waren wir viel zu aufgewühlt, um uns klarzumachen, daß der Westen eigentlich nichts getan hat, außer seine Entrüstung in Worten auszudrücken. Die Mikrofone fingen die peitschenden Schüsse am Potsdamer Platz ein. Man stand an der Sektorengrenze, als ob es schon die Mauer gegeben hätte. Als sie acht Jahre später errichtet wurde, war es wieder so, mit dem Unterschied, daß wir Polen und Ungarn 1956 inzwischen erlebt hatten und unsere Folgerungen zogen. Doch der offensichtliche Gegensatz zwischen der verkündeten »Befreiungspolitik«, dem »roll back« der Amerikaner, und der Wirklichkeit jener Tage im Juni fiel schon 1953 auf: Das würde wohl lange dauern.

»1953 – das Jahr der Entscheidung.« Ich wollte es eigentlich nicht glauben, als ich das Jahrbuch der CDU in die Hand nahm. Mit dem Jahr der Entscheidung war die bevorstehende Bundestagswahl gemeint. Der 17. Juni war Adenauer nur eine Erwähnung als Beweis dafür wert, daß die Sowjetunion nicht aufgegeben habe, Europa auf dem Weg des Kalten Krieges zu beherrschen. Der gesamtdeutsche Minister sprach wenigstens vom Aufstand und der fortdauernden Gefahr der deutschen Teilung, weil eine Stabilisierung Europas die deutsche Wiedervereinigung voraussetze. Aber auch diese These hielt nicht stand; die deutsche Teilung gefährdete die Stabilität des Kontinents nicht. Im Gegenteil.

Ein Jahr danach erhielt Jakob Kaiser sein Spielzeug, das »Kuratorium Unteilbares Deutschland«. Zweierlei muß man ihm bescheinigen. Die Menschen, die sich da zusammentaten, aus allen Parteien, in ganz Westdeutschland, meinten es ehrlich: Die Brüder und Schwestern sollten nicht vergessen werden; und das Kuratorium tat viel, daß ihnen weder im Denken noch im politischen Alltag der Rücken zugekehrt wurde. Und das war, zum anderen, auch nötig. Geholfen hat es wenig. Das Kuratorium hat zu keiner Zeit ein Gewicht erhalten, das die Bundesregierung beeindrucken konnte. Eine Volksbewegung zur Einheit, von Streik oder Aufstand ganz zu schweigen, gab es in Westdeutschland nie.

Dafür bescherte der 17. Juni den Westdeutschen einen Feiertag. Sie durften ins Grüne, während die Ostdeutschen arbeiten mußten. Das war in Berlin vor dem Bau der Mauer besonders grotesk. Die einen konnten sich sonnen, während in Gedenkstunden im Bundestag wenigstens derer gedacht wurde, denen das zu verdanken war. Je mehr Wörter über den Tag gesucht und gesprochen wurden im Lauf der Jahre, desto blasser und abstrakter wurden sie. Ich setzte mich auch dafür ein, den Charakter des Feiertags zu ändern. Für die Gewerkschaften war er zu einem sozialen Besitzstand geworden. Das war kein Ruhmesblatt. Als der 17. Juni im 3. Oktober aufgegangen und seine Erfüllung gefunden hatte, gab es sogar eine Diskussion, den Nationalfeiertag zur Finanzierung der Pflegeversicherung zu benutzen. Diese Verlotterung unserer Wertvorstellungen blieb uns erspart.

Eine Langzeitwirkung hatte der 17. Juni in Ostberlin. Alle führenden Leute hatten ihrem politischen Ende ins Auge geblickt. Ohne den Einsatz der sowjetischen Armee wären sie weggefegt worden. Sie lernten daraus: nie wieder Schwäche zeigen, nie wieder eine Anordnung zurücknehmen, hart bleiben, sogar wenn es falsch ist. Ich habe keinen Zweifel, daß dieses Erlebnis der jungen Männer, und die meisten stiegen weiter auf, sie auch 35 Jahre später nicht verlassen hatte. Die Starrheit, mit der die Riege alter Herren an ihrem System festhielt, gegen die Reformen Gorbatschows, lag nicht nur am Alter, sondern an der Erfahrung, die sie nie vergessen konnten. Hermann Axen hat mir das bestätigt, als es die DDR nicht mehr gab. Insofern hatte der 17. Juni 1953 geschichtliche Folgen.

»Ernst Reuter ist tot.« Schock und Schmerz mußten verdrängt werden; das Programm war umgehend zu ändern. Ich entschied, Tschaikowskys 6. Sinfonie zu spielen. Das gab Zeit, das weitere Programm zu überlegen. Außerdem würde es Reuter gefallen haben; die politische Gegnerschaft hatte die Neigung zum Russischen nicht verdrängt. »Ich möchte noch einmal Chleb essen.« Er hatte die russische Vokabel für das kräftige dunkle Roggenbrot benutzt, diesen Verwandten des schmackhaften Kommißbrots, den ich auch schätzen lernen sollte, was mehr als einmal die Erinnerung an Reuter weckte.

Es gab wütende Anrufe beim Sender. Russische Musik sei eine Beleidigung des Toten. Erschreckende Metastasen des ideologischen Krieges.

Den wenigsten Berlinern war bewußt, daß Reuter einmal Kommunist gewesen war, von Lenin als nationaler Kommissar für die Wolga-Deutsche Republik eingesetzt. 1921, zurück in Deutschland, hatte er sich wieder der SPD angeschlossen und blieb frei von der Mentalität des Renegaten. Ich empfand ihn als Realisten mit Grundsätzen. Der Sockel von 300 000 Arbeitslosen nach der Blockade erschien vielen in der Partei strukturell unlösbar, bis die Stadt wieder als hauptstädtisches Dienstleistungszentrum funktionieren könnte. Reuter setzte dagegen: Ein großes Ziel darf nicht zur Entschuldigung dafür werden, nicht das heute Mögliche zu tun. Der charismatische Führer wußte, daß Berlin ohne die Westmächte, besonders die Amerikaner, nicht frei geblieben wäre, und fand die Schroffheit unverständlich, mit der Schumacher die Partei in eine Lage brachte, in der Gegner ihr eine antiwestliche Haltung vorwerfen konnten, trotz aller patriotischen Motive.

So widersprüchlich war das Bild der Partei schon damals: In Bonn konzentrierte man sich auf den Westen, auch wenn das Ziel im Osten lag; Berlin, das immer nach Osten sehen mußte, durfte nie den Blick auf die Realität der unentbehrlichen Verbündeten verlieren. Ollenhauer hatte nicht die Autorität Schumachers. Nach der Niederlage bei den Bundestagswahlen begannen Gespräche mit dem Ziel, Reuter zu drängen, für eine stärkere Führungsrolle in der Partei bereit zu sein. Er zögerte. Dabei hätte er außen- wie wirtschaftspolitisch die Partei zusammenführen können zu einer überzeugenden, vernünftigen, aussichtsreichen Position. Ich gewann den Eindruck, er sei so gut wie entschlossen, auf dem nächsten Parteitag gegen Ollenhauer zu kandidieren. Wir verabredeten den Termin für die Fortsetzung des Gesprächs. Sein Tod beendete Hoffnungen.

Die Außenministerkonferenz der Vier Mächte in Berlin Anfang 1954 stand, was Deutschland angeht, unter keinem guten Stern. Edens Plan, mit freien Wahlen zu beginnen, und Molotows Vorschlag, Deutschland zu neutralisieren, konnten nicht auf einen Nenner gebracht werden. Man machte den Weg frei für den Staatsvertrag, der ein Jahr später

Österreich seine Selbständigkeit brachte. Österreich war klein genug, um die Neutralität zu gestatten. Deutschland war dafür zu groß.

Ich verfaßte meinen ersten Plan: Deutschland sollte vereinigt werden, die Vier Mächte und die Nachbarn, die wollten, sollten zusammen mit Deutschland einen Vertrag schließen, der automatisch alle zu Verbündeten gegen einen Angriff durch eine der Parteien machte. Das würde alle gegen Deutschland verbünden, falls wir so verrückt wären, die beschlossenen Grenzen zu verletzen; das würde alle zu unseren Verbündeten machen, im Falle eines Angriffs aus dem Osten, mit dem Unterschied, daß die Rote Armee an der Oder und nicht an der Elbe beginnen müßte und das ganze und nicht nur das halbe Volk sich verteidigen würde. Es wäre auch keine Neutralität; denn Neutralität bedeutet Nichtbeteiligung, gerade auch im Krieg. Ich sah nur Vorteile. Die Konstruktion würde Molotows Neutralität aushebeln und Edens freie Wahlen dann natürlich erlauben.

Ich schrieb also ein Papier und gab es zur Weiterleitung an einen guten Bekannten, Arvid Fredborg, den schwedischen Korrespondenten von *Svenska Dagbladet*, ziemlich konservativ, klug, vor allem geachtet und bekannt auf internationalem Parkett. Wenn immer ich die Cocktails unserer westdeutschen Beobachterkonferenz kostete, wartete ich gespannt, aber vergeblich, ob sich meine Gedanken irgendwo auf der Konferenz verbreitet hätten. Ich lernte zweierlei: Eine internationale Konferenz ist im Prinzip gelaufen, wenn sie beginnt. Dafür sorgen lange, schriftlich fixierte und abgesegnete Vorbereitungspapiere. Sie von außen und »von unten« beeinflussen zu wollen, ist kaum möglich. Ich erinnerte mich an meine Naivität, wenn ich später nicht so selten Papiere von Menschen bekam, die auch glaubten, die rettende Idee noch schnell übermitteln zu sollen. Im übrigen: Ohne direkten Einfluß ist wenig zu machen; am besten, man sitzt mit am Tisch, möglichst weit oben.

Ich erwähne diese gar nicht glorreiche Episode nur, weil der Grundgedanke einer West- und Osteuropa überspannenden Regelung, die die deutsche Einheit für beide Seiten akzeptabel machte, über die Jahrzehnte hinweg trug, von damals bis zu dem Konzept einer gesamteuropäischen Sicherheitsgemeinschaft. Als Aufgabe nach der deutschen Einheit gab es Erweiterungen, Anpassungen, Verfeinerungen, aber keinen Bruch im Denken.

Parteieintritt

Die »Ohne-mich«-Kampagne der SPD erinnerte mich an das Schumacher-Wort, daß man vorher überlegen sollte, wohin Eskalationen auf der Straße führen. Konsequenterweise müßte das »Ohne-mich« zur Verweigerung getrieben werden; aber so weit sollte es gar nicht gehen. Also blieb es eine Kraftprobe ohne Kraft. In der Sache hatte der Standpunkt der SPD viel für sich: Hatte nicht Strauß die deutsche Hand verdorren lassen wollen, die wieder ein Gewehr anfaßt? Würde die Wiederbewaffnung die Wiedervereinigung nicht für lange Zeit unmöglich machen? Andererseits konnte nach den von Adenauer geschaffenen Verträgen nicht bestritten werden, daß die Bundesrepublik einen Beitrag zur eigenen Sicherheit um so weniger verweigern durfte, als sie sonst bloßes Objekt bleiben würde, mit wenig Einfluß auf die Politik der Westmächte und ihrer Interessen.

Die Entwicklung zwang die SPD, ein Konzept zu entwickeln, das eine deutsche Bewaffnung mit der deutschen Einheit verband. Fritz Erler kommt das Verdienst dafür zu. Er wurde zum ersten, auch international beachteten Verteidigungsexperten der Partei und entwickelte sein kollektives Sicherheitssystem. Es sollte Deutschland nicht weniger Sicherheit als die Europäische Verteidigungsgemeinschaft (EVG) bringen, die Wiedervereinigung in Frieden und Freiheit ermöglichen, der Sowjetunion garantieren, daß deutsche Streitkräfte nicht in eine gegen sie gerichtete Militärallianz kamen und dem Westen Sicherheit vor einer Beherrschung durch die Sowjetunion. Der Kern enthielt die deutsche Pflicht zur Selbstverteidigung – neben der unbeschränkten Freiheit, sich politisch und wirtschaftlich an den Westen zu binden. Das Konzept war militärisch wasserdicht: Ein sowjetischer Angriff würde den dritten Weltkrieg bedeuten. Politisch war es zum Scheitern verurteilt, denn die deutsche politische Führung vertrat es nicht. Parteiintern brachte es Erler in die Gefahr der Isolierung, denn nicht einmal die Führung der SPD war mutig genug, einen klaren Kurswechsel vorzunehmen und sich gegen pazifistische Strömungen durchzusetzen. In der sozialdemokratischen Tradition kollektiver Sicherheit in Europa hat Erler einen unverlierbaren Platz.

Daß Erler in Berlin Zustimmung fand, wo Bewaffnung im Interesse der Einheit durchaus zusammen gesehen wurde, auch bei Brandt, reichte nicht. Nach dem Tod Schumachers zeigte sich: Kollektive Führung ohne führenden Kopf bedeutet kollektive Schwäche. Es war ein Jammer. Da mitzuhelfen, juckte mich. Aber Brandt winkte ab: »Sie überschätzen die Einflußmöglichkeit durch Parteieintritt.«

Meine Verachtung für Adenauer wurde immer stärker durch Hochachtung ergänzt: Er nahm diplomatische Beziehungen zur Sowjetunion auf, gegen den Rat seiner engsten Umgebung, bekam 10 000 Kriegsgefangene ohne schriftliche Vereinbarung nur im Vertrauen auf das Wort der Sowjetführung, vermehrte sein internationales Gewicht, hatte sich innenpolitisch abgesichert, indem er den Sozialdemokraten Carlo Schmid mitnahm: Das war Format, was immer man gegen den Mann vorbringen konnte. Welcher Sozialdemokrat konnte ihm das Wasser reichen? Die SPD half ihm sogar im Wahlkampf 1957, indem sie »Ollenhauer statt Adenauer« plakatierte und das auf dem Hintergrund von Ungarn, wo die letzten Rufe der Aufständischen, im Rundfunk übertragen, unvergeßlich im Ohr geblieben waren: »Helft uns, helft uns!« – und der Westen nichts tat, nichts tun konnte, weil der Friede wichtiger war.

Es war abzusehen, welch grandioser Niederlage die SPD entgegenging. Danach würde ein Neuanfang unumgänglich werden. Dazu wollte ich beitragen. Es wird schließlich langweilig und sinnlos, nur von außen zu meckern. Ich wollte nun unbedingt in die Partei. Brandt: »Wem nicht zu raten ist, dem ist auch nicht zu helfen, aber bitte!« Es war vorzuziehen, mich in Berlin und nicht in Bonn zu organisieren, obwohl das Wohnsitzprinzip der Partei für den Bonner Korrespondenten des Rias das eigentlich verbot. Brandt sorgte für eine Berliner Adresse in meinem Parteibuch in Zehlendorf, die ich erst Jahre später aufsuchte. Sie stellte sich als Wohnung von Heinrich Albertz heraus.

Es gibt unterschiedliche Hemmschwellen vor dem Eintritt in eine Partei. Das beginnt mit dem Bekenntnis zu einem Programm, das niemand in allen Punkten teilen und von dem niemand mit Gewißheit voraussagen kann, ob seine Änderungen der eigenen Meinung nicht widersprechen würden. Jedenfalls muß man glauben, daß solche Änderungen nicht so grundsätzlich werden, daß sie zum Austritt führen; denn was ist schon ein Eintritt wert mit dem Hintergedanken, wieder austreten zu können? Außerdem ist das ja gerade der Sinn: Wenn die Parteien an der politischen Willensbildung mitwirken, wie es in der

86

Verfassung steht, dann gestattet die Mitgliedschaft in einer Partei die Mitwirkung an der Formung ihres politischen Willens. Eigentlich wäre es das Zeichen einer gesunden und kraftvollen Demokratie, daß sich ein hoher Anteil der Bevölkerung in einer Partei engagierte.

Auf der Straße ist den Menschen meist nicht anzusehen, ob sie einer Partei angehören oder welche sie wählen. Anonymität ist angenehm, verständlich bei Geschäftsleuten, begründbar in Berufen, bei denen parteipolitische Gesichtspunkte keine Rolle spielen oder spielen dürfen (obwohl man unseren Staatsspitzen, jedenfalls in Exekutive und Legislative, zutraut, überparteilich zu entscheiden), verächtlich, wenn Staatsbedienstete sich zwei Parteibücher zulegen, um in jedem Fall auf der richtigen Seite zu sein. Grundsätzlich muß die Bereitschaft zum öffentlichen Bekenntnis beim Parteieintritt vorhanden sein. Damit hatte ich keine Schwierigkeit.

Meine Hemmschwelle war ganz anderer Art. Mir behagte die Anrede »Genosse« nicht, die damals noch obligatorisch war. Wildfremde Menschen duzt man nicht, hatte ich zu Hause gelernt; das gehört sich nicht, auch wenn sie noch so sympathisch sind. Die Vorstellung, Brandt zu duzen, wäre mir ganz absurd erschienen. Wir haben uns denn fünf Jahre lang gesiezt, auch danach selbstverständlich in allen seinen Ämtern, sofern wir nicht unter uns waren. Als er mir nach dem Parteitag 1960 den Arm um die Schulter legte und sagte: »Wir sollten uns eigentlich duzen«, fand er es offenbar leicht, meinen Vornamen auszusprechen. Ich mußte noch einmal durchatmen, bevor ich meinen Vorsitzenden zum erstenmal mit »Willy« anredete.

Die Vertraulichkeit, die in der Anrede liegt, schien mir natürlich in der unvergleichlich härteren Kampfzeit der Bismarckschen Sozialistengesetze. Sie entsprach dem Gefühl der Verbundenheit und Zusammengehörigkeit einer bedrängten politischen Familie, in der ihre Mitglieder sich näher sind als allen Außenstehenden in einer feindlichen Umwelt. Ich hielt bei meiner ersten Rede in der Partei auch nicht hinter dem Berg: »In der Anrede ›Genosse‹ schwang etwas mit: Als ob man nicht nur ein Stück von sich selbst aufgibt, sondern sich von dem Rest der Welt trennt und in eine Gemeinschaft eingeht, die eine geschlossene Gesellschaft darstellt.« Was damals stolz klang, war längst zu einer gewohnt-gewöhnlichen Anredeform geworden. Die Welt hatte sich geändert; auch für die SPD, die sich den Regeln einer offenen Gesellschaft nicht entziehen konnte. Die Klassenpartei bezahlt mit der Atmosphäre der Intimität, wenn sie zur Volkspartei wird. Aber selbst diese Vorstellung idealisierte wohl die alte Partei. In der Wirklichkeit stellte ich schnell fest, daß Freundschaft und Selbstlosigkeit, die ich unter Genossen für selbstverständlich gehalten hatte, durchaus kein ehernes Gesetz waren. Mißgunst, Ehrgeiz, Intrigen gab es da auch. Die Enttäuschung darüber wich erst durch die Erkenntnis, daß eben jede größere Gemeinschaft Typen einschließt, die sie sich nicht wünscht. Eine Volkspartei muß fast darauf bestehen, ihren Anteil an Dummen, Faulen und Gefräßigen zu haben. Der Ausspruch des Bundestagspräsidenten Eugen Gerstenmaier, das Parlament sei keine Elite, sondern Spiegelbild des deutschen Volkes, gilt auch für die Parteien, die eigene nicht ausgenommen.

Meine Meinung, es solle jedem überlassen bleiben, welche Anrede er wählt, erhielt immerhin keinen Widerspruch. In der Praxis verbreitete sich diese Minireform, bis die Jusos, immer etwas linker als die Partei, ihre Gegenrevolution besonders nach 1968 betrieben. An die Kommunisten dachte ich überhaupt nicht bei meiner Distanzierung vom »Genossen«. Das wäre ein Mangel an Selbstbewußtsein gewesen, sich den »Genossen« von den Spaltern rauben zu lassen, ähnlich wie Mitterrand oder González nicht einsahen, warum sie sich nicht mehr Sozialisten nennen sollten, nur weil die Kommunisten das Wort mißbraucht hatten. Dennoch war 1990 verständlich, daß die Ostdeutschen das Wort satt hatten und nicht mehr hören wollten.

Bei meiner ersten parteiöffentlichen Vorstellung auf einem Kreisvertretertag in Berlin-Zehlendorf (März 1957) machte ich keinen Hehl daraus, daß ich nicht die Gesellschafts-, sondern die Außenpolitik der Partei ändern wollte. Trotzdem hielt ich es für nötig, mein Sozialismusverständnis zu erläutern und dabei vom Kommunismus auszugehen: »Der Kommunismus als Ideologie hat sich überlebt. Er weiß es nur noch nicht oder glaubt es nicht.« Ich stellte den Menschen in den Mittelpunkt des Kampfes: »Der Sozialismus ist kein Selbstzweck. Das wird für immer eine der westlichen Abgrenzungen zum dialektischen Materialismus bleiben. Damit ist aber auch schon gesagt, daß Sozialismus kein Zustand ist, sondern ein Leitbild für die Entwicklung einer gerechten Gesellschaftsordnung. Es geht um den Menschen und nicht um das Dogma. Der Sozialismus ist kein stupider Kollektivismus und keine dumpfe Vermassung, sondern die geistige und ökonomische Befreiung der menschlichen Persönlichkeit, damit sie politisch und moralisch auch frei wird. Diese geistige und politische Welt, die um einen Sieg der Vernunft rang und ringt, war es, die mich zu der Partei geführt hat.«

Der Parteieintritt wirkte sich auf meine Arbeit positiv und negativ aus. Negativ, weil ich vorsichtig wurde, die Analyse noch mehr pflegte, um dem Vorwurf unsachlicher Parteilichkeit zu entgehen; positiv, weil meine Kommentare in der Partei noch mehr beachtet wurden: Klar, daß da kein Böswilliger sprach. Dabei geriet ich nie in den Ruch, gegenüber den eigenen Leuten besonders kritisch zu sein, um Wohlwollen oder Anerkennung der Gegner zu erbuhlen. Solche Journalisten gibt es immer, die ihre intellektuelle Feigheit oder Schwäche als Unabhängigkeit glauben tarnen zu müssen, abgesehen von solchen, die innerlich bereits auf dem Marsch ins andere Lager sind.

In dem erwähnten Referat machte es um so mehr Spaß, etwas klangvoller in die Harfe zu greifen. Ich verlangte Abkehr von alten Begriffen und aufklärerischem Mut. Die Bundesrepublik hatte das Prinzip des Privateigentums an spaltbarem Material bei Verhandlungen über eine europäische Atomgemeinschaft verlangt. Sogar die Amerikaner seien sozialistisch genug, spottete ich, um Privatbesitz von spaltbarem Material gesetzlich zu verbieten. Ich höhnte über unrentable Kohle, für die der Staat geradestehen soll im Gegensatz zum rentablen Stahl. Die Privatisierung der Bundesbahn werde nicht verlangt. »Es ist nicht einzusehen, warum sich nur die Sozialisierung des Defizits einbürgert.«

Dieses Referat nannte ich »Sieg der Vernunft«. Es sollte die Visitenkarte des fünfunddreißigjährigen neuen Mitglieds werden, wurde also besonders sorgfältig formuliert. Da der Hauptteil um meine Themen kreiste: Nation, Europa und Selbstbestimmung, lasse ich hier Auszüge folgen, damit daraus nicht nur der Originalton jener Zeit wiedergegeben wird, sondern deutlich wird, was Grundtenor blieb, Irrtum war, der Veränderung der Zeit zum Opfer fiel, an späterem Denken und Handeln wiederzuerkennen ist. Zeitzeuge kann nur sein, wer den Blick in den Spiegel der eigenen Vergangenheit nicht scheut, selbst wenn das nicht nur immer Vergnügen bereitet:

»Die kollektiven Vorwürfe gegen die SPD nähern sich ja wieder dem Slogan von den vaterlandslosen Gesellen, nachdem wir eine ganze Zeit lang als europafeindliche Nationalisten bezeichnet wurden. Die Wahrheit zeigt nur, daß die Deutschen noch immer nicht aus der Verkrampfung im Verhältnis zur Nation herausgekommen sind. Nun ist diese Verkrampfung kein Wunder, hat doch die Nation mehr als einmal als Feigenblatt herhalten müssen für diejenigen, die dazu meist noch aus Egoismus ihre Macht wirtschaftlich oder sogar militärisch ausdehnen wollten. Im Namen der Nation sind die größten Verbrechen gegen andere und gegen das eigene Volk begangen worden. Nationalismus und Imperialismus sind Zwillinge. Es ist nur natürlich, wenn wir immer, sobald das Wort Nation auch nur fällt, hellhörig werden und mißtrauisch.

Aber wenn ein gebranntes Kind auch das Feuer scheut, so wird es doch künftig nicht auf warme Nahrung verzichten können. Solange Deutschland geteilt ist, sind wir keine Nation. Das Beste an dieser Teilung ist noch, daß die Deutschen weder in der Bundesrepublik noch in der sogenannten DDR sich daran gewöhnt haben, ihre Staatsgebilde als Vaterländer zu empfinden. Auf die Nation verzichten, würde Aufgabe der Wiedervereinigung sein. Es wäre der Selbstmord unseres Volkes, und es würde, von uns aus gesehen, zum Verrat an der Demokratie, denn die Demokratie wird ausgespielt haben in unserem Volke, wenn sie gegenüber der Wiedervereinigung versagt ... Im übrigen wäre eine Führung der SPD auf dem Weg zur nationalen Einheit die beste Garantie gegen jeden neuen Nationalismus ... Wir sind nicht besser als die anderen Völker, aber wir wollen, wie sie, geeint in freier Selbstbestimmung leben können. Wir lassen uns auch nicht mehr betrunken machen durch die Zauberformel Europa ... Die Europapolitik der SPD hat permanent dafür zu sorgen, daß man über der faktischen Beseitigung unserer Westgrenzen die Beseitigung der Zonengrenze nicht vergißt.

Daß der Beitritt der Bundesrepublik zur NATO Deutschland die Wiedervereinigung bringt, ist eine Behauptung der Regierung gewesen, von der bisher nur das Gegenteil bewiesen ist ... Heute ist nicht mehr davon die Rede, daß es mit den Russen erst zu reden lohnt, wenn wir stark genug sind ... Der sowjetische Ministerpräsident hat an den Herrn Bundeskanzler einen Brief gerichtet, dessen Inhalt vereinfacht, aber nicht verfälscht, so lautet: Lassen Sie uns unsere Beziehungen normalisieren, die Beziehungen zwischen der Bundesrepublik und der Sowjetunion mit konsularischen Rechten, mit Handel, mit Kultur und was dazu gehört. Ohne Wiedervereinigung natürlich. Und die Antwort des

Herrn Bundeskanzlers lautete eigentlich nur: einverstanden... Nun werden wir freilich zur Geduld gemahnt. Kühle Überlegung und Geduld, das sind die Regierungstugenden, die uns immer empfohlen werden, wenn es um die Wiedervereinigung geht... Aber wer unter Berufung auf das Fehlen des sowjetischen Interesses an der Wiedervereinigung nichts tut, handelt in Wahrheit in sowjetischem Interesse. Es ist schon sehr erstaunlich, daß die Regierung ausschließlich ihre Wiedervereinigungsblöße durch die sowjetischen Feigenblätter des mangelnden Interesses decken will. Wir drängen die Sowjets nicht einmal.

Die grundsätzliche Frage lautet: Was haben wir der Sowjetunion für die Wiedervereinigung anzubieten?

Die Vergangenheit der SPD und der gesunde Menschenverstand und unser Wille verbieten eine Schaukelpolitik zwischen Ost und West. Ohne den Rückhalt und ohne die Freundschaft mit unseren westlichen Nachbarn im weitesten Sinne läßt sich überhaupt keine deutsche Außenpolitik machen, die keine Koketterie mit dem Selbstmord sein will.

Sollte irgendein Volk den Kommunismus freiwillig zur Grundlage seiner Staatsreform machen, so soll uns das recht sein. Wir leiden nicht an Kreuzzugsversuchungen. Wenn der Kommunismus in den Dienst einer Nation gestellt wird, muß er ohnehin die weltrevolutionäre Geschlossenheit verlieren. Es ist schon jetzt zu beobachten, daß Aktionen und Äußerungen aus dem Osten oft und zunehmend nur unter nationalpolitischen Gesichtspunkten zu verstehen sind, auch wenn sie ideologisch getarnt sind. Der Bolschewismus ist weitgehend nur noch das Mittel, die russische Vorherrschaft über andere Völker zu begründen. Sobald die Interessen dieser Völker ihren Menschen bewußt werden, werden sie zu Antibolschewisten, nicht zu Antisozialisten...

Die Staatsinteressen Rußlands haben, als es hart auf hart ging, die ideologischen Interessen Rußlands jedenfalls übertroffen. Dieser Prozeß wird weitergehen. Er ist auch unsere Hoffnung, weil in seinem Verlauf die Sozialdemokratie für den Kreml akzeptabler wird. Im Augenblick und bisher haben die Sowjets lieber mit Bürgerlichen verhandelt und sie unterstützt.

Was nun das staatliche Verhältnis zwischen Deutschland und Rußland angeht, das ideologisch keimfrei sein muß, so wird es nötig sein, das russische Interesse an der Wiedervereinigung zu beleben. Nachdem man weder die EVG noch die NATO, noch die Truppenverminderungen auf den Verhandlungstisch gelegt hat, bleibt in absehbarer Zeit ein weiterer Preis. Wenn man die deutsche Gleichberechtigung bejaht im Verhältnis zu seinen Verbündeten, muß man die Ausrüstung der Bundeswehr mit Atomwaffen bejahen. Das sind zwar sehr gefährliche Dinge, aber diese gefährliche Politik verdanken wir schließlich der Bundesregierung. Die Eigenproduktion und die eigene Verfügungsgewalt von Atomwaffen in Deutschland würde für die Sowjetunion in der Tat die Gefahr eines unkontrollierten deutschen Revisionismus akut werden lassen. Das ist ihnen nicht einmal übelzunehmen; denn selbst wenn sie den Versicherungen des Bundeskanzlers noch vor sieben Jahren geglaubt haben sollten, daß es keine deutschen Soldaten mehr geben würde, dann ist nach den Erfahrungen doch legitim, heute nachzudenken, was in weiteren sieben Jahren alles geschehen kann. Es ist ja eben der grausame Witz, daß unsere zwölf Divisionen kein Preis sind, weil sie die Stärke des Westens nicht vermehren, sondern nur andere Truppen ablösen, und weil sie mit ihrer rein konventionellen Ausrüstung im Zeitalter des Atomkrieges eben eine Lappalie sind, die den Kreml nicht ernstlich zu beunruhigen braucht. Deutschland ist heute ungefährlich. Das würde in dem Augenblick anders, in dem es Atommacht würde. Wir haben kein Interesse daran, Atommacht zu werden. Die Sowjetunion kann nur das gleiche Interesse haben; wir haben jedoch ein großes Interesse an der Wiedervereinigung. Auf dieser Ebene zeichnet sich eine neue Möglichkeit für erfolgversprechende Verhandlungen ab. Gesamtdeutschland könnte statt eines freiwilligen Verzichts sich verpflichten und verpflichtet werden, für immer auf Atomwaffen und ihre Herstellung zu verzichten. Damit würde im Zeitalter der nuklearen Auseinandersetzungen das wiedervereinigte Deutschland garantiert ungefährlich für den Osten überhaupt. Und diese Garantie seiner Sicherheit in Europa, verbunden mit der Garantie, daß Deutschland durch Austritt aus der NATO kein Aufmarschgebiet sein kann, müßte der Sowjetunion die Aufgabe der Zone wert sein.

Die begonnene Phase der deutschen Nachkriegspolitik heißt jedenfalls Ostpolitik. Wir dürfen dabei nichts vergessen und nichts nachtragen. Unser Ziel verlangt Grundsätze, aber keine Ressentiments.«

Daß ich einmal eine atomare Waffenoption haben wollte, hatte ich völlig vergessen. Brandt hat mich daran erinnert, als ich gegen neue Atomraketen, Nachrüstung genannt, in der Bundesrepublik war. »Was hast du dagegen, wenn daraus Verhandlungsmasse wird; das hast du eigentlich selbst einmal haben wollen«, frotzelte er. Ich war fasziniert, daß er mein intellektuelles Abenteuer im Dienst der Wiedervereinigung behalten hatte.

Afrikanische Erfahrungen

Zufall oder gütiges Geschick sorgte gerade zur richtigen Zeit für die Entdeckung einer fremden Welt. Ich gehörte zu einer kleinen Gruppe von Journalisten, die jährlich für eine Woche von der französischen Regierung eingeladen wurde, sich mit einer Landschaft und ihren Problemen vertraut zu machen. Um die Regionen zu stärken und das Übergewicht von Paris nicht weiter wachsen zu lassen, hatte sich das Commissariat du Plan unter Jean Monnet das System einer Investitionslenkung ausgedacht. Nach ihrem Plan für die industrielle Entwicklung des Landes gab es staatliche Subventionen nur für Branchen und nur in solchen Gebieten, wie das im Plan stand. Ohne diese gelungene Mischung von Lenkung und Marktwirtschaft in einer Demokratie hätte Frankreich sein Wirtschaftswunder nicht vollbracht.

In der Normandie genossen wir nicht nur Austern und Weißwein zur Anregung des Appetits für das ausführliche Déjeuner, sondern ein bißchen auch die diskreten Hinweise, die Engländer hätten Le Havre nur niedergebombt, um einen lästigen Konkurrenten für Portsmouth loszuwerden. Vor allem imponierte: Das ganze Gebiet der Innenstadt war enteignet worden, um die Stadt planvoll wieder aufbauen zu können. Die neuen Einheiten wurden verkauft und von dem Erlös die alten Eigentümer entschädigt. Die Methode sparte Jahre. Die Hohenpriester des Privateigentums konnten in einer Sondersituation über ihre Schatten springen. Der umgekehrte Grundsatz: Rückgabe vor Entschädigung ist Frankreich erspart geblieben.

Das Burgund vermittelte statt ketzerischer Lichtblicke kulinarische Lektionen. Wie Gott in Frankreich zu leben, verlangt Sinn für den delikaten Geschmack der Hühnchen aus Bresse und die Fähigkeit, aus der Farbe des Rotweins in flachen silbernen Schälchen auf seine Qualität schließen zu können. Die vier massigen Rundtürme des Schlosses Le Clos-Vougeot gaben die beruhigende Gewißheit, daß es jedenfalls nicht die Mauern sein konnten, die bei der Weinprobe zu schwanken schienen. Carlo Schmid war für würdig befunden worden, in die Exklusivität der »Chevaliers du Tastevin« aufgenommen zu werden, die wir auf germanisch als Verein der Berufssäufer übersetzten.

Im nächsten Jahr sollten wir uns davon überzeugen, daß die Zukunft Algeriens unbestreitbar französisch bleiben werde. Als es soweit war, mußte mir der französische Presseattaché entgegen allen offiziellen Erklärungen die unangenehme Mitteilung machen, daß – bestimmt nur zeitweilig – eine Situation eingetreten sei, in der man unsere Sicherheit in Algerien nicht garantieren könne. Seine Bitte, dieses Wissen nicht zu mißbrauchen, erfüllte ich gern; denn die Entschädigung faszinierte: fünf Wochen, um die französischen Besitzungen in Westafrika, Kamerun und Zentralafrika zu besuchen.

Kalt, naß und grau verabschiedete sich Paris an einem Novemberabend. Strahlend und hell empfing uns Dakar. Der angenehme Schock beim ersten Schritt aus der Maschine war ein Erlebnis: die überwältigende umfassende Wärme, die schnell an den Innenflächen der Hosen hochstieg. Der Nachtflug hatte den Gedanken aufkommen lassen, die Bezeichnung »dunkler Kontinent« träfe auch in einem anderen Sinne zu: Unten war es wirklich finster. Aus der tiefen Schwärze blinkte ganz selten ein verlorenes Feuer. Vor nur weniger als hundert Jahren mußte Europa ohne Elektrizität ähnlich dunkel gewesen sein.

Welche Gegensätze: die bunten fröhlichen Farben der Gewänder und Tücher, das Gemisch der Gerüche auf dem Markt, der elegante Schwung des Corbusier-Hotels, in dessen Appartements man auf zwei Ebenen wohnt und im weißen Bademantel per Aufzug zum Strand gelangt; die in die Mauern eingelassenen Ringe auf der vorgelagerten Insel Gorée, an denen die Sklaven angekettet waren, um aus ihren dunklen Gewölben direkt auf die Schiffe getrieben zu werden; die brütende Hitze Mauretaniens, wo sich aus dem dunklen Ocker seines Bodens unvermittelt die dunkelrot leuchtenden Gebirge aus Eisenerz erhoben, bereit für den Tagebau, rentabel für 300 Kilometer Schienenverbindung zum Atlantik; die Menschen in ihren Hütten, die ohne Gegenwehr die Fliegen über Gesicht und Augen krabbeln lassen; ich registriere wenig später innerlich kopfschüttelnd, daß Schweiß und Hitze uns so lähmen, daß wir die Fliegen nur noch wegpusten, wenn sie an die Lippen kommen.

Der stellvertretende Ministerpräsident des Senegal, Léopold Senghor, mit seiner Frau aus Paris, beide gleichermaßen gepflegt in Ausdruck und Kleidung, gaben einen festlichen Empfang. Keine Schranken zwischen Schwarz und Weiß, eindrucksvoll für die Gäste aus einem Land, das bis vor kurzer Zeit Rassengesetzen gefolgt war; die gesellschaftlichen Unterschiede bestimmten sich durch Sprache und Wissen. Die Kultur französierte gleichberechtigte schwarze Eliten mit einer kleinen Einschränkung: Überall kontrollierten die weißen Gouverneure, überall durften Afrikaner für die Autonomie üben, die ihnen ein Rahmengesetz versprach, das, in französischen Augen großzügig, im Falle der Zustimmung Selbstverwaltung vorsah; allerdings würden Außenpolitik und Verteidigung in Paris bleiben, jedoch finanzielle Hilfe weiter fließen, wenngleich die Umrechnungskurse des Übersee-Franc für das Mutterland vorteilhaft verläßliche Bindung garantierten.

In Guinea belehrte uns der führende Afrikaner Sékou Touré sehr kühl, er fühle sich nicht zu Dank verpflichtet für die Straßen, Krankenhäuser und Schulen; die Weißen hätten das nicht gebaut, um Afrika zu entwickeln, sondern um es besser ausbeuten zu können. In einem abendlichen Gespräch überzeugte mich ein Missionar. Der Père Blanc in seiner weißen Benediktinerkutte begründete, warum Sékou Touré das Rahmengesetz ablehnen und sofort und direkt die volle Unabhängigkeit ansteuern werde. Ich übernahm seine Einschätzung in meinem Bericht im Gegensatz zu allen Mitreisenden und geriet zwei Jahre später, als die Voraussage eintraf, unverdient in den Ruf eines Afrikaexperten.

In Jeeps fuhren wir in ein Lager im Landesinnern, in dem französische Ingenieure die Pläne für ein Stauwerk erarbeiteten. Die Pisten führten Stunden durch hohes Elefantengras in einen Urwald. Auf einer Lichtung Zelte, davor Holztische, gedeckt zum Essen: Vorspeisen, Salat, Hauptgänge, vier Sorten Käse, Weißwein, Rosé und Rotwein, Kaffee und Cognac. Das ist Frankreich. Es hat Selbstbewußtsein, Kraft und Pioniergeist bewahrt.

In Bamako, der Hauptstadt Malis, bekam ich noch die Überraschung mit, unseren ersten und einzigen Löwen zu sehen – im Zoo, aber dann mußte ich für eineinhalb Tage in unmittelbarer Reichweite einer Toilette bleiben. In einem Lepradorf wurde versichert, während der Inkubationszeit von sechs Wochen sollten wir auf Symptome achten; die Krankheit sei eigentlich besiegt. In Kamerun bewunderten wir nicht nur, wie funktionell und solide die deutschen Kolonialbauten noch immer ihre Aufgabe erfüllten, sondern machten uns bewußt, daß der Erste Weltkrieg uns wenigstens erspart hat, der Welt zeigen zu müssen, wie denn die Deutschen ihren Kolonialismus losgeworden wären. Denn das war klar: Über kurz oder lang würden alle europäischen Länder ihre Kolonien verlieren. Die Überlegung lag nahe, daß die Völker der heraufziehenden neuen Staaten eigentlich den deutschen Wunsch nach Selbstbestimmung verstehen müßten.

Das Flugzeug landet nicht weit vom Urwalddorf des Doktor Schweitzer. Auf dem Landungssteg am Fluß, dem sich das Boot nähert, ist die Gestalt schon von weitem erkennbar, weiß, Tropenhelm und bauschiger Schnauzbart; es ist »nur« sein Vertreter, der dem Vorbild auch äußerlich nacheifert. Die Kranken leben in gewohnter Umgebung, also ohne Kanalisation und elektrisches Licht. Sie teilen ihre Hütten mit Familienangehörigen und Haustieren. Großartig und beklemmend zugleich. Eine halbe Stunde weiter arbeitet ein modernes Krankenhaus. Hat die Zeit den Doktor und sein leuchtendes Beispiel für sanfte Entwicklung überholt? Flußaufwärts empfängt der Neffe de Gaulles – Gestalt und Nase müssen Familienmerkmale sein – auf seiner Kautschukplantage, für die immer mehr Urwald gerodet wird.

Davon gibt es genug. Aus dem Flugzeug sieht das wie dichter Grünkohl aus. Der Pilot lacht, bei mehr als 40 Meter Höhe verschwinde die Maschine im Falle des Absturzes unentdeckbar in den Kronen. Die Gleichförmigkeit des Anblicks animiert zum Skatspiel mit Bruno Heck und Heinz Kühn. (»Bundestagsabgeordnete muß man gut bezahlen und viel reisen lassen« - dieser Maxime Adenauers verdankten wir parlamentarische Begleitung.) In Brazzaville erfuhren beide, daß sie im fernen Bonn zum Vorsitzenden und stellvertretenden Vorsitzenden des kulturpolitischen Ausschusses gewählt worden waren. Jenseits des kilometerbreiten Kongo mit seinen träge vorüberziehenden Grasinseln ist Léopoldville zu sehen, fast eine Skyline.

Je weiter weg von der Küste, um so schwieriger und teurer die Erschließung, um so dünner Entwicklung und Bevölkerung. Ungenutzte Wasserkraft, ungenutztes Mangan, ungenutzte Kohle; Europa kann das anderswo billiger bekommen, und um diesen kontinentähnlichen afrikanischen Besitz zum Blühen zu bringen, reicht die Kraft Frankreichs nicht, nicht einmal nach dem Verlust Indochinas, das viele

nter Kollegen in der Frühzeit der Republik, in der das Staatsoberhaupt dem Protokollchef noch erklären konnte: »Der Bundespräsident ist nun gegangen, aber der Heuss bleibt hocken.«

in nachdenklicher Erich Ollenhauer; ein skeptischer Reporter, 1956 im Jahr vor dem größten Wahlsieg der nion, als selbst Brandt mich nicht mehr zurückhalten konnte, Mitglied der SPD zu werden.

Keiner sieht dem anderen ins Auge. Persönlich vereistes Verhältnis ist fotografierbar. So war es, als de
Bürgermeister den Bundeskanzler begrüßt, am 22. August 1961, neun Tage nachdem der Mauerbau eingeleite
worden war. Adenauer hatte inzwischen den Wahlkampf gegen Brandt fortgesetzt.

An einem kalten Februartag 1962 hatte der Präsident
die beiden Brüder, Robert und seine Frau Ethel (neben
Rut Brandt) und Edward, geschickt.

Als der Präsident kam, verhängte »die andere Seite«
das Brandenburger Tor.

Vor dem Schreibtisch des Bundeskanzlers im Palais Schaumburg. Trotz der angeblich unbestechlichen Linse: Der
hinter dem Schreibtisch war größer.

Die oberste Ebene: Vor der Unterzeichnung des Moskauer Vertrages am 12. August 1970 im Kreml. Während Brandt und Kossygin noch Klärungsbedarf haben, ist man dahinter schon fröhlich, nur Botschafter Allardt scheint noch etwas verschnupft.

Die Arbeitsebene: mit Valentin Falin, Planungschef Semjonow und Botschafter Allardt.

Die offiziöse Ebene: Mit dem Sicherheitsberater Kissinger funktionierte sie immer besser.

ie offizielle Ebene: Am Kabinettstisch (von rechts): der Innenminister, der Staatssekretär, der Chef des
undeskanzleramtes, der Bundeskanzler, der Außenminister und sein Staatssekretär van Well.

e verdeckte Ebene: Für den amerikanischen Kanal
aubte Kissinger, der Dienst der Marine sei dichter als
e CIA.

Der sowjetische Kanalarbeiter »Leo« zeigt, was eine
russische Troika ist.

Die beiden Chefs in Oreanda vor ihrem Gespräch. Ich zog mich dann mit dem Kollegen Alexandrow zurück. W
fanden die Formel für ausgewogene Verringerung konventioneller Streitkräfte; das Foto ist auch protokollarisc
ausgewogen, teils mit, teils ohne Krawatte.

Mit unserem wichtigsten Verbündeten in Washington ist 1971 alles im Lot. In der ersten Reihe die beiden Chef
neben ihnen die Außenminister Scheel und Rogers und der stellvertretende Leiter des Presseamtes, Rüdiger
Wechmar.

uhe zum Nachdenken und Arbeiten während des Rückflugs von der Krim, wo eine Maschine der Luftwaffe zum
rstenmal nach dem Kriege gelandet war. Die zeit- und kraftsparenden Dienstleistungen der Flugbereitschaft
nserer Bundeswehr werden zu wenig gewürdigt.

m Kanzlerbungalow gab der Freund einen kleinen Empfang zu meinem 50. Geburtstag im März 1972. Das
nstruktive Mißtrauensvotum und der Wahlerfolg im Herbst lagen noch vor uns. Im Hintergrund Ulrich
ahm.

Die schwierigsten Punkte mußten mit Michael Kohl, intern »Rot-Kohl« genannt, um keine Mißverständniss
zum nicht verwandten oder verschwägerten Helmut aufkommen zu lassen, unter vier Augen besproche
werden.

Die Luftwaffe zum erstenmal nach Berlin-Schönefeld zu bringen, war bei der DDR fast leichter zu erreichen als b
den drei Westmächten, die auf die Unversehrtheit ihrer Luftkorridore achteten. Zwischen Kohl und mir Car
Werner Sanne.

Ressourcen absorbiert hatte. Deutsche Kaufleute berichten, daß alle interessanten und lukrativen Projekte in französischer Hand bleiben. Man soll es mit der Freundschaft nicht übertreiben.

Von Bangui brauchte man für die Urlaubsreise nach Frankreich und zurück fünf Monate Reisezeit, bevor es das Flugzeug gab. Aber das reichte aus, um Brillanten zu transportieren, die es hier schon vor Bokassa gab. Im Tschad – der gleichnamige See versumpft langsam – beträgt das durchschnittliche Jahreseinkommen der Bevölkerung 90 Mark. Dafür ist der Flughafen vorbildlich ausgebaut, im Krieg von den Amerikanern, um das Afrikacorps Rommels für den Nachschub südlich zu umgehen.

Zwei Empfindungen auf dem Rückflug nach Paris: Man muß sich schämen, von dieser erregenden Welt so wenig zu wissen; unbedingt wiederkommen nach Afrika.

Dafür bot sich schon ein Jahr später die Gelegenheit, in den Sudan und nach Äthiopien zu reisen. In der kleinen Verhandlungsdelegation des Bundestags unter der Führung unseres ersten Botschafters in Indien, Meyer, deshalb New-Delhi-Meyer genannt, reiste auch ein hoffnungsvoller Nachwuchspolitiker mit, Walter Scheel. Khartum, die neue Hauptstadt, strahlenförmig angelegt nach dem Union Jack, leistete sich, das Reiterstandbild des britischen Eroberers Lord Kitchener im Schnittpunkt der Hauptstraße zu belassen. Im alten Gouverneurspalast, an dessen Stufen Gordon von den Aufständischen des Mahdi niedergestreckt worden war, erläuterte der neue Chef, General Abboud, daß man mit der im Interesse des britischen Reiches entwickelten Monokultur, der Baumwolle, fertig werden müsse und man in 16 Monaten der Unabhängigkeit mehr Schulen gebaut habe als die Engländer in sechzig Jahren ihrer Herrschaft.

Um sechs Uhr früh auf dem Flugplatz wählte New-Delhi-Meyer statt Tee oder Kaffee Whisky: »Glaubt einem erfahrenen Mann; in den Tropen sollte man den Alkoholspiegel nie unter ein bestimmtes Niveau sinken lassen.« Niemand konnte widersprechen. Am Mittellauf des Blauen Nils, bei Wad Medani, besichtigten wir ein Projekt der deutschen Entwicklungshilfe. Ein Kanal sollte die Anbaufläche für Baumwolle (!) verdoppeln, von den Sudanesen dann übernommen werden und neue Siedlungen ermöglichen. In den Süden kamen wir nicht; die schwarzen Niloten, zum Teil Christen, meist Animisten, wehrten sich gegen die

Islamisierung durch den arabischen Norden. In einer Nacht hatten sie jene, die sie als Besatzer empfanden, »gespeert«.

Wer Afrika als mittelalterlich empfand, konnte Äthiopien als Altertum sehen. Holzpflüge ritzten die Krume wie vor 2000 Jahren. Der Kaiser, die koptische Kirche und 25 Familien teilten sich das Land zu etwas über je 30 Prozent. Der Rest für den Rest der Menschen. Da war das Zögern des Kaisers verständlich: keine Universität, das bringt nur Unruhe, und nur eine kleine Zahl Ausgewählter durfte in Europa studieren, um nicht zuviel neue Gedanken in das Land zu lassen. Wenn diese Überlegung richtig war, dann mußten die Sowjets in überschaubarer Zeit Schwierigkeiten bekommen: Wenn dort immer mehr Menschen akademisch gebildet werden, was wegen des Wettlaufs mit dem Westen unausweichlich ist, dann wird die Fähigkeit zu denken, unausrottbar entstehen; und da Denken nicht verboten werden kann, mag das eine Hoffnung auf Veränderungen rechtfertigen, die nur in die Richtung einer Liberalisierung gehen kann, erst recht nachdem Chruschtschow auf dem 20. Parteitag Schleusen geöffnet hat, indem er den Nimbus Stalins zerstörte.

Der deutsche Arzt berichtete, man könne die Kaiserin wirklich Mutter nennen. Ihr gehörten fast alle Puffs in Addis Abeba, Tedch-beds genannt, kleine Hütten, die beliebt seien; die Sache sei so normal wie essen und trinken. Die Lust zur Besichtigung wurde erfüllt; denn er fuhr uns durch die Viertel und machte auf Qualitätsunterschiede aufmerksam. Achtzig Prozent seien geschlechtskrank; zum Teil blühten die Krankheitsstämme durch Behandlung mit Sulfonamiden auf wie Blumenkohl, wirksame Beruhigung europäischer Gemüter.

Wir machten einen Ausflug zur alten Königsstadt Gondar, am Nordrand des Tanasees, bewunderten eine Festung, die auch in Portugal hätte stehen können, bewunderten überhaupt nicht ein von den Italienern gebautes Postamt, halb so groß wie der Bahnhof von Rom, mit einem einzigen verlorenen Mann an einem wackeligen Tisch in der Riesenhalle, der Briefmarken verkaufte. Unser Vertrauen in die äthiopischen Piloten wuchs enorm, nachdem sie die zu kurze durch Regen aufgeweichte Piste abschritten, die in einem Abgrund endete, und entschieden, wir könnten starten, wenn uns so an die dreißig Leute hinten an einem Seil festhielten, bis die Motoren auf volle Touren gekommen wären.

Dann war noch Zeit, ein wirkliches Weltwunder zu bestaunen, Kirchen, mit Emporen aus massiven Felsplateaus herausgeschlagen. Viele seien noch unentdeckt, berichtete Frau Ridder, der man glaubte, daß sie weite Ritte ins Land unternommen hatte, um solche Kirchen zu finden. Sie hatte darüber einen ebenso schönen wie aufregenden Bildband veröffentlicht. Vielleicht stimmt die Sage, daß Salomos Bundeslade hier irgendwo liegt, von den Söhnen der Königin von Saba und des Königs entführt, wie gemalte Bildergeschichten noch immer berichten. Sie überließ ihrem Mann, dem Botschafter, uns in den Keller zu führen, wohl fünf Stockwerke tief. Ganz unten war das kaiserliche Silber während der beiden Weltkriege aufbewahrt und erhalten geblieben bis zum letzten Teelöffel; denn hier stand die älteste deutsche Botschaft, unter Wilhelm II. eingerichtet. Ein Glück, daß ich die Geschichte erfuhr; später wollte DDR-Staatssekretär Kohl das Silber teilen als Zeichen für das Ende des Alleinvertretungsanspruchs der Bundesrepublik.

Wir hatten soviel Zeit, weil das von den Schweden betreute Protokoll (die Amerikaner betreuten die Luftwaffe) Frack vorschrieb, allenfalls Cut, für eine Audienz bei Seiner Kaiserlichen Majestät, nicht aber gemeine schwarze Anzüge. Endlich wurde die Ausnahme erwirkt, die natürlich nicht fotografiert werden durfte. Wir wurden unterwiesen: Am Eingang des Empfangssaals eine tiefe Verbeugung, dann in der Mitte des Saals eine zweite, darauf bis eineinhalb Meter an Seine Kaiserliche Majestät herantreten, eine dritte tiefe Verbeugung machen, aufrichten und abwarten. Same procedure auf dem Rückweg. Dafür empfahl der Botschafter besonders tiefe Verbeugungen, um unter dem Arm hindurch das Ziel ins Auge zu fassen: Es sei Botschaftern schon passiert, daß sie beim Rückwärtsgang die Tür verfehlt hätten.

Das war nun der Löwe von Juda, der Mussolini überlebt hatte und als einer der Sieger des Zweiten Weltkriegs auf den Thron zurückgekehrt war. Und anders als andere Staaten und Potentaten hatte er Bonn die alte Botschaft samt Silber zurückgegeben. Die Stimme war leise und ruhig, die Hände klein und weich. Von dem Gespräch ist keine Erinnerung geblieben. Der Rückzug erfolgte ohne Pannen. Am Ende eines langen Ganges, der sich zu einer breiten Treppe öffnete, kam uns ein Löwe, ein riesiger Mähnenlöwe, wie es sich gehört majestätisch, entgegen. Die »Etikette«, das in Bonn heiß debattierte Buch unserer stellvertretenden Protokollchefin Erica Pappritz, hatte für eine solche Lage nichts vorgesehen. Ich entschied blitzschnell, daß sie es sicher gebilligt hätte, wenn ich Walter Scheel den Vortritt ließ. Der Löwe schritt frei und unbehindert zwischen uns durch und roch wild. Stumm und mit leicht beschleunigtem Gang erreichten wir die Wagen am Fuß der monumentalen Treppe. Der Löwe oben sah uns nach, aus dieser Entfernung nur noch schön.

Was wir in beiden Ländern wollten? Natürlich vor der Zone warnen und unsere wirtschaftliche Potenz ins Spiel bringen.

Drei Linien schnitten sich, damit ich mich künftig als weißer Afrikaner empfinden konnte: Die Ankündigung Chruschtschows im November 1958, West-Berlin solle innerhalb von sechs Monaten eine »freie Stadt« werden, das Bedürfnis der Bundesregierung, in der Welt für unsere Sache und die bedrohte Stadt zu werben, und meine wachsende Neigung, nach fast 15 Jahren Schreiben und Sprechen endlich etwas Handfestes zu tun. Bonn hatte plötzlich Geld für eine »Berlin-Aktion«; ein Dutzend Journalisten sollten für einige Monate an Botschaften entsandt werden. Es sprach für die Bundesregierung, daß sie mich als kritisch bekannten Korrespondenten fragte. Es gab keinerlei innerliche Vorbehalte für mich, sofort zuzusagen; denn hier ging es um ein gemeinsames Interesse, das über den Parteien stand. Außerdem durfte ich aussuchen: Regionalbeauftragter für Westafrika mit Sitz in Ghana.

Die Botschaft war für den neuen Mitarbeiter gar nicht ausgestattet. Er wurde in einem unklimatisierten großen Zimmer untergebracht, in dem neben allerlei Gerümpel auch ein Tontopf und eine Kameraausrüstung standen. Es war die Asche und Hinterlassenschaft eines verstorbenen Journalisten, die darauf warteten, daß die bürokratischen Voraussetzungen für den Rücktransport geklärt würden. Das beste Hotel der Hauptstadt, das einzig klimatisierte, war ausgebucht. Im nächsten kam ich in der Dependance unter, in einem Raum mit zwanzig Betten und löchrigen Moskitovorhängen, damit die Tierchen auch eine Chance hätten. Ich lag dort nackt und transpirierte still vor mich hin, gleich einigen Afrikanern und Libanesen. Es verschafft große Genugtuung, wenn Afrikaner auch schwitzen. Aber weil es sich um ein Hotel handelte, das etwas auf sich hielt, wurden wir pünktlich um sechs Uhr durch einen Boy geweckt, der den Early-morning-tea mit zwei Plätzchen brachte.

Wenige Tage später war ich erlöst. Ein deutscher Bauunternehmer vermietete mir einen klimatisierten Bungalow, den er hinter sein Haus gesetzt hatte. Er war Montageingenieur, bei Kriegsausbruch hängengeblieben, interniert von den Engländern, was aber, da es Fluchtmöglichkeiten praktisch nicht gab, immer großzügiger gehandhabt worden war. Er fing an zu arbeiten, kaufte Maschinen und war wohl inzwischen Millionär geworden. Ein – guter – Koch, ein Haus-Boy, ein Garten-Boy und ein Wachmann teilten sich die Arbeit, jeder auf seine Kompetenz bedacht. Als ich einmal nachts nach Hause kam, weckten die Scheinwerfer den Wachmann nur kurz. Mein Wirt klärte mich über afrikanischen Pragmatismus auf. Der Wachmann bezahlt etwas den Dieben. So genießen alle den Schlaf, sichere Einkünfte und schonen ihre Nerven. Etwas anderes entsetzte mich. Der Haus-Boy bekam eine harte Ohrfeige; er hatte den Schalter einer Waschmaschine kaputtgemacht. »Nur auf diese Weise lernen diese dummen und faulen Afrikaner.«

Mit Realitäten umgehen, auch wenn sie einem nicht gefallen: Die Geographie bestimmt das Bewußtsein. Nördlich von Accra dehnen sich mindestens 500 Kilometer Urwald und Steppe, weiter nördlich 1200 Kilometer Sahara, dann einige hundert Kilometer islamische Staaten, danach kommt das Mittelmeer und erst dahinter liegt das ameisenähnlich von Menschen wimmelnde Europa und dann, fast ununterscheidbar klein, zwei deutsche Staaten, der eine etwas reicher als der andere, aber beide stinkend reich. Die meisten Gesprächspartner glaubten doch tatsächlich, die Zone sei ein Staat, und fragten, als ich das bestritt, wie denn eine Zone eine Handelsvertretung mit konsularischen Rechten haben könne? Die halbamtlichen Brüder und Schwestern tauchten bei keiner Veranstaltung auf, zu der unsere Botschaft eingeladen war; denn in der Tat: Mehr Geld hatten wir. Das war selbstverständlich kalter Kleinkrieg, damals noch mit mehr Siegen als Niederlagen.

Kurz: Ghana lebte, ohne vom deutschen Problem viel Notiz zu nehmen. In den Zeitungen fanden wir nicht statt. Da es in den Vereinten Nationen aber eine Stimme hatte, anders als wir, mußte das geändert werden. Eine vielseitige Beilage in der angesehenen *Ghanaian Times* sollte ein Paukenschlag werden. Die Kosten überstiegen meinen Etat. Ein fünfstelliges Trinkgeld halbierte sie. Mein Stolz, beträchtliche Steuergelder gespart zu haben, wurde zu Hause gar nicht geteilt. Nicht ausgegebenes Geld verfällt und bringt den Bundestag auf die Idee, er hätte zuviel bewilligt. Diese erste Bekanntschaft mit der ehrwürdigen kameralistischen Tradition erwies sich als äußerst nützlich. Dem verzögerten Paukenschlag (die Bonner brannten gar nicht darauf, Artikel zu liefern) folgte ein Besuchsprogramm für einige Journalisten. Ihre Reiselust hatte bereits unser Niveau erreicht. Gute Stipendiaten zogen schon aus sprachlichen Gründen England und Amerika vor. Ein Rückkehrer erzählte, was ihn am meisten an London beeindruckt hat: Da gäbe es Weiße, die mit den Händen arbeiten. Nach der Unabhängigkeit hatte es Enttäuschung gegeben, daß nicht alle Schwarzen nun so wie die Weißen leben können, ohne schmutzige Hände. Die andere Überraschung: In London wird immer noch gebaut, sogar Häuser und Straßen. Der angehende Arzt hatte angenommen, in dem entwickelten Europa sei alles fertig.

In Ghana gab es vier Haupt- und zwölf Nebensprachen. Das war kein Problem, solange die Engländer ihre »Goldküste« verwalteten. Es spielte auch keine Rolle, daß stolze Stämme entlang der Küste wohnten, ziemlich unberührt durch die Grenzen, die Kolonialmächte mit unterschiedlichen Sprachen gezogen hatten. Mit der Unabhängigkeit wurde das anders. Der neue Staat mußte eine Sprache haben, englisch oder französisch. Die Aufgabe, eine Nation zu bilden, Staatsbewußtsein zu entwickeln, führte nur über die Sprache der alten Kolonialherren.

Bei einer Konferenz, zu der Sékou Touré nach Accra kam, um mit Kwame Nkrumah, dem Helden der Unabhängigkeit Ghanas, über seinen Traum zu konferieren, Afrika zu einer Nation zu machen, stellten beide fest, an welchen Strippen sie wirklich hingen: Zwischen den beiden Hauptstädten Conakry und Accra gab es keine Telefonleitung. Sie mußten geschaltet werden von Accra nach London, von dort über Paris nach Guinea, damit der Chef in Verbindung zu seiner Regierung fast nebenan bleiben konnte. Das Abhören kann nicht schwer gewesen sein.

Während wenigstens die Deutschen die Nation in die historische Rumpelkammer sperren wollten, war die Nation in Afrika gleichbedeutend mit Freiheit und Fortschritt geworden.

In der Sprache Nkrumahs hatte Ghana 1957 die Schleuse zur Unabhängigkeit Afrikas weit geöffnet. Jetzt, zwei Jahre später, lebten mehr Europäer dort als vorher. Im nächsten Jahr, 1960, würden mehr als ein Dutzend neue Staaten auf dem Kontinent entstehen, die schwach und klug genug waren, ihre Grenzen nicht in Frage zu stellen. Das kleine

Togo gehörte dazu. Bei der ehemaligen deutschen Kolonie wollten wir nicht wie in anderen Fällen zu spät kommen. Um die rechtzeitige Eröffnung einer Botschaft vorzubereiten, fuhr ich nach Lomé.

Dr. Pedro Olympio, der Bruder des späteren Staatspräsidenten Sylvanus Olympio, ebnete die Wege. Er hatte bei Sauerbruch studiert, zeigte stolz seine moderne Siemens-Röntgenausstattung und sang nostalgisch Platten von Weiß Ferdls »Linie 8«, die seine französische Frau offensichtlich nicht zum erstenmal mithören mußte.

Die Gräber auf dem deutschen Friedhof hatten frisch geweißte Einfassungen. Ein alter Gärtner beseitigte das Laub auf den Wegen und grüßte ziemlich stramm, indem er die Hand an die imaginäre Kopfbedeckung legte. Aus Dankbarkeit war der Friedhof über die Jahre hinweg gepflegt worden. Seit Kriegsausbruch hatte es deutsches Geld dafür nicht mehr gegeben. Die Jahreszahlen auf den Steinen dokumentierten, daß diese Küste zu Recht das Grab des weißen Mannes genannt worden war: Ganz jung waren sie vor dem Ersten Weltkrieg dem Klima und seinen Krankheiten erlegen.

Johann Agboka war der Präsident des Bundes der Deutschtreuen Togoländer. Er hatte gerade seine vierte Frau geheiratet, kannte sein Alter nicht, mußte aber über siebzig sein, weil er vor 1914 im Postdienst gearbeitet hatte. Noch immer hielt er alle zwei Wochen ein Palaver in deutscher Sprache. In einer Hütte seines Krals zeigte er die deutschen Bücher, die auf einem Brett standen, über Sprache und Geschichte, die letzteren von der Deutschen Reichspartei gespendet. Dem ersten amtlichen Deutschen, den er seit sehr langer Zeit wieder sah, erklärte er »unseren« Ruf. Die starken Lenden gehörten dazu; die erstaunlichen Mischungen zwischen schwarzer Haut, blauen Augen bis zum erblondeten Haar zeugten noch immer davon. Nicht weniger unvergessen, daß die Deutschen schon 1914 ein Gymnasium errichtet hatten, das auch den Afrikanern offenstehen sollte. Die Franzosen hätten das dann erst 1927 geschafft, die Engländer an der Goldküste noch einmal zehn Jahre später. Auch wenn er sich noch an Stockhiebe erinnern könne: Hart, aber gerecht seien die Deutschen gewesen, und nun würden sie wenigstens mit einer Botschaft schnell wiederkommen, hoffnungsvoll erwartet.

Da ich die Berichte über die Schwächen unserer Arbeit ziemlich ungeschönt gehalten hatte, war ich – in Bonn zurück – angenehm überrascht, daß Außenminister v. Brentano sich nicht nur meine Erfahrungen selbst anhörte, sondern anbot, mich in den Auswärtigen Dienst zu übernehmen. Ich willigte gern ein, den Journalismus an den Nagel zu hängen. Nachdem sich herausstellte, daß meine Frau nicht feuchttropentauglich war, Ghana nicht zu lange unbeackert bleiben sollte, stellte das Amt Khartum, Ottawa oder Teheran zur Auswahl. Henri Nannen wollte mich zu unglaublich hinreißenden Bedingungen zu seinem Stellvertreter machen, um eine auch politisch interessante Zeitschrift aus dem *stern* zu entwickeln.

Während ich überlegte, klingelte das Telefon. Günther Klein, Bundessenator, fragte, ob ich nicht gleich mal in die Lobby des Bundestages kommen könne; der Regierende Bürgermeister wolle mich sprechen. Für den Morgenmuffel Brandt war es noch früh, vor zehn Uhr. Er fragte maulfaul: »Wollen Sie das Presseamt bei mir übernehmen?« Ich brauchte nur Zeit zum Atemholen und sagte: »Ja.« – »Dann setzen Sie sich mal mit dem CdS in Verbindung. Wenn Sie sich einig werden, ist es in Ordnung. »–« Was ist CdS? »–« Der Chef der Senatskanzlei, Heinrich Albertz. »–« Was wird aus Hirschfeld?« – dem gegenwärtigen Amtsinhaber. »Der geht in Ruhestand.« Mit Albertz verstand ich mich auf Anhieb. Ich würde 1000 Mark netto weniger im Monat verdienen, einen Vertrag bekommen, weil ich darauf bestand, nicht Beamter zu werden, was Albertz dumm fand, und am 1. Februar 1960 das Amt antreten.

»Anatomie des Friedens«

Die zweite Hälfte der fünfziger Jahre brachte ein großes erregendes Thema auf die europäische Bühne: Atomwaffen. Bis dahin hatten Ost und West ihre Teile Deutschlands in ihr jeweiliges Sicherheitssystem integriert. Diese Richtungsentscheidung begann, eigene Schwerkraft zu entwickeln. Niemand konnte wissen, wie lange das dauert. Wiedervereinigungsbekenntnisse gerieten zu Floskeln, mehr noch: Immer davon sprechen – nicht mehr daran denken, schien das deutsche Gegenteil der französischen Haltung nach 1871 zu werden, nicht davon zu sprechen, aber immer daran zu denken, wie das verlorene Elsaß-Lothringen zurückzugewinnen sei. Die Vier-Mächte-Konferenz in Berlin hatte bestätigt, daß die deutsche Frage für unbestimmte Zeit auf Eis gelegt worden war.

Aber auch dafür konnte das Bestreben der Außenminister, die Reihen in ihren Lagern fest geschlossen zu halten, durch ein neues Faktum mitbestimmt sein: Die Sowjetunion hatte ihre Wasserstoffbombe explodieren lassen – ein neues Stück Ebenbürtigkeit mit Amerika, ein Zuwachs ihrer bedrohlichen Macht.

Das Aufbegehren in Polen und Ungarn 1956 bestätigte nur die bittere Erfahrung des 17. Juni drei Jahre zuvor, daß die Sowjetunion im Grunde freie Hand hatte, auf dem Territorium des Warschauer Paktes für ihre Art von Ordnung zu sorgen, ohne ein Einschreiten des Westens befürchten zu müssen; was Europa erregte, trat in den Hintergrund durch die Ereignisse, die erstmals die Gefahr eines atomaren Konflikts aufblitzen ließen. London und Paris fanden es richtig, den arabischen Nationalismus des ägyptischen Präsidenten Nasser in die Schranken zu weisen, und intervenierten in der Art traditioneller Kolonialmächte gegen die Übernahme des Sueskanals durch Ägypten. Moskau drohte mit Raketen, wenn England und Frankreich ihre Aktionen nicht stoppen würden, und Washington unterstützte mit seiner eigenen Stopp-Forderung Moskau gegen seine wichtigen NATO-Verbündeten. Das paßte scheinbar überhaupt nicht in die Landschaft des Kalten Krieges.

Zum erstenmal war die Kulisse erkennbar geworden, vor der die beiden Großen ihr Drama in der Zukunft spielen würden, Komplizen und Feinde zugleich, um daraus keine Tragödie werden zu lassen. Die beiden Atommächte waren entschlossen, ihre einzigartige Verantwortung wahrzunehmen. Das galt auch für die Sowjetunion, die Mao verweigerte, Atomgeheimnisse zu teilen, was sicher zum Zerwürfnis zwischen den beiden kommunistischen Großstaaten beigetragen hat. Auf der kleinen Bühne der Bundesrepublik konnte das Stück tragikomisch gegeben werden. Die Großen paßten auf, daß nichts passierte.

Im Presseclub in Bonn hörte ich zu, wie der alte Herr seine alte Melodie spielte. Noch nie seit 1949 sei die Lage so kritisch gewesen. Frankreich halte sich an das Freundschaftsabkommen mit Rußland, das gegen uns gerichtet sei, und die Sueskrise habe gezeigt, daß es nur noch zwei Großmächte gebe. Angst und bange könne einem werden um alle europäischen Staaten und die Geschicke ihrer Völker. »Jetzt ist die letzte Gelegenheit, um Europa zu schaffen.« Vielleicht sei man bisher zu perfektionistisch gewesen. England müsse dabei sein. (Wir machten große Augen.) Den anderen Völkern könne unwohl werden, wenn Deutschland und Frankreich allein das Konzept beherrschten. »Ich glaube, daß Großbritannien europafreundlicher geworden ist denn je.« Der Kollege Lescrinier warf ein: »Das glauben Sie doch selbst nicht, Herr Bundeskanzler.« Die Antwort: »Ich lüge; Sie lügen. Wir wissen das und verstehen uns.«

Die Sorge, die Großen könnten »Kippe« machen, wie er sich später ausdrückte, war größer als die Einsicht, daß am Sues eine Eskalation mit unberechenbaren Folgen verhindert wurde. Der alte Herr begann, erste Zeichen zu geben, daß er nicht mehr auf der Höhe der Zeit war bei unveränderter Meisterschaft, die Szene in Bonn zu beherrschen.

Die Amerikaner verringerten ihre Streitkräfte, die Engländer folgten. Die Deutschen ersetzten sie; aber doch nicht nur als Fußvolk! Man begann von Disengagement zu sprechen. Statt die Stärke des Westens zugunsten der Wiedervereinigung zu stärken, beginnt eine Besuchsdiplomatie der Entspannung. Nicht genug damit. Nicht einmal für eine Entspannung erhebt irgendeine Hauptstadt die Wiedervereinigung zur Bedingung. Abrüstung und Wiedervereinigung werden entkoppelt. Sogar dem »Plan der gegenseitigen Luftinspektion« stimmt der Kanzler zu. Obgleich mit ihr die Frage der Wiedervereinigung nicht verbunden ist, hält der Knappe des Kanzlers, Heinrich Krone, in seinem Tagebuch bekümmert fest: »Die deutsche Politik muß um so mehr auf dem Junktim zwischen Abrüstung und Wiedervereinigung bedacht sein.« Wie weltfremd mutet das heute an. Bonn erwies sich als unfähig und unwillig zu verhindern, daß die deutsche Frage praktisch auf der Prioritätenliste der internationalen Politik nach unten rutschte.

Die Amerikaner begannen, ihre reduzierte Mannschaftsstärke durch taktische Atomwaffen in Deutschland auszugleichen. Wenn ihr Einsatz nötig würde, um die überlegenen konventionellen Streitkräfte des Warschauer Paktes abzuschrecken, stellte sich die Frage, ob und wie die Bundeswehr atomar zu rüsten sei. Das entfesselte eine leidenschaftliche Debatte, nicht nur im Bundestag. Die Bemerkung des Kanzlers, 1957, die taktischen Atomwaffen seien nur eine Weiterentwicklung der Artillerie, provozierte 14 Physiker, darunter fünf Nobelpreisträger, zu ihrem Göttinger Appell; sie würden sich nicht an Herstellung, Erprobung und Einsatz in welcher Form auch immer beteiligen. Die Autorität ihres

Wissens verpuffte, weil niemand den Deutschen Herstellung, Erprobung und Einsatz überlassen wollte. Der listige alte Herr schlug einen Haken, sprach sich für Abrüstung aus, lenkte die Hoffnung auf eine solche Konferenz – ohne Wiedervereinigung – und verschob das atomare Bundeswehrthema für zwei Jahre.

Der polnische Außenminister Rapacki schlug im selben Jahr eine atomwaffenfreie Zone in Mitteleuropa vor und signalisierte damit ein eigenes Interesse seines Landes. Leider kam er zu früh. Die Herrschenden hatten sich in Bewegung gesetzt, unter ihren Oberkommandierenden, da können keinerlei Unterführer ausscheren und bessere Wege gehen wollen.

Frankreich begann, seine Atomwaffen zu entwickeln. Der Stolz der »Grande Nation« bündelte seine Motive, Großbritannien ebenbürtig zu bleiben und der Bundesrepublik uneinholbar überlegen, die Mitglied der NATO geworden war.

Zum Ende der fünfziger Jahre resümierte ich, die Wiedervereinigung rutscht weg; einen Zusammenstoß zwischen Ost und West zu verhindern, wird wichtiger: In dem Koordinatensystem der deutschen Sache tritt neben die politische und wirtschaftliche und gesellschaftliche und ideologische Komponente immer stärker die sicherheitspolitische, sogar eine atomare.

Durch Beobachtungen auf vielen Konferenzen, auf den Tag bezogene Bemerkungen, Nebensätze von ausländischen Kollegen und kleine Anekdoten am Rande hatte sich meine Meinung geformt: Jedes Land folgt seinen Interessen. Das nationale Interesse ist so natürlich, selbstverständlich, des Nachdenkens bedürftig, daß es unseren Nachbarn fremd, unverständlich, vielleicht sogar etwas unheimlich vorkommt, daß die Deutschen mit ihrem bekannten Ungestüm die Nation hinter sich lassen und in Europa aufgehen wollen.

Nach der jüngsten Geschichte erschien Europa psychologisch der rettende Hafen, der von der Last der Nation befreit. Europa ist die Erlösung von der Nation. Die spätere Sicht von außen, die Deutschen hätten immer auf Nation geschielt, »im Namen Europas«, also eigentlich Europa für ihr nationales Interesse mißbraucht, ist ganz abwegig. Zu einem solchen Mißverständnis kann nur kommen, wer sich der eigenen Nationalität sicher ist.

Zu dem Koordinatensystem meiner bisherigen Erfahrungen und

Weltanschauung, als ich auf die Seite der Handelnden wechselte, gehörte ein Buch. Der Rowohlt Verlag erfand Rotationsromane, genauer: rororo war die Idee, den Lesehunger auf das, was bei den Nazis nicht erscheinen durfte, durch Druck auf Zeitungspapier zu stillen, solange auch Papier knapp war. Die grauen Bleiwüsten warben allein durch ihren Inhalt; es gab nichts Verlockendes, wofür zu werben gewesen wäre. Fünfzig Pfennige kostete das Exemplar. Thyde Monniers *Liebe, Brot der Armen* zum Beispiel paßte in eine Landschaft, in der Luft und Liebe jedenfalls nicht rationiert waren. Einer der ersten Schmöker auf dem grob schmutzigen Papier war kein Roman, sondern ein kulturpolitischer, kämpferischer Riesenessay: *Die Anatomie des Friedens*. Der Verfasser, Emery Reves, ein englischer Historiker, hat das Buch vor dem Ende des Krieges veröffentlicht. Ich verschlang es wie einen Krimi. Der Grundgedanke verließ mich nicht mehr.

Seit undenklichen Zeiten haben unter primitiven Völkern Familien, Sippen und Stämme einander bekämpft, versklavt und ausgebeutet für Nahrung, Obdach, Frauen, Weideland und Jagdgründe. Später befehden und bekämpfen einander größere Siedlungen und Städte. Grafen, Fürsten und Könige wollten sich verteidigen und siegen. Schließlich entstand der Nationalstaat mit seinen Wehrpflichtheeren und gigantischen Konflikten. Wer auf die hundertköpfige Hydra der Kriege zurückblickt mit ihren scheinbar unzähligen Ursachen, stößt auf zwei Beobachtungen:

1. Kriege zwischen Gruppen von Menschen, die soziale Einheiten bilden, fanden stets dann statt, wenn diese Einheiten, Dynastien, Stämme, Kirchen, Städte, Nationen uneingeschränkte souveräne Macht ausübten.
2. Kriege zwischen sozialen Einheiten hören in dem Augenblick auf, in dem die souveräne Macht von ihnen in einer größeren und höheren Einheit aufgeht.

In der Tat, so habe ich später argumentiert, gibt es noch immer Gegensätze zwischen Bayern und anderen deutschen Staaten, aber sie werden nicht mehr mit Geharnischten und Hellebarden, sondern mit Rechtsanwälten und Kugelschreibern in Karlsruhe ausgefochten. Die Unterschiede zwischen Katholiken und Protestanten bestehen fort, aber der Dreißigjährige Krieg wird nicht wiederholt. Der Wettstreit zwischen

Städten hat nicht aufgehört, aber wird nicht mehr mit Waffen ausgetragen.

Friede ist Ordnung, gegründet auf Recht und Gesetz. Keine andere Definition ist denkbar.

Ob wir immer wieder Kriege haben wollen, hängt davon ab, ob wir internationale Beziehungen auf Verträge oder auf Gesetze gründen wollen. Rechtsordnung ist Friede. Dieses Prinzip wird innerhalb nationaler souveräner Einheiten anerkannt und angewendet. Zwischen Staaten sind Verträge üblich. Sie haben Kriege zwischen ihnen nicht verhindert. Wenn also Friede durch Gesetz erreicht wird, verlangt Friede zwischen den Nationen das Gesetz, dem alle unterworfen sind.

Als wir die erste Atombombe wünschten, sagten wir nicht, es sei unmöglich, unausführbar, unrealistisch. Wir sagten auch nicht, das Volk sei dafür nicht reif. Wir sagten, daß wir es wollten, es brauchten und haben müßten. Wenn es um Frieden geht, dürften wir nicht plötzlich bescheiden werden, sondern müßten die Menschen aufklären, in der Gesellschaft werben für den einen qualitativ großen Schritt zu einer Rechtsordnung für die Welt.

Es geht dabei gar nicht um den totalen Überstaat, der global alles regelt. Der Bundesstaat macht die Länder nicht überflüssig und nicht die Kommunen. Jede Organisation hat ihre »Souveränität«. Es geht nur darum, für Sicherheit an die Stelle von Verträgen eine Rechtsordnung zu setzen. Jeder einzelne Mensch soll nach seiner Fasson selig werden, solange er die Freiheit anderer nicht verletzt; jeder Staat soll seine gesellschaftlich entwickelte Tradition pflegen, solange er sie nicht mit Gewalt exportieren will. Aber Sicherheit vor Krieg ist gemeinsames Interesse aller Staaten und kann nur durch eine für alle Staaten gleichermaßen gültige Ordnung beherrscht und garantiert werden. Sie verlangt Institutionen, die hinreichende Macht besitzen, die Gesetze anzuwenden und durchzusetzen mit gleichem Nachdruck allen gegenüber, die sie verletzen.

Da der Sicherheitsrat der Vereinten Nationen nur die Versammlung mehrerer souveräner Staaten sei, die sich durch Verträge etwas zusichern, ohne sich unter eine Regelordnung zu stellen, würden sie Kriege zwischen ihnen nicht verhindern. Ihr Mangel ist das Fehlen einer Weltordnung.

Diese Vorausschau ist auch fünfzig Jahre danach eigentlich nur in einem Punkt ergänzungsbedürftig: Die Atombombe hat genügend Angst erzeugt, um sie nicht zu benutzen. Gerade weil es Kriege mit Atomwaffen nicht geben durfte, konnte es Kriege ohne Atomwaffen geben. Allerdings ist das Risiko gewachsen. Menschlicher Irrtum, technisches Versagen und Machtstreben Unverantwortlicher oder von Verbrechern erlauben keine zuverlässige Prognose, daß die Angst vor dem militärischen Einsatz des Atoms auch die nächsten fünfzig Jahre hält. Das allein sollte genügen, eine überstaatliche Sicherheitsordnung zu schaffen.

Das war so überzeugend, daß mich das Drängen auf ein überstaatliches Europa während der kommenden Jahre überhaupt nicht überraschte. Es war geschichtlich richtig, nötig, sogar mit dem Ziel, den Vereinigten Staaten von Amerika die Vereinigten Staaten von Europa folgen zu lassen. Kleiner Haken im Gehirn: Dabei durfte nur die Zone nicht unter die Räder kommen.

Die Zusammenfassung der verschiedenen nationalen Souveränitäten in eine vereinigte höhere Souveränität, jedenfalls für den Sektor der Sicherheit, fähig, »eine gesetzliche Ordnung aufzurichten, innerhalb derer alle Völker gleiche Sicherheit genießen können und unter Recht und Gesetz gleiche Pflichten und gleiche Rechte haben« – das wurde eine Richtschnur meines Denkens.

3. KAPITEL

Senatspressechef

Macht-Schnupperei

Daß Macht korrumpiert, ist eine Binsenwahrheit. Wie Macht Menschen verändert, ist mindestens ebenso faszinierend zu beobachten. In den meisten Memoiren sucht man vergeblich nach einer Beschreibung, wie sich das innere Ich des Autors entwickelt hat, während sich seine äußere Karriere entfaltete. Sachlich und abstrakt ist da zu lesen, was geschah, wie und warum, das Eingang in die Geschichtsbücher gefunden hat. Man ist froh über erhellende Schilderungen vom Zusammentreffen mit anderen Persönlichkeiten, auf der Höhe des Weges, dem Augenblick gewachsen oder nicht, Zwängen oder Vorurteilen unterworfen. Wir erhalten Momentaufnahmen eines Politikers, der einen langen Weg hinter sich hat, ehe es zu dieser Begegnung kam, und der einen weiteren Weg vor sich hat, auf dem er sich weiter verändern wird. Das Bild bleibt unbelichtet oder unterbelichtet, an welchen Punkt der eigenen Entwicklung der Verfasser seiner Erinnerungen gelangt war.

Nachdem die Zeiten des Feudalismus vorbei sind, werden die wenigsten Staatslenker überlegt auf ihre Aufgaben vorbereitet, ganz abgesehen davon, daß auch frühere Herrscher vom Gang der Ereignisse beeinflußt, unter dem Druck des Geschehens gewandelt und geformt wurden zu Persönlichkeiten, die Bewunderung, Haß, Verständnis oder Mitleid erregten. De Gaulle, Breschnew, Thatcher, Gorbatschow, Nixon, Adenauer, Brandt, Kohl, Kissinger, Mandela, Mao, Gandhi sind Namen geworden, die die Welt kennt. Daß die Welt von ihren Anfängen keine Notiz nahm, weil sie nicht durch irgendein Gesetz der Erbfolge für ihre spätere Rolle bestimmt waren, ist selbstverständlich; interessant ist, wie diese Individuen dem Phänomen der Macht begegneten, durch sie verändert wurden, ihre vorher entwickelte menschliche Substanz verloren oder bewahrten. Nicht weniger aufregend, wie sie, Subjekt und Objekt zugleich, aus dem Feuerofen des Geschehens entlassen den Verlust der Macht überstehen.

Viel Gewaltiges gibt es, nichts gewaltiger als der Mensch; diese Beobachtung des Sophokles ist auch im Zeitalter von Atom und Computer modern geblieben. Politik, die Geschichte wird, ist kein wissenschaftlich berechenbarer, gar unabänderlicher Prozeß, sondern der einzelne greift ein, an seinem Ort, in seiner Situation, in seinen Möglichkeiten unersetzbar.

Im Grunde sind nur die Großen der Geschichte prädestiniert, die Veränderungen ihres Ich zu schildern, und zwar jenseits der meist oberflächlichen Erinnerungen an Herkommen und Kindheit. Warum das kaum geschieht, mag viele Gründe haben. Da ist jemand herausgewachsen aus Enge und begrenzter Sicht, hat diese Vergangenheit wirklich hinter sich gelassen und empfindet es als unangenehm, daran erinnert zu werden. Das kann mehr sein als die Scheu des Großen, einem Menschen wiederzubegegnen, der ihn klein erlebt hat; er wird zuweilen gar nicht anders gekonnt haben, als Menschen zurückzulassen, sich von ihnen sogar brutal zu lösen, die nicht mehr fähig waren, ihm zu seinem Ziel zu folgen. Wo ist da die feine Grenze, die den notwendigen Egoismus, diesen Teil der Macht, trennt von Ruchlosigkeit, die Gefährten zurückläßt, unbekümmert um ihr weiteres Schicksal?

Was in einer bestimmten Konstellation unausweichliche Grausamkeit schien, kann im Rückblick zu einer schamvoll empfundenen Verfehlung werden. Öffentliche Kritik kann ungerecht sein, wenn sie ihr Objekt verallgemeinernd aus der Beobachtung eines Augenblicks beurteilt, sei es tadelnd oder lobend; denn auch der sogenannte Mächtige entwickelt sich weiter, sofern er nicht zur Gefühllosigkeit erstarrt. Doch selbst wenn dieser Teil seines Ich stirbt, wird er für seine öffentlichen Aufgaben bedeutend bleiben, so unsympathisch er als Mensch gewesen oder geworden ist.

Ich bin in der Politik – und nicht nur dort – Menschen begegnet, die Emphase und Pathos brauchen, um sich als Persönlichkeit zu fühlen, die sie sein möchten, aber nicht sind; und solchen, die, lange genug an der Macht, sogar glauben zu sein, was sie vorstellen; oder solchen, die ihre Rolle so verinnerlicht haben, daß sie sich als demokratische Spielart des »l'état c'est moi« empfinden; und schließlich solchen, die fast nur noch zu ihrem eigenen Darsteller werden. Wer von solchen Bedauernswerten soll denn, wenn er überhaupt kann, diese Entwicklung erzählen wollen?

Um die Entwicklung des Ich unter dem Einfluß der Macht zu beschreiben, sind schriftstellerische Fähigkeiten nötig, die den meisten Memoirenschreibern fehlen. Zu den Eigenschaften, die sie interessante Erinnerungen verfassen lassen, gehören Mut, Entschlossenheit, Unbeirrbarkeit, Zielbewußtsein und vieles mehr, aber nicht die Kunst filigraner poetischer Ziselierung. Außerdem kann das etwas grobe Argument ins Feld geführt werden, im wesentlichen wollten die Menschen doch nur wissen, was die zeitweilig Mächtigen getan, vollbracht oder verfehlt haben, wo sie gefehlt haben. Wie's da drinnen aussieht, geht niemanden etwas an.

Daß große Künstler nicht unbedingt gute Menschen waren und sind, nimmt die Gesellschaft in Kauf; Ausnahmemenschen erhalten Ausnahmeregeln. Bei Staatsmännern, die Ausnahmeerscheinungen werden, will die Öffentlichkeit nur sehr bedingt ähnliche Großzügigkeit an den Tag legen. Hier zeigt sich eine Schizophrenie, ein Vorbild auf den Sockel zu heben, das nicht beschädigt werden soll, und gleichzeitig den Politiker als Menschen wie du und ich haben zu wollen.

Über die Einheit von Körper und Geist bestehen unterschiedliche Auffassungen. Daß der Körper zum Menschen gehört, ist unbestreitbar. Das gilt auch für Politiker. Er läßt seine Intimsphäre nicht hinter sich, wenn er die Arena betritt, in der tödlich sein kann, Schwäche zu zeigen; denn die Rudelinstinkte funktionieren. Auch der für die Staatsgeschäfte Berufene bleibt – hoffentlich – ein Mensch, wie jeder andere in jedem anderen Beruf. Der große Unterschied: Nur er sieht sein Leben der grellen Unbarmherzigkeit von Scheinwerfern ausgesetzt. Besonders Amerika genießt es, wenn unpuritanische Kenner unpuritanischen Fährten folgen. Was für die Massenmedien in der Welt des Showgeschäfts und offenbar auch einiger Fürstenhäuser ein bloßer Verkaufskitzel ist, bewerten sie anders, wo es um Macht geht.

Das Urteil über Kennedy, den Präsidenten, braucht nicht verändert zu werden, nachdem die Welt einiges über Kennedy, den Mann, erfuhr;

aber der Mann wußte, warum er seine Schwächen oder Stärken im Interesse des Präsidenten verbergen mußte. Die Führer der Sowjetunion gaben sich als geschlechtslose Gesellen, die sie natürlich nicht waren. Ich habe nicht gewußt, ob Falin verheiratet war, bis er mit Frau in Bonn auftauchte. Mitterrand, der zum Ende seiner Präsidentschaft von seiner persönlichen Entwicklung vieles preisgab, erscheint gerade deshalb als Mensch sogar bedeutender denn als Staatsmann.

Normal ist es, in vielen Ländern, in allen Berufen: Gute Ehen sind selten. Menschen entwickeln sich auseinander, Konvention verhindert nicht Seitensprünge, »Gelegenheit macht Liebe« kann zeitweilige, aber auch tiefe neue Bindungen schaffen. Die Bundesrepublik liegt wahrscheinlich auf diesem Sektor in einem unaufregenden Mittelfeld; der Standort Deutschland ist hier ungefährdet; sicher bin ich, daß es da keine Unterschiede zwischen den Parteien gibt. Wilhelm II. wußte gar nicht, wie treffsicher sein Wunsch über alle Zeitwenden hinweg in Erfüllung gegangen ist: »Ich kenne keine Parteien mehr, ich kenne nur noch Deutsche.« Ob christlich oder sozialdemokratisch, liberal oder kommunistisch-sozialistisch, ob Ost oder West: Auf diesem Gebiet ist die innere Einheit schon erreicht, weil nie verlorengegangen.

Der Versuchung, Roß und Reiter zu nennen, werde ich nicht folgen. Ihre Intimsphäre, ein Reservat ihrer Menschlichkeit, wahren zu wollen, ist nicht nur ein Recht, das die Politiker mit allen teilen, die Objekt der öffentlichen Neugier oder Sensationslust sind, ob es sich da um bedeutende Wirtschaftler oder Sportler handelt. Es kommt auch gar nicht oft vor, daß erstaunliche politische Ereignisse nur zu erklären waren, indem die Aufforderung befolgt wird: Cherchez la femme, zumal man da häufig gar nicht viel suchen muß. Die Diskretion, auf die Lebende wie Tote Anspruch haben, darf und muß nur insoweit relativiert werden, wie der Zeitzeuge es für nötig hält, etwas zu enthüllen, um den Gang der Dinge und der Menschen zu erhellen. Wer da nichts Neues mitzuteilen hat, sollte besser schweigen.

Willy Brandt war sensibel, selbstkritisch und klug genug, die Veränderungen seines Ich zu registrieren, in den verschiedenen Stadien, in denen ihm Macht zuwuchs. Er hätte auch die Gabe besessen, darüber etwas mitzuteilen. Ein ganzes Bündel von Gründen hat ihm wohl nahegelegt, diesen Teil seines Lebens verhüllt zu lassen, auch um nicht Männer und Frauen zu verletzen, die Anspruch auf seine subjektive

Gerechtigkeit und die im Laufe der Zeit veränderten Urteile gehabt hätten. Man verkennt ihn völlig, ihm das Nichterwähnen seiner zweiten Frau Rut in seinen Erinnerungen als Zeichen von Oberflächlichkeit oder Gefühlsarmut oder Undankbarkeit anzukreiden. Wir haben mehr als einmal Anlaß gehabt, von der Maxime auf dem Apollotempel in Delphi zu sprechen: Erkenne dich selbst. »Das bleibt immer ein Essential im Leben.« Die englische Vokabel für lebenswichtige Bedingungen war durch die Berlinkrise geläufig geworden.

Dreißig Jahre lang habe ich in größter Nähe zu Willy Brandt gelebt und gearbeitet: Manches, was da zu sehen und zu hören war, ist der Freundschaft und Offenheit zu verdanken, die still wuchsen. Auch das Bemühen um Objektivität kann die Zuneigung zum Freund nicht ganz ausschalten. Vor seinem Kammerdiener soll bekanntlich niemand groß sein; zu einem Teil wurde ich politischer Kammerdiener, aber der Chef blieb groß, der Freund auch.

An einem der ersten Abende im Schöneberger Rathaus machte ich von dem Recht auf direkten Zutritt Gebrauch. In seinem Zimmer brannte nur die Schreibtischlampe. Mein Satz »Eigentlich kennen wir uns noch gar nicht« enthielt nur eine Feststellung. Mir schien, er verschloß seine Miene. Das mußte eine Mimose sein, die hier eine unziemliche Annäherung an sein Innerstes heraushörte. Ich beeilte mich klarzustellen: »Ich werde Ihnen immer sagen, was ich denke, ob es Ihnen gefällt oder nicht. Wenn der Chef dann entscheidet, ist entschieden, es sei denn, es handelt sich um eine Gewissensfrage, was hoffentlich nicht oft passieren wird.« Seine Züge entspannten sich. Er lächelte: »Wenn es gar zu schlimm ist, dann bitte nur unter vier Augen.« Das war die Grundlage für alles Weitere.

Wenn im vorigen Kapitel resümiert wurde, was sich an Außenansichten angesammelt hatte, so begann ich nun Innenansichten der Macht zu gewinnen. Und indem ich nun Teil, wenn auch kleiner Teil der Obrigkeit wurde, beobachtete ich an mir selbst, daß und wie Macht Leben und Person zu beherrschen begann.

Jeden Morgen stieg ich die Stufen des Rathauses hinauf und fühlte eine bisher nie empfundene Bürde, fast physisch, auf die Schultern gelegt. Auch Mitverantwortung ist Verantwortung. Jedes Wort war auf die Waagschale zu legen; denn nicht ich, sondern der Senat erklärte etwas. Meine Meinung im Rundfunk war eine von vielen, die

Verlautbarung des Senats mußte verbindlich und verläßlich sein. Und wenn ich etwas für den Rbm (Regierender Bürgermeister) entwarf, was er billigte, so mußte er sich darauf verlassen können; ich durfte ihn nicht Opfer eines Fehlers werden lassen und ihn schon gar nicht in eine Situation bringen, mich damit zu entschuldigen, daß er die letzte Verantwortung für alles behielt, was er mit seinem grünen Stift abzeichnete. Im Falle des eigenen Zweifels mußte er darauf aufmerksam gemacht werden und dann entscheiden. In Klammern gesetzte alternative Formulierungen konnten Rücksprachen ersparen und damit seine kostbare Zeit schonen.

Die eigene Zeit wurde auch knapp. Die Tätigkeiten in Bonn oder Ghana waren ein Sanatorium gegenüber der neuen Belastung. In Bonn hatte es dem journalistischen Lebensrhythmus entsprochen und gereicht, um halb zehn am Telefon zu sein, um das Tagesprogramm zu besprechen; in Berlin mußten mehr als ein Dutzend Zeitungen ausgewertet und für den Pressevortrag vorbereitet sein, wenn um neun Uhr der Rbm am Schreibtisch wartete, immer noch wortkarg, aber höchst lebendig im Kopf und gut informiert, wie kurze Bemerkungen und Fragen bewiesen. Erstaunlich, wie selbstverständlich die gefürchtete Umstellung auf die Disziplin des eigenen Frühaufstehens fiel, sich sogar zur Lebensgewohnheit auswuchs. Dennoch reichte auch der verlängerte Tag immer weniger aus, zu tun, was getan werden sollte. Abende und Wochenenden hineinzunehmen, wurde selbstverständlich; das Vorbild des Chefs mit seinen unvergleichlich umfangreicheren Verpflichtungen machte den Begriff Dienstzeit gegenstandslos. Zu Lasten der Familie. So zu arbeiten war auch Auszeichnung gegenüber vielen, die Bürozeiten einhalten konnten und Überstunden »schrieben«.

Die andere Attitüde, uneingeschränkt positiv empfunden, soll nicht verschwiegen werden. Der Dienstwagen mit der Nummer B 3 – 4 zeigte den Kundigen, zu denen ich nicht gehört hatte, daß nach dem B 3 – 1, dem Wagen des Regierenden, und den nächsten Nummern des Bürgermeisters und des CdS nun der Leiter der »Abteilung III der Senatskanzlei, Presse- und Informationsamt« dahergefahren kam, samt festem Fahrer, Herrn Greiser, der allmählich halbes Familienmitglied wurde. Daß er mich zum Friseur fuhr, fand ich richtig; denn es sparte Zeit, und zu den Öffnungszeiten hatte ich ohnehin nie dienstfrei. Daß er die Familie abholte zu Veranstaltungen, während ich noch weiterarbeiten konnte, war praktisch. Wie angenehm, sich nicht um einen Parkplatz kümmern zu müssen und nach dem Ereignis erwartet zu werden, um sofort abfahren zu können.

Man kann ruhig darüber sprechen: Ein gutes Sekretariat ist unentbehrlich. Glücklicherweise folgte ich dem Rat des Vorgängers und behielt (Bedeutung, also Macht eines Chefs ist auch an dem eingeräumten Recht abzulesen, sich die nächsten Mitarbeiter selbst auswählen zu dürfen) Fräulein Kirsch, die Kirsche genannt, die ein weiteres halbes Familienmitglied wurde und mich bis ins Kanzleramt begleitete. Eine gute Sekretärin ist eine Mischung zwischen Arbeitstier und Dame, die vom Boten bis zum Botschafter den richtigen Ton trifft, sicher, höflich, gewandt, bestimmt im Umgang, auch gegenüber den Vorgesetzten ihres Chefs, zuverlässig, korrekt, verschwiegen, unbelastet durch Privatleben, schnell, mitdenkend, belastbar und trotz Druck unnervös. Außerdem muß die Chemie zwischen ihr und dem Chef stimmen; denn diese beiden Menschen verbringen mehr Zeit zusammen als mit irgendeinem anderen, ohne daß sie ihrem Partner Veranlassung zu Eifersucht geben. Sofern sich eine solche Büroehe im besten Sinne entwickelt, wird sie zum Geschenk, um das andere, Minister und Kanzler nicht ausgenommen, einen beneiden, zumal sie das Juwel nicht abspenstig machen können.

An ihren Sekretärinnen könnt ihr sie erkennen: Die Frauen Poppinga, Pensel, Landerer, Schmarsow und Weber gehören zu Adenauer, Brandt, Schmidt und Kohl, die ähnliche öffentliche Anerkennung verdienten wie die angetrauten Ehehälften.

Nur kurze Zeit hielt ich die zweite Sekretärin für überflüssigen Luxus, bis ich merkte, daß sie bei versetzter Dienstzeit ebenso voll ausgelastet war. Das Sekretariat entspricht dem Status des Amtsinhabers; es ist viel mehr als Statussymbol. Ein Terminkalender ist keine Masche, sondern Notwendigkeit; es ist nicht nur bequem, eine Sache abzuladen, sondern gibt Sicherheit, daß sie nicht vergessen, sondern pünktlich an sie erinnert wird. Ich nahm das Magnetfeld im bisher unbekannten Gefüge wahr, dessen Teil ich geworden war: Wer auf wen wartet, bis das Telefon durchgestellt wird. Ich registriere, daß Personen, die ich vorher zu sprechen bemüht war, nun um einen Termin nachsuchen; stelle fest, daß man glaubt, ich könne wichtigen Leuten einen Gefallen tun, ein gutes Wort beim Rbm einlegen. Einfluß im kleinen

Kosmos Berlin entschädigte wohl für den Verlust der Weitläufigkeit und größeren Horizonte des diplomatischen Korrespondenten in Bonn. Im Laufe der Monate werden auch Verschiebungen in diesem Magnetfeld unverkennbar, wenn Senatoren, die mich freundlich herablassend begrüßt hatten, nun ein Gespräch suchen und scheinbar oder wirklich einen Rat haben wollen. Nicht zu vergessen, daß Macht hat, wer die letzte Entscheidung über Geld hat, welche Projekte gemacht oder unterlassen, welche Mittel dafür eingesetzt oder verweigert werden. Zeitungen schreiben darüber. Zweifellos: Ich bin zum Gegenstand der Öffentlichkeit geworden, die bisher Objekt meiner kritischen Beobachtung war.

Und das soll der Eitelkeit nicht schmeicheln? Wer das leugnet, verdient höchstes Mißtrauen. Sogar berechtigter Stolz auf die eigene Leistung enthält noch eine Beimischung von Eitelkeit, selbst wenn sie von Außenstehenden nicht mehr wahrgenommen wird. Zwar vermag ich das Verdikt über diese Welt nicht zu teilen, alles sei eitel, aber etwas davon ist bei fast allem dabei. Nicht selten ist demonstrative Bescheidenheit verhüllte Eitelkeit, und schlichte Bescheidenheit enthält subtile Eitelkeit. Der Drang, etwas zu schaffen, führt im Fall von Erfolg zu Geltung in der Kunst, in Wissenschaft und Wirtschaft, in der Politik. Aber der Narzißmus, der sich in bedrucktem Papier, bemalter Leinwand oder bespielten Flügeln äußert, schadet nicht soviel, wie wenn Menschen seine Opfer werden.

Plötzlich bekomme ich Karten zu Premieren, gratis, und muß sie aus Zeitmangel zurückgeben, wenn irgend möglich mit der Ausnahme der Konzerte. Wie habe ich über Kulturbanausen gelästert, wenn einem Besucher der Kopf nach vorne knickte; jetzt ertappe ich mich dabei, daß die Gedanken bei dem Papier bleiben, das morgen fertig werden muß, oder die Augen erst beim Schlag der Becken wieder aufgehen. Es überrascht, daß Karajan nicht länger ist als ich. Es macht Spaß festzustellen, daß James Stewart als Tischpartner genauso intelligent und sympathisch ist wie auf der Leinwand. Überhaupt die Filmfestspiele: Es ist eindrucksvoll, wie langweilig Jane Russell trotz ihrer schmalen Wangen plappert. Es ist ein Glück, daß Willy Brandt zu spät kommt, so daß ich mit Marlene Dietrich angeregt über »Sag mir, wo die Blumen sind« sprechen kann. Die attraktive Diva hat vergessen, ihre Hände liften zu lassen.

118

Die durchaus empfundene Phase, in der das Ego sich geschmeichelt fühlt, passierte ich relativ rasch, nicht nur, weil das Außergewöhnliche seine Wirkung verliert, wenn es alltäglich wird, sondern weil das Vorbild Brandt unübersehbar war. Der hatte längst das Stadium erreicht, in der Beachtung lästig wird. Man gewöhnt sich schnell an die Begleiterscheinungen von Macht und Eitelkeit. In diesem Zusammenhang ist die Gewöhnung immunisierend; denn je hervorragender die Positionen in der Öffentlichkeit, um so größer und raffinierter gemischt werden die Dosen dem Geltungssüchtigen angeboten. Menschen mit schneller und steiler Karriere sind besonders gefährdet. Am Ende der DDR war zu beobachten, wie einige, plötzlich zu Ämtern gekommen, neu-würdig und merk-würdig wurden, selbstgefällig und verkrampft. Brandt war schon auf dem Weg, an dessen Ende Eitelkeit sublimiert zu unantastbarer Würde und Autorität geworden ist. Ich war nach einigen Monaten in Berlin schon zufrieden, innerlich über diese Anfechtungen lächeln zu können. Mehr sein als scheinen, ist ein gutes Leitwort besonders für einen, der nicht ins Rampenlicht drängt, weil er weiß: Volksheld wirst du nie werden.

Felix v. Eckardt war mein Vorbild für das, was noch immer, ein Relikt vergangener Zeit, »Pressechef« genannt wurde. Wehe dem Sprecher einer Regierung, der sich als Chef der Presse verstünde. Er war einen vergleichbaren Weg vom Journalisten zum Sprecher des Regierungschefs gegangen, sicher den besten, den Adenauer je hatte, zu seinem Berater geworden und konnte seine Aufgabe erstklassig erfüllen, weil er erstklassig informiert war. Wer als Sprecher nicht zum inneren Kreis gehört, sollte es aufgeben. Die Journalisten merken schnell und verlieren die Achtung vor einem, der will, aber nicht kann. Der direkte Zugang zum Chef ist Voraussetzung, jederzeit; wer nicht merkt, bei welchen Besuchern er unwillkommen ist, oder von welchen Gästen der Chef erlöst werden will, taugt auch nichts. Außerdem war die Bundes-Mickymaus, wie v. Eckardt genannt wurde, der auch durch hohe Absätze körperlich nicht größer wurde, als er durch seinen Kopf ohnehin war, ein Meister der Geschliffenheit. Selbst einem Nichts an Inhalt verstand er eine so schöne Form zu geben, daß seine Kunden es schlürften, als hätten sie eine köstliche Gabe erhalten, was zuweilen sogar stimmte. Jeder respektierte das »no comment« als Bestätigung, die nicht gegeben werden durfte. Die Formulierung »Darüber ist mir Mitteilbares nicht bekannt«, gefiel mir so gut, daß ich sie klaute. Sie konnte bedeuten: Er wußte nichts, oder er wußte wohl, konnte es nur nicht sagen, und vor allem: Ja, da ist etwas, das noch nicht verlautbarungsfähig ist, vielleicht auch nie wird. Aber derartige Subtilitäten waren die Rathaus-Journalisten in Berlin nicht gewöhnt.

Zu Beginn meiner Tätigkeit hatte ich ihnen erklärt, ich würde meine Erfahrungen als Journalist nicht vergessen. Das hielt ich ebenso ein wie das Versprechen, sie nie auf eine falsche Fährte zu setzen. In Hintergrundgesprächen war ich sehr offen, was zuweilen zu bereuen war, weil einige besonders Clevere dann woanders die Bestätigung holten. Aber ich fühlte mich in der richtigen Balance, wenn Journalisten meinten, ich sagte zu wenig, und Senatoren fanden, ich sagte zu viel. Halsbrecherisch wurde das erst, nachdem mir die ganz unerwünschte Bezeichnung »Regierender Pressechef« verliehen wurde und Brandt mich zu politischen Gesprächen benutzte, die mit dem Amt nichts zu tun hatten, etwa mit einem Mittelsmann von Franz Josef Strauß oder dem französischen Gesandten zur Vorbereitung des ersten Treffens mit de Gaulle, oder mich nach Wien schickte, um eine Botschaft der Sowjets zu erfahren, die über Kreisky kam. Ich jedenfalls mußte da dicht bleiben im Interesse des Chefs, der nicht immer ganz dichthielt. Mit dem nicht nur bösartigen »Tricky Egon« mußte ich dann lange leben. Jedenfalls ist die Vermengung zwischen operativer Politik und vermittelnder Sprecherfunktion im Prinzip nicht zuträglich, weder für die Sache noch die Personen.

Wer Entwürfe für Erklärungen und Ansprachen ausarbeitet, wird zum Berater. Normalerweise muß der Chef sagen, was er haben will; Inhalt und Zweck müssen klar sein; also werden sie disputiert, und in Rede und Gegenrede ergibt sich eine Linie, zuweilen etwas Neues. Dieser ständige Austausch ist oft fruchtbarer als eigens angesetzte Besprechungen. Man lernt das Denken des anderen kennen. Er enthüllt Sorgen, Hoffnungen, Ängste und Willen in dem, was er aufgreift, ebenso wie in dem, was er ablehnt. Ein Beispiel: Die erste bedeutende Rede, bei der ich mithalf, war für den Parteitag in Hannover 1960 vorzubereiten, auf dem Brandt zum Kanzlerkandidaten gekürt werden sollte. Die Idee, die Gesamtheit der jüngeren deutschen Geschichte, aus der niemand austreten könne, zu personifizieren, ergab eine Diskussion, ob Bismarck trotz der Sozialistengesetze genannt werden sollte und Hindenburg, der Ebert gefolgt war. Hitler blieb unumstritten. Brandt akzeptierte den Kanzler der Einheit und lehnte den Wegbereiter des Dritten Reiches ab. Damals war die Erwähnung des ersten Namens durch einen Sozialdemokraten noch mutig und fiel auf, der zweite wurde nicht vermißt.

Wirklich Hunderte von solchen Gesprächen im Laufe der Jahre wurden zu einem Prozeß von gegenseitigem Geben und Nehmen, der beiderseitigen Beeinflussung, des Vertrautwerdens mit dem Denken des anderen, bis etwas Außergewöhnliches entstand: Wir verstanden uns so gut, daß halbe Sätze genügten, um sich über einen strittigen Punkt zu einigen; ein einziges Wort konnte dazu reichen, weil es Hintergrund hatte, und erinnerte, welche Bedeutung ihm im vielfachen Austausch zugekommen war. Ein Blick genügte zur Verständigung. Ein leichtes von anderen kaum bemerktes Runzeln der Stirn ließ mich seine innere Entscheidung erkennen. Selbst räumlich getrennt, wußte ich, wie er reagieren würde, und lachte innerlich, wenn er danach beim Vortrag sich wirklich so ausdrückte. Dabei wußte er genau, daß ich wußte, wie weit ich ohne zu fragen gehen konnte; er konnte sicher sein, daß seine Entscheidungskompetenz gewahrt blieb.

Die Möglichkeit, wortlos zu kommunizieren, half später in Moskau oder Washington oder Ostberlin. Sie hat den Tod des Freundes insofern überlebt, als bei neuen Fragen die Erinnerung an alte Vorgänge auflebt und die Antworten, die er damals gegeben hat.

Dieser Prozeß machte es bedeutungslos, wem das Urheberrecht an einer Idee oder einer guten Formulierung zustand. Am Anfang war das beiden bewußt, später nur noch bei wichtigen Entscheidungen. Das Vertrauen wuchs, daß ich nicht prahlen würde, laufend unter dem Pseudonym Brandt zu publizieren. Das verbot sich nicht zuletzt, weil er durch mehr oder weniger Redigieren sich ein Manuskript zu eigen machte. Es war ja ein Erfolg, wenn er geistiger Eigentümer eines Gedankens wurde, der erst durch ihn seine öffentliche Wirksamkeit entfaltete. 1992 urteilte Richard v. Weizsäcker über »das ziemlich einmalige Zusammenwirken« von so »völlig unterschiedlichen Persönlichkeiten: Jeder kam wohl erst mit Hilfe des anderen zur wirksamen Entfaltung seiner eigenen Gaben.«

Wenn Brandt und Bahr zusammen genannt wurden, war mir das anfangs eher peinlich, weil es einen Beigeschmack hatte, der mich nicht hob, sondern ihn kleiner machte. Aber feinfühlig wie er war, wußte er auch, daß da keinerlei Dementis halfen. So empfand ich es auch als unpassend, für unbedingte Loyalität gelobt zu werden, die nicht nur Selbstverständlichkeit, sondern notwendige Voraussetzung für vertrauensvolle Zusammenarbeit ist. Nachdem ihm der Nobelpreis zugesprochen war, entschied er: »Du kommst mit nach Oslo, denn zur Hälfte kommt er dir zu.« Er verstand die Erwiderung, er solle nicht übertreiben und vor allem nicht reden.

Der Chef muß geschont werden; nicht nur, was seine Zeit angeht oder die Erleichterung, ihm begründete Alternativen zur Entscheidung vorzulegen, sondern auch, indem Pfeile von ihm abgelenkt werden. Es gibt Versuchsballons, um Reaktionen zu testen; das gehört zum Handwerk. Man kommt sich dabei gar nicht als mißbrauchter Minenhund vor. »Wandel durch Annäherung« gehörte übrigens nicht dazu. Meine Erklärung als Bundesgeschäftsführer, wir sollten uns in der Raketenfrage nicht von den Amerikanern mißbrauchen lassen, zeigte hingegen sehr deutlich, welche kleinen und mittleren Explosionen im In- und Ausland ausgelöst wurden. »Versuch mal« verstand ich als legitime Absprache, sicher, daß er mich nicht hängenlassen würde, es sei denn, ich stellte es blöd an. Derartiges setzt voraus, daß der Chef frei bleibt, zu dementieren oder das Versuchskarnickel zu opfern.

Die inneren Ansichten der Macht zeigen, daß jeder Regierungschef in jedem Land Mitarbeiter braucht, die mehr sind als Untergebene. Nixon nannte mich bei einem Essen Brandts Kissinger, und Teltschik hatte für Kohl ähnliche Bedeutung. Voraussetzung eines derartigen Verhältnisses ist auch die Gewißheit des Chefs, daß die Mitarbeiter ihre Grenzen kennen und den Stuhl des Amtsinhabers nicht wollen, ihn nicht einmal anstreben können. Wenn das nicht sicher ist, empfiehlt sich, solche Kombattanten mehr oder weniger auf Abstand zu bringen, wie im Fall von Schäuble, Rühe oder Biedenkopf.

Anfangs hatte ich eine andere Sorge: Entwürfe für Brandt mußten seinem Stil und seiner Wortwahl entsprechen. Er sollte sich wiedererkennen; aber würde ich mich wiedererkennen? Würde die erforderliche Anpassung den eigenen Stil zerstören, das innere Ich gefährden? Die theoretische Entscheidung zwischen Selbstaufgabe und Selbstbehauptung stellte sich so gar nicht; in der Praxis wurde es gegenseitige Beeinflussung, und zu Beginn war ich ein Lernender. Meine Sätze, lang und verschachtelt, wurden erbarmungslos auseinandergehauen, fast mühelos: Brandt wäre ein hervorragender Redakteur gewesen. Genial kürzen konnte er auch und vor allem: Platitüden hinzufügen; irgendwo hatte ich formuliert, daß wir Teil des Westens sind. Damit glaubte ich den Bedarf an Banalität gedeckt. Er aber setzte noch dran: »Das bleibt auch so.« Ich fand das zum Gähnen, sagte es auch und mußte feststellen, daß gerade dieser nichtssagende Zusatz den Beifall explodieren ließ.

Ich legte mehr Wert auf den Inhalt als auf die Form. Brandt hatte genug erlebt, um Angriffsflächen glätten zu wollen. Heinrich Albertz und ich hielten die Vorsicht des Chefs für Schwäche. Er war uns nicht entschieden genug, hätte mehr riskieren sollen und erschien uns jedenfalls nicht reif genug für eine Kanzlerkandidatur, die im Gerede war. Das konnte nur schiefgehen. Daß »unser Willy« statt sie später zu fordern, sie sich zu früh hatte aufnötigen lassen, nicht einmal ungern, mit der Gefahr verheizt zu werden: Da konnte man nur den Kopf schütteln.

Wir gewöhnten uns an, schriftliche Vorlagen zuzuspitzen in der Erwartung, er würde die Kanten ohnehin abrunden. Albertz billigte meinen Vermerk für die Kandidatenrede: »Der Rbm von Berlin stellt eine über den Parteien schwebende Autorität in nationalen politischen Fragen dar. Daraus ergeben sich zwei Möglichkeiten: Erstens, die Befreiung vom innenpolitischen Hader. Zweitens, die Befreiung des Volkes von nationalen Traumata. Das würde bedeuten, an nationale Tendenzen Schumachers anzuknüpfen. Die Bewältigung der Vergangenheit muß eines Tages eine Entwicklung erreicht haben, die sich von der Überbetonung einer unbezweifelbaren Schuld löst und zu einer Haltung findet, die nicht der eines besiegten, sondern der eines befreiten Volkes entspricht.«

Heinrich Albertz lebte und liebte die Entschiedenheit des Lutheraners. Der Rbm leitet die Sitzungen des Senats als Primus inter pares. Er kann nicht, wie der Bundeskanzler, die Richtlinien der Politik bestimmen, sondern muß überzeugen. Aber das entsprach Brandts Naturell so sehr, daß er auch später die Verfassungsstärke des Kanzlers kaum erprobte, sondern immer bemüht blieb, die Kollegen zu gewinnen. Da ist zuviel Taktik, meinte Albertz. Das würde er nicht machen, wenn er mal an der Stelle Brandts den Senat zu leiten hätte, was, gottlob, noch lange Zeit hätte. Als es soweit war, hat er gehandelt, wie es dieser Entschiedenheit entsprach, und ist gescheitert, gerade daran.

Davon ganz unberührt, auch von den schmählichen Anwürfen aus der eigenen Partei, hat Brandt ihn als einen lauteren Menschen gemocht und geschätzt – Albertz hatte ein inneres Geländer, das sichere Orientierung bot. Einmal in seinem Leben hat er es verloren. Als er Innensenator geworden war, gewann er Lust an der bewaffneten Macht. Statt der in Berlin verbotenen Bundeswehr hatten wir eine Bereitschaftspolizei, genaugenommen Berufssoldaten. Wenn sie zum Abschluß des Polizeisportfestes in das Olympiastadion einmarschierten und das kurze dumpfe Geräusch der präzisen Präsentiergriffe durch das ovale Rund tönte, ging ein Aufstöhnen durch die Ränge: Männerherzen wurden hart, Frauenherzen weich. Preußen demokratisch. »I buy this division«, begeisterte sich ein eingeflogener amerikanischer General. Heinrich Albertz begann, sich als Oberbefehlshaber zu fühlen, merkte nicht, wie fremd aus seinem Munde klang, wenn er von »meinen Männern« sprach, genoß das System von Befehl und Gehorsam, ließ schießen auf die Anti-Schah-Demonstranten und schämte sich bis zum Ende seines Lebens, daß er sein inneres Ich so sehr hatte verlieren können. Er fand es, sehr demütig geworden, wieder.

Ohne diese Zukunft zu kennen, wurden Albertz und ich Verbündete, die auf inhaltliche Profilierung drängten, und sahen uns Klaus Schütz, dem Bundessenator, gegenüber, der seine Interessen als Wahlkampfmanager mit den Erfahrungen begründen konnte, die er in Amerika gewonnen hatte. Sein Verdienst konnte nicht bestritten werden, den Begriff des Kanzlerkandidaten importiert zu haben. Das Medienereignis, die Wahl eines Präsidentschaftskandidaten, wurde auf deutsche Verhältnisse übertragen und ist zu einer ungeschriebenen Institution geworden.

Aber Rummel und Betrieb können Unklarheiten zeitweilig verdekken, doch nicht fehlende Inhalte ersetzen. Wie ein Karussell erschien das manchmal, bunt, klingelnd, dauernd in Bewegung, ohne vom Fleck zu kommen. Außerdem wurde eine Schwäche des Kandidaten kultiviert: Er ließ sich ganz gern in das Korsett der engen Wahlkampftermine zwängen, die zu wenig Zeit für sachliche Arbeit und Entscheidungen ließen. Er schonte sich wahrlich nicht, aber diese subjektive Entschuldigung war ungenügend angesichts des objektiven Mangels, den die Flucht vom Schreibtisch auslöste. Es ist eine hohe Kunst, den richtigen Zeitpunkt abwarten zu können, ihn durch Zögern zu verpassen, ist häufiger. Hier ging Brandt in seinen Berliner Jahren durch einen Erfahrungsprozeß, der ihn in Bonn befähigte, zuzugreifen und seine ihm wohl bewußten Schwächen weitgehend abzuschleifen.

Die »Vierer-Bande« oder »Die heilige Familie«, wie Brandt, Albertz, Schütz und Bahr genannt wurden, konnte die unterschiedlichen Anlagen, Temperamente, Zu- und Abneigungen, Befürchtungen und Hoffnungen gerade noch aufeinander einstimmen und zu einem eingespielten Team werden, bevor die Bühne für eine große Zäsur der deutschen Nachkriegsgeschichte bereitet wurde.

Die Mauer

Wie in einem großen Drama bündelten sich verschiedene Handlungsstränge zu dem Höhepunkt am 13. August 1961. Die alten Thesen und geläufigen Wünsche von Ost und West begegneten sich, prallten auf das gesetzte neue Faktum einer Mauer. Nachdem der Sturm vorüber war, wurden fundamentale Veränderungen sichtbar, denen keiner entging. Kennedy mußte bekennen, daß er an der Teilung nicht rütteln wollte; Chruschtschow hatte den letzten offenen Teil des Eisernen Vorhangs geschlossen; Ulbricht sah sich dem Test gegenüber, seine DDR zu konsolidieren; Adenauer konnte sich unbeirrt dem Wahlkampf widmen; Brandt wechselte die Priorität: Die Sorge, das Lebensgefühl der Stadt West-Berlin zu stabilisieren, wurde der Spatz in der Hand, die Kanzlerkandidatur die Taube auf dem Dach; Berlin war brutal gespalten, und seine Menschen spürten die Veränderungen im Alltag.

Nach der bedingungslosen Kapitulation des Reiches, nach der Organisation zweier Staaten vier Jahre später und der Konsequenz ihrer auch militärischen Zuordnung in die beiden Lager, setzte die Mauer nun ein neues Datum der deutschen Nachkriegsgeschichte, für lange Zeit das letzte gemeinsame Datum der Deutschen, schuf eine Zeitrechnung vor und nach der Mauer. Eine neue Entwicklung begann, eine neue Rechnung mußte aufgemacht werden.

Vorher hatte man noch hoffen können, Westintegration und Wiederbewaffnung würden in übersehbarer Zeit zur Wiedervereinigung führen. Jetzt wurde die Zementierung der Teilung auch von den Verbündeten akzeptiert. Vorher hatte sich die Politik der Stärke noch als einzig wirksames Mittel präsentieren lassen, deutsche Selbstbestimmung zu erzwingen, jetzt wurde klar, daß sie dafür nicht eingesetzt würde. Vorher konnte noch über eine isolierte Berlin-Lösung nachgedacht werden; jetzt war offensichtlich, daß die Einheit Berlins erst mit der des ganzen Landes erreichbar sein würde. Vorher hatte es noch Konzepte zur deutschen Einheit unter Herauslösung aus dem Warschauer Vertrag gegeben; jetzt war das nicht mehr vorstellbar ohne den Zusammenhang mit den Staaten Ost- und Mitteleuropas und den damit verbundenen europäischen Sicherheitsproblemen. Der Weg war unübersehbar lang geworden.

Den Vorlauf zum traurigen Höhepunkt der zweiten Berlin-Krise hatte Chruschtschow mit dem Vorschlag begonnen, West-Berlin zu einer selbständigen politischen Einheit zu machen. Brandt lehnte sofort »eine vogelfreie Stadt« ab. Statt des Abzugs der Westmächte verlangte er logischerweise eine Bekräftigung des Vier-Mächte-Status. Die Sowjetunion verschärfte die Lage durch den Entwurf eines Friedensvertrages mit den beiden deutschen Staaten und die Drohung, bei Nichtverständigung einen separaten Friedensvertrag mit der DDR abzuschließen.

Der Herr im Kreml hängte dieses Damoklesschwert über unsere Häupter und beobachtete genüßlich mehr als zwei Jahre die Reaktion des Westens. Der war zufrieden, daß seine feste Haltung das ursprüngliche Sechsmonatsultimatum Chruschtschows auslaufen ließ, hinfällig machte, und wiegte sich in der Erwartung, mit dem separaten Friedensvertrag werde es auch nicht ernster werden. Ironischerweise traf diese Kalkulation sogar ein, hatte aber nicht in Rechnung gestellt, daß Chruschtschow unterhalb der Drohung sein eigentliches Ziel, vielleicht sein Minimalziel, nicht aus den Augen verlor: reinen Tisch zu machen an der offenen Westflanke seines Imperiums.

Die Konsequenzen in einem solchen Fall wurden im Westen vielfach unterschätzt. Im Schöneberger Rathaus nicht. Ich hatte jedenfalls Grund für einen Brief an Axel Springer (13. Mai 1960): »Ich erinnere an die Einmaligkeit des faktisch unbeschädigten Verkehrs zwischen Ost- und West-Berlin, an die Zulassung von SPD und SED in beiden Teilen der Stadt, an die juristischen Vorbehalte bei der Vertretung beider Teile der Stadt in den jeweiligen Parlamenten und vor allem daran, daß nur hier die Grenze zwischen Ost und West kein eiserner Vorhang ist, sondern lediglich Demarkationslinie blieb, die ursprünglich auch für die Begrenzungen der einzelnen Besatzungszonen gedacht war. Es hat den Anschein, daß der Osten sich eine legale Basis schaffen will, um den Ostsektor von der übrigen Stadt zu trennen und völlig in die Zone einzugliedern. Das geschähe in dem Bestreben, der sogenannten DDR zur Anerkennung zu verhelfen, aber mindestens ebensosehr, um die Zone konsolidieren zu können. Solange West-Berlin nicht zerniert ist, solange ganz Berlin zugänglich ist, bleibt für die Menschen in der Zone die deutsche Frage ungelöst in dem Sinne, daß man ihre Lösung nicht aufgegeben hat. Würde man einen neuen Status für West-Berlin allein finden, so würde es bedeuten, daß der Ansatzpunkt einer Wiedervereinigung aufgegeben würde und der Westen sich mit dem Status quo abfände, selbst dann, wenn der Status für West-Berlin allein unseren Forderungen genügte.«

Eine Folgerung, die ich Springer nicht schrieb, hatte ich in einem Vermerk (25. April 1960) an Brandt festgehalten: »Wenn es nicht gelingt, den Vier-Mächte-Status für ganz Berlin zu erhalten, sondern ein Abkommen nur für West-Berlin geschlossen wird, ist die Frage der De-facto-Anerkennung der Zone nur noch eine Frage der Zeit.«

Anfang 1961 flog ich nach Wien. Außenminister Kreisky hatte von seinem Kollegen Gromyko nach ihren bilateralen Verhandlungen in einer »privaten Unterhaltung« ein Memorandum in deutscher und russischer Sprache zur Deutschland- und Berlin-Frage erhalten. Neben den drei Westmächten sei es dem Staatssekretär im Kanzleramt, Globke (nicht Außenminister v. Brentano!), für Adenauer übergeben worden mit der Bitte um Weiterleitung auch an Brandt. Über Bonn ist das Dokument in Berlin nie angekommen. In Wien war Kreisky korrekt genug, es zu behalten, und kulant genug, das Zimmer zu verlassen, damit ich es – es lebe die Stenographie – abschreiben konnte. Gromyko habe beteuert, die Sowjetunion wolle keinen Krieg, und er sei überzeugt, der Westen auch nicht. Das war nicht beruhigend, wenn erstmals das Wort Krieg von einem Mann in den Mund genommen wurde mit der Versicherung, er wolle ihn nicht. Im übrigen stände er zur Verfügung, wenn es zusätzliche Fragen gäbe; das gelte auch, wenn Kreisky für andere Beteiligte Erläuterungen und Erkundigungen einholen wolle.

Das Papier bewies sowjetische Könnerschaft: Da ein einheitlicher deutscher Staat in baldiger Zukunft kaum erwartet werden könne, liege es im europäischen Interesse, einen Friedensvertrag mit den beiden deutschen Staaten oder jedem von ihnen zu schließen. Die Sowjetunion habe große Geduld bewiesen, aber es bringe keiner Seite Vorteile, den Herd von Spannungen zu erhalten und die damit zusammenhängenden Fragen ungelöst zu lassen, die keine Gewähr dafür böten, daß nicht ein zweites Sarajevo entstehe. Krieg würde wohl kaum im Westen beabsichtigt angesichts der strategischen Schwächung seiner Position. Für West-Berlin könne eine Regelung gefunden werden, die alle Interessen berücksichtige, mit Garantien versehen, wie sie noch nie international strenger, wirksamer und umfassender für ein Gebiet oder einen Staat gegeben worden seien, einschließlich von Außenverbindungen und Nichteinmischung in die inneren Angelegenheiten der Stadt. Niemand habe etwas Besseres vorgeschlagen, niemand werde etwas verlieren, alle würden gewinnen. Wenn eine solche Lösung abgelehnt werde, sehe sich die Sowjetunion genötigt, in eigener Kompetenz einen Friedensvertrag mit der DDR zu schließen, dem sich andere Staaten anschließen würden, um Stabilität in diesem Raum herbeizuführen.

Dann gab es noch eine für Brandt bestimmte Mitteilung. Man dürfe annehmen, daß die führende Persönlichkeit der Stadt an die Zukunft denke und einen Ausweg aus der entstandenen Sackgasse suche. Es sei selbstverständlich, daß ein Politiker, der zur Normalisierung der Lage auf dem Weg von Verhandlungen beitrage, nicht nur sein Prestige im In- und Ausland steigern, sondern auch weiterhin eine führende Rolle in der Freien Stadt spielen würde. Die sowjetische Seite habe beschlossen, Herrn Kreisky zu bitten, Herrn Brandt die Erwägungen mitzuteilen, die in ihrem Dokument dargelegt sind. Seinerzeit habe der Vorsitzende des Ministerrates der UdSSR, N.S. Chruschtschow, seine Zustimmung zu einem Zusammentreffen gegeben. Man wisse nicht, warum Brandt ausgewichen sei, vielleicht aus Unentschlossenheit oder weil es ihm nicht gestattet war. Seine Reden zeigten mangelndes Verständnis für den Standpunkt der Sowjetunion, Unterschätzung der Möglichkeiten, die in den Vorschlägen liegen könnten, vielleicht auch Illusion über die wirklichen Interessen der Westmächte und ihren Willen, es zu keiner ernsten Konfrontation wegen West-Berlin kommen zu lassen. Deshalb würde die Möglichkeit eröffnet, auf diesem Weg zu besserem Verständnis zu kommen.

Kreisky zeigte sich einerseits geneigt, eine solche Vermittlerrolle zu spielen, andererseits skeptisch. Er denke laut: Wenn es zu Verhandlungen komme, würden sie auf deutscher Seite von Adenauer und Brandt geführt. Aber das bedeute, Berlin aus dem Wahlkampf auszuklammern, und Adenauer denke nicht mehr auf lange Sicht. Er wäre froh, wenn Berlin als Problem gelöst und wenn er ein solches Ansinnen an ihn loswürde. Kurz: Er gebe keinen Ratschlag.

Diese Episode blieb folgenlos. Aber ihre Facetten waren lehrreich. So konnte kaum noch bezweifelt werden, daß die Sowjetunion »etwas« tun werde. Die naheliegende Möglichkeit, darauf einzuwirken, wären Vier-Mächte-Verhandlungen gewesen. Wer am Tisch sitzt, schafft keine neuen Tatsachen. Brandts Drängen während des Sommers auf eine Konferenz der Vier Mächte entsprach der Lagebeurteilung, die sich nach dem »Wiener Schritt« Moskaus ergab.

Gerade wenn unsere Einschätzung eine dramatischere Entwicklung für möglich hielt, als in den ganz unaufgeregten Hauptstädten der Verbündeten angenommen wurde, mußte es gut sein, die Westmächte an den Tisch zu bekommen. Ein separater Friedensvertrag würde den Vier-Mächte-Status beenden mit unübersehbaren Folgen für die Stadt. Die Ablehnung dieses schlimmsten Falles wurde der kleinste gemeinsame Nenner aller westlichen Beteiligten. Mit fatalen Folgen: Brandt hatte den Außenminister nicht überzeugen können, v. Brentano fühlte sich sicher: Bis zu einem separaten Friedensvertrag würden die Sowjets nicht gehen – und behielt damit Recht; also brauche man auch keine Vier-Mächte-Konferenz – und das war falsch.

Die Diskussion über den Wiener Ausflug ernüchterte: Unter allen Beteiligten, die da agierten, verfügte Berlin über den kürzesten Hebel. Bonn hatte größeren Einfluß auf die drei Hauptstädte und hielt das Schöneberger Rathaus samt seinem Kanzlerkandidaten am kurzen Band, was Informationen betraf, gerade auch in bezug auf die vierte Hauptstadt. Wir verfügten über keinen Draht nach Moskau. Das würde sich auch nicht so bald ändern; denn den Schmeicheleien und verzuckerten Drohungen, wie sie über Wien gelaufen waren, würde Brandt nicht folgen. Er wollte kein Spielball werden. »Um mit Moskau zu sprechen, dürfen wir Kreisky nicht brauchen.« Nach der nunmehr doppelten Nichtreaktion auf eine sowjetische Offerte war freilich ein dritter Versuch aus Moskau in naher Zukunft nicht zu erwarten. Auf diesem Hintergrund muß man die spätere Bereitschaft Chruschtschows, allerdings in einer anderen Situation, sehen, sich in Ostberlin mit Brandt zu treffen.

Die im Grunde richtige Analyse Moskaus, daß der Westen am faktischen Status quo nichts ändern und wegen Berlin jedenfalls keinen Konflikt wolle, haben wir nicht ernst genug genommen. Aufgeschreckt wurde ich erst durch das Kommuniqué der NATO-Ratssitzung in Oslo am 10. Mai. Da wurden drei Eckpunkte garantiert, nämlich Zugang, Anwesenheit der Westmächte und Lebensfähigkeit der drei Westsektoren. Von Vier-Mächte-Status war nicht mehr die Rede. Wirklich erregt stürmte ich zum Chef und legte ihm die Meldung der Nachrichtenagentur auf den Tisch: »Das ist schrecklich, im Grunde eine Einladung an die Sowjets, daß sie mit ihrem Sektor machen können, was sie wollen.« Unmittelbar vorher hatten Kennedy und Chruschtschow in Wien aneinander Maß genommen, und einen Monat später erklärte der neue Präsident die Entschlossenheit der USA, West-Berlin zu verteidigen. Das beruhigte die West-Berliner, die Menschen östlich des Brandenburger Tors nicht.

Es wurde zunehmend bedrückend, ziemlich ohnmächtig der Entwicklung zusehen zu müssen. Die hohe politische Sensibilität der Menschen in der Zone wirkte zusätzlich zu Zwangskollektivierung der Landwirtschaft und dem verschärften politischen Kurs. Die Zahl der Flüchtlinge stieg. Jeder Bericht über politische Zuspitzung erhöhte die Neigung, die Zone zu verlassen, solange es noch ging. Wir überlegten wiederholt, was verantwortbar wäre: Um den Westen zu einer vorbeugenden Aktion zu drängen, waren die alarmierenden wachsenden Ziffern unentbehrlich. Aber gerade die konnten den Strom anschwellen lassen. Der Vorwurf, Menschen zum Verlassen des Landes animiert zu haben, mußte genauso bedacht werden, wie vielleicht ein späterer gegenteiliger Vorwurf, Menschen nicht rechtzeitig gewarnt, sondern zum Bleiben veranlaßt zu haben.

Am Abend des 12. August sollte die heiße Phase des Wahlkampfs in Nürnberg beginnen. In letzter Stunde vor seiner Rede erst rang sich Brandt durch, Skrupel zu überwinden und zu sprechen, wie es nicht ins Drehbuch des Wahlkampfs paßte, aber der Dramatik der Lage entsprach: »Heute abend wird der 17000ste Flüchtling dieses Monats in Berlin ankommen. Zum erstenmal werden wir 2500 Flüchtlinge im Laufe von 24 Stunden aufzunehmen haben. Warum kommen diese

Menschen? Weil die Sowjetunion einen Anschlag gegen unser Volk vorbereitet, über dessen Ernst sich die wenigsten klar sind. Weil die Menschen in der Zone Angst haben, daß die Maschen des Eisernen Vorhangs zementiert werden. Weil sie fürchten, in einem gigantischen Gefängnis eingeschlossen zu werden. Weil sie brennende Sorge haben, sie könnten vergessen werden, abgeschnitten, geopfert werden auf dem Altar der Gleichgültigkeit und vernachlässigter Chancen.«

Danach bestieg er den von der Bundesbahn gemieteten Sonderzug, auch eine Neuerung im Wahlkampf, die sich bewährt hat, und fuhr ab nach Norddeutschland.

Ich ging schlafen und wurde zwischen drei und vier Uhr telefonisch geweckt. Dietrich Spangenberg, inzwischen Chef der Senatskanzlei, klang bedrückt und eilig: »Die sperren die Sektorengrenze. Komm mit der ersten Maschine zurück. Willy holen wir in Hannover aus dem Zug.« Im Taxi nach München, mit der PANAM nach Tempelhof, erst mal an den Schreibtisch und überblicken, was denn nun genau passiert ist. Unter dem Schutz der Volkspolizei war die Sektorengrenze abgeriegelt, und Stacheldrahthindernisse wurden buchstäblich um ganz West-Berlin herum aufgerichtet. Brandt rief zur Besprechung. Er war gerade von den drei Stadtkommandanten zurückgekommen. Kaum je sah ich ihn wieder so grimmig: »Diese Scheißer schicken nun wenigstens Patrouillen an die Sektorengrenze, damit die Berliner nicht denken, sie sind schon allein.« Das war sein mageres Resultat.

Hier muß eine Erläuterung eingefügt werden, auch zum leichteren Verständnis der zehn Jahre später folgenden Berlin-Verhandlungen. Brandt fühlte sich als gewählter Regierungschef eines Landes der Bundesrepublik, das seine vollen Rechte nicht wahrnehmen konnte, weil die Drei Mächte auf ihrer unmittelbaren und direkten Verfügungsgewalt bestanden – Ausfluß der originären, das heißt unkündbaren Rechte, wie sie ihnen aus der bedingungslosen Kapitulation des Reiches im Mai 1945 zugewachsen waren. Der Wille des Grundgesetzes, wonach Berlin Land der Bundesrepublik sein sollte, war schon 1949 suspendiert worden im Interesse des Vier-Mächte-Status, der Groß-Berlin als Einheit sah, weder in die Bundesrepublik noch in die DDR eingegliedert. Berlin, so formulierte einmal Heinrich Albertz, ist das letzte Stück des Reiches, über das die Sieger nicht disponiert haben.

Die berühmten Zwänge des wirklichen Lebens hatten dazu geführt, daß im Ostsektor das System der Zone galt, sogar seine Regierung beherbergte, und in West-Berlin das System Westdeutschlands. Aber die Abgeordneten hatten weder im Bundestag noch in der Volkskammer volles Stimmrecht. Für die Volkskammer mit ihren einstimmigen Beschlüssen spielte das auch keine Rolle; im Bundestag hätte es Regierungsmehrheiten ändern können. Um dieser völkerrechtlichen Konstruktion zu entsprechen, durften Bundesgesetze nicht nach Berlin übertragen werden; denn das hätte ja bedeutet, daß der Bundestag über die Sieger in Berlin beschließen könnte. Statt dessen wurde Bundesrecht durch einen besonderen Akt zu Berliner Recht transformiert, so daß die Drei Mächte in jedem einzelnen Fall ihr Veto einlegen konnten. Beispiel: Das Bundeswasserstraßengesetz durfte nicht übernommen werden, weil es nach Definition in Berlin keine »Bundes«-wasserstraßen geben konnte. So streng waren die Bräuche, auch so komisch.

Genaugenommen war nicht der Bundespräsident Staatsoberhaupt an der Spree, sondern der Präsident der USA, die britische Königin und der französische Staatspräsident waren, geteilt und vereint, oberste Vorgesetzte von Brandt. Der schaffte es nicht, de Gaulle nach Berlin einzuladen; denn wie wäre es mit dem Selbstverständnis des Präsidenten zu vereinbaren gewesen, einer Einladung in sein eigenes Territorium zu folgen?

Brandt ging es gegen den Strich und sein demokratisches Selbstverständnis, diesem »Quatsch in schöner Gestalt« Tribut zu zollen. Wir hatten uns zuweilen lustig gemacht über die weisungsgebundenen Kommandanten, meist nette Generale, und ihre politischen Berater, die das eigentliche Geschäft machten, im Rang von Gesandten, »wahrscheinlich kleine Oberregierungsräte«, wie Schütz höhnte. Sogar Verbindungsoffiziere hatten ihre Büros noch im Rathaus, stellte ich 1960 überrascht über ein Besatzungsrelikt fest, das sich weitere dreißig Jahre hielt! Aber all das störte das gute Zusammenwirken nicht, weil die etwas seltsame Lage allseits rücksichtsvoll behandelt wurde. Im Grunde waren die meisten Repräsentanten der Drei Mächte zu guten Vertretern der Berliner Interessen geworden und gingen damit ihren Vorgesetzten auf die Nerven. Jedenfalls hat Brandt nie das Gebäude der »Allied Kommandatura« betreten. Wenn die etwas von ihm wollten, sollten sie kommen.

Aber nun wollte er etwas und fuhr erstmals in das ominöse Gebäude, in dem das Bild des letzten sowjetischen Stadtkommandanten immer noch hing, ein Teil der Fiktion, der könnte jeden Tag wiederkommen, besonders grotesk an diesem 13. August, um die Vier-Mächte-Verwaltung von Groß-Berlin wieder zu beleben. Statt politischer Entscheidungsträger fand Brandt in der schwierigen Lage der Stadt Beamte, die in der schwierigen Lage waren, keine Weisungen zu haben. Nicht einmal zu einem Protest gegenüber ihren Kollegen in Ostberlin konnten sie sich aufschwingen. Dazu brauchten sie 24 Stunden. Einen weiteren Tag dauerte es, bis ein Protest auf der Ebene der Hochkommissare für Deutschland, also der Botschafter, folgte. Und nach 72 Stunden regten sich die Hauptstädte. Diese offensichtliche Lähmung des Westens reichte Chruschtschow. Nach drei Tagen konnte begonnen werden, die Mauer zu bauen. Da war kein Risiko mehr.

Gegen Mittag fiel mir ein, meine Frau könnte Sorgen haben, und ich rief an, ich sei in der Stadt. Sie war erstaunt. Am Morgen dieses herrlichen Sommersonntags war sie in den Garten gezogen und hatte nichts gehört. Noch Jahre danach gab es viele Berliner, die nie die Mauer gesehen hatten. Auch in einer Großstadt ist der Lebenskreis zwischen Wohnung, Arbeitsplatz, Einkaufsgewohnheit und Kneipe begrenzt. Wozu da ausbrechen, um etwas so Scheußliches wie diese Mauer anzugucken?

Am Montag kam ich dazu, die Lageeinschätzung des Bundesnachrichtendienstes zu lesen, vom vergangenen Freitag, mit der Aussage: Besondere Vorkommnisse seien für das Wochenende nicht zu erwarten.

Die ganze Aktion bewies brutalen Geschmack für politische Feinheiten: Neben den Übergängen, die für Westdeutsche und Berliner getrennt (gehören eben nicht zusammen!) vorgesehen waren, wurden den Vertretern der Westmächte drei Übergänge zugewiesen, etwas später auf einen reduziert, den Checkpoint Charlie in der Friedrichstraße. Und siehe da: Die Westmächte folgten. Wenn das wenigstens eine Anordnung des sowjetischen Kommandanten gewesen wäre, der gewissermaßen in seinem Sektor verfügen konnte, aber nein: Die Anordnung war vom Innenminister der DDR, Karl Maron, unterzeichnet, und dieser Demütigung beugten sich die erhabenen Inhaber der originären Rechte in Berlin und befolgten die Anordnung des Ministers einer angeblich gar nicht existierenden Regierung, die im von den Vier Mächten besetzten Berlin gar nichts anzuordnen hatte, schon gar nicht den Drei Mächten befehlen konnte oder durfte. Und das sollte nicht zum Nachdenken über Realitäten anregen? Aber dazu war noch keine Zeit.

Ohnmacht, Erbitterung, Wut, Empörung, Verzweiflung und Tränen der getrennt sich zuwinkenden Familien und wieder Ohnmacht, das ergab eine Mischung explosiver Gefühle, die letztlich Willy Brandt auszuhalten hatte. Was hieß hier aushalten? Diesen Gefühlen mußte Ausdruck und Richtung gegeben werden, wenn sie nicht explodieren sollten. Außerdem war die psychologische Lage der Stadt, die unkontrollierbar werden konnte, Washington nicht bewußt, und auf Amerika kam es an. So entstand die Idee, zu einer Protestkundgebung vor dem Rathaus aufzurufen und einen Brief an Kennedy zu schreiben.

Aber was sollte in der Rede stehen? Auf die Machthaber in Ostberlin und im Kreml schimpfen, reichte nicht; die Menschen beruhigen zu wollen, würde Pfiffe und Hohn auslösen; den Westen zu schelten, wäre gefährlich und falsch; den Westen zu loben, lächerlich; die Zwerge in Bonn hinter den sieben Bergen zu beschuldigen, hätte die eigene Hilflosigkeit noch deutlicher gemacht. Brandt meinte, wir sollten jeder für sich einmal anfangen, etwas zu entwerfen. Nach einer halben Stunde rief er an; ich hatte noch gar keinen Anfang gefunden, er auch nicht.

Inzwischen erschien gegen Mittag *Der Abend*, eine seriöse Boulevardzeitung, mit einer Balkenüberschrift, ob die Alliierten das Ganze gewußt hätten? Die Geschichte: Am 10. August hatte der sowjetische Oberkommandierende bei einer Einladung in Potsdam auf die Frage der Alliierten nach auffälligen Truppenbewegungen auf der Autobahn versichert, sie brauchten sich keine Sorgen zu machen. Nichts sei geplant, was ihre Rechte berühren würde. Das stimmte sogar fast, denn die Drei Mächte waren kaum betroffen; ihnen war der Zugang zum Ostsektor zwar reduziert, aber nicht verwehrt. Betroffen waren im wesentlichen die Eingeborenen. Das hatte gerade noch gefehlt und konnte das Faß zum Überlaufen bringen. Nie zuvor und nie danach habe ich einen Amerikaner so angeschrien wie den armen Pressesprecher Al Hemsing: »Wenn ich nicht innerhalb von dreißig Minuten ein knallhartes Dementi auf dem Schreibtisch habe, dann verlegen wir die Kundgebung vor das amerikanische Hauptquartier.« Ich bekam das Dementi, sogar etwas schneller.

Inzwischen hatte ich einen Anfang gefunden, ließ es Brandt ausrichten und diktierte abwechselnd beiden Sekretärinnen. Das summende Geräusch der Menschen, die sich vor dem Rathaus versammelten, begann durch die Fenster zu dringen. Seite für Seite wurde dem Chef gebracht. Mit den letzten eilte ich zu seinem Schreibtisch. Es war weder Zeit, darüber zu sprechen, noch viel zu ändern. Er nahm den Packen, um die Rede zu halten. Ich blieb oben, mit weichen Knien, brauchte einen dicken Cognac und zitterte trotzdem: Wenn das schiefging! Vom offenen Fenster überblickte ich die dichte Menge, erleichtert endlich über befreienden Beifall.

»Das Ergebnis eines schreienden Protests kann nicht ein papierener Protest sein. Berlin erwartet mehr als Worte, Berlin erwartet politische Aktionen.« Diese öffentliche Forderung, die den Willen der Menschen ausdrückte, wurde in einem Brief an den amerikanischen Präsidenten erläutert. Dieser Schritt über alle Apparate hinweg entsprach der Dramatik der Situation. Zu Konsultationen mit der Bundesregierung, den beiden anderen Schutzmächten und den vereinigten Bedenkenträgern war keine Zeit. Der Brief des kleinen Brandt an den großen Kennedy mußte aufrütteln, selbstbewußt, konstruktiv und durfte keinesfalls überheblich und wirklichkeitsfremd sein.

Eine rein defensive Untätigkeit könnte eine Vertrauenskrise zu den Westmächten hervorrufen, war eine kritische Feststellung. »Nach der Hinnahme eines sowjetischen Schritts, der illegal ist und als illegal bezeichnet worden ist, und angesichts der Tragödie, die sich heute in Ostberlin und in der sowjetischen Zone Deutschlands abspielt, wird uns das Risiko letzter Entschlossenheit nicht erspart bleiben.« Das war schon ein versteckter Zweifel an der Entschlossenheit des Adressaten. Die Vorschläge: Bestehen auf der Vier-Mächte-Verantwortung, dem Selbstbestimmungsrecht des deutschen Volkes und einer Friedensregelung. Das Berlin-Thema sollte vor die Vereinten Nationen gebracht werden. Das mußte alles ziemlich konventionell klingen. Die einzige praktische Anregung, die amerikanischen Garnisonen zu verstärken, wurde befolgt. Kennedy, anfangs ungehalten, hatte sich von Freunden Berlins überzeugen lassen.

Zwischen dem Brief und dem Marsch einer 1500 Mann starken Kampfgruppe lagen nur drei Tage. Abgesehen von der Schnelligkeit der überlegt abgewogenen Reaktion, demonstrierte der Marsch, daß West-Berlin nicht abgeschnitten war, vor allem das Engagement der Amerikaner, die ihren Vizepräsidenten schickten und den Helden der Luftbrücke, General Clay, als Sonderbeauftragten des Präsidenten in der Stadt ließen. Die Berliner begrüßten die über die Autobahn in Drewitz einziehenden Soldaten, als kehrten die eigenen Söhne aus einem siegreichen Feldzug heim. Psychologisch bekamen wir durch die Aktion wieder Boden unter die Füße.

Politisch erhielten wir eine ernüchternde Reaktion. Lyndon B. Johnson übergab die Antwort Kennedys. Sie zu studieren war erst Zeit, nachdem Johnson Slipper gekauft hatte, die ihm bei Brandt so gefallen hatten, für seine unegalen Füße, wofür der Bürgermeister, der nach Aktionen gerufen hatte, nun beweisen mußte, daß er auch an einem Samstagabend imstande war, geschlossene Geschäfte zu öffnen. Wir fühlten uns etwas desillusioniert über das Format eines Vizepräsidenten, mit dem es kaum ernsthafte Gespräche gab. Die Analyse Kennedys war fundamental: Wenn die Sowjets noch die Absicht gehabt hätten, ganz Berlin zu besetzen, hätten sie die Mauer nicht gebaut. Gemessen an ihren alten Forderungen könne man nicht vom Scheitern des Westens, sondern von einer Niederlage der Sowjets sprechen.

»Chruschtschow hat nachgegeben.« Das war richtig aus der Sicht Washingtons, das den Vier-Mächte-Status längst auf einen juristischen Anspruch reduzierte und mit der Behauptung seiner Position in West-Berlin zufrieden war. Aber es kam noch besser: »So schwerwiegend die Sache ist, gibt es keine Schritte, die eine signifikante materielle Änderung der Situation erzwingen können... Die brutale Schließung der Grenze zeigt eine grundsätzliche sowjetische Entscheidung, die nur Krieg verändern könnte. Weder Sie noch wir oder irgendeiner unserer Verbündeten haben sich irgendwann vorgestellt, wir wollten in diesem Punkte zum Krieg gehen.«

Deutlicher konnte es kaum ausgedrückt werden. Die Rechtsanspüche mögen sein, Realitäten sind etwas anderes. Der Status quo ist die Wirklichkeit. Die Sowjets können mit ihrem Sektor machen, was sie wollen. Wir garantieren die Lebensfähigkeit West-Berlins. Wenn das mächtigste Land der Welt den Status quo anerkennt, sollten die Berliner sich dagegen auflehnen? Wenn Amerika den Status quo zur Grundlage der Politik macht, sollten die Deutschen sich dagegen wehren? Es wurde doch schmerzhaft klar, aber eigentlich so offensichtlich und im Grunde einfach, daß es mir bis heute schwerfällt einzusehen, die Formel »den Status quo anerkennen, um ihn zu verändern«, sei dialektisch schwer verständlich zu machen oder mißdeutbar.

Aber zwischen Realität und Bewußtsein klaffte eine große Lücke.

Nachdem Johnson glücklich abgeflogen war und Jubel, Trubel und Heiterkeit mit ihm, beschrieb ein Schweizer Korrespondent das seelische Befinden im Westteil der Stadt. Es gleiche einem Patienten, der nach schwerem Autounfall im Krankenhaus aufwacht, sich von Freunden umgeben sieht, die ihm fröhlich zusprechen, wieviel Glück er gehabt habe, und der sich, nachdem sie den Raum verlassen haben, bewußt wird: Ein Bein ist ihm amputiert worden.

Wir hatten den Ostsektor verloren. Die Mauer stand. Adenauer kam. Seine Verspätung quittierten die Berliner mit Pfiffen. Johnson hatte es schneller über den Atlantik zur Spree geschafft als der Kanzler über den Rhein. Das Bild der Begrüßung auf dem Flugplatz Tempelhof zwischen Adenauer und Brandt zeigt, daß menschliche Vereisung photographierbar ist. Wie Hochstapler oder Verbrecher bezeichnet werden, die sich einen falschen Namen zulegen, sprach Adenauer in Wahlveranstaltungen von »Brandt alias Frahm«. Den Sowjets gegenüber war er milder: Die Bundesregierung werde keine Schritte unternehmen, welche die Beziehungen zur Sowjetunion erschweren und die internationale Lage verschlechtern könnten, versicherte er Botschafter Smirnow ausgerechnet in derselben Stunde, in der Brandt vor dem Schöneberger Rathaus zu mehr als papierenem Protest aufrief.

Wie angenehm staatsmännisch muß Adenauer in den vier Hauptstädten ausgesehen haben im Gegensatz zu dem aufgeregt schreienden Bürgermeister. Alle begnügten sich mit dem Status quo; er würde es auch noch lernen. Kennedy war in diesem Sommer mit atomarer Gefahr beschäftigt; da durfte es keine Konfrontation an dem geographisch ungünstigen Punkt Berlin geben. Niemand hatte verlangt, auch Brandt nicht, daß die Westmächte, sich auf ihr Recht berufend, jede Straße nach Ostberlin nutzend, den Stacheldraht zur Seite geschoben und damit wenigstens die Sowjets auf den Plan gerufen hätten, um ihre unmittelbare Verantwortung klarzumachen. Das ist uns damals nicht eingefallen, es wäre auch nicht befolgt worden.

1970 machte mich ein russischer Freund darauf aufmerksam, daß keine Westmacht in den Tagen unmittelbar nach dem 13. August in Moskau gefordert hat, die Mauer zu beseitigen. Das klang unglaublich. Aber ich mußte mich überzeugen. »Die Mauer muß weg« blieb Propaganda. In den seriösen Beziehungen zwischen West und Ost spielte das keine Rolle. Die Beseitigung der Mauer ist nie Gegenstand eines westlichen Vorschlags oder von Verhandlungen geworden. Auch Reagan wußte zwischen Propaganda und Politik zu unterscheiden, als er am Brandenburger Tor etwas von Gorbatschow forderte, was er in seinen Verhandlungen mit ihm nie gefordert hat.

Noch einmal kam es zu einer gegenseitigen Nervenprobe, als im Oktober 1961 amerikanische und sowjetische Panzer in der Friedrichstraße beiderseits des Checkpoint Charlie gegeneinander auffuhren und sich auf hundert Meter Entfernung in die Rohre blickten. General Clay mit direktem Draht zum Präsidenten, Marschall Konew mit direktem Draht zum Kremlherrn. Zwei reaktivierte Kriegshelden. Chruschtschow erinnert sich, daß er den Westmächten zeigen wollte, wie ernst Moskau die Lage sehe. Seine Einschätzung, der Westen könne keinen Krieg wollen, und die Amerikaner würden sich zurückziehen, wenn er seine Panzer zurückziehen lasse, traf ein. Ohne verantwortungsbewußte Behutsamkeit beider Seiten hätte es zu einem Zwischenfall mit schrecklichen Folgen kommen können. Das Wort Krieg lag in der Luft, und im Schöneberger Rathaus, das soll vermerkt werden, hütete man sich in diesen Tagen, die Mauer laut wegzuwünschen.

Die Kluft zwischen Wirklichkeit und Propaganda tat sich ein Jahr später auf. Der achtzehnjährige Bauarbeiter Peter Fechter wurde beim Versuch, die Mauer zu übersteigen, angeschossen, fiel auf die Ostseite zurück und schrie, fünfzig Minuten lang, bis er starb. Niemand half ihm. Ein Amerikaner, von dem man annahm, Uniform und Recht der Besatzungsmacht würden ihm gestatten, über die Mauer zu steigen und den Mann zu holen, erklärte, das sei jenseits seines Auftrags. Jetzt erst wurde den West-Berlinern schlagartig klar, daß die Vier-Mächte-Rechte nur noch Sprachhülsen waren. Die Kompetenzen der Westmächte endeten an der Mauer. Die Garantien galten nur den West-Berlinern. Es kam zu antiamerikanischen Kundgebungen und Ausschreitungen, erstmals nach dem Krieg. Die psychologische Krise war durch Johnsons Besuch vermieden worden. Sie brach ein Jahr später auf: Wir sind eingemauert in einer Festung, mit einem einzigen unkontrollierten Zugang durch die Luft. Wie lange würde sie sich halten können?

Mit der Teilung leben – und zwar für eine nicht übersehbare Zeit –, das war die Aufgabe nach der Zementierung der Teilung durch die Mauer. Das Ausland konnte das fast erleichtert zur Kenntnis nehmen.

138

Die Westdeutschen vermehrten den Wohlstand. Die Ostdeutschen mußten ihrem Leben die DDR-Perspektive geben. Niemand würde helfen, den Status quo zu verändern.

Wir werden den Anspruch auf Wiedervereinigung nicht aufgeben, wurde zu einer Formel ohne Inhalt; denn keine Regierung, auch die in Bonn nicht, wurde aktiv. Wiedervereinigung stand gut formuliert auf westlichen Papieren, wohlverwahrt in den Kanzleien. Der Anspruch entfernte sich von der Wirklichkeit, aber er lebte. Fast gespenstisch entwickelte sich ein politisches Leben auf zwei Ebenen. In der Propaganda hatte sich scheinbar nichts verändert: Unsere Forderungen wurden wiederholt, noch verstärkt durch berechtigte Empörung. In der Wirklichkeit mußten wir die Mauer schützen, die sympathische Studenten schneller hochgehen lassen wollten, als sie wieder aufgebaut werden konnte. Plastiksprengstoff war eben in Berlin gefährlicher als in Algerien. Die Alliierten bestanden verständlicherweise auf dieser abartigsten Form der Anerkennung des Status quo. Leidenschaftliche Diskussionen im Rathaus entschied Brandt, weil es anders gar nicht ging; ein bitteres Beispiel für die Schillersche Definition der Freiheit: Ich will, weil ich muß. Wir sahen ein, daß unsere Polizei eingesetzt werden mußte, damit die Mauer unversehrt blieb.

Um so stärker konnte die Absurdität dieses Monstrums weltweit gegen seine Erbauer genutzt werden. Unsere Niederlage am 13. August wurde zu einer Niederlage für Chruschtschow und Ulbricht zunächst in der Welt der Propaganda und für ihre Nachfolger auch politisch. Kennedy hatte schneller als wir vor Ort, wo es unmittelbar weh tat, erkannt, daß Chruschtschow der Expansion eine Grenze gesetzt hatte. Seit der Mauer gewann ich immer stärker die Überzeugung, daß hier der Zenit einer Idee anfaßbar überschritten war: Eine Idee, die auf weltweite Wirksamkeit, Ausbreitung ihrer Ideale in allen Kontinenten angelegt war, hatte es für notwendig befunden, die eigenen Leute einzusperren. Seit der Mauer hatte ich immer weniger Sorge vor der Wirksamkeit der kommunistischen Ideologie. Ihre Ideen mußten Anziehungskraft verlieren; »nur« die Panzer und Raketen waren zu fürchten. Die Mauer hat die ideologische Waffe stumpf gemacht.

Natürlich konnte nicht übersehen werden, daß Stalins Essay über die Sprache bereits das letzte kommunistische Papier von ideologischem Gewicht gewesen war, um die Wirklichkeit zu ändern. Seither wurden ideologische Begründungen nachträglich gefertigt, um die geänderte Wirklichkeit zu erklären. Das erschien mir als Zeichen der Hoffnung, wenn sich die Ideologie der Wirklichkeit anpaßte, statt eine neue Wirklichkeit nach ihren Erkenntnissen erzwingen zu wollen. Das wurde erst recht so, als Chruschtschow das Ziel proklamierte, den Westen einzuholen und zu überholen. Er nahm den Kampf auf einem Gebiet auf, auf dem der Westen am stärksten war, und akzeptierte westliche Fortschritte als Maßstab für eigenen Erfolg oder Mißerfolg. Das konnte nur schiefgehen. Die Paradoxie: Der Niedergang gipfelte in dem Mann Gorbatschow, der nach alten Begründungen suchte, um seine Reformen zu rechtfertigen, der aus den Wurzeln Lenins den Saft ziehen wollte, der die Entartungen Stalins entschlacken sollte. Das berühmte Leben selbst hatte dazu geführt, daß die Männer im Kreml vielleicht noch glaubten, aber nicht mehr nach dem Glauben handelten oder noch vorgaben, Kommunisten zu sein, aber keine mehr waren. Zynismus trat an die Stelle der Überzeugung, bis schließlich ihr Papst bekannte, sich als Sozialdemokrat zu fühlen. Dreißig Jahre dauerte dieser Prozeß noch, aber die Mauer hat mich ihn erkennen und die Gefahren des Kommunismus immer geringer schätzen lassen.

Die Mauer förderte auch eine Art politischen Doppellebens. Auf der Ebene der Ansprüche wird die Vier-Mächte-Verantwortung behauptet, auf der Ebene der Wirklichkeit ist sie reduziert zur Luftsicherheitszentrale, der letzten Behörde im Gebäude des ehemaligen Kontrollrats zur Überwachung aller Flüge von und nach Groß-Berlin; auf der Ebene der Ansprüche wird der Vier-Mächte-Status für die ganze Stadt reklamiert, auf der Ebene der Wirklichkeit ist er eingeschrumpft zur Verwaltung des Kriegsverbrechergefängnisses in Spandau, gehegt und gepflegt in der seltsamen Hoffnung, daß Rudolf Heß lange leben möge; auf der Ebene der Ansprüche ist Berlin Teil der Bundesrepublik, auf der Ebene der Wirklichkeit wurde nicht einmal ernsthaft erwogen, den West-Berliner Abgeordneten Stimmrecht zu geben; denn das hätte ja die Ebene der Ansprüche verletzen können. Die wären unverletzt geblieben, wenn der Bundestag in patriotischer Geschlossenheit befunden hätte: Wenn die gesondert gezählten Berliner Stimmen das Ergebnis ändern, gilt das Ergebnis aller frei gewählten Abgeordneten, aber das hätte die Mehrheitsverhältnisse, also die Macht am Rhein, verändern können und unterblieb also.

Das Doppelleben wurde zu Politik. Der Anspruch auf deutsche Selbstbestimmung durfte nicht aufgegeben werden. Die Forderung, eines Tages die Mauer zu beseitigen, war Hoffnung, ohne die Berlin seinen Sinn verloren hätte. Aber das alles änderte die Wirklichkeit nicht. Wer darüber nachzudenken begann, rührte an Tabus, und das verlangte zur Absicherung geradezu die gebetsmühlenhafte Beteuerung der unveränderbaren Position. Wenn wir uns nicht abfinden wollten mit der Realität, mußten wir beginnen, sie zu ändern. Niemand würde und konnte und wollte es, wenn die Handvoll Leute im Schöneberger Rathaus es nicht begannen. Das war nicht heldisch, sondern logisch, noch ganz auf die Stadt gezielt, und selbst die Formulierung dieses begrenzten Ziels brauchte ihre Zeit.

Zunächst hatten wir ganz andere Sorgen. Die heroische Nachkriegsperiode war zu Ende. Die Stadt hatte sich gegen direkten Druck und Belagerung behauptet. Diese Bedrohung war weg. Günter Neumanns »Insulaner« waren die brillante kabarettistische Begleitung der vergangenen Epoche. Den Refrain der Hoffnung, »daß seine Insel wieder 'n schönes Festland wird«, hatte jeder Berliner im Ohr. Daß dieses beliebte Programm nun an Faszination verlor, dokumentierte die neue Situation der Stadt. Sie hatte die Funktion des Leuchtturms der Freiheit verloren, zu dem die Menschen des Umlands jederzeit fliehen konnten, für die 20 Pfennige, die eine S-Bahn-Karte kostete. Jetzt war sie eine Großstadt geworden mit allen damit verbundenen Problemen, allerdings der Ausnahme, die einzige Stadt in Europa zu sein, deren Einwohnerzahl abnahm.

Da wurden noch Tunnel gegraben, um zu entkommen, Verstecke im Kofferraum präpariert, Durchbrüche versucht, was eine groteske Perfektion der Übergänge veranlaßte. Aber das waren individuelle Erfolge und Tragödien, wie das Wetterleuchten eines abziehenden Gewitters. Sie änderten nichts an der großen Tragödie.

Hauptstadt in unbegrenztem Wartestand reicht nicht. In ganz anderer Situation galt Reuters Maxime erneut, daß große Ziele nicht die praktischen Aufgaben vernebeln dürfen. An die Stelle offener trat die schleichende Gefahr der Auszehrung. Noch 1970, nach Abschluß des Moskauer Vertrages und vor dem Berlin-Abkommen, befand Valentin Falin mit einer etwas wegwerfenden Handbewegung, das Problem werde sich lösen, indem West-Berlin austrockne. Die Behauptung der

Stadt wurde eine neuartige Aufgabe. Gerade in der Phase einer anfälligen Entspannung, einer Beruhigung der Lage, die nie ungefährdet blieb, war die Moral der Bevölkerung zu stabilisieren. Berlin mußte neue Ausstrahlung und Anziehung gewinnen.

Kleine Schritte

Während der Blockade hatte ich auf der Fahrt vom Flugplatz zum Funkhaus den Taxifahrer gefragt, ob er fürchte, die Amis könnten abziehen. Seine lakonische Antwort: »Nee, die bleiben.« – »Wenn nun aber doch? « – »Denn sind wir anjeschissen, die aber een bißken später ooch.« Das Vertrauen, das aus dieser schnodderigen Weitsicht sprach, wurde damals durch den Umstand gestützt, daß die Menschen die Stadt nicht verlassen konnten. Jetzt, 1961, konnten sie. Mehr noch: Die Vorratslager, die der Senat angelegt hatte für den Fall einer neuen Blockade, würden völlig unzureichend sein, um den Lebensstandard zu halten. Die Produktion war in den 13 Jahren so gewachsen, daß Zufuhren und Lieferungen über eine Luftbrücke nicht mehr ausreichend gewesen wären. Etwas plastisch: Wir würden an unserer Produktion ersticken, und dann würden Maschinen stillstehen, weil sie keinen Nachschub bekämen. Berlin hatte sich durch den nötigen Fortschritt verwundbar gemacht. Solange der Osten den Status quo wollte, konnten wir leben. Wenn ihm einfiel, Berlin zu erpressen, zu schikanieren, auf den Zugangswegen, würde es schnell gefährlich werden. Der ungeregelte deutsche zivile Verkehr war die Achillesferse Berlins. Aus dieser Erpressungssituation kamen wir erst zehn Jahre später heraus mit dem Vier-Mächte-Abkommen.

Aber die Wirtschaft wartete nicht so lange. Große Unternehmen mit großen Namen verlegten Firmensitze, Konzernleitungen, Forschungsabteilungen und Konstruktionsbüros nach Westdeutschland, und sie nahmen junge intelligente Menschen mit. Schering war die rühmenswerte Ausnahme. West-Berlin wurde zu einer verlängerten Werkbank. Die Einwohnerzahlen gingen zurück. Die Geburtenziffern auch. Jahrelang wurde ein wenig manipuliert, um die magische Ziffer von zwei Millionen Einwohnern nicht zu unterschreiten. Der Zuzug von Ausländern war hochwilkommen. Wehrdienstverweigerer auch; denn wer in

Berlin wohnte, durfte nicht zur Bundeswehr eingezogen werden (dank des Vier-Mächte-Status). Quantität und Qualität sanken. Die Altersstruktur verschob sich negativ. Häuser und Grundstücke wurden sehr billig. Es fehlte nicht an Geld, sondern an Vertrauen in die Zukunft der Stadt. Theoretisch konnte reich werden, wer damals investierte. Aber eine Garantie für eine erfolgreiche Spekulation konnte niemand geben.

Die »Zitterprämie« wurde erfunden, eine bedeutende Steuererleichterung für die Berliner. Bleiben sollte sich bezahlt machen. Investitionshilfen wurden gegeben. Daß Axel Springer das ausnutzte, nahmen wir nicht übel. Es war eine Ermutigung für die Stadt, daß er seine Konzernleitung nach Berlin verlegte und im alten Zeitungsviertel direkt an der Mauer Verlag und Druckerei hochziehen ließ. Man verstand sich sehr gut bei der entscheidenden Unterhaltung im Amtszimmer von Brandt. Er bekam Sonderkonditionen, würde Steuern für seinen Gesamtladen sparen und war willkommen. Daß er den Ullstein Verlag und den *Telegraph*, notleidend gewordener Verlag der SPD, kaufen wollte und dafür anbot, die Chefredaktion seiner *Morgenpost* nur mit Zustimmung der SPD zu besetzen, war gut. Daß die SPD töricht genug war, das nicht zu machen, war nicht Springers Schuld.

Geld spielte keine Rolle. Genauer gesagt spielte es die Rolle, alles bezahlen zu können, was zur Selbstbehauptung nötig schien. Bonn nutzte seine finanzielle Stärke gegenüber der Zone in den Entwicklungsländern, aber es war auch gegenüber Berlin großzügig. Solange genug Geld da ist, läßt sich die Kluft zwischen Anspruch und Wirklichkeit gut verhüllen, zu einem Kunstwerk mit Eigenleben machen, wie bei Christo, bis die nüchterne Substanz, die verändert werden muß, wieder zum Vorschein kommt. Wir mußten jedenfalls nicht sparen, was den Finanzminister Helmut Schmidt später zu der Bemerkung veranlaßte: Brandt und seiner Berliner Mafia sei der Unterschied zwischen einer Million und einer Milliarde unbekannt. Aber ich bin sicher, zwölf Jahre früher hätte er diese Sottise unterlassen, wenn er schon Finanzminister gewesen wäre.

Ich richtete ein Informationszentrum ein zur Betreuung der auswärtigen Journalisten und schnell zunehmender Besuchergruppen. Das Verkehrsamt, leider außerhalb meines Zugriffs, erfand die Werbung: »Berlin ist eine Reise wert.« Ich hatte immer gedacht, es sei nicht nur eine Reise wert. Nikolaus Nabokov, russischer Emigrant, Komponist und vor allem in der Welt der Kunst zu Hause wie kaum ein anderer, wurde künstlerischer Leiter der Festspielwochen und holte alles an die Spree, was Namen hatte und teuer war. Wer in Europa japanisches Kabuki-Theater bewundern wollte, mußte plötzlich nach Berlin kommen. Als die Stadtautobahn gebaut werden sollte, galt das als überflüssig, denn die breiten Straßen waren für den damaligen Autoverkehr völlig ausreichend. Ohne diese rechtzeitige Arbeitsbeschaffungsmaßnahme wäre die Stadt längst erstickt. In St. Louis am Mississippi mußte Brandt feststellen, daß Berlin nicht imstande wäre, einen Weltkongreß des Lions Clubs einzuladen; das gab den Ausschlag für das Kongreßzentrum am Funkturm. Die nötigen neuen Hotels waren gar nicht gern gesehen; die Alteingesessenen ersehnten keine Konkurrenz.

Das architektonische und akustische Meisterwerk der Scharounschen Philharmonie zog Bewunderer aus aller Welt an. Der Kampf gegen Selbstgenügsamkeit und Provinzialität begann. Shepard Stone half dabei und erwarb sich unschätzbare Verdienste, indem er, früher politischer Berater des Hochkommissars McCloy, nun die amerikanische Finanzierung für eine Niederlassung von Aspen in Berlin sicherte und interessante Gehirne, besonders aus Amerika, an den Wannsee schaffte zu Gesprächen und Diskussionen, die frischen Wind und neue Ideen brachten.

Ohne die Mauer wäre ich nicht früh und intim genug mit Amerika vertraut geworden, und Brandt wäre auch manches entgangen. Roy Blumenthal leitete eine Public-Relations-Firma in New York und bot an, Berlin in den USA zu vertreten. Das klang etwas großsprecherisch, aber so sind die Gewohnheiten der Branche. Er hatte zeitweilig auch die Bundesrepublik vertreten und dabei geholfen, Adenauer und Ben Gurion zu ihrem historischen Treffen im Waldorf Astoria zusammenzubringen. Sparsam, wie wir von Natur aus waren, überredeten Brandt und ich uns gegenseitig, daß diese Ausgabe zu verantworten sei und sich lohnen würde. Der Dollar kostete vier Mark, und unter 500 000 Dollar wäre die Sache witzlos gewesen. Wir bereuten es nicht.

Brandt fand in Roy einen ergebenen Freund, der früh glaubte, daß der Kampf um die Macht in Bonn zwischen den beiden Naturtalenten Strauß und Brandt entschieden werden würde, und der den Bürgermeister im Interesse Deutschlands und sogar Amerikas vorzog. Zu Roys Mitarbeitern zählte Ted Kaghan, früher Mitarbeiter Shepard Stones in der politischen Abteilung des US-Hochkommissars und weiterhin bekannt und gelitten im State Department. Ted inhalierte genußvoll die ungefilterten Camels. Auf die Frage, ob er denn keine Krebssorgen hätte, entgegnete er: »I want my cancer proper.« Der Wunsch ging in Erfüllung.

Seine Berichte über das, was »man« in Washington dachte, für möglich hielt und vorbereitete, waren erstklassig. Ob die unserer Botschafter besser waren, ist nicht zu beurteilen; denn die bekamen wir nicht zu sehen. Manche Formulierung in Washington gewann Hintergrund und manche Verlautbarung in Bonn auch. Sie war Abwehr gegen Ideen dieses jungen Mannes Kennedy. Ein Beispiel: Der Präsident überlegte mit den Sowjets einen Stopp von Atomtests. Bonn war dagegen; falls aber unvermeidbar, mußte das mit der Erwähnung der deutschen Frage verbunden werden. Wahrscheinlich hat man in Washington und nicht nur in Berlin den Kopf geschüttelt über diese lächerlich rührende Verknüpfung weltpolitischer Maßstäbe mit den rein propagandistischen Gesten von bloß regionaler Bedeutung.

Roy arrangierte die Einladung Brandts, an der Harvard-Universität zwei Vorlesungen zu halten, und das wurde zur besten Vorbereitung des anschließenden Besuchs in Washington. Public Relations ist eben mehr als die möglichst moderne handwerkliche Umsetzung des Grundsatzes: Tu Gutes und sprich darüber. Auch nicht mit Werbung läßt sich der amerikanische Ausdruck Public Relations übersetzen; Öffentlichkeitsarbeit trifft die Sache schon besser. Dazu gehört: »Ereignisse machen«, die dazu nötigen Menschen überzeugen, einstellen, zusammenbringen und mit all dem den gewünschten Eindruck in der Öffentlichkeit herbeiführen, Meinungen und Einstellungen so ändern, daß Politik davon beeinflußt wird. Die Qualität des Produkts vorausgesetzt; denn auch die beste PR-Arbeit kann aus Blech kein Edelmetall machen. Die Umkehrung stimmt auch: Nichtbeachtung von PR-Regeln kann auch Interessantes langweilig machen. Der Erfahrungsschatz der SPD ist da beträchtlich. Roy arrangierte ein Treffen mit dem Chef von IBM, den Brandt für ein Engagement an der Spree gewinnen konnte. Roy arrangierte Berlins Beteiligung an der Weltausstellung in New York, wo wir gegen den Stadt-Konkurrenten Hongkong gut abschnitten.

Aber auch handwerklich war viel zu lernen. Roy und Ted ließen an den Entwürfen für die beiden Vorlesungen so wenig gute Haare, daß der

Chef muffig wurde unter dem Eindruck, hier sollte ihm etwas aufgenötigt werden. Das mochte er nie, und er wurde störrisch. In Wahrheit erhielten wir Unterricht, wie europäische Abstraktionen in eine Form zu bringen sind, die in Amerika verstanden wird. Brandt war gelehrig genug, um danach mit Wonne und wiederholt den Grundsatz zu verbreiten, man müsse Philosophie so bringen, daß sie wie eine neue Nachricht aussieht. Das bleibt besonders für die jeweilige Opposition ein guter Ratschlag, in jeder neuen Generation wieder zu lernen. Wir arbeiteten jedenfalls die Nacht durch an der Neufassung. Ich konnte nicht einmal die erste Vorlesung hören; denn wir brauchten die Zeit, um an der zweiten zu arbeiten, in einer Fremdsprache zusätzlich anstrengend und lehrreich. Hätten wir zwei weitere Tage zur Verfügung gehabt, wäre auch die Form des Ganzen so gut geworden wie der Inhalt. Aber der genügte dem Präsidenten, der von seinem wissenschaftlichen Berater Carl Kaysen – via Roy – informiert wurde, um Brandt zu sagen: »Das sind meine Themen.« Das hörte ich wörtlich noch einmal auf russisch, von Gorbatschow, als Brandt ihm das neue Grundsatzprogramm der SPD in Moskau übergab.

Roy wurde mein erster ausländischer Freund. Der geborene New Yorker liebte seine Stadt und war stolz auf sein Land, ohne als Liberaler seine Schwächen zu leugnen. Er sah früher als wir, daß Amerika den Krieg in Vietnam nicht gewinnen und lange unter dem Trauma seiner ersten Niederlage leiden werde, und prophezeite, eine Folge werde die Entwertung des Dollar sein. »Wenn wir Milliardenwerte im Dschungel verpulvern, muß der Dollar an Wert verlieren. Ich sehe ihn unter zwei D-Mark sinken, und damit werden wir euch zwingen, nicht nur ein Stück Vietnam mitzufinanzieren, sondern die Lasten einer internationalen Reservewährung neben dem Dollar zu übernehmen.« Als Brandt und ich zum erstenmal auf einem Balkon der Hoteltürme des Waldorf Astoria auf das Lichtermeer Manhattans blickten, vom Brausen einer vibrierenden Stadt umgeben, erinnerte ich mich, daß Adenauer an gleicher Stelle ausgerufen haben soll: »Und von einem so mächtigen Land will der Herr Ollenhauer so wenig wissen.« Ich hatte noch den Jubel des CDU-Parteitags 1957 im Ohr und die Bilder vor Augen, als der Kanzler frisch und direkt aus Amerika, vom Glorienschein des Empfangs durch Eisenhower umgeben, den Saal des Curio-Hauses in Hamburg betreten hatte, des Wahlsieges gewiß. Wer in Amerika geschätzt wurde, stieg im Ansehen der Deutschen. Wer in Amerika beachtet wurde, mußte in Deutschland ernst genommen werden. Umgekehrt: Wer in Deutschland gewinnen wollte, mußte in Amerika gewinnend sein.

Das mag in der Frühzeit der Republik daran gelegen haben, daß gut beschützt war, wer mit dem Beschützer gut stand. Angesichts der Bedrohung aus dem Osten gab es Sicherheit, auf der Seite des Stärkeren zu stehen, auf der Seite des Gewinners. Die amerikanische Verachtung eines Verlierertyps entsprach dem deutschen Seelenbedürfnis, beim nächstenmal kein Verlierer zu sein. Die Größten und die Tüchtigsten sind die Amis, aber in Europa wollen wir uns doch auch nicht kleiner machen, als wir sind. Die Koppelung von amerikanischer Technik und deutscher Organisation bot eine Perspektive, die übrigens Moskau nicht beruhigte.

In dem Wunsch, geliebt zu werden, unterscheiden sich beide Völker nur wenig, in der Animosität gegen öffentliche Kritik von außen nur unwesentlich. Wenn über die Wahlverwandtschaft zu einem Land abzustimmen gewesen wäre, so hätte die Bundesrepublik die USA gewählt. Sich ihnen anzupassen, entsprach der Neigung und nicht der Berechnung. Ihnen zu widersprechen, erschien nicht nur dumm, sondern ungehörig. Ihnen ähnlich zu werden, auch in einem ganz äußerlichen Sinn, war ein großes Ziel: Ich hatte den Rundfunkbericht in der »Stimme Amerikas« irgendwann Ende der vierziger Jahre für plump und übertrieben gehalten, wonach an der Kleidung der Passanten auf den Straßen New Yorks kaum zu erkennen sei, wieviel sie verdienen. In Deutschland hatte man das immer sehen können. Erst seit den siebziger Jahren haben wir dieses amerikanische Niveau erreicht.

Faszinierend, faustisch anmaßend dieses New York, als wollte es mit seinen gigantischen Wolkenkratzern die Natur übertrumpfen – der Triumph des Menschen, der fast alles kann, wenn er nur will. Brandt reagierte viel erdverbundener. Er fühlte sich in den Straßenschluchten nicht besonders wohl: »Wenn die mal umfallen.« Das war weniger der Gedanke an Raketenanfälligkeit als gesunde Reserve gegenüber allem Übermenschlichen, Maßlosen. In zehn Jahren einen Mann auf den Mond bringen, da begeisterte ihn das Ziel viel weniger als der Mann, der es setzte, und der Weg und die Inspiration. Innere Verbundenheit mit Amerika konnte ich bei Brandt nicht finden; Bewunderung für die Kraft dieses jungen Volkes und seine Fähigkeiten wohl, eine überzeugte Loyalität zu unserem wichtigsten Verbündeten auch, aber für sein Lebensgefühl stand ihm Frankreich näher. Auch insofern verstanden wir uns.

Keinen Zweifel gab es: Die kleinen Schritte von Berlin nach Bonn führten über Amerika. Mehr als zwei Jahrzehnte kam ein Teil des Wahlerfolgs in Deutschland aus Amerika. Wer dort nicht angenommen wurde, hatte weniger Chancen, hier angenommen zu werden. Ein Gerücht, zutreffend oder nicht, daß ein Regierungswechsel in Bonn natürlich respektiert, aber nicht willkommen oder gar für die Beziehungen belastend sein könnte, wirkte wie ein angedrohter Liebesentzug. Diese Lage, unvergleichbar und unvorstellbar für Paris oder London, verführte zuweilen Interessierte am Potomac wie am Rhein zu unfeinen Manövern. Aber auch auf diesem Gebiet mußte die Wirklichkeit anerkannt werden, wenn man sie verändern wollte.

Das fiel nun Brandt leicht und schwer. Auf der positiven Seite stand der Emigrant, unberührter vom Hitler-Reich als jeder seiner Vorgänger oder Nachfolger im Kanzleramt, außer Kohl. Dann kam der Festungskommandant; bewährt im Kampf gegen die Bolschewisten, aus der Stadt, in der Feinde zu Freunden geworden waren; verbunden durch die Erfolgsstory der Blockade. Außerdem hatte er eine ebenso charmante wie elegante Frau aus dem verbündeten Norwegen. Die milderte schon die negative Seite: Der Kerl war Sozialist, in amerikanischen Augen fast dasselbe wie Kommunist, auch wenn er sich Sozialdemokrat nannte. Wir brauchten von Roy keinen Rat, um diesen politischen Geburtsfehler in den Augen unserer Freunde nicht zu plakatieren oder zu entschuldigen. Er erwies sich im Gegenteil als brauchbar, weil es schließlich stimmte, daß Sozialdemokraten die Schwächen der Kommunisten besser kennen können als manche Konservative – sofern sie zuverlässig sind; aber das gilt für Sozialdemokraten und für Konservative.

Positiv hatte es die unberechenbare Geschichte gefügt, daß sich da zwei junge Leute begegneten, die beide aus ausgefahrenen Gleisen heraus und zu neuen Ufern aufbrechen wollten. Beide hatten noch mit einem alten Herrn in Bonn zu tun, der ihnen auf verschiedene Weise, aber doch gemeinsam unbequem und unsympathisch war. Solch eine Konstellation verbindet, sogar unausgesprochen. Wenn die Aufforderung Kennedys, nicht zu fragen, was der Staat für dich tun kann, sondern zu fragen, was du für den Staat tun kannst, fast preußisch klang, so mußte es den Hörern in Harvard fast amerikanisch vorkommen, wie Brandt seine Vorlesungen schloß: »Wir können nicht sicher sein, ob wir es schaffen, aber wir sind sicher, daß wir es schaffen können.«

Das gegenseitige Verständnis mit Washington zu pflegen, ist für Bonn wichtig geblieben. Aber die Zeit ist vorbei, in der einer kaum ohne Washington Kanzler werden konnte, nachdem Brandts Treffen mit Breschnew in Oreanda 1971 gezeigt hatte: Sicherheit durch Entlastung von Bedrohung aus Moskau ist für den, der sie bringt, auch innenpolitisch in Deutschland positiv.

Die Überschrift für Harvard (Oktober 1962) hieß: »Koexistenz – Zwang zum Wagnis.« Einem Land, das auf Gewinnen aus ist, nahebringen zu wollen, es sollte sich auf eine lange Periode der Koexistenz mit der Sowjetunion einstellen, war an sich schon ein Wagnis, erleichtert durch den Hintergrund der gemeinsamen Status-quo-Erfahrung in Berlin. Koexistenz als Begriff war unamerikanisch, dazu eine Vokabel der Sowjets. Der Bürgermeister erläuterte nun, wie man diesen Begriff benutzen, umwerten und zu einem Instrument machen könnte, um eine friedliche und dynamische Transformation der anderen Seite zu erreichen: So viele gemeinsame Projekte mit dem kommunistischen Osten wie möglich, soviel Austausch von Wissenschaftlern und Studenten wie jeweils erreichbar – der Westen hat das nicht zu fürchten. Nach den Theorien des Zurückrollens und Eindämmens nun die der Transformation. Gerade mal das erhalten zu wollen, was man hat, reiche als Perspektive nicht.

Transformation nannte ich ein Jahr später »Wandel durch Annäherung«. Den Status quo nicht bestreiten, sondern nutzen. Brandt war kein Boxertyp. Er verstand es, den Schwung eines Gegners zu nutzen; Judo ist die Methode des Schwächeren, den Stärkeren auf die Matte zu legen. Transformation des Konflikts war ein zu unbeholfener und abstrakter Ausdruck, um Doktrin genannt zu werden, zumal die praktischen Vorschläge zu dürftig erschienen, um ein großes Ziel zu erreichen. Aber in ihrem Kern entsprach die Doktrin der Transformation den begrenzten Möglichkeiten des international schwachen geteilten Landes, dessen Herold aus einer geteilten Stadt kam und aufpassen mußte, nicht als größenwahnsinnig bezeichnet zu werden.

Wie kraftvoll konnte dagegen der amerikanische Präsident ein Jahr später seine »Strategie des Friedens« (10. Juni 1963) entwickeln. Der hatte auch etwas zu bieten: Teststopp, Beendigung des kalten Krieges im Äther, Einrichtung eines heißen Drahtes zwischen Weißem Haus und Kreml. In Richtung und Methodik berührten sich beide Ansätze. Beide wollten Moskau das Monopol nehmen, Koexistenz und Frieden zu propagieren; beide wollten diese Begriffe mit westlichen Inhalten füllen; beide wollten politisch im Gewand der Defensive zu einer Offensive kommen. Keiner mußte vom anderen Anregungen holen oder gar abschreiben. Nicht die Themen, wie Kennedy über Harvard bemerkt hatte, sondern die Ansätze waren gleich. Interessant erschien vor allem, daß in dem schwachen Außenposten wie in dem unbestrittenen Zentrum des Westens gleiche Konsequenzen aus der Lage für eine neue Politik gegenüber dem Osten gezogen wurden. Wir fühlten uns im Rathaus nicht erleuchtet, sondern bestätigt und dazu ermutigt; denn wer Washington an seiner Seite wußte, wurde innenpolitisch weniger angreifbar für den nächsten kleinen Schritt in Tutzing (15. Juli 1963).

Zumal Kennedy den neuen Kurs bei seinem Besuch in Berlin (23. Juni 1963) bekräftigte, den Tatsachen ins Auge zu sehen, von Selbsttäuschung frei zu werden, nicht in bloßen Schlagworten zu denken, sondern alle Berührungspunkte und Verbindungsmöglichkeiten zu schaffen, die möglich sind, und das Höchstmaß von Handelsbeziehungen, das unsere Sicherheit erlaubt. Adenauers Gesicht versteinerte. Brandt klatschte bei diesem Teil der Rede in der Freien Universität. Sechs Monate später schloß der Senat das erste Passierscheinabkommen.

Zur Vorbereitung des PR-Höhepunkts kam der Pressesekretär des Weißen Hauses, Pierre Salinger, nach Berlin. Freundlich, kalt, energisch bestimmte er, in welchen unterschiedlichen Entfernungen, Höhen und in welchen Winkeln zum Rednerpult die Tribünen für das Fernsehen aufgebaut werden sollten. Wie man den Chef für Amerika ins beste Bild setzt, war wichtig und nicht, daß dadurch vielen Besuchern der Blick versperrt wurde. Als Kennedy seine Rede hielt, beobachtete ich etwas besorgt, ob die Verankerung der kameragespickten Aufbauten, die wie Flöße in einem Meer wirkten, hielt, und ich sah in die Rücken und Nacken dero Eitelkeiten der versammelten Zelebritäten aus Washington und Bonn. Adenauer und Kennedy am Rednerpult gelassen, Brandt angestrengt auf den Ballen wippend.

Die Ruhepause vorher im Zimmer des Bürgermeisters erwies sich, wie vorgesehen, als nötig: Auch Präsidenten müssen pinkeln. Danach saß Kennedy auf dem Stuhl Brandts am Beratungstisch und ging seine auf Karten geschriebene Rede nochmals durch. Adenauer auf Brandts Stuhl am Schreibtisch las das *Neue Deutschland*, und die anderen flüsterten, als hätten sie sich Wichtiges mitzuteilen, während in den Vorzimmern bestimmt vermutet wurde, drin würde Weltgeschichte gemacht. Der Präsident hatte den Kongreß der IG Bau, Steine, Erden besucht. Der Versuch in Bonn, diesen Punkt des Programms zu streichen, war durch Einschaltung der amerikanischen Gewerkschaften verhindert worden. Dafür konnte der Boß der AFL/CIO seinem Präsidenten in Berlin die Hand schütteln, was beiden in Amerika gut bekam, und hier wurde die Geste des Respekts für die deutsche Arbeiterschaft durch das Oberhaupt des stärksten Landes der Welt gewürdigt. Große Symbolik und kleine Schwächen gehen zuweilen Arm in Arm. Gut, wenn das Nötige nicht unter dem Unvermeidbaren leidet. »Ich bin ein Berliner« hatte Kennedy gesagt, er war es geworden durch den Besuch, soweit ein solcher Mann sich mit einer fremden Stadt nur verbunden fühlen kann.

Er hatte sicher auch nicht die Antwort vergessen, die ihm aus der Stadt während der Kubakrise im vorhergegangenen Jahr gegeben worden war. Während sich die beiden Großen dem Kulminationspunkt näherten, der sie in den Abgrund eines Atomkriegs sehen ließ, wäre es möglich gewesen, daß Chruschtschow Berlin als Druckmittel, Ablenkung oder Vergeltung benutzen könnte. Eine fragende Warnung Kennedys fand ein spontanes Echo. Daß die Rücksicht auf die Stadt den Präsidenten nicht hindern dürfe, entsprechend seiner größeren Verantwortung zu entscheiden, hat der Mann im Weißen Haus umgehend dankbar anerkannt. Vielleicht müßten wir uns demnächst warme Sokken und Unterhosen mitbringen, meinte der Chef. Ernsthaft überlegten wir zum erstenmal, ob in einer solchen Situation, in der es um alles geht, nicht richtig wäre, über alle erreichbaren Sender zum Aufstand in der Zone aufzurufen und die Volksarmee dazu, Befehle zum Einsatz gegen Berlin zu verweigern und die Gewehre umzudrehen. Wir waren 1962 überzeugt, ein solcher Aufruf wäre befolgt worden, hätte mindestens ein Instrument unbrauchbar gemacht und sowjetische Streitkräfte gebunden, für Verhandlungen vielleicht wichtige Stunden gewonnen. 1990 hat mir der Oberbefehlshaber einer der drei Teilstreitkräfte der

NVA das sogar bestätigt. Aber zwei, drei Jahre später wäre die NVA marschiert. Wenn sich die großen Maschinen in Bewegung setzen, drehen sich auch die kleinen Räder. Klar, daß die Öffentlichkeitsarbeit dafür gesorgt hätte, daß jede Seite sich angegriffen gefühlt hätte. Wie auch immer unterschiedlich begründet: Es hätte auf beiden Seiten funktioniert. So tief hatte sich die Teilung in die beiden Volksteile eingefressen, daß mit Befehlsverweigerung auf keiner Seite mehr zu rechnen war. Anfang der sechziger Jahre hatten auf westlicher Seite vergleichbar für die Bundeswehr Deutsche wie Alliierte überlegt, ob auf die Truppe und ihre Kommandeure Verlaß wäre, wenn es gegen die Brüder und Schwestern geht. Wenigstens das ist uns erspart geblieben.

Wandel durch Annäherung

Kleine Schritte fanden statt, bevor sie so genannt wurden. Sie begannen im eigenen Kopf. Insofern wurde gegebener Rat in einem Grundsatzartikel selbst befolgt: »In der deutschen Frage können wir, unbeschadet der alliierten Verantwortlichkeiten, nicht von unseren Freunden erwarten, daß sie vorangehen und nicht nur für uns sprechen, sondern auch für uns denken.« Schon vor der Mauer wurde die Melodie angestimmt, in der Rede zur Kanzlerkandidatur wiederholt, während der Entwicklungen zum Mauerbau verstärkt, in Harvard variiert, in Tutzing verbreitert, als Außenminister gedämpft und schließlich als Kanzler in voller Orchesterbesetzung dirigiert: deutsche Initiative zur Veränderung der deutschen Lage.

»Die deutsche Außenpolitik muß die Eierschalen der ersten Nachkriegsjahre abstreifen. Man hat uns auf den Weg geholfen, aber nun müssen wir selbst gehen. Die Bundesrepublik darf nicht dadurch zu einer Belastung werden, daß sie über Gebühr auf die Marschhilfe anderer rechnet. Wir dürfen das Vertrauen unserer Verbündeten nur bewahren oder neu gewinnen, wenn wir mit ihnen unsere selbständig erarbeiteten Anregungen, Einwände und Vorschläge besprechen, um dann unser Gewicht allen Herzens in die Waagschale werfen zu können.« Das ist der andere Basso continuo, dem wir im Laufe der Jahre immer wieder begegnen. Es ist das Thema der inneren Souveränität, obwohl und solange wir die äußere völkerrechtlich nicht vollständig haben. Es ist ein Thema geblieben, sogar nachdem die völkerrechtliche Souveränität seit dem März 1991 wiederhergestellt ist.

Wer genau hinsah, was kaum geschah, hätte festgestellt, daß die neue Richtung zunächst nur erahnt, tastend beschrieben wurde: Sich selbst etwas überlegen, deutsche Aktivität entfalten, eigene Interessen vertreten; alles schön und gut, aber wohin? Welche Inhalte? Was konkret? Das war noch ziemlich dünn. Historiker haben es einfach, nachträglich herauszufinden und zu belegen, wie aus der Mauer das Konzept der Ostpolitik wuchs. Die Handelnden wußten das noch nicht.

Eine wichtige Etappe wurde die Evangelische Akademie in Tutzing im Sommer 1963. Roland Messner, ihr politischer Leiter, ein Mann aus der liberalen Tradition der CSU, hatte sich schon im Frühjahr gemeldet und seine Vorstellungen für die Zehnjahrestagung entwickelt: Brandt sollte eröffnen, Bundeskanzler Adenauer würde über »Zehn Jahre deutsche Politik« eine Woche später abschließen. »Denk ich an Deutschland« war ein willkommener Themenvorschlag für Brandt; ich konnte das ergänzen und vielleicht »brisante Dinge« sagen, »wenn sie von Ihnen nicht gesagt werden«, hielt ich in einem Vermerk für den Chef fest. Das war weniger als Arbeitsteilung gemeint, denn als Möglichkeit, den Freund zu mehr Kanten und nach vorne weisenden Kühnheiten zu drängen, wie es der Mann der Bekennenden Kirche, Albertz, und ich für wünschenswert hielten. In der sorgfältigen Arbeit an dem Entwurf für die Rede des Chefs, der mehrfach hin- und herging, gab es dieses Moment gar nicht; wir stimmten nahtlos überein.

Fair und nüchtern, wie es seine Art war, stellte Brandt fest, daß die deutsche Außenpolitik dem obersten Prinzip gefolgt sei, den Rest zu sichern, was erforderlich war. »Ohne Zweifel wurde das Ringen um Selbstbestimmung für das ganze Volk der Sicherung des freien Teiles nachgeordnet.« Nun sprächen die weltpolitischen Zeichen für einen großangelegten Versuch, den Status quo militärisch zu fixieren, um ihn politisch zu überwinden. Deutschland dürfe sich dieser Entwicklung nicht entziehen. Sie verlange die Erkenntnis, »daß es keine andere Aussicht auf die friedliche Wiedervereinigung unseres Volkes gibt, als den nicht erlahmenden Versuch, die Erstarrung der Fronten zwischen Ost und West aufzubrechen. Gerade weil das Deutschlandproblem so sehr in das Verhältnis zwischen Ost und West eingebettet ist, gibt es für uns keine Hoffnung, wenn es keinen Wandel gibt.« Hier fiel das ominöse Wort erstmals. Es war nicht nur ein stillschweigender Abschied von jeder Befreiungs- und Anschlußpolitik, sondern die Vision eines Weges: »Sehr viel von dem Streit darüber, ob der Osten wirklich ein Sicherheitsbedürfnis hat oder nicht, fiele beispielsweise weg, wenn man beginnt und wenn es gelingt, die gemeinsamen Sicherheitsinteressen zum Gegenstand von Ost-West-Besprechungen zu machen.« An die Stelle der Bonner Furcht, die Großen könnten sich über unsere Köpfe und auf unsere Kosten verständigen, setzte er die Überzeugung in die Verläßlichkeit der transatlantischen Beziehungen und das Vertrauen in die Stärke bleibender amerikanischer Interessen in Europa.

Das sollte das Feld der Auseinandersetzung sein. Bonn durfte nicht zu einer Belastung für die Verbündeten werden. Die Amis hatten es satt, ständig den Fragen ausgesetzt zu sein, ob sie bleiben, was im Grunde beleidigend die Zuverlässigkeit ihrer durch Vertrag und Überzeugung gegründeten Bindung in Frage stellte. Kennedy äußerte sich zufrieden, daß Brandt keine Wiederholung der Garantien von ihm wollte. Sein Außenminister Dean Rusk forderte uns auf, doch etwas mehr Selbstvertrauen zu haben. Der Präsident hatte, in einer Besprechung (5. Oktober 1962), an der auch der Leiter der Europa-Abteilung im State Department, Martin Hillenbrand, teilnahm, Brandt zugestimmt, daß bloße Beharrung auf dem Status quo einen Status quo minus eingebracht hätte. Aber weil die Geographie nicht zu ändern sei, und wenn die Anerkennung de jure, »eine Formalität«, nicht in Frage käme, möchte er wissen, »was es unterhalb dieser Formalität gäbe, was annehmbar sei«. Ich zitiere aus einem Vermerk über dieses Gespräch: »Er müsse fragen: Wie soll die Geographie überspielt werden? An welchem Punkt sei auf die Ostseite Druck auszuüben, und wie weit solle der Westen gehen in den Zugangswegen? Aber diese Antworten müßten zuerst aus Deutschland kommen.« Kennedy hatte den Kern unserer Sache erfaßt. Er ließ die Erwägungen über eine Zugangsbehörde unwillig über die besorgten Nörgeleien der Bonner, das Zonenregime würde dadurch aufgewertet werden, einfach fallen. Schließlich war nicht der alliierte Zugang, sondern der deutsche Zugang nach Berlin ungeregelt und gefährdet.

Diese Kernfrage wurde erst durch eine sozial-liberale Regierung beantwortet. Die Große Koalition war dazu nicht imstande. Gestellt war sie viel früher. Es lag am starren Dogmatismus in Bonn, fixiert auf die

154

Verhinderung der Zone als Staat, die schon nicht mehr zu verhindern war, daß Jahre verlorengingen. Die Sicherung des freien Restes wurde fast unbemerkt zu der neuen Priorität deutscher Außenpolitik; mit jedem Jahr der Nichtanerkennung der DDR trug die Bundesregierung, ohne es zu wollen, zur Stabilisierung und zur Konsolidierung der DDR und des Ostblocks bei. Die Prozesse, die zur Überwindung der Teilung führten, hätten schon zehn Jahre früher eingeleitet werden können.

Brandt legte ein strategisches Konzept vor für einen ziemlich langen Weg zur Veränderung des Ost-West-Konflikts, mit aller Klarheit und Logik, das ohne Bruch mit früheren Äußerungen nach vorne zeigte. Niemand konnte überrascht sein, wenn er als Kanzler tat, was er als Bürgermeister entwickelt hatte. Aber zur gemeinsamen Überraschung und Enttäuschung entzündete sich die Debatte an meinem Diskussionsbeitrag, der nur den eingeengten deutschen Aspekt des strategischen Konzepts exemplifizieren wollte. Besseres fiel mir nicht ein; denn alles Wichtige stand in der Rede Brandts. Sogar die Überschrift, die sich aus dem Text ergab, fand mein Stellvertreter im Amt, Rudolf Kettlein: »Wandel durch Annäherung«. Brandt hatte ihn gelesen und nichts dagegen einzuwenden.

Die Erörterung neuer Wege und Gedanken war so selbstverständlich geworden, daß ihre Ergebnisse dann aufzuschreiben ebenso selbstverständlich wurde. Erst die öffentliche Reaktion machte klar, wie weit das eigene Denken schon dem öffentlichen Bewußtsein enteilt war. Wenn ein Tabu im Kopf zerbrochen ist, erscheint es nach einiger Zeit auch nicht mehr als Tabu, sondern nimmt fast den Charakter des Banalen an. Erst wenn das inzwischen als natürlich Eingestufte ausgesprochen wird und ein wütendes oder empörtes Echo auslöst, merkt man, daß für die Allgemeinheit das Tabu noch immer lebt. Als ich »Wandel durch Annäherung« herunterdiktierte, hatte ich weder das Gefühl, mutig zu sein, noch vorsichtig sein zu müssen. Ich konkretisierte nur, was in der Rede Brandts stand, abgewogen, genau überlegt; die Diskussion sollte nur ein bißchen weitergetrieben werden.

Die Heftigkeit der Reaktion mahnte dann zu größerer Vorsicht. Im Denken frei und weit, in der Äußerung keine Überforderung einer unvorbereiteten Öffentlichkeit, auch keine Verletzung von Gefühlen. Für die Annäherung an Polen und das Thema der Oder-Neiße-Linie in winzigen Schrittchen spielte das später eine Rolle. De Gaulle durfte alles sagen, was er dachte; Deutsche nicht, wenn sie politisch überleben wollten.

Ich sprach nur aus, was war: »Die Wiedervereinigung ist ein außenpolitisches Problem ... Ihre Voraussetzungen sind nur mit der Sowjetunion zu schaffen. Sie sind nicht in Ost-Berlin zu bekommen, nicht gegen die Sowjetunion, nicht ohne sie.« Sie ist »ein Prozeß mit vielen Schritten und vielen Stationen«. Von der Lage, wie sie ist, auszugehen, bedeutet, »daß jede Politik zum direkten Sturz des Regimes drüben aussichtslos ist. Erleichterungen würden nur mit dem Regime drüben« (die Buchstaben DDR waren noch tabu) erreicht werden. »Diese Forderung ist rasend unbequem und geht gegen unser Gefühl, aber sie ist logisch. Sie bedeutet, daß Änderungen und Veränderungen nur ausgehend von dem dort herrschenden verhaßten Regime erreichbar sind.« Nach Darlegungen von Beispielen, daß Alliierte und Bundesregierung die Realität respektiert hätten ohne formale Anerkennung, kam die Konsequenz, daß sich unterhalb der juristischen Anerkennung, unterhalb der bestätigten Legitimität dieses Zwangsregimes bei uns so viel eingebürgert hat, daß es möglich sein kann, diese Folgen gegebenenfalls auch in einem für uns günstigen Sinne zu benutzen. Judo innerdeutsch.

Mit Hilfe des Handels sollte die Lebenssituation der Menschen drüben verbessert werden. »Eine materielle Verbesserung müßte eine entsprechende Wirkung in der Zone haben ... Man konnte die Sorge haben, daß dann die Unzufriedenheit unserer Landsleute etwas nachläßt. Aber eben das ist erwünscht; denn das ist eine weitere Voraussetzung dafür, daß in dem Prozeß zur Wiedervereinigung ein Element wegfallen würde, das zu unkontrollierbaren Entwicklungen führen könnte und damit zu zwangsläufigen Rückschlägen führen müßte. Ich sehe nur den schmalen Weg der Erleichterung für die Menschen in so homöopathischen Dosen, daß sich dadurch nicht die Gefahr eines revolutionären Rückschlags ergibt, die das sowjetische Eingreifen aus sowjetischem Interesse zwangsläufig auslösen würde.«

Der innerdeutsche Handel lief ohnehin, sogar nach dem Bau der Mauer. Die Entscheidung Adenauers war richtig, auch wenn sie der Zone half, unvermeidbar dem Regime wie den Menschen. Nicht Verelendung konnte unser Ziel sein, sondern wirtschaftlicher Aufschwung; denn die Menschen werden immer mehr davon wünschen. Der Appetit kommt beim Essen. Die Deutschen drüben würden nicht anders als die

Deutschen hier reagieren. Die Russen bestimmt auch nicht. Wenn der Osten anfinge, Wohlstandsprobleme zu haben, würde die Ideologie schrumpfen, das war die Kalkulation.

Die andere Maxime formulierte, was später zu dem Vorwurf führte, die Ostpolitik hätte die DDR stabilisiert; der kam allerdings erst, als das Ziel dieser Politik, die Beseitigung der DDR, erreicht war. Die Sorge vor einem revolutionären Umschlag ergab sich aus den Erfahrungen: Weder am 17. Juni 1953 noch 1956 in Polen und Ungarn hatte sich der freie Wille der Bevölkerungen durchsetzen können. Der Westen protestierte, aber half nicht. Das durfte sich nicht wiederholen. Sofern das menschenmöglich war, mußte die Entwicklung kontrollierbar bleiben. Diese Sorge verließ mich nicht bis 1989. Sie fühlte sich 1968 bestätigt, als der Warschauer Pakt in der ČSSR intervenierte und den Prager Frühling erstickte. Sie war, als das Ende der DDR nahte, weltweit geworden und wurde von Washington bis Moskau geteilt. Es war verantwortungsbewußt und richtig, daß Kohl seine Hand bis zum Schluß am Puls der DDR-Führung hielt, Beruhigungspillen und nicht Aufputschmittel verabreichte, bis er die Gunst der Stunde erkannte und zugriff – auf die ganze DDR. Eine erklärte Politik zur Destabilisierung der DDR wäre verbrecherisch gewesen.

Die Schlußfolgerung: Wenn die Mauer ein Zeichen des kommunistischen Selbsterhaltungstriebes sei, war nach den Möglichkeiten zu fragen, »diese durchaus berechtigten Sorgen dem Regime graduell so weit zu nehmen, daß auch die Auflockerung der Grenzen und der Mauer praktikabel wird, weil das Risiko erträglich ist. Das ist eine Politik, die man auf die Formel bringen könnte: ›Wandel durch Annäherung‹.« Wir könnten selbstbewußt genug sein, eine solche Politik ohne Illusion zu verfolgen, »denn sonst müßten wir auf Wunder warten, und das ist keine Politik«.

Otto Winzer, der Außenminister in Ostberlin, war klug genug, das zur »Aggression auf Filzlatschen« zu erklären. Ernster waren die Vorwürfe des Berliner CDU-Vorsitzenden Amrehn, mit Duldung von Brandt seien Elemente einer neuen Richtung der Berlin-Politik mit Aufweichungstendenzen entwickelt worden, denen von Anfang an der entschiedenste Widerstand entgegengesetzt werden müsse, zumal die Vorschläge ohne jede Übereinstimmung mit der Bundesregierung und den Alliierten gemacht worden seien. Tiefer ging die Frage des CDU-

Pressedienstes, ob der von Herbert Wehner eingeleitete neue Kurs noch gilt oder die alten außenpolitischen Vorstellungen der SPD aus den Jahren vor 1960 wieder herrschende Meinung werden. Wehner reagierte sofort und nannte »Wandel durch Annäherung« »Narretei«, »ba(h)rer Unsinn«. Auch die Berliner Partei distanzierte sich, die umstrittenen Äußerungen seien eine persönliche Meinung, »weder für die SPD noch für irgendeinen anderen [wen wohl?] gesprochen«. Die Parteizeitung *Berliner Stimme* attestierte mir in wohlwollender Distanz das Recht, denken zu dürfen, und das Recht auf Irrtum. Wenn ich mich umsah auf weiter Flur, hatte nur der Liberale Karl-Hermann Flach, ziemlich einsam, in der *Frankfurter Rundschau* unter der Überschrift »Deutsches Armutszeugnis« positiv Partei ergriffen: »Da hält im Zeitalter geistiger Sterilität einmal ein Mann eine Rede, die Ansatzpunkt für einen kleinen Schritt nach vorn bietet, nachdem wir in der deutschen Frage jahrelang rückwärts marschieren, und es genügt ein Brief aus der politischen Provinz, um sich erst einmal von solch kühnen Gedanken abzusetzen. Ist unsere Bundesrepublik denn nicht doch mehr als ein Produkt des Kalten Krieges, das die Entspannung wie den Leibhaftigen fliehen muß?«

Wie vorgesehen fuhr ich von Tutzing aus in den Urlaub. Fürsorglich schickte mir Brandt seine Erklärung: »Egon Bahrs Diskussionsbeitrag in Tutzing hat einige Aufregung verursacht. Ich habe nicht die Absicht, über den Stock zu springen, den die Gegner hinhalten. Man muß den vollen Text lesen, um die Sache vernünftig beurteilen zu können. Ich war damit einverstanden, daß diese Gedanken zur Diskussion gestellt wurden.« Eine Woche später folgten persönliche Zeilen: »Du Schlawiner läßt überhaupt nichts von Dir hören. Über die Tutzing-Polemik müssen wir noch reden. Ich wußte nicht, daß Du Deine Rede über den Pressedienst vertreiben lassen würdest, und halte dies auch für nicht zweckmäßig. Hoffentlich sind wir uns in der Sache einig, daß wir uns den Holzköpfen stellen müssen, dies aber nicht der Punkt der von uns gewünschten großen Auseinandersetzung ist.« Auf der Ebene der Schlawiner, eine von Albertz gefundene freundschaftliche Anrede zwischen uns dreien, waren wir gleich. Die Reaktion war typisch für Brandt: geschmeidig, abwiegeln, relativieren, aber in der Sache keinen Millimeter zurück. Vor allem war auf den Mann Verlaß. Wenn er seine Hand nicht über mir gehalten hätte, wäre ich wieder Journalist geworden und der Begriff aus der Diskussion verschwunden, der sich gleichbedeutend mit dem Konzept der Ostpolitik durchsetzte.

Gedacht war er für ein zeitlich begrenztes Zwischenstadium zur Wiedervereinigung. Dieser Teil des Konzepts brach schon ein Jahr später weg. Nachdem Adenauer das Angebot Chruschtschows 1962 nicht aufgegriffen hatte, über Deutschland zu sprechen, was theoretisch die Zone zur Disposition stellte, schloß die Sowjetunion 1964 einen Freundschaftsvertrag mit ihrem westlichsten Verbündeten, der die Existenz der DDR für die nächsten zwanzig Jahre garantierte, mit der Verlängerung um jeweils zehn Jahre, wenn nicht ein Jahr vor Ablauf gekündigt wird. Dieser Vertrag konnte »überprüft« werden, falls ein einheitlicher deutscher Staat geschaffen und ein Friedensvertrag geschlossen wird, hieß es in Artikel 10. »Ich hoffe, daß dieser Artikel 10 der wichtigste des ganzen Vertrages werden wird«, formulierte ich für den Chef. Aber da war der Wunsch der Vater des Gedankens; denn hier war ein neuer Abschnitt völkerrechtlich markiert worden. Wenn überhaupt, dann würde künftig nur auf der Grundlage zweier Staaten gesprochen werden. Die Sowjetunion hatte sich gebunden, die DDR nicht mehr zu übergehen. Der Vertrag nahm den Machthabern in Ostberlin die Existenzangst, auf dem Weg zu ihrer allgemeinen völkerrechtlichen Anerkennung geopfert zu werden. Man mußte beginnen, sich für lange Zeit auf den Gedanken von zwei Staaten in Deutschland einzustellen und Wandel durch Annäherung in dieser Dimension zu denken.

Wann eigentlich ist das Wort »Wiedervereinigung« seines Inhalts entleert worden? Als die militärische Integration in die Blöcke begann, die ein Zusammenfügen verschieden bewaffneter, verschieden ausgebildeter, in verschiedenen Kommandostrukturen eingebundener Streitkräfte um so schwieriger erscheinen ließ, je mehr Zeit ins Land gehen würde? Oder als man Ende der fünfziger Jahre in Bonn einsah, daß es irreal und sinnlos geworden war, die Planungen für die Wiedervereinigung fortzusetzen, in denen überlegt und vorbereitet wurde, welche Maßnahmen verwaltungsmäßig und rechtlich, je nachdem wie die Zone sich entwickelte, notwendig wären? Im Grunde lag in der Einstellung dieser Arbeiten das Eingeständnis, daß die Entwicklung in der Zone schon so unterschiedlich geworden war, daß es sich der Planbarkeit entzog, beide Teile wieder zu vereinigen. Jeder dieser beiden Einschnitte ist relevant. Viele andere könnten für die elementare Auseinanderentwicklung genannt werden, die 1964 völkerrechtlich eine neue Qualität erhielt.

Von daher kann man datieren, wann Wiedervereinigung ihren realen Sinn verlor. Das langgezogene Zwischenspiel der »Lebenslüge« wurde dafür nicht einmal so bedeutsam; denn diese provokationsgeladene Formulierung Brandts sprach nur aus, was er selbst auch dachte: An die Realisierung denkt niemand mehr. »Du gehörst zu den letzten Verrückten, die daran noch glauben«, bemerkte er in den achtziger Jahren nachsichtig und gütig. Auch die Hinweise tragen nicht weit, daß im Grundgesetz das Wort Wiedervereinigung gar nicht steht, sondern aus gutem Grunde das deutsche Volk zur Vollendung seiner Einheit durch freie Selbstbestimmung aufgerufen wird. Die Weisheit der Väter des Grundgesetzes schaffte es, daß ihre Formulierung ein Ergebnis traf, das nie gedacht und nie geplant worden ist.

Hier wurde nicht zusammengefügt, was einmal vereint war, sondern ein ganz anderer, kleinerer Staat schloß sich, dem Willen der übergroßen Mehrheit seiner Bevölkerung entsprechend, dem ganz anderen größeren Staat an, trat ihm bei, weil er so werden wollte wie dieser. Wir haben uns nicht wiedervereinigt, sondern die staatliche Einheit erreicht. Die falsche Benutzung der Vokabel Wiedervereinigung – ein später Tribut an die Lebenslüge? – mag sogar mit schuld sein an psychologischen Verklemmungen unseres Volkes; denn Sprache kann Denken und Fühlen beeinflussen.

Wenn wir wiedervereinigt sind, ist ja alles in Ordnung, wäre natürliches westliches Empfinden; was haben die im Osten noch zu meckern? Die gedankenlose Ungenauigkeit, die auf den einmaligen Akt, das geschichtliche Großereignis abstellt, mußte östliche Enttäuschung darüber auslösen, daß nun, wenn nicht sofort, dann doch schnell, alles im wesentlichen vergleichbar wurde. Beiden Volksteilen verschleierte das Schlagwort, sich auf einen komplizierten, langen, kostspieligen Prozeß der Einheit einzustellen. Den Westen traf das Ereignis so unerwartet, daß er noch lange danach die falsche Vokabel Wiedervereinigung benutzte, obwohl längst die immensen mentalen Unterschiede zutage getreten waren; was sollte da wiedervereinigt werden? Ausländern könnte es etwas verrückt vorkommen, daß die Deutschen ihre Wiedervereinigung feiern, aber offen ist, wie und wann sie ihre innere Einheit erreichen. Wenn wir die Wiedervereinigung erreicht hätten, gäbe es

160

keine Schwierigkeiten. Die Vereinigung macht die Schwierigkeiten, die wir uns eigentlich immer gewünscht haben.

Niemals war Deutschland vereint in einem westlichen Bündnis, sicher wie kontrolliert. Niemals in unserer Geschichte erfreuten wir uns eines Systems der sozialen Marktwirtschaft und – bei allen Mängeln – eines solchen Wohlstands. In keinem geeinten Deutschland zuvor hatte es die Währung der D-Mark gegeben. Bundeswehr und Nationale Volksarmee sind nicht wiedervereinigt worden. Niemals lebten Deutsche vereint in ihren heutigen Grenzen. Niemals war Deutschland so klein.

Passierscheine als Probe

Wenn die Mauer nicht wegzukriegen ist, müssen wir sie durchlässig machen. Das war die Ausgangsüberlegung. Passierscheine sind nicht in Bonn, Washington, Moskau, nicht einmal von den Chinesen, sondern nur in Ostberlin zu bekommen. Also muß man mit denen reden, wahrscheinlich nicht mit der Stadtverwaltung im Roten Rathaus, sondern der Regierung, die unseren Wunsch zu dem Versuch benutzen würde, ihre These von der besonderen politischen Einheit West-Berlins voranzubringen. Der Charakter eines zwischenstaatlichen Abkommens muß vermieden werden, im Interesse der Bindungen an die Bundesrepublik, der Zustimmung in Bonn und der Genehmigung durch die Alliierten. Um die vielen Fallstricke zu entwirren, war sorgfältige Planung nötig. Dazu versammelte ich die politischen Mitarbeiter der Senatskanzlei an mehreren Wochenenden in einer ruhigen Villa in Schwanenwerder neben dem schönen Platz, den sich Goebbels ausgesucht hatte und auch Springer für angemessen befand. Der Leiter der politischen Abteilung, Senatsrat Horst Korber, äußerte sich zunächst ablehnend und zwang, durch seine skeptisch, mißtrauisch besorgten Fragen alle denkbaren Untiefen auszuloten. Als es soweit war, schlug ich ihn zum Delegationsleiter vor; es konnte keinen besseren und keinen umfassender vorbereiteten Verhandlungsführer geben.

Etwas mulmig wurde mir doch beim Lesen des Briefes: »Ministerrat der Deutschen Demokratischen Republik«, eingedrucktes Staatsemblem. Der Stellvertreter des Vorsitzenden des Ministerrats, Alexander Abusch, hatte an den »Regierenden Bürgermeister von Westberlin« geschrieben. Letzteres war eine Dummheit. Denn die Brüder konnten schließlich nicht bestimmen, wie sich der legale Senat von Berlin nannte. Aber immerhin: Nun standen wir konkret vor der Aufgabe, unseren Rechtsstandpunkt mit der Wirklichkeit in Übereinstimmung oder zur teilweisen Deckung zu bringen. Das konnte nur gelingen, wenn man sich, ungeachtet der unterschiedlichen politischen und rechtlichen Standpunkte, auf das humanitäre Ziel konzentrierte. Diese Formel fand Eingang in das Abkommen, das zum »Protokoll« herabgestuft und Vereinbarung genannt wurde. Mit exakt dieser Formel überzeugte ich später Kissinger, um die festgefahrenen Vier-Mächte-Verhandlungen über Berlin wieder in Gang zu bringen.

Jede Seite bestimmte den Ort der Verhandlungen, drüben das Haus des Ministerrats, bei uns nicht das Schöneberger Rathaus, sondern nur die Behörde für innerstädtischen Verkehr. Ich fand mich dort ein, um für unmittelbare Rückfragen Korbers zur Verfügung zu stehen, und beobachtete, wie der Staatssekretär Erich Wendt vorfuhr, im dunklen Dezember nach Dienstschluß. Das war also der Mann, der mit Herbert Wehner in Moskau die Frau getauscht hatte. Beide hießen Lotte. Keiner mußte sich an einen neuen Vornamen gewöhnen.

In Pressekonferenzen waren die Verhandlungspartner natürlich zu benennen. DDR durften wir nicht sagen; das hätte als Anerkennung verstanden werden können. Zone durften wir nicht sagen; das wäre als Diskriminierung zurückgewiesen worden. Beim lauten Nachdenken, wie dieses Dilemma zu lösen sei, schimpfte ich, »die andere Seite hat es da leichter«, und fand damit die salomonische Bezeichnung. »Die andere Seite« war nicht beleidigend. Jeder wußte, was und wer gemeint ist. Die Sprachfindung hat sich schnell eingebürgert und bewährt.

Das löste aber nicht das größere Problem: Woher sollten die Besucher kommen? Nach unserer Auffassung aus Berlin, nach östlicher Auffassung aus West-Berlin, was wieder nach gesonderter politischer Einheit schmeckte. Einigung: Sie kamen, geographisch korrekt, aus Berlin (West). Dieser feine und wichtige Unterschied diente auch später im Vier-Mächte-Abkommen und allen Dokumenten der Bundesregierung. Die Entsprechung konnte durchgesetzt werden: Die Besucher gingen nach Berlin (Ost), mit dem Schönheitsfehler, daß dahinter mit einem Schrägstrich »Hauptstadt der DDR« gesetzt wurde. Natürlich würde die

Unterschrift »auf Weisung des Stellvertreters des Vorsitzenden des Ministerrats der Deutschen Demokratischen Republik« erfolgen. Anerkennungsschwelgerei in Genitiven. In der Entsprechung wurde auf die »Weisung des Chefs der Senatskanzlei« abgestellt, »die im Auftrag des Regierenden Bürgermeisters gegeben wurde«.

Da hatte die andere Seite plötzlich keine Schwierigkeit mit der korrekten Bezeichnung, mit der sie gern den Regierungschef eines Landes anerkennen wollte, von dem jeder wußte, daß seine Kompetenz sich nur auf den Westteil der Stadt beschränkte.

Der Eindruck wäre falsch, daß diese Formulierungen leicht und schnell austariert werden konnten oder daß sie die einzigen politischen und juristischen Schwierigkeiten gewesen wären. Es sollen nur Beispiele sein, wie kompliziert es war, in der Wirklichkeit die Rechtsansprüche zu wahren. Keine Seite konnte da Fanfaren blasen. Heinrich Albertz fand, wie es einem Pastor zukommt, die erlösende Formel: Über gemeinsame Orts-, Behörden- und Amtsbezeichnungen konnte keine Einigung erzielt werden. Diese salvatorische Klausel verdeckte Schönheitsfehler und reichte gegen Angriffe.

Schon im Vorfeld war ein kleiner wichtiger Erfolg errungen worden. Die Springer-Presse, die 80 Prozent der Zeitungen in Berlin verkaufte, hatte begonnen, sich auf die Passierscheinverhandlungen einzuschießen. Das konnte auf die Verliererstraße führen, bevor überhaupt feststand, ob in der Sache ein Erfolg erreichbar werden würde. Ich verabredete mich mit Axel Springer, der mich von Hamburg mit seinem Privatjet nach Sylt einfliegen ließ. Die Premiere dieses Erlebnisses, das sich nie wiederholte, verschaffte unbehagliches Behagen; damals war es noch sehr ungewöhnlich, daß ein Privatmann genügend Geld hatte, über ein eigenes Flugzeug, Piloten, Begleitung zu verfügen, um jederzeit an den Ort seiner Wahl fliegen zu können. Er empfing mich in seinem Haus, auch nicht ärmlich, dem Bodden zugewandt, zusammen mit Hans Wallenberg, der, inzwischen aus Amerika zurück, sein Beauftragter geworden war. Zum erstenmal, so erläuterte ich Springer, würden wir nach vielen Rückzügen wieder einen Schritt nach Osten machen und Menschen, wenn auch nur für Stunden, in ein Gebiet bringen, das ihnen versperrt worden ist. Wer weiß, vielleicht funkt es da und führt sogar wieder zu Gesamtberliner Heiraten. Er wurde überzeugt und wies an: »Hans, geh ans Telefon und sag unseren Chefredakteuren: Feuer einstellen.« Während ich in einem englischen Humber zurückgefahren wurde, erinnerte ich mich an Paul Sethe, der die Pressefreiheit als Freiheit des Verlegers definiert hatte, seine Meinung zu verbreiten. In diesem Fall war es ja gut, daß es so einfach funktionierte.

1,2 Millionen Besucher, leider nur während der Feiertage, leider nicht in die Randgebiete, ein riesengroßer kleiner Erfolg. Es war reines Glück, die Menschen zu sehen, die sich nach der Trennung durch die Mauer wieder in die Arme fielen, weinend und jubelnd. Nach Diskussionen, Grübeln, Streit, Tüfteln, Ärger tat es unendlich wohl, den Erfolg aller Mühen in der unmittelbaren Auswirkung erleben, anfassen zu können. Es ist sehr selten, daß Politik, besonders sogenannte große Politik, sofort sichtbare Erfolge für viele einzelne hat. Selbst ein weltpolitisch bedeutender Erfolg, wie die Begrenzung strategischer Waffen, hat eben doch nur indirekte Auswirkungen für viele Bürger.

Es kam auch ein bißchen diebische Freude auf, daß viele West-Berliner Autos auf Ostberliner Straßen fuhren. Ob die andere Seite wohl bedacht hatte, was ihre Bürger bei diesem ersten Beispiel für Wandel durch Annäherung dabei denken, fühlen und wünschen würden?

Die Bilanz war klar: Der Erfolg für die Menschen konnte nur mit dem Regime drüben erreicht werden. Beide konnten in ihre Rechnung Positiva einstellen. Beide konnten darauf zählen, daß sie ihren so unterschiedlichen Zielen ein Stück nähergekommen waren: wir, aus der zeitweiligen Öffnung eine Dauereinrichtung zu machen; sie, der Anerkennung vorangeholfen zu haben. Sobald die Waage des Pro und Contra sich eindeutig zu Lasten der einen Seite senken würde, würde sie die Entwicklung stoppen. Es gehörte gerade zu dieser Politik, daß beide Aktionäre interessiert blieben, weil sie hoffen konnten, ihre Rechnung würde aufgehen. Man wird schon sehen, wer am Ende die besseren Karten hat. Unsere Erwartungen konnten nur eintreffen, weil die andere Seite ihre Erwartungen lange genug pflegen konnte. Unsere Hoffnungen erwiesen sich als realistisch. Damit die Geschichte das beweisen konnte, mußten die Hoffnungen der anderen Seite lange genug lebendig bleiben, mindestens noch als zukunftsträchtig verteidigt werden können. In der Nußschale ist die ganze Philosophie der Ostpolitik bei den Passierscheinen erprobt worden.

Es kann sein, daß dies nur möglich gewesen ist, weil die Große Koalition in Berlin zerbrochen war. Diese Geschichte hat viele Anfänge.

Meiner begann mit einem Vermerk an den Chef vom April 1962: »Herr Viktor Nikolajewitsch Belezki, zweiter Sekretär der Botschaft der Sowjetunion in Berlin, hat sich – unangemeldet – als Sachbearbeiter für Angelegenheiten des Senats und des Abgeordnetenhauses vorgestellt.« Verständlicherweise hatten wir nach den mißglückten Episoden keinerlei Kontaktversuche zu Sowjetmenschen gemacht. Das galt für mich auch gegenüber Angehörigen des SED-Regimes und beruhte auf Gegenseitigkeit. Dietrich Spangenberg hatte gelegentlich Berührung mit einem Hermann v. Berg, den er von seiner Studienzeit an der Humboldt-Universität her kannte und der angeblich in der Nähe von Willi Stoph angesiedelt war. Der fungierte denn auch als Briefträger des Schreibens von Abusch an Brandt.

Erst neun Monate nach seiner Vorstellung traf ich Belezki auf einer Feuerzangenbowle der Auslandsjournalisten wieder und hielt für den Chef fest: »Belezki fragte, ob es nicht eine Möglichkeit eines informellen, nicht auf einer politischen Ebene stehenden Kontaktes zur Klärung von Sachfragen und Meinungsaustausch gäbe. Zu beiden Fragen habe ich nur ausweichend Antwort gegeben. Es wurden keinerlei Verabredungen getroffen.« Nachdem er die positive Entscheidung gehört hatte, lieferte er die Begründung nach: Ob Brandt bereit wäre, Chruschtschow zu treffen. Brandt wollte, nach zweimal mißglücktem Anlauf und Mauerbau, nun erst recht.

Also besprachen wir in vier oder fünf Zusammenkünften Ort, Zeit, Übergang, Begleitung, Verlautbarung vorher und danach. Da ich nicht in die Botschaft wollte und Belezki nicht ins Rathaus, weil es aufgefallen wäre, trafen wir uns in einem chinesischen Lokal an der Gedächtniskirche, wo man uns ruhig hätte sehen können, aßen nach meiner Lieblingsküche, jeder einen Notizzettel neben sich. Inzwischen entwickelten sich Gerüchte im Dorf, kein Wunder; denn die Alliierten wurden informiert und nickten, die Partei in Bonn sagte ja und Adenauer nicht nein und nicht ja; es könne nichts schaden. Ich traf Belezki; alles war in Ordnung. Am nächsten Morgen würden wir uns sehen. Er bat noch um eine kurze Begegnung zwei Stunden später, weil vielleicht ein bequemerer Übergang bestimmt werden könnte. Ich eilte ins Rathaus; denn inzwischen hatte Brandt den Senat zusammengerufen, um mitzuteilen, daß und wann und wo er den ersten Mann der Sowjetunion sprechen werde, und da wäre ich eigentlich gern von Anfang an dabeigewesen.

165

Als ich den Sitzungssaal betrat, knisterte die Spannung. Bürgermeister Franz Amrehn (CDU) sprach erregt von einer abschüssigen Bahn, einem gefährlichen Weg für Berlin, wenn sein erster Mann den ersten Mann der Sowjetunion auch nur treffe. Er könne da nicht mitmachen. Eher scheide er aus dem Senat aus. Brandt unterbrach die Sitzung. Ich fühlte mich wie gelähmt und unfähig, mich an der Diskussion der sozialdemokratischen Senatoren zu beteiligen, ob das Treffen dennoch stattfinden sollte. Die Meinungen waren geteilt. Brandt entschied die Absage. Ich konnte sie nur überbringen, weil Belezki mich noch einmal hatte treffen wollen; denn telefonieren konnte man nicht nach Ostberlin. Ich fühlte mich schrecklich, beschämt, verlegen, begründen zu müssen, Brandt könne nicht mit einem zerbrochenen Senat im Rücken morgen kommen. Belezki war nicht weniger blaß und ging ohne ein Wort.

Die Koalition war gerettet. Brandt fühlte sich gedemütigt, einer Erpressung nachgegeben zu haben, die ihn in den Augen Chruschtschows als Schwächling oder Hanswurst erscheinen lassen mußte. Er hatte einen großen Fehler gemacht und wußte es und nutzte in bester Judo-Art im Wahlkampf die »Erpressung« voll aus und erzielte (17. Februar 1963) mit 61,9 Prozent einen triumphalen Erfolg, der das Ende der Großen Koalition bedeutete. In der Großen Koalition hätte es keine Passierscheine gegeben. Die Bedenken dagegen wären sogar begründbar ungleich stärker gewesen als gegen ein Treffen mit Chruschtschow. Um einen neuen Weg einzuschlagen, war eine neue Konstellation nötig. Aktive Ostpolitik wäre in der Großen Koalition unmöglich gewesen. In Berlin wie später in Bonn.

Wenn es nach den Ziffern gegangen wäre, hätte die SPD sich recht komfortabel allein im Senat einrichten können. Begehrlichkeiten gab es. Die Autorität des Wahlsiegers verschaffte seinem Argument Geltung, es sei klug, die Regierungsbasis in das bürgerliche Lager hinein zu verbreitern: Die Verluste der CDU waren den Liberalen zugute gekommen, die wieder ins Abgeordnetenhaus zurückgekehrt waren. Was Brandt nicht so laut sagte, war sein Unbehagen, sich nur von Genossen am Senatstisch umgeben zu sehen. Er wollte keinerlei Versuchung Vorschub leisten, die Stadt als Partei-Eigentum zu betrachten. Außerdem, fügte er verschmitzt hinzu, könne es gar nicht schaden, wenn statt eines CDU-Finanzsenators nun einer von der FDP das Geld aus Bonn besorgen müßte. Der gute Willy ließ seine Gedanken durchaus nicht nur mit Wind und Wolken schweifen.

Was nun?

Ohne das Gefühl der beschämenden Unwissenheit nach meiner ersten Afrikareise, das verstärkte Engagement durch die zweite und die Arbeit in Ghana, hätte ich Brandt nicht so genervt, monatelang, das Schwarze Afrika zu besuchen. Wer Kanzler werden wolle, müsse diesen Europa nächstgelegenen Kontinent wenigstens einmal gerochen haben. Ziemlich widerwillig gab er schließlich nach und ließ die Reise vorbereiten. Im Osten Äthiopien, Kenia und Tansania, im Westen Nigeria und die Elfenbeinküste, auf dem Hinweg Ägypten, auf dem Rückweg Algerien. Es war nicht nur die Begegnung mit dem arabischen Nationalismus, sondern mit bedeutenden afrikanischen Persönlichkeiten, charakteristisch für die unterschiedlichen Wege ihrer Unabhängigkeit, die für seinen späteren Weg wichtig wurden. Für meinen auch. Wahrscheinlich wäre ich ohne diesen Hintergrund nicht Entwicklungshilfeminister geworden, hätte nicht in dieser Eigenschaft die Bekanntschaft mit Robert McNamara erneuert, der vom Chef des Pentagon zum Präsidenten der Weltbank mutiert war, hätte der mir nicht die Idee vorgetragen, Brandt zum Vorsitzenden einer Nord-Süd-Kommission vorzuschlagen, was ich dem Freund auch empfahl, um seiner Energie nach dem Verlust der Kanzlerschaft ein außenpolitisches Feld zu öffnen, worauf er auch auf Menschen zurückgriff, die er bei der Reise 1963 kennengelernt hatte.

Gamal Abd el Nasser überraschte. Ganz anders als es nach seinem öffentlichen Bild erwartet werden konnte, sprach er leise, nachdenklich, gemäßigt, einem Intellektuellen ähnlicher als einem Machtmenschen, eher behutsam als brutal, kurz: gewinnend, sympathisch. Er bedauerte, daß die Amerikaner nicht klug genug gewesen waren einzusehen, daß er den großen Assuandamm für sein Land unbedingt brauche. Er konnte das Angebot der dafür einspringenden Sowjets gar nicht ablehnen. Aber in der Zeit, während der sich der Stausee bilde, um das Ziel der Verdoppelung der Ernte zu erreichen, werde sich die Bevölkerung mehr als verdoppeln. Die düstere Perspektive sei also nicht die Hebung, sondern die Senkung des niedrigen Lebensstandards. Der Ausweg, die

Geburtenrate zu senken, sei unendlich schwer. Einer Kampagne für die Pille seien Mullahs wirkungsvoll mit dem Gerücht begegnet, die Frauen, die sie nähmen, bekämen nur noch Töchter.

Den afrikanischen Sozialismus, dessen Perspektiven der integre und bescheidene Julius Nyerere entwickelte, konnte ich zwölf Jahre später an seinen Ergebnissen messen. Noch heute bin ich für Willy und Rut froh, daß Zeit herausgeschlagen werden konnte, um eine Nacht im Amboseli-Park zu verbringen, am Morgen zu erleben, wie die Sonne den weißen Gipfel des Kilimandscharo zum Erglühen bringt, während die Ebene noch im dunstigen Dunkel liegt, die ersten unbekannten Tierstimmen den Tag künden, und die Spuren der Elefanten festzustellen, die unbemerkt während der Nacht das Lager durchquert hatten.

Beladen mit dem zweifelhaften Geschenk eines niedlichen und stinkenden Äffchens, das verrückt von der fremden Umgebung alle verrückt machte, voll der Eindrücke und Bilder, sitzen wir nach der Rückkehr in Brandts Wohnung, erzählen und hören vom Statthalter Albertz, was es in der Zwischenzeit denn Weltbewegendes im Städtchen gegeben hat, als ich ans Telefon gerufen werde und von einem dpa-Mann höre, in Dallas sei ein Anschlag auf Kennedy erfolgt. Der Präsident sei jedenfalls getroffen worden. In demselben Zimmer hatten wir schon einmal die – später falsche – Nachricht erhalten, Chruschtschow sei tot, und waren zu dem Ergebnis gekommen, er sei trotz allem ein Stück Friedenshoffnung gewesen. Aber der bange Wunsch, Kennedy könnte überleben, währte nur Minuten.

Bestürzung und Trauer müssen selbst in solchen Augenblicken von denen zurückgedrängt werden, die unmittelbar etwas zu veranlassen haben: Erklärungen, Beileid, Feierlichkeit, Halbmast, Interviews in deutsch und englisch, Terminänderungen, Reise planen für Washington. Pietätlos und brutal verlangen die politischen Geschäfte das Ihre. Die Berliner reagierten unaufgefordert, indem sie Kerzen in die Fenster stellten, wie nach dem Tod Ernst Reuters, als sei ein Sohn der Stadt gestorben.

Noch einige Minuten gönnten wir uns, um den Gedanken nachzuhängen.

Wen die Götter lieben, nehmen sie jung zu sich, wollte Albertz vergeblich trösten. Viel jünger als er war, hatte Kennedy ausgesehen, 1961, bei der Begrüßung im Kabinettssaal, aus dem er uns zu seinem

Oval Office führte. Im Schaukelstuhl hinter dem Schreibtisch, um seinen Rücken zu schonen, sah ich ihn. Viel älter als er war, gekerbt und faltig, wirkte er nur zwei Jahre später in Berlin. Viele Eindrücke tauchten wieder auf: Die hellen Augen, die direkten scharfen Fragen, Zeichen einer guten Vorbereitung, die wachsende Vertrautheit mit den deutschen Dingen, die zupackende Klarheit, mit der er den langen Entwurf eines Kommuniqués zusammenstrich und die Formel »by treaty and conviction« schrieb, Vertrag und Überzeugung als das Wesen des amerikanischen Engagements, das entspannte Lächeln, mit dem er Brandts Äußerung quittierte, er hätte keine Bitten zur Wiederholung der gegebenen Garantien zu erwarten, natürlich sein Lob für Salinger und mich nach der Kundgebung auf dem Platz vor dem Rathaus, der nun seinen Namen tragen würde, sein Bild mit Widmung. Die Plastik seines Kopfes auf meinem Schreibtisch ist täglich Vorbild eines Großen, der einen Maßstab gesetzt hat: Ein großes Ziel verlangt Leidenschaft, der Weg dorthin Nüchternheit.

Nichts von dem, was später über Kennedy veröffentlicht wurde, hat dieses Bild trüben können. Er trug die Hoffnungen der Menschen auf eine bessere Welt. Es kann keine Täuschung sein, daß die meisten Menschen der Nachkriegsgeneration auf dem Globus, ob Freund oder Gegner, sich an den Schock erinnern, den die Nachricht von seinem Ende bei ihnen auslöste; unvergleichbar zu den anderen drei Männern globaler Bedeutung, zu Roosevelt, der sein Werk hinter sich hatte, oder zu Stalin, der jedenfalls nicht weltweit betrauert wurde, oder zu Gandhi, der Leidenschaft und Nüchternheit mit der Gewalt der Gewaltlosigkeit zu verbinden wußte.

Ich kann mir vorstellen, daß Amerika nicht so tief in den Sumpf des Vietnamkriegs gezogen worden wäre, wie das unter dem Nachfolger geschah, vorausgesetzt, Kennedy wäre wiedergewählt worden, und das war gar nicht sicher. Welch ein seltsames Land, das auch dreißig Jahre danach nicht imstande ist, letzte Klärung über die Ermordung seines Präsidenten zu schaffen. Ich verbot mir das Empfinden, die Schüsse von Dallas hätten auch die Neigungen zu dem besseren Amerika getroffen; denn sie konnten ja das Gefühl der Erleichterung nicht vergessen machen, als Außenminister Byrnes schon 1946 in Stuttgart das Prinzip des Rechts dem Besiegten zugesprochen hatte. Die Großzügigkeit des Marshallplans wurde schließlich nicht durch das geniale Konzept gemindert, daß die Kredite für den wirtschaftlichen Wiederaufbau Westeuropas auch der amerikanischen Wirtschaft halfen, ihre Kriegsproduktion auf die Bedürfnisse des Friedens umzustellen. Woher sollten schließlich die Maschinen kommen, mit denen das zerstörte Europa seine Erholung startete? Bis heute entfalten zurückgezahlte und immer wieder verliehene Mittel der Hilfe zur Selbsthilfe ihre segensreiche Wirkung in D-Mark, der man den Dollarursprung nicht mehr ansieht, in Entwicklungsländern wie in Ostdeutschland. Idealismus, der sich auszahlte, aber in Europa Mangelware blieb.

In den sechziger Jahren verflüchtigte sich die vornehmste Tradition der Vereinigten Staaten, für die Unabhängigkeit von Kolonialismus zu stehen, die ihre staatliche Existenz begründet hatte. Onkel Sam begann immer mehr, den alten Großmächten in Europa zu ähneln mit ihrer Tradition des Interesses, der Zweckmäßigkeit, drapiert mit schönen Worten. Nur immer mächtiger wurde er und vergrößerte den Abstand zu allen. Was die Instrumente für den Krieg betraf, der die Bezeichnung Verteidigung erhielt, konnte das niemand übersehen.

Allein die USA waren imstande, ihre Macht an jeder Stelle des Globus zur Geltung zu bringen. Die Bemühungen des russischen Bären, schwimmen zu lernen, waren ernstgemeint, wurden aber ernster genommen, als sie es verdienten. Paris und London erwiesen sich 1956 souverän genug, das Sues-Abenteuer zu beginnen, aber zu schwach, es nach ihrem Willen zu beenden. Als die Verteidigung der Freiheit in Vietnam Krieg genannt wurde, konnten sich die wenigsten vorstellen, Amerikaner könnten erstmals in ihrer Geschichte verlieren.

Die ungeheure Kraft der friedlichen Revolutionen war nicht zu übersehen, mit der für viele Völker vieler Kulturen der »American way of life« zu etwas Erstrebenswertem wurde. Film und Fernsehen prägten Geschmack und Träume, der Luxus des Konsums berauschte, zivilisatorische Maßstäbe in Flugverkehr, Hotels, Küchenausstattung, Supermärkten und vielem anderen waren auf eine nie vorgestellte selbstverständliche Höhe gesetzt. Das proklamierte Recht auf Glück für den einzelnen hatte die enormen Kräfte freigesetzt, den Normen der Planwirtschaft unendlich überlegen. Auch wenn der Mensch hier sich dem Leistungszwang schwer entziehen konnte, so war das dem kollektiven Zwang drüben bestimmt vorzuziehen.

Die bestechende Geschlossenheit der Ideologie im Osten ließ viele unserer Intellektuellen nach einer Gegenideologie fragen. Ich konnte diese Einstellung nicht teilen. »Pursuit of happiness« war die schon fast zweihundert Jahre existierende faszinierende Utopie, der Gegenentwurf zu dem Weltbild Moskaus. Solange es die Sowjetunion gab, ist heute hinzuzufügen; denn damals und noch sehr lange wurde das Ende der Sowjetunion nicht gedacht. Dennoch wuchs meine innere Skepsis, ob der amerikanische Weg die Antworten auf die Menschheitsfragen geben könne. Ist diese Art von Materialismus wirklich das letzte Ziel, eine verschwenderische Gesellschaft, in der materieller Gewinn Maßstab wird, der nicht nur über Erfolg und Mißerfolg, sondern über gut und schlecht entscheidet? Es enttäuschte, lernen zu müssen, daß Amerika nicht die gebündelte Fortsetzung Europas, sondern etwas ganz Eigenes, etwas Fremdes war. Das Land war groß und mächtig genug, um »ameri-kanisch« zu sein. Das Lebensgefühl Amerikas, alles zu können, die Besten und die Stärksten zu sein, konnte nur bedingt von einem Deutschland geteilt werden, das soeben zum zweitenmal erfahren hatte, daß am deutschen Wesen die Welt nicht genesen könne. Wir waren schwach und geteilt.

Da lagen uns de Gaulle und Frankreich in mancher Hinsicht näher. Der Mann trug die Achtung gebietende Aura, der letzte noch Wirkende aus der Zeit der Titanen zu sein; denn Churchill hatte ich bei der Verleihung des Karlspreises in Aachen als grandiose Ruine bewundernd bedauert. Mit dem französischen Gesandten in Berlin, Winckler, einem Produkt der erstklassigen französischen Diplomatie, wurden nicht nur Treffen mit dem Staatschef vorbereitet – Winckler empfahl dem Bürgermeister die bevorzugte Anrede »mon général« –, sondern es wurde ein Meinungsaustausch über die europäischen Dinge gepflegt. Im Hubschrauber flogen Brandt, ein Dolmetscher und ich nach Saint Dizier, wo de Gaulle einen seiner Besuche der Provinz unterbrach. Eine kleine Präfektur erwies sich als würdiger Rahmen, verkleinertes Elysée, in Deutschland kaum vorstellbar, wo ich den General erlebte, der genug deutsch verstand, um auf die Dienste des Dolmetschers verzichten zu können. Die Festigkeit, Berlin zu behaupten, stand nicht in Frage, eine Änderung des Status quo nicht zur Diskussion. Der deutsch-französische Freundschaftsvertrag war geschlossen, die Diskussion über eine Präambel hatte begonnen, die das deutsch-französische Werk auch scheitern lassen konnte. »Wenn Europa geschaffen werden soll, muß es auch Europa sein«, ein Zementsatz, der seine Verachtung über die Technokraten ebenso enthielt wie seine Überzeugung, daß ein geschlossenes Europa mit Amerika verhandeln solle, und den Zweifel, ob Großbritannien dazu bereit sei. De Gaulle sah keinen Widerspruch zu seiner Überzeugung, daß Europa seine Sicherheit nur auf Amerika stützen könne. Antiamerikanismus war das nicht. Antiamerikanismus ist dumm.

Das berührte sich mit dem Fazit, das ich Anfang 1963 für Brandt aus dem deutsch-französischen Vertrag zog: »Alles, was die deutsch-französische Freundschaft vertieft, ist gut. Alles, was das deutsch-amerikanische Verhältnis vertieft, ist besser. Wir müssen uns über die Rangfolge im klaren sein, wenn wir, wie ich hoffe, nicht vor die Alternative einer Wahl gestellt werden.« Seit dreißig Jahren hält nun dieses berühmte »Sowohl-als-auch« der deutschen Politik, als Weisheit gepriesen, wenn CDU-Kanzler im Amt saßen, als Schwäche verlästert, wenn Sozialdemokraten im Palais Schaumburg residierten, was Brandt verbitterte. Die Peinlichkeiten wiederholten sich, beifällig in Bonn zu nicken, sowohl nach Paris wie nach Washington, selbst wenn da Differenzen unübersehbar waren. Sich in solchen Fällen nicht entscheiden zu wollen, wurde zum Gipfel deutscher Souveränität.

Das amüsanteste Beispiel erlebte ich bei einem Essen in New York, zu dem Shepard Stone McCloy, Brandt und mich eingeladen hatte. De Gaulle hatte England die Tür zur EWG zugeschmissen und angekündigt, Frankreich werde nicht die Allianz, aber die militärische Organisation des Bündnisses verlassen. Binnen einer gesetzten Frist verwies er das Hauptquartier aus Paris.

McCloy drängte: »Das müßt ihr Deutschen verhindern.« »Wie sollen wir das können, wenn ihr es nicht schafft?« wehrte Brandt ab. »Wenn ihr das nicht macht, werden wir abziehen«, drohte der Präsidentenberater. Während ich noch eine passende Antwort überlegte, reagierte Brandt wie aus der Pistole geschossen: »Das glaube ich nicht.« So kühl und treffend hätte auch de Gaulle reagiert. Aber das befreite Gelächter, mit dem die Runde diesen nicht spannungsfreien Dialog beendete, war schließlich nur die Anerkennung, wie gelungen auch die Rolle des politischen Zwergs unter den Großen zu mimen ist.

Es gehört zu den tragischen Zügen de Gaulles, daß Frankreich zu klein für ihn war, für die Größe und Weite seiner Vorstellungen. Das wurde bis zur Grenze der Komik deutlich, als er auf seiner Lateinamerikareise zu Selbstbewußtsein gegenüber den Amerikanern ermutigen wollte und der Welt zeigte, daß da einer die Muskeln spielen ließ, dessen Bizeps zu dünn war. Aber den Rahmen, den ihm sein Land ließ, schöpfte er voll aus. Bis heute gelten die von ihm formulierten Gesetze atomarer Unabhängigkeit, vielleicht sogar länger als er sie selbst zugelassen hätte, nachdem die Ära des Ost-West-Konflikts zu Ende ist. Seine Nachfolger finden es nicht weniger schwer als die allermeisten Regierungen, sich in der neuen Landschaft zurechtzufinden.

Es ist kaum vorstellbar, daß er – wie Mitterrand – zum Mißbehagen des Bonner Freundes die DDR unmittelbar vor ihrem Ende besucht hätte. Er hatte jedenfalls eine Konzeption und wurde insofern nach der Ermordung Kennedys der einzige westliche Staatsmann. Er hatte eine Ostpolitik, die weit über Adenauer hinausreichte. Der alte Herr schloß Frankreich in seine Angst ein, es könnte wie Amerika über den deutschen Kopf hinweg mit der Sowjetunion zu einer Verständigung kommen. Frankreich den Weg nach Moskau zu versperren, betrachtete der Kanzler, wie wir durch Heinrich Krone erfuhren, als ein Hauptmotiv für den deutsch-französischen Vertrag. Daß Deutschland der Weg nach Moskau auch versperrt wurde, konnte er als Preis um so eher zahlen, als er diesen Weg gar nicht gehen wollte. Kohl sah dies später anders.

Ich empfand die Ostpolitik de Gaulles als Erleichterung. Seine Anerkennung der Oder-Neiße-Linie zum Anlaß zu nehmen, den Freundschaftsvertrag mit Paris in Frage zu stellen, war Bonn zu feige oder zu klug; denn man mußte schließlich am Rhein genauso wie wir in Berlin wissen, daß Washington da gar nicht anders dachte. Doch sogar mit diesem Punkt hat Frankreich weniger Wirkung in Europa erzielt als Bonn durch den Warschauer Vertrag 1970. Eine Voraussetzung der deutschen Einheit, wenn man sie wirklich wollte, war, die Grenze zwischen Deutschland und Polen nicht mehr in Frage zu stellen. Auch in diesem Punkt ist Zeit verloren und die DDR stabilisiert worden.

Es gab einen weiteren, ganz wichtigen Berührungspunkt mit de Gaulle. Wir hörten über den Gesandten Winckler von den Rumänen. Ein Europa der Vaterländer sei genau das, was sie für Osteuropa anstrebten. Wenn das in Westeuropa ähnlich würde, könnte es ein Ziel werden, sich näherzukommen. Auf demselben Weg wurde ein paar Monate später die Meinung des Generals übermittelt, »daß die Integration sich nicht mit einer Lösung der europäischen Sicherheitsprobleme vertrage und daß man in Deutschland noch erkennen werde, daß die einzige Chance zur Lösung des deutschen Problems eine Ostpolitik sei, durch die der Sowjetunion europäische Sicherheit garantiert wird. In diesem Punkt könne Deutschland eine große Rolle spielen, und in dieser Perspektive müsse es zur deutschen Einheit kommen.« Ich fügte an: »Logik und Sicherheit des französischen Standpunkts sind bestechend.«

Zunächst einmal war das ein Beweis, daß de Gaulle bei seinem Besuch nicht nur von »dem großen deutschen Volk« gesprochen hatte, sondern auch so dachte. Daß deutsche Einheit keine Unsicherheit für die Sowjetunion schaffen dürfe, drückte in pragmatischer Kürze aus, was ich kurz vorher in einem langen Manuskript aufgeschrieben hatte, über das noch zu berichten sein wird. Vor allem aber war ich sehr mit dem Europa der Vaterländer einverstanden. Solange es dabei blieb, würde auch das eigene Vaterland Platz behalten. Die Angst, die andere vor Entspannung mit dem Osten hatten, hatte ich vor dem Wort Integration; denn die Verschmelzung Westeuropas würde die Zone unverschmelzbar machen, und zwar nicht nur, weil ich mir nicht vorstellen konnte, die Sowjetunion könnte die DDR fallenlassen, aufgeben, sondern weil mit jedem weiteren Jahr gesellschaftliche Fakten, Strukturen, unterschiedliche Verhaltensweisen sich in beiden Teilen herausbildeten. Der Göttinger Historiker Hermann Heimpel hatte mit bestürzender Logik während einer Veranstaltung des Kuratoriums Unteilbares Deutschland auf historische Beispiele verwiesen und erklärt, es gäbe kein Naturrecht auf die Einheit eines Volkes. Ein Volk könne auch bleibend geteilt werden.

Gerade wenn die Aussöhnung zwischen Deutschland und Frankreich ein Vorgang von historischer Dimension werden sollte, mußten wir »bei aller Hinwendung zu Frankreich« deutlich machen, daß unser oberstes Ziel unverrückbar das Selbstbestimmungsrecht für das ganze Volk bleibt. »Frankreich kann den Bund schließen, Deutschland nur für einen Teil«, schrieb ich Brandt zu dem Vertrag, »wenn wir uns nicht« von unseren französischen Freunden später den Vorwurf machen lassen wollen, wir hätten einen wesentlichen Gedanken verborgen und von der ersten Minute an diesen Vertrag mit einem Dolus belastet.«

Nicht gerade als Abgrund von Landesverrat, den Adenauer 1962 dem *Spiegel* vorgeworfen hatte, aber unbegreiflich schien mir, was der deutsche Kanzler beklagte. Er war von Lothar Rühl hinter einer Säule belauscht worden, der das, undementiert, im *Spiegel* berichtet hatte. Die Europäische Verteidigungsgemeinschaft war gescheitert und damit die Verschmelzung der nationalen Armeen zu einer europäischen. Nun blieb gar nichts, als den Deutschen eine nationale Armee zu geben, sie wenigstens diskriminierend zu kontrollieren und – doppelt genäht hält besser – England mit der Verpflichtung, eine Armee in Deutschland zu belassen, hineinzunehmen: Die WEU war geboren und Adenauer unglücklich. Nach einem Konferenztag Ende September 1954 hatte der Kanzler zu mitternächtlicher Stunde dem Luxemburger Kollegen Blech und dem belgischen Außenminister Spaak seine Sorgen enthüllt: »Nutzen Sie die Zeit, solange ich noch lebe; wenn ich nicht mehr bin, ist es zu spät. Mein Gott, ich weiß nicht, was meine Nachfolger tun werden, wenn sie sich selbst überlassen sind; wenn sie nicht in fest vorgezeichnete Bahnen müssen; wenn sie nicht an Europa gebunden sind.«

An diesen Ausspruch habe ich mich oft erinnert. Zweifellos hatte der alte Herr ein Stück seiner politischen Seele bloßgelegt. Das Mißtrauen gegenüber dem eigenen Volk war echt, dies bei Ausländern zu verstärken, höchst fragwürdig; die Hoffnung vergeblich, doch noch die unauflösliche Integration der Bundesrepublik zu erreichen, kurz ein Gemisch, dem ein tragisches Element nicht fehlt.

Aber dieses »Säulen-Gespräch« gab Orientierung. Erhellendes Beispiel, daß und warum das Gewicht und immer wachsende Vertrauen, das Adenauer im Ausland gewann, nicht auf Deutschland übertragen wurde; auf ihn war Verlaß, nicht auf die Deutschen. Ganz anders später Brandt: Ein Land mit diesem Mann an der Spitze braucht nicht gefürchtet zu werden, selbst wenn sein Gewicht wächst.

Der Kern Adenauerscher Politik trat zutage, konsequent, logisch, zutiefst überzeugt: Die Bundesrepublik muß unlösbar mit Westeuropa verbunden werden; die Zone interessiert in dieser Dimension nicht. Rudolf Augstein behielt mit der Kommentierung des WEU-Vertrages recht: »Werden wir bei der Ausarbeitung der neuen Texte wenigstens erreichen, daß eine Revisionsklausel zum Zwecke der Wiedervereinigung mit eingebaut werde? Wir werden es nicht einmal versuchen.«

Es ging um Richtung und Priorität: Integration schloß Wiedervereinigung aus. Diese Erkenntnis behielt ich, sogar unrevidiert; denn die Integration, die Schaffung der Vereinigten Staaten von Europa fand nicht mehr statt, solange Deutschland geteilt war; und ob das immer noch benutzte und verwässerte Wort Integration wirklich die Union erreicht, die es jetzt meint, bleibt abzuwarten und zu wünschen. Sie könnte Deutschland nur noch nützen und nicht mehr schaden, wenn die Bedingungen vernünftig sind.

Michael Stürmer hat einmal konstatiert, ich gehörte zu den wenigen, die Europa von der Mitte her denken. Beide Feststellungen stimmen. Für eine Rede im Frühjahr 1966 schrieb ich Brandt auf: »Europa endet nicht, wo der Einfluß westlicher Bündnissysteme endet. Unsere Gemeinschaft darf die Völker Osteuropas nicht abschrecken, sondern muß ihnen den Weg offenhalten. Es wäre falsch zu glauben, als ob es dabei allein auf unser Verhalten ankäme. Die Völker jenseits des Eisernen Vorhangs sollten aber spüren, daß ihnen der Weg nach Europa offensteht, wenn sie ihn gehen wollen.«

Diese gemeinsame Einstellung hinderte Brandt nicht daran, mich zu uzen: »Du nimmst die Europäische Gemeinschaft nicht ernst genug.« Meine Antwort: »Sei kein Klein-Europäer« hat ihn auch nicht verletzt. Aber Europa, genauer gesagt die Entwicklung der westeuropäischen Wirtschaftsgemeinschaft, war der einzige Komplex von Bedeutung, wo wir unterschiedliche Gewichte setzten. Mich bekümmerte die EG auch später wenig in dem Bewußtsein, daß in jeder der sechs Hauptstädte mindestens sechs Genies sich darum kümmerten, während ein solcher Andrang zugunsten des Ostens fehlte. Als Gromyko mich fragte, während eines entspannten Gesprächs beim Kaffee nach dem Essen in unserer Botschaft im Februar 1970, wann denn nun die europäische politische Union zu erwarten sei, sagte ich, was ich dachte: »Wiedervorlage in zwanzig Jahren.«

Das hinderte überhaupt nicht, Jean Monnet uneingeschränkt zu bewundern. Ich konnte kein Beispiel in der Geschichte finden, wo ein einzelner Mensch, ohne Amt und Institution, nur dank seines Denkens und seiner Überzeugungskraft und seiner Zähigkeit eine Institution geschaffen hat, die geschichtliches Eigenleben gewann. Wenn es den Rest der Welt nicht gäbe, könnten die Staaten der EG ihre Armeen abschaffen. Und Wohlstand haben – ein Beispiel, daß sehr unterschiedliche Utopien verwirklicht werden können.

Das alles ist ohne die Integration erreicht worden, wie sie ursprünglich gedacht war. Ich bin noch heute darüber froh, denn ob sonst Kohl hätte zugreifen können, 1990, ist sehr fraglich: gefesselt von den Bedenken in Paris und London, abhängig von der Skepsis aller übrigen, zum Alleingang nicht mehr fähig, behindert durch eine langsame Bürokratie, gebunden an Mehrheitsentscheidungen.

Es gibt schon genug Gründe, sich über die Strukturmängel einer Europäischen Union Gedanken zu machen und zu zweifeln, ob sie fähig ist, den Mantel der Geschichte zu erkennen, falls einer vorbeiweht, geschweige denn ihn zu ergreifen.

Jedenfalls ist es nicht zuletzt de Gaulle zu verdanken und seinem Europa der Vaterländer, daß auch unser Land seine Bewegungsmöglichkeit behielt, bis es sie brauchte. Bei einem Vortrag in Amerika 1964 bezog sich Brandt auf de Gaulle und stellte bewußt ziemlich allgemein, respektvoll und freundschaftlich die Frage: »Warum eigentlich nur er?« Wir freuten uns diebisch über einige aufgeregte Kommentare; zusätzliche Erläuterungen wurden verweigert. Wenn der Sprung nach Bonn gelang, würde zu beweisen sein, was mit der akademischen Frage gemeint war. Die Bundesrepublik würde den Eindruck loswerden, sie habe keine eigenen Interessen und keinen eigenen Willen.

Wann es soweit sein würde, blieb zweifelhaft. Wenn sich die Ermutigungen aus Washington und Paris in Stimmen umsetzen ließen, müßte es im nächsten Jahr klappen.

Im November 1964 lernte ich einen kleinen Professor aus Harvard kennen, der gerade aus Vietnam kam und wie viele Besucher mit größerem Namen in Berlin Station machte. Er hieß Henry Kissinger und berichtete, daß Amerika sich um fast jeden Preis aus Vietnam lösen müsse, was sicher nicht ohne die Mitwirkung Chinas möglich sein würde. Als er mit Nixon ins Weiße Haus zog, hat er sich an diese frühe Erkenntnis gehalten. Aber die Zusammenfassung seiner sehr viel näheren Eindrücke verdiente, festgehalten zu werden: »In einem Jahr wird wahrscheinlich Erhard nicht mehr Kanzler und Schröder nicht mehr Außenminister sein. Das bedeutet, daß man die Meinungen anderer Deutscher in den USA stärker berücksichtigen müsse. Er wird das als bestimmenden Eindruck McGeorge Bundy und dem Präsidenten sagen. Die zweite Überraschung für ihn ist, daß er entgegen der verbreiteten Meinung in Washington hier keine Sucht nach der MLF und keinen Drang nach Zugang zu Atomwaffen gefunden hat. Ein groteskes Mißverständnis. Für Deutschland ist ungeheuer wichtig, nicht in den Geruch zu kommen, Musterschüler der USA oder gierig nach Atomwaffen zu sein.«

Als wir uns dann nicht mehr wie Musterschüler benahmen, lobte das der Lehrer nicht; aus der Sicht des Weißen Hauses machen Musterschüler weniger Ärger. Die Multilateral Force (MLF) war die Idee, atombestückte Schiffe auch aus nichtatomaren Ländern zu bemannen, um denen die Illusion zu geben, sie seien diesen Waffen näher, die selbstverständlich in der ausschließlichen Verfügung der Amerikaner bleiben sollten. Die Flotte versank, bevor sie schwamm. Aber mit der Voraussage einer neuen Bundesregierung irrte Kissinger nur um ein Jahr. Davor lag die Wahlniederlage 1965. »Der populäre Erhard hat den besseren Brandt geschlagen«, kommentierte ich für einen amerikanischen Journalisten. »Ich bin überzeugt, Eisenhower hätte auch Kennedy geschlagen. Die Diffamierungskampagne gegen Brandt war größer und wirksamer als vor vier Jahren. Dabei machte man ihm hauptsächlich die Emigration nach Norwegen zum Vorwurf. Es gibt jetzt eine Diskussion in Deutschland, ob ein Emigrant Kanzler werden kann. Die Koalition hat zwölf Mandate weniger, die SPD zwölf Mandate mehr im Bundestag. Die Regierung wird schwach sein, durch innere Auseinandersetzungen, besonders außenpolitisch, immobil.«

Die Diffamierungen verletzten tief. Er hätte in norwegischer Uniform auf Deutsche geschossen. Was mußte da erklärt, korrigiert, dementiert werden? Stundenlang und tagelang diskutierten wir im Rathaus. Nicht Stellung zu nehmen, wäre als verlegene Bestätigung empfunden worden. Vor Gericht ziehen, um sich eine Abfuhr zu holen, da die Verbreitung von Gerüchten durch die Meinungsfreiheit gedeckt sei? Zumal Strauß nachschob, man werde doch noch fragen dürfen, was Brandt draußen gemacht hat; was er, Strauß, hier gemacht hat, wisse man. Christlich war das nicht. Es gibt eine Mischung aus Gemeinheit, Heuchelei und Infamie, die hilflos macht, besonders Menschen, denen die Natur eine empfindsame Seele gegeben hat, von einer robusten Schale kaum geschützt. Er fühlte sich gejagt und hat das nie mehr vergessen. Auch die großen Erfolge ließen die geschlagene Wunde nur oberflächlich vernarben, nicht heilen. Wenn viel später vornehm, in bester Absicht und berechtigt seine Vergangenheit gelobt wurde, erinnerte selbst dieses Öl auf der Narbe noch an die immer gespürte Wunde. Wenn er zuweilen unerklärlich verkrampft erschien, so war das auch eine Reaktion des Körpers, bewußt oder unbewußt, auf die erfahrene Verletzlichkeit und den erlebten Schmerz. Wie konnte er sicher sein, daß die dünne Haut nicht wieder zerfetzt würde?

Es widerstrebt, die demokratische Barbarei genauer nachzuzeichnen. Der Zeitzeuge litt unter seiner Unfähigkeit, einen guten Rat zu geben, und schämte sich, einen Ausbruch veranlaßt zu haben: »Wo sind wir denn, daß ich mich dafür rechtfertigen soll, Antinazi gewesen zu sein?« Der einzige Rat wäre sinnlos gewesen, das alles wie von einer Ölhaut ablaufen zu lassen; denn dickfellig war er nicht. »Zu weich für das harte Geschäft«, wie Hermann Höcherl, der CSU-Kabinettskollege, freundschaftlich meinte, traf auch nicht genau; denn in der Sache konnte Brandt durchaus hart sein. Er verkapselte nur sein persönliches Inneres und lernte, es entschieden zu wahren, wenn er es eingeengt fühlte oder nicht respektiert glaubte, gegenüber jedermann und jederfrau.

Die Ziffern des Wahlergebnisses hätten wohl keine so tiefe Depression ausgelöst; die Diffamierungskampagne kam dazu. Damals verschloß er diesen Komplex noch nicht in sich und sinnierte, ob der Partei zugemutet werden dürfe, was einige als Handicap seiner Person fürchteten. Der Entschluß, nicht mehr für eine Kanzlerschaft zu kandidieren, war so gemeint. Vielleicht könnte psychosomatisch erklärt werden, daß er mehrfach für lange Augenblicke nicht mehr atmen konnte, das Ende sah, und zwar gar nicht wiedergeboren, aber eben doch empfand, er hätte wieder zu leben begonnen.

Für die Zeit, in der ich Gegenstand einer ähnlichen Kampagne wurde, nahm ich mit, jedenfalls nicht vor Gericht zu ziehen, und den Freund bombardierte ich mit aufmunternden Vorlagen, die seine Gedanken nach vorne zwingen sollten. »1. Die Politik der kleinen Schritte muß fortgesetzt werden. Sie hat bewiesen, daß pragmatische Regelungen ohne politische oder juristische Anerkennung des Zonen-Staates (!) möglich sind. 2. Durch diese Politik wird die deutsche Hauptstadt stärker in den Dienst des Ringens um die deutsche Einheit gestellt. a) Kleine Schritte führen nicht automatisch zur Wiedervereinigung. b) Sie stärken den menschlichen Zusammenhalt und damit eine Voraussetzung der Wiedervereinigung. c) Sie können damit als Teil einer operativen Gesamtstrategie der Wiedervereinigung dienen.«

Einen Tag später: »1. Eine zunehmende Ost-West-Entspannung ist erwünscht. 2. Deutschland darf in dieser Entwicklung nicht isoliert werden. 3. Wir müssen den Prozeß der Wandlung im Ostblock fördern. 4. Dazu sind wirtschaftliche und kulturelle Kommunikationen, auch gemeinsame Projekte nützlich. 5. Mit der Sowjetunion ist ein langfristiges Programm zur Normalisierung der praktischen Beziehungen zu entwickeln. 6. Innerhalb Deutschlands sollten faktisch die gleichen Kommunikationen erreicht werden wie zwischen der Bundesrepublik und Osteuropa. 7. Berlin darf in dieser Entwicklung nicht isoliert werden. Unter Aufrechterhaltung juristischer Positionen kommt es auf die faktische Einbeziehung an.«

Die Zitate, denen viele andere hinzugefügt werden könnten, belegen, wie methodische Überlegungen allmählich konkretisiert wurden und die Stringenz und Kontinuität des Denkens fast natürlich in die Operationen der sozial-liberalen Regierung mündeten. Aber auch wenn Brandt im Frühjahr unangefochten zum Nachfolger Ollenhauers gewählt worden war, Kanzler würde er nicht mehr werden. Deshalb konnte es nicht schaden, der Sache und der Partei vielleicht zu nützen, eine Gesamtkonzeption vorzulegen mit einer Bestandsaufnahme der deutschen Außenpolitik, den strategischen Zielen und einem konkreten Stufenplan dorthin.

Dazwischen kam die Episode mit Ulbrichts Vorschlag eines Redneraustauschs zwischen SPD und SED; an den Besprechungen über seine Durchführung war ich beteiligt. Die Gesichtspunkte, die Fritz Stallberg, unserem Gesprächsführer, mitgegeben wurden, taugten lange auch für mich, den späteren Bundesgeschäftsführer und Gesprächspartner Hermann Axens: »Die SPD hat nicht den Eindruck, daß es sinnvoll wäre, auch nur den Versuch zu unternehmen, so etwas wie eine ideologische Koexistenz herbeiführen zu wollen. Sie gibt es nicht. Es wird im Gegenteil darum gehen, daß wir der Lösung der deutschen Frage näher kommen wollen, nicht nur zu einem Austausch, sondern auch zu einem Abtausch der verschiedenen nicht zu vereinbarenden Argumente und Auffassungen zu kommen. Insofern kann eine Zusammenarbeit der beiden Parteien nicht in Frage kommen. Worum es gehen könnte, ist die Frage, ob es möglich ist, ungeachtet nicht zu vereinbarender Meinungsunterschiede, die Lösung einiger praktischer Fragen zu erzielen.« Ulbricht benutzte dann die Schwierigkeiten, hohe SED-Funktionäre gesetzlich verfolgungsfrei für einen Aufenthalt in Westdeutschland zu stellen, als Vorwand, sich wegen Diskriminierung der ganzen Sache zu entziehen.

»Was nun?« hieß das 180-Seiten-Manuskript, innerhalb von vier Monaten diktiert, immer wieder unterbrochen, mit den unübersehbaren Mängeln behaftet, die sich aus fehlender Konzentration und Abgeschiedenheit ergaben. In der Einleitung entschuldigte ich mich mit einem Zitat von Albert Camus: »Alle großen Taten und alle großen Gedanken haben in ihren Anfängen etwas Lächerliches« und nahm die mögliche Verdammung durch Helmut Schmidt in Kauf: »Jeder, der heute mit einer Patentlösung für die Wiedervereinigung ankäme, wäre entweder ein Scharlatan oder ein Ignorant.«

Dabei bleibt gültig, was Bismarck, dieser Virtuose des Möglichen, als Erfahrung beschrieben hatte (Gespräch mit Heinrich Friedjung am 13. Juni 1890): »In der Politik kann man nicht einen Plan für lange Zeit festlegen und blind in seinem Sinne vorgehen. Man kann sich nur im Großen die zu verfolgende Richtung vorzeichnen; diese freilich muß man unberührt im Auge behalten. Es war stets ein Fehler der Deutschen, alles erreichen zu wollen oder nichts und sich eigensinnig auf eine bestimmte Methode zu steifen. Ich war dagegen stets erfreut, wenn ich der Einheit Deutschlands, auf welchem Wege immer, auch nur drei Schritte näher kam.«

In einem Achtstufenplan könnte die Einheit erreicht werden, natürlich mit der DDR, die auch so genannt wurde, ohne Anführungsstriche. Die einzelnen Stufen sollten miteinander verwoben sein, um das Interesse der beteiligten beiden deutschen Staaten und der Siegermächte an der Fortsetzung zu stärken. »Kommunistische Patrioten gesucht« hieß ein Abschnitt in der Überzeugung, daß auch die DDR als Staat die Nation nicht loswerden kann, und die Menschen nicht das Bewußtsein verlieren würden, der kleinere Teil eines Volkes zu sein. Die DDR dürfe nicht isoliert werden, sondern müsse einbezogen werden in die Verhandlungen über die Grundlagen eines Friedensvertrages mit den Vier Mächten. Sie sei innerdeutsch ebenso wenig zu überstimmen wie die Sowjetunion durch die drei Westmächte. In Zahlen ausgedrückt hieß das »2 plus 4«.

Damals entwickelte Außenminister Schröder seine Politik, die DDR zu umgehen und Handelsvertretungen in den übrigen Staaten Osteuropas einzurichten. Diese Politik der Isolierung der DDR erschien gefährlich und aussichtslos: »Sie geht davon aus, daß – noch bevor etwas

181

Entscheidendes in der Deutschlandfrage geschieht – die Sowjetunion zu bewegen sein würde, sich von dem Freundschaftsvertrag mit der DDR sichtbar zu distanzieren. Sie übersieht die Unmöglichkeit, wesentliche Fortschritte mit anderen osteuropäischen Staaten außer der Sowjetunion erreichen zu können. Gerade weil die DDR ein selbständigerer Faktor innerhalb der von der Sowjetunion dominierten Staaten geworden ist, hat sie, unterstützt von der Sowjetunion, einen blockierenden Einfluß für alle Fälle, in denen osteuropäische Staaten bessere Beziehungen zur Bundesrepublik haben wollen. Wir würden es bei einer Politik der Isolierung den osteuropäischen Staaten und damit uns selbst schwerer machen, Fortschritte zu erzielen. Und wir würden schließlich die Bedeutung der DDR aufwerten durch Isolierung, weil wir ihr mit einer so erklärten Politik eine echte, sofort von der Sowjetunion benutzte, vielleicht gestattete oder vorgeschobene Schiedsrichterrolle darüber geben würden, was an Übereinkunft mit der Bundesrepublik akzeptabel ist und was nicht. Sie klammert darüber hinausgehend aus, daß damit alle innerdeutschen Entwicklungen gestoppt werden müßten; denn jede Verstärkung innerdeutscher Bindungen und Verbindungen wirkt der Isolierung entgegen. Wer bei der Alternative zwischen Isolierung und innerdeutschem Wandel oder Auflockerung die Isolierung wählt, soll das tun. Im deutschen Interesse liegt es nicht.«

Ein Interessenzwiespalt war uns schon damals bewußt; denn eine wachsende, notwendige, sogar erwünschte Selbständigkeit der DDR innerhalb des Warschauer Vertrags »birgt die Gefahr einer vertieften Spaltung, weil sie das Eigeninteresse der DDR-Spitze in der Spaltung stärken kann«. Aber dieses Risiko schien tragbar. Auch in einer aufgewerteten DDR würde die Unfähigkeit des Regimes bleiben, ein separates Nationalgefühl zu entwickeln. Dieser Geburtsfehler der DDR im Vergleich zu allen anderen Staaten Osteuropas, wo die jeweilige Partei nationales Interesse behaupten konnte, blieb das irreparable Hindernis ihrer vollen Stabilisierung.

Ein Risiko ganz anderer Art durfte nicht übersehen werden: »Nun gibt es hierzulande auch Leute, die meinen, es genüge, nachgiebig aus Prinzip zu sein und nur oft, lange und nett genug mit den Kommunisten zu reden, um zu erreichen, was man will. Diese Leute sind gutwillig, aber für das Ziel der Einheit genauso gefährlich wie die kalten Krieger. Denn sie erwecken die Illusion im Osten, der Westen sei so dumm und leichtgläubig, wie sich manche seiner Bewohner geben.« Zwei dicke Striche am Rande des Manuskripts zeigten uneingeschränkte Zustimmung Brandts.

»Der Ansatz mußte also in Moskau gesucht, die Sowjets vor Alternativen gestellt werden, die für sie interessanter sind als die Zumutung der bedingungslosen Herausgabe der DDR... Man könnte die Aufgabe der deutschen Einheit auch definieren als die Aufgabe, die sowjetischen Truppen aus dem von ihnen besetzten Gebiet Deutschlands zum Abzug zu bringen.« Je weiter man sich in Ablauf und Details vertiefte, um so stärker wurde die Überzeugung: »Transformation verlangt Stabilität.« »Der gesamte Prozeß der Wiedervereinigung muß unter voller Kontrolle bleiben, und zwar unter der Kontrolle aller Beteiligten. Es darf keine Situation eintreten, die Unverantwortliche oder Gutgläubige in der Hoffnung, sie könnten das Ganze etwas beschleunigen, zu unüberlegten Handlungen oder Gewalt veranlassen. Die Wiedervereinigung ist nicht durch einen Gewaltakt zu erreichen. Auch nicht durch einen Trick. Die Sowjetunion würde sich in einem solchen Falle gezwungen sehen, durch den Einsatz ihrer bewaffneten Macht die Lage wiederherzustellen.« Ich war entsetzt, als Rüdiger Altmann in einer ausführlichen Rundfunkdiskussion das Bild einer loszutretenden Lawine benutzte und setzte dagegen die Notwendigkeit »zur Wiederherstellung der deutschen Einheit nicht nur in Frieden und Freiheit, sondern auch in Ordnung«.

Während der Jahre seit 1954, wo ich kläglich in Form und Gehalt ein bilaterales System von Verträgen konstruiert hatte, war ich zu der Einsicht gelangt, daß die Sicherheitsfrage ein, wenn nicht der Schlüssel sei. Das Kapitel bekam die Überschrift »Sicherheit für und vor Deutschland«, ein Titel, unter dem ich 1991 (bei Hanser) Arbeiten aus fast vierzig Jahren veröffentlichte. Die Vier Mächte würden Deutschland nur dann in seine Einheit entlassen, wenn die Grenzen klar sind, keine territorialen Ansprüche offenbleiben (also Anerkennung der Oder-Neiße-Linie) und mit einer militärischen Stärke, die für keinen Nachbarn bedrohlich ist. Die Nachbarn waren also einzubeziehen in ein europäisches Sicherheitssystem.

Die Kurzfassung des Modells: »1. In einem Vertrag mit Gesamt-Deutschland garantieren alle Vertragspartner die im Friedensvertrag für Deutschland festgelegten Grenzen und verpflichten sich, Deutschland im Falle eines Angriffs auf diese Grenzen mit allen ihnen zur Verfügung stehenden Mitteln bei der Abwehr zu helfen. 2. Die Vier Mächte oder auch die den Friedensvertrag unterzeichnenden ehemaligen Kriegsgegner des Deutschen Reiches, soweit sie Grenzen mit Gesamt-Deutschland haben, schließen einen Vertrag, der sie zur gegenseitigen Hilfeleistung verpflichtet für den Fall eines Angriffs von Deutschland auf einen anderen Staat.«

Es ist nicht mehr nötig, die Argumente im einzelnen wiederzugeben, welche Vorteile und welche gewachsene Sicherheit für jeden der Beteiligten auch im Westen daraus erwachsen würden. Eine Schlußfolgerung: »Das Hauptinteresse in West und Ost gegenüber Gesamt-Deutschland ist, daß Deutschland das Gleichgewicht der Sicherheit nicht stört. Gesamt-Deutschland kann also weder dem Warschauer Pakt noch der NATO angehören.« Den letzten Satz versah Brandt mit der Randbemerkung: »Zu isoliert gesehen.«

Eine aktive deutsche Politik zur Einheit unter dem Gesichtspunkt der europäischen Sicherheit stand auch unter einem Zeitdruck, angesichts des kalkulierten Bedarfs von rund 15 Jahren. Für die acht Stufen wurde die Reihenfolge kritisch: Erst Europa (West) oder erst Einheit? Die Integration ist zweifellos historisch geboten. »Die Bildung größerer Wirtschaftsräume bleibt richtig; aber es wäre vorzuziehen, dieses Ziel mit größerer Kraft anzustreben, nachdem die Lösung der deutschen Frage erreicht ist.« Die Analyse ergab: »Ein positiver Standpunkt zur Fortsetzung und Weiterentwicklung der qualifizierten wirtschaftlichen Zusammenarbeit in der EWG, eine Ablehnung der Pläne einer politischen Integration.« Die Geschichte hat uns eine alternative Entscheidung erspart. Selbst nach unserer Einheit bleibt es schwer genug, eine politische Union zu erreichen, die unterhalb einer europäischen Staatsqualität wenigstens zu einer gemeinsamen Außen- und Sicherheitspolitik findet.

Brandt gab das Manuskript zurück mit Unterstreichungen, Fragezeichen, Randbemerkungen, Ankreuzungen und einem viereinhalb Seiten langen, handgeschriebenen Kommentar:

»1. Der Berliner Pressechef und enge Mitarbeiter des SPD-Vorsitzenden kann die Schrift so nicht veröffentlichen (vgl. Sorensen: ›Kennedy‹).« Er machte sich tatsächlich die Mühe, auf einer angefügten Seite in der englischen Originalfassung folgenden Absatz aus der vorzüglichen Biographie des engen Mitarbeiters Sorensen über seinen Präsidenten abzuschreiben: »Die meisten von uns lieben die Anonymität, manche geradezu mit Leidenschaft. Im Dezember 1960 ging ich mit Kennedy eine Reihe von Einladungen durch, die man mir zugeschickt hatte. Ich sollte Vorträge halten, außerdem wollten mehrere Zeitschriften Beiträge über meine Person bringen. ›Lassen Sie alle zurückgehen‹, sagte er, und ich folgte seinem Rat. ›Sie haben nicht nur keine Zeit, es ist auch etwas anderes: Jeder, der so einen Posten hat wie Sie – Sherman Adams, Harry Hopkins, House und all die anderen – haben schließlich in der Tinte gesessen. Der Kongreß war böse auf ihn, oder der Präsident war beleidigt oder irgend jemand sonst. Wenn man sich aus allen Scherereien heraushalten will, ist es am besten, im Hintergrund zu bleiben.‹«

Das war typisch Brandt: Rührend, nicht verletzend, deutlich, richtig, im gemeinsamen, aber auch im eigenen Interesse gar nicht bestreitbar. Natürlich stimmte es, nach der Erfahrung von Tutzing erst recht. Mein Hinweis, er hätte mit dem Buch nichts anderes zu tun, »als Mitarbeitern zu gestatten, eigene Gedanken zu haben und sie zu äußern«, würde bei der Brisanz der Thesen wenig helfen. Außerdem war ihm die Konsequenz meines Bestrebens, ihn möglichst nicht in Anspruch zu nehmen, nun wieder auch nicht nur angenehm. Eine überarbeitete Fassung, die er vorschlug, »die dann meiner Meinung nach in stärkerem Maße als jetzt unsere bisherige Politik interpretieren und sich dabei – nicht nur auf der letzten Seite – ausführlich auch auf W.B. beziehen sollte (nicht nur ›Theorie‹ der Passierscheine, sondern zum Beispiel auch ›Koexistenz – Zwang zum Wagnis‹).«

Ihm wie mir konnten die journalistischen Abstempelungen vom »Chefdenker« oder »Brandts Gehirn« nicht gefallen. Sie blieben peinlich, selbst wo sie gut gemeint waren. Er konnte mich nicht in ein Scheinwerferlicht wünschen, in das ich gar nicht drängte. Die Rolle der »grauen Eminenz« war das Ergebnis von Funktion und Konstellation. Mit der Kanzlerschaft wurden alle diese Imponderabilien gegenstandslos und durch die operative Phase der Ostpolitik weggespült.

Praktisch schlug er vor, eine kleine Arbeitsgruppe einzusetzen, die einzelnen Abschnitte mit Sachverständigen (den über Sicherheitsfragen mit Helmut Schmidt) durchzugehen, um dann zu entscheiden, ob daraus eine interne Vorlage für die Parteispitze oder ein Buch würde, jedenfalls erst nach dem Parteitag: »Die nächste Aufgabe ist jetzt das Dortmunder Referat ›Die Lage der Nation‹.«

Ich hatte das Manuskript dem Verleger Klaus Piper angeboten. Der Verlegenheit, es zurückzuziehen, enthob er mich mit seiner Absage; er könne sich nicht so hinter die Schrift stellen, wie sie das nach ihrem Gewicht beanspruchen müsse, vor allem »wegen eines entscheidenden Punktes«: »Die Frage der deutschen Einheit als Hauptziel der Wiedervereinigung... Allein die Frage der politischen und gesellschaftlichen *Freiheit* ist von substantieller Bedeutung für das Leben jedes einzelnen; die Frage nationaler Grenzen ist demgegenüber sekundär... Eine nationalstaatliche deutsche Utopie, trägt sie nicht die große Gefahr in sich, für uns alle in eine ›schlechte Wirklichkeit‹ umzuschlagen?« Da kam nicht nur die Diskussion auf, die Karl Jaspers so kraftvoll wie falsch entfacht hatte, wonach Freiheit eine absolute, Wiedervereinigung eine relative Forderung sei. »Wiedervereinigung und Freiheit sind nicht Gegensätze, aber voneinander trennbare Ziele. Eines ist, ohne das andere zu erreichen, möglich.« (*Freiheit und Wiedervereinigung*, 1960). Außerdem fühlte ich unausgesprochen den Vorwurf Pipers, ich stellte die Einheit vor die Freiheit. Deshalb antwortete ich ihm: »Natürlich ist die nationale Einheit kein Ziel von absolutem Wert. Aber ich halte es für eine Illusion, daß die Menschen, die heute in der DDR leben müssen, eine Freiheit bekommen können, die diesen Namen verdient, ohne daß damit zugleich der Wunsch nach Einheit nicht eindämmbar wach wird. Freiheit ohne Einheit ist der fromme Wunsch, daß im Raum der Politik sich das Wunder der Unbefleckten Empfängnis wiederholen soll... Wer wollte die Dämme bauen und aus welchem Material sollten sie sein, die imstande wären, die Flut aufzuhalten, die mit der Freiheit der Menschen in der DDR entstehen würde?«

Als wir im Herbst noch einmal über »Was nun?« sprachen, meinte Brandt zu Recht, die Sache passe jetzt nicht in die Landschaft. Am Horizont tauchte das Ende der Koalition, vielleicht eine Große Koalition auf. Das Manuskript blieb unveröffentlicht.

Sein Schluß versuchte, eine Bilanz deutscher Außen- und Sicherheitspolitik, 20 Jahre nach dem Ende des Krieges, mit den sich daraus ergebenden Maximen für die Zukunft. Weil sie 30 Jahre später, fünf Jahre nach der Einheit, kritisch zu überprüfen sein werden, lasse ich sie hier folgen.

»Was die Deutschen sich und der Welt schuldig sind, ihre Selbstver-
wirklichung, steht noch aus. Viele von uns haben 1945 geträumt, daß
die Niederlage uns dazu befreit hätte. Es blieb ein Traum, denn in der
Wirklichkeit gab es kein Jahr Null. Wir hatten zu lernen, daß ein Volk
von der Bürde der Verantwortung für andere und sich selbst nur frei
bleiben kann, wenn es entmündigt bleibt. Ein Volk kann nicht leben
beschränkt auf Wirtschaft, Geist und Kunst. Der Glaube oder die Hoffnung sind gestorben, die totale Niederlage würde uns auch befreit haben
von allem Handwerkszeug der Macht, das niemand anrühren kann,
ohne es zu benutzen, ohne auf andere einzuwirken und ohne die Gefahr,
schuldig zu werden. Es war und bleibt eine Illusion, das größte Volk im
Zentrum Europas könnte das politische Dasein eines Eremiten führen.
Aber weil es nicht in Zurückgezogenheit meditieren kann, muß es
seinen Willen formen, wenn es nicht zum Spielball anderer werden will.

Die Aufgabe, Deutschland zu verwirklichen, ist geblieben. Sie ist nur
schwerer geworden. Das, wovon wir 1945 träumten, ist endlich zu tun.
Wir haben uns kein Wirtschaftswunder erdacht. Es war kein Materialismus, zu dem wir entlassen wurden aus einem Inferno von Tränen und
Flüchen in eine Landschaft, in der der Konformismus sich auszahlte,
hüben wie drüben. Deutschland friedlich in der Familie der Völker, das
war das Ziel und bleibt es.

Unsere Generation ist geprägt von dem Erlebnis, wie man ohne
Schuld schuldig werden kann, und dem Erlebnis des Zusammenbruchs.
Wir erfuhren, daß der Glaube und der Wille allein nicht helfen. Mögen
sie auch von noch so wohltönenden oder leidenschaftlichen Worten
begleitet sein. Wir wurden eine skeptische Generation, die rechnen
lernte.

Dabei ist es das Kennzeichen dieses Landes, daß die Generationen
einander in unerhörter Kurzfristigkeit folgen, wenn man davon ausgeht, daß das Denken einer Generation von gemeinsamem Erleben
bestimmt ist. Wer 1915 geboren wurde, hat die Weimarer Republik
nicht mehr mit Bewußtsein erlebt. Er war 18, als Hitler die Macht
bekam oder ergriff. Wer 1925 geboren wurde, verbindet mit der Vor-
kriegszeit allenfalls schöne Kindheitserinnerungen und konnte zum
Ende des Krieges schon eine Uniform getragen haben. Wer 1935 geboren wurde, mag sich dunkel und schemenhaft an den Krieg und sein
Ende erinnern. Als er wahlberechtigt wurde, gab es bereits die allge-

meine Wehrpflicht wieder. Wer 1945 geboren wurde, wuchs mit der Teilung auf. Daß es früher *ein* Deutschland gab, lernte er in der Schule, und der Name Hitler ist für ihn Geschichte. Wie wird das Bewußtsein dessen aussehen, der 1955 geboren ist?

In einem Abstand von nur zehn Jahren folgen bei uns Generationen mit völlig unterschiedlichen Erlebnissen und Erinnerungen. Die 40 jüngeren Jahrgänge der heute lebenden Deutschen sind subjektiv frei von jeder Schuld der »Tausend Jahre«. Die heute lebenden 50 jüngeren Jahrgänge waren zu jung, um die Ereignisse des Januar 1933 herbeiführen oder verhindern zu können. Die Mehrheit des deutschen Volkes wird heute überwiegend politisch von Männern repräsentiert, die vor 1933 alt genug waren, um heute bemüht zu sein, die damaligen Fehler zu vermeiden. Es könnte zur Normalisierung der Politik in Deutschland beitragen, zu seinem Selbstbewußtsein, zu seiner Nüchternheit, wenn seine Politik stärker von Repräsentanten der jüngeren Mehrheit bestimmt würde.

Es ist sicher nicht die Schuld der Deutschen, daß ihre ungelösten Probleme die Welt noch immer belasten. Aber es kann ihre Mitschuld werden.

Die geschichtliche Wiedergutmachung der deutschen Vergangenheit kann nur erfolgen, wenn Deutschland sich selbst verwirklicht. Dieser Aufgabe kann man nicht ungestraft ausweichen. Auf sie sind alle lebenden Generationen verpflichtet.

Sie bedeuten nur äußerlich die Wiederherstellung eines deutschen Nationalstaates. In Wirklichkeit ist diese Aufgabe gleichbedeutend damit, die Mitte Europas gesunden zu lassen und damit dem Kontinent Frieden zu garantieren.

Fast ist die Erfahrung der letzten 125 Jahre in Vergessenheit geraten, daß das Schicksal Deutschlands nicht von dem anderer europäischer Nationen zu trennen ist. Es kann nicht gelingen, Europa, wenn dieses Wort nicht pervertiert werden soll, zu heilen, solange seine Mitte krank bleibt. Die innige, nicht einmal durch die Teilung lösbare gegenseitige Abhängigkeit zwischen dem Schicksal Deutschlands und dem seiner europäischen Nachbarn bedeutet, daß nichts Entscheidendes gegen den Willen der Deutschen geschehen kann und nichts Entscheidendes gegen den Willen seiner Nachbarn. Dies heißt, Deutschland muß politisch werden. Es muß für seine Nachbarn mitdenken. Der Schlüssel für die

Überwindung der europäischen Teilung liegt in der politischen Weitsicht, dem Maß und der Staatskunst der Deutschen genauso wie irgendwo sonst.

Wir sind nüchtern genug, um zu wissen, daß der Ausgleich von Interessen auch politischen Druck erfordert. Aber die deutsche Außenpolitik wird darauf angewiesen bleiben, ihre Intentionen nur insoweit durchsetzen zu können, als es ihr gelingt, die Interessen anderer in Ost und West mit den eigenen auf einen Nenner zu bringen. Solange die Bundesrepublik Mitglied der NATO ist, hat sie ihren Beitrag für die Sicherheit der Gemeinschaft zu leisten, um die Abschreckung glaubhaft zu erhalten. Aber das eigentliche Ziel Deutschlands kann nur sein, im Schutze dieses Gleichgewichts ein neues Gleichgewicht herzustellen und damit an die Spitze der Völker zu treten, für die die Gewalt zur Durchsetzung ihrer Ziele ausscheidet und die damit einen neuen Typ von Außenpolitik in einer Zeit einleiten, in der die meisten Staaten nicht über Atomwaffen verfügen werden und in denen die beiden Großmächte in ihren Bewegungsmöglichkeiten zum Teil wegen der Zerstörungsmittel, über die sie verfügen, gelähmt sind. Im atomaren Zeitalter, in dem das Interesse der Atommächte darin liegt, den dritten Weltkrieg zu vermeiden, haben die nichtatomaren Mächte mit Hilfe der Großen die Aufgabe, begrenzte Kriege zu vermeiden und eine Außenpolitik der Offenheit und des friedlichen Ausgleichs zu entwickeln. Eine Last würde von den Völkern in Ost und West genommen, wenn die Deutschen daran gingen, eine derartige Außenpolitik zu entwickeln und durchzuführen.

Im Zeitalter des offenen Himmels belauern sich die Großmächte, nicht um dem anderen den entscheidenden Schlag zu versetzen, sondern um vor Überraschungen sicher zu sein. Deutschland ist ein für allemal ausgeschieden aus dem Kreis der Mächte, die mit der Androhung von Gewalt die Durchsetzung politischer Ziele erzwingen können. Das deutsche militärische Potential, heute geteilt, dient der Komplettierung der beiden Sicherheitssysteme und schafft damit selbst Sicherheit für die beiden Teile Deutschlands. Die Möglichkeit, im geheimen soviel zu rüsten, daß damit »schlagartig« eine neue Lage geschaffen werden könnte, gibt es nicht mehr. Die Deutschen sind zu fürchten von den Russen als amerikanische Speerspitze. Von den Amerikanern und den westeuropäischen Völkern, falls sie die Potenz bekämen, einen großen

Konflikt auslösen zu können. Die Sorgen beider Seiten könnten aufgehoben werden, wenn die Deutschen vereint, einsehbar und offen, in einem europäischen Sicherheitssystem ihre Rolle der Friedenserhaltung spielen würden.

Die deutsche Außenpolitik kann nicht auf unausgesprochenen Erwartungen beruhen. Bei der Verflechtung der deutschen Frage mit den Problemen, den Sorgen und Interessen der Weltpolitik und aller europäischen Nachbarn ist es unmöglich, deutsche Ziele im Stil des 19. Jahrhunderts durchzusetzen, indem man einen gegen den anderen ausspielt, indem man Geheimbündnisse schafft, indem man Rückversicherungsklauseln paraphiert. Das Handwerkszeug Bismarcks ist unbrauchbar geworden. Die deutsche Außenpolitik muß offen und öffentlich ihre Ziele darlegen und verfolgen. Sie muß dafür in Ost und West die gleiche Sprache sprechen, diesselben Prinzipien vertreten. Sie darf nicht im Osten den nationalen Nachholbedarf decken und im Westen vorleistungsgeneigt ihren supranationalen Idealismus vertreten. Wenn die deutsche Außenpolitik einig und klar gegenüber der Öffentlichkeit ihre Ziele verfolgt, dann wird es auch möglich sein, die Verhandlungen zu ihrer Durchsetzung so abgeschirmt zu führen, wie das erforderlich ist.«

Noch drei kleine Schlaglichter sollen diese Berliner Phase abschließen. Das erste ergab sich nach einem nächtlichen Rückflug aus Amerika. Brandt wollte Erhard nach der Besprechung mit Präsident Johnson etwas Wichtiges mitteilen. Der Bundeskanzler reagierte an einem Punkt aufgeregt: »Da müssen wir sofort unseren Botschafter in Warschau anweisen...« Alle, auch beamtete Anwesende, blickten betreten zu Boden: Die Doktrin seiner eigenen Regierung war dem Kanzler nicht bewußt, die diplomatische Beziehungen zu Polen ausschloß.

Der Bundespräsident hatte zum Abendessen ins Schloß Bellevue eingeladen. Der biedere und grundanständige Heinrich Lübke meinte zu Wilhelmine, seiner Frau, er habe noch etwas mit den Herren zu bereden, worauf sie sich entfernte. Danach schmunzelnd: »Ich habe gar nichts Besonderes, aber schließlich bin ich Herr im Hause.« Die Unterhaltung war etwas mühsam, bis er Brandt fast verlegen fragte, ob er denn »dieses Buch von dem Grass gelesen hat; wie heißt es doch gleich?« – »Die Blechtrommel.« – »Ja; da sollen Sachen drinstehen, über die man nicht einmal mit seiner Frau spricht.«

Der sowjetische Botschafter Pjotr Abrassimow hatte Wiederannäherungsversuche gemacht. Rut und Willy waren in die Botschaft eingeladen worden und berichteten begeistert und reserviert, daß der Cellist Mstislaw Rostropowitsch, ein gewinnender Mann, den beiden Ehepaaren vorspielen durfte/mußte. Mein Motto »Der Feudalismus war schön, wenn man feudal war«, konnte sich der Vorsitzende der SPD nicht zu eigen machen. Etwas später fand die Gegeneinladung in einem Berliner Hotel in etwas größerem Kreis statt. Als Abrassimow die guten Taten der Roten Armee beim Einmarsch 1945 pries, konnte ich nicht unterdrücken, daß ich auch Vergewaltigungen erlebt hatte. Das gefiel ihm gar nicht. Der schwedische Generalkonsul Sven Backlund, der die Kontakte vermittelt hatte, auch in seinem Haus, besänftigte den aufgebrachten Sowjetmenschen. Es wurde ziemlich feucht. Zuletzt legte der Botschafter seinen Arm um meine Schulter, versuchte einen tiefen Blick in die Augen, zeigte auf Brandt und flüsterte: »Passen Sie gut auf den auf. Der wird noch wichtig.«

Was von Berlin aus zu bewegen war, war mit den Passierscheinen ausgereizt. Wer mehr wollte, sogar für die Stadt, mußte nach Bonn.

4. KAPITEL

Die Große Koalition

Die Kleine Koalition gelang nicht

Am 27. Oktober 1966 traten die FDP-Minister aus der Bundesregierung aus. Am selben Tag listete ich für Brandt die sich bietenden Optionen auf. Eine Große Koalition würde die SPD »in den Verschleißprozeß der CDU« einbeziehen und die Gefahr der Infektion bergen. Das sei auch für die Stabilität der Demokratie im Lande nicht empfehlenswert. Da eine Kleine Koalition »eine schwache Regierung durch eine andere parlamentarische Schwäche« ersetzen würde, wären Neuwahlen die erste Priorität. Sollte das nicht möglich sein, war meine Präferenz, »nicht leichten Herzens«, die Koalition mit der FDP: »Die andere Lösung schmeckt in der heutigen Lage etwas nach widernatürlicher Unzucht. Man kann sich mit der FPD leichter auf eine neue Politik einigen. In einer Koalition mit uns hat die FDP keine Alternative mehr. Wir hätten mit einer wieder gesundeten CDU immer noch Möglichkeiten. Wir hätten zweieinhalb Jahre Zeit, unsere Regierungsfähigkeit zu demonstrieren.« Zwei Wochen später schob ich nach: »Keinesfalls draußen bleiben. Wenn es mit der FDP wegen der FDP nicht klappt, dann eben die Große Koalition.«

Die Erfahrungen in Berlin ließen von einer Großen Koalition keinen großen Aufbruch in der Außenpolitik erwarten. Auch deshalb bat mich Brandt, die Möglichkeiten mit der FDP auszuloten, obwohl die Karawane sich schon in die andere Richtung zu formieren begann – auf Drängen Wehners. Hans-Dietrich Genscher, damals Fraktionsgeschäftsführer, traf ich in seinem Bundestagsbüro. Er war schon damals entschiedener Anhänger der sozial-liberalen Koalition und glaubte, das

192

Risiko einer Neunstimmenmehrheit sei zu tragen, obwohl davon sieben Berliner Abgeordnete mit begrenztem Stimmrecht waren. Eine Alternative zu haben, war Brandt ganz angenehm, aber er meinte: »Glaube reicht nicht.« Aber auch bei nochmaligem Nachfragen zeigte sich Genscher sicher, er könne die Geschlossenheit seiner Fraktion garantieren. Als erstaunlicherweise Walter Scheel und William Borm aus Berlin das relativierten, gab Brandt die Option auf. Ziemlich widerwillig trabte er an die Spitze der Karawane. Am liebsten wäre er Parteivorsitzender außerhalb des Kabinetts geblieben, und wenn schon das nicht, dann wenigstens Forschungsminister, für ein zukunftsträchtiges Nebengebiet und nicht für den »Hauptquatsch« verantwortlich. Aber für den Vorsitzenden galt und gilt: mitgefangen, mitgehangen. Also gut: Außenminister. Er hat es nicht bereut und das Amt engagiert und gern ausgefüllt.

Zum Ausklang entwarf ich für den gerade in sein neues Amt eingezogenen Außenminister einen Brief (6. Dezember 1966): »Lieber Herr Scheel, es hat gewiß nicht an Ihnen gelegen, daß es nicht zu einer Regierungsbildung zwischen FDP und SPD gekommen ist. Dennoch sind diese beiden Parteien und eine Reihe ihrer führenden Personen einander nähergekommen. Ich hoffe sehr, daß wir uns das erhalten können. Die Entwicklung hat ihr eigenes Schwergewicht. Das sollte uns nicht abhalten, in Verbindung zu bleiben.« So geschah es auch.

Im Rückblick ist festzustellen, daß es ein Fehler war, die Kleine Koalition zu empfehlen. Abgesehen von der halsbrecherisch dünnen Mehrheit in einer Situation, die immerhin als Wirtschaftskrise verstanden und von Kiesinger dann auch so bezeichnet wurde: Die SPD war nicht reif, die Bundesregierung zu führen. In Berlin hatten wir uns zum Teil über die Genossen in Bonn mokiert, die glaubten, eine Resolution oder eine Erklärung nach einer langen Sitzung sei schon Politik. Die Große Koalition war unentbehrlich, um die Annäherung an wirkliche politische Macht zu proben, den Umgang mit großen Apparaten zu lernen, um sich in die Bundesverantwortung einzuleben und die Bevölkerung nicht nur daran zu gewöhnen, sondern ihr auch zu beweisen, daß Sozialdemokraten in Bonn regieren können. Es ist schon gut begründet, warum einige Jahre auf großer Fahrt als Erster Offizier nötig sind, bevor er als Kapitän das Kommando auf der Brücke übernehmen darf.

Bonn verlangt besondere Qualitäten. Kein Länderchef, so erfolgreich er zu Hause auch immer gewesen war, ist ohne Anpassungsschwierigkeiten auf das Bundesparkett gesprungen. Ohne die Große Koalition wäre der Wahlerfolg 1969 kaum erreichbar gewesen. Auch Brandt brauchte die Zeit als Außenminister. Ohne die gebündelten Erfahrungen dort, nach innen wie nach außen, wäre er bei einem direkten Sprung ins Kanzleramt wohl gescheitert. Dieser Gedanke stellte sich ein, als ich ihn die Ehrenformation des Bundesgrenzschutzes abschreiten sah, frisch bestellter Bundeskanzler, im dunklen Mantel mit hochgezogener rechter Schulter, steifen Schritts, versteinertem Gesicht.

Die Macht des Kanzlers ist groß, größer als in der Verfassung ohnehin steht, wenn er will und wenn er kann. Eine Ausbildungslaufbahn für Kanzler gibt es nicht. Ob es einer wird, erweist sich erst im Amt. Es ist wohl kein Zufall, daß der Weg ins Kanzleramt für Bundesminister leichter als für Oppositionsführer gewesen ist.

Im Außenministerium

Das Auswärtige Amt – das ist der Orden, der die Schicksale von Völkern und Staaten bedenkt, behandelt und sogar entscheidet. Seine Hohenpriester zelebrieren ihre für die Laien unüberschaubare, von Geheimnissen umgebene Kunst, Glasperlenspielern ähnlich, zusammen mit den gleichen Orden anderer Nationen. Das wird Diplomatie genannt. Zu diesem Zwecke nutzen sie ein eigenes Idiom und können sich in Begriffen verständigen, die fremden Ordensbrüdern vertraut sind, aber die eigenen Staatsbürger nicht verstehen und auch gar nicht verstehen müssen. Diesen Raum betreten, erheischt Ehrfurcht. Nun gut, da gibt es noch irgendwelche politischen Mächte, die, oft mit Blindheit geschlagen, unverständlicherweise entscheiden können, daß Außenstehende in den Orden versetzt werden; aber durch einen Verwaltungsakt werden sie noch nicht zu Innenstehenden.

Die Minister kommen und gehen, das Amt bleibt bestehen. Der Neue – wenigstens kann er ein paar Sprachen – hat an den großen Fragen schon mal geschnuppert und ist immerhin Vorsitzender einer Partei, die aber, an der Regierung, den Untergang Deutschlands bedeuten soll. Vielleicht hatte Adenauer damit recht? Vorsicht war geboten, auch wenn im Kanzleramt einer residierte, der dem Orden schon einmal angehört hatte in einer Zeit, an die man besser nicht erinnert. Das Prinzip der Rückversicherung kann auch persönlich nicht schaden. Der Neue tat gut daran, seine Worte genau zu wägen, der Tradition den nötigen Tribut zu zollen, sich dabei eher auf Rathenau und Stresemann denn auf Hermann Müller zu beziehen, der 1920 Außenminister und 1930 der letzte sozialdemokratische Reichskanzler gewesen war. Dem ersten Sozialdemokraten, der nach 36 Jahren in eine deutsche Regierung eintrat, war dieser Einschnitt durchaus bewußt und den Anwesenden der »Betriebsversammlung« sicher auch, wenn ein Mann mit seinem Hintergrund auf dem Trennungsstrich gegenüber der Vergangenheit bestand, die schon von Bismarck verurteilte Haltung des Alles oder Nichts und den Wunderglauben verurteilte, man könne mit juristischen Formeln den Krieg nachträglich gewinnen oder sich an seinen Folgen vorbeimogeln. Der neue Akzent der Außenpolitik war deutlich, die den Willen zum Frieden und zur Verständigung zum ersten und letzten Wort erklärte.

Von den Mitarbeitern wurde Loyalität gefordert. Nach 17 Jahren einer systematischen und geschickten CDU-Personalpolitik konnten wir gar nicht in Versuchung geraten, wichtige und interessante Posten mit Sozialdemokraten zu besetzen. Die waren Mangelware. Ein parteiloser aufgeschlossener Mann wurde Personalchef; wir hatten ihn als Generalkonsul in New York schätzengelernt. Daß ein Sozialdemokrat, Beamter des gehobenen Dienstes, zum respektierten Verantwortlichen für den höheren Dienst gemacht wurde, um leistungsbezogene Personalpolitik kontrollieren zu können, war eine Ausnahme. Im übrigen wurden die ganz wenigen, die wegen ihrer Parteizugehörigkeit nachprüfbar benachteiligt worden waren, befördert. Oder eben nicht, wenn es das Leistungsprinzip nicht zuließ, was zu ergebnislosen Beschwerden von Enttäuschten führte. Daß der Minister den bisherigen Bundessenator Klaus Schütz an Stelle von Karl Carstens, der ins Kanzleramt wechselte, zum Staatssekretär machte und mich vom Senat zunächst ins Amt abordnen ließ, denn eine Planstelle war nicht frei, und Gerhard Jahn von der Fraktion als Parlamentarischen Staatssekretär holte, verantwortlich für die Verbindung zum Parlament, wurde als selbstverständlich akzeptiert. Manche hatten Schlimmeres befürchtet. Kurz: Der gesamte Oberbau blieb unverändert, beruhigendes Fundament der Loyalität.

Da standen sie nun, bei der Vorstellung, mit einem Glas Sekt in der Hand – die Zeit der Wässer und Säfte war noch nicht angebrochen –, die bekannten Hohenpriester des Ordens, unter ihnen Lahr, Harkort, Ruete, Diehl, Sahm, Frank und Schnippenkötter, reserviert und neugierig, was auf Gegenseitigkeit beruhte. Abtasten und aneinander Maß nehmen.

Die kochen auch nur mit Wasser, und beachtliche Routine oder geistvolle Bemerkungen ließen nicht erkennen, ob Denken nicht zum letzten Feinschliff entwickelt war. Aber Niveau von Intelligenz und Wissen waren wohltuend. Ich bin immer lieber mit intelligenten Gegnern als mit dummen Freunden umgegangen. Es ist leichter, sich mit Argumenten durchzusetzen, als gegen Vorurteile zu kämpfen. Insofern fiel das Einleben nicht schwer.

Diplomaten verbindet mit Soldaten die Sorge vor Entscheidungen von Politikern, die von der Sache weniger verstehen als sie. Mit ihren Ministern teilen sie übrigens die Furcht vor der Unberechenbarkeit, wenn Regierungschefs aufeinander losgelassen werden, um sich vielleicht auf einem Gipfel zu umarmen. Daß Soldaten notfalls politische Fehler mit Schwert und Blut reparieren würden, wirkt abschreckend, erfüllt also einen Zweck von Verteidigungsvorbereitung; denn ein solcher Fall setzt die Niederlage diplomatischen Mühens voraus. Es soll gerade die Grundlage des Wirkens erhalten, den Frieden und die Dinge mit Vernunft behutsam und vorsichtig so lenken, daß der Ausbruch der Emotionen, den der Mensch sich leider noch immer nicht abgewöhnt hat, verhindert, mindestens kanalisiert wird. Selbst das Ziel, die Gegenseite durch Einsicht zu bewegen, was eigene Einsicht in die Interessen des anderen verlangt, setzt auf Einvernehmen. Das Ideal, die Staaten vor Gewaltanwendung zu bewahren, ist konservativ. Nicht zufällig ist die Mehrzahl der Angehörigen in der Mehrzahl der Außenministerien konservativ.

In Bonn war das etwas übertrieben worden. Es dauerte jedenfalls Jahre, ehe die Aufnahmekriterien für den Dienst so gehandhabt wurden, daß der Anteil von Nichtjuristen, Wirtschaftskennern, Frauen und Sozialdemokraten ganz langsam nennenswert erhöht werden konnte.

Freie Demokraten hatten da weniger Schwierigkeiten, und nachdem das Ministerium 1969 der FDP zufiel, noch weniger. Immerhin, das Amt soll ja dem Land dienen und nicht einer Partei oder Koalition. Und die entsprechende Ausgewogenheit, ein Problem unserer Parteiendemokratie, bleibt wünschenswert.

Wie Außenpolitik gemacht wird, ist eine Frage, leicht zu stellen, aber schwer zu beantworten; nicht einmal, wo sie gemacht wird, ist eindeutig. Zum Leidwesen der Diplomaten pfuschen zu viele ins Handwerk. Als ich ins Amt kam, lernte ich schnell seinen Korpsgeist verstehen und das Unbehagen darüber zu teilen, daß es fast kein Ressort in der Bundesrepublik gibt, das nicht Lust auf Außenpolitik hat. Beim Verteidigungsministerium ergibt sich das aus der Einbindung in die NATO-Strukturen; Sicherheitspolitik ist auch Außenpolitik. Gerhard Schröder war lange genug Außenminister gewesen, um als Verteidigungsminister der Großen Koalition behutsam und verständnisvoll zu agieren. Georg Leber wurde in der Kleinen Koalition mehr ein Bundeswehrminister, denn ein Sicherheitspolitiker mit ausgreifenden Ambitionen. Das konnte man später weder von Helmut Schmidt noch von Volker Rühe sagen, die ihren Kollegen im Auswärtigen Amt das Leben nicht nur erleichterten. Die Entwicklungshilfe war aus Koalitionsgründen für Walter Scheel aus dem Amt und dem Wirtschaftsministerium herausgebrochen und zu einem neuen Ministerium für wirtschaftliche Zusammenarbeit gezimmert worden, ein zuweilen lästiger Emporkömmling. Das Innenministerium verwaltete die Polizeihilfe für fremde Staaten.

Aber einer Sturmflut gleich, die der Insel außenpolitischer Alleinvertretung irreparablen Schaden zugefügt hatte, war die Europaidee mit ihrer Behörde in Brüssel aufgetreten, mit ihren Ministerräten und dazugehörigen Beamten, zuständig für fast alle Gebiete, in denen bisher innenpolitische Angelegenheiten zu europäischen, also außenpolitischen wurden. Landwirtschaft, Verkehr, Justiz, Wirtschaft und nicht zuletzt Finanzen, mit dem Anspruch auf Allzuständigkeit des Budgetrechts, haben das Gewicht des Amtes für Auswärtige Angelegenheiten, von dem noch gesprochen werden konnte, solange Adenauer Außenminister war, unwiderbringlich schwinden lassen. Sogar Bundesländer fanden Geschmack an eigenen Vertretungen bei der EG. Das Amt sah sich in einer Art Rundumverteidigung zur Wahrung seiner Kompetenzen, angewiesen auf lenkende Koordinierung, Federführung genannt, zuweilen bloße Beteiligung, um den Überblick nicht zu verlieren. Da der Prozeß der internationalen Verflechtung vieler Lebensgebiete weder umkehrbar noch aufhaltbar ist, unabhängig vom Wechsel der Regierungen und Koalitionen, konzentrierte sich das Amt auf die Pflege bilateraler Beziehungen.

Aber auch dieses Feld beackert es nicht allein. Denn zu allem Überfluß gibt es noch einen Bundeskanzler. Daß der die Richtlinien der Politik bestimmt, steht im Grundgesetz, ist also nicht zu verhindern, soweit er davon Gebrauch macht. Adenauer tat das und wußte, was er wollte; Erhards Schwächen kosteten viel Reparaturarbeit. Zu Kiesingers außenpolitischen Neigungen kam noch das Interesse, seinen Vizekanzler nicht zu groß werden zu lassen und Tendenzen zu allzu mutigen Veränderungen der bisherigen Politik zu dämpfen, jedenfalls zu überwachen. Konfliktfelder waren eingebaut, zumal dank der erwähnten Personalpolitik Verflechtungen zwischen Außen- und Kanzleramt Informationskanäle unkontrollierbar durch den Außenminister funktionierten. Die Atmosphäre drückte der Staatssekretär des Amtes, Ferdinand Duckwitz, aus, als er mich 1969 in der »Direktorenrunde«, der täglichen Zusammenkunft der leitenden Mitarbeiter, verabschiedete. »Sie werden nun als zuverlässiger Angehöriger unseres Hauses zur Arbeit hinter den feindlichen Linien entlassen.« Und das war nicht nur lustig gemeint.

Das latente Spannungsverhältnis zwischen Regierungschef und Außenminister hat noch einen weiteren Grund, unabhängig von der jeweiligen Koalition. Einige Zeit nachdem Ulrich Sahm 1969 zum Leiter der außenpolitischen Abteilung ins Kanzleramt transferiert worden war, bemerkte er, nach all den langen Jahren im Amt habe er erst jetzt erfahren, wie stark Außenpolitik von innenpolitischen Zwängen beeinflußt wird. Diese Entdeckung machen viele Angehörige des Auswärtigen Dienstes während ihrer ganzen Karriere nicht. Sie betrachten innenpolitische Motive als sachfremd, nicht einmal zu Unrecht. Auch ich habe mich lange gegen die Erkenntnis gesträubt, daß Schicksalsfragen des Landes von innenpolitischen, parteipolitischen Wahlinteressen entscheidend abhängig sein sollen. Verachtenswert erscheint das, bis man merkt, daß es ein Bestandteil der Demokratie, eingeboren, nicht herausoperierbar ist. Wer regieren will, muß gewählt werden. Wer weiterregieren will, muß wiedergewählt werden. Innenpolitische Stärke ist Fundament und Quelle außenpolitischer Stärke.

Hier erst erweist sich das Format demokratischer Führungspersönlichkeiten, innenpolitische Interessen so zu beeinflussen, daß der notwendige außenpolitische Spielraum erhalten bleibt oder geschaffen wird. Verachtenswert bleibt, wenn die Außenpolitik opportunistisch zum Gehilfen der Innenpolitik benutzt oder degradiert wird. Beispiele für beide Verhaltensweisen gibt es bis in die jüngste Zeit. Das wird auch so bleiben, zuweilen in einer schwer durchschaubaren Mischung; denn jeder Kanzler muß die Basis seiner Regierung, die Koalition, zusammenhalten und darf die Voraussetzungen der nächsten Wahl nicht aus dem Auge verlieren. Was ist da Zwang, was kleine bloße Nützlichkeit, die sogar erkannte Interessen des Landes unterordnen, opfern läßt? Nur von Fall zu Fall, von Person zu Person ist da ein Urteil möglich.

In einer solchen Gemengelage hat das Amt seine Aufgaben zu erfüllen. Nur auf ziemlich begrenzten Feldern »macht« es Außenpolitik. Ganz überwiegend verwaltet es Außenpolitik, bewahrt und führt durch. Je ferner die Gegenden, je unberührter von innenpolitischen Interessen, um so freier ist das Amt zur Gestaltung. Ob gute oder schlechte Außenpolitik gemacht wird, ist nicht dem Amt anzulasten; denn es führt aus, was ihm vorgegeben wird vom Minister, von der Regierung. Wenn das groß, kühn und neu ist, wird die Politik so sein; wenn Minister und Regierung klein, anpasserisch und langweilig sind, wird das Amt daran wenig ändern können.

Aber die Qualität der Durchführung ist Sache des Dienstes, der selbst eine schlechte Politik noch immer vorzüglich begründen und vermitteln kann, ohne daß sie damit gut wird. Nach meiner Erfahrung ist unser Auswärtiger Dienst überdurchschnittlich, was Intelligenz, Wissen und Engagement angeht, gemessen an jedem anderen Ministerium. Seine Angehörigen brauchen keinen Vergleich zu den Kollegen anderer Außenministerien zu scheuen. Versager gibt es überall; Größe des Apparats und Vielfältigkeit der Aufgaben gestatten in solchen Fällen Versetzungen auf Posten, wo kein großer Schaden angerichtet werden kann. Schließlich kann ein Konsul irgendwo gute Arbeit leisten; seine Unfähigkeit, jemals Staatssekretär zu werden oder eine große Botschaft zu leiten, braucht nicht einmal störend aufzufallen. Die Stärke des Amtes liegt in Umfang und Tiefe seines Wissens. Was da an Information kollektiv vorhanden ist, aus allen Ländern dieser Welt, täglich ergänzt, überragt qualitativ und quantitativ jede andere Institution im Lande. Das verleiht Gewicht gegenüber dem eigenen Minister, den anderen Ressorts, auch dem Kanzler, wenn Rat gefragt ist.

Vorschläge oder Warnungen, die sich aus der sorgfältigen Beobachtung der Referate, gefiltert durch die Unterabteilungen, die Übersicht der Abteilungen bis zur Vorlage an den Staatssekretär ergeben, um endlich den Minister zu erreichen, sind oft so schlüssig, daß gar nichts Besseres zu tun bleibt, als sie zu billigen. Der »Apparat« weiß einfach mehr, ganz besonders, wenn es sich um Probleme handelt, die an der Spitze noch gar nicht erkannt wurden. Insofern wird aus der Breite des Amtes mit jeder abgesegneten Vorlage eine Linie unserer Politik gezeichnet und bestimmt, nicht einmal immer bewußt, auf die sich das Amt dann stützt, beruft und von der es nur schwer wieder wegkommt, wenn aus anderen Zusammenhängen von oben ein davon abweichender neuer Wille in die eingefahrene entwickelte Haltung nach unten dringt.

Mit diesem faszinierenden und sensiblen Organismus machte ich Bekanntschaft. Die Ernennung zum Botschafter zbV (zur besonderen Verwendung), der für Behandlungen von Nicht-Routine-Problemen da ist, gab genug Muße. Aber zunächst war Klärung zu schaffen für das, was in den nächsten drei Jahren außenpolitisch erreicht werden sollte und was mit der Großen Koalition zu machen war.

Günter Grass hatte die Sorgen vieler in einem offenen Brief an Brandt formuliert (30. November 1966): »Wie sollen wir weiterhin die SPD als Alternative verteidigen, wenn das Profil eines Willy Brandt im Einerlei der Großen Koalition nicht mehr zu erkennen sein wird? Zwanzig Jahre verfehlter Außenpolitik werden durch Ihr Eintreten in eine solche Regierung bemäntelt sein.« Brandt leugnete in seiner Antwort weder die Risiken noch sein Zögern: »Gefühl und Willen zur Führung wiesen vielen von uns einen anderen Weg... Es wird kein Zudecken von Fehlern und Versäumnissen und keinen faden politischen Eintopf geben... Die Große Koalition ist die begrenzte, heute mögliche Alternative zum bisherigen Trott. Wir werden in das Kapitel deutscher Geschichte wesentliche neue Elemente einführen.«

Kiesinger hatte in seiner Regierungserklärung vom Dezember 1966 versprochen, zu entkrampfen und nicht zu verhärten, Gräben in Deutschland zu überwinden und nicht zu vertiefen. »Wo dazu die Aufnahme von Kontakten zwischen Behörden der Bundesrepublik und solchen im anderen Teil Deutschlands notwendig ist, bedeutet dies keine Anerkennung eines zweiten deutschen Staates... Wir wollen, was zum Wohle der Menschen im gespaltenen Deutschland möglich ist, tun und, was notwendig ist, möglich machen.« Ich kam zu dem Ergebnis, »die

200

psychologische Rechtfertigung der Großen Koalition, also das Schlachten heiliger Kühe, muß erst noch passieren. Dies ist, abgesehen von der objektiven Notwendigkeit, über die wir uns seit langem im klaren sind, die beste Methode, um das, was in diesem Land liberal ist, mit der SPD und der eingegangenen Koalition zu versöhnen.« Genau dieser Punkt ging Brandt zu weit. An meinem Vermerk (20. Dezember 1966) notierte er zu den heiligen Kühen: »Nein: Orientierung, gemeinsamer Nenner.« Das bedeutete nicht nur seine Entscheidung, die neue Regierung keiner wirklichen Belastungsprobe auszusetzen, sondern im Grunde das Eingeständnis, das nach eigener Überzeugung Notwendige würde in dieser Koalition nicht möglich sein. Das entsprach auch seinem Bewußtsein, daß ein Mitglied der NSDAP und ein Antinazi als Kanzler und Vizekanzler die Wirklichkeit des Landes spiegeln und die Notwendigkeit der Versöhnung. Die Kröten Wehner und Strauß, die beide Seiten zu verdauen hatten, sollten nicht umsonst geschluckt worden sein. Brandt wollte einen Erfolg dieser Regierung.

Mein Vermerk zielte also auf das, was möglich schien: »Die Aufnahme diplomatischer Beziehungen mit osteuropäischen Ländern. Die Wiederaufnahme diplomatischer Beziehungen mit arabischen Ländern. Die Entwicklung einer Politik der Bundesrepublik für die NATO-Reform. Der Beginn vertraulicher Vereinbarungen über gemeinsame Wirtschaftsprojekte mit osteuropäischen Ländern.«

Nach Möglichkeit sollten diplomatische Beziehungen zur Volksrepublik China aufgenommen werden: »Dies würde, ohne materiell viel einzubringen, das ›Erwachsensein‹ der Bundesrepublik psychologisch am stärksten zum Ausdruck bringen.« Zusammenfassung: »Es muß darauf ankommen, während der drei Jahre Fakten zu schaffen, die kaum revidierbar sind. Das gilt für die sachliche Politik ebenso wie für die Personalpolitik.« Daß wir am Ende der Legislaturperiode in der Regierung bleiben würden, schien mir gar nicht sicher.

Drei beherrschende Themen haben in den Jahren der Großen Koalition die meiste Zeit beansprucht: Europa, Gewaltverzicht und die Nichtverbreitung von Atomwaffen. Europa beschäftigt uns noch heute. Beim Gewaltverzicht war die Große Koalition zu schwach, um einen politischen Durchbruch zu erreichen. Der Vertrag über die Nichtverbreitung von Atomwaffen (NV) wurde zwar durchverhandelt, aber die Kraft zur Unterzeichnung brachte die Regierung nicht auf.

Eines der ersten Schriftstücke, die dem Minister vorgelegt wurden, weil schnelle Entscheidungen gefragt waren, betraf die laufenden Verhandlungen über den NV-Vertrag. Es war so umfangreich und kompliziert, daß Brandt es sofort weitergab; ich solle mir eine Meinung bilden. Die Methode von Bürokratien, ihre Minister mit soviel Papier zuzuschütten, daß sie verzweifeln und unterschreiben, verfing nicht, falls das geplant war. Es hätte kein besseres Problem geben können, um mich in das Knäuel von innen- und außenpolitischen Kämpfen, Intrigen, Täuschungsmanövern und Schachzügen zu verwickeln. Beim Lesen des Konvoluts wurde klar, daß Bündnis-, Ost-West-, Nord-Süd-Aspekte, der Sonderstatus des Landes, nationale, deutschlandpolitische, Wirtschafts- und Forschungsinteressen berührt waren und eine Reihe von Elementen so empfunden werden mußten, daß man nur zur Ablehnung eines Monstrums kommen konnte, das Strauß denn auch ein »Super-Versailles« genannt hat. Der gesunde Menschenverstand riet dennoch zur Vorsicht, weil eine internationale Verschwörung gegen die Deutschen nicht wahrscheinlich schien. Das Mißtrauen erwies sich als richtig.

Dabei war die Sache eigentlich einfach. 1961 hatte Irland eine Resolution der Vereinten Nationen initiiert, die die Besitzer von Atomwaffen verpflichten sollte, diese Waffen nicht an andere Staaten weiterzugeben. Das lag im Interesse aller, die solche Dinger nicht hatten, und wohl auch der Völkergemeinschaft, den Club der Atommächte nicht zu vergrößern. Daraus ist eine Riesenaffäre geworden, die noch immer Aufmerksamkeit verdient, obwohl der Vertrag 1995 für unbegrenzte Zeit verlängert worden ist, weil die Probleme der Ungleichheit noch immer weiterwirken.

Noch immer gilt de Gaulles Feststellung, daß die Verfügung über Atomwaffen Ausdruck der letzten Souveränität eines Staates ist, der die Entscheidung darüber mit keinem anderen teilt, auch nicht mit dem besten Freund. Kein Atomstaat wird die Entscheidung über die eigene Existenz, die bei dem Einsatz dieser Waffen steht, delegieren, einem Gremium übertragen, einer Mehrheit unterwerfen. Keiner der fünf Staaten hat sich, seit er über diese Waffe verfügt, anders verhalten. Daß sich diese Einstellung in überschaubarer Zukunft ändert, ist schwer vorstellbar.

In multilateralen Seestreitkräften wäre kein Nichtamerikaner an den atomaren Knopf gekommen. Der Oberbefehlshaber der NATO behielt immer den direkten Draht zu seinem Oberbefehlshaber, dem amerikanischen Präsidenten, der allein über die Freigabe von Atomwaffen entscheidet. Das Bündnis erhielt nie eine atomare Kompetenz. Eine Nukleare Planungsgruppe gewann Einsicht in die Kriterien amerikanischen Denkens und kann Gesichtspunkte nichtatomarer Staaten vorbringen, etwa bei der Zielplanung. Aber im Ernstfall reduziert sich dieser Mechanismus auf Konsultation, »if time permits«; falls es die Zeit nicht erlaubt, fällt auch die Konsultation aus. Es liegt im Charakter dieser Waffe, daß ihr Besitzer nicht einmal gestatten kann, ihm in den Arm zu fallen, wenn er ihre Benutzung für nötig hält. Es gibt kein Veto gegen den Einsatz, keine »negative Mitbestimmung«. Insofern entscheidet der Atomstaat über das Schicksal von Nichtatomstaaten. Diese Ungleichheit ist nicht zu beseitigen, solange es Atomwaffen gibt.

Strauß und Schmidt haben das Dilemma erkannt und sich ziemlich ähnliche Gedanken gemacht. Brandt hat solche Überlegungen abgewehrt; er müsse sich ganz darauf konzentrieren, daß es nie zu einer solchen Situation komme. Von Strauß war verläßlich zu hören, er würde in einem solchen Fall Befehl geben, die zur Bewachung der atomaren Munitionslager eingesetzten Amerikaner zu überwältigen, um damit ihre Benutzung zu verhindern. In einem solchen Gespräch mit Schmidt wurden die Gewissenskonflikte eines deutschen Kanzlers deutlich, der sich gewiß als Freund der Amerikaner bezeichnen kann. Er sei zu dem Ergebnis gekommen, daß seine Priorität sein müsse, den atomaren Untergang des eigenen Volkes möglichst zu verhindern, also der Bundeswehr zu befehlen, wenn über die NATO-Stränge die Atommunition an die deutschen Träger gegeben werden soll, den Befehl zu verweigern.

Ob im Kriegsfall Atomwaffen das Bündnis gespalten hätten, werden wir nicht mehr erfahren; denn die Gefechtsfeldwaffen sind beseitigt und die Lager auch, in deren inneren Ring die Amerikaner ihre Sprengköpfe bewachten, auch vor den Deutschen und die Deutschen im eigenen äußeren Ring die Amerikaner. Natürlich wollten die Amerikaner auf diese Weise sicher sein, daß die Deutschen sich nicht der Munition bemächtigten, abgesehen von einem Zwei-Schlüssel-System, das nur einvernehmliche Benutzung garantieren sollte.

Es war eben durchaus nicht so, daß die Amerikaner leichtfertig, schnell und frühzeitig die Atomschwelle überschreiten wollten. Bei Manöverspielen forderten deutsche Generale atomare Warnschläge in Situationen, in denen die Amerikaner das noch längst nicht wollten. Die Atommacht wußte besser, wie unberechenbar es sein würde, wenn der Qualitätssprung vom konventionellen zum atomaren Krieg erfolgt. Sicher konnten sie nicht sein, ob die Eskalation bis zum globalen Schlagabtausch und damit ihrem eigenen Ende anzuhalten sein würde. Das vitale Überlebensinteresse hat das Verantwortungsbewußtsein aller Atommächte gestärkt. Es hat sich im Kalten Krieg bewährt, von Sues über Berlin bis Kuba: Der Blick in den Abgrund ließ beide Großmächte zurückschrecken. Die gegenseitig gesicherte Zerstörung durch Atomwaffen hat die Welt davor bewahrt, daß der Kalte Krieg zu einem heißen wurde.

Zu dem Zerwürfnis zwischen Moskau und Peking hat gewiß auch die sowjetische Weigerung beigetragen, Atomgeheimnisse den chinesischen »Freunden« zugänglich zu machen. Ein sowjetischer Gesprächspartner drückte Anfang 1970 die Sorge aus, ob die Chinesen, nun im Besitz von Bombe und Rakete, das Gefühl des Triumphes beherrschen würden, das sich einstelle und erst gebändigt werde, wenn man tiefer in die Problematik eindringe und die Gefahren erkenne. Diese Zwischenphase sei gefährlich, gerade für sein Land, auf das die chinesische Waffe gerichtet sei. Er hätte viel weniger Sorge, daß die Chinesen sich sehr verantwortlich verhalten würden, wenn sie diese Phase hinter sich hätten.

Zwei weitere Eindrücke bleiben im Gedächtnis, die ich während der Tätigkeit im Auswärtigen Amt erhielt. In Paris erläuterte mein Gesprächspartner aus dem Elysée, die Entscheidung für die französische Atomwaffe sei nicht nur im Interesse seiner uneinholbaren Überlegenheit über Deutschland erfolgt; der General habe auch an der Zuverlässigkeit der amerikanischen Atomgarantie im Falle eines großen sowjetischen Angriffs gezweifelt, besonders nachdem Amerika durch die sowjetischen Interkontinentalraketen zum erstenmal in seiner Geschichte verwundbar geworden war. Im Notfall würde die eigene französische Waffe eingesetzt werden können, um die Amerikaner in den Atomkrieg zu zwingen. Beim ersten Atompilz über ihrem Boden würden die Sowjets gegen einen solchen Schlag reagieren. Etwas später unterrichtete mich in Washington ein Freund aus dem Pentagon über die sich aus der

Sache ergebende Ausschließlichkeit des amerikanisch-sowjetischen Verhältnisses in Atomfragen. Als ich auf französische Möglichkeiten verwies, lächelte er nur, gar nicht überrascht, und erwiderte, ohne zu zögern: »Wenn du mein bester Freund wärst, und wir würden in einem Raum sitzen, in dem offenes Pulver liegt, und du würdest versuchen, dir eine Zigarette anzuzünden, würde ich dir das Feuerzeug aus der Hand schlagen, bevor du uns in die Luft sprengen kannst.« Das war unmißverständlich.

Wenn Bundeskanzler Kiesinger Komplizenschaft befürchtete, so war das lächerlich; die Verantwortung für die Vermeidung eines Atomkrieges erzwang zwischen Washington und Moskau ein Zusammenwirken, das die beiden Bündnissysteme überwölbte. Die vitalen Interessen beider machte sie zu Partnern jenseits der Bündnisse. Wenn ihr Verhältnis funktionierte, würden die Bündnisse nicht funktionieren müssen. NATO und Warschauer Pakt waren zur beiderseitigen Rückversicherung geworden, beide an der kurzen Leine und unfähig zu halten, ernsthaft zu stören oder Unsinn zu machen. Das war das Gesetz des atomaren Friedens, übergeordnet den sonstigen Werten von Demokratie, Diktatur des Proletariats, Freiheit, Klassenfeindschaft oder dem übrigen Gewimmel der ideologischen Auseinandersetzung. Weil und solange die Hüter in Washington und Moskau das Gesetz des atomaren Friedens garantierten, konnte der Kalte Krieg untergeordnet toben, wie es die untergeordneten Interessen aller Beteiligten jeweils für richtig hielten.

Niemand darf sich wundern, daß die atomaren Erwägungen nicht öffentlich diskutiert wurden. Sie hätten zynisch geklungen, menschenverachtend, diskriminierend für die aus dem elitären Club Ausgeschlossenen, sie hätten die Bündnisse zersetzen und damit das Gesetz der atomaren Stabilität gefährden können. Solche Erwägungen kamen in keiner Regierungserklärung vor, obwohl sie dominierten. Die Schranke der Diskretion hielt weltweit; denn auch die wenigen in den meisten nichtatomaren Staaten, die diese Zusammenhänge kannten und sie untereinander diskutierten, konnten es nicht attraktiv finden, eine Kampagne der Desillusionierung zu führen, ohne an den elementaren Gegebenheiten etwas ändern zu können. Auch nach dem Ende des Ost-West-Konflikts gilt das Gesetz des atomaren Friedens weiter. Nach dem Ende der Blockdisziplin glauben sich einige den Luxus kleiner konventioneller Konflikte ungestraft leisten zu können. Aber in dem neuen Zeitalter werden sich noch bedeutende Konsequenzen ergeben, wenn die nichtatomaren Staaten ihre Interessen zu überlegen beginnen, die sie zu verfolgen imstande sind, immer noch unter dem Schutz der atomaren Stabilität, aber nicht mehr durch die Blöcke gebunden.

Je vertrauter ich mit atomarem Denken wurde, um so unerklärlicher erschienen die Illusionen, die Deutschen könnten eine europäische Atomgemeinschaft erreichen oder wenigstens eine deutsch-französische. Nicht einmal, wenn die Europäische Union eine einheitliche Außen- und Sicherheitspolitik vereinbart haben wird, werden Frankreich und England ihre nationale Entscheidungsbefugnis über Atomwaffen dorthin abtreten. Diese Souveränität werden alle Atomstaaten wahren und behüten, solange keine globale Ordnung etabliert ist, die absolut verläßlich und kontrollierbar die Abschaffung aller Atomwaffen erlaubt. Ein Optimist mag dafür fünfzig Jahre ansetzen.

Die Bundesregierungen hatten seit Adenauer darauf gedrängt, die Bundeswehr atomar zu bewaffnen. Begründet wurde das damit, unsere Soldaten sollten nicht schlechter bewaffnet sein als andere. Unausgesprochen blieb, über eine atomare Mitbestimmung eine eigene atomare Option zu erhalten. Ob es wirklich klug war, deutsche Verbände für den Einsatz nuklearer Gefechtsfeldwaffen zur Verfügung zu stellen, konnte bezweifelt werden. Die Amerikaner hatten nachgegeben und haben wahrscheinlich hinter verschlossenen Türen mit den Schultern gezuckt. Mr. Cline war Resident der CIA in Bonn. Ich hatte ihn nach dem Einzug ins Amt kennengelernt, ohne die beiderseitige Anrede mit Vornamen zu erreichen. Bei einem unserer Gespräche, in dem er die unterschiedlichen Auffassungen von Außenminister Rusk und Verteidigungsminister McNamara zu Streitkräftereduktionen erklärte, kam ich mit Plänen, unsere Luftwaffe atomar schlagfähig zu machen. Cline hielt das für überflüssig. Es würde der westlichen Abschreckungsstärke nichts hinzufügen. Die Schwelle liege zwischen konventioneller und atomarer Kriegführung. Nach der Explosion der ersten sowjetischen taktischen Waffen gäbe es mindestens in Deutschland kein Halten mehr. Seine amerikanischen Freunde verstünden nicht, warum die Deutschen diesen Quatsch entgegen ihren eigenen Interessen machten. Aber sie würden sich hüten, etwas zu sagen in der Befürchtung, das würde als amerikanischer Versuch gewertet werden, die Deutschen atomar zu entwaffnen oder zu diskriminieren. Der Notiz über dieses Gespräch habe ich angemerkt: Also geht der Unsinn weiter.

Im Amt waren einige erschrocken, als die Amerikaner den von den Sowjets vorgeschlagenen nicht vollständigen Text eines NV-Vertrages übermittelten und ihn praktisch als »akzeptabel« bezeichneten. Unser Botschafter bei der NATO, Wilhelm Grewe, telegraphierte aufgebracht, der Vorschlag sei »völlig unakzeptabel« und eigentlich erst zu prüfen, nachdem das Bündnis seine nuklearen Probleme gelöst habe. Er blockiere alle Entwicklungen in Europa, das sich mehr und mehr auf die amerikanische Garantie verlassen müsse, obwohl die Amerikaner zunehmend vor dem vollen Einsatz zurückschreckten. Die NATO würde durch den Vertrag ihren Charakter ändern und sich mehr und mehr auf konventionelle Streitkräfte beschränken und damit tatsächlich zu einem Instrument amerikanischer Kontrolle des militärischen Gleichgewichts und der politischen Stabilität in Europa auf der Basis des Status quo werden.

Offensichtlich waren die Amerikaner mit den Sowjets häufiger einig als mit ihren Verbündeten. Neben der Verantwortung zeigte sich auch eine Arroganz der Atommacht, die demütigend genug war, um Indien die Unterschrift verweigern zu lassen: Indien würde auch künftig nicht weniger moralisch und verantwortlich als die Atommächte handeln.

Für uns kam das schon deshalb nicht in Frage, weil wir doch schon 1954 beim Eintritt in die WEU auf Herstellung, Erwerb und Besitz von ABC-Waffen (atomare, biologische und chemische) verzichtet hatten. Aber dies, so mußte ich mich belehren lassen, hätte Hintertüren offengelassen: Der damalige Verzicht betraf nur das deutsche Gebiet, war nur den Bündnispartnern gegenüber ausgesprochen, umfaßte nicht die Kontrolle oder Mitkontrolle und hatte die Form einer einseitigen Erklärung. Jetzt würde der Verzicht umfassend, ohne räumliche Begrenzung, gegenüber allen Teilnehmern in einem ratifizierungsbedürftigen internationalen Vertrag ohne Kündigungsmöglichkeit zementiert werden. Alle Schlupflöcher würden verstopft werden, und gerade das wollten einige bei uns unbedingt vermeiden.

So unwahrscheinlich das heute klingt: »Die BRD sollte sich den Weg zu eigener deutscher atomarer Bewaffnung nicht für immer sperren«, so analysierte ein tief beunruhigter Beamter die Absichten der Vertragsgegner im Amt. An ihrer Spitze stand der Abrüstungsbeauftragte der Bundesregierung, Botschafter Swidbert Schnippenkötter, hochintelligent, in Schrift, Ausdruck und Umgang gleichermaßen gewandt, illoyal gegenüber dem Minister und von bewundernswerter Zähigkeit in der Verfolgung seiner Ziele. Seine Aufzeichnungen und Vorschläge überzeugten mich: Da es politisch unmöglich war, den Vertrag kalt abzulehnen, mußten so viele möglichst unerfüllbare Bedingungen gestellt werden, daß er scheiterte. Schnippenkötter war zu diesem Spiel befähigt und saß an der richtigen Stelle: Als Abrüstungsbeauftragter entwarf er die Vorlagen für den Minister, den Kanzler, das Kabinett, den Bundessicherheitsrat und führte die Beschlüsse in seinen Verhandlungen und in seiner Interpretation auch durch. Die Aufgabe aufzupassen, daß die gewünschte Politik nicht sabotiert wird, war unerfüllbar, solange ich die Vorlagen frühestens erhielt, wenn sie beim Staatssekretär eintrafen, meist spät genug, um ihn und den Minister unter Zeitdruck zu setzen. Die Weisung wurde erforderlich, mir alle Berichte und Vorlagen zu diesem Komplex automatisch zugehen zu lassen, bevor sie der Spitze des Hauses vorgelegt werden. Freundschaftliche Gefühle konnte das nicht wecken. Kabale ohne Liebe wurde ein Stück, das drei Jahre lang auf dem Spielplan stand.

Zunächst wurde die Priorität verändert: Die Nutzung der Kernenergie für friedliche Zwecke durfte nicht behindert werden; auch die Atommächte sollten Verpflichtungen zur Abrüstung übernehmen; weder unsere Sicherheit noch die europäische Entwicklung durften beeinträchtigt werden. Schnippenkötter entfaltete seine volle Kunst, vor allem gegenüber den Amerikanern, die er zu echten Konsultationen zwang, und versuchte, von Japan über Indien und Brasilien bis zu den Partnern der EWG gleiche Interessen der nichtatomaren Staaten zu wahren, zu formulieren, zu bündeln. Der Erfolg war unbestreitbar. Niemand hat sich größere Verdienste darum erworben, dem Vertrag Giftzähne zu ziehen und ihn weltweit annehmbar zu machen.

Gleichzeitig wurde bis Ende des Jahres 1967 aber auch deutlich: Die Amerikaner gaben zwar alle gewünschten Erklärungen im NATO-Rat ab, daß ihre Garantien und Verpflichtungen für das Bündnis vom NV-Vertrag unberührt bleiben, weigerten sich aber, dafür auch eine verbindliche Bestätigung von Moskau zu erhalten. Der Vorstoß unseres Abrüstungsbeauftragten, Bonn könnte das direkt mit den Sowjets versuchen, brachte den amerikanischen Außenminister Rusk auf: Wir würden dadurch den Vertrag gefährden. Also unterblieb es.

Ein ähnliches Schicksal war dem Vorschlag beschieden, Möglichkeiten der Verfügung oder des Mitbesitzes von Atomwaffen zu erhalten, wie sie bei der MLF versucht worden waren, oder zunächst einmal eine Perspektive für eine europäische Atomwaffenoption zu klären, vor Unterzeichnung des NV-Vertrages. Hier fand sich keinerlei Unterstützung durch unsere Partner in der EWG. Frankreich hielt sich ohnehin zurück und erklärte, es wolle den Vertrag nicht unterschreiben, aber sich so verhalten, als hätte es ihn unterschrieben. Wir weckten nur das Mißtrauen unserer Verbündeten, zumal wir einen Schnellen Brüter entwickelten, bei dem Plutonium anfallen würde und den wir gern nur der internen Kontrolle von Euratom und nicht der internationalen Behörde in Wien unterwerfen wollten.

Wenn die Sowjets früher behauptet hatten, die Bundesrepublik verfolge geheime nukleare Ambitionen, hatte ich das als Propaganda empfunden. Im Amt kam ich zu dem Ergebnis, die hatten recht. Falls ihre Agenten unsere internen Papiere verrieten, mußten sie zu diesem Ergebnis kommen; denn sie konnten sich kaum vorstellen, daß atomare Gelüste nur »in Kreisen«, aber nicht »in der Bundesregierung« gehegt wurden.

Schnippenkötters Ideenreichtum schien unerschöpflich. Der Bundeskanzler sollte in einem Brief an Präsident Johnson auch schon gescheiterten Forderungen Nachdruck verleihen. Ein solcher Schritt, der unsere Isolierung hätte sichtbar werden lassen, konnte verhindert werden. Unsere Forderung im Komplex der Verifikation, also einer wasserdichten Überprüfung, daß bei der Benutzung für friedliche Zwecke kein militärisch nutzbares Material abgezweigt werden konnte, fand keine Unterstützung der anderen Partner mehr. Im Gegenteil: Als ich Anfang 1968 in Wien bei dem Chef der internationalen Atomenergie-Kommission, dem Schweden Rolf Ekeus, für eine stärkere personelle deutsche Beteiligung warb, fand der die Aussicht gar nicht einladend, wenn die Schwierigkeiten, die Bonn bei der Nichtverbreitung machte, in seiner Behörde fortgesetzt würden. Ein ganzes Buch ließe sich schreiben, um am Beispiel des NV-Vertrages diplomatische Pyrrhussiege zu studieren. Wir hatten uns eine gespannte bis gereizte Atmosphäre zu Washington eingehandelt, mußten stillschweigend Wünsche fallenlassen, auf denen wir lange beharrt hatten, Fragen beantworten, welche neuen Forderungen wir nachschieben wollten, wenn eine erfüllt wurde, und vor allem, ob denn und wann denn eine deutsche Unterschrift in Aussicht gestellt werden könnte.

Das führt zum innenpolitischen Teil des Ringens. Aber wenigstens ein Punkt muß noch beleuchtet werden, der außen- wie innenpolitisch eine Rolle spielte. Am 21. August 1968 marschierten Streitkräfte des Warschauer Paktes in die ČSSR ein. Die Direktorenrunde im Amt tagte unter Leitung des Staatssekretärs Lahr. Die Arbeit vieler Jahre sei kaputt, sagte ein Teilnehmer. Schnippenkötter meinte lachend, daß man ja jetzt nicht mehr von Entspannung reden könne. Die Regierungserklärung sei nun vielleicht nicht Makulatur, aber ein historisches Dokument, und fragte mich höhnisch, ob ich mir schon eine neue Außenpolitik ausgedacht hätte. Diese Töne verstummten, nachdem Kiesinger erkennen ließ, die Bundesregierung würde trotz der Intervention gegen die ČSSR ihre erklärte Politik fortsetzen. Aber Schnippenkötter gewann aus der neuen Lage einen neuen Gedanken gegen den NV-Vertrag: die Artikel 53 und 107 der Charta der Vereinten Nationen.

Die beiden Artikel bestätigen die besondere Rechtsstellung der Siegermächte gegenüber den Besiegten und gestatten ihnen, diese Rechte auszuüben, ohne sich an die übrigen Bestimmungen der Charta halten zu müssen, also auch zu intervenieren, ohne den Sicherheitsrat einzuschalten. Gleichzeitig war das ein Ausdruck der besonderen Vier-Mächte-Verantwortung für Deutschland als Ganzem. Die Westmächte hatten immer vermieden, diese Artikel formell aufzugeben, sondern 1955 verpflichtend erklärt, auf ihre Anwendung im Verhältnis zur Bundesrepublik zu verzichten. Das war völlig ausreichend; denn die beiden Artikel stehen noch heute in der Charta. Sie werden erst irgendwann bei einer Reform verschwinden, aber schaden schon jetzt nicht mehr. Schnippenkötter wollte nun erreichen, daß die Bundesrepublik den NV-Vertrag erst unterschreiben sollte, wenn die Sowjetunion die Artikel 53 und 107 für nicht existent erklärt. Weil die Bundesregierung eine solche ultimative Position nicht annehmen konnte, befand er, Kanzler und Minister seien Schlappschwänze. Obwohl die Sowjetunion gerade bewiesen hatte, daß die Charta die Tschechoslowakei nicht vor Intervention bewahrt hatte, auch ohne die Gültigkeit der ominösen Artikel für Prag, wurde der ganze diplomatische Mechanismus in Gang gesetzt. Dabei kamen amerikanische Erklärungen heraus, daß uns nur die NATO und nicht der Verzicht der Sowjetunion auf die beiden

Artikel schützen kann. Die Sowjetunion, aufmerksam gemacht, beharrte in einer Note auf ihren Interventionsrechten – und wir ließen den Komplex fallen. Erst im Rahmen des Moskauer Vertrages erreichten wir bei den Artikeln 53 und 107 das gleiche befriedigende Verhältnis zur Sowjetunion wie zu den Westmächten.

Aber der NV-Vertrag wurde nicht nur ein vortreffliches Lehrstück, wie Innenpolitik die Außenpolitik beeinflußt. Wenn Wissenschaftler sich bemühen, Methoden und Mechanismen zu erforschen, wie außenpolitische Entscheidungen zustande kommen, so ist das verdienstvoll und interessant, doch ein fast hoffnungsloses Unterfangen; denn die beteiligten Personen mit ihren Leidenschaften, Schwächen und Wünschen entziehen sich jeder Systematisierung. Viele Entscheidungen fallen weder in den vorgesehenen Gremien noch auf Sitzungen, die eigentlich deshalb stattfinden. Im Verteidigungsrat wurde diskutiert, wer die Republik erstmals auf einer UN-Konferenz vertreten soll. Der Verteidigungsminister Schröder möchte nicht gern, daß der Außenminister Brandt das macht. Der sah darin die Chance, die Visitenkarte für eine Regierung abzugeben, die für eine möglichst umfassende Nichtverbreitung von Atomwaffen eintritt. Der Finanzminister Strauß verkündet bebend sein Nein zum Vertrag, was der Kanzler, natürlich erst nach der Sitzung, als eine Biertischrede kennzeichnet. Ergebnis: Der Außenminister soll nach Genf fahren, ohne sich festzulegen, unter welchen Voraussetzungen wir unterschreiben würden.

Nachdem die Bundeswehr uns nach Genf geflogen hatte, wurde an der Rede gearbeitet, mit der sich die Bundesrepublik eigentlich an die Spitze der nichtnuklearen Staaten setzen, ihre Interessen vertreten, sie vielleicht sogar bündeln wollte. Amerikaner und Sowjets zeigen sich einig, die Konferenz möglichst herunterzuspielen, auf der Deutsche und Japaner dominieren könnten. Die Rede wird entschärft und verliert mit jeder Änderung Glanz. Brandt will keinen Ärger mit dem Kanzler, der sich für ihn gegen Schröder eingesetzt hat und Sorge vor Strauß haben muß. Der fertige Text wird schließlich den Journalisten gegeben und dem Kanzleramt übermittelt, das Änderungen will. Also muß der Text von den Journalisten wieder eingesammelt werden. »Wir haben die Lektion der Geschichte gelernt«, soll zum Beispiel gestrichen werden. Brandt schnaubt, er wisse gar nicht mehr, in welcher Welt und wer er sei: »Das ist keine Regierung, sondern ein Affentheater.« Er verliert die

Lust und wehrt sich nur noch, als Schnippenkötter Formulierungen vorschlägt, die die Politik der Entspannung begraben und für gescheitert erklären sollen. Die Rede am 3. September 1968 wird ein großer, nicht mehr erwarteter Erfolg.

Das außenpolitische Elend der Großen Koalition lag nicht am Mangel, sondern am Überfluß außenpolitisch Begabter mit Ambitionen. Da waren zunächst die beiden Fraktionsvorsitzenden Rainer Barzel und Helmut Schmidt. Der Unionsmann enthüllte mir sein Unbehagen, daß er und sein Kollege die Sache im Griff hätten, aber alle Schwierigkeiten aus dem Kabinett kämen. Die Führungsschwäche Kiesingers, der zu oft dem recht gäbe, der zuletzt bei ihm war, konnte ich nur bestätigen. Er deutete Überlegungen an, die Koalition mit einem anderen Kanzler fortzusetzen. Schmidt fand Brandt überfordert in der Doppelfunktion; der Parteivorsitz sei wichtiger. Er selbst würde nicht vier Jahre Außenminister einer solchen Regierung sein wollen. Leo Bauer, ehemaliger Kommunist und einer der wenigen, der sich mit Brandt und Wehner befreundet nennen konnte, berichtete von einem nächtlichen Gespräch mit dem Onkel und empfahl mir, künftig Schmidt außenpolitisch auf dem laufenden zu halten. Der schlägt in einer Koalitionssitzung vor, der Kanzler solle untersagen, daß sich der Finanzminister (Strauß), der Wirtschaftsminister (Schiller) und der Außenminister künftig weder durch Erklärungen noch öffentlich zum NV-Vertrag äußern, was sich Brandt verbittet. Der würde gern nach Moskau fahren, mit Gromyko sprechen, unsere Standpunkte und Interpretationen darlegen und dann den Vertrag unterschreiben: »Reife Äpfel verfaulen, wenn sie nicht geerntet werden.« Aber das wäre das Ende der Koalition. Gegen das Nein von Strauß und den Zweifel von Barzel, »ob wir das Fußvolk mitbekommen«, ist der Kanzler gelähmt, und seine wichtigsten Helfer, Staatssekretär Karl Carstens, Baron Guttenberg und Günter Diehl, sind ohnehin gegen den Vertrag. Das Verrückte daran ist, daß Kiesinger klug genug ist zu erkennen, daß im Herbst 1968 den inzwischen fertigen Vertrag siebzig Staaten unterschrieben haben, also der Druck auf Bonn selbst durch die Verbündeten wächst. Also beauftragt er Guttenberg, Argumente gegen die Gegner des Vertrages zusammenzustellen. Der Abrüstungsbeauftragte beteiligt sich daran nicht, sondern verweist auf die Leitung des Hauses.

Die kann ein wichtiges Argument beisteuern: Bei einem Aufenthalt in New York hatte mir der dortige dpa-Korrespondont Otto Leichter einen Zettel in eine Sitzung reichen lassen: »Der sowjetische Presseoffizier sagte mir: If Mr. Brandt wants to talk to Mr. Gromyko the answer will be positive.« Typisch sowjetisch: Wenn die etwas wollen, muß der Kleinere den Wunsch äußern. So kam die erste Begegnung zustande, deren Ertrag neben anderem die Bemerkung Gromykos war, die Sowjetunion werde den NV-Vertrag nicht ratifizieren, solange Bonn nicht unterschrieben habe. Diese Haltung Moskaus hatte er in Washington nicht geheimgehalten. Aber auch das half nicht in Bonn. Nicht nur Personen, sondern auch Regierungen können stur sein aus Schwäche statt aus Stärke.

Und dabei gar nicht dumm. In Heimerzheim, einer Wasserburg in der Nähe von Bonn, wurde eine außenpolitische Bestandsaufnahme vorgenommen, ziemlich realistisch. Schon Carstens hatte, bevor er aus dem Auswärtigen ins Kanzleramt wechselte, den neuen Minister erstaunlich offen über die Brüchigkeit der Hallstein-Position informiert. Nun untermauern unsere Botschafter das mit professioneller Vorsicht. Die Schwergewichte der Koalition liefern ihre Beiträge, bedacht, sich keine Blöße zu geben. Nur Strauß entwickelt eindrucksvoll die Notwendigkeit, einen nationalen Standpunkt einzunehmen in Deutschland- wie in Europafragen, von dem wir in den nächsten zehn Jahren nicht mehr abgehen sollten. Das ermutigt mich zu der Äußerung, wir sollten, da wir uns einig seien, daß es wohl in den nächsten zehn bis fünfzehn Jahren die DDR noch geben werde, nicht um juristische Formeln, sondern um Substanz kämpfen. Der Kanzler faßt zusammen: Wir müssen auf die Gunst der Stunde warten, also halten, was zu halten ist. Niemand widerspricht. Es ist deprimierend. Nur Diehl versucht, an dieser Politik noch politischen Sex-Appeal nachzuweisen. Auf dem Weg zum Buffet sagt mir der Kanzler, auch er könne sich Alternativen vorstellen, glaube aber nicht, es jetzt machen zu können. Also müsse man versuchen, ob in seiner Formel vom Halten noch Spielraum sei.

Ein paar Wochen danach suche ich Strauß auf und frage nach den Schlußfolgerungen seiner imponierenden und zutreffenden Analyse in Heimerzheim. Welche alten Positionen nun über Bord gehen müssen? Er grinst. Der Kreis dort war ihm zu groß. Die Frontbegradigung müsse man machen, um gleichzeitig in die Offensive gehen zu können. Der Vorwurf dürfe nicht erhoben werden, daß wir alles ausverkaufen. Die

Einheit sei ohnehin nicht mehr im Bismarckschen Sinne zu erreichen. Ich äußerte, es sei nicht unmöglich, eine gemeinsame Basis aller Parteien dafür zu erreichen. Er machte abschätzige Bemerkungen über den Kanzler. Der Verfall der Autorität sei auch durch Kiesinger und Brandt nicht aufgehalten worden. Er glaube, daß die Amerikaner in zehn Jahren weg sind. Bis dahin müsse Europa mit einer französisch-britischen Atommacht stehen und die Bundesrepublik genügend Finanzmasse freihaben, um mit Gewicht einspringen zu können. Der Einwurf, das sollte man schon jetzt zur Unterstützung des Prager Frühlings machen, findet seine Zustimmung. Meine Position zum NV-Vertrag läßt ihn explodieren: Das hätten schon Erhard und Schröder falsch gemacht. Zu meinem Hinweis, niemand, auch er nicht, werde die Unterzeichnung verhindern können, wenn die Mehrzahl der Schwellenmächte vorangeht, wackelt er mit dem Kopf und wird ganz aufmerksam, als ich erläutere, wenn wir bald unterzeichnen, könnte das Wahljahr 1969 gewissermaßen nuklearfrei sein; denn die Ratifikation käme erst im Jahr 1970.

Aber er konnte von der verkündeten Position schon nicht mehr weg. Lieber weitermachen, wenn es auch falsch ist, als den Standpunkt ändern, selbst wenn das richtig wäre. So wollen es die Gesetze der öffentlichen Imagepfleger. Strauß legt sich fest und bezeichnet den Sperrvertrag als »Sonderkontrolle für Deutschland«, und Brandt hält dagegen: »Die Gleichberechtigung für die Deutschen.« So wird der eigentliche Punkt verfehlt, daß dieser Vertrag eine Hoffnung für die Welt ist und die Bundesrepublik eine Politik entwickeln könnte, sich an die Spitze der nichtnuklearen Staaten zu setzen.

Oper und Politik haben gemeinsam, daß eine Katastrophe droht, wenn drei Primadonnen gleichzeitig auf der Bühne brillieren. In der Darstellungskunst ist da die SPD unübertroffen, in der Meisterschaft, Intrigen zu verheimlichen, die Union. Eigentlich kann es ja nur eine Primadonna geben, aber es gibt immer ausreichend weitere, die glauben, sie seien besser, oder neidisch sind, weil die schöne Stimme auch noch in einer schönen Gestalt wohnt, oder warten, daß die Primadonna einen falschen Ton von sich gibt, oder sie reizen, damit sie einen Einsatz verpatzt, oder ihr minderwertige oder angebliche Liebhaber andichten, um die Makellosigkeit ihres Protestes anzukratzen, oder Streit, um den Auftritt von rechts oder links anzuzetteln, um den Vortritt keifen, die Vorhänge und die Sekunden zählen, die der Applaus donnert oder plätschert. Dazu kommt, daß Primadonnen, amtierende wie solche auf Abruf, eine Neigung zu Hysterie und Nervenzusammenbrüchen haben oder spielen. Was ihre Eigenschaften angeht, macht es übrigens keinen Unterschied, ob sie auf einer Provinzbühne oder in der Hauptstadt auftreten – kurz: Primadonnen sind hinreißend und unerträglich. Ohne sie wäre Oper fad.

Die beiden Unterschiede zur Oper: In der Politik sind die meisten Primadonnen männlich, und in allen Parteien ist die Zahl der Primadonnen wie in der Richterskala nach oben offen. Die Große Koalition war mit einer großen Zahl großer Primadonnen geschlagen.

Fairerweise muß zugegeben werden, daß politische Primadonnen, entgegen der allgemeinen Meinung, viel weniger verdienen als die Opernkolleginnen; außerdem kann ein politischer Fehler mehr schaden als ein falscher Ton. Auch deshalb ist um mehr Verständnis für die Politiker zu werben, selbst wenn das wahrscheinlich nicht gelingt. Wer zur Spitzengruppe gezählt wird, hat Durchsetzungsvermögen bewiesen und Klugheit und taktische Fähigkeiten und Weitsicht und gute Nerven und eine starke Physis. Im Grunde stehen alle unter einem permanenten Druck und Erfolgszwang, für sich, für die Partei, für das Land – was da überwiegt an Motivation, das sollen, hoffentlich, die Wähler erkennen und entscheiden.

Sogar ein begrenzter Einblick in die Innereien der Koalition mußte zu dem Ergebnis führen, daß sich ihre großen Kaliber außenpolitisch blockierten, wobei die innenpolitischen Interessen dominierten. Die Stimmung wurde gereizter, je näher die Wahlen rückten. Ich folge im wesentlichen den sporadischen Notizen, die ich mir damals noch machen konnte. Im April hatte ich in einem Hintergrundgespräch zusammen mit unserem Parlamentarischen Staatssekretär Gerhard Jahn gegenüber einigen Journalisten die erreichten positiven Elemente des NV-Vertrages erläutert, um die vielen negativen Aspekte auszugleichen, die von den Gegnern gezielt lanciert wurden. Darauf ruft Diehl an, der Kanzler käme sich in die Pflicht genommen vor. Das gehe nicht. Außerdem würden die Amerikaner gar nicht drücken. Am nächsten Tag zeigt das Treffen mit dem neuen amerikanischen Außenminister William Rogers, daß die Amerikaner nicht drängen, aber unsere Unterschrift erwarten, zumal ihnen die Sowjets erklärt hätten, sie würden den Vertrag nicht ratifizieren, solange die Bundesrepublik nicht unterschrieben hat. Conrad (»Conny«) Ahlers, Stellvertreter von Diehl, meint: Jetzt beweist sich, ob der Kanzler ein Kerl ist. Inzwischen haben schon hundert Staaten unterschrieben. Vielerlei Meinungsaustausch, ob der Kanzler die Koaliton platzen lassen kann, ob die SPD sich das leisten kann, wer die besseren Nerven hat. Ich finde, mit jeder weiteren Woche kann es sich keine Seite leisten.

Das Klima in der Koalition ist eigentlich nicht mehr vorhanden. Barzel sieht meinen Standpunkt, jetzt zu unterschreiben und die Ratifizierungsdebatte bis zum nächsten Jahr zu verschieben. Einige Tage später in einem kleinen Kreis mit Barzel drängt Brandt nicht besonders. Der Fraktionsvorsitzende findet, man sei nur jetzt nicht überzeugt und solle sich nicht unter einen selbstgemachten Zeitdruck setzen lassen. Zu meinem Entsetzen bemerkt Brandt, die Welt gehe nicht unter, wenn wir jetzt nicht unterschreiben. Nach der Sitzung sind Brandt und Duckwitz ganz betroffen, als ich sage, ich hätte keine Lust mehr, außer mich versetzen zu lassen. Diese ganz informelle Sitzung hatte drei Folgen: Die Welt ging nicht unter, ich wurde nicht versetzt und der NV-Vertrag stillschweigend vertagt. Aber ich bezweifle sehr, daß der Außenminister aus Weitsicht dem kommenden Bundeskanzler die schnelle positive Entscheidung zur Vertragsunterschrift überlassen wollte.

Den Einschätzungen aus Washington wie aus Moskau, die deutsche Außenpolitik sei bereits bewegungsunfähig geworden, konnte nicht widersprochen werden. Das wurde noch deutlicher, als es darum ging, ob die Bundesversammlung zur Wahl des nächsten Bundespräsidenten in Berlin abgehalten werden sollte oder nicht. Aber bei diesem Durcheinander rührten Köche von sechs Regierungen, drei Parteien und unser Parlamentspräsidium, so daß ich mir eine einigermaßen zutreffende, nicht zu satirische Darstellung nicht zutraue. Das gilt nicht für die Schaffung eines neuen Begriffs, des »Kambodschierens«, bei dem ich Geburtshelferdienste leisten konnte.

Mitte Mai 1969 trifft uns die Anerkennung der DDR durch den Irak, gefolgt von Kambodscha. Damit steht die Hallstein-Doktrin auf dem Prüfstand, die uns mit Ausnahme der Warschauer-Pakt-Staaten zum Abbruch unserer Beziehungen zwingen würde. Die Analyse im Planungsstab ergibt, daß ein Abbruch keine abschreckende Wirkung mehr hat, und alles unterhalb, also diplomatische und wirtschaftliche Schritte, die die Tendenz international noch beschleunigen könnten. Im Kabinett

216

hält Strauß Abbruch für töricht. Der Kanzler neigt unter Einfluß von Diehl zu einer harten Reaktion, Brandt kann sich dem nicht anschließen, will Zeit gewinnen und unsere Botschafter nach Bonn rufen. Da es in der Sache keine Einigung gibt, werden die Botschafter abberufen, alles andere vorbehalten. Spätestens seit Heimerzheim wissen die Beteiligten, daß die Hallstein-Doktrin nicht zu halten ist. Aber das wegen des Prinzen Sihanuk zugeben? Doch zunächst fährt der Kanzler nach Japan, der Außenminister in die Türkei. Im Auswärtigen Ausschuß sind alle Christdemokraten für eine harte Reaktion. Die Anerkennung der DDR durch den Sudan macht keinen Eindruck. Duckwitz warnt Carstens auf eigene Kappe, seine Leute sollten nicht überspannen, der Außenminister sei am Rande des ihm Zumutbaren. Wehner ruft an, wegen Kambodscha könne man nicht aus der Regierung austreten. Ehmke und Dohnanyi sind gegenteiliger Meinung; es gehe um das Gesicht der Partei.

Die Kabinettssitzung am 30. Mai dauert sieben Stunden. Brandt berichtet, es sei sehr hart zugegangen. Die andere Seite sei auf Abbruch festgelegt. Er habe daran nichts ändern können, weil Wehner offensichtlich Kiesinger gesagt habe, Kambodscha sei kein Grund für den Bruch der Koalition. Also Blockierung im Kabinett. Am Montag (2. Juni) soll der Kreßbronner Kreis helfen, der innere Kreis der Koalition, in keinem Statut vorgesehen, aber praktisch das Entscheidungsgremium über dem Kabinett. Am Sonntag ruft Brandt an, wir sollten eine Formel überlegen, die nicht Abbruch ist; »Schließung« der Botschaft befriedigt ihn nicht. Diese Idee hatte der ebenso kluge wie schlaue und loyale Paul Frank gehabt, nach dem Ausscheiden von Staatssekretär Duckwitz dessen Nachfolger. Also Montag früh um neun Uhr mit Duckwitz und Frank auf der Suche nach der diplomatischen Formel für ein bißchen Schwangerschaft. Im Planungsstab waren wir auf »Einfrieren« gekommen; ein Mitarbeiter wollte die Beziehungen »ruhen« lassen. Der Minister läßt mir sagen, es könne hilfreich sein, Barzel zu erreichen. Zurück im Büro höre ich, daß der angerufen hat. Wir verabreden uns sofort, weil er den Kanzler noch eine Stunde vor dem Kreßbronner Kreis sieht.

Barzel sorgt sich um den Bestand der Koalition und fragt, ob es Brandt, ohne jede Hintertür, ernst ist mit Rücktritt, falls »abgebrochen« wird. Ich erkläre mich überzeugt davon; er lasse über alles mit sich reden, was unterhalb von Abbruch liegt. Es gehe nicht um Kambodscha, sondern um den Tropfen, der das Faß überlaufen läßt. Der Kanzler, so

Barzel, hätte sich auf Abbruch festgelegt. Dann gehen wir alle Aspekte, Momente und Folgen durch, was den Fraktionschef zu der zutreffenden Bemerkung bringt, wir seien sicher die einzigen, die noch dreißig Minuten über die Sache sprächen. Er hat auch recht, das Ganze eine innenpolitische Kraftprobe zu nennen. Wir könnten keine fertigen Lösungen vereinbaren, die akzeptiert werden müssen, sondern Möglichkeiten; sein Fußvolk sei schon allergisch. Mir fiele nichts mehr ein als »einfrieren«. Das sei kein Abbruch, das könne man wieder auftauen, es bliebe etwas am Ort und höre sich nach Stillegen an. Barzel will mit seinen Freunden sprechen. Ich unterrichte Brandt mit verhaltener Zuversicht; denn Barzel hat sich nicht festgelegt.

Höre am nächsten Morgen, Kreßbronn hat bis 5.20 Uhr getagt. Vergnügungssüchtige Herren. Man hat eine differenzierte Lösung beschlossen. Barzel ruft an: »Unser Gespräch ist sehr nützlich gewesen; Sie haben sicher schon gehört [keine Ahnung], daß etwa unsere Formel vom Einfrieren herausgekommen ist. Es war sehr schwer. Jetzt muß es halten. Es wird nicht von Abbrechen gesprochen. Ihre Leute dürfen keine Siegesfanfaren blasen, sonst geht nichts mehr, und die Sache bricht auseinander. Es war am Rande.« Bin ganz fröhlich. Unmittelbar danach ruft Rut an. Noch nie vorher habe ich sie weinen gehört. Willy wolle beides niederlegen, Vorsitz und Außenminister. Wehner und Schmidt hätten ihn im Stich gelassen. Er sei nicht ansprechbar. Verabreden Anruf, wenn er aufwacht. Dann würde ich unangemeldet kommen. Mir wird ganz flau. Schon im Januar war er ausgefallen. Als ich auf seine Veranlassung den Arzt anrief, hörte ich, Durchblutungsstörungen der Herzkranzgefäße, Stauungen in der Lunge, sehr schlechtes EKG. Normalerweise müßte er ihn sechs Wochen ins Krankenhaus legen. Politiker handelten gegen die Vernunft. Ich hatte den Arzt beschimpft, weil er nicht entschieden genug aufgetreten sei wie gegenüber einem normalen Patienten. Damals konnte ich Willy ausreden, zu früh wieder ins Geschirr zu gehen und sich wenigstens 14 Tage Urlaub zu gönnen, aus denen dann zehn Tage auf dem Schiff nach Amerika wurden.

Erkundige mich bei Ehmke: Es sei ganz scheußlich gewesen, nicht zuletzt durch Willy, der zum Teil gemuffelt hätte, statt zu kämpfen. Ganz schlecht Wehner, der erst gegen die Freunde von Grass geschimpft und gepoltert hätte, es sei auch unmöglich, wenn die Nummer eins und zwei nicht miteinander reden, und dann für den Rest der Nacht schwieg. Da sei sicher ein Stachel bei Willy zurückgeblieben. Zu Schmidt hätte sich das Verhältnis wohl verbessert, denn der habe gut gefochten. Inzwischen werden alle Termine für Willy abgesagt. Der französische Botschafter teilt mit, man sei in Paris, ohne eine Empfehlung geben zu wollen oder zu können, der Meinung, es wäre gut für das Gleichgewicht, wenn wir in Kambodscha blieben.

Endlich ruft Rut an. Es fällt ihr schwer zu sprechen. Ich gehe ohne anzuklopfen in das halb abgedunkelte Zimmer. Es ist quälend, eine ganze Weile allein zu sprechen, behutsam, schonend. Nur langsam kann man vernünftig reden. Er habe eine Kraftprobe verloren. Das konnte ich nach Barzels Wertung heute früh nicht einsehen. Aber er meinte gar nicht Kambodscha. Im Grunde müsse er gegen Wehner ein Verfahren wegen parteischädigenden Verhaltens einleiten, und die mokante Art von Schmidt gehöre sich nicht. Wir besprechen dann: Er sollte mehr in der Baracke sitzen, mit Wehner und Schmidt sprechen, vielleicht in Anwesenheit von Nau, dem Schatzmeister der Partei, sie vergattern, festhalten, daß er nur unter diesen Umständen bleiben und nach den Wahlen darauf zurückkommen werde. Dann »entscheiden« wir die Auslegung des nächtlichen Diskussionsergebnisses, das formell morgen das Kabinett zu entscheiden haben wird.

Im Amt wird an drei verschiedenen Formulierungen gearbeitet: Einstellen der diplomatischen Tätigkeit, Reststäbe wie sie für die Fortsetzung der laufenden Projekte nötig sind, keine Schließung. Im Kabinett geht es gut. Duckwitz sagt, weil er den Kanzler im Privatgespräch davon überzeugt hat, daß Schließung nicht geht. Der hatte den Kreßbronner Kompromiß so verstanden, daß alle Leute abgezogen würden, Willy hatte die Einstellung der diplomatischen Tätigkeit gemeint. Der Kanzler war einverstanden unter der Voraussetzung, daß man nach außen so tue, als sei es Schließung. Bei Vertraulichkeit könne man sich darüber verständigen, wie viele Leute bleiben. Ich weise darauf hin, daß bei Nichtabbruch zuletzt nicht weniger Personal bleiben darf als bei Abbruch, bei dem ja auch ein Reststab bleibt. Jetzt müsse man schnell die verbindliche Interpretation dem Prinzen notifizieren, bevor er sie durch die Agenturen erfährt. Das sei dann endgültig.

DDR-Außenminister Winzer begibt sich nach Syrien. Kairo informiert freundlicherweise 48 Stunden, bevor es die DDR anerkennt. Bei

733 Millionen D-Mark Ausfallbürgschaft allein für Äypten können wir wirtschaftlich nichts machen, ohne uns ins eigene Fleisch zu schneiden. Drei Tage später bricht Kambodscha die Beziehungen zur Bundesrepublik Deutschland ab. Der Sudan folgt.

Die Bundesrepublik Deutschland hatte ihre Beziehungen zu Kambodscha nicht abgebrochen; das ist das entscheidende Moment mindestens für das Ausland und seine Regierungskanzleien. Bonn war von der Hallstein-Doktrin abgerückt. Das Verdienst kommt eigentlich der Großen Koalition zu; aber das wollte sie keinesfalls sagen, also »kambodschierte« sie.

Prager Elegie

Mein erster Auftrag als Botschafter zur besonderen Verwendung lautete, eine Handelsvertretung in Prag zu vereinbaren. In Berlin hatte ich einen tschechischen Journalisten kennengelernt, der seinen Kollegen in Bonn, den Korrespondenten der amtlichen Nachrichtenagentur ČTK veranlaßte, mich im Amt aufzusuchen und mitzuteilen, daß man in Prag zu einer informellen Sondierung mit der neuen Regierung bereit wäre, um gerissene Gesprächsfäden wiederaufzunehmen. Wozu Journalisten, besonders kommunistische, so alles gut sind.

Die ČSSR war das einzige osteuropäische Land, außer Albanien, in dem wir amtlich nicht vertreten waren. Diese Lücke wollten wir gern füllen. Bei der Ankunft auf dem Flugplatz erwies sich, wie unbürokratisch solche Regime sein können. Der neue Diplomatenpaß, auf den ich so stolz war, wurde nicht verlangt; ich fuhr mit dem begleitenden Legationsrat in einer großen Tatra-Limousine mit Vorhängen in eine kleine, unbewohnte Villa, wo uns ein zurückhaltender freundlicher Mann begrüßte: Botschafter Josef Sedevý, begleitet von einem Abteilungsleiter des Außenministeriums. Es war nicht schwer: Beide Seiten wollten ein langfristiges Handelsabkommen und dazu Vertretungen einrichten. Mein wichtigster Punkt, die Einbeziehung Berlins, konnte nach einigem Hin und Her so ins Auge gefaßt werden, daß die befriedigende Praxis fortgesetzt würde, auch bei künftigen Abkommen unter Wahrung der unterschiedlichen Standpunkte: Berlin wird behandelt wie ein Teil der Bundesrepublik. Der Aufgabenbereich der Vertretungen konnte extensiv ausgelegt werden; sie könnten also Chiffrierrechte erhalten, Visa erteilen, würden keine diplomatischen Missionen darstellen, aber einen Schritt auf dem Weg zur Normalisierung bilden. Bei einem vorzüglichen böhmischen Schweinebraten mit Knödeln verbarg Sedevý nicht: Er saß in der Parteizentrale, hatte aber den Botschaftertitel behalten. Mich störte das nicht; denn in kommunistischen Ländern steht die Partei über der Regierung. Es stellte sich heraus: Alles, was wir verabredet hatten, wurde gehalten. Darüber hinausgehende substantielle Wünsche konnten in den Regierungsverhandlungen nicht durchgesetzt werden.

Zurück in Bonn wurde der Rahmen gebilligt, und vier Wochen später traf ich an der Spitze einer großen Delegation nun den stellvertretenden Außenhandelsminister Babaček. Entsprechend der »extensiven Auslegung« würden die entsandten Bediensteten und ihre Familienangehörigen diplomatische Rechte genießen, wir könnten die Bundesflagge zeigen, auch auf Gebieten der Wirtschaft und Kultur tätig werden, aber keinen direkten Zugang zum Außenministerium erhalten. Prag durfte sich nicht aus der Blocksolidarität lösen, zumal Rumänien bald diplomatische Beziehungen mit Bonn aufnehmen würde. Die Tschechen bestanden also auf der Anbindung beim Außenhandelsministerium, wollten aber »in der Praxis« nicht auf die Buchstaben pochen, wenn sich Staatsangehörige an unsere Vertretung wenden, deren Mitarbeiter bei Schwierigkeiten ins Außenministerium gehen würden, wo sie ihre Visageschäfte ohnehin erledigen müßten. Das erinnerte ein wenig an Schwejksche oder k.u.k.-Gepflogenheiten, aber »in der Praxis« hat es hervorragend funktioniert.

Eine nicht vorhergesehene Schwierigkeit ergab sich aus der Übersetzung. Unser Staat hieß und heißt Bundesrepublik Deutschland. Die Tschechen behaupteten nun, ihrer Sprache gemäß sei nur die adjektivische Form. Unser Dolmetscher bestätigte das sogar. Aber rückübersetzt wurde daraus die »Deutsche Bundesrepublik«, ähnlich der Deutschen Demokratischen Republik, was uns auf den sprachlichen Unterschied zwischen »Bund« und »Demokratisch« reduzieren würde. Das war unannehmbar. Ohne die einzige für uns annehmbare Form durfte ich das im übrigen fertige Abkommen nicht unterschreiben. Schließlich bestimmt jeder Staat, wie er heißt; schließlich bestimmt jedes Volk, wie es spricht. Hektische Telegrammwechsel setzten ein. Vielleicht wäre es eine Lösung, wenn im deutschen Vertragstext steht, wie es sich gehört, und im tschechischen, wie es dem Tschechischen entspricht? Ich muß gestehen, daß ich nicht mehr weiß, wie dieses Problem gelöst wurde, auch keine Lust verspüre, das nachzuprüfen. Der Kompromiß hat beide Länder jedenfalls nicht daran gehindert, inzwischen in beträchtlich veränderter Form ihre Beziehungen weiterzuentwickeln. Ich reiste von Prag nach Bukarest, dem Außenminister nach, um die diplomatischen Beziehungen zu feiern, einen abschreckenden Ceauşescu zu erleben, der seinen Außenminister wie einen Diener kommandierte in seinem prunkvollen Palast am Schwarzen Meer, und den rumänischen Schatz an überwiegend obszönen Radio-Eriwan-Witzen zu bestaunen.

Im April 1968 traf ich Sedevý wieder. Er wollte die außenpolitischen Seiten des Prager Frühlings darstellen. »Das ungestörte Verhältnis innerhalb des sozialistischen Lagers wird immer mehr zur Funktion einer auf stärkere Zusammenarbeit mit Westeuropa gerichteten Politik, in der die Bundesrepublik an erster Stelle steht. Dabei gibt es Kräfte, die innen- und außenpolitisch auf Beschleunigung drängen, bremsende Elemente in den oberen Schichten aller Apparate. Alexander Dubček, der von den Progressisten einer Mittelgruppe zugerechnet wird, hat durch sein staatsmännisches Verhalten bereits erstaunliche Autorität gewonnen.« Sedevý bot an, im Laufe der nächsten Monate zunächst vertraulich die Möglichkeit eines politischen Abkommens über Gewaltverzicht, Grenzvertrag und Münchner Abkommen zu prüfen. Gerade mit dem Blick auf den dreißigsten Jahrestag des Münchner Abkommens im Herbst.

Am zweiten Tag der Besprechung korrigierte er sich: Es sei wohl realistisch, wenn Bonn den Gewaltverzicht mit Moskau beginne. Das hatten wir ohnehin vor. Die Neuigkeit im Vergleich zum Vorjahr: Diplomatische Beziehungen könnten möglich werden, wenn wir uns über das Münchner Abkommen verständigten. Über diese Schlüsselfrage entwickelte sich ein ausführliches Gespräch. Ich regte einen Vertrag über die Endgültigkeit und Unverletzlichkeit der Grenze mit einem Gewaltverzicht für alle ungelösten oder künftigen Streitpunkte an mit dem Zusatz, daß damit das Münchner Abkommen als erledigt angesehen wird, als ob es nie bestanden hätte. Er erwiderte mißtrauisch, das werde man prüfen, obwohl es den Eindruck mache, als wollten wir nur um die Erklärung der Ungültigkeit von allem Anfang an (ex tunc) herumkommen. Das konnte ich nur bestätigen; denn dieses Abkommen sei zwar Unrecht von allem Anfang an gewesen, hätte aber unbestreitbar Folgen gehabt: Vom Bereich der Staatsangehörigkeit abgesehen, seien Vermögens- und Schadensersatzansprüche durch die Besetzung und Einverleibung des Sudetenlandes in das Deutsche Reich entstanden, wie später bei Vertreibung und Enteignung der Sudetendeutschen. Sedevý erklärte es für völlig unannehmbar, über Ansprüche, auf das Münchner Abkommen gestützt, auch nur zu verhandeln. Ohne eine Verständigung über Behandlung offener Rechtsfragen sei eine Lösung im Hinblick auf die Sudetendeutschen nicht möglich, entgegnete ich. Das verstand er. Vielleicht könnte man die Rechtsfolgen von der Erledigung des Münchner Abkommens trennen, dachte ich laut. Am Morgen vor dem Abflug kam Sedevý darauf zurück. Diese Idee könne nützlich sein, denn die Rechtsfragen würden wohl erst sehr langfristig lösbar sein. Wir wußten damals beide nicht, daß darüber noch zwanzig Jahre später gestritten werden sollte. Er meinte: »Der Wolf muß angefüttert werden, aber die Ziege darf nicht verzehrt werden.«

Zur Lösung dieser interessanten Aufgabe kam Mitte August eine kleine Delegation nach Bonn. Aber bevor wir uns dem Thema zuwandten, äußerte ich angesichts der Nachrichtenlage meine Sorge, ob Dubček die Lage noch richtig einschätze und seine Möglichkeiten nicht überdehne. Die Antwort, da könne ich ganz ruhig sein, sie verstünden schließlich mehr von den Russen als wir, war insofern sogar richtig. Wir waren sehr zuversichtlich: Morgen wird uns der Durchbruch für die Lösung des Münchner Abkommens gelingen. An diesem Morgen, man schrieb den 21. August 1968, kamen sie, um sich zu verabschieden, mit Tränen in den Augen, und vergaßen nicht zu danken, besonders dem Minister, für das, was wir für sie hatten tun wollen. Das mußte nun alles auf später verschoben werden. Der Prager Frühling war zu Ende. Bundeskanzler Kiesinger war nobel genug, am Rande einer Kabinettssitzung zu sagen: »Ein Glück, daß wir vor einem Jahr mit Prag abgeschlossen haben. Jetzt wäre das für lange Zeit unmöglich.« Paul Frank löste die interessante Aufgabe fünf Jahre später: Der Vertrag, aus dem keine Rechtsansprüche für die Tschechen abzuleiten sind, erklärte das Münchner Abkommen für »nichtig«.

Im Planungsstab

Die vorgesehene Planstelle wurde frei, weil Günter Diehl zum Chef des Presse- und Informationsamtes aufrückte, als Staatssekretär, eine Ernennung, die er den Sozialdemokraten verdanke, wie er sagte. Er war einer der intelligentesten Köpfe, die in Bonn herumliefen, dazu geistvoll und witzig, mit Blick für die schönen Seiten des Lebens, ein Könner in der subtilen Behandlung der öffentlichen Meinung oder gröber: der wirkungsvollen Beeinflussung. Alle diese Eigenschaften wußte er auch innerhalb des Regierungsapparats virtuos zur Geltung zu bringen, im Dienst seines Herrn, ohne deshalb unkritisch zu sein, und fest überzeugt, daß seine Erkenntnisse das Beste im Interesse des Landes sind. Ein sympathischer Gegner also.

Eine Summe meiner Erfahrungen in fünfzig Jahren: Noch bevor die Großen dieser Welt oder dieses Landes nach ihren Taten beurteilt werden können, ist Beobachtern zu empfehlen: An ihren Beratern sollt ihr sie erkennen! Bei allen Unterschieden der Charaktere und Fähigkeiten, die zwischen Washington und Moskau, zwischen Bonn und München oder Mainz, Hannover und Berlin gefragt sind, um jeweils an die Spitze zu kommen, lassen die menschlichen und sachlichen Qualitäten der Berater erhellende Schlüsse auf die Chefs zu. Das gilt erst recht, wenn sie glauben, keine Berater mehr zu brauchen.

Den Planungsstab beschrieb Diehl bei der Übergabe: »Wenn der Auswärtige Dienst eine üppige Torte ist, dann ist der Planungsstab die Sahne darauf.« Es traf zu: Der köstliche Luxus, insgesamt die Themen selbst zu wählen, addierte sich mit der Lust, frei schwelgen zu können beim Denken, weitgehend unbelastet von täglichen administrativen Pflichten. Nachdenken als Aufgabe, anständig bezahlt, gefüttert mit allen Informationen, die der große Apparat täglich ergänzt und die Wissenschaft bereithält, da stellte sich ein Gefühl der Genugtuung über unseren Staat ein, der sich das leisten wollte. Zweimal im Jahr kamen, um im Bild zu bleiben, die Schokoladensplitter auf der Sahne hinzu, wenn die APAG (Atlantic Policy Advisory Group), die politische Planungsgruppe der NATO, zu einem erfrischend offenen Meinungsaustausch zusammentraf. Die schönste Zeit meines Berufslebens habe ich im Planungsstab des Auswärtigen Amtes genossen.

Praktisch war der Planungschef der bestinformierte Mann im Haus.

Der Stab erhielt alle von unseren Vertretungen eingehenden Berichte, die im Geschäftsgang den einzelnen Abteilungen und Referaten zufließen, wie sonst nur noch die Spitze des Hauses. Da aber weder Minister noch Staatssekretär Zeit haben, das alles zu lesen, bekommt es nur der Leiter des Planungsstabes zu Gesicht, theoretisch; denn auch der ist wegen der Fülle darauf angewiesen, daß seine Mitarbeiter dafür sorgen, daß ihm nichts wirklich Wichtiges entgeht. Es gab keine Panne. Dank dieser Übersicht sind Einschätzungen zu gewinnen, die für die Spitze des Hauses wertvoll sind. Ein hervorragendes Beispiel dafür war eine kurze Aufzeichnung von Diehl, die dem Minister zwei Wochen vor dem Beginn des Sechs-Tage-Krieges auf dem Tisch lag. Darin war in wenigen Punkten die Voraussage zusammengefaßt: 1. Es wird Krieg geben. 2. Die Israelis werden ihn in zwei bis drei Wochen gewinnen. Falls diese Zeitschätzung falsch ist, werden die folgenden Punkte fraglich. 3. Der Krieg wird auf die Region begrenzt bleiben. 4. Es wird lange keinen Frieden geben. 5. Das politische Ergebnis des Krieges wird sein, daß es in dieser Region Frieden nicht ohne Beteiligung der Sowjetunion geben wird. Das war eindrucksvoll genug, um es viel später am Ufer des Sueskanals Anwar as-Sadat zu erzählen, der nach der erfolgreichen Rückeroberung des Sinai geneigt war, die Sowjets in seinen Überlegungen zu vernachlässigen. (Seine Stimme gewann die samtene Wärme eines Cellos: »Ich werde darüber nachdenken.«)

Vielleicht war es gar nicht freundlich gemeint, daß Diehl bis auf einen Mitarbeiter, natürlich einen CDU-Mann, den Stab personell leergefegt hatte. Ich fand mich in der glücklichen Lage, ihn nach meinen Gesichtspunkten neu besetzen zu können. Er sollte operative Erfahrungen bündeln: Ost-West, Europa, NATO, Wirtschaftspolitik, Nord-Süd. Die Leute sollten erstklassig sein und vor allem charakterlich in Ordnung, soweit es ihren Ruf anging. Auf der Durchreise zur ersten Konferenz unserer Botschafter in Afrika »kaufte« ich in Genf Gustav Diesel ein, in Abidjan fiel mir Per Fischer auf, Jürgen v. Alten hatte, glaube ich, Sahm empfohlen. Die Herren Terbeek und Schmitz vervollständigten die Gruppe. Carl-Werner Sanne, mein Stellvertreter, bestach durch seine offene Art, die scharfes und exaktes Denken mit schonungsloser Sprache verband, kreativ, umsichtig, genau, zäh und mit Nerven wie Stahltrossen. Vor allem konnte ich später feststellen, daß diese Begabungen sich nicht auf die Arbeit am Schreibtisch beschränkten, sondern in der

Operation und bei Verhandlungen genauso fruchtbar und verläßlich waren. Er widersprach einem Sowjet ebenso kühl und sicher wie einem Engländer oder später seinem Bundeskanzler Schmidt. So wünscht man sich Diener des Staates. Nach meinem Ausscheiden als Bundesminister wurde er Staatssekretär im Entwicklungshilfeministerium und arbeitete hingebungsvoll, vom Krebs schon gezeichnet, des Endes bewußt, in scheinbar selbstverständlicher Strenge gegen sich selbst bis zum letzten Tag. Wir wurden Freunde.

Die Feststellung hat eigentlich nicht überrascht, aber wirkte dennoch schockierend: Zu unserem Hauptanliegen, der deutschen Frage, gab es nichts. Die Schubladen waren leer. Darüber nachzudenken, war uninteressant oder sinnlos erschienen. Die interne Realität entlarvte die gebetsmühlenhaften Formeln, die inhaltsleer öffentlich ständig wiederholt wurden. Eine Aufzeichnung Diehls vom März 1967 hatte ich veranlaßt. Sie kam zu dem Ergebnis, es bestünde keine Notwendigkeit, die Hallstein-Doktrin aufzugeben. Er hat auch später, als wir über meine Vorstellungen sprachen, bezweifelt, daß unsere Kräfte für eine diplomatische Offensive ausreichten, und bekräftigt, man solle »sich besser auf das Halten wohlbefestigter Stellungen beschränken«.

Statt dessen eröffnete ich unsere Arbeit mit der Aufforderung, alle Beschlüsse zu vergessen, kein Tabu zu schonen, so zu tun, als wären wir auf der grünen Wiese und könnten unsere Politik neu erfinden unter der einzigen Vorgabe: Wie wird die Einheit möglich? Das Undenkbare denken. Die Diskussion ergab das überragende Interesse aller unserer Nachbarn, so sicher vor Deutschland zu sein, daß sie vor seiner Einheit keine Sorgen haben müßten. Folgerung: Wie muß Europa organisiert werden, um auch Sicherheit für Deutschland zu garantieren? Die Kombination beider Gesichtspunkte führte zu Folgerungen, die den Kollegen utopisch schienen, jedenfalls die Kräfte und Möglichkeiten der kleinen Bundesrepublik bei weitem übersteigen würden, falls eine Regierung das versuchen würde. Und welche sollte so vermessen und kühn sein? Das letzte Argument wies ich zurück: Wenn von der Fortsetzung der Großen Koalition auszugehen sei, hätten wir die Aufgabe, nach der Analyse der Lage unsere Interessen zu formulieren, unter welchen Voraussetzungen das gewünschte Ergebnis erreichbar sein könnte. Wie soll das Ziel aussehen? Wenn das klar ist, würden wir zu untersuchen haben, wie man, ausgehend von der heutigen Lage, operativ dorthin kommen kann. Auch dabei sei Kleinmut nicht angebracht, denn wenn eine deutsche Regierung, in der Mitte Europas, ein schlüssiges Konzept hat und dafür aktiv wird, könnte sie Bewegung schaffen und die Stagnation überwinden. Aus diesem Ansatz entwickelten sich zwei größere Papiere, das erste mit dem Titel »Konzeption europäischer Sicherheit«, das zweite unter der Überschrift »Überlegungen zur Außenpolitik einer künftigen Bundesregierung«.

Methodisch wurden zunächst die Fragestellungen diskutiert. Das Ausscheiden falscher oder irrelevanter Fragen ist die halbe Arbeit. Dann bekam ein Kollege den Auftrag, das aufzuschreiben, woraus sich neue Fragen ergaben, oder Teilprobleme zu beleuchten, indem er sich vorstellte, wie Moskau, Paris, London oder Washington ihre Interessen, erklärte und nichterklärte, formulieren würden, natürlich auch die DDR, die wir unter uns schon so zu nennen wagten, und Prag, Warschau und nicht zuletzt die NATO. Aus den Berichten unserer Botschaften ergaben sich zusätzliche Anregungen. Im Zweifel konnte der ganze im Hause versammelte Sachverstand genutzt werden. Der Berg der Aufzeichnungen wuchs auf mehr als sechshundert Seiten in sieben Monaten. Das Ergebnis wurde auf 26 Seiten komprimiert, die wichtigsten Punkte auf zwei Seiten zusammengefaßt; denn wir kannten die Abneigung »oben« aus Mangel an Zeit, lange Papiere lesen zu sollen.

Für eine europäische Friedensordnung zeichneten sich drei Grundformen ab: A: Die beiden Paktsysteme erreichen einen höchstmöglichen Grad von Entspannung durch Abrüstungsmaßnahmen; B: Beide Pakte werden durch gemeinsame Organe verklammert und schließlich zu einem Dach mit einer permanenten Sicherheitskonferenz entwickelt; C: Beide Paktsysteme werden durch ein europäisches Sicherheitssystem ersetzt, von den beiden Supermächten garantiert, ohne daß sie Mitglieder sind.

Unsere Untersuchung kam zu dem Ergebnis, daß A wahrscheinlich ist, aus Trägheitsmomenten, und jedenfalls die deutsche Frage offenhält. B ist ein »perfektes System der Sicherheit vor Deutschland und entspricht daher ausschließlich den Interessen anderer Staaten«, verfestigt den Status quo, bietet »keine Perspektive für die Überwindung der deutschen Teilung«, weil es eine Bestandsgarantie der NATO für die DDR bedeutet, und muß unbedingt vermieden werden. C eröffnet die Möglichkeit, »über eine grundsätzliche Neuregelung der europäischen Sicherheit eine politische Basis für die Wiedervereinigung Deutschlands und eine europäische Friedensordnung zu schaffen«. Was unsere Interessen optimal wahren könnte, schien am unwahrscheinlichsten.

C beschrieb ein Sicherheitssystem für die konventionell gerüsteten Staaten – der Beitritt der Atommächte Frankreich und Großbritannien war fragwürdig –, verpflichtete jedes Mitglied zum Beistand gegen jeden, der es bricht, und sah den Abzug aller Besatzungsstreitkräfte vor. Das basierte auf der Einschätzung, daß Amerikas Interesse an einem freien Europa stark genug bleiben würde, um das System zu garantieren. Unsere Sicherheit wäre nicht geringer, wenn sowjetische Streitkräfte, bestimmt nicht kampflos, erst Polen zu durchqueren hätten, bevor sie an der Oder-Neiße-Linie auf Deutsche stießen, die jedenfalls verpflichtet, wahrscheinlich auch willens wären, Widerstand zu leisten. Auch wenn die Anerkennung der DDR als Staat und der Oder-Neiße-Linie unumgänglich mit der Einführung von C wären: »In beiden Teilen Deutschlands würden starke Kräfte wirksam werden, die auf eine Annäherung zielen. Ohne die Anwesenheit sowjetischer Truppen und ohne Interventionsrecht der Sowjetunion wäre es auf sich gestellt und ungeschützt den Umwelteinflüssen ausgesetzt. Dies führt zu dem Schluß, daß die DDR eine Ablehnung des Sicherheitssystems nur schwer begründen könnte, eine Zustimmung nur denkbar ist, wenn übergeordnete sowjetische Interessen sie dazu zwingen.«

Wir waren zu Ergebnissen gekommen, die sich mit den Gedanken des polnischen Außenministers Adam Rapacki trafen, was einer bemerkenswerten Parallelität der Interessen entsprach, aber auch erfreulicherweise nicht so weit entfernt von einer Studie des »Centre d'étude politique étrangère«, das dem französischen Außenministerium nahestand und veröffentlicht wurde, als unsere Arbeit fast fertig war. Zum Umfeld, wie man heute statt »Umwelt« sagt, das eine ganz andere Bedeutung gewonnen hat, gehörte auch der Harmel-Bericht – so genannt nach dem belgischen Außenminister – vom Vorjahr. Neben seinem erfreulichen Ergebnis, daß die NATO ihren Verteidigungspfeiler durch einen der Entspannung ergänzen wollte, verschärfte der Bericht die Sorge vor Block-zu-Block-Vereinbarungen auf der Grundlage der Teilung. Nachdem die Mitarbeiter nach sorgfältigster Prüfung zu einem Ergebnis gekommen waren, das auf der Linie meiner früheren Überlegungen lag, festigten sich Einsicht und Überzeugung: Der Schlüssel zur Einheit liegt in der Lösung der europäischen Sicherheitsprobleme. Im Rückblick wird deutlich: So fruchtbar die damaligen Erkenntnisse auch wurden, sie enthielten mehr Falsches als Richtiges; denn gerade die Vereinbarungen zwischen den beiden Blöcken waren unerläßlich, um 1989 konventionelle Abrüstung zu erreichen, ohne das Gleichgewicht zwischen Ost und West, ausbalanciert auf der deutschen Teilung, so zementieren zu können, daß es nicht ein Jahr später zerbrach. Zugunsten der Deutschen, allerdings dank anderer nichtmilitärischer Vorgänge.

Vor allem: Die Einheit wurde erreicht, bevor eine europäische Friedensordnung vereinbart werden konnte. Allerdings laboriert Europa nach dem Ende des Ost-West-Konflikts gerade an diesem Mangel.

Fünf Jahre nach der Vollendung unserer Studie wurde sie mit einigen Auslassungen in *Quick* unter der sinnentstellenden Überschrift veröffentlicht: »Wie Egon Bahr Deutschland neutralisieren will?«, was einigen Wirbel verursachte. Die Opposition griff das als »Geheimstudie zur Neutralisierung Deutschlands« auf und übersah, kaum aus Dummheit, daß gerade das Gegenteil klassischer Neutralitätsvorstellungen gefordert war. Ich hatte übrigens keine Bedenken, einem Walther Hahn, bei dessen Vorstellung ich eine Nähe zum State Department heraushörte, in aller Offenheit die Überlegungen unserer damaligen Studie zu erläutern, was ihn in seiner Zeitschrift *Orbis* dazu brachte, den Neutralismusvorwurf der Opposition zu unterstützen. Neutralität bedeutet Nichtbeteiligung gerade im Konfliktfall. Das war weder für die alte Bundesrepublik noch ist es für Deutschland machbar. Unsere Masse ist – anders als bei Österreich – zu groß. Ein sicherheitspolitisches Vakuum in der Mitte Europas wäre unerträglich und für alle gefährlich.

Wie weit unsere Gedanken damals waren, erfuhr ich Anfang 1995 wieder. Hans-Jakob Stehle schickte aus den *Vierteljahres-Heften für Zeitgeschichte* (Heft I/95) eine »Dokumentation – Zufälle auf dem Wege zur neuen Ostpolitik 1968«. Sie enthielt zwei ausführliche Vermerke zweier Personen über ein und dasselbe geheime Gespräch in der Wohnung Stehles, der damals Osteuropa-Korrespondent der *Zeit* in Wien war. Es war auf Veranlassung des polnischen Diplomaten Jerzy Raczkowski zustande gekommen, den ich aus seiner Tätigkeit bei der polnischen Militärmission in Berlin kannte, der es aber als »zufällige

Begegnung«, »ohne Auftrag seiner Regierung« verstanden wissen wollte. Zum beiderseitigen Flankenschutz benutzte ich einen ohnehin fälligen Besuch bei dem Chef der IAEO (siehe Abschnitt über NV). Diese Vermerke sind auch deshalb interessant, weil sie zeigen, daß eine zweieinhalbstündige intensive Begegnung ganz verschieden dargestellt werden kann, wobei jede Darstellung korrekt ist. Diese Erfahrung für Aufzeichnungen von Gesprächen zwischen Ost und West gilt auch für solche zwischen West und West und macht das Geschäft für Historiker nicht leichter, selbst wenn sie, was unerläßlich ist, die Papiere beider Seiten kennen. Selbst dann sind unterschiedliche, subjektive Urteile der Beteiligten möglich und nicht einmal durch die späteren Abläufe zu verifizieren, die – entgegen zu vorher festgehaltenen Absichten – wieder etwas Drittes bringen können. Niemand sollte übrigens überrascht sein, wenn ein Unbeteiligter ein Tonband dieses Gesprächs abhört, darüber einen Bericht macht, bei dem abermals etwas anderes und auch nicht Falsches herauskommt. Ohnehin entzieht sich die komplizierte Wirklichkeit der Darstellung in Zeitungen und im Fernsehen, soweit knakkige Kürze verlangt wird.

Der Pole kam zur Oder-Neiße-Linie mit vier Zeilen aus: »In der Frage der Grenzen nahm Bahr einen steifen Standpunkt ein. Er stellte fest, daß in der NRF (Deutsche Bundesrepublik) die Lage nicht reif ist zur Anerkennung der Grenzen, nicht wegen der öffentlichen Meinung, sondern wegen des gegenwärtig bestehenden Kräfteverhältnisses. Nach seiner Ansicht ist da gegenwärtig nichts zu machen.« In meinem Vermerk liest sich das dann so: »Das Gespräch wendete sich dann dem Thema der Oder-Neiße-Linie zu, das fast die Hälfte der Zeit beanspruchte. Dabei stellte sich heraus, daß die polnische Seite die Bedeutung des Problems nach wie vor überdimensioniert sieht, darauf traumatisch, im letzten bis zur Unlogik fixiert ist, ohne im Falle einer Anerkennung der Oder-Neiße-Linie auch nur mit Sicherheit die Aufnahme diplomatischer Beziehungen in Aussicht zu stellen, obwohl dies nicht ganz undenkbar erscheint.

R. berichtete, daß westliche Staatsmänner ohne Ausnahme bei Begegnungen mit ihren polnischen Gesprächspartnern die neue Politik der Bundesregierung erläutern und dafür werben; aber es gebe keinen einzigen, der die polnische Auffassung zur Oder-Neiße-Linie auch nur mit einem Wort in Zweifel ziehe. Wenn es richtig sei, daß man auch in der Bundesrepublik nicht mehr damit rechne, diese Gebiete durch einen Friedensvertrag zurückzuerhalten, und im wesentlichen aus innenpolitischen Rücksichten sich scheue, das auszusprechen, so sei dieses Argument nach der Bildung der Großen Koalition kaum noch glaubhaft. Wenn diese Regierung nicht stark genug sei, welche würde es dann sein? Wenn man von der Rücksicht auf die Bevölkerung spreche, so scheine die Bevölkerung weiter zu sein als die Politiker. Die Umfragen, die jetzt veröffentlicht werden, zeigen, daß die Regierung kein Übermaß an Mut brauche, um auszusprechen, was ohnehin jeder wisse. Wenn man es trotzdem nicht tue, so dränge sich förmlich der Verdacht auf, daß in Wahrheit Hintergedanken ausschlaggebend sind oder aber: Wenn die Furcht zur Anerkennung der Realitäten berechtigt groß ist, dann sei auch das Mißtrauen der Polen gegenüber einer derartigen Tatsache berechtigt groß.

Die Bundesrepublik sei der einzige Staat in Europa, der Gebietsansprüche stelle. Die Anerkennung der Oder-Neiße-Linie sei ein Test dafür, ob diese Gebietsansprüche aufgegeben würden. Es gebe einen logischen Widerspruch zwischen Gewaltverzicht, einem Sicherheitssystem und den Ansprüchen auf die Grenzen des Jahres 1937.

Ich habe R. erklärt, ich möchte ihm keine falschen Eindrücke oder Hoffnungen machen: Warschau müsse davon ausgehen, daß die Anerkennung der Oder-Neiße-Linie für die Bundesregierung nicht in Frage komme. Dies bleibe einem Friedensvertrag vorbehalten. Bis dahin könne man befriedigende Regelungen erzielen und praktische Fortschritte zwischen den beiden Staaten erreichen, zumal das Problem nicht die Anerkennung, sondern die Überwindung von Grenzen sei. Bei der polnischen Haltung ist sogar ein Sicherheitssystem denkbar, über das man sich verständigt, ohne sich über die Oder-Neiße-Linie verständigen zu können. Es sei ja auch ganz gut, daß man noch einen Streitpunkt behalte, aber diese theoretisch denkbare Situation zeige auch die begrenzte Bedeutung der Oder-Neiße-Linie.

Das Thema der Oder-Neiße-Linie brachte die einzige Phase, in der das Gespräch zeitweilig Schärfe bekam, obgleich es auch dabei sachlich blieb. Drei sehr unterschiedliche Argumente erwiesen sich dabei als verhältnismäßig wirksam:

a) Wir erheben keine Ansprüche, sondern wir vertreten nur den völkerrechtlichen Stand der seit der bedingungslosen Kapitulation ungeregelten Grenzen des Reiches.

b) Die polnische Haltung sei letztlich nur durch die Angst zu erklären, es könne sich doch etwas ändern.

c) Es sei unlogisch und mit der polnischen Haltung zum schrittweisen Vorgehen in der europäischen Sicherheitsfrage nicht vereinbar, wenn man sich mit einer sachlichen Regelung nicht begnüge, sondern auf der Formalisierung bestünde. (Der Inhalt der Flasche ist wichtiger als das Etikett.)

Es wird sehr schwer sein, die Polen von ihrem manischen Ceterum censeo abzubringen. Ein möglicher Weg könnte die Formel sein, daß Gewaltverzicht die Anerkennung der Grenzen bis zum Friedensvertrag bedeute. Dies könnte nach den Worten R.s eine Gesprächsbasis sein, wobei die Polen bestrebt sein würden, dies expressis verbis zu bekommen, aber mit einer inhaltsgleichen mündlichen Erklärung möglicherweise zufrieden wären.«

In dem polnischen Vermerk kommt gar nicht vor: »R. monierte, daß ich immer nur von Rapacki spräche. Man müsse auch von Gomulka sprechen. Ich fragte, welche Unterschiede da bestünden. Er war etwas irritiert und meinte, es gäbe keine Unterschiede im Sinne von Differenzen. Es sei ein Unterschied etwa wie der zwischen Schröder und Adenauer. Ich fand, daß er damit das gefährliche Thema des Unterschieds zwischen Intelligenz und Klugheit angeschnitten habe. R. erwiderte, Rapacki sei intelligent und klug, aber Gomulka sei schlau, und es gäbe keine Sache von einiger Bedeutung im Zusammenhang mit Deutschland, die an Gomulka vorbeigeht.«

In meinem Vermerk fehlte: »Die grundlegende Bedeutung sollte für uns der Umstand haben, daß es das Hauptziel Brandts ist, Europa gemeinsam mit anderen Ländern aus einer Zone der Bedrohung durch bewaffnete Konflikte, aus einer Zone möglicher Konfrontation der Großmächte und der beiden Militärblöcke herauszuführen ... Bahr hat einmal angeordnet zu untersuchen, woher eigentlich die Formel vom ›Alleinvertretungsrecht‹ [deutsch im Original] kam. Es stellte sich heraus, daß Carstens sie um die Jahreswende 1961/62 ausdachte, um die These von der Nicht-Anerkennung der DDR durch ›etwas Positives‹ zu ersetzen. Dann gaben die Juristen des Auswärtigen Amtes ihr beliebtes Wort ›Recht‹ [deutsch im Original] dazu, und der Pressesprecher benutzte es eilfertig in der nächsten Pressekonferenz. So entstand diese Formulierung, die heute ein eigenes Leben führt und eines der größten Hindernisse auf dem Weg zu Beziehungen mit der DDR bildet.«

Die Unterschiedlichkeit solcher Vermerke zeigt vielerlei. Die Verfasser können in der Darstellung des eigenen Standpunkts kurz sein, der »zu Hause« bekannt ist. Sie werden ausführlich sein, um schwierige oder unangenehme Dinge für die eigenen Leute zu vermitteln, zu erläutern, den Bericht als Erziehungs-, Beeinflussungs- und Aufklärungsmittel zu benutzen. Sie können eigene Anregungen einfließen lassen, eigene Überlegungen dem Gesprächspartner in den Mund legen, besonders wenn sie »zu Hause« unpopulär oder gefährlich sind. Gerade letzteres habe ich immer wieder festgestellt, wenn ich mit einer zwei Jahrzehnte langen Verspätung Aufzeichnungen meiner Partner aus dem östlichen Block zu Gesicht bekam: Weil sie nicht wagen konnten, ihrer eigenen Einsicht folgend einen durch das Politbüro beschlossenen Standpunkt zur Änderung vorzuschlagen, machten sie daraus ein Verlangen der anderen Seite. Aber auch das ist ein legitimes handwerkliches Mittel, wenn zwei Unterhändler zum notwendigen und richtig erkannten Erfolg kommen wollen.

Naturgemäß habe ich in meiner Diktion erklärt, was in der polnischen Diktion bei allen unterschiedlichen Nuancen richtig wiedergegeben ist: »Aktuelle Aufgabe der Politik Bonns ist die Verwirklichung von Gewaltverzichts-Verträgen. Sie stellen sich das in der Form bilateraler Verträge vor, von denen jeder die spezifischen Beziehungen mit dem betreffenden Land berücksichtigt. In erster Linie möchten sie einen solchen Vertrag mit der UdSSR schließen, dann mit der DDR, der Tschechoslowakei, Polen . . . Die Achse des Vorgehens der Bonner Politik ist die Suche nach Lösungen auf dem Gebiet der Beziehungen mit der DDR. Einerseits behandeln sie die Vereinigung Deutschlands als langen historischen Prozeß, an dessen Verlauf auf deutschem Gebiet zwei voneinander getrennte deutsche Staaten existieren werden. Andererseits erkennen Brandt und seine Leute seit langem, daß die Beziehung zwischen NRF und DDR der Schlüssel zur europäischen Lage wie zur Ostpolitik ist. Als ihre Hauptaufgabe sehen sie daher die Suche nach einer Formel der Koexistenz an, des Zusammenlebens zweier deutscher

Staaten. Eine Aufgabe, die um so schwieriger ist, als bei dem bestehenden Kräfteverhältnis in der Bundesrepublik eine volle Anerkennung der DDR nicht möglich ist. Vielleicht könnte das in Zukunft möglich werden, aber gegenwärtig noch nicht. So kommen sie zur Formel einer Anerkennung der DDR als selbständigem, souveränem Staat, aber nicht als Völkerrechtssubjekt. Das bedeutet, daß sie die DDR nicht als ›Ausland‹ anerkennen wollen, sondern als zweiten selbständigen deutschen Staat. Sie sehen offizielle Vertretungen zwischen den beiden deutschen Staaten als unerläßlich an, aber wollen nicht, daß das Gesandte oder Botschafter wie in normalen internationalen Beziehungen sind; gleichwohl möchten sie, daß die DDR Mitglied internationaler Organisationen und Institutionen wird. (Sie sind bereit, in diesem Sinne Einfluß auf ihre Verbündeten auszuüben.)«

Man kann ohne Übertreibung sagen: Polen erhielt als erstes Land im »Lager« unser Konzept. Was hat das bewirkt? Zunächst scheinbar nichts, denn das ins Auge gefaßte offiziöse deutsch-polnische Gespräch fand nicht statt. Anstelle des erwarteten Vorschlags dazu teilte mir Raczkowski sechs Wochen später mit, »man halte in Warschau die Situation für noch nicht reif, in einen direkten vertraulichen Kontakt zu treten«. Das Signal, das Brandt den Polen zwei Tage nach dem Bericht über das Wiener Treffen vor dem Rhein-Ruhr-Club geben wollte, ging ins Leere. Er hatte »Ansatzpunkte für ein sachliches Gespräch« festgestellt und »sachliche Berührungspunkte« mit Vorschlägen des polnischen Außenministers gefunden. Dann legte er auf dem Nürnberger Parteitag nach (18. März 1968) und stellte erstmals eine »Anerkennung bzw. Respektierung der Oder-Neiße-Linie bis zur friedensvertraglichen Regelung« in Aussicht. Nachdem diese Bestätigung meiner Wiener Formel auch ohne Echo blieb und nur innenpolitischen Ärger einbrachte, stellte er dieses »offenbar unerwünschte Werben« ein. Im Frühjahr resignierte Rapacki und trat zurück. Dann kam die Intervention gegen die ČSSR und bremste Entspannungsbemühungen.

Wie aus heiterem Himmel griff plötzlich Parteichef Wladyslaw Gomulka mit einem Jahr Verspätung die Nürnberger Formel auf, nannte sie einen Schritt nach vorn und erklärte sich verhandlungsbereit. Was war geschehen? R.s Bericht hatte nicht die richtigen Leute erreicht und verstaubte im Archiv. Zenon Kliszko, Politbüromitglied und engster Mitarbeiter Gomulkas, hatte im Februar 1969 in Bologna am Rande des

234

Parteikongresses der italienischen Kommunisten Stehle getroffen und sich über »nichts Neues und keinerlei Zeichen aus Bonn« beklagt. Als Stehle ihn auf das Wiener Treffen ansprach, war er nicht informiert, obwohl er so tat, machte sich kundig und gab den Vermerk Gomulka. Am Abend des 7. Dezember 1970 fand diese Geschichte ihren Abschluß. Der Warschauer Vertrag wurde durch einen festlichen Empfang auf Schloß Wilanów gefeiert. Brandt plauderte mit Gomulka, ich trat mit Kliszko, in der Schilderung Stehles »Arm in Arm«, zu einer Gruppe deutscher Pressevertreter und hörte Kliszko sagen: »Wenn dieser Stehle mich damals in Bologna nicht auf Ihr Gespräch in Wien aufmerksam gemacht hätte – wer weiß, ob wir schon hier in Warschau zusammensäßen.«

Wer die politische Welt von 1995 mit der Ende der sechziger Jahre vergleicht, wird vor allem die gewaltigen Veränderungen sehen. Die Sowjetunion existiert nicht mehr, missionierende Kraft geht weder von Peking aus, dessen regierende Partei sich noch kommunistisch nennt, noch von Havanna; Deutschland ist vereint, ein Schwarzer steht an der Spitze Südafrikas; die Träger der großen Namen von gestern sind ins Reich der Schatten gegangen: Mao, Nixon, Breschnew, de Gaulle, Brandt, Sadat. Um so überraschender treffe ich bei der Durchsicht meiner Notizen aus dem Frühjahr 1969 auf alte Bekannte. Zäh haben sie sich am Leben gehalten und erfolgreich dagegen gewehrt, aus den Schlagzeilen verbannt zu werden. Zu den Evergreens zählen das Verhältnis zwischen Amerika und Europa, die Reform der NATO, mehr Verantwortung Europas für seine Verteidigung, das Dreiecksverhältnis zwischen Washington, Moskau und Peking und nicht zuletzt die Atomwaffen und NV. Wetten, daß diese Dauerbrenner auch die nächsten 25 Jahre überstehen, lohnt nicht; aber daß sie wichtiger sind als vieles, was zwischenzeitlich aufgeregt hat und noch heute üblicherweise wahrgenommen wird, kann kaum geleugnet werden.

Wir wollten die Zusammenarbeit der Planungsstäbe in Bonn und Tokio beginnen. Auf dem Weg zu dieser Premiere tat es gut, die Sowjetunion von Süden zu betrachten. Der indische Kollege in Neu-Delhi hielt sie nicht für bedrohlich, eher für willkommen; denn er war vom imperialen Sendungsbewußtsein Chinas überzeugt, das in einer Perspektive von hundert Jahren Weltherrschaftsansprüche stellen würde. Unser Vertreter in Bangkok glaubte, daß Thailand im Grunde nicht gefährdet ist und wenn, dann durch Vietnam und nicht durch

China. Auf dem Flug über Vietnam ein verrücktes Gefühl: Unten nur das verschleierte Grün des dampfenden Dschungels, wo Menschen kämpfen und sterben, und hier der erstklassige Service der Lufthansa; der eisgekühlte Wodka schmeckt, ich kann es nicht ändern.

Ich hatte Per Fischer mitgenommen; in Schanghai geboren, wo der Vater als Generalkonsul diente, konnte er endlich wieder sein Chinesisch singen, nachdem wir in Hongkong gelandet waren. Während sich Brandt und Scheel zum Ende ihrer aktiven Laufbahn den Botschafterposten im Vatikan streitig machen wollten, hätte ich mich gern mit dem Generalkonsulat in Hongkong begnügt. Der Amtsinhaber brachte uns mit »China-watchern« zusammen. Aber auch diese Beobachter wußten wenig, was wirklich in dem Riesenland vor sich geht, das groß genug sei, um in sich selbst zu ruhen und sich wohlgesinnte »Ränder« zu wünschen, ohne aggressiv zu werden. Der Ratschlag, Bonn solle nicht auf Beziehungen zu Peking drängen, mochte nicht ganz uneigennützig sein. Immerhin, von Hongkong aus gesehen schien Bonn noch kleiner, als es war. Ein Veteran des britischen Weltreiches wies über den Hafen auf den wichtigsten Punkt der Kronkolonie: »Das ist der Bahnhof; von dort geht der Zug nach Harwich.« Er nannte die erste Station auf der Insel. Tatsächlich konnte man, ohne umzusteigen, vom Ufer des Südchinesischen Meeres bis nach London fahren, was immer auch dazwischen lag und liegt. Ich erlebte dort das beste Essen meines Lebens, die weiteren elf später in der Volksrepublik.

An den ersten beiden Tagen fanden Besprechungen in der Residenz des Außenministers in Tokio statt, die nächsten zwei Tage in einem japanischen Hotel in den Bergen des Hakone-Gebiets. Der japanische Kollege, Botschafter Susuki, war von fünf zum Teil hochrangigen Beamten begleitet. Einer flüsterte mir zu, Susuki habe die ehrenvolle Pflicht, dem Kaiser wöchentlich über die ausländische Presse vorzutragen. Die Erwartung, die japanischen Gastgeber würden ziemlich verschlossen sein, bestätigte sich nicht. Die Interessen der nichtatomaren Staaten hatte Brandt nur vorsichtig in Genf formulieren können; für die Japaner war das anregend genug gewesen, um uns einzuladen. Wir verabredeten regelmäßige Konsultationen, die sie bisher nur mit den Amerikanern hatten.

Von den nicht mehr aktuellen Punkten abgesehen, war der überwältigende Eindruck die Stärke, die sich aus militärischer Schwäche ziehen läßt, sofern aus dieser Lage eine stimmige Konzeption entwickelt wird. Mit überlegener Gelassenheit deutet Japan den Artikel 9 seiner Verfassung aus, der ihm durch Amerika auferlegt oder geschenkt wurde und der ihm jede Beteiligung an sicherheitspolitischen Maßnahmen im Land oder außerhalb verbietet. Es ist sich des amerikanischen Interesses an seiner Zugehörigkeit zur freien Welt so sicher, daß es seinen militärischen Schutz auch bei einem Abbau amerikanischer Stützpunkte und Streitkräfte in Asien nicht gefährdet sieht. Mit freundlichem Lächeln: »Die Sieger haben es so gewollt. Nun wollen wir uns an nichts beteiligen, auch nicht in der Region, was militärisch ist, und uns auf Politik und Wirtschaft beschränken.«

Ich verneige mich auch heute noch vor dem klugen Kollegen Susuki. Vielleicht habe ich ihn und seine Mitarbeiter falsch verstanden, daß sie ihren deutschen Gästen eine kleine Belehrung geben wollten. Warum seid ihr so töricht, euch nach Uniformen und Gewehren zu drängen und dabei selbst noch den Verdacht zu schüren, ihr hättet aus der Geschichte zu wenig gelernt? Wir können warten, bis man uns drängt, mehr Geld für Waffen auszugeben.

Auf 20 Jahre schätzten sie den Zeitbedarf, ehe China einen Supermachtcharakter gewinnen könne, und es würde auch dann wohl nicht expansiv werden. Sie sahen keine Versöhnung zwischen der Sowjetunion und Peking; Moskau wolle China als Faktor zur Schwächung der USA ausspielen; die Amerikaner würden die Nähe Pekings zur Abwehr der Sowjetunion suchen. Die Erhaltung und Stärkung Südkoreas sei unerläßlich für Japans Sicherheit; einen militärischen Gegner mit aggressiver Potenz werde es auf der nahen koreanischen Halbinsel nicht zulassen.

Japan werde einen Sitz im Sicherheitsrat der Vereinten Nationen anstreben und den NV-Vertrag verlassen, wenn dadurch die friedliche Nutzung der Kernenergie behindert würde. Ich fand das alles eine souveräne Nutzung der geopolitischen Lage, selbstsicher, unabhängig von tagesaktuellen Aufgeregtheiten und doppelt beneidenswert: Anders als bei uns präsentierte sich Japan nicht auf der Suche nach einem langfristig berechenbaren Konzept, sondern hatte es und verfolgte es mit bemerkenswerter nationaler Disziplin; freilich war das Land weder geteilt noch bedroht.

Die Abende auf dem Lande wurden unvergeßlich. Nach einem erfrischend heißen Bad, Kimono-gewandet, sahen die Gastgeber deutlicher als wir: Zwischen Staaten, in ihrer Lage so verwandt wie Japan und die Bundesrepublik, läßt sich langfristig Solidarität herstellen. Die Tüchtigkeit unserer beiden Länder und Völker trifft auf ähnliche Gefühle ihrer Nachbarn, die gern auf unsere Niederlage zurückblicken und es eigentlich für unpassend halten, wenn wir erfolgreich sind, indem wir den von den Siegern aufgestellten Regeln folgen. Es berührt eigene Überlegungen, daß unser Verhalten so sein könnte, als gäbe es Atomwaffen gar nicht, wenn sie nicht benutzt werden können. In weiteren Kontakten, so sind wir uns einig, würden Gebiete gemeinsamen Interesses zu suchen sein. Susuki legt mir lächelnd nahe, eine japanische Massage kennenzulernen. Nicht nur Höflichkeit gebietet dankende Annahme dieses großzügigen Angebots. Auf der Matte, flankiert von zwei glühenden Holzkohlebecken, harre ich der Dinge, die da kommen. Eine ziemlich vermummte Gestalt, verständlich bei der empfindlichen Kühle, schiebt die Papierwände auseinander, läßt sich auf die Knie nieder und beginnt mit dem Kopf. Nacheinander nimmt sie vorsichtig die Arme unter der Decke hervor und verstaut sie nach ihrer köstlich entspannenden Arbeit wieder, dann die Beine. Als sie beim letzten kleinen Zeh angelangt ist, schlafe ich ein.

Der nächste Abend war nicht an-, sondern aufregend. Die japanische Küche, von Ausnahmen und ihren farblichen Reizen abgesehen, legte immer wieder den Gedanken nahe: essen für Deutschland. Im Keller dagegen konnten die Beine entkrampft von den Sitzbänken hängen und der warme Reiswein wirken. Dank des größeren europäischen Aufnahmevolumens wurden die japanischen Freunde schneller lustig. Noch immer könne es ein Japaner mit zehn Chinesen aufnehmen. Und Indien? Nicht zu begreifen diese Deutschen mit ihrer Entwicklungshilfe. Nicht einen Yen für dieses Land. Alte großasiatische Träume leben unter der Oberfläche weiter. Einer platzt heraus, er sei gegen den Artikel 9. Anders als wir sind sie derartig eisern gegen Wiederbewaffnung geblieben, daß es keine Schwierigkeit für den Aufbau ihrer Atomindustrie gab und für die Entwicklung eigener Raketen. Wenn es eines Tages notwendig wird, ist beides zu kombinieren, nur eine Frage des Willens, nicht des Könnens. Ein unheimliches hohes Kichern erfüllt den kleinen Raum. In einem so vulkanischen Gebiet auf unserem Globus ist es kein Wunder, wenn ich ein unterirdisches Beben zu verspüren meine.

238

Einige Wochen später lieferte die Frühjahrssitzung der APAG in Washington eine Ergänzung zu dem globalen Machtbild. Eine Wiederannäherung zwischen Moskau und Peking wurde auch dort für ausgeschlossen gehalten, sogar nach dem Tod von Mao. Eine militärische Aktion der Sowjets zur Ausschaltung chinesischer Atompotentiale hielt man für unwahrscheinlich, auch wenn sie mit konventionellen Mitteln möglich schien. Die Frage, ob eine solche Aktion im westlichen Interesse liege, blieb unbeantwortet.

Die neue Nixon-Administration muß sich erst einarbeiten: Außenminister Rogers fragt, unvertraut mit der deutschen Lage, ob Brandt vor der Vollversammlung der UN sprechen will, obwohl die Deutschen dort kein Mitglied sind. Aber unverändert gilt auch für die neue Regierung: Der ganze Komplex strategischer Atomwaffen wird als bilaterale Angelegenheit der beiden Supermächte behandelt. Sowjetische Mittelstreckenwaffen sollen nicht einbezogen werden, weil sie in einer untergeordneten Größenordnung und nicht strategisch sind. Die Meinung der europäischen Partner kann man, muß man aber nicht berücksichtigen, falls diese sich zu einer einheitlichen Auffassung durchringen können. Die Amerikaner wollen nicht sehen oder nicht wahrhaben, daß jede Atomübereinkunft von den Sowjets nur als amerikanische Bekräftigung des Status quo in Europa verstanden werden kann.

Es gab einen weiteren Punkt, am Status quo nicht zu rühren. Während der Zwang zu Wirtschaftsreformen in der Sowjetunion unausweichlich wird, wenn das Land nicht wachsenden Rückstand gegenüber der Wirtschaftskraft des Westens in Kauf nehmen will, wird Moskau die wirkungsvolle Kontrolle über die Staaten des Warschauer Pakts nicht ändern. Etwas anderes kann der Westen nicht einmal wünschen, angesichts der Bestrebungen nach größerer nationaler Unabhängigkeit; denn das würde wahrscheinlich zu schweren Erschütterungen im Ostblock und damit zu einer gefährlichen Destabilisierung in ganz Europa führen. Sogar zunehmender Einfluß der Militärs auf die politische Führung ist letztlich ein beruhigender Faktor; denn Generale sind im allgemeinen konservativ und scheuen das Risiko.

Kritiker, besonders in der eigenen Partei, haben mir manchmal vorgehalten, ich dächte zu sehr in Kategorien von Staaten und Macht; nun, wo immer ich hinkam, hatte ich zu lernen, daß die Partner, unabhängig von Paß und Hautfarbe, gerade so dachten. Es gibt viele Definitionen für

Politik, sie aber als Ergebnis des Kalküls zwischen Interesse und Macht zu bezeichnen, trifft bestimmt einen Kern. Daß darüber kaum auf offenem Markt gesprochen wird, ändert nichts. Wer das leugnet, irrt oder täuscht sich. Nicht einmal der heiße Wunsch, eine bessere Welt zu schaffen, darf Macht und Interesse vernachlässigen. Prinz Ypsilanti, Chef der griechischen Militärmission im Nachkriegs-Berlin, nie Soldat gewesen und für die Aufgabe in die Uniform eines Obristen gesteckt, sagte: »Je größer die Staaten, um so mehr benutzen sie ihre Macht; je kleiner die Staaten, um so weiser werden sie.« Julius Nyerere in seinem armen Tansania lieferte eine Bestätigung für die Richtigkeit dieser griechischen Erkenntnis.

Die Atlantische Planungsgruppe nahm ein Thema wieder auf, das sie schon während des Vorjahres im norwegischen Bergen beschäftigt hatte. Dort hatten wir nicht nur die moderne »Kathedrale« bestaunt, eine riesige Höhle, in den Fels gesprengt, sicher gegen Atombomben (und ich hatte Jugendträumen nachgehangen beim Besuch auf Griegs Troldhaugen), sondern wir besprachen in üblicher Offenheit die NATO-Reform, das Verhältnis zwischen Amerika und Europa und das Für und Wider eines militärischen europäischen Caucus. Das Modewort dafür heißt heute europäische Verteidigungsidentität, aber erstaunlicherweise haben sich die Fragestellungen wenig geändert, obwohl es die Sowjetunion nicht mehr gibt.

Vorgeschaltet waren in Washington Dreierbesprechungen, die von Zeit zu Zeit mit den amerikanischen und britischen Kollegen stattfanden, die sich ihrerseits vorher abstimmten. Unbezweifelbar die Konstante amerikanischer Politik: Es gibt kein Ende des amerikanischen Engagements, solange Europa das nicht will oder eine europäische Friedensordnung auf der Grundlage eines befriedigenden Abkommens mit der Sowjetunion erreicht ist. Erst dann wäre ein Abzug denkbar. Das amerikanische Interesse an der Freiheit Europas wäre stark genug, um sogar Nachteile in Kauf zu nehmen, die sich durch die Erweiterung der europäischen Zusammenarbeit politisch ergeben könnten.

Die beiden Seiten des amerikanischen Interesses wurden deutlich: Je mehr Westeuropa sich zusammenschließt, um so mehr wird Amerika entlastet. Gleichzeitig wird es einem unbequemeren Partner gegenüberstehen. Diese Widersprüchlichkeit würde wachsen auf dem Wege zu einer europäischen Friedensordnung.

Im Rückblick erscheint die Entwicklung Europas in den letzten 25 Jahren ebenso imposant wie lächerlich. Von sechs auf 16 Partner mit der Perspektive auf 21 oder mehr samt dem Anspruch, von einer Wirtschaftsgemeinschaft zu einer politischen Union zu werden – nichts Vergleichbares gibt es auf unserer Welt. Wer nach der Substanz seines politischen Willens und den unentbehrlichen Instrumenten fragt, ihn auch durchzusetzen, findet das Bild eines Riesen auf tönernen Füßen. In den sechziger Jahren hatte ich Brandt vorgeschlagen, nur halb im Scherz, wir sollten den Abzug der Amerikaner fordern. Dann würden sich die Europäer zusammenzittern, aus Furcht, auch Deutschlands wegen. Das war irreal genug, um es mit einer Handbewegung wegzuwischen. Aber es blieb ja viel bequemer, von den Amerikanern Konsultationen einzufordern, ihre wiederholten Überraschungen durch vollendete Tatsachen zu beklagen, sich der durch sie garantierten Sicherheit zu erfreuen und über sie zu meckern. Was wäre aus der Welt geworden, wenn Washington wirklich immer darauf gewartet hätte, daß Europa mit einer Stimme spricht? War es nicht richtig und nötig zu bestimmen und zu entscheiden, wie es der globalen Verantwortung entsprach, und so zu tun, als betrachte man die Kinder jenseits des Atlantik wie Erwachsene, einige frühreif, einige vorlaut, alle insgesamt liebenswert, etwas überheblich, was Kultur und Lebensstil angeht, aber jedenfalls nicht ernst zu nehmen in den ernsten Dingen der Macht? Wäre es ein Wunder, wenn man am Potomac zweifelt, ob denn nun, wo sogar das Gefühl der Bedrohung durch die Sowjetunion weggefallen ist, ernstlich mit der politischen Handlungsfähigkeit Europas zu rechnen ist? Als man ihm die Führung überließ, im Falle Jugoslawiens, hat es jedenfalls noch nicht funktioniert.

Im April 1969 diskutieren wir in Washington eine stärkere europäische Verteidigungskomponente. Alle sagen ja. Die Amerikaner mögen sich finanzielle Entlastungen davon versprechen, sogar Verringerungen ihrer Streitkräfte. Ich mache darauf aufmerksam, daß abgezogene Amerikaner nicht durch Europäer, jedenfalls nicht durch Deutsche, ersetzt werden können. Außerdem werfe ich die Frage auf, ob denn die Bildung einer europäischen Gruppe, die keinen zusätzlichen Soldaten bringt, Sonderrechte innerhalb des Bündnisses erhalten soll, also eine europäische Verantwortung auch zu Entscheidungen? Die Debatte wirkt erhellend: Die NATO-Struktur muß unangetastet bleiben. Jede europäische

Zusammenarbeit nur innerhalb und im Rahmen des Bündnisses. Schließlich unwidersprechbar: Keine Institution ist Selbstzweck, sondern soll nur dazu dienen, einen politischen Willen auszuführen. Wie also sieht die von allen europäischen Partnern gebilligte Strategie aus und worin unterscheidet sie sich von der des Bündnisses? Da diese Fragen zu schwer zu beantworten sind, begnügen wir uns, mehr langfristige politische Planung für das Bündnis ins Auge zu fassen und die leichteren Probleme zu besprechen, etwa ein europäisches Rüstungsamt für die Vereinheitlichung der Bewaffnung. Dabei halten sich die amerikanischen Freunde sehr zurück. Intern formulierte ich: »Eine Organisation europäischer Länder innerhalb der NATO wird um so mehr zur Spiegelfechterei, je weniger sie das Bündnis stören soll. Die europäische Alternative wäre eine militärische Organisation Europas in einer Gemeinschaft, die ihrerseits gedeckt ist durch eine Garantie der Vereinigten Staaten und ein Bündnis. Dies ist heute nicht erreichbar. Es ist angesichts der unentbehrlichen amerikanischen Infrastruktur (Warnsystem etc.) auch nicht in überschaubarer Zukunft zu verwirklichen.« Elementare Unterschiede sind 1995 kaum auszumachen. Das wirklich Neue an der Erörterung 1995 ist, daß aus früheren Gegnern nun potentielle Partner geworden sind, die einbezogen werden müssen, was die Sache etwas kompliziert.

Gustav Heinemann wird im dritten Wahlgang zum Bundespräsidenten gewählt. Die laute Freude, nachdem ich am Rhein die Bilder des Fernsehens aus Berlin verfolgt habe, weicht einem anhaltenden Gefühl der Wärme: Ein Freund Staatsoberhaupt – das ist, als ob das ganze Land näher gerückt, vertrauter geworden ist. Am Telefon zwei Tage später äußert er sich froh und locker: Er darf nicht mehr ins Kabinett und ins Parlament; aber so entrückt zu sein, fiele ihm schwer. »Ich komme mir vor wie ein Muster modernen Strafvollzugs: jeden Tag unter Bewachung, frei zur Bewährung.« Bei meinen Besuchen in der Villa Hammerschmidt ist er ganz unverändert in seinem nüchternen Humor. Auf Popularität angesprochen, meint er, das sei wie bei der GVP (Gesamtdeutsche Volkspartei): viel Zustimmung und wenig Wirkung. Und wundert sich über die modernen Wegelagerer, die ihm etwas geben, statt zu nehmen, zum Beispiel Blumen. Oder fragt, was er denn tun solle, wenn die Bereisungen der Bundesländer zu Ende sind: »Im Justizministerium gab es täglich etwas zu entscheiden.« Das gelegentliche

Skatspiel macht Spaß und gibt ihm Gelegenheit zu Fragen: Er möchte nicht gern an Ulbricht schreiben, aber wenn der anfinge, würde er schon antworten, um etwas Bewegung in den Laden zu bringen.

Am 2. September bespreche ich mit ihm Friedensforschung. Er ist einverstanden, seinen Namen für ein umfassendes Gremium zu geben, das seine Aufgaben unabhängig von den Geldgebern, also im wesentlichen dem Staat, bestimmen müsse. Danach erklärt er sich fit für Gespräche am 28., das ist der Wahlsonntag. Entschieden fügt er hinzu: »Ich werde nicht unbedingt den Mann der stärksten Fraktion, sondern den zum Kanzler vorschlagen, der eine Mehrheit bringen kann. Der Bundespräsident ist nicht dazu da, sich im Parlament einen Refus zu holen.« Sein Wunsch ist eine Kleine Koalition, »obwohl ich von den Leuten nicht so viel halte«. Der Bericht, den ihm die FDP-Delegation von ihrer Moskauer Reise gegeben hat, sei für seinen Geschmack immer wieder an großen Erlebnissen einzelner hängengeblieben. Zu viel Taktik und zu wenig Ernst für die Sache, bemängelte er. »Wenn wir die Regierung machen, sollst du öfter kommen. Ich will gern Anregungen für das Regierungsprogramm geben. Und vergiß nicht, den Whisky zu quittieren.« Er meinte das Gästebuch, das er seinen Bewirtungsnachweis für den Bundesrechnungshof nannte.

Die zweite große Planungsstudie »Überlegungen zur Außenpolitik einer künftigen Bundesregierung« verband Bestandsaufnahme mit Handlungsvorschlägen. Die Grundeinschätzung, »daß die DDR in den nächsten vier Jahren den völkerrechtlichen Durchbruch erzielen wird«, mußte zu der Konsequenz führen, mit ihr in Verhandlungen zu treten; denn »nur noch solange wir die internationale Anerkennung der DDR verhindern können, ist der Verzicht darauf ein Preis, der der DDR geboten werden kann«. Daraus folgerte der Vorschlag für einen »Rahmenvertrag mit der DDR«. Diese beiden sich ergänzenden Papiere, fast vierzig Seiten insgesamt, wurden zehn Tage vor der Bundestagswahl vorgelegt. Sie formulierten, was der Planungsstab im Ergebnis monatelanger Arbeit für wichtig und notwendig hielt, wobei wir von der Fortsetzung der Großen Koalition ausgingen. Auch sie würde den neuen Ansatz brauchen, wenngleich zweifelhaft blieb, ob sie die erforderliche Entscheidungskraft aufbringen könnte.

Ein Blick auf die »voraussichtlichen weltpolitischen Entwicklungstendenzen« bestätigt, daß »das Atlantische Bündnis und das enge Verhältnis zu den USA weiterhin die Basis unserer Politik bleiben« muß, »die Vereinigten Staaten unser wichtigster Partner sind; auf dem Verhältnis zu ihnen beruht letztlich unsere Sicherheit«. In diesem Rahmen sollte die Bundesregierung ihre volle Gleichberechtigung in der Allianz fördern, letzte Relikte der Nachkriegszeit beseitigen, damit »die Bundesrepublik Deutschland ihre volle Verantwortung als Staat übernimmt mit der einzigen Einschränkung, daß die Drei Mächte die Verantwortung behalten, die sich für Deutschland als Ganzes und Berlin aus der Tatsache der Teilung ergibt«. Fünfundzwanzig Jahre nach dem Krieg schien es an der Zeit, erwachsen zu werden, selbständig eigenen Interessen zu folgen, eingeschränkt nur durch die unkündbaren Siegerrechte. Die unbestrittene Verankerung im Westen sollte eine eigene Ostpolitik erlauben.

Die Analyse des Ostens zeigte die Sowjetunion in einem unaufhaltbaren Erosionsprozeß. Die Sorge um die Erhaltung ihres Machtbereichs bei weiteren blockinternen Schwierigkeiten stellt sie vor das »Dilemma, daß ökonomische Effektivität mit der Erhaltung der Macht, wie sie auf sowjetischer Seite verstanden wird, nicht verträglich ist. Dieser Teufelskreis, aus dem es für die Sowjetunion kein Entrücken gibt, wird weiterhin zu einem Wechsel zwischen Lockern und Anziehen der Zügel führen. Letztlich stellt sich für die Sowjetunion nur die Aufgabe, die Erosion ihrer Herrschaft so weit wie möglich zu verzögern.«

Wir haben den langen Prozeß vorausgesehen zwischen Lockerung und Verhärtung, zwischen Entspannung und Spannung, Entkrampfung und Verkrampfung, gar nicht gradlinig, sondern als Wellenbewegung, die im Laufe der Jahre nach oben gehen würde; denn jede Liberalisierung würde Ideen und Argumente in den Block bringen, die die Hüter der reinen Lehre abzuwehren, einzudämmen versuchen würden, aber eben doch nicht wieder den alten Dogmatismus restaurieren könnten, weil der wirtschaftliche Zwang, nicht wieder zurückzubleiben, weiterwirken müßte. Demselben Dilemma mußte die DDR ausgesetzt werden, hin- und hergerissen zwischen wirtschaftlichem Fortschritt und ideologischer Aufweichung. Es wurde eben keine Überraschung, daß die DDR nach dem Grundlagenvertrag mit Abgrenzungsbemühungen reagierte. Wir hatten die Linie kalkuliert, entlang der sich die kommunistischen Regime wahrscheinlich verhalten würden, bei allen Differenzierungen im Einzelfall. Ob die Rechnung aufgehen würde, konnte nur in der Praxis erprobt werden. Die Erosion des Blocks war das Ziel der Strategie eines schwachen, kleinen Landes, das wußte, Amerika wird den Druck des Stärkeren durch seine Rüstungen weiterhin aufrechterhalten.

Es lag in der Logik dieser Überlegungen, das sowjetische Interesse »an einer Ausweitung der Wirtschaftsbeziehungen zum Westen und verbesserten bilateralen Beziehungen mit den Vereinigten Staaten« zu nutzen. Trotz der Intervention gegen die ČSSR im Vorjahr unterstellten wir fortdauerndes »Selbständigkeitsstreben der ost- und südosteuropäischen Völker« und wollten es durch initiative Ostpolitik stärken. »Wenn es gelingt, die Hindernisse, die der Aufnahme diplomatischer Beziehungen zu Polen, der ČSSR, Ungarn und Bulgarien im Wege stehen, durch sachlich befriedigende Lösungen hinwegzuräumen, ist zu erwarten, daß die pragmatischen und kooperationsbereiten Kräfte in Osteuropa sich durchsetzen und auf eine aktive Ostpolitik eingehen. Damit wird für die osteuropäischen Staaten eine weitere Voraussetzung für eine eigenständigere Politik geschaffen. Auf die Dauer wird sich die DDR einer allgemeinen Tendenz zur praktischen Zusammenarbeit und politischen Verständigung auch nicht entziehen können.«

Den späteren Vorwurf, eigentlich nur aus Warschau zu vernehmen, Bonn hätte die Interessen der kleineren Völker zu wenig beachtet und die Verständigung mit den Sowjets über ihre Köpfe hinweg gesucht, hätten wir vermeiden können, wenn wir das Konzept unüberhörbar, von Fanfaren begleitet, verkündet hätten. Aber das verbot sich; denn die unentbehrliche Mitwirkung Moskaus an einem proklamierten Programm zu seiner Schwächung war nicht zu erwarten.

Der Schlüssel lag in Moskau. Ohne eine deutsch-sowjetische Annäherung wäre nichts zu erreichen; sie ist ein Wert an sich und Mittel zum Zweck zugleich. Mittel zum Zweck vor allem, um »die DDR aus ihrer Riegelstellung hinauszudrängen«. Denn so weit waren wir inzwischen mit unserer Hallstein-Doktrin gekommen. 1967 hatten die Außenminister des Warschauer Pakts die umgekehrte Hallstein-Doktrin beschlossen. Es war der DDR gelungen, mit sowjetischer und polnischer Unterstützung die Forderung durchzusetzen, daß die Bundesrepublik zunächst die Existenz zweier Staaten und die bestehenden Grenzen anerkennen und auf Atomwaffen verzichten müßte, bevor, nachdem Rumänien ausgebrochen war, andere Paktstaaten diplomatische Beziehungen zu uns aufnehmen durften. Wir stellten in unserer Studie fest, die Regierung der Großen Koalition hätte beschlossen, »die früheren Prioritäten, erst Wiedervereinigung, dann Entspannung und Abrüstung, umzukehren. Sie geht davon aus, daß zunächst ein Entspannungsprozeß eingeleitet werden müsse, in dessen Verlauf eine Lösung der deutschen Frage im Rahmen einer europäischen Friedensordnung möglich sein werde.« In derselben Zeit hätte die DDR ihre Priorität spiegelbildlich verkehrt: »Erst internationale Anerkennung der DDR, dann Entspannung.« Um diese Vetoposition der DDR auszuhebeln, sollte das Interesse in Moskau an einem europäischen Gewaltverzicht mobilisiert, »mit der Anerkennung der Oder-Neiße-Linie und der Unterschrift unter den NV-Vertrag kombiniert« und durch das Angebot eines Rahmenvertrags gekrönt werden.

Entspannung in Europa verlangte, daß die Deutschen ihre Teilung hinnehmen. Wenn wir der zunehmenden Gefahr entgehen wollten, uns »selbst und nicht Ostdeutschland zu isolieren«, wie Kissinger in seinen Memoiren befindet, mußten wir in dieser Phase die deutsche Frage offenhalten: »Weder die Politik der fünfziger Jahre noch die bisherige Entspannungspolitik hat zu einer Überwindung der deutschen Teilung geführt; die Teilung hat sich vielmehr verfestigt. Wir müssen noch auf unabsehbare Zeit mit ihr rechnen. Die Notwendigkeit wächst, sich dieser Lage anzupassen, ohne das Ziel der Wiedervereinigung aufzugeben. Die Bundesregierung sollte daher ein Konzept verfolgen, das Aussicht bietet, ein weiteres Auseinanderleben der Deutschen zu verhindern, und den Status Berlins sichert.«

Die Risiken eines Vertrags zwischen den beiden deutschen Staaten, »das ihr Verhältnis untereinander und gegenüber Dritten regelt und bis zur Wiedervereinigung nicht mehr revisionsbedürftig ist«, waren uns voll bewußt. »Hiermit ist der Spannungsbogen des Vertrages umschrieben. Einerseits umschließt er die Gefahr, er werde den endgültigen Teilungsprozeß einleiten, und andererseits die Erwartung, er werde der erste Schritt zur Überwindung der deutschen Teilung sein.« Um dieser Gefahr vorzubeugen, sollte eine Erneuerung der alliierten Verpflichtung proklamiert werden, damit nicht »diejenigen Partner im Atlantischen Bündnis, die eine Teilung Deutschlands anzunehmen bereit sind, den Rahmenvertrag als eine abschließende Bereinigung des deutschen Problems empfinden« und sich erleichtert oder sogar entlastet fühlen.

246

Gleichzeitig müßte der Vertrag »eine ausdrückliche Feststellung über die Einheit der deutschen Nation enthalten«.

Gustav Diesel eröffnete mir, er gehöre der FDP an und arbeite in einer Gruppe mit, die einen Grundvertrag mit der DDR entwickelte. Das erwies sich als durchaus fruchtbar. Die Freien Demokraten wollten über das Ziel hinausschießen und die völkerrechtliche Anerkennung der DDR aussprechen. Ich machte darauf aufmerksam, daß sie damit die Rechte der Vier Mächte aushebeln würden.

Die Abstraktion früherer Jahre, den Status quo anerkennen, um ihn zu überwinden, war nun in eine Konzeption deutscher Außenpolitik mit Handlungsanweisungen übersetzt worden. »Das Hauptziel der sowjetischen Europapolitik ist die Legalisierung des Status quo. Das Hauptziel unserer Politik ist die Überwindung des Status quo. Es handelt sich hier um einen echten Gegensatz der Interessen. Dieser Gegensatz kann auch durch einen Rahmenvertrag nicht ausgelöscht werden, sondern liegt ihm als Essenz zugrunde. Erstrebt wird nicht ein Interessenausgleich, sondern ein Mittel zur Durchsetzung der eigenen Interessen. Langfristig verbindet sich für die Bundesrepublik mit dem Abschluß eines Rahmenvertrages die Erwartung, daß nach formeller Klärung des Verhältnisses der beiden Staaten zueinander die materiellen Elemente des Vertrages und die darin enthaltenen zwischendeutschen Anknüpfungspunkte politisches Gewicht gewinnen und zugunsten der Überwindung der Teilung in unserem Sinn wirken.«

Die Rechnung ist aufgegangen.

Ohne die drei Jahre der Großen Koalition wäre der Grundriß für die Ostpolitik nicht entworfen worden; er erlaubte den unmittelbaren Start zur operativen Umsetzung im Kanzleramt, scheinbar aus dem Stand; denn das Gebäude auf dem Reißbrett war öffentlich nicht bekannt. Als Brandt die Studie las, während eines Blitzbesuches in den USA in der Woche vor der Wahl, befand er: »Gar nicht so schlecht. Ich hoffe, wir können das bald brauchen.« Sie bewirkte jedenfalls, daß Gromyko später nicht einen einzigen Punkt aufwerfen konnte, den wir nicht vorher durchdacht hatten. Ihm konnte sofort geantwortet werden.

5. KAPITEL

Dienste

Das zweitälteste Gewerbe wird nicht früher und nicht später sterben als das älteste. Wer mit Staatsdingen zu tun hat, bekommt mit diesen Einrichtungen zu tun, teils eigenen, teils fremden. Manchmal weiß man es, manchmal ahnt man es, manchmal bleibt es unbemerkt. *Man kann ruhig darüber sprechen* – Spoerls Titel seines humorvollen Buches gilt auch für diese Seite der Wirklichkeit. Sie wird weniger lustig für den, der Opfer wird oder von ihr leben muß oder sich bezahlen läßt.

Meine jungfräuliche Berührung war eine amerikanische, als mein Chef bei der *Neuen Zeitung* die sowjetische Uranentdeckung in Aue zurückhielt. Deshalb kann ich die erste Schlagerzeile nicht bestätigen, die Hans Albers mehr von sich gab als sang: Beim erstenmal, da tut's noch weh; wohl aber die Fortsetzung: Doch nach und nach, so peu à peu, gewöhnt man sich daran.

Durch Eberhard Schütz lernte ich Anfang der fünfziger Jahre Frank Lynder kennen, im Dienste Ihrer Britischen Majestät in Bonn tätig. Lynder machte mich mit dem Präsidenten des Bundesverfassungsschutzamtes, Otto John, bekannt. Er glaubte übrigens zu keiner Zeit, daß John freiwillig nach Ostberlin gegangen sei. Lynder konnte sich leisten, den Dienst zu quittieren, nachdem er der Schwager von Axel Springer geworden war und diesem in London Wege ebnete.

Im Bonn der ersten Jahre machten wir uns Gedanken über Kollegen, die einen erstaunlichen Lebensstil pflegten. Wir wußten zwar, was bestimmte Autos kosteten, aber nicht, wie die mit den allgemein bekannten Gehältern zu erwerben waren. Später fiel das nicht mehr so auf. Der Chef des Kanzleramtes kannte auch die Klarnamen. Das erfuhr ich 1969, und ich denke, seine Vorgänger kannten sie ebenfalls; damit erklärte sich mancherlei. Natürlich wird nicht darüber gesprochen, was mit dieser Gehaltsliste in den folgenden 25 Jahren geschah: Säuberung oder gar Abschaffung oder eine weitere verbesserte Auflage? Im letzten Fall bestimmt nicht ohne inflationsangemessene Erhöhungen. Ich würde nicht wetten wollen, ob Einsparungen bei staatlichen Ausgaben, die Verschlankung der Apparate auch diesen Sektor unserer Innereien einbezogen haben, spurenlos, oder ob da an die Einführung des Leistungsprinzips gedacht wird? Aber das bleiben alles Peanuts, sofern die Empfänger steuerfreien Geldes nicht gerade als Rolande unantastbarer Sauberkeit auftreten.

Es bekümmerte mich immer weniger, ob Landsleute oder Ausländer, mit denen ich sprach, sprechen wollte oder mußte, außer ihren offiziellen Funktionen noch andere hatten; denn sie sagten es ohnehin nicht, und ändern konnte ich nichts. Bei östlichen Kollegen oder Botschaftsangehörigen hielten wir die Wahrscheinlichkeit für sehr groß, bei westlichen für sehr klein. Das war naiv. Nicht weniger als fünf Korrespondenten mit großen Namen für bedeutende westliche Medien haben mir gegenüber ihre »Tätigkeit nebenbei« zugegeben, später, wobei es im Ungewissen blieb, ob das vollendete Vergangenheit geworden ist. Aber was ist dagegen zu sagen, wenn Journalisten Informationen, die ihr Beruf ihnen beschert, ihrer Regierung zugänglich machen, freiwillig und ohne Entgelt?

Als ich 1987 im großen Saal des Obersten Sowjets neben Graham Greene saß, auf einem wirklich internationalen Friedensforum für eine atomwaffenfreie Welt, war mir wohl bewußt, daß der Beruf des Schriftstellers für ihn eine hervorragende Tarnung gewesen war, um Material zu sammeln, das nicht nur *Der dritte Mann* oder *Unser Mann in Havanna* brauchte, sondern bezahlte Aufträge deckte. Was den verehrungswürdigen Greene nicht hinderte, sich überzeugend für den Ausgleich zwischen Ost und West einzusetzen. Ihm war vielleicht auch die unfreiwillige Komik bewußt, als der oberste Chef des KGB, Michail S. Gorbatschow, ihm auf dem Weg zu seinem Sitz in der Mitte des Podiums die Hand schüttelte. Doch auch wenn John Le Carré sich ohne seinen Dienst nie vom Dienst hätte emanzipieren können und uns viele Stunden spannender Lektüre fehlen würden, auf literarische Sublimierung waren und sind die Dienste nicht angelegt.

Das Nachkriegsdeutschland hatten (und haben?) sie fest im Griff. In Berlin wimmelte es von legalen, halblegalen und verdeckten Bediensteten aller Schattierungen und Nationen. Sie überwachten uns und sich und versuchten, die Interessen ihrer Auftraggeber zu fördern und allen und allem nach ihrem Urteil Zuwiderlaufenden zu schaden. In diesem schwer durchschaubaren Dschungel gab es nur eins: sich mit größter Unbefangenheit bewegen, zumal es kaum etwas gab, was geheimhaltungsbedürftig war. Das hätte auch schiefgehen können.

An einem Abend hatten sowjetische Journalisten zu einem Empfang in Räumen am Kurfürstendamm eingeladen, wo sonst Kulturveranstaltungen stattfanden. Die Mauer stand schon. Es wimmelte von Menschen aus Politik, Wirtschaft und Medien. Ich sagte in einem großen Kreis, was ich damals immer und jedem erläuterte, was wir wollen und nicht wollen, und vergaß das Ganze. Es war auch uninteressant, bis Ende 1968 Zeitungen, natürlich aus dem Hause Springer, sensationell aufgemacht, Gesprächsfetzen veröffentlichten, die den Eindruck erwecken sollten, der Sonderbotschafter und Leiter des Planungsstabes hätte schon damals verdächtige Kontakte zu den Sowjets gepflegt und nicht nur Sätze westlicher Linientreue von sich gegeben. Es stellte sich heraus, daß der britische Dienst über ein Band verfügte, auf dem jemand aus dem Stimmengewirr bei hohem Geräuschpegel meine Stimme heraushören wollte. Das war mehr als fünf Jahre lang zu irrelevant gewesen, um es Senat oder Bundesregierung vorzulegen, aber nun wurde es über den BND auf den Tisch des Bundeskanzlers gebracht.

Der arme Kiesinger wurde gedrängt, eine Untersuchung gegen mich einzuleiten, und forderte statt dessen eine dienstliche Erklärung von mir an. Ein Termin mit ihm wurde verschoben, weil er die Zeit für den wichtigeren Fall Gerstenmaier brauchte, dem Bereicherung vorgeworfen worden war. Der Kanzler konfrontierte mich mit der weiteren Angabe unseres Dienstes, ich hätte 1967 konspirativ in Prag das SED-Politbüromitglied Norden getroffen, dem ich – bis heute – nie persönlich begegnet bin. Kurz: Nichts blieb übrig, es gab keine Untersuchung; er wollte nicht einmal meine dienstliche Erklärung, die ich ihm dennoch gab. Und danach sprachen wir über seine Fraktion, die seine Versicherung haben wollte, daß er immer alles wisse, und anschließend über meinen anstehenden Besuch in Japan.

Die Aufgabe der Dienste, außenpolitische Gefahren rechtzeitig zu erkennen, die eigene Regierung zu bewahren und das Land vor ausländischen Ausspähungen zu schützen, vermischt sich mit der Versuchung, die zugeflossenen Erkenntnisse innenpolitisch zu benutzen. Sie lassen sich mißbrauchen und widerstehen nicht immer der Versuchung, selbst Politik zu machen, Gift zu träufeln, grenzüberschreitend. Zu ihrer Überwachung sind gefestigte Charaktere gefragt und demokratische überparteiliche Konstruktionen. Aber keine Vorkehrung kann Pannen ausschließen, Auswüchse krankhafter Deformation eines Denkens, das Politik als Konspiration begreift und mit menschlichen Schicksalen spielt, bis zur Gnadenlosigkeit, sogar im Glauben, damit der eigenen Sache zu dienen. Auch in Deutschland gibt es unaufgeklärte Todesfälle von Menschen in der Nähe von Diensten. Das zu ändern, hieße die dunklen Seiten unserer Welt abzuschaffen. Und das ist unmöglich.

Bei der Gelegenheit dieses guten Ausgangs einer gar nicht gutgemeinten Verdächtigung machte mich Kiesinger noch mit einer anderen Episode vertraut, bei der die Komik die Empörung überwog. Der BND hatte mitgehört, was ich, begleitet von Leo Bauer, zwei italienischen Kommunisten, darunter ihrem außenpolitischen Sprecher Sergio Segre, über unsere ostpolitischen Vorstellungen erzählt hatte. Die Absicht war klar: Die Italiener, die sich mit ihren Eurokommunisten schon auf den Weg zur Demokratie begeben hatten, die das Ende des Kommunismus bedeuten würde, waren nicht nur potentielle Verbündete für Wandel durch Annäherung, sondern immer noch unverdächtige Informanten für Moskau. Sie sollten unsere Gedanken unverfälscht durch Ulbricht in den Kreml tragen und dort Interesse wecken.

Das war nebenbei bemerkt überhaupt die Methode in einer Zeit, in der das direkte Gespräch mit der sowjetischen Führungsetage nicht existierte. Journalisten wurde etwas gesagt in der Erwartung, sie würden es übermitteln, in Ostberlin oder in Moskau. Aus Prag oder Warschau oder Wien oder Rom sollten die Moskowiter gleiche, sie neugierig machende Informationen, Signale, Hinweise bekommen. Steter Tropfen höhlt den Monolith. Ulbricht sollte das Monopol verlieren, mit seinen gefärbten Einschätzungen über diese miesen, verächtlichen und gefährlichen Sozialdemokraten die Vorurteile der führenden Partei an der Moskwa zu vergiften. Dafür boten sich die Italiener um so mehr an, als sie aus ihrer Isolierung in der Familie der demokratischen Parteien im Westen heraus wollten und gleichzeitig, wenn sie deutsche Sozialdemokraten im Originalton übermitteln konnten, für den Kreml an Wert gewannen, weil eine Möglichkeit der Beeinflussung auftauchte. Die Frage, wer wen beeinflußt, lief im Lauf der Jahre immer mit und begleitete die wechselnde Tagespolitik.

Am Morgen nach dem italienischen Termin fuhr ich durch die imponierenden Sicherheitsinstallationen ins Hauptquartier des BND in Pullach. Der Präsident war noch kleiner und kühler, als ich ihn mir vorgestellt hatte. Ich hatte keinen Grund, die Begegnung mit Segre zu erwähnen; er dachte nicht daran, mit dem Bericht darüber zu prahlen, der schon auf seinem Tisch lag, wie ich ein Jahr später durch den Kanzler erfuhr. Reinhard Gehlen hat mir Struktur und Arbeitsweise des Dienstes erläutert: die operative Beschaffungsseite, der technische Sektor mit der elektronischen Aufklärung, die immer größere Bedeutung gewann, und, davon streng getrennt, möglichst wasserdicht abgeschottet, die Auswertung, deren Ergebnisse die politische Führung bekam. Klar, daß der Auswerter weder den echten noch den falschen Namen unserer Spione wissen darf und sich mit dem Hinweis über die Wichtigkeit der Quelle begnügen muß. Was die Organisation angeht, hatten wir schon Weltniveau.

Kein Wunder, denn die Amerikaner hatten die Organisation geschaffen. Da ist ein Punkt, an dem ich noch immer einen inneren Widerhaken spüre. Jeder Dienst lebt mit, neben und von Verrat. Man liebt den Verrat und verachtet den Verräter; ob diese allgemeine Überzeugung auch für solche Menschen der Dienste gilt, für die Verrat eine Grundlage ihrer Arbeit ist, und Verräter, je höher sie angesiedelt sind, je erfolgreicher sie arbeiten, um so schätzenswerter und schützenswerter werden? Entspricht es nicht der Wirklichkeit, daß der Verräter auch geliebt wird, jedenfalls solange er nicht enttarnt ist und, ganz entscheidend, sofern er für uns arbeitet?

Wer für die andere Seite arbeitet, ist Verräter, der gestraft werden muß, auch wenn er Überzeugungstäter war. Die andere Seite denkt genauso, nur umgekehrt. Daß in Deutschland die andere Seite weg ist, hat verständlich viel Wirrwarr in den Köpfen hervorgerufen, bis das Bundesverfassungsgericht logische Klarheit geschaffen hat. Ein westdeutscher Spion von Markus Wolf gehört verurteilt, ein ostdeutscher Spion von Klaus Kinkel gehört weiterhin geschätzt und geschützt, nicht anders als ein Amerikaner im Dienste der Sowjets oder ein Russe im Dienste der Amerikaner.

Aber mein inneres Unbehagen rührte aus der Schwierigkeit, zu einem Urteil zu kommen, als ich Gehlen die Hand drückte: War das ein Verräter? Hitler hatte er jedenfalls nicht verraten, sondern dem Führer gedient, bis zuletzt, in Abstand zu solchen Männern, die ihre Loyalität zum Lande höher stellten als ihren Eid. Im Gefühl von einer Welt von Feinden umgeben zu sein im Osten, im Westen, in der Wehrmacht, mag er zur Fortsetzung seines Krieges gegen die Sowjetunion die Seite gewechselt haben, ohne die Gesinnung zu wechseln. Den Amerikanern konnte nicht vorgeworfen werden, daß sie einen interessanten Apparat übernehmen konnten, ohne viel zu fragen, ob die Mitarbeiter auch Demokraten seien. Bei Gehlen fand die Entnazifizierung nicht statt. Wer für die Sieger nützlich war, bestimmten sie, ohne nach Gesinnung zu fragen, ob sie nun Wernher v. Braun oder Manfred v. Ardenne hießen. Sich jeweils Wissen zu sichern, war ohne Risiko: Bei vollständiger Kontrolle ist Vertrauen entbehrlich. Praktisch entwickelte und hielt sich die CIA eine Zweigstelle, von den Deutschen bezahlt, BND genannt. Der Bundeskanzler hatte gar keine Wahl, als zum dritten Dienstherrn zu werden, nach dem großdeutschen an der Spree und dem amerikanischen am Potomac nun der kleindeutsche am Rhein, und Gehlen von den Amerikanern zurückzuübernehmen, zum Präsidenten zu bestellen und zu benutzen. Aber die Frage, wem denn nun die Loyalität gehört, wird den lebenskundigen Adenauer nicht in tiefe Zweifel gestürzt haben. Wie aber soll man den Chef des deutschen Dienstes bezeichnen, dem der Chef seiner Regierung nicht voll vertrauen kann?

Die Deutschen, gründlich und mit dem Hang zum Perfektionismus, haben diese Sekundärtugenden auch in der Teilung zu trauriger Blüte getrieben, nur noch von den Koreanern übertroffen. Der Zustand des latenten Bürgerkriegs, sein offener Ausbruch von den Siegern verhindert, bot ein ideales Feld für gegenseitiges Ausspähen, Durchdringen, Unterminieren. Die beiden eigentlichen Sieger in Washington und Moskau müssen ihre helle Freude gehabt haben; denn ihre Deutschen konnten sich wie die Fische im Wasser der anderen Deutschen bewegen und für sie die Waggons der Züge zählen, mit denen Truppen Flüsse querten oder Häfen verließen.

Die Dienste entwickelten sich als amerikanische und sowjetische Organe deutscher Nationalität mit dem natürlichen Bestreben, sich zu emanzipieren, Eigenleben und eigenes Gewicht gegenüber dem großen Bruder zu gewinnen, eigenen Wert zu erreichen und eigenes Wissen. Auch selbst zu entscheiden, was davon der übermächtige Freund erhielt? Die Abnabelung geschah bestimmt unterschiedlich, den antagonistischen politischen Systemen gemäß, trotz aller Vergleichbarkeit der Regeln, denen Geheimdienste nun einmal zu folgen haben. Aber dieser Prozeß hat zugleich auch Mißtrauen bei den Siegern erzeugt, ob denn auf ihre jeweiligen Deutschen Verlaß sei, ob das Bündnis immer die Loyalität stärker binden werde als die Nation. So mußte es nachdenklich stimmen, wenn ein amerikanischer Freund erklärte, dem Generalinspekteur der Bundeswehr, Ulrich de Maizière, würden einige Informationen vorenthalten, weil er einen nahen Verwandten selben Namens in der DDR habe. Die Teilung des Landes, ein Faktor der Stärke der beiden deutschen Dienste, bedeutete zugleich ihre Schwäche im Kalten Krieg. Die Leichtigkeit, die andere Seite zu durchdringen, war die Ursache für die Anfälligkeit, selbst infiltriert zu werden.

Auch das mag ein Grund für die Sieger gewesen sein, sich nie allein auf »ihren« Dienst zu verlassen, sondern immer die Hand am Puls des eigenen Verbündeten zu behalten. Mich frappierte die Offenheit, mit der sich Ralph Braun bewegte, zunächst als Emigrant mit der amerikanischen Besatzungsbehörde nach Berlin zurückgekehrt, wichtiger Mann für den Aufbau der Presse, in Berlin geblieben, mit einer kleinen Public-Relations-Firma etabliert, als solcher Berater für viele, gutes Geld verdienend, vertraut mit Menschen und Umständen, mit Herz und Verstand zu Hause an der Spree, der bald zu erkennen gab, daß seine Verbindung zur CIA aktiv geblieben war. Niemandem wäre in den Sinn gekommen, mit ihm nicht sprechen zu wollen. Er gehörte einfach dazu, redete mit und von Willy, (später) von Gustav (Heinemann) oder Heinrich (Albertz), aber auch allen im zweiten und dritten Glied und verfügte stets, dank seiner Intelligenz, über vorzügliche Analysen des wechselnden Kräfte- und Gedankengefüges der Entscheidungsebene. Wie es unter der Oberfläche der Politik in Berlin aussah, sah er wie auf dem gelungenen Röntgenbild. Von ihm konnte man nicht nur erfahren, was beim Innensenator erwogen wurde, sondern auch Vorwarnungen möglicher Komplikationen oder Konflikte erhalten. »Ralphy-Boy« war für uns wie für seine Auftraggeber ideal. Außerdem ein netter Kerl, mit einer stockamerikanischen Frau geschlagen, von blendender Schönheit und mit der irritierenden Manie, die Makellosigkeit ihres Gesichts zu erhalten, indem sie nie lachte und kaum lächelte.

Vor allem konnte man sich darauf verlassen, daß »Ralphy-Boy« die eigenen Vorstellungen exakt, Mißverständnisse durch Sprachschwierigkeiten ausgeschlossen, nach Washington weitergab, ohne daß da lange Aufzeichnungen erforderlich wurden. Das war wichtig; denn es bedeutete die Korrekturmöglichkeit für das, was seinen Kollegen in Bonn von der CDU oder der Bundesregierung gesagt wurde und, sagen wir es einmal so, die Möglichkeit der Verdächtigung unserer Absichten nicht ausschloß. Ich gewann die Einsicht von der Existenz eines verborgenen Kommunikationsnetzes, das neben den offiziellen Verbindungen der Regierungen, die ja auch nur bedingt »offen« sind, für einen Informationsfluß sorgt, weitgehend frei von Formalismen und Prestige und so durchaus fähig, zum gegenseitigen Verständnis beizutragen, oft besser als Botschaften es können.

Langjährige freundschaftliche Beziehungen entwickelten sich zwischen uns bis zu seinem tragischen Tod durch Ersticken an einer Gräte in einem Bonner Lokal. Sie konnten sich nur entwickeln, weil er Folgerichtigkeit und Geschlossenheit meines Denkens in diesen Jahren kennengelernt, die Offenheit meiner Überlegungen ebenso wie die Zuverlässigkeit der Argumentation erfahren hatte. Weder Bruch noch Überraschung. Sein Lob für meine Berechenbarkeit erfreute mich um so mehr, weil sie nicht nur ihm in Washington Pluspunkte eintrug, sondern auch mir, wie ich mich überzeugen konnte, als ich später ins Hauptquartier der CIA eingeladen wurde und mehrfach bei Besuchen in Washington mit Analytikern dieser Behörde zusammentraf. Das waren übrigens ungemein kenntnisreiche Männer, nuanciert denkend und mit viel Verständnis für sowjetische und russische Mentalität versehen. Ihre Namen habe ich vergessen, zumal ich nicht wußte, ob es die echten waren. Ich habe jedenfalls in Bonn keine Gespräche erlebt, die tiefer in die Problematik unserer Ostpolitik eindrangen. Um diesen Teil ihrer riesigen Administration waren die Amerikaner zu beneiden. Die Partner, darauf angesprochen, machten ein Problem jedes Dienstes deutlich, als sie eben auch nicht wußten, bis auf welchen Schreibtisch nach oben ihre Erkenntnisse gelangten und wie sich die zwei oder drei entscheiden-

255

den Männer schließlich entscheiden würden. Was nützt die beste Erkenntnis des Dienstes, wenn sie unbeachtet bleibt oder von einem tages- oder innenpolitischen Argument »geschlagen« wird, auch wenn es schlechter ist, nur wirksamer vorgetragen wird?

Für mich hatte dieser Kanal im Hintergrund ein unbezahlbares Ergebnis. Auf der anderen Seite des »back channel« konnte über die Jahre hinweg geprüft werden, daß in Bonn gegen mich öffentlich erhobene Verdächtigungen gegenstandslos waren und Zweifel, in Washington formuliert, taktischen Charakter hatten oder der Schlüssigkeit der Politik, aber nicht der Verläßlichkeit der Person galten. Das war ungemein wichtig für den Unterhändler des Bundeskanzlers in Moskau.

»Ralphy-Boy« schaffte sich auch eine Wohnung in Bonn an, nachdem Brandt, Schütz und Bahr dorthin umgezogen waren. Nun lernte ich auch »Freddy« kennen, der im Parteivorstand und in der Fraktion ein- und ausging, als gehöre er dazu. Freddy war für die SPD zuständig und ist, falls er nicht schon vorher liberale Neigungen gehabt hat, bestimmt zu einem besseren Sozialdemokraten geworden als manche Mitglieder der Partei, während »Ralphy-Boy« die außen- und deutschlandpolitischen Themen »bearbeitete«. Daß der Mann wirklich Freddy Valtin hieß, bestätigte kürzlich unser Generalkonsul, Klaus Sönksen, in Miami, früher ein paar Jahre Persönlicher Referent Brandts, indem er Freddys Todesanzeige schickte mit dem abgedruckten Lob in der Lokalzeitung für die sozialen Verdienste, die sich Bürgermeister Valtin sogar im Ruhestand für seine Stadt erworben hatte. Beide hatten schöne Erinnerungen an vergangene Zeiten belebt, wie das unter »alten Kameraden« überall geschieht.

Aber glaubt irgend jemand, CDU, CSU und FDP wären weniger lohnende Objekte amerikanischen Interesses gewesen und geblieben? Oder kann man annehmen, daß diese Parteien irgendwann beschlossen hätten, sich gegen »ihre« amerikanischen Betreuer abzuschotten, oder daß Adenauer sich geweigert hätte, seinen langjährigen verdeckten französischen Verbindungen amerikanische hinzuzufügen? Ich habe keinen Zweifel: Alle Kanzler hatten zu anderen Hauptstädten verdeckte Kontakte und haben sie im Interesse ihres Landes zu nutzen versucht. Auch auf diesem Gebiet begann Brandt Ostpolitik, das heißt, er versuchte, eine vertrauliche Verbindung nach Moskau zu schaffen, Wandel durch Annäherung auch auf diesem Sektor auszudehnen. Und Schmidt und Kohl setzten das fort, ohne genau zu wissen, welcher Apparat die Emissäre dort bezahlte, Partei, Generalsekretär oder KGB. Aber das machte ohnehin keinen großen Unterschied. Bei den Amis wußten wir: Es war der CIA.

Das verborgene Netz von internationalen Verbindungen nicht zu nutzen, wäre dumm und nicht zu verantworten. Es wird ja auch, außer von einigen wenigen in Deutschland, nicht verlangt; denn das wäre genauso, als ob ein Pianist nur die weißen Tasten benutzen soll. Das reicht für »Hänschen klein«. Nur wer auch die schwarzen Tasten mag und pflegt, kann alle Möglichkeiten des Spiels üben, Mißgriffe und Fehler immer inbegriffen. Auch auf diesem Gebiet sind die unterschiedlichen menschlichen Typen zu finden: Sie reichen von solchen, denen Konspiration Selbstzweck oder zweite Natur wird, bis zu denen, die verdeckte Wege als Mittel nutzen, ihre Ziele durchzusetzen.

Die Dienste sind jedenfalls wichtiger für den Gang der Dinge zwischen Staaten, als der Öffentlichkeit bewußt ist. Wie sind die Staatsmänner zu bezeichnen, die sie benutzen? Früher gab es Ausdrücke der Bewunderung für die Virtuosität, mit der einer alle Wege, sicher nicht alle Mittel, nutzte, um die eigenen Interessen zu fördern. Aber nun, nach der deutschen Einheit, werden wir uns fragen müssen, ob Adenauer, Brandt, Schmidt und Kohl nicht genauer als Inoffizielle Mitarbeiter der CIA gesehen werden müssen, die letzteren sogar des KGB. Abgeschöpft wurden sie allemal. Das wollten sie sogar! Sie haben allerdings auch abgeschöpft. Welch ein Glück, daß nur die Archive der DDR geöffnet wurden und die in Washington, Paris und London verschlossen bleiben, die der Dienste natürlich auch, über die dreißig Jahre hinaus. Kein Dienst irgendeines Landes kann um Vertrauen werben, wenn irgendwann mit der Preisgabe von Klarnamen zu rechnen ist. Es wäre lustig zu erfahren, welche Decknamen die deutschen Spitzenpolitiker in den verschiedenen westlichen Hauptstädten erhalten haben, ohne davon zu wissen, weil die wasserdichten Trennwände zu den Auswertern natürlich nicht nur beim BND üblich sind. Nicht auszudenken, wenn Wortprotokolle unserer führenden Politiker mit ihren westlichen Kollegen veröffentlicht würden. Obwohl wahrscheinlich nur ein Geben und Nehmen deutlich würde. Ich war erfreut, als ein amerikanischer »Spielkamerad« mich fragte, nach Abschluß des Moskauer Vertrages, was wir denn eigentlich nun in der Substanz über Berlin verhandeln wollten. Das könnten sich seine Leute noch nicht vorstellen. Dem konnte ebenso geholfen werden wie später dem sowjetischen »Spielkameraden« auf seine Frage, wie man denn zu einer Null-Lösung bei den Mittelstreckenraketen kommen wolle, wenn die französischen und britischen ungezählt bleiben. Nach dem Lob der Dienste gilt auch das Gegenteil:

Die Dienste sind jedenfalls viel unwichtiger für den Gang der Dinge zwischen Staaten, als viele glauben. So einschneidende Ereignisse wie den Bau der Mauer oder ihren Fall haben sie nicht im voraus gewußt. Wenn General Wessel, Nachfolger Gehlens, einmal wöchentlich an der Lagebesprechung mit dem Bundeskanzler teilnahm, so erinnere ich mich an die große Spannung am Anfang, nun etwas Neues, Verborgenes, Wichtiges zu erfahren, was über die Meldungen und Beurteilungen hinausging, die täglich kamen, an die sich einstellende Langeweile, weil da nichts kam und sogar an den Verdacht, ob der BND vielleicht den neuen Leuten im Kanzleramt etwas vorenthielt, bis schließlich zu der Überzeugung: Die hatten wirklich nicht mehr zu bieten. Ich kenne keine einzige Meldung, die eine politische Entscheidung beeinflußt oder auch nur Anlaß gewesen wäre, sie ernsthaft mit dem Kanzler zu besprechen. Die Papiere des BND liefen halt so mit, und ich ertappte mich dabei, sie aus Zeitmangel erst einmal beiseite zu legen und nach ein paar Tagen festzustellen, daß mir da nichts Besonderes entgangen war. Was interessant war, etwa die Beobachtungen der abgestimmten sowjetischen Flottenmanöver in Atlantik und Mittelmeer, stammte von den Amerikanern.

Die Auffassung bildete sich, daß die militärische Seite der Aufklärung, über welche Mittel der Gegner verfügt, zwar für den Fall des Konflikts von Bedeutung, aber wichtiger für die Abrüstungsverhandlungen wäre, also die Konfliktvermeidung. Außerdem ging man dazu über, dem Gegner militärische Geheimnisse bekanntzumachen: Was jede Seite sich an neuen strategischen und taktischen Kampfmaschinen geschaffen hatte, über die Satellitenbeobachtung bis zu Mehrfachsprengköpfen, war weniger Imponiergehabe als Mittel, die andere Seite vor falscher Einschätzung zu bewahren, zu schützen vor Unterschätzung, vor Leichtsinn aus Irrtum oder Unwissen. Den Osten nicht im unklaren zu lassen über das, was der Westen alles konnte, diente der eigenen Sicherung. Was da auf Gipfeln und Abrüstungsverhandlungen so alles besprochen wurde, muß Geheimdienstler, besonders sowjetische, verzweifelt gemacht haben.

Es blieb das Feld der technischen Spionage, die nicht nur wissen will, was, sondern mindestens genauso begierig erfahren will, wie etwas gemacht wird. Aber dieser Komplex, der unter dem Ende des Ost-West-Konflikts nicht gelitten hat und auch unter Verbündeten blüht, ist für politische Führung erst recht uninteressant. Was ich schrecklich gern gewußt hätte, war etwas ganz anderes: Was eigentlich ist für Ulbricht wichtig? Welche Überlegungen bewegen Honecker? Wie sieht es in dem Gedankengebäude Breschnews aus, wie gewichtet er einzelne Faktoren? Wie denken die Spitzenleute, mit denen man es zu tun hat? Diese Geheimnisse zu enthüllen, kann über Erfolg und Mißerfolg entscheiden. Wie »tickt« der neue Präsident? Wo sind die Vorlieben, Stärken und Schwächen des neuen Regierungschefs? Da bringen gute Bekannte Interessanteres zutage als Geheimdienste. Was man also eigentlich wissen möchte, können nur Menschen vermitteln, die in der unmittelbaren Umgebung der jeweils Mächtigen arbeiten. Und so einen hatten wir nicht, in Ostberlin nicht und in Moskau schon gar nicht.

Übrigens: Die Amerikaner auch nicht. Jeden Krümel an Information pickten sie sorgfältig auf über den Gesundheitszustand des Generalsekretärs. Da saß niemand an der Quelle. Erstaunlich auch, daß Kissinger sich über den CIA beklagte, der ihm kein Bild seines Kollegen Alexandrow geben konnte, bevor er ihn erstmals in Moskau treffen sollte.

Daß alle Welt die Dienste benutzt, aber nicht gern darüber redet, mag wohl auch daran liegen, daß sie – weitgehend frei von Etikette und Protokoll – menschlicher sind als die offiziellen Auswärtigen Ämter. Und das bedeutet direkter, intimer, allerdings auch abgründig lichtscheu und moralisch unbekümmert. Das Recht zu töten, genauer, staatlich sanktionierter Mord, entsprang sicher nicht nur einer 007-Phantasie. Die Entscheidung, Castro umzubringen, traf nicht der CIA allein. Und der KGB hätte in seinem System erst recht nicht ohne Genehmigung von »oben« Entsprechendes verüben dürfen, in eigener Vollmacht. »Typisch« hieß es im einen Fall schaudernd. Das Bild von den Spänen, die beim Hobeln fallen, wurde im anderen Fall nur mit Scheu benutzt. Ideologie und Werte der unterschiedlichen Systeme spielten keine entscheidende Rolle. (Und wer garantiert, daß dies nun anders geworden ist?) Auch das hohe Roß des Siegers scheißt nur Pferdeäpfel. Und damit soll der britische, französische und israelische Dienst eingeschlossen sein in der Hoffnung, daß kein anderer Dienst sich durch Nichterwähnung herabgesetzt fühlt.

Die anrüchigen Unappetitlichkeiten, die Vergehen oder Verbrechen, die das Licht der Öffentlichkeit in jedem System scheuen, geschehen zwar jenseits der wasserdichten Wände, die Operation von Auswertung trennen, aber nicht in einem staatsfreien Vakuum. Die Staatsspitzen sind nicht verantwortungsfrei für das, was ihre Dienste tun, wie immer sie in den unterschiedlichen Administrationen organisiert sind und gelenkt werden. Daß sie nicht jede Einzelheit entscheiden sollen, bedarf keiner Begründung; aber was sie wissen, ist eine interessante Frage.

Juri Andropow und George Bush haben das, was sie an der Spitze ihrer Dienste erfuhren, natürlich nicht vergessen, als sie an die Spitze ihrer Staaten traten. Man kann davon ausgehen, daß die Eigenschaften, die sie für die Dienste qualifizierten, sie nicht für den Dienst im Weißen Haus und im Kreml disqualifizierten. Auch Klaus Kinkel hinderte seine Verantwortung als Präsident des BND nicht daran, zum Vizekanzler und Außenminister unserer Republik aufzusteigen. Ein Makel ergibt sich für die Betreffenden erst, wenn sie nicht wissen, was sie wissen müssen, oder ihre Unkenntnis beteuern. Wenn ihnen aber Positionen zugetraut und anvertraut werden, in denen ihre Informiertheit Voraussetzung für ihre Entscheidungen sind, dann bedeutet das die enge Verwobenheit der Staatsspitzen mit Aktionen, die im dunkeln bleiben sollen und vielleicht die eigenen Gesetze verletzen, also Illegalität, legal gedeckt. Hat Mitterrand die Operation gebilligt, die zur Versenkung des Greenpeace-Schiffes führte? War dem Premierminister unbekannt, wofür er Leute des britischen Dienstes auszeichnete?

Der Spion Guillaume war entlarvt, verhaftet und verurteilt, der Bundeskanzler zurückgetreten. Ob unseren Diensten dabei Fehler unterlaufen sind, Wissen verschwiegen wurde, auch von dem unmittelbar vorgesetzten Innenminister Genscher, die Ablauf und Ergebnis verändert hätten, das blieb für Willy Brandt bis zuletzt jenseits der Gewißheit, die er gern gehabt hätte. Auch die staatliche Teilung Deutschlands war schon Geschichte geworden, als Markus Wolf ihm schrieb, wie sehr er bedauere, ... »Das hilft nun auch nichts mehr«, bemerkte der Alte mild und mit Abstand. Als ich ihn fragte, ob er etwas dagegen hätte, wenn ich Wolf träfe, weil ich gern erfahren möchte, ob Honecker damals von

Guillaume gewußt habe, ermunterte er mich; er würde das auch gern wissen. Also arrangierte Falin in seiner Hamburger Wohnung die erste Begegnung bei Kaffee, Tee und Gebäck und glättete, unterstützt durch die Anwesenheit seiner und Wolfs Frau, Befangenheiten.

Das war nun also der Mann, dessen hohe Professionalität so großen Schaden angerichtet hatte. Bedauern kann Schuld nicht löschen. Aber ich konnte den Gedanken nicht vertreiben: Ich würde es doch nicht bedauert haben, wenn wir so erfolgreich wie er gewesen und an der DDR-Spitze Schaden angerichtet hätten! Ich hatte schließlich, als Guillaume aufflog, geäußert, hoffentlich hätten wir auch so einen gutplacierten Agenten, wohl wissend, daß wir ihn nicht hatten, doch eben mit Bedauern. Jeder war eingespannt in einen Kampf, der Krieg war, auch wenn er kalt blieb. Gar nicht bequem, am eigenen Gefühl nachträglich feststellen zu müssen, wie lange das weiterwirkte, obwohl wir diesen Krieg gewonnen hatten.

Zur Einführung meiner Frage erläuterte ich, wie das »bei uns« war und wohl noch ist: Wenn der Chef des BND einen Mann oder eine Frau so nahe an der Spitze eines anderen Staates gewonnen hätte, daß seine Enttarnung politische Schwierigkeiten zu dem betreffenden Staat auslösen würde, dann würde er das in einem Vier-Augen-Gespräch dem Bundeskanzler sagen. Dessen Entscheidung, ob das Risiko tragbar erscheint oder nicht, würde zwischen den beiden bleiben. Aber ich zweifele nicht daran, daß auch der Bundeskanzler nicht den Klarnamen erfahren würde oder wollte. Also: »Wußte Honecker von dem Kanzlerspion, und kannte er seinen Namen?« Wolfs Antwort fiel enttäuschend simpel aus. Er wisse es nicht, denn alles, was mit Guillaume und anderen Topkundschaftern zusammenhing, behielt sich Mielke vor, allein mit Honecker zu besprechen. Er habe den Generalsekretär nie zu diesem Komplex Vortrag halten können. Das kurze Schweigen beendete Falin, indem er berichtete, wie das bei ihm zu Hause gehandhabt worden sei: Stalin kannte jeden Topspion mit seinem Klarnamen, zum Beispiel Richard Sorge in Tokio, interessierte sich für den persönlichen Hintergrund und ließ sich jede Meldung direkt vorlegen. So sei es auch bei allen seinen Nachfolgern geblieben, Gorbatschow eingeschlossen.

Sieh da! Auch unser Freund Michail Sergejewitsch. Aber kein Wunder bei einem Mann, der mit allen Apparaten vertraut gewesen sein muß, um an die Spitze der Apparate zu kommen. In die Szene dieser geschlossenen Gesellschaften kommunistischer Länder einzudringen, ist immer schwerer gewesen als umgekehrt. Aber daß der Osten wohl die erfolgreicheren Netze gehabt und viele Schlachten gewonnen hat, hat ihm nicht geholfen. Die Dienste sind wichtig, aber nicht entscheidend.

Nachdem der KGB den Dienst von Wolf gezeugt, gesäugt und behütet aufgezogen hatte, grenzt die Wahrscheinlichkeit an Sicherheit, daß Honecker wußte, daß und welchen Mann »er« in Kanzlernähe hatte. Mielke wird die Siegesmeldung, die er Ende 1972 erstatten konnte, nicht unterdrückt, wird aber auch nicht gewagt haben, das Risiko auf die eigene Kappe zu nehmen. Honecker wird entschieden haben, Guillaume nicht abzuschalten. Brandt die Wahrheit zu sagen, als sich beide im Herbst 1985 das einzige Mal ausführlich trafen, hätte die Zusammenkunft sinnlos gemacht. Also belog er den Gast.

Meine aktiven und passiven Erfahrungen während der Zeit im Kanzleramt erwiesen sich als bunt und widersprüchlich. Henry Kissinger eröffnete einen Kanal über den Dienst der Marine für unseren Informations- und Abstimmungsaustausch, weil er nicht einmal dem CIA genug traute, dicht zu sein. Das war erfreulich. Als DDR-Staatssekretär Kohl für unsere Verhandlungen in Bonn im Hotel am Tulpenfeld untergebracht wurde, fragte ich vorsichtig, ob man ihn nicht abhören könnte. Die Antwort war negativ: So entdeckungssicher und schnell wie nötig sei das nicht zu machen. Die Enttäuschung wurde durch die heimliche Freude ausgeglichen, daß die verehrten Landsleute sich bestimmt so benehmen und verhalten würden, als würden sie abgehört. Kleine Genugtuung dafür, daß wir immer damit rechneten, im Ostblock abgehört zu werden. In Moskau benutzten wir diese Möglichkeit, Beschwerden erfolgreich loszuwerden oder die Ernsthaftigkeit unserer Position nachzuweisen. Die amerikanischen Botschafter bemühten sich in den abhörsicheren Raum, wobei einer von ihnen seine Notizen dann seiner Sekretärin im Büro diktierte, während seine britischen und französischen Kollegen meine Informationen in souveräner Gelassenheit im Garten oder in der Residenz entgegennahmen. Ich wurde darauf aufmerksam gemacht, daß man sich in Restaurants besser nicht in Ecken oder an Säulen setzt, und das von einem Russen, von dem ich nicht wußte, für welchen Apparat er arbeitete. Der wiederum fühlte sich mit seinem Begleiter so überwacht, beobachtet, verfolgt und gefilmt, wenn beide in West-Berlin waren, daß es beunruhigend war. Ich ging zum Regierenden Bürgermeister, Dietrich Stobbe, und bat ihn, den Verbindungsleuten der Drei Mächte zu sagen, daß die beiden offiziös arbeiteten, in Verbindung mit der Bundesregierung. Das half. Aber ganz sicher konnte man nicht sein, ob Mielke da nicht mitgehört und seine Überwachung der sowjetischen Freunde umgestellt hat.

Wenn jeder jedem nachspürt, mußte ich auch, so nahm ich selbstverständlich an, Gegenstand des Interesses sein, vom Abhören des Privattelefons sogar abgesehen. Da war immer Vorsicht nötig, falls es »andere« taten; falls es »unsere« machten, bekümmerte es mich nicht; denn falls sie ihrer – sicher ist sicher – Pflicht folgten, wäre hoffentlich Mißbrauch nicht zu befürchten. An einem Abend während der Vier-Mächte-Verhandlungen über Berlin hatte ich die beiden Botschafter Rush und Falin in der Residenz des Bundesbevollmächtigten zu Gast. Am nächsten Morgen rief mich Kenneth Rush an und bat mich, ihn gleich aufzusuchen. Der Amerikaner wohnte wenige Ecken weiter. Heute früh hätte ihn sein Sicherheitsmann beunruhigt mit der Beobachtung konfrontiert, daß gestern abend der sowjetische Botschafter bei dem Berlinbevollmächtigten gewesen sei. Er hätte dem geantwortet, daß er das schon wüßte, er sei nämlich dabeigewesen, und fügte hinzu: »Egon, sei vorsichtig, du wirst überwacht.« Wir lachten beide. Ein Einbruch in das Haus, in dem ich in Godesberg wohnte, war weniger lustig, zumal nur der Schreibtisch durchwühlt war und nichts Wertvolles fehlte.

Beim Einzug in das Kanzleramt waren die notwendigen inoffiziellen Verbindungen zu Washington etabliert, zu Moskau und zu Ostberlin hatte ich keine. Der »back channel« zum Kreml wurde erst eingerichtet, nachdem der Moskauer Vertrag unterschrieben war im August 1970. Ob die beiden sowjetischen Kontaktleute KGB-Männer waren, interessierte mich ebenso wenig, wie es Schäuble oder Strauß gekümmert hat, welchen Stasi-Rang Schalck-Golodkowski hatte. Wenn sie es gewußt hätten, hätte es nichts geändert. Sie wollten etwas. Der Kanal sollte funktionieren, hat funktioniert, zuverlässig. Er war verdeckt und hatte keinen geheimdienstlichen Charakter, selbst wenn einer der Beteiligten auch Mielke berichtspflichtig war und der Chef des Kanzleramtes dem BND etwas zu sagen hatte.

Im Gegenteil. Jeder verdeckte Kanal ist ein begehrtes Ziel jedes Geheimdienstes; denn er stellte eine überlegene Konkurrenz zum

Dienst dar, kann ihn teilweise überflüssig machen oder dumm aussehen lassen. Über die Kanäle wird also später zu berichten sein. Sie haben in dem Kapitel »Dienste« nichts zu suchen, mit der Ausnahme, daß ein Dienst an einem Kanal nahe dran war. Aber das erfuhr ich erst im Mai 1995.

Da erzählte mir Markus Wolf von »einem der seltenen Fälle«, wo Abhören funktioniert habe. Ich sei das Ziel gewesen, in einem einzeln stehenden Haus, was für Godesberg zutraf. Ihm sei der Bericht vorgelegt worden. Aus dem Gespräch mit einem Russen, der Name Slawa blieb im Gedächtnis, hätte sich eine freundschaftliche Intimität ergeben. Der Inhalt sei so wichtig nicht gewesen, aber die Atmosphäre: »Das war zwischen Bonn und Moskau schon enger und weiter, als wir wußten, dachten, befürchteten.« Ich fand es ganz schön, nachträglich den gewünschten Erfolg vom damaligen Gegner bestätigt zu bekommen. Aber zum Thema Dienste interessanter: Wolf rekapitulierte seine damaligen Überlegungen. Nachdem die Meldung schon durch die Hände einiger Leute gegangen sei, hätte er sie nicht unterdrücken dürfen, sie aber so verallgemeinert und abgemildert, daß ein Unkundiger nicht alarmiert werden und ein Kundiger, bei dem es nicht schaden konnte, mit dem Kopf nicken würde. Die ungeschminkte Weitergabe hätte einen unberechenbaren Kurzschluß geben und damit der Politik der Sowjetunion schaden können. Alarmierend blieb für ihn »das Zusammenspiel Moskau und Bonn und das Doppelspiel Leonid Breschnews«. Ich dachte, daß die Loyalität Wolfs zur Sowjetunion mindestens so groß wie zu seinem Staat gewesen sein mußte.

Die Geschichte hat eine Fortsetzung. Natürlich interessierte Wolf, wer denn der erwähnte Slawa sei: Den Namen des Generals Keworkow von der zweiten Hauptabteilung, den Mielke ihm nannte – den hatte sich der Minister nämlich zur Information bestellt –, vergaß er. Jahre später, als Wolf sich 1990 in Moskau geparkt hatte und ein Fernschreiben loswerden wollte, besuchte er seinen Freund Falin mit der Bitte um Hilfe. »Nichts leichter als das; wir machen das über Keworkow bei TASS«, den er anrief und mit »Slawa« anredete. Jetzt fiel der Groschen. Wolf schrieb sich den Namen auf, ohne Falin zu sagen, daß er schon einmal von Slawa gehört hatte. Welch ein schreckliches System, in dem es zum Selbstschutz und dem Schutz der Freunde gehört, nichts zu sagen, nichts zu fragen und dieses Verhalten so verinnerlicht wird, daß es prägend bleibt, für ein Leben, das heißt auch, wenn das System schon gar nicht mehr existiert.

Wer etwas Großes bewegen wollte, und das wollten wir im Palais Schaumburg, hatte keine Zeit, sich viel Gedanken über die Indianerspiele und Schlimmeres der Dienste zu machen. Es gab sie. Das zweitälteste Gewerbe der Welt würde jeden sozialdemokratischen Reformeifer überleben. Wo möglich, wo nötig mußten sie genutzt werden.

Über Glanz und Elend dieser Einrichtungen gewann ich einen aufregenden Einblick. Die erste freigewählte Regierung der DDR unter Lothar de Maizière war im Amt. Ihr Verteidigungsminister Rainer Eppelmann hatte mich gebeten, ihn zu beraten. Da saß ich nun in Strausberg, bei der NVA, dem Feind, der keiner mehr war. Eines Tages meldete sich ein Oberst, vorschriftsmäßig, etwas preußisch; er wirkte intelligent und unsicher, rutschte auf dem Stuhl hin und her und rückte endlich damit heraus: Er sei der stellvertretende Chef des militärischen Geheimdienstes der Nationalen Volksarmee. Er glaube, daß sein Apparat gute Arbeit geleistet habe, über sehr genaue und sehr detaillierte Kenntnisse der Streitkräfte in der Bundesrepublik verfüge, Bundeswehr wie fremde Truppen, ihre Bewaffnung, personelle Auffüllung usw. Im Prinzip fragte er, was aus seinem Dienst, vor allem den Menschen werden sollte, die über Wissen und Fähigkeiten verfügten, die doch für die Bundeswehr interessant sein müßten, ganz abgesehen von den technischen Einrichtungen, die auf dem neuesten Stand seien.

Um die Frage zu beantworten, wollte ich erst mal erfahren, was sie denn hätten und könnten. In einem beachtlichen Gebäudekomplex in Ostberlin waren eindrucksvolle und umfangreiche Installationen zu besichtigen. Für den Laien sehr viel imposanter zwei großformatige Bände, in denen nun die Kenntnisse über die Einheiten bis zur Kompaniestärke hinunter verzeichnet waren. Ich nahm sie mit nach Bonn, bat den General, der für den BND im Verteidigungsministerium sitzt, in mein Büro und erlebte einen Mann, dessen Gesichtsfarbe schneller rot wurde, als es eine halbe Flasche Whisky geschafft hätte. Um es kurz zu machen: Von der Existenz dieses militärischen Geheimdienstes der NVA hatte man auf unserer Seite nichts gewußt. Der Gebäudekomplex war unbekannt, immerhin nicht irgendwo im Wald verborgen, sondern über normale Straßen in Ostberlin zu erreichen, in dem mehrere hundert Menschen täglich ein- und ausgingen.

Aber der Gipfel war das Ergebnis der Auswertung der Folianten: Weit über 100 000 Angaben, Daten, Namen, Waffen, Ausstattungstypen und mehr erwiesen sich als exakt; sie gingen bei den Streitkräften der Verbündeten über das hinaus, was wir wußten; aber diese Kenntnisse waren für uns auch nicht wichtig. Weniger als hundert »Erkundungs-Ergebnisse« stimmten nicht, zum Teil durch Krankenstand oder Versetzungen erklärlich. Die westliche Verteidigung barg keine Geheimnisse für den Osten, sie lag wörtlich in einem offenen Buch vor seinen Augen. Ob unsere Seite die Angriffspläne und -mittel der anderen Seite wohl genauso gut kannte? Welch ein Glück, daß nicht erprobt wurde, welche Seite größere Vorteile aus der besseren Aufklärung gewann. Aber daß die Kameraden von der anderen Feldpostnummer stolz auf ihre professionellen Qualitäten waren, konnte ich verstehen. Ob sie für die Bundeswehr des geeinten Deutschland genutzt werden, ob andere sie nutzen, was diese Fachleute heute tun, weiß ich nicht. Was die Aufgaben ihres Berufs angeht, können sie nicht schlechter als ihre westlichen Kollegen gewesen sein. Was sie wußten, muß Traum jedes militärischen Abwehrchefs sein. Weltniveau. Das bewahrte den Dienst nicht vor dem größten Elend: Sein Wissen war zu nichts nutze. Für den Reißwolf der Geschichte. Doch die Kollegen überall, die dem Weltniveau zustreben, werden sich trösten: Das Ende eines Staates kommt nicht oft vor; daß seine geheimen Unterlagen dem Gegner in die Hände fallen, noch weniger.

In ihrer Charakterfestigkeit erprobte, intelligente Menschen und nicht Meisterspione werden gern an die Spitze von Diensten gesetzt, verläßliche, verschwiegene Kontrolleure für aktive Aufklärung wie Auswertung, nicht nur in Deutschland. Der Zufall wollte es, daß ein guter Bekannter aus Zeiten der Ab- und Nachrüstungsdiskussion, Jewgeni Primakow, danach Nahostexperte für Gorbatschow und schließlich Chef der Auslandsabteilung des KGB geworden war, als Konrad Porzner, dem ich freundschaftlich verbunden war, klugerweise zum Präsidenten des BND ernannt wurde. Von den Diensten verstanden wahrscheinlich beide gleich viel oder wenig. Es reizte mich, Primakow in seiner neuen Eigenschaft wiederzusehen, vielleicht in dem ominösen Gebäude zu sprechen, in dem Berija sein Büro gehabt hatte. Aber den stellvertretenden Chef des KGB aufzusuchen, konnte sehr mißverstanden werden und unnötigen Ärger machen, gerade weil es keinen Grund gab, es geheimzuhalten. Andererseits: Meinem Grundsatz der Unbefangenheit nicht zu folgen, hieße aus Feigheit ein interessantes Gespräch versäumen. Es lag nahe, Konrad Porzner zu fragen, ob er etwas gegen eine solche Begegnung habe. Seine Antwort, wir saßen in einem guten Lokal an der Elbe in Hamburg: »Im Gegenteil; mach das!« Wie weit waren wir schon vom Kalten Krieg entfernt. Er erzählte, daß er demnächst selbst Primakow aufsuchen, ihm den Residenten des BND in Moskau vorstellen werde, auf Gegenseitigkeit natürlich. Unvorstellbar vor wenigen Jahren! Wunderbares Ergebnis von Entspannung und Ende des Ost-West-Konflikts. Welcher Wandel durch Annäherung. Aber der nächste Gedanke: Beide Dienste arbeiten in beiden Ländern weiter, teils zusammen, teils auf eigene Rechnung, miteinander, gegeneinander. Die Staaten und Regierungen kommen und gehen, die Dienste bleiben bestehen.

6. KAPITEL

Von der Planung zur Realität

Im Kanzleramt

Am Sonntag, dem 28. September 1969, fällt die Hektik der vergangenen Wochen ab. Was getan werden konnte, ist getan. Ich bin sehr ruhig – es muß klappen – und finde Willy auf dem Venusberg allein spazierengehen, gesammelt, ernst, locker, sehr zuversichtlich, nicht sicher, entschlossen. Es ist ganz selten, daß wir im persönlichen Gespräch große Worte benutzen. Aber ich höre mich sagen: »Wenn es jetzt ernst wird, bist du nicht mehr eine Figur in der Geschichte, sondern machst sie. Und das ist nicht zu revidieren. Jeder Tag wird zählen. Du mußt entscheiden und durchsetzen, was du für richtig hältst, und wirst in der Partei so stark wie nie sein.« Minuten verstreichen wortlos. Langes Schweigen ist im Gehen besser als im Sitzen zu ertragen. Dann beginnt er über Personalien zu sprechen. Helmut Verteidigung, Schiller Wirtschaft, Ehmke könnte auch Innen machen; »an seiner Stelle würde ich Justiz vorziehen und mich um die Partei kümmern.« Wehner wäre der Beste für die Fraktion. Nachdem er auch noch Wichtige erwogen hat, fragt er, was ich wolle. Es bleibt dabei, mich interessiere kein Titel, sondern unsere Sache, also ein Platz, wo für Außenpolitik etwas zu machen ist. Dann bittet er, Scheel anzurufen und ihm die Telefonnummer zu geben, über die er direkt zu erreichen ist. Bei diesem Kontakt klingt der FDP-Vorsitzende gar nicht mehr so zuversichtlich, wie er sich noch vor drei Tagen gegeben hatte.

Am späten Nachmittag fahre ich ins Parteihaus mit der Nachricht ab, Frau Noelle-Neumann sieht die SPD vor der CDU. Die Überzeugung, damit wird sie ihren Ruf ruinieren, mischt sich mit der leisen Hoffnung, sie möge recht haben. Die erste Hochrechnung ist ein Schock: 40 : 47. Das muß ein Irrtum sein. Weitere Hochrechnungen bestätigen den Trend und erzeugen Niedergeschlagenheit, Resignation. Was mag in Willy vorgehen? Er will niemanden sehen. Als wir bei 41 Prozent ankommen, meint »Ben Wisch«, wie wir den Bundesgeschäftsführer Hans-Jürgen Wischnewski nannten, das sei doch gar nicht so schlecht. Aber verheerende Ergebnisse für die Freien Demokraten. Wenn ich an das Gespräch mit Willy vor ein paar Stunden denke, haben wir uns elendiglich lächerlich gemacht. Ich fand ihn etwas verquollen aussehend, bevor er die Mitglieder des Präsidiums aufsuchen muß, als wir bei 41,5 Prozent stehen und er nicht ausschließt, daß die Union die absolute Mehrheit der Mandate bekommt. Fernsehbilder zeigen einen siegessicheren Kiesinger und einen triumphierenden Barzel. Der amerikanische Präsident, Richard Nixon, gratuliert dem Kanzler. Christ-, Sozial- und Freie Demokraten erleben in dieser Nacht die aufwühlende Nähe von Erfolg und Niederlage. Sie erleben auch, wie entscheidend eine kaltblütige, entschlossene Führung ist, wenn sie zur Macht greift, die aus den Wahlkabinen kommt. Ohne diese Fähigkeit Willy Brandts wäre die Chance zur sozial-liberalen Koalition vorbeigegangen.

Ich habe nie wieder eine so risikofreudige SPD erlebt. Sitzung des Vorstandes ohne Aussprache und einstimmig für die Information des Bundespräsidenten über den Anspruch auf Kanzlerschaft. Als ob es die Neigungen zur Fortsetzung der Großen Koalition und die Mahnungen nie gegeben hätte, es sei falsch, gegen die stärkste Partei regieren zu wollen. Gustav Heinemann schlägt sich auf die Schenkel, auf diese Situation habe er gewartet. Er fragt Willy, ob ihm klar sei, daß er nicht so »einfach« an den Bundespräsidenten herangekommen wäre, wenn Schröder in der Villa Hammerschmidt säße.

Telefonat mit Kissinger: »Er entschuldigt sich. Man sei von der Nachrichtenlage ausgegangen, die den Eindruck erweckt hätte, als sei Kiesinger als nächster Kanzler sicher. Er betonte wiederholt: Es gebe vom Präsidenten und der Administration keinerlei Präferenz. Man würde sich auf die Zusammenarbeit mit einer Regierung Brandt genauso freuen und sähe ihr mit der Bereitschaft zur vollen Kooperation entgegen. Ich war danach sehr versöhnlich: Man solle die Geschichte vom Sonntag/Montag vergessen.« Brandt lächelt über diesen Vermerk: »Es schadet nicht, wenn sich am Anfang die Weltmacht geirrt hat.«

Meine Scheu, ihm das Lob zu sagen, läßt mich schreiben: »Es ist Grund zu gratulieren. Zuweilen hatte ich in den letzten Tagen das Gefühl, als ob ich trotz der fast zehn Jahre der Zusammenarbeit noch einen oft vergeblich ersehnten Willy Brandt kennenlerne. Und dies tut gut.« Außerdem gebe ich den Rat, daß er nun in einer Situation sei, die der des »president elect« ähnelt: Man kennt den nächsten Chef der Administration, aber er ist es noch nicht. Wir haben in der Bundesrepublik eine derartige Situation noch nicht erlebt. Es gibt insoweit auch keine Erfahrungen. »Du betrittst in den nächsten zwei Wochen also eine Schneedecke, die noch ohne Spuren ist. Alle Erfahrungen in Amerika sprechen eindeutig dafür, daß ›der Künftige‹ sich in dieser Zeit bis zum Amtsantritt jeder öffentlichen Äußerung zu irgendeiner Sache mit irgendeiner Substanz enthält. Er bereitet sich vor, macht seinen Plan für die ersten hundert Tage, schließt seine Personalüberlegungen ab und entscheidet über sein ›program of actions‹.« Außerdem lege ich ihm nahe, Kiesinger zu schreiben, »sich als in Urlaub befindlich zu betrachten«. Dies sei sauber und vermeide jeden Krampf, außerdem klar und zweckmäßig.

Das erste Koalitionsgespräch mit den Freien Demokraten in der Landesvertretung Nordrhein-Westfalen. Warm, verqualmt, feucht, die künftigen Partner duzen sich auch und ziehen als erste die Jacken aus. Gutes Zeichen. Wolfgang Mischnick, der Fraktionsvorsitzende, erhält Nachricht über ein umfassendes Angebot des Kanzlers; er sagt: »Des Noch-Kanzlers.« Auch ein gutes Zeichen. Willy hatte am Vormittag bei mir eine Aufzeichnung über Außenpolitik bestellt. »Wie lang soll's denn sein?« – »Nicht mehr als vier Seiten.« Jetzt gab er sie Scheel. Der las sorgfältig. »Ist in Ordnung.« Damit war die Grundlage für die Außenpolitik der Koalition abgehakt. Es dauerte zehn Minuten. Ich dachte: Wenn »meine« Politik zur Grundlage der Regierung wird und es so schnell geht, dann kann es nur gut werden.

Das war die Grundlage, die mir Sicherheit gab für das informelle Gespräch, zu dem Henry Kissinger offen über das Auswärtige Amt eingeladen hatte. Es fand statt, während intern noch etwas gezittert wurde, ob alle oder wenigstens eine ausreichende Zahl der Abgeordneten der Freien Demokraten Brandt wirklich zum Kanzler wählen würden; es fand statt, bevor die Regierungserklärung ausformuliert war, eine Woche vor der Kanzlerwahl am 21. Oktober 1969. Die Amerikaner wurden früher unterrichtet als alle anderen, Bundestag und deutsche Öffentlichkeit eingeschlossen.

Am Abend vor dem Abflug gibt der Chef telefonisch letzte Weisung: »Mach es milde in Washington und erwecke nicht den Eindruck, als ob gar nichts mehr schiefgehen kann.« Er klingt fröhlich und selbstsicher. Ich könne schon sagen, ich würde im Kanzleramt Außen und Sicherheit machen und Berlin-Bevollmächtigter sein. Daß die Boing 707 nach New York »Berlin« hieß, nahm ich als gutes Omen; daß der Botschafter etwas muffig war, weil ich auf seine Begleitung verzichten mußte, nahm ich gelassen; aber daß der Sicherheitsberater des Präsidenten der Vereinigten Staaten in einem kleinen Kellerraum im Weißen Haus saß, umgeben von Papierbergen, hatte ich nicht erwartet. Wir kannten uns durch mehrfache Begegnungen und Briefwechsel seit 1966 ziemlich gut und konnten zunächst und am Schluß unter vier Augen, dann in Anwesenheit seines Mitarbeiters, Helmut Sonnenfeldt, unmittelbar zur Sache kommen.

Der Präsident begrüße unser Gespräch. Er, Kissinger, könne in seinem Namen sagen, daß Washington hoffe, das Verhältnis zur neuen Bundesregierung mindestens so eng, möglichst enger gestalten zu können als zur bisherigen. Dazu werde es eines direkten Kontaktes zu ihm, an der Bürokratie vorbei, bedürfen. Nach bisherigen Erfahrungen sei Bonn »nicht dicht«. Auf seiner Seite wüßten nur der Präsident, er und Sonnenfeldt davon. Ich sagte ihm zu, daß bei uns nur Brandt und Ehmke davon erfahren würden. Bei mir werde sich ein Kontaktmann melden, der immer für mich erreichbar sein würde. Den Wunsch zu einem solchen »back channel« abzulehnen, wäre dumm gewesen, und wenn das Angebot zudem Henry nützen würde, neue Fäden in die Hand zu bekommen, so sollte es mir recht sein: Einen direkten Draht ins Weiße Haus schon vor dem Einzug ins Kanzleramt zu etablieren, war der größte Erfolg, den man sich wünschen konnte. Er funktionierte reibungslos, solange ich im Palais Schaumburg saß. Das Volumen an Papier, das er trotz unserer »westlichen« Kürze beanspruchte, überstieg den Platz, den der spätere »back channel« trotz seiner »östlichen« Epik verlangte.

Ich entwickelte unsere Überlegungen zur Ostpolitik, also Gewaltverzicht und gleichzeitige Verhandlungsangebote an Moskau, Warschau und Ostberlin, was Kissinger zunächst nur zu der Frage veranlaßte, ob wir die Oder-Neiße-Linie anerkennen würden. Ich verneinte, ohne ihm die Formel sagen zu können, die wir in Anlehnung an den Deutschland-Vertrag benutzen wollten, um diese Frage politisch zu »erledigen«. Er meinte, das sei unsere Sache und begrüßte das gleichzeitige Angebot, weil dies einen »tschechischen Effekt« verhindern würde. Außerdem halte er es für klug, schnell zu agieren. Was in den ersten hundert Tagen nicht oder falsch eingeleitet würde, würde auf Seiten der Sowjets zu einer schwer revidierbaren Verhärtung führen. Er würde an unserer Stelle noch vor Jahresende beginnen, was wir ja auch beabsichtigten. Das veranlaßte ihn zu mehreren Fragen, die ein intelligenter und erfahrener Mann stellen mußte, der unsere sorgfältig erarbeitete Planung nicht kannte. Meine Antworten konnten bestimmt in der relativ kurzen Zeit von zweieinhalb Stunden nicht erschöpfend sein. Ich fühlte, daß da Zweifel blieben, ob wir wirklich alles bedacht hätten.

Im Zusammenhang mit unseren Überlegungen, wie das Stimmrecht der Berliner Abgeordneten zu erweitern sei, ergab sich eine vorübergehende Spannung. Kissinger fragte: »Das Ob oder das Wie?« Ich antwortete mit dem Hinweis, die neue Bundesregierung werde zuweilen vielleicht etwas unbequemer sein. Heinemann wie Brandt seien nicht Repräsentanten der besiegten, sondern der befreiten Deutschen. Ich relativierte das, indem ich die Formel des ersten Bundespräsidenten Heuss von der kollektiven Scham statt der kollektiven Schuld heranzog. Unsere wesentliche Aufgabe werde sein, daß die Deutschen ihr Maß fänden, in Worten von Brandt: »Stolz ohne Überheblichkeit«. Kissinger meinte, die USA würden sich ehrlich über einen solchen Partner freuen. Er beurteile das völlig identisch. Ich fuhr fort, daß wir auch nicht alle zwei Monate um eine Wiederholung von Garantien bitten oder die Frage stellen würden, ob wir noch geliebt werden, was ihn zu dem spontanen Ausruf: »Gott sei Dank!« veranlaßte. Im übrigen sei ich weniger gekommen, um zu konsultieren als zu informieren.

Der Gewaltverzicht mit der DDR müsse genauso verbindlich sein wie mit den anderen Ostblockstaaten. Ohne völkerrechtliche Anerkennung, gleichberechtigt, aber nicht füreinander Ausland, das müsse ausgebaut werden. Dabei hielt ich es für schwer, auf dem Standpunkt zu beharren, die DDR sei kein Staat. Die erhoffte gegenseitige Entblockierung würde ich gern mit einer zusätzlichen Sicherung des zivilen Verkehrs nach Berlin verbinden. Nachdem noch die mögliche Truppenreduzierung erörtert worden war, wofür europäische Vorschläge willkommen wären mit der Chance, sie könnten angenommen werden, und die schnelle deutsche Unterschrift unter den NV-Vertrag angekündigt war, geleitete mich Henry hinaus: »Ihr Erfolg wird unser Erfolg sein.« Gegenüber unserem wichtigsten Verbündeten gab es keine offene Flanke mehr.

In Bonn die hektische Betriebsamkeit in einem diffusen Schwebezustand. Die Regierungsübernahme muß vorbereitet werden ohne die Gewißheit, ob es zur Regierungsübernahme kommt. Das Ausland und zunehmend die deutsche Öffentlichkeit nimmt die neue Mehrheit, als gäbe es sie schon und die Kanzlerwahl sei nur noch Formsache. Amerikaner und Sowjets melden sich, Polen und Franzosen, sogar die DDR möchte einen Mitarbeiter ihres Ministerpräsidenten Stoph, Hermann v. Berg, schnuppern lassen. Ein seltsames Gefühl im Magen, Willy am Telefon zu hören: »Der Kanzler wird...« Im internen SPD-Gespräch über Struktur des Kabinetts deklariert er ohne Widerspruch, der FDP mehr zu geben, als ihr zahlenmäßig zukommt, mehr als die CDU geben kann, um sie herauszukaufen. Soviel Gewicht ausgerechnet, nachdem sie so viel verloren und fast die 5-Prozent-Hürde verfehlt hat. Die Sache sei auf zwölf Jahre anzulegen. Mir würden erst mal acht reichen. Obwohl er sich Scheel menschlich näher fühlt, schätzt er Genscher als stärksten Mann ein, den er nicht gegen uns aufbringen möchte.

In den zwanzig Jahren der Bundesrepublik hatte es manche Regierungsbildung gegeben, aber keine unter Führung der SPD und keine, in der die Freien Demokraten die beiden klassischen Ministerien Außen und Innen leiten sollten. Es ist wirklich ein Machtwechsel. Ich diktiere den außenpolitischen Teil der Regierungserklärung; ein Anruf vom Chef bringt sein so seltenes »sehr gut«. Die persönliche Amtsübergabe soll Kiesinger und Brandt erspart bleiben. In der Nacht vor dem großen Tag kann ich kaum schlafen. Das einzige Normale an diesem Tag ist die Fahrt ins Büro im Auswärtigen Amt. Das Ergebnis bringt große Ruhe, als ob sich ein riesiger Raum vibrierender Stille bilde. Das war ein langer Marsch, und es ist der Beginn eines neuen. Es könnte eine neue Ära werden, und es könnte bald zu Ende sein. Die Mitarbeiter verabschieden mich mit Sekt und danken für die lange Leine, an der ich sie gehalten hätte, die intellektuelle Herausforderung und den Zwang zum geistigen

Striptease. Am Abend ein wirklich offenes Haus auf dem Venusberg, in dem sich fröhliche Bekannte, aber auch wildfremde Bürger mit Journalisten, neuen und alten Freunden drängen. Als ich hereinkomme, umarmt mich Willy zum erstenmal, »einen langen schönen Weg haben wir zusammen gemacht«. Um nicht zu weinen, sei sie im Bundestag gewesen, sagt Rut und macht mich verlegen: »Du warst immer da und immer loyal.« – »Ich mag ihn halt.«

Am nächsten Mittag beziehe ich mein neues Büro, das Arbeitszimmer Globkes, natürlich mit separatem Ausgang für Besucher, die nicht wieder durchs Sekretariat sollen, und einer eigenen Toilette; die Badewanne wird nie benutzt werden, das besondere Telefonleitungssystem zu den Bundesministern selten; dafür wird die direkte Verbindung zum Kanzler praktisch, mehr von ihm als von mir genutzt. Man fragt beflissen, ob ich das große Moltke-Gemälde von Lenbach auszutauschen wünsche. Welche Vorstellungen über Sozialdemokraten muß es in diesem Haus geben, dessen Belegschaft ihre zeitweilige Weltuntergangsstimmung schnell überwunden hat und sich vorsichtig und insgesamt hilfsbereit gibt. Ehmke frotzelt, Moltke als großer Schweiger passe nicht zu unserer demokratischen Offenheit. Da bin ich anderer Meinung.

Nachdem das Musikcorps des Bundesgrenzschutzes den preußischen Präsentiermarsch und sinnigerweise die Berliner Pflanze intoniert hatte, während der neue Kanzler marionettenhaft die Front abschritt, ging ich in das Arbeitszimmer des Bundeskanzlers. Hereinkam statt Kiesinger, wie beim letztenmal, nun der Freund. Worte von Ewigkeitswert wollten sich nicht einstellen; er kneift nur die Augen zusammen auf meine fragende Feststellung, es müsse doch etwas in ihm vorgegangen sein, vorhin, bei der Parade. Wir werfen uns in den machtvoll fließenden Strom der Arbeit, tauchen in einen lustvollen Rausch, gebändigt, aber nicht unterbrochen von kühler Überlegung, getragen vom Willen zu planvollem Handeln, glücklich im Gefühl, endlich tun zu können, was Phantasie und Vernunft sagen. Die Erotik der Macht läßt ungeahnte Lasten erträglich werden. Dieser Rausch hat angehalten bis zum Wahlsieg 1972, der eine Periode abschließt, deren Triumphe mit Erschöpfung bezahlt werden.

Wenn Ärger, Widrigkeiten, Hindernisse, Rückschläge so überhandnehmen, daß die Last die Lust tötet, wird es Zeit, die Macht abzugeben.

Wann immer ich später einen der Nachfolger im Amt testete, Teltschik oder Schäuble oder Seiters, ob es denn noch Spaß mache, waren die leuchtenden Augen beredter als ihr »Ja« oder »Und ob«. Und bei Kohl konnte manche Entscheidung erklärt, sogar vorausgesagt werden, weil er Freude an der Kanzlerschaft auf das oberste Interesse vereinfachte, auch Kanzler bleiben zu wollen. Schmidt zeigte die Last der Verantwortung, die er innerlich genoß, Kohl seine entspannte Lust, obwohl er innerlich sicherlich nicht nur lacht.

Regieren: Wie macht man das? Im Grunde besteht es aus Lesen, Schreiben, Hören und Sprechen. Von üblichen privaten und öffentlichen Tätigkeiten, die schließlich auch Denken verlangen, unterscheidet sich Regieren im wesentlichen durch die Dimension der Inhalte, die Bedeutung der beteiligten Personen, den zeitlichen Aufwand und das unnachsichtige öffentliche Scheinwerferlicht, in dem es stattfindet.

Selbst rauschhafter Aufbruch muß organisiert werden. Horst Ehmke konnte seine Kraft als Chef des Kanzleramtes austoben, mit besitzergreifender Zuständigkeit für alles, mit wägender und zupackender Intelligenz, die ihn scharfsinnig und scharfzüngig das Wesentliche schon formulieren ließ, wo andere noch nachdachten; oder ihnen ins Wort fiel und den nicht vollendeten Satz schon beantwortete, was ihm nicht nur Freunde schuf. Urteilsfähigkeit überwog psychologische Einfühlsamkeit. Als dann Worte die Runde machten vom »Jung-Kanzler« oder vom »Mann für Entscheidungshilfe« fand das der Kanzler nicht nur angenehm, der wirklich der Auffassung war, sein Amt müsse ihm zuarbeiten und den Eindruck vermeiden, als sei es ein besonderes Organ der Bundesregierung neben ihm. Scheel charakterisierte einmal in dessen Gegenwart: »Der Kollege Ehmke löst fast alle Probleme, die er schafft.« Jedenfalls habe ich keinen kennengelernt, der mehr Papier, bearbeitet, vom Tisch schaffte. Wir vertraten uns gegenseitig und pflegten unser mir gleichaltriges Nesthäkchen, Katharina Focke, zuständig für Europa und Verbindung zum Parlament. Sie erwies sich, anfänglich unsicher, als Schatz, zuverlässig, lauter, ganz unintrigant. Wir waren ein wunderbares Team, vereint in der Zuneigung zu Brandt, das erst nach und nach entdeckte, welche unserer Vorlieben für die schönen Künste unter dem Mangel an Zeit zurückzustehen hatten.

Daß Katharina Fockes Überzeugung von der Notwendigkeit Europas (West) mit meiner Überzeugung von der Notwendigkeit einer Öffnung nach Osten nicht in Widerspruch geraten mußte oder sollte, war offensichtlich. Denn das erste Auftreten der neuen Mannschaft auf einer internationalen Konferenz galt der Erweiterung der EWG durch Großbritannien. Ihre erste außenpolitische Visitenkarte gab die sozial-liberale Koalition durch Zusammenwirken von Brandt und Pompidou in Den Haag ab. Ihren ersten Erfolg verbuchte sie unter der Rubrik »Westpolitik«.

Der britische Außenminister Michael Stewart ist uneingeladen gekommen. Wenn er unsere Absicht recht verstehe, liefe sie darauf hinaus, daß die Bundesrepublik enger an die DDR heranwolle, aber die Briten das nicht dürften. Brandt grinst. Das ist genau der Witz der Sache. Daß wir Spielraum gewinnen, haben nicht alle gern; daß sie Deutschland gar nicht mehr als Ganzes betrachten, hören sie nicht gern.

Wie stark die Arbeitsteilung funktionierte, jeder sich auf die drängende Fülle der zugewiesenen Aufgaben konzentrierte, wurde mir erst 25 Jahre später klar, als ich Ehmkes *Mittendrin* las. Er hat, trotz laufender Kommunikation, von der Ostpolitik weniger mitbekommen, als ich gedacht habe, und ich erfuhr über innere Reformen und innenpolitische Entscheidungen, so unwahrscheinlich das heute klingt, wirklich jetzt Neues, das damals an mir vorbeiging. Dabei mag eine professionelle Verengung mitgespielt haben, die gern ausblendete, was anderen anvertraut war. Es funktionierte sogar beim Zeitungslesen, das immer zeitsparender erledigt werden konnte. Im Zentrum des außenpolitischen Informationsflusses wußte ich früher, ausführlicher und genauer, was ablief und ablaufen sollte; die Nachrichten konnten kaum Neues bringen, nur die Meinungen der verschiedenen Zeitungen interessierten, wie sie den Gang der Dinge beurteilten, und die entsprechend eingefärbten Überschriften. Die vorzüglichen Kommentarübersichten des Bundespresseamtes aus dem In- und Ausland konnten zu Hause tageweise sogar jede Presselektüre überflüssig machen und sorgten bei längeren Aufenthalten außerhalb der Grenzen dafür, auf dem laufenden zu bleiben.

Es ist schon ein Genuß, den eingespielten Apparat eines Regierungszentrums zu erleben und handhaben zu können. Es lief wie geölt, und aus vielen Premieren wurde erstaunlich schnell Routine. Schon einen Tag nach Amtsübernahme aktivierte Kissinger unseren vereinbarten Kanal durch eine Top-Secret-Mitteilung von Nixon an Brandt, wonach er einem sowjetischen Vorschlag zugestimmt habe und Verhandlungen über die Begrenzung strategischer Waffen am 17. November in Helsinki beginnen würde. Sie endet: »Ich bitte Sie, Inhalt und Existenz dieser Mitteilung nur für sich selbst zu behalten, auch nicht für Amerikaner.« Der Kanal blieb dicht.

An demselben Tage wurden die Glückwünsche wichtiger Regierungschefs zur Einleitung eigener Operationen genutzt, vor allem gegenüber Pompidou, um ihn für die »EWG-Entsperrung« der Briten zu gewinnen, aber auch, um London, Rom und Warschau auf die außenpolitischen Akzente der Regierungserklärung vorzubereiten. Bei Washington war das nicht mehr nötig, und für Moskau nahmen wir uns etwas mehr Zeit.

Bei der Schlußredaktion der Regierungserklärung äußerte ich Bedenken, der DDR ausdrücklich die Staatseigenschaft zuzuerkennen; das sollte ein Ergebnis der angestrebten Verhandlungen sein, aber kein Gratisgeschenk vorher. Brandt meinte, es sei gut, am Anfang über die Hürde zu gehen. Scheel entschied, wir sollten es so machen, wie der Bundeskanzler es will. Nach einigem Feilen wurde formuliert: »Auch wenn zwei Staaten in Deutschland existieren, sind sie doch füreinander nicht Ausland.« Im Bundestag erzeugte der Satz berechtigte Erregung, groß genug, um die Opposition überhören zu lassen, daß Brandt in der Debatte den Alleinvertretungsanspruch aufgab. Und Moskau überzeugte der Satz, wie wir später erfuhren, daß die neue Regierung ernst genug genommen werden mußte, um mit ihr seriös zu verhandeln. Guter Instinkt ist besser als guter Verstand. Die Drei Mächte bekommen die Regierungserklärung vorab mit Erläuterungen, die drei im Osten, Moskau, Warschau und Ostberlin, auch. Nichts scheint vergessen worden zu sein, was für einen guten Start wichtig ist.

Nachdem der sowjetische Botschafter Semjon Zarapkin, dessen Gesicht und Englisch den Vergleich mit einem Nußknacker nahelegt, wenn Nußknacker Englisch könnten, die Bereitschaft Alexej Kossygins zu einem vertraulichen Meinungsaustausch übermittelt, sind wir erleichtert. Er hat uns der unangenehmen Position enthoben, Bittsteller zu sein, und: Wir können Ostberlin schleifen lassen; sie können den direkten Draht zu Moskau nicht mehr blockieren; es liegt nun bei uns, wie weit wir kommen. Brandt stimmt in einem ausführlichen Brief an Kossygin einem vertraulichen Austausch von Erwägungen zu, hebt die

Führungsrolle Moskaus im Warschauer Pakt hervor, erhellt den Weg von bilateralem zu multilateralem Gewaltverzicht, warnt vor einer unzureichenden Vorbereitung der Europäischen Sicherheitskonferenz und läßt keinen Zweifel an dem Wunsch, das Ganze »bald« auf den Weg zu bringen. Die Umrisse des Programms, das bis 1975 nach Helsinki führen wird, werden dargestellt.

Über unseren Kanal wird Washington über den Wortlaut des Briefes an Kossygin informiert; es kann aber nach meinem Gespräch mit Kissinger nicht überrascht sein. Nixon äußert sich dann auch über den Kanal uneingeschränkt zufrieden, besonders zum Bremsen bei der Sicherheitskonferenz. Die relativ ausführliche Darstellung dieses Anfangs ist nur das Beispiel für die fortdauernde enge und bei den Berlin-Verhandlungen noch enger werdende Zusammenarbeit zwischen Bonn und Washington. Nie sind intern ernste Bedenken zu Inhalt und Tempo unserer Politik geltend gemacht oder auch nur ein Versuch unternommen worden, Bonn in den Arm zu fallen oder die Linie seiner Operationen zu ändern.

Der Marathonlauf der tausend Tage zwischen Regierungsübernahme und dem Ergebnis der vorgezogenen Neuwahlen 1972 war gleichbedeutend mit der operativen Phase der bilateralen Ostverträge. Sie wurde das Markenzeichen der sozial-liberalen Koalition. Der Start aus dem Stand, die Aktivitäten, die wirklich mit dem ersten Tag im Kanzleramt einsetzten, konnten in der Öffentlichkeit den Eindruck der Hast wecken. Fragen kamen auf, ob die wohl wissen, was sie da tun und einleiten, die interne Sorge, ob da nicht gleichzeitig zu viel auf die Schultern genommen wird, kam hinzu. Diese Bedenken waren verständlich bei allen, die nicht wußten, daß eine neue Konzeption nicht erst entwickelt werden mußte; es gab sie schon.

Das ganze komplizierte Gedankengebäude den Gremien der beiden Parteien vorzulegen, wäre unmöglich gewesen: Zum einen hätte sich dafür in den überfüllten Terminkalendern des Aufbruchs gar keine Zeit gefunden, zum anderen wäre die Gleichung mit vielen Unbekannten zerfleddert worden; zum dritten hätte es das Scheitern vorprogrammiert; in schöner Offenheit dargelegt, hätten die Gegner im Osten in Ruhe die Gegenstrategie entwickeln und alles torpedieren können. Richtung und Rahmen hatte die Regierungserklärung abgesteckt. Das blieb verbindlich. Die operative Strategie zur Durchsetzung einem Meinungsbildungsprozeß zu unterwerfen, wäre auch in einer Demokratie tödlich. Das galt schon für Wehners Husarenritt 1960, als er die SPD entgegen ihrer früheren Beschlüsse auf die NATO festlegte; wenn Brandt die Anerkennung der DDR als Staat im Parteivorstand der SPD diskutiert hätte, wäre mindestens wochenlanger Streit entbrannt; mit einer solchen Ankündigung im Wahlkampf hätten wir die Wahl verloren, und die sozial-liberale Entspannungspolitik hätte es gar nicht gegeben. Kohl hat sich auch nicht einfallen lassen, die Reduktion der deutschen Streitkräfte von 600 000 auf 370 000 mit dem Kabinett oder dem CDU-Vorstand, nicht einmal mit den Verbündeten zu konsultieren. Er schöpfte den Rahmen seiner Handlungsfähigkeit voll aus; wir damals auch. Er konnte von der Durchsetzbarkeit seiner Vereinbarung überzeugt sein; wir damals nicht.

Das Konzept mußte erprobt werden, und zwar bald; denn wenn sich herausstellte, daß es wesentliche Fehler enthielt, mußte neu überlegt werden, was gefährliche Zeitverluste für eine Regierung mit schmaler Mehrheit bedeuten würde. Die Bedenken konnten uns nicht beirren, solange wir glaubten, alles bedacht zu haben, und es endlich tun wollten. Die ausgelöste Dynamik war gewollt. Was draußen überstürzt aussah, erschien im Kanzleramt oft quälend langsam.

Da gab es drei Besprechungen zwischen unserem Botschafter in Moskau, Helmut Allardt, und dem sowjetischen Außenminister, aufgrund einer langen schriftlichen Weisung, die der Botschafter vortrug. Gromykos Antwort wurde übermittelt, geprüft, und Allardt ging mit einer neuen Weisung zum Vorlesen ins Außenministerium. Das war wie eine Schnecke, während wir die Pferde auf Trab bringen wollten. Wenn das so weiterginge, würden noch beim nächsten Osterfest nicht einmal formelle Verhandlungen begonnen haben. Aber bis zum Frühjahr wollten wir mit der Sowjetunion eigentlich »fertig«, mindestens sicher sein, ob eine Vereinbarung zu erreichen ist. In dieser Lage schlug Scheel vor, ich sollte die Sondierung in Moskau machen: »Herr Bahr braucht keine Rückfragen; er hat alles im Kopf.« Wir genossen noch die Flitterwochen der Koalition.

Bei meinem Amtsantritt in Berlin konnte ich nicht recht feststellen, was der Bundesbevollmächtigte eigentlich tat. Ohne weitere Aufgaben führte er, wie meine Vorgänger, ein herrliches Leben. Jedenfalls hatte er in der Pücklerstraße in Dahlem eine schöne Residenz, vorzüglich bewirtschaftet, mit einer kleinen Wohnung für die Berlin-Besuche des Kanzlers, und, wie sich herausstellte, ideal für vertrauliche Treffen aller Art. Der Berliner hatte zu lernen, daß es in Berlin mehr Bundesbedienstete gab als in Bonn. Der Versuch, Springer verständnisvoll zu machen, mißlang. Er fürchtete nicht einmal Ausverkauf, sondern Verschenken unserer Interessen. Nur als ich ihm von einem Gespräch mit dem israelischen Botschafter erzählte, wurde er zugänglich.

Der hatte sich mit guten Wünschen, neuen Forderungen und großen Erwartungen vorgestellt, in Gegenwart von Ulrich Sahm, der die außenpolitische Abteilung im Kanzleramt übernommen hatte. Ich machte Asher Ben Nathan kühl darauf aufmerksam, daß hier weder Globke noch ein Kanzler sitzen, die einmal Mitglied der NSDAP gewesen waren. Mit der dunklen Seite der deutschen Vergangenheit sei auf das Kanzleramt Druck nicht mehr auszuüben. Sahm wurde ganz blaß, als ich mich vergaloppierte: »Hier sitzt niemand mehr, der mit der Vergangenheit erpreßbar ist.« Aber soweit das überhaupt möglich sei, sähe ich die Chance, unsere Beziehungen zu Israel endlich in die Richtung einer Normalisierung zu entwickeln. Nachdem Ben Nathan sich salviert hatte, war die Grundlage für ein offenes und gutes persönliches Verhältnis in den nächsten Jahrzehnten gelegt.

Gegen eine starke und wütende Opposition, die sich um den Sieg betrogen fühlte, gegen Springer und die Macht seines Medienimperiums eine Wende der deutschen Politik durchzusetzen, würde schwer werden, zumal es in den Reihen der schmalen Mehrheit Zweifel gab, ob das zu erreichen sei. Von allem Anfang an mußte der Kampf bergauf geführt werden. Hier traf der Lieblingsspruch Ehmkes: »Macht euch da nichts vor.« Die Wende der Politik wollte versuchen, die Beschwörung der Wiedervereinigung zu beenden und statt dessen die Voraussetzungen schaffen, um sie zu erreichen.

Als Springer mahnend einen »sorgenvollen Gruß« übermittelte, antwortete ich mit einem Brief, der nicht nur unsere Argumente bekräftigte, sondern auch die Antwort auf spätere Kampagnen vorwegnahm. Auch wenn ich sie im Nachfolgenden deshalb vernachlässigen kann, haben sie verletzt und waren ständige Belastung während des Marathons der tausend Tage. Der Brief enthält die Szenerie zum Jahresende 1969, also vier Wochen, bevor meine Sondierungen in Moskau überhaupt begannen. Innenpolitisch waren die Heeressäulen schon aufmarschiert, die sich erbitterte Schlachten liefern würden. Bevor die ersten Ergebnisse der Entspannungspolitik vorlagen, hatten wichtige Meinungsmacher ihre Unvoreingenommenheit schon abgeschafft, ihr Urteil gefällt und Revision nicht mehr zugelassen, insgesamt bis zur nächsten Wachablösung 1982.

Der Springer-Brief hatte mit der Wiedervereinigung begonnen. Meine Antwort auch: »Alle Parteien und die beiden Bundesregierungen vor der jetzigen haben bewußt in ihrem Sprachgebrauch auch dem Wort von der Selbstbestimmung des deutschen Volkes den Vorzug gegeben; übrigens auch in Übereinstimmung mit der Verfassung, in der das Wort Wiedervereinigung nicht vorkommt. Ich erinnere mich vieler Gespräche mit Ihnen, in denen wir uns einig waren, daß viele, die das Wort Wiedervereinigung im Munde führen, sie nicht wollen; daß viele davon nur sprechen, weil sie hoffen, daß sie nicht kommt. Das galt und gilt für Landsleute und für ausländische Freunde.

Als vor einigen Jahren Franz Josef Strauß – erschreckenderweise ungerügt – sagte und schrieb, daß die nationalstaatliche Wiedervereinigung kein Ziel sei, habe ich überlegt, ob man nicht die Verfassung bemühen müßte. Ich weiß nicht, ob er damals schon recht gehabt hat. Heute jedenfalls ist die staatliche Einheit der Deutschen nur noch im Rahmen einer Überwindung der Spaltung Europas zu denken, und zwar eines organisierten Zusammenlebens europäischer Völker.

Ich finde es ungeheuerlich, mit welcher Heuchelei einige unserer Landsleute Volksverdummung betreiben oder gar Haß säen, deren Politik uns in 25 Jahren eben dahin gebracht hat, wo wir heute stehen: Daß wir von einem historischen Prozeß sprechen müssen, wie Sie und Herr Brandt es tun. Von Deutschland zu retten, was zu retten ist, verlangt mehr Mut, mehr Phantasie, mehr Arbeit, eingeschlossen die Bereitschaft, sich verleumden zu lassen, als das Beharren auf einigen großartigen Prinzipien, die nicht verhindert haben, daß Ulbricht immer stärker geworden ist, bis zu dem Punkt, an dem er, vielleicht ohne jede Gegenleistung, international bekommt, was er will.

Es kann sogar sein, daß einige Leute bei uns dann diesen Triumph Ulbrichts innenpolitisch mitfeiern, indem sie der Bundesregierung Vorwürfe machen, die sie bekämpft statt unterstützt haben, indem sie die Geschichte als Entschuldigung für ihre Ratlosigkeit und Feigheit für das bemüht haben, was jetzt und in den vor uns liegenden Jahren getan werden muß und kann. Und das wird eben nicht die Wiedervereinigung sein. Ich weiß, daß Sie zu den nicht sehr Zahlreichen in diesem Lande gehören, die an Deutschland denken, deshalb bedauere ich, daß Sie an der falschen Front kämpfen. Aber es hat geschmerzt, daß Sie ungerecht urteilen.«

Nur ungern gab ich der Bitte von Conrad Ahlers, dem Chef des Bundespresseamtes nach, einen sowjetischen Journalisten zu empfangen, der schon Alexej Adschubej begleitet hatte, der die nicht zustande gekommene Reise seines Schwiegervaters Chruschtschow nach Bonn vorbereiten wollte. Es sollte mein letzter Termin werden, nach Aufräumen des Schreibtisches, am späten Nachmittag des Heiligen Abends. Waleri Lednew balancierte sein beträchtliches Gewicht mit imposant über dem Gürtel hängenden Bauch, gekrönt von einem glänzenden Kahlschädel, auf den Sesselrand und begann mit läppischen Fragen, die ich ebenso allgemein beantwortete. Die gestohlene Zeit hätte ich besser für das Schmücken des Weihnachtsbaums gebraucht. Plötzlich bezog er sich auf den Kanzlerbrief an Kossygin. Das elektrisierte; bei uns wußten nur vier Menschen davon, neben mir, der ihn entworfen, meiner »Kirsche«, die ihn geschrieben, der Außenminister, der ihn gelesen, und der Kanzler, der ihn unterschrieben hatte. Weil ich damals noch nicht zweifelte, daß der Kreml ein reibungslos funktionierendes abgedichtetes Instrument war, mußte der von ganz oben kommen.

Aus meinem Vermerk noch am heiligen Nachmittag: »Er ist beauftragt mitzuteilen: Die sowjetische Seite sei bereit zu einem vertraulichen Meinungsaustausch, von dem man verbindlich zusagen könne, daß weder seine Tatsache noch sein Inhalt jemals, gleich unter welchen Umständen, veröffentlicht würde. Man würde es für nützlich halten, auf dieser Ebene die Materie vorzubesprechen, bevor sie in die offiziellen Verhandlungen geht, weil die bisherigen offiziellen Verhandlungen sehr unergiebig seien und in einer Art geführt würden, die Schwierigkeiten befürchten lasse. L. fügte hinzu, daß man auf seiner Seite sogar bezweifle, ob wir über den Gang der Verhandlungen objektiv unterrichtet würden. Die SU betrachte die Aufgabe der Normalisierung des Verhältnisses zur Bundesrepublik als eine zu ernste Sache, als daß man sie durch solche Kleinigkeiten gefährden dürfe. L. betonte, daß von seinem Gespräch nur fünf Leute der obersten Parteigruppe wüßten. Sein Besuch sei völlig ohne Kenntnis der Botschaft.«

Nachdem ich dem Sowjetmenschen nicht sicher sagen konnte, ob ich zu den Gesprächen nach Moskau kommen würde, weil unser Botschafter noch nicht informiert war, schloß er: »Dann werde ich Sie dort wiedersehen.« Meine Erleichterung war groß: Auch wenn dieses Drähtchen nicht mit dem Kanal zum Weißen Haus zu vergleichen war, so bestand doch, abgesehen von belächelnswerten methodischen Ähnlichkeiten, die Chance, neben den förmlichen Gesprächen einen informellen Kontakt zu entwickeln. Wegen des Ulbricht-Briefes mit blockierenden Maximalforderungen, der vor einer Woche gekommen war, brauchten wir uns bis auf weiteres keine Sorgen zu machen. Er wurde nicht beantwortet. Der erste Fadenriß der Interessen war erkennbar, und Moskau hatte ihn uns sehen lassen.

Paul Frank, begabt und erfahren im Lösen kniffliger diplomatischer Knoten, später Staatssekretär bei Walter Scheel, hatte mir ein Geheimnis verraten. Gerade für schwierige Missionen kommt es auf die Weisung an: Sie muß den Handlungsspielraum des Beauftragten begrenzen, zu seiner wie seiner Regierung Sicherheit; sie darf ihn aber nicht so einengen, daß er über eingezogene Zwirnsfäden stolpert oder zu harte Bedingungen einen Erfolg verhindert. Ein solches Schriftstück feinfühlig und elastisch genug zu formulieren, geschehe natürlich zuerst auf der kenntnisreichen Referatsebene, würde dann weiter oben poliert und am besten von dem in die letzte Fassung gegossen, der die Weisung ausführen soll. Der Minister unterzeichnet das in der Regel ohne Diskussion. Im Prinzip war das nichts völlig Unbekanntes, hatte ich doch Forderungen Brandts vielfach verkündet, die ich ihm aufgeschrieben hatte. Aber es hat doch schon eine zusätzliche Qualität, sich die Weisungen der eigenen Regierung selbst zu schreiben. Wenn die Sonderemissäre dann stolz ihrer Regierung berichteten, wie erfolgreich sie »ihre« Weisung durchgesetzt haben, wobei mancher Minister sich nachträglich gewundert haben mag, wie klug und weitsichtig er war, als er sie unterschrieb, müssen die Berichterstatter mehr als einmal innerlich gewiehert haben. Kein Zweifel, diese vorzügliche Methode wird system- und grenzüberwindend zum Wohle der Staaten weiterhin gepflegt werden.

Ich aber sollte in Moskau gar nicht verhandeln, sondern sondieren, ob Verhandlungen aussichtsreich würden. Weder Brandt noch Scheel dachten daran, mir dafür eine Weisung zu geben. Wer hätte sie aufschreiben sollen? Ich habe auch während der vielwöchigen Verhandlungen in Moskau keine Weisung erhalten, weder aus dem Kanzleramt noch aus dem Auswärtigen Amt, auch keine Korrektur für Verhalten oder Argumentation.

Der Moskauer Vertrag

Auf dem Flug über Brüssel und Wien wurde mir erst bewußt, welche Bürde die guten Reisewünsche enthielten. Ich trug die Hoffnung meiner Regierung, ziemlich auf mich gestellt; denn wieweit die Botschaft eine wirkliche Hilfe sein würde, war offen. Begeistert konnte der Botschafter nicht sein, wenn ihm nun, wo es ernst werden sollte, einer vor die Nase gesetzt wurde, der noch nie in der Sowjetunion oder in Moskau gewesen war. Wenn es gutging, konnte es ein neuer Abschnitt in der Nachkriegsgeschichte zwischen der Bundesrepublik und der zweiten großen Siegermacht werden. »Wenn ich den Schlüssel in die Hand bekommen sollte, dann werde ich ihn nutzen«, steht in meinen Notizen. Weit mehr als Adenauer mit der Aufnahme der diplomatischen Beziehungen erreicht hatte, würde vielleicht das Verhältnis zur DDR, zu Polen und den anderen zu bewegen sein mit einer europäischen Dimension. »Wenn es gelingt, dann sind ›nur‹ noch die Blöcke abzubauen. Den Rest können andere machen«, so halte ich Gedanken fest, die schwindlig machen können. Aber in der Wirklichkeit ist es eben etwas ganz anderes, auf dem Papier ein Gebäude zu entwerfen, logisch, überzeugend, theoretisch oder praktisch jedoch vor der ersten großen Hürde zu stehen, die überwunden werden muß. Zwischen Raten und Handeln, zwischen Empfehlen und Verantworten ist ein gewaltiger Unterschied.

Die Miene des Botschafters widersprach seiner Stimme, mit der er mich willkommen hieß. Das Licht im Empfangsraum war zu hell, um vornehme Intimität, aber viel zu dunkel, um mitteleuropäisch gewohnte Helligkeit herzustellen. Miefige Nüchternheit nach hochtrabenden Gedanken. Eine einsame Handleuchte sollte der Kamera des Deutschen Fernsehens Licht schaffen, um die Begrüßung festzuhalten, zu der sich weder der Leiter der Europa-Abteilung noch sein Stellvertreter, sondern nur ein kleiner Protokoll-Heiduck bemüht hatte. »Gegenüber immerhin einem Staatssekretär fast ein Affront. Daß man das merkt, sollte man die Sowjets schon erkennen lassen«, fand der Botschafter, ich nicht. Ein Unbekannter drückt mir eine Karte in die Hand: »Herrn Staatssekretär Bahr: Herr L. möchte Sie gern noch heute, vor Beginn Ihrer Gespräche, sehen. Wenn Sie einverstanden sind, ruft er im Hotel an.« Ich nicke. Auf der Fahrt in die Stadt macht mich der Botschafter auf eine überdimensionierte Panzersperre aufmerksam, die den Punkt markieren soll, bis zu dem die Wehrmacht gekommen war. Ein Spähtrupp sei sogar noch weiter-, aber nicht mehr zurückgekommen. Die schaudernde Bewunderung stellt sich immer wieder ein, daß Menschen so weit gelaufen sind, hin und zurück, und unter welchen Umständen, wozu wir etwas mehr als zwei Flugstunden brauchen.

Das Hotel »Ukraina« präsentierte sich mit dem Charme einer Bahnhofshalle, der »grauen« Flugplatzbeleuchtung, Menschengewimmel und einem nie geschnupperten Duft, aus dem die Nase Staub, Schweiß, Sauerkohl und Desinfektionsmittel analysierte. Man genießt ihn immer wieder, in unterschiedlicher Zusammensetzung; nur die »obersten« Diensträume sind duftfrei. Herr v. Tresckow, Delegationsmitglied aus der Völkerrechtsabteilung des Amtes, hatte zu meiner Verwunderung seinen Cellokasten mit, den der Botschafter zuvorkommend ins Hotel trug, bestimmt in der irrigen Annahme, er gehöre zum Gepäck dieses skurrilen Staatssekretärs; denn einem kleinen Legationsrat etwas nachzutragen, wäre ihm nicht eingefallen. Nachdem wir unsere Zimmer im 28. Stockwerk bezogen hatten, öffnete v. Tresckow seinen Cellokoffer in dem Arbeitszimmer meiner Suite. Er erwies sich als komplett eingerichtete Minibar mit Gläsern und ausreichend geistigen Getränken, um einen Begrüßungsschluck zu kosten. Die schweren Sessel sind kaum zu bewegen, Produkte der »Tonnen-Architektur«, wie uns Moskauer Korrespondenten belehren: Wenn das »Plan-Soll« nach Gewicht bemessen wird, kann es mit geringeren Stückzahlen erreicht werden.

Der Blick schweift über ein Lichtermeer bis zu den scheinwerferbestrahlten goldenen Kuppeln des Kreml. Das also war Moskau, die Stadt, in der so viele Menschen vieler Nationen ihre Hoffnungen und Niederlagen erlebt hatten. Unser Botschafter Schulenburg war gescheitert bei dem Versuch, den Krieg zu verhindern; Wehner, der damals hier lebte, hatte die entsetzliche Mutation von Feind zu Freund zu erleiden. Wie würde ich aus dieser Stadt wegfahren?

L. meldet sich. Im innersten Kreis erhält er später den Decknamen

Leo. Wir treffen uns unten im Restaurant. Er steuert auf einen kleinen Tisch in der Mitte:»In Ecken und an Säulen wird abgehört.« Hübsche Lektion, daß Organe, die alles wissen sollten, offenbar nicht alles wissen sollen. Man sei überrascht gewesen, daß ich die Gespräche führen solle und so schnell, und hätte überlegt, ihn nach Bonn zu schicken, um das ein paar Tage zu verschieben. Man sei noch nicht fertig. Leo brachte auch etwas Neues: Gromyko werde mich übermorgen empfangen. Der Botschaft werde der Termin morgen mitgeteilt werden. Vielleicht könne er mir dann Näheres sagen. Ein Glück, daß der Botschafter mich nicht eingeladen hat, in seiner Residenz zu wohnen; der inoffizielle Draht wäre nicht vertraulich geblieben. Nach einem Temperatursturz auf minus 20 Grad marschieren wir draußen um das Hotel herum, Leo versieht mich fürsorglich mit seiner Pelzmütze und behauptet, seiner Glatze mache es nichts aus. Gromyko habe noch keine Instruktionen. Ich solle nicht enttäuscht sein, wenn er nichts Neues zu sagen hat. Man wartet, ob ich etwas bringe.

Am 30. Januar ging es dann los. Die Räume der Leitungsebene liegen – wie in Washington – im siebten Stockwerk. Ein rechteckiger, für die Größe der Delegationen passender Sitzungssaal, heller Tisch, auf dem Mineralwasser und ein paar Plätzchen stehen, Notizblöcke und Bleistifte liegen vor jedem Platz. Andrej Gromyko kommt als letzter und begrüßt mich wie einen alten Bekannten, erinnert an New York. Wir sitzen uns gegenüber, neben ihm Valentin Falin, den der Ruf eines harten Brockens umgibt, und weitere Mitarbeiter, darunter der Dolmetscher. Auf unserer Seite auch acht Personen, je vier aus Bonn und der Botschaft. Die Dolmetscher übersetzen in ihre Muttersprache und müssen von ihrem Kollegen nur selten präzisiert werden. In den späteren persönlichen Gesprächen mit dem Minister wird Englisch benutzt. Ich will die starke innere Anspannung nicht verhehlen, nun mit dem dienstältesten Außenminister der Welt in den Clinch zu gehen. Die Höflichkeit, dem Gast das erste Wort zu geben, ist für den Gastgeber bequem.

Ich spreche frei nach Notizen; denn die Atmosphäre einer Sondierung kann nicht entstehen, wenn wie bisher Texte verlesen werden, in denen jedes Wort vorher auf die Goldwaage gelegt worden ist. Außerdem entschließe ich mich, das gesamte Konzept sofort auszubreiten; alle schreiben eifrig mit, unsere Botschaftsleute sind nicht weniger gespannt, hören sie es doch auch zum erstenmal. Nachdem ich über eine halbe Stunde gesprochen und Gromyko fast ebenso lang geantwortet hatte, dachte er, das sei es; wie üblich würde die deutsche Seite nach Bonn berichten und neue Weisungen abwarten. Er war ziemlich erstaunt, daß ich sofort auf die Fragen einging, die er kritisch aufgeworfen hatte. Daraus entwickelte sich eine dreistündige Diskussion. Die erste Feuerprobe war bestanden.

Um es vorwegzunehmen: Gromyko hat in unseren Begegnungen während der nächsten vier Monate keine einzige Sachfrage aufgeworfen, die wir nicht im Planungsstab schon erörtert hatten. Das ging so weit, daß ich zuweilen nach seinem ersten Halbsatz schon wußte, wohin er mit der Fortsetzung zielen würde und – die Implikationen seiner Frage im Kopf – unmittelbar entgegnen konnte. Wir brauchten den Rahmen unserer Vorstellungen nicht zu ändern, bis zum Schluß. Nach der ersten Runde unserer Gespräche war in Bonn kein neuer Beschluß nötig außer: Fortsetzung wie bisher. Die sowjetische Seite mußte eine ganze Reihe ihrer Positionen räumen. Sie dazu zu bewegen, war die große Schwierigkeit. Den Zeitbedarf dafür hatte ich völlig unterschätzt. Drei, maximal vier Gespräche würden ausreichen, um festzustellen, ob unsere Vorstellungen tragen, dachte ich in der Annahme, Moskau hätte auch schon ein in sich geschlossenes Konzept. Daß dies nicht der Fall war, machte sie zwar beeinflußbar, kostete aber viel Zeit und Mühe.

Statt den Gang der Verhandlungen im einzelnen nachzuzeichnen, beschränke ich mich auf die Darstellung der politischen Kernpunkte. Wir wollten das Verhältnis zur Sowjetunion, ausgehend von der Lage wie sie ist, also auch der deutschen Teilung, auf die Grundlage des Gewaltverzichts stellen. Goliath hätte gelacht, wenn David ihm das vorgeschlagen hätte, aber im Zeitalter der UN, in der alle Staaten (fast) gleich sind, war das nicht zu ändern, daß die mächtige Sowjetunion auf mehr zu verzichten hatte als die kleine Bundesrepublik.

Gromyko setzte seine Forderung dagegen, die Bundesrepublik müsse alle bestehenden Grenzen in Europa völkerrechtlich anerkennen. Das ging nun gar nicht. Die von ihm auch verlangte völkerrechtliche Anerkennung der DDR hätte das Ende unseres Anspruchs auf Einheit bedeutet; denn man kann keinen Staat durch Anerkennung legitimieren und gleichzeitig bei dem Ziel bleiben, ihn von der Landkarte verschwinden zu lassen. Außerdem war Gromyko auf die Konsequenzen der fortdauernden originären Rechte der Vier Mächte aufmerksam zu machen. So souverän sei Bonn nicht, daß es über Deutschland als Ganzes verfügen und sich mit der DDR also über die Teilung verständigen könne, ganz abgesehen davon, daß wir das nicht wollten und entsprechend dem Grundgesetz auch gar nicht dürften. Die Paradoxie wollte es, daß ich schon in der ersten Sitzung dem Thema der deutschen Einheit eine zentrale Bedeutung geben mußte, obwohl doch eigentlich weder darüber zu verhandeln noch etwas zu erreichen sein könnte, mit Ausnahme unseres offenzuhaltenden Anspruchs.

Gromyko mag geglaubt haben, er könne einen Punkt machen durch den Hinweis auf die Regierungserklärung, in der die DDR doch als Staat anerkannt worden sei. Ich mußte den Versuch unternehmen, ihm den Unterschied zwischen völkerrechtlicher und staatsrechtlicher Anerkennung klarzumachen, was auch zu Hause viele Leute aller Parteien und Journalisten nur schwer verstanden oder verstehen wollten. Denn die Zuerkennung der Staatseigenschaft mache die DDR für uns nicht zum Ausland und könne die Rechte der Vier Mächte weder berühren noch aufheben. Wenn aber die Sowjetunion ihre Rechte über Deutschland aufgeben wolle, was die Konsequenz ihrer Position sei, dann müsse ich leider nach Hause fahren. Darüber zu reden hätte ich keine Vollmacht; außerdem sei das ein Thema, das Gromyko mit seinen drei westlichen Kollegen behandeln müsse.

Weil Moskau sich das Mitspracherecht über Deutschland erhalten wollte, mußte also die Forderung, besonders auch die der DDR, nach völkerrechtlicher Anerkennung geopfert werden. Das sprach Gromyko aber nicht etwa aus, sondern er wendete sich brummig immer wieder der Frage von Krieg und Frieden zu, der Frage der Fragen: den Grenzen. Sie müßten »unberührbar«, »unzerbrechbar«, »unveränderbar«, »unwandelbar« sein. Die ganze Skala der angebotenen Varianten war unannehmbar: In gegenseitigem Einvernehmen müsse eine Grenze aufgehoben oder verändert werden können. Vor allem sei es unser Ziel, die deutsche Spaltung zu überwinden, also die heutige Grenze zur DDR zu beseitigen, friedlich, mit Zustimmung unserer Nachbarn und der Vier Mächte. Folglich müßten alle Grenzen, auch die zur DDR, »unverletzlich« sein und unter dem übergeordneten Gebot des Gewaltverzichts stehen.

Die Bundesregierung wolle eine politische Vereinbarung mit der Sowjetunion, mit Polen, und dabei gehe es um die Oder-Neiße-Linie und die Aufnahme der Beziehungen zur DDR. Das alles sei in den nächsten

Monaten möglich, glaubte ich und lockte ich. Das werde die Lage in Europa zum Besseren verändern. In diesem Sinne würden wir den Status quo verändern, indem wir vom Status quo ausgingen. Wir seien gegen einen Status quo der Mißverständnisse, der Feindschaft, des Mißtrauens, der Bewegungslosigkeit und des Propagandakriegs. Die Grenzen lägen dort, wo sie seien. Wer Grenzen ändern wolle, sei verrückt, weil er den Krieg riskiere. Der Status quo sei die Grundlage unserer Sicherheit.

Die Beziehungen zur DDR müßten berücksichtigen, daß beide deutsche Staaten zu einer Nation gehören, wobei jeder Staat sein Ziel behalte: »Die DDR will ein sozialistisches Deutschland, in dem die Bundesrepublik verschwindet; wir wollen Selbstbestimmung für alle Deutschen.« Beiden Staaten solle man ihre Ziele lassen, wenn sie nur nicht mit Gewalt verfolgt würden. Die Geschichte würde diese Frage beantworten. »Wir wollen die Perspektive offenhalten, wie sie in den Verfassungen beider Staaten niedergelegt sind. Die Vereinigung ist politisch nur möglich, wenn alle Nachbarn zustimmen. Niemand weiß, wann das der Fall sein wird. Deshalb ist es nicht realistisch, über Wiedervereinigung zu reden. Das ist nicht unser Punkt. Wir müssen von den Realitäten sprechen.«

Natürlich war mir klar, daß mit der Bereitschaft zur Bestätigung der Oder-Neiße-Linie die Ansprüche auf die Wiederherstellung der Grenzen des Jahres 1937 weg wären. Das hatte in Moskau noch kein Deutscher ausgesprochen. Aber wenn wir auch wußten, daß diese Gebiete weg waren, niemand uns helfen würde, sie wiederzubekommen, und das Offenhalten der Ansprüche darauf die deutsche Einheit verhindern müßte, wollte ich die veränderte Haltung als Zugeständnis gewertet wissen. Gromyko dachte gar nicht daran, sondern fragte wegwerfend: »Welche Zugeständnisse sind es denn, wenn man etwas aufgibt, was man nicht hat? Wer die Realität anerkennt, macht keine Zugeständnisse. Die Grenzfrage wurde endgültig im Potsdamer Abkommen beschlossen. Der Verweis auf den Friedensvertrag im Potsdamer Abkommen bedeutet nur, daß dort das in Potsdam Beschlossene bestätigt werden soll. Wer anders denkt, lebt in den Wolken.«

Ich versicherte, die Bundesrepublik ginge von ihrem Territorium des Jahres 1970 aus. Ein Vertrag über Gewaltverzicht wäre ein anderes Wort für Grenzvertrag. Wir hätten keine territorialen Ansprüche, mit einer Ausnahme. Das Ziel der Einheit erstrecke sich auf die beiden deutschen Staaten in ihrem gegenwärtigen Besitzstand. Diese Einheit wollten beide Staaten. Beide hätten das Ziel, ihre Existenz zu beenden und zu verschwinden, mit umgekehrten Vorzeichen. Das könne gefährlich sein: Deshalb sollten sich beide Staaten zum Gewaltverzicht verpflichten.

Ob die Welt sozialistisch oder demokratisch würde, seien zwei Ziele, die man jeder Seite lassen sollte. Ihre Unterschiedlichkeit sei durch keinen Vertrag zu beseitigen. Wichtig sei, die Gewalt als Mittel der Politik auszuschließen. Die Sowjetunion sage, daß friedliche Koexistenz nicht mit ideologischer Koexistenz gleichzusetzen sei. Dieser Auffassung sei ich auch. »Jeder behält sein Ziel.« Der alte Donnerer (»grom« heißt russisch »Donner«) ging auf diesen ideologischen Ausflug nicht ein und schloß bündig: »Wenn wir uns über die Grenze und die Beziehungen zwischen der Bundesrepublik und der DDR nicht einigen, können wir mit Ihnen keine Vereinbarung treffen.«

Die Zitate stammen aus den Berichten der deutschen Botschaft an das Amt, die meist in indirekter Rede von den Botschaftsräten unter Mitwirkung von Carl-Werner Sanne verfaßt wurden. Helmut Allardt und ich unterzeichneten. Ohne sie genau zu lesen, setzte ich meine Paraphe dazu, was ein Fehler war; denn manche ungenaue Formulierung, zumal aus dem Zusammenhang gerissen, gab, als es um die Ratifizierung ging, Anlaß zu ärgerlichen und sinnlosen Debatten; denn schließlich wurde weder ein deutscher noch ein sowjetischer Satz, der während der Verhandlungen gesprochen worden war, sondern nur der Text des Vertrages international bindend. Ich konzentrierte mich jeweils auf die inhaltliche Auswertung der letzten und die Vorbereitung der nächsten Zusammenkunft und feilte an der Argumentation für das Vorantreiben des Prozesses.

Parallel dazu traf ich Leo. Sechs Stunden habe Gromyko Breschnew auf dessen Datscha berichtet. Die Beratungen hätten noch nicht zu einem Ergebnis geführt, wie es weitergehen solle. Vielleicht sei zur Meinungsbildung ein Gespräch auf höherer Ebene angezeigt. Aber schon jetzt werde über die lange Zusammenkunft mit Gromyko wie von einem besonderen Ereignis überall gesprochen. Die vorgetragenen Ideen gäben jedenfalls viel Stoff zum Nachdenken, obwohl vieles und vor allem die Perspektiven noch nicht klar seien.

Das konnte ich nur schwer verstehen, ohne es zu sagen. Aber es begann zu dämmern, daß meine Zeitvorstellungen von maximal zwei Wochen, um Klarheit zu gewinnen, wohl revidiert werden mußten. Um etwas Druck zu machen, sagte ich, bei dem Engagement des Kanzlers könnte ich nicht endlos ohne Resultat in Moskau bleiben. Leo riet zu Geduld. Bis zur nächsten Zusammenkunft mit ihm hatte ich die taktisch falsche Einstellung korrigiert und sagte ihm, ich hätte jedenfalls immer mehr Zeit als sein Minister. Er fragte, ob ich nicht Professor Georgi Arbatow kennenlernen wollte, den Leiter des Amerika- und Kanada-Instituts. Dem merkte man die Vertrautheit mit westlicher Kürze und amerikanischer Direktheit an. Erst 20 Jahre später erfuhr ich von ihm, daß Andropow, damals Chef des KGB, ihn beauftragt hatte, mir ausführlich auf den Zahn zu fühlen. Weder Gromyko noch mein »Draht« reichten den Männern oben, um sich einen eigenen Eindruck zu verschaffen.

Das zweite Gespräch mit Gromyko dauerte wieder drei Stunden. Diese Zeitspanne, eher über- als unterschritten, wurde meist zweimal wöchentlich unser normales Pensum. Zum ersten und einzigen Mal saß Wladimir Semjonow neben Gromyko, früher politischer »Vizekönig« in der sowjetisch besetzten Zone; dieser Deutschlandexperte sollte zuhören und sein sachverständiges Urteil über das abgeben, was der Mann aus Bonn von sich gab. Plötzlich machte Gromyko einen Schnitzer; er kannte die Implikationen der Artikel 53 und 107 der UN-Charta für Deutschland nicht. Der sowjetische Außenminister mußte mit vielen Weltproblemen vertraut sein, kein Wunder, daß ich auf »meinem« Gebiet besser Bescheid wußte. Blamieren durfte ich ihn nicht. Deshalb schob ich die Korrektur milde auf sein berühmtes Gedächtnis, das wohl für einen Augenblick nicht funktioniert hätte. Während Semjonow und Falin genußvoll lächelten, verspürte ich erleichtert, wie die Reste innerer Verkrampfung schmolzen: Der große Gromyko hatte Schwachstellen, wo ich stärker war. Er selbst fuhr mit unbewegter Miene fort und machte sich die Korrektur zu eigen, als sei nichts geschehen. Ein Meister seines Handwerks.

Neben den bekannten und immer neu gewendeten Themen mußte ein weiterer delikater Komplex behandelt werden. Selbstverständlich zeigte mein Gegenüber keinerlei Scham, über das Verhältnis zwischen der Bundesrepublik und Polen und der ČSSR zu reden, selbstverständliches Vorrecht der Führungsmacht, die ebenso selbstverständlich darauf beharrte, daß es sich um souveräne Staaten handelt, über die man in Moskau mit Bonn gar nichts beschließen könne. Das galt auch für die DDR. Im Kern wollte der gute Andrej Andrejewitsch nicht nur alles wissen, sondern auch alles festlegen, verbindlich für die Bundesrepublik, was wir gegenüber diesen drei Staaten tun sollten, ohne der Form nach die Selbständigkeit dieser drei Staaten anzutasten. Dieses Interesse Moskaus hatten wir vorausgesehen und wollten es im eigenen Interesse nutzen. Mit der Erläuterung dessen, was wir wollten, könnten und nicht könnten, verschafften wir Moskau die Möglichkeit, sich als Sachwalter seiner Verbündeten zu geben, allerdings mit der Folge, damit dann auch zum Sachwalter der Bundesrepublik zu werden; denn schließlich würde Moskau die Substanz unserer Vereinbarungen gegenüber den Verbündeten vertreten und durchsetzen müssen. Indem das Interesse der Sowjetunion an den Perspektiven guter Beziehungen zur Bundesrepublik stark genug wurde, ließ sich die Führungsstärke Moskaus benutzen, um seine Verbündeten auf die dafür nötige Linie zu bringen. Statt Moskau und die anderen gegen uns zu manipulieren, was besonders die DDR bisher geschafft hatte, machten wir es nun umgekehrt, Moskau in unserem Sinne zu manipulieren, ohne dabei zu überziehen.

Das tat mir in bezug auf die DDR nicht leid. Bilateral und direkt hätten wir die Position Ulbrichts nicht geknackt. Schließlich verlangte der die völkerrechtliche Anerkennung, bevor er sich überhaupt an den Tisch setzen wollte. Bei Polen tat es mir mehr als leid. Obwohl Bonn nicht für Hitlers Überfall verantwortlich war, überwog das Bewußtsein einer Regierung, die das moralische Gewicht ihres Anspruchs fühlte, für Deutschland zu sprechen. Allerdings haben mir später selbst Polen bestätigt, daß wir direkt und bilateral von Gomulka kaum die Formel zur Oder-Neiße-Linie erreicht hätten, die wir in Moskau bekamen. Bei der nur zu gut zu verstehenden Empfindlichkeit gegenüber allem, was Deutsche und Russen über Polen besprechen, ins Auge fassen oder beabsichtigen, bei ihrem Nationalstolz, habe ich diese Schwäche unseres Umwegs über Moskau gesehen und tief bedauert. Sowohl Brandt wie Scheel haben Polen mit einem Verständnis und einer Neigung gesehen, die sie für die Sowjetunion nicht empfanden, und die leichte Verwässerung, die Warschau gegenüber dem in Moskau formulierten Text durchsetzen konnte, hingenommen.

Auch die Telegramme über das zweite Gespräch blieben ohne jedes Echo aus Bonn. Dafür reagierte der Draht. »Ihre Ideen sind auf Interesse gestoßen. Aber es gibt Gegner. Ob wir wirklich etwas machen wollen, ist noch unentschieden.« Außerdem wurde der Draht dicker. Lednew stellte mir »Slawa« vor, breitschultrig, mit einem wiegend schweren Gang, der von Kraft zeugte, einem entsprechenden eisernen Händedruck und großen, dunklen, lebendigen Augen. »Wir arbeiten zusammen.« Der Nachname interessierte nicht. Wichtiger erschien der Eindruck, er stehe jedenfalls über Lednew; denn er führte das Wort. Wenn der eine über Kossygin Bescheid wußte, war der andere vielleicht sogar ein Mann Breschnews. Nach der Rückkehr berichtete ich dem Bundeskanzler von den beiden, einschließlich meiner Vermutung, sie seien wohl dem Apparat des Generalsekretärs zuzuordnen, jedenfalls dem Außenminister übergeordnet. KGB hielt ich eher für unwahrscheinlich, nach der empfangenen Abhörwarnung, aber ein System, in dem außer den Daten von Sonnenauf- und -untergang so ziemlich alles geheimgehalten wurde, war ohnehin undurchsichtig. Es dauerte Jahre, ehe Leo mir den Nachnamen Keworkow nannte, und abermals Jahre, ehe ich erfuhr, daß dies sein richtiger Name ist, und wiederum Jahre, ehe er mir 1992 seine Stellung als enger Mitarbeiter Andropows schilderte, im Range eines KGB-Generals.

Selbst wenn mir damals das alles schon gesagt worden wäre, hätte ich den Draht nicht gekappt. Ich wäre noch mißtrauischer geworden; denn während die offizielle Gesprächsebene kalt und sachlich blieb, verschlossen und undurchsichtig, begann ich durch die beiden Männer Einblicke in die Mechanismen und die Kriterien für Entscheidungen zu gewinnen. Das Machtgefüge, die Stellung einzelner Personen zueinander, die unterschiedlichen Interessen verschiedener Apparate, der Partei, Regierung, Armee, Gewerkschaften – das alles war zu Anfang des Jahres 1970 ein Buch mit sieben Siegeln, nicht nur für Bonn, sondern auch für Washington, wie ich bald erfuhr. Hier erhielt die deutsche Seite einen Vorsprung an Informationen, Einsichten, Einschätzungsmöglichkeiten von großem politischen Wert. Das wurde ein Gewinn, der sich durchaus neben dem sehen lassen konnte, was auf Papier aufgeschrieben ein paar Monate danach Vertrag werden sollte.

Mißtrauen und Vorsicht bestimmten die Grundhaltung gegenüber Moskau ohnehin. Aber die beiden mir bis vor kurzem unbekannten

Menschen versuchten – im Gegensatz zu Gromyko – nicht, mir eine Position aufzudrängen oder nahezulegen. Es wäre ohnehin keinem gelungen, mir etwas zu verkaufen, was dem durchdachten Konzept widersprach. Aber wie weit ich in meinem Denken oder Urteil durch die vermittelten Informationen beeinflußt werden sollte, war penibel immer wieder zu überprüfen. Ich hatte bewußt die Chinesen nie erwähnt; nun platzte heraus, was an Animositäten, Fremdheit, sogar Sorge vor diesen »Gelben« virulent war, mit genau denselben Vokabeln wie »undurchsichtig«, »unheimlich«, »unberechenbar« benannt, die wir den Russen gegenüber benutzten. Daß Podgorny ein »Gegner« sei, es Spannungen zwischen Breschnew und Kossygin gebe, Chruschtschow zuweilen von Rapallo geträumt habe, Breschnew noch keinen westlichen Staatsmann empfangen habe (was uns nicht aufgefallen war) und er außenpolitisch – was das Verhältnis zu den Ländern außerhalb des sozialistischen Lagers bedeutet – vorsichtig und unsicher sei. Ich begann, einen verborgenen Pluralismus zu erkennen, statt des gewünschten monolithischen Erscheinungsbildes, ein Ringen um Meinungen, Interessen, Einfluß und Macht wie in westlichen Gesellschaften auch, nur anders als im Westen hinter verschlossenen Türen und mit zugleich höherem persönlichen Einsatz und Risiko. Was dann nach Beschlüssen verkündet wurde, für uns ermüdend eintönig, war für Insider aufregend, die aus unterschiedlichen Reihenfolgen der Argumentation oder dem Gebrauch eines etwas anderen Wortes abweichende Positionen feststellten. Kremlkenner waren sehr viel unterhaltender und interessanter als Kremlastrologen, die das Machtzentrum nie oder seit langem weder gesehen noch gerochen hatten.

Um die unterschiedlichen Kräfte und Strömungen in der Sowjetunion zu berücksichtigen, mußte man sie erst mal kennen. Das wurde der lang anhaltende Gewinn aus dem »Draht«. Im Laufe der Jahre stellte ich fest, daß ich Einschätzungen und Informationen bekam, die sich bestätigten, daß Veränderungen bei Personen und Positionen »einsehbar« und verständlich wurden, meine Fragen beantwortet wurden, soweit die Partner das konnten oder durften oder wollten, aber jedenfalls niemals eine Täuschung versucht wurde. So wuchs aus einem zarten und empfindsamen Pflänzchen langsam Vertrauen in menschliche Verläßlichkeit und starke freundschaftliche Bindungen. Humus bildete die Überzeugung der Beteiligten, daß bessere und engere Beziehungen zwischen ihren

Ländern gut für beide wären, und den Willen, dazu nach besten Kräften beizutragen.

Von all dem ahnte ich nichts, als mir Slawa vorgestellt wurde, sondern dachte nur: Hauptsache der Draht funktioniert. Es war im Journalistenclub mit den eindrucksvoll großen bespielten Schachtischen und der freundlichen Frau, die noch Gorki bedient habe, als Slawa hinwarf, er habe Waleri Lednew so verstanden, daß ich den Wunsch geäußert hätte, Kossygin zu sprechen. Ich war zwar nicht einmal auf die Idee gekommen, beeilte mich dennoch zu versichern, da habe er ganz richtig verstanden. »Dann werden wir das versuchen.«

Bei allem, was man gegen Lenin vorbringen konnte, bewunderte ich ihn als einen der ganz Großen der Geschichte, der mit der Kraft seines Gehirns und seines Willens Rußland und die Welt verändert hatte. Welch ein Triumph des Individuums und zugleich des Widerspruchs zu seiner Lehre von der entscheidenden Wirksamkeit der gesellschaftlichen Kräfte. Die eines Gottes würdige Verehrung beeindruckte nun schon seit Jahrzehnten, täglich von Menschen bezeugt, indem sie freiwillig in langen Schlangen warteten, um einen Blick auf den Gründer ihres Staates werfen zu können. Der Botschafter war ziemlich entsetzt, als ich ihn nach dem protokollarischen Weg fragte, wie das stundenlange Anstehen vermieden werden könne. Das wisse er nicht; außerdem habe noch nie ein amtlicher Deutscher der Bundesrepublik das Mausoleum betreten. Wenn ich das unbedingt wolle, rate er dringend, erst in Bonn anzufragen. Das wäre ganz unangemessen gewesen. Wir wurden dann mit einigen neugierigen amtlichen Landsleuten, aber ohne Botschafter, in die geduldige Schlange eingeschleust und gingen langsam auf dem beeindruckend bedrückenden Weg in die »Grabkammer«. Allein das Wissen, daß da der wächserne Rest des wirklichen Menschen lag, schuf eine Aura von Erhabenheit; denn der Blick konnte nur wenig Unterschied zu den Objekten von Madame Tussauds Kabinett feststellen. Als Semjonow Botschafter in Bonn war, erinnerte er sich, daß der Besuch des Lenin-Mausoleums einen psychologischen Durchbruch bewirkt habe. Ich sei der erste aus Bonn gewesen, der seinen Respekt »für unseren großen Lenin« bezeugt hätte.

Welche Funktion Semjonow jetzt innehabe, war eine naheliegende Frage nach dem zweiten Gespräch mit Gromyko. Das wisse er nicht, entgegnete Botschafter Allardt, »das sagen die sowieso nicht«. Also fragte ich den Mann direkt, und er antwortete, ohne zu zögern: »Ich leite den Planungsstab im Außenministerium.« Das gab kollegialen Gesprächsstoff aus dem bedeutenden Anlaß, daß der sowjetische Außenminister zum erstenmal seit dem Besuch Ribbentrops die Residenz des deutschen Botschafters betrat, weil er eine Einladung zum Essen angenommen hatte, zum Erstaunen des gesamten Diplomatischen Corps. Frau Allardt, eine attraktive geborene Russin, die mit ihren Eltern das Land nach der Oktoberrevolution verlassen hatte, begrüßte den Gast in ihrer Muttersprache, worauf dessen Gesicht sich verschloß. Aussprache und Vokabeln seien aus der feudalen Zarenzeit gewesen, erklärte ein Russe kopfschüttelnd. Frau Allardt machte aus ihrer Verachtung für die neue Zeit kein Geheimnis und spazierte mit hohen weißledernen Stiefeln unbefangen über die nassen und schmutzigen Straßen der Stadt. Bei Tisch stellte ich fest, daß Gromyko Plauderei oder Small talk, wie es treffend genannt wird, auch konnte, aber nicht mochte. Er fühlte sich immer im Dienst, nippte höflich an dem vorzüglichen Rheinwein und bemerkte unhöflich mit einer wegwerfenden Geste, als ich, auch immer im Alleinvertretungsdienst, auf den Weinbau in der DDR hinwies: »Die trinken alles, auch sauren Wein.« Das war nun nicht nett gegenüber meinen Landsleuten, aber bemerkenswert, daß überhaupt etwas so Negatives über den engsten Verbündeten aus einem hohen sowjetischen Mund kam. Meinem gesamtdeutschen Goethe konnte er nicht widersprechen, seinem ostdeutschen Luther ich nicht. Er lobte mich: »Sie zeigen ein Problem und betrachten es dann von allen Seiten, geschichtlich, philosophisch, völkerrechtlich, praktisch. Das ist eine Methode, die ich auch mag.« – »Das ist europäisch.« – »Ja, anders als die Amerikaner«, fand er begeistert, als Europäer anerkannt.

Die Erinnerung an diese Einzelheiten zeigt, wie mühsam der Weg in einem fremden Land und einem fremden System am Anfang war, wie winzig die Schritte, die damals einen Erfolg bedeuteten, heute kaum noch wahrnehmbar erscheinen, wie langsam der Zugang zu den Mächtigen dieses mächtigen Landes gebahnt werden mußte, welche Umwege nötig waren, bevor offen über die ganze Breite der Probleme gesprochen und dann gehandelt werden konnte, die über die zweiseitigen, vergangenheitsbelasteten Fragen hinausgingen. Ich habe mehr als einmal Kohl und Genscher beneidet, die darauf aufbauend Duzfreundschaften schließen und öffentlich bekennen konnten. Die Vorstellung, mit Breschnew in die Sauna zu gehen, wäre absurd gewesen. Kein Kanzler hätte das überlebt. Aber ohne das, was 1970 begann, wären weder Gorbatschow noch Jelzin Herren im Kreml geworden.

Das dritte Gespräch fand in einer entspannteren Atmosphäre statt. Sachlich war darzulegen, in welchem Zusammenhang wir den Gewaltverzicht mit der Sowjetunion, der DDR und Polen, schließlich auch mit Prag sahen. Der alte Fahrensmann stellte zu Recht fest, daß dies nicht alles gleichzeitig gemacht werden könnte; wohl aber unmittelbar nacheinander, warf ich ein, und in einer inneren Beziehung zueinander; denn Bonn wollte eben nicht nur zu einem Land, sondern zu allen Staaten des Warschauer Vertrages ingesamt Entspannung so weit festlegen, daß alle Beteiligten nach vorn sehen könnten.

Außerdem fand ich mich in der Lage eines Menschen, der gern verführt werden möchte, aber das weder zugeben noch erlauben darf. Gromyko begann, über Berlin zu sprechen. Daß Berlin in die Entspannung einbezogen werden mußte, war klar; daß Gromyko das nicht ablehnte, ein gutes Zeichen. Aber hier klingelten Alarmglocken: Ich durfte nicht so weit gehen, daß die Drei Mächte sich in ihrer unmittelbaren Verantwortung übergangen fühlten. Ich wollte ganz gern über die Substanz reden, ohne konkrete Regelungen auch nur sondieren zu können; denn ich konnte weder für die noch anstelle der Westmächte sprechen, die gerade in der Schlußphase ihrer Abstimmung untereinander waren, wie sie den Sowjets gegenübertreten wollten.

Bei einem abendlichen Spaziergang überbieten sich Slawa und Leo mit verbalen Blumen. Drei Stunden hätte das Politbüro darüber diskutiert, ob Ministerpräsident Kossygin mich empfangen soll. Eine Mehrheit sei dafür gewesen. Auch Gromyko, der zuerst nicht wollte, sei jetzt gewonnen. Zum erstenmal seit Jahrzehnten habe ein seriöses Gespräch der Spitze über deutsche Dinge stattgefunden. Das sei mein Erfolg. Ich hätte einen gewissen Reiz auf die Leute ausgeübt und Glaubwürdigkeit vermittelt. Gleichzeitig erkundigten sie sich etwas besorgt, wieweit meine Äußerungen Politik der Regierung seien. »Auf der einen Seite sind Sie weitergegangen als Bonn, auf der anderen Seite hinter Bonn zurückgeblieben. Was in der westdeutschen Presse steht, entspricht überhaupt nicht den Gesprächen in Moskau.« Da ich die ganze Realität nicht sagen durfte, mußte das Argument reichen, daß auch die Moskauer Presse sich weiter feindselig gegen uns äußere, als ob es unseren

Meinungsaustausch nicht gäbe. Dies ging übrigens so weiter, löste Irritationen zu Hause aus und wurde schlagartig erst eingestellt, nachdem der Termin für die Unterzeichnung des Vertrages vereinbart war. Der Termin mit Kossygin, der am nächsten Morgen der Botschaft mitgeteilt würde, werde der Höhepunkt meines Aufenthalts sein. Der Vorsitzende des Ministerrats erwarte mich ohne Botschafter. Es wäre gut, in dem Gespräch über das Gromyko bisher Vermittelte hinauszugehen.

Am nächsten Morgen warf niemand die Frage auf, wie die Einladung Kossygins aus heiterem Himmel zu erklären sei. Außerdem fehlte, zartfühlend für den Botschafter, belastend für mich, jede Andeutung, ich solle allein kommen. Sanne, der informiert war, meinte lakonisch: »Das müssen Sie ihm schon selbst beibringen.« Im übrigen wurde ich nachgerade immer nervöser, weil Bonn weiter stumm blieb, als ob alle Berichte und Telegramme von einem dichten Nebel verschluckt worden wären. Ungerührt fand Sanne, ich solle mir darüber keine Sorgen machen. »Wenn die etwas auszusetzen haben, werden sie sich schon melden.«

Am Nachmittag treibt mich Leo auf: große Komplikation. »Der Mann mit dem Bart hat angerufen, nachdem ihm mitgeteilt worden ist, daß Kossygin Sie sehen soll.« Ulbricht sei fast hysterisch gewesen, habe aber auch argumentiert und vorausgesagt, wenn Moskau so weitermache, würden die Verbündeten gegenüber Bonn auch ihre eigenen Wege einschlagen. »Es stand auf des Messers Schneide, aber es bleibt dabei. Jetzt sitzen sie und bereiten die Zusammenkunft vor.«

Am Abend macht Walter Scheel mit der Air India auf dem Weg nach Delhi in Moskau eine Zwischenlandung. Ein halbes Dutzend sowjetischer Diplomaten, angeführt von Semjonow, läßt es sich nicht nehmen, den Bundesaußenminister zu einem Imbiß zu bitten, mit allen Köstlichkeiten russischer Vorspeisen, viel Kaviar und Wodka, die alle, von der Fröhlichkeit Scheels angesteckt, ausgiebig genießen. Auf meine besorgte Frage, ob der Minister die Maschine nicht verpasse, erklärt Semjonow lachend: »Ich habe angeordnet, daß da ein technischer Fehler behoben werden muß, bis wir fertig sind. Wir sind nicht in Eile, mein Freund.« Welch hinreißende Machtwillkür. Ich konnte entspannen, nachdem ich vorher den Minister beiseite genommen hatte, weil aus Bonn nichts zu hören gewesen war. Scheel: »Warum denn? Es ist doch alles in Ordnung. Machen Sie nur so weiter.«

Es war spät geworden auf dem Flugplatz. Außerdem konnte ich keine Ruhe finden, weil ich wieder und wieder »durchnahm«, was ich Kossygin zu sagen hatte; denn sein Bericht im Politbüro würde Scheitern oder Fortsetzung meiner Mission entscheiden. Wenn ich versagte, wäre der neue Ansatz der neuen Bundesregierung zur Entspannung mit dem Osten gescheitert. Nur dreieinhalb Stunden Schlaf konnten den Zustand geladener Wachheit nicht beeinträchtigen. Zunächst mußte der Botschafter beruhigt werden. »Da kann ich ja gleich in Urlaub fahren«, war seine Reaktion. Er beruhigte sich etwas nach dem Hinweis, daß er schließlich bekannt sei, aber ich einem Härtetest unterworfen werden sollte.

Die Prozedur machte Eindruck: Ein Polizist stoppt den Querverkehr, so daß der Mercedes ohne Stopp auf das Kremltor zufahren kann. Das rote Licht springt rechtzeitig auf Grün; innen menschenleer, wenige schwarze Riesenlimousinen stehen neben einem unscheinbaren Eingang, zu dem einige Stufen hinaufführen. Ein Protokollmensch begrüßt uns, führt am Posten vorbei hinein, wo ein Gardeoffizier wortlos salutiert und uns in einen kleinen Aufzug winkt. Oben werden die Mäntel abgelegt. Der Offizier marschiert langsam und gemessenen Schrittes voraus, auf einem Läufer durch einen langen Flur, rechts hohe Türen und Namensschilder, links die Fensterfront, um eine stumpfe Ecke. Es herrscht vollständige Stille. Kein Mensch zeigt sich. Aus dem Zentrum der Macht scheinen Eile und Geschäftigkeit verbannt. Endlich öffnet der Offizier eine Tür, im Vorzimmer erheben sich zwei Männer und nicken wortlos einen Gruß. Neben dem Schreibtisch des Sekretärs fallen mindestens ein Dutzend weiße Telefone auf. Das Auge registriert eine Uhr: zwei Minuten Verspätung. Der Protokollmensch murmelt etwas vom Arbeitszimmer Stalins, als ich, durch eine Doppeltür gewinkt, in den Raum gehe, in dem mir Kossygin entgegenkommt, die Hand gibt, auf einen Stuhl weist an einem langen Tisch, an dem auf jeder Seite mindestens zwölf Personen sitzen könnten, und sich gegenübersetzt mit dem Rücken zu den Fenstern, so daß er das Gesicht des Gastes gut beobachten kann; das übliche Arrangement bei den Sowjets, bei den DDR-Größen später wiederzufinden. Außer der Anordnung: Schreibtisch mit vielen Telefonen an der Stirnseite, Besprechungstisch, alles in hellem Holz und einer weißen Wanduhr rechts, habe ich keine Erinnerung an den Raum; denn ich war auf den Mann konzentriert.

Der Dolmetscher übersetzte seine Eröffnung zur Begrüßung: »Ich höre.« Danach erstarrte das Gesicht, als sollte es in Stein gemeißelt werden, mit blauen Augen unbewegt und eisig. Es wurde der schwierigste und unangenehmste Monolog meines Lebens, denn von Gespräch konnte jedenfalls zunächst keine Rede sein.

Meine Eröffnung würdigte die Tatsache dieser Begegnung, übermittelte die Grüße des Bundeskanzlers und bezog sich auf den weltpolitisch günstigen Rahmen der amerikanisch-sowjetischen Gespräche über die Begrenzung strategischer Waffen. Das biete eine gute Gelegenheit zu einem politischen Abkommen, das Spannungen beseitigen und bedeutende Aussichten der Zusammenarbeit zwischen unseren beiden Ländern eröffnen solle. Beide Staaten könnten auch ohne ein solches Abkommen leben, aber das wäre dann eben wie bisher ohne die Perspektive europäischer Entspannung. Nachdem ich die Grundzüge unseres Konzepts dargelegt hatte und ein Seitenblick auf die Uhr mir sagte, daß nun zwölf Minuten vergangen waren, ohne daß Kossygin eine Miene verzogen oder die Wimpern bewegt hätte, mußte stärkeres Geschütz aufgefahren werden.

Der Wunsch der Bundesregierung nach Aussöhnung mit der Sowjetunion sei ehrlich, aber sinnlos ohne Gegenseitigkeit. Die Sowjetunion hätte keine Perspektive ihrer europäischen Politik ohne Aussöhnung mit dem deutschen Volk; denn »die DDR allein ist nicht Deutschland, die Bundesrepublik auch nicht, aber fast drei Viertel des deutschen Volkes lebt dort«. Wenn ich die Lage richtig sähe, sei das Problem für Moskau, wie es deutsch-sowjetische Freundschaft mit zwei Staaten machen könne. Dies war das erste und einzige Mal für Jahre, daß ich das Wort »Freundschaft« wagte. Aber wir seien Realisten und wüßten, daß ihm Ulbricht näherstünde als Brandt. Wir respektierten nicht nur die beiden Bündnisse, aus denen die beiden Staaten weder heraus wollten noch könnten, sondern sähen auch, daß zwischen Moskau und der DDR kein Mißtrauen aufkommen dürfe; denn Entspannung solle schließlich Vertrauen aufbauen, das alle Beteiligten einschließe. Auch wir könnten uns Mißtrauen unserer Verbündeten nicht leisten. Ich hoffte, ein gemeinsames Interesse an einer Vereinbarung zu finden, die keinem schade.

In den Gesprächen mit seinem Außenminister hätte sich dafür ein großes Hindernis herausgestellt. Die Sowjetunion dürfe dem deutschen

Volk langfristig die Aussicht auf staatliche Einheit nicht verbauen. Das sei nicht nur Sache der beiden deutschen Staaten, wie in Moskau und in Ostberlin immer wieder zu hören sei, sondern auch Sache der Sowjetunion, solange es Rechte der Vier Mächte für Deutschland als Ganzes gäbe. Hier liege ein entscheidender Punkt, hier müsse ein Zeichen gesetzt werden, hier liege der Anfang von Vertrauen oder bei Erfolglosigkeit der Gespräche von erneutem oder vertieftem Mißtrauen. »Schweigen genügt nicht.«

Nach fast einer Dreiviertelstunde war der letzte Satz genügend provokativ, um Kossygin zum Sprechen zu bringen. Er vermied jede Auseinandersetzung mit meinen Argumenten, sondern meinte allgemein, über langfristige Ziele sei jetzt nicht zu sprechen. Natürlich habe die Sowjetunion keine Angst, obwohl einige Politiker und Massenmedien gerade das versuchten. »Wir rasseln nicht mit dem Säbel. Es wäre Wahnsinn, sich auf militärische Möglichkeiten einzustellen.« Aber der neue Verteidigungsminister habe erklärt, die Bundeswehrstärke weiter erhöhen zu wollen. Andere Kräfte seien interessiert, daß die Bundesrepublik ein Schild gegen die Sowjetunion bildet. Aber kein Dritter werde unsere Fragen lösen. Er sehe dafür jetzt eine günstige Lage, und die Sowjetunion schaffe keine Hindernisse oder werfe nicht Probleme auf, die jetzt nicht lösbar seien.

Diese letzte Wendung verpflichtete ihn zu gar nichts; andererseits schloß sie, wenngleich in die Form einer Kritik gekleidet, nicht mehr kategorisch aus, daß dieses »Problem« eines Tages gelöst werden könne, und zwar unter sowjetischer Mitwirkung. Zur Bundeswehr erwiderte ich, daß seine Information stimme. Wir würden die Stärke auf 495 000 Mann heben, den Höchststand, wie im Bündnis zugesagt, weil wir uns an Vereinbarungen halten. Ich könne ihm aber erklären, weil ich an der entscheidenden Besprechung zwischen Kanzler und Verteidigungsminister, meinem Freund Georg Leber, teilgenommen hatte, daß wir alle Feldlazarette auflösen und schweres Brückengerät reduzieren würden. Bei der Versorgungslage mit Krankenhäusern und Brücken brauchten wir das nicht; denn wir verfolgten keine offensiven Absichten.

Ich war über die grobe Ungeschliffenheit enttäuscht, mit der Kossygin die bisherige Politik der Wiedervereinigung »als reines Abenteurertum« bezeichnete, nachdem sich die gesellschaftlichen Systeme so auseinanderentwickelt hätten, daß es keine gemeinsame Basis mehr gäbe.

Er beschwerte sich über die Nazis, die man am besten einsperren sollte, statt ihnen zu gestatten, obwohl nicht zahlreich, der Jugend verbrecherische Ideen einzupflanzen wie die Wiedervereinigung in den Grenzen des Jahres 1937, was den Gedanken an Krieg nahebringe. Ich nahm zugunsten des Ministerpräsidenten an, daß all das zu dem Soll gehört, das er im Sinne der Dogmatiker im Politbüro zu leisten hat. Es war besser, darauf gar nicht einzugehen, sondern ihn zu warnen: »Seien Sie mißtrauisch gegen jeden, der behauptet, die Deutschen hätten sich mit der Teilung abgefunden; er ist ein Dummkopf oder ein Lügner. Warum sollte es der Sowjetregierung nicht möglich sein, der Bundesregierung etwa zu sagen: ›Wir sind bereit, die Perspektiven offenzuhalten, also: Wenn Nachbarnationen es wollen, daß die Deutschen unter sich einig sind und weder das europäische Gleichgewicht noch die europäische Sicherheit gestört werden, sind wir bereit, die Wiedervereinigung ebenfalls zuzulassen.‹ Diese Bundesregierung könne und dürfe jedenfalls nicht in die Lage gebracht werden, für die Aussöhnung mit der Sowjetunion den Preis der endgültigen Spaltung Deutschlands zu zahlen.« Dieses Zitat aus dem Telegramm nach Bonn heute zu lesen, macht Vergnügen. Damals ahnte ich nicht, daß die Einheit ziemlich genau nach dieser Formel zwanzig Jahre später kommen würde.

Kossygin wandte sich zwei Punkten zu, die den Wunsch erklärten, den Botschafter nicht dabei zu haben. Zum einen unterstrich er die Bereitschaft, einen Briefwechsel mit dem Kanzler fortzusetzen, in dem auch absolut vertrauliche Erwägungen gegenseitig mitgeteilt werden könnten. »Sie können sicher sein, das wird unter keinen Umständen nach außen dringen.« Dann fragte er, ob ich Parteikontakte für nützlich halten würde; da die Partei in seinem Land den Staat lenke, könnte das beiden Staaten zugute kommen. Allerdings dürfe es dabei keine Illusionen geben: Beide Parteien seien weit auseinander. Seine Partei lehne ideologische Koexistenz ab. »Das wird auch so bleiben.«

Hier bekam ich zum erstenmal eine Ahnung von der seltsamen Gemengelage, in der regierende Kommunisten, von Sozialdemokraten abgestoßen wie angezogen, überheblich wie komplexbeladen sich diesen Revisionisten nähern: Vielleicht kann man sie fressen; vielleicht wird man von dieser Krankheit angesteckt, wenn man ihnen zu nahe kommt. Da diese Bundesregierung nun mal von Sozialdemokraten geführt wird, schafft das Probleme, wenn man sich ihr nähern muß, im Bündnis auch, weil die Bruderparteien dann Gleiches machen. Das kann gefährlich sein; denn die mögen ideologisch nicht so gefestigt sein, zumal diese eurokommunistische Seuche grassiert und die deutschen Sozialdemokraten mit den italienischen Genossen reden. Warum soll dann nicht die KPdSU direkt mit der SPD sprechen, die im sozialdemokratischen Lager die führende Kraft ist?

Welche Wirkung der Faktor Sozialdemokratismus für die Entwicklung gehabt hat, an deren Ende die Sowjetunion und ihr Imperium sich auflösten, ist ein Quellenstudium wert. Gering kann er jedenfalls nicht in einem System gewesen sein, in dem die Ideologie zunächst eine so dominierende, dann immer noch rechtfertigende und disziplinierende Rolle gespielt hat. Von Ulbrichts Sorge, ob die Verbündeten, indem sie der führenden Kraft der KPdSU in der Zusammenarbeit mit den Sozialdemokraten erst folgen und dann vielleicht weniger folgsam werden, hatte ich schon gehört. Bald sollte ich intern im Zusammenhang mit den Treffen von Erfurt und Kassel mehr erfahren. Der Faktor Sozialdemokratismus als Lösungsmittel für den Kitt kommunistisch ideologischen Zusammenhalts spielte schon eine Rolle – wie wir nach der Veröffentlichung der Gespräche zwischen Breschnew und Ulbricht wissen –, als es um die Erklärung des heranreifenden Moskauer Vertrages ging. Auf die eigenen Beobachtungen in diesem Zusammenhang komme ich noch zurück.

Ich entgegnete Kossygin, ich wolle nicht zu sehr in die Geschichte zurückgehen, aber wir seien seit den frühen fünfziger Jahren zu dem Ergebnis gekommen, daß Moskau immer die Konservativen in Deutschland gefördert hat. Mit denen konnte es traditionell eng zusammenwirken, und die Gegnerschaft blieb klar. Ideologisch sei das ganz ungefährlich. Was die Zusammenarbeit mit Sozialdemokraten in Deutschland angehe, so hätten wir uns schon gefragt, ob da Moskau nicht hartleibiger sein werde. Jedenfalls teilte ich die Meinung, daß staatliche Koexistenz nicht mit ideologischer verwechselt werden dürfe. Da blieben wir Gegner. Im übrigen könne ich seine Frage nicht beantworten und würde meinem Parteivorsitzenden berichten. Wir kamen darauf nicht zurück.

Das Gespräch lockerte sich auf, als er von der wirtschaftlichen Lage und Problemen seines Landes, möglicher Zusammenarbeit und ihren nur relativen Wirkungen angesichts der mit deutschen Verhältnissen unvergleichlichen Größenordnung berichtete. Hier war er in seinem

Element. Da saß ein Ministerpräsident, der in Wirklichkeit »nur« der Generaldirektor des größten Betriebes der Welt, genannt Sowjetunion, war. Das war nicht der politische Verhandlungspartner des Kanzlers. Er könne mir sagen, die Führung werde mit allem Ernst an alle Fragen herangehen; dem breiten Meinungsaustausch messe sie große Bedeutung bei. Man werde nichts vereinfachen, sondern Wege suchen, um sich zu verständigen: Bei gegenseitigem Bestreben könnten diese Wege gefunden werden. Er hatte sich also bedeckt gehalten, wie über den Draht angekündigt, zugehört, um sich ein Urteil zu bilden, und nicht erkennen lassen, wie es ausgefallen war.

Ob ich sonst noch etwas hätte? Ich bat, die Ausreisewünsche in besonders schwierigen Fällen von Familienzusammenführung wohlwollend zu prüfen. Er fragte: »Wieviel sind das?« Ich griff eine Zahl aus der Luft: »Zweiundsechzig.« Er werde sehen, was sich tun lasse. Zurück in der Botschaft gab ich Weisung, sofort die Unterlagen für die aussichtslosen oder schon abgewiesenen Fälle zusammenzustellen: Familienzusammenführung, aber auch ehemalige Reichsdeutsche. Ostpreußen, Memelländer, auch »vergessene« Kriegsgefangene oder Volkszugehörige, die nach ihrer Inhaftierung in sowjetischen Lagern nicht aus der Staatsangehörigkeit entlassen worden sind. Die Botschaft arbeitete trotz vieler Zweifel begeistert und machte in drei Tagen aus 62 Fällen 192 einzelne Personen, auch Kinder. Mein »Draht« kritisierte, ich hätte die Unterlagen bei mir haben und Kossygin unmittelbar übergeben müssen. Er hätte sofort positiv entschieden; in Kleinigkeiten liebten große Leute ihre Macht zu zeigen oder den Besuchern einen Gefallen zu tun. Obwohl es dem eigenen Empfinden widerstrebte, kam es niemandem in den Sinn, Menschen als Geschenk abzulehnen. Wir haben alle 192 »bekommen«. Einen Monat später sah ich die ersten in der Botschaft, noch betäubt von dem plötzlichen Sprung aus der Hoffnungslosigkeit in ein neues Leben, und fühlte mich sehr glücklich: Auch wenn es zu keinem Vertrag kommen würde, das Schicksal von 192 Menschen hatte positiv verändert werden können.

Es stellte sich heraus, daß damit ein Pfropf aus der Flasche geflogen war; denn der Kanzler erhielt, seinem Rang entsprechend, eine großzügiger bemessene Zahl und brachte ein Rinnsal, ein Bächlein, zuweilen versiegend, zuweilen anschwellend zum Fließen. Wir rühmten uns dessen nicht, um den Fortgang nicht zu gefährden. Das Thema war zu empfindlich, um es zu einem Triumph gegenüber einem System zu mißbrauchen, das nach seinem Verständnis nicht nur gnädig verfuhr, sondern Ausweitung befürchtete: Der Appetit kommt beim Essen. Was den Deutschen recht war, konnte anderen, besonders Juden, billig erscheinen. Intern hat sich dennoch bis nach Amerika und Israel herumgesprochen, daß die Deutschen erstaunlicherweise eine Aufweichung der rigiden Ausreiseverweigerung erreicht hatten. Wünsche, auch für andere Nationalitäten tätig zu werden, hatten nur sehr begrenzten Erfolg.

Wir fuhren nach Leningrad auf Einladung Gromykos, begleitet von Waleri Lednew, ein Zeichen, daß der »Draht« offiziös geworden war, obwohl er offiziell auch weiterhin nicht erwähnt wurde. Leo erzählte im Abteil des Expreßzuges, der keine Eile hatte, sein Ziel vor dem nächsten Morgen zu erreichen, Kossygin hätte positiv berichtet, nicht zuletzt, weil ich vieles gesagt hätte, was gar nicht gefiel. Aber nun ginge es erst richtig los, mit wirklichen Argumenten konfrontiert: »Sie ahnen nicht, was in der Führungsgruppe stattfindet. Sie müssen uns Zeit geben. Wir haben es schwerer als Sie. Wir haben unsere Verbündeten. Die deutsche Frage ist kompliziert und mit vielen Emotionen belastet. Man versteht, daß wir etwas mit Amerika machen. Aber wir brauchen Zeit und Vorbereitung, wenn die Politik gegenüber der Bundesrepublik Deutschland umgestellt wird. Unsere Führer, die das zum Teil wollen, müssen etwas vorzeigen können, was einsehbar ist.« Letzteres galt auch umgekehrt.

Nicht nur der fast beschwörende Ton und die Übereinstimmung mit Arbatow zwangen zu der Einsicht: Ich hatte mich in der Dimension verschätzt, die eine Neuorientierung der sowjetischen Deutschlandpolitik verlangt. Moskau war viel weniger vorbereitet, als ich vorausgesetzt hatte. Neu denken, die Konsequenzen prüfen, die Auswirkungen auf die Verbündeten und die eigene Öffentlichkeit, das alles erforderte einen Zeitbedarf, um das schwerfällige Riesenschiff Sowjetunion umzulenken, den ich falsch kalkuliert hatte. Mein wachsendes Verständnis für die Schwierigkeiten in Moskau verdanke ich dem »Draht«; die kühle Härte, die teilweise uneinsichtige Sturheit Gromykos, mit der er seine Intelligenz zu dementieren schien; die spitzen, zum Teil polemischen Schärfen, die über den Tisch im Außenministerium ausgetauscht wurden, verschleierten das eigentliche Problem: Die große Sowjetunion war unfähig zu einer schnellen Entscheidung über eine Kurskorrektur und unsicher, ob sie die damit verbundenen Risiken und Unbequemlichkeiten überhaupt übernehmen wollte.

Das System war schwerfällig, reagierte langsam. Der große Irrtum im Westen, das Gegenteil zu glauben, basierte auf der für Außenstehende undurchdringlichen Abschottung, den Gang der Meinungsbildung verfolgen zu können. Der Westen wurde meist unvorbereitet mit dem Ergebnis konfrontiert. Die Unfähigkeit, den Prozeß der Entscheidungsfindung zu beobachten, verleitete zu der falschen Einschätzung, das System und sein monolithischer Block funktioniere politisch schnell und relativ einfach nach Befehl und Gehorsam. Der Westen, manchmal schwer erträglich langsam, brauchte den Vergleich nicht zu scheuen. Das war eine der wichtigen Erkenntnisse, die sich nicht am heimischen Schreibtisch, nicht einmal am Moskauer Verhandlungstisch gewinnen ließen. Ich teilte sie auch Kissinger mit. Die Sowjets waren gar nicht so geschlossen, wie sie erscheinen wollten; das wollten sie geheimhalten. Damit gewannen sie den Überraschungsvorteil und bezahlten mit dem Ruf der Unheimlichkeit, der Unberechenbarkeit, während für sie westliche Entscheidungen absehbar, verfolgbar waren und unsere Meinungsvielfalt ihnen als bösartiges Täuschungsmanover zur Irreführung erschien.

Man mußte so nah wie möglich heran an Träger des Systems, seine Art der Pluralität durchschauen, um es beeinflussen zu können. War das alles zu Hause verständlich zu machen? Außerdem durften wir nicht ungeduldig werden, ohne das Momentum einzubüßen; denn bei Tempoverlust würden auch in Bonn die Bedenken über Klippen und Risiken angesichts einer heftigen Opposition wachsen. Statt darüber weiter zu grübeln, war es besser, der Einladung Leos zu folgen und in der Zugbar etwas zu trinken. Dort herrschte graue Beleuchtung, große Enge und eine Stimmung, die das Geräusch des Zuges übertönte. Am lautesten war eine kleine Gruppe von Landsleuten, die sächsisch sprachen. Als einer von ihnen hörte, wie Sanne und ich berieten, durch das Gedränge an eine Flasche Krimsekt zu kommen, erklärte er laut: »Ich will euch mal zeigen, wie man mit den Russen umgeht.« Er brüllte etwas Russisches im Befehlston über die Köpfe und übergab uns stolz die Flasche. »So macht man das.« Leo machte große Augen. Sympathischer sind ihm »seine« Deutschen dadurch nicht geworden. Er hielt den Mund und konnte deutsche Teilungsrealität ungefiltert genießen. »Wo kommt ihr her?« – »Aus der Bundesrepublik.« – »Das glaube ich nicht, wenn ich nicht den Paß sehe.« Nach Einsicht in den Diplomatenpaß ging er zum »Sie« über. Unsere Auskunft, wir wollten mit der Sowjetunion einen Vertrag über Gewaltverzicht schließen, löste das Echo aus: »Das schaffen Sie nie.« Der Mann leitete eine Gruppe aus dem Verkehrsministerium der DDR: »Kennen Sie Ihren Minister, Herrn Kramer?« Nach seinem nur noch in Mezzoforte vorgebrachten »natürlich« bat ich ihn: »Dann richtigen Sie der Frau des Ministers einen Gruß von mir aus; sie war eine Klassenkameradin meiner Frau.« Nun machte er sehr große Augen. Leo schüttelte nur den Kopf, im Abteil ein weiteres Mal, als ich erzählte, ich hätte sogar den Wohnraum des Ministers beschreiben können, aber das wäre falsch gewesen, denn der Mann durfte nicht erfahren, daß seine Frau mir stolz Fotos gezeigt hatte.

Poeten und Maler, Musiker und Schriftsteller, Reisende aller Art haben ihre schwärmerische Bewunderung für die Stadt an der Newa ausgedrückt. Sie haben nicht übertrieben. Warum diesem imposanten Strauß einen dürren grünen Halm hinzufügen? Mir schien Leningrad, das die Funktion St. Petersburgs als Hauptstadt eines großen Reiches verloren hatte, ein wenig wie ein abgemagerter Mime, dem seine alten Kleider zu groß geworden sind, der seinen Ehrfurcht gebietenden Charakter jedoch erhalten hat. Wer vom Skythenschatz und den diamantenbestickten Pferdegeschirren Katharinas in der Eremitage in die kärglichen Räume im Smolny kommt, in denen Lenin Geschichte gemacht hat, wer das Holzhaus des Großen Peter mit den Kostbarkeiten der Großen Katharina für ihr tägliches Leben vergleicht, konnte sich schon fragen, warum die Revolution nicht früher gekommen war. Unvergleichbar der Friedhof für die Toten der Belagerung: fast eine Million Menschen, namenlos in Massengräbern für jeweils 10 000, mehr erfrorene und verhungerte Zivilisten als im Kampf gefallene Soldaten. Schneebedeckt mehr unvergängliche Klage als Anklage, gerade deshalb für den deutschen Besucher belastend. Auf diesem Friedhof habe ich innerlich beschämt erst verstanden, daß es weder Propaganda noch Taktik war, wenn die sowjetische Führung es schwer hatte, Gefühle der Trauer nicht zu verletzen, falls sie neuen politischen Interessen folgen wollte. Zwanzig Millionen Tote überdauern eine Generation. Beim Verlassen einer Kirche, in der für einen Toten zelebriert wird, kauft der

Kommunist Leo eine Kerze. Er versteht den fragenden Blick und lächelt entschuldigend: »Es heißt, wer hier eine Kerze entzündet, kommt wieder.« Für mich jedenfalls stimmte das.

Vor dem letzten Gespräch mit Gromyko in dieser ersten Runde kommt auf der verdeckten Ebene ein neues Element ins Spiel. Ich höre, daß Stoph einen Brief an Brandt geschrieben hat, fast ultimativ, und Moskau davon nur informiert und nicht konsultiert wurde. Ob das eine kleine Revanche für den Kossygin-Termin ist? Gleichzeitig erhalte ich die Information über die Antwort des Kanzlers mit seinem Vorschlag, ein Treffen durch Beamte vorbereiten zu lassen. Darüber seien die Drei Mächte informiert, nicht konsultiert worden. Diese Information erreicht Moskau aus Bonn früher als aus Ostberlin. Ich verbinde das mit der Ankündigung, wir wollten nicht hinter dem Rücken der Sowjets agieren, sondern sie aufrichtig und schnell über die weitere Entwicklung unterrichten. Wenn der Kreml durch uns erfährt, was die DDR ihm verschweigt oder verfälscht, stärkt das unsere Glaubwürdigkeit und Position. Die Folgerung ist klar: Die Information über die Vorbereitung des Treffens in Erfurt, die in den Händen von Ulrich Sahm lag, mußte gleichzeitig an den Kanzler und mich gehen. Es funktionierte hervorragend und wirksam. Es war schade, Erfurt zu versäumen, aber wichtiger, des Kanzlers persönliche Eindrücke und Einschätzungen am Tage danach in Moskau mitteilen zu können. Dort wurde man in einer unerwarteten Richtung mißtrauisch: So gut seien die Brüder in der DDR doch immer, unerwünschte Demonstrationen verhindern zu können, wenn sie wollen, und eine Absperrung so zu organisieren, daß sie hält. Die abwiegelnde Handbewegung Brandts gegenüber der »Willy!« rufenden Menge wirkte in Moskau wie eine Bestätigung meiner Gromyko gegenüber abgegebenen Erklärung, es sei wohl gemeinsames Interesse, den in Gang gesetzten Prozeß jederzeit unter Kontrolle zu halten.

Erfurt war als Ereignis bewegend, zeigte, wie schnell der Wunsch nach Einheit entflammbar ist, aber konnte in der Substanz keinen Fortschritt bringen, solange unsere Gespräche in Moskau ohne Ergebnis blieben. Der Stoph-Brief war der Ausgangspunkt für die Etablierung der inoffiziellen Ebene zwischen Bonn und Moskau, auf der in beiden Richtungen die Verhandlungen zwischen den beiden deutschen Staaten bis zum Grundlagenvertrag begleitet und gefördert wurden. Das hat sich in kritischen Situationen mehr als einmal bewährt, nicht nur als vertrauensbildende Maßnahme, sondern hat Sabotage, Provokation oder falsche Information durch die DDR-Führung verhindert oder Teilen von ihr, denen zusammen mit gleichgesinnten Kräften in Moskau die Richtung nicht paßte.

Je hartnäckiger sich Gromyko darauf versteifte, daß die deutsche Einheit für uns kein Thema sei, um so mehr fühlte ich mich gedrängt, gerade auf diesem Punkt zu beharren. Die beginnende Aussöhnung mit der Sowjetunion durfte weder die Teilung Deutschlands festschreiben, noch die Drei Mächte aus ihren uns gegenüber eingegangenen Verpflichtungen entlassen. In dem letzten Gespräch unserer ersten Runde am 17. Februar erklärte Gromyko jede Erwähnung der deutschen Einheit für absolut unannehmbar, weil jede Seite ihre eigenen Vorstellungen dazu habe. Er wollte es fast als Entgegenkommen erscheinen lassen, daß die Sowjetunion ja auch nicht vorschlage, etwas in ein Abkommen aufzunehmen, das gegen die Wiedervereinigung gerichtet sei. Ich entschloß mich, einen überlegten Ausweg aus der Sackgasse zu weisen. Die deutsche Seite erwarte keinen Blankoscheck von der Sowjetunion. Um zu verhindern, daß jede Seite einem Abkommen eine andere Auslegung gebe, müßten beide Regierungen sagen können, jede Seite habe ihre Vorstellungen und Ziele und könne sie auch öffentlich verkünden. »Die Frage sei, ob man das auch formulieren könne. Es müsse ja nicht in das Gewaltverzichtsabkommen hinein. Man könne sich auch einen Briefaustausch vorstellen.« So, in indirekter Wiedergabe, der Wortlaut des Botschaftsberichts.

Mehr als zwanzig Jahre danach ist eine Diskussion darüber entstanden, wer der Vater des »Briefes zur deutschen Einheit« sei. Ob denn Rainer Barzel im Frühsommer die Bundesregierung habe drängen müssen, ob der Brief ohne Valentin Falin im Spätsommer gar nicht zustande gekommen wäre – die Aktenlage ist eindeutig.

Damals billigte der kleine Koalitionskreis in Bonn meinen Bericht und entließ mich für die nächste Runde mit der Hoffnung, den ganzen Komplex zu ordnen und seine Ergebnisse zu Papier zu bringen. In Moskau finde ich eine neue Lage zum Thema Berlin vor: Die Vier Mächte hatten Gespräche über die Stadt beschlossen, und nun wollte Gromyko mit dem kleinen Deutschen gar nicht mehr über die Stadt reden. So entsteht eine umgekehrte Schlachtordnung: Er benutzt Teile meiner »Vier-Mächte-Argumentation«, und ich betone unser vitales

Interesse, Berlin in den Entspannungsprozeß einzubeziehen. Das geht so über Wochen, bis Gromyko später auch diese Stellung räumt und einwilligt, daß Bonn in dem direkten Gespräch zwischen Washington und Moskau zum Vier-Mächte-Abkommen seine Rolle spielt.

Im achten Gespräch mit dem sowjetischen Außenminister am 10. März berief ich mich auf das Grundgesetz. Statt eines Briefwechsels könne ich dem Minister auch einseitig einen Brief schreiben, in dem der Grundgedanke enthalten ist, daß ein Abkommen zwischen uns nicht verletzt wird, »wenn unsere Verfassung bleibt, was sie ist. Und diese Verfassung bleibt, wie sie ist«. Ich würde auch keinen Brief schreiben, den der Minister nicht kenne. Dann las ich ihm den Entwurf vor, den ich mit Sanne formuliert hatte. Der setzte sich durch, in der Substanz unverändert, nach vielen Stationen. Gromyko kam erst drei Tage später darauf zurück und bezeichnete es als inakzeptabel, einem so wichtigen Akt der Unterzeichnung noch einen anderen anzuschließen. Jede Seite könne ja ihre Ziele behalten. Das empfand ich als kleinen Fortschritt und hakte ein, ich sei froh, das zu hören, aber dann solle man es, um Mißtrauen und Zweifel zu vermeiden, auch in eine entsprechende Form bringen. Ich bestünde nicht darauf, die Vereinigung Deutschlands entsprechend dem Freundschaftsabkommen zwischen der Sowjetunion und der DDR in unser Abkommen aufzunehmen, obwohl das logisch wäre; denn niemand könne meinen, daß die deutsch-sowjetische Freundschaft mit der Einheit aufhören solle. Aber in der Sache müßte eine Form gefunden werden, die Meinungsverschiedenheiten nach einem Abkommen zwischen uns ausschließe. Gromyko wiederholte ungerührt, das sei für die sowjetische Seite unannehmbar. Abkommen sei Abkommen. Man dürfe die Aufmerksamkeit nicht auf andere Dokumente lenken. Das würde die Leute in gewisser Weise desorientieren. Ich hatte mich in diesen Punkt verbissen und ließ ihn nicht im Zweifel, daß ich darauf zurückkommen werde, wollte aber den Versuch nicht blockieren, unsere bisherigen Gesprächsergebnisse in schriftliche Form zu bringen.

Das erwies sich als sehr schwierig. Zuweilen hatte ich den Eindruck, als ob die erste Runde vergessen sei: Alle Fragen wurden von neuem diskutiert. Als ob das nicht schon einmal geschehen sei. Am eigenen Leib war die sowjetische Verhandlungsmethode zu durchleiden, durch Wiederholungen zu prüfen, ob der Gegner nicht doch eine bisher nicht erkannte Schwäche seiner Position und unentdeckte Reserven verberge oder zurückweiche. Der sowjetische Diplomat schien sein »Soll« erst erfüllt zu haben, wenn er berichten konnte, daß sein Partner mehr oder weniger laute Zeichen von Empörung, Unwillen, Protest oder Hoffnungslosigkeit von sich gibt. Außerdem war durch Erfahrung zu lernen, daß die sowjetische Taktik gern Entgegenkommen wegsteckt, ohne die eigenen Forderungen zu mildern. Also ganz anders als die westliche Verhandlungspsychologie, die nach abgestecktem Rahmen erwartet, daß jede Seite der anderen kleine Erfolge durch gegenseitige Kompromisse gönnt. Ohne das so genau vorher zu wissen, erwies es sich als glücklich und richtig, mit einem festen Verhandlungsrahmen nach Moskau zu gehen und daran eisern festzuhalten. Aber die Molotow-Schule wirkt bis heute nach, und Diplomaten aus Ländern der nun nicht mehr existierenden Sowjetunion gewöhnen sich erst allmählich daran, daß die Interessen des eigenen Landes auch durch die westliche Verhandlungstaktik durchaus zu wahren sind.

Im übrigen kristallisierte sich allmählich heraus, daß auf der Skala, die wir wiederholt gesprächsweise abgeschritten hatten, nur vier Punkte Gegenstand eines Abkommens sein könnten, während sechs Punkte andere Länder oder Fragen betrafen, die nicht durch Moskau und Bonn zu regeln waren. Das reichte von der Oder-Neiße-Linie bis zum UN-Beitritt der beiden deutschen Staaten. Hier könnte es sich nur um Absichtserklärungen handeln, im beiderseitigen Verständnis, was geschehen solle, um trotz getrennten Marschierens das ins Auge gefaßte gemeinsame Ganze zu erreichen: Entspannung zwischen Bonn und seinen östlichen Nachbarn.

Nun begann die Formulierungsarbeit, und damit trat Falin aus seiner bisherigen passiven Rolle am Verhandlungstisch heraus. Bei einem üppigen Mittagessen, gegeben von Semjonow im großartigen Stil des früheren Vizekönigs ganz am Anfang im Spiridonowka-Palast, hatte er eine Bemerkung Falins vor den beiden Delegationen mit einer verächtlichen Geste abgefertigt: Der jammere ja schon, wenn in seinem geliebten Leningrad nur ein Baum abgeholzt werden soll. Falin hatte das schweigend weggesteckt, nur seine Leidensmiene vertiefte sich, sympathisch und verständlich. Jetzt, in denselben Räumen, allein und unter uns, belebte sich Falin so, daß ich annahm, wir würden nicht abgehört. Es machte Spaß, auch wenn es viele Stunden nicht erlahmender Konzentration erforderte, die Arbeit seines Gehirns, die Methodik des Denkens zu beobachten, die Gedankengänge sowjetischer Interessenabwägung kennenzulernen und ihm entsprechende Einblicke zu geben. Auf diese Weise lernten wir einander besser verstehen und konnten ohne Sorge, festgenagelt zu werden, nach Wörtern suchen, Formulierungen teilen, Begriffe ziselieren, die die Sache trafen und für beide Seiten annehmbar waren. Erst wenn wir glaubten, fündig geworden zu sein, wurde das Ergebnis der Tüftelei probeweise auf einen Zettel notiert, geprüft, wie es sich denn liest, verworfen oder benickt.

Dann begann Falins Arbeit, bei der ich nicht helfen konnte, eine präzise, aber seinen Auftraggebern möglichst eingehende Übersetzung vorzunehmen, was nicht ohne Korrekturen und Streichungen abging. Voraussetzung war seine Sprachbeherrschung, eben auch des Deutschen, ohne die wir diese zeitsparende Arbeit nicht geschafft hätten. Meine Kontrolle ergab sich, wenn Gromyko später am Verhandlungstisch, ohne sich über die Herkunft seiner Weisheit auszulassen, eine Formulierung vorlegte, mit einer Miene, als ob er Lob erwartete; die Übersetzungen unseres Dolmetschers erwiesen sich als kaum korrekturbedürftig. Falin hat keinen Trick versucht; eher kam er zu neuen Diskussionen zurück, wenn sein Chef nein gesagt hatte. Er hatte es schon deshalb schwerer, weil die sowjetische Position einschließlich der eingeführten Sprachregelungen geändert werden mußte, während ich ohne Rückfrage auskam, allerdings meine Möglichkeiten voll ausschöpfte. Schon nach einigen Tagen wäre es sinnlose Mühe gewesen, sich erinnern zu wollen, welches Wort und welche Formulierung von wem stammte. Beide Beteiligten haben ihren Anteil an einer Sprache des Endprodukts, die Genauigkeit und Klarheit mit seltener Kürze verband. Die vier operativen Artikel des späteren Moskauer Vertrages, in denen buchstäblich jede Silbe an der einzig richtigen Stelle steht, zeichnen sich durch eine sehr seltene Einfachheit und Verständlichkeit aus. Den Stolz darauf teile ich mit Valentin Falin gern. Die Ungerechtigkeit, das Zwischenprodukt »Bahr-Papier« zu nennen, wurde noch größer, als die Opposition zu Hause fand, man müsse es eigentlich Gromyko-Papier nennen.

Am 21. März 1970 war das Ziel der Sondierung erreicht. Wir hatten festgestellt, daß und in welchem Rahmen Verhandlungen für einen Gewaltverzichtsvertrag aussichtsreich aufgenommen werden können. Die notwendigen Formulierungen des gesamten Gesprächskomplexes hatten unvermeidbar den Charakter von Verhandlungen angenommen. Dennoch legten Gromyko wie ich Wert darauf, in dem Kommuniqué festzustellen: »Die beiden Delegationen werden nun ihren Regierungen das Ergebnis des Meinungsaustauschs vorlegen, damit diese entscheiden, in welcher Form die Erörterung der genannten Fragen (vorher war von der Absicht zu einem Gewaltverzichtsabkommen die Rede) weitergeführt werden sollen im Interesse der Entspannung in Europa, ausgehend von der in diesem Raum bestehenden wirklichen Lage.« Den letzten Halbsatz wollte Botschafter Allardt nicht, ich hatte nichts dagegen, weil er schon in Erklärungen der neuen Bundesregierung stand. Gromyko hätte eher auf das Kommuniqué überhaupt verzichtet; darauf legte ich aber Wert; denn der Charakter des 10-Punkte-Papiers, das Gromyko und ich gebilligt hatten, ohne es zu paraphieren, mußte innen- wie außenpolitisch klar sein.

Er lehnte ab, unsere Verständigung schon zu verkünden, Generalkonsulate in Hamburg und Leningrad zu eröffnen. Beim Abflug aus Moskau blieb in der Schwebe, ob die Idee eines Briefes zur deutschen Einheit angenommen würde und wie Berlin in das ganze Gebäude einzufügen sei. Deutlich war, welche Entscheidungen die sowjetische Seite treffen, welche Änderungen in der Haltung der DDR und Polens sie bewirken mußte, wenn sie einen Vertrag mit Bonn wollte, was noch immer nicht klar war, und dazu würde Moskau Zeit brauchen. Das ist fast wörtlich die zusammenfassende Analyse, die ich in Bonn vortrug, mit gedämpftem Lob beantwortet, und ebenso Kissinger übermittelte.

Dieser äußerte Skepsis über die Erfolgsaussichten, ob die Sowjets wirklich so weit zu bewegen sein würden, als Brandt zu seinem ersten Kanzlerbesuch nach Amerika kam. Es war berauschend, mit Hubschrauberabstecher nach Camp David, Unterbringung im Blair-House mit seinem Charme des letzten Jahrhunderts, Vortrag des CIA-Chefs mit den phantastischen Vergrößerungen von Fotos aus dem Weltraum, auf denen noch zu erkennen ist, welche Kluft die Arbeiter auf dem Schiff im Kriegshafen von Leningrad tragen; mit dem Vergrößerungsglas ist sogar die Überschrift der *Prawda* zu entziffern, die in der Schlange vor dem Lenin-Mausoleum gelesen wird. Als wir allein sind, warne ich Willy vor lockeren Kommentaren und persönlichen Einschätzungen, leider vergeblich, weil ich nicht zweifle, daß wir abgehört werden. Er meint, ich sei durch Moskau verdorben. Aber der Tapetenwechsel, die

Atmosphäre, das Gefühl der Erleichterung, sich unter Freunden bewegen zu können, tun gut. Bei einem großen Empfang im Weißen Haus verströmt Nixon viel Charme, legt dem Besucher nahe, wie gefährlich es innenpolitisch sei, neue Wähler zu finden, ohne alte zu verprellen. Willys Replik, wie gut, daß wir nicht in demselben Land um Wähler ringen, löst allgemeine Fröhlichkeit aus. Henry stimmt ein, als Nixon mich Brandts Kissinger nennt, und Außenminister Rogers berichtet, in Indochina sei die Lage viel besser, als man noch vor drei Wochen angenommen habe. Nixon bestätigt den Entschluß, jedenfalls nicht in Laos oder Kambodscha einzugreifen. Keine Andeutung einer Schwierigkeit mit unserer Ostpolitik. Kein Versuch zu bremsen. Herzliches Einvernehmen. Erfolgreicher konnte der Besuch nicht sein.

Natürlich sind die 10 Punkte in Washington bekannt, ebenso wie in Paris und London. Außerdem wurden die Botschafter der Drei Mächte nach jedem Gespräch durch unseren Botschafter informiert, und jeden einzelnen habe ich aufgesucht, um für zusätzliche Fragen zur Verfügung zu stehen. Der Franzose Roger Seydoux, sein Bruder amtierte in Bonn, erklärte emphatisch: »Egal, ob Sie inzwischen 50 oder 55 Stunden mit Herrn Gromyko verbracht haben und einen Vertrag machen oder nicht, allein die Tatsache, daß Sie länger als irgendein Vertreter des Westens mit dem sowjetischen Außenminister verbracht haben, ändert die politische Landschaft. Man muß Ihnen im Namen Europas gratulieren.« Ein wenig klang die Hoffnung durch, die Bundesrepublik würde selbstbewußter gegenüber Amerika und den emanzipatorischen Vorstellungen Frankreichs näherrücken.

Moskau meldet seine Gesprächsbereitschaft für Ende April. Dem Bundeskanzler ist das zu schnell; denn in Bonn muß etwas Ruhe in den Beritt gebracht werden.

Für Staatssekretär Duckwitz, der die Verhandlungen mit Warschau aufnehmen soll, wird festgelegt, daß kein Versprechen für den Friedensvertrag abgegeben werden soll, was sich nicht lupenrein halten lassen wird. Prag meldet sich und muß eine hinhaltende Antwort erhalten. Das Thema konventionelle Rüstungsbegrenzung soll von den Vorbereitungen einer europäischen Konferenz für Sicherheit und Zusammenarbeit getrennt gehalten werden, wie wir uns in Washington verständigt haben. Mehr Sorge macht mir die Feststellung auf einer gemeinsamen Sitzung der außenpolitischen Arbeitskreise beider Koalitionsfraktionen, daß unser Konzept nicht verinnerlicht und geistig nicht verarbeitet ist. Die Informationen haben nicht ausgereicht, um den Gehalt der Regierungserklärungen zu verstehen. Ich hatte übersehen: Was für mich inzwischen zu ausgelatschten Schuhen geworden war, schien vielen in beiden Fraktionen neu und überraschend. Der Vorsitzende der Opposition war durch mich besser informiert als die Koalitionsfraktionen. Für die FDP war das Scheels Aufgabe, für die SPD war Wehner verantwortlich; ich merkte nicht, daß dieser sich durch die tägliche Routine, die Brandt und Ehmke erledigten, nicht ausreichend informiert fühlte. Dabei zeigte Scheel noch immer Schwächen, sowohl im Plenum des Bundestages als auch im Auswärtigen Ausschuß.

Endlich, am 12. Mai, wieder in Moskau, tischt Gromyko eine neue Variante auf: Wenn wir eine Verschärfung der Grenzformel annehmen, könnte er »vielleicht« bereit sein, einen Brief zur deutschen Selbstbestimmung anzunehmen. Zu Berlin bleibt er stur. Also betone ich, daß wir Gewaltverzicht und befriedigende Berlin-Regelung als Einheit betrachten, und denke nicht daran, ihn für den »Vielleicht«-Brief zu loben; denn in der Grenzfrage sehe ich keine Manövriermasse mehr. Ungerührt wiederholt der Minister seine Forderung und verbindet sie mit der Versicherung, seine Seite wolle zügig zu einem Abschluß kommen. In einem Vier-Augen-Gespräch setzt er seine Seelenmassage fort. Ich verstünde vielleicht nicht zu würdigen, was es bedeutet, wenn er elastischer als manche seiner Verbündeten formulieren wolle, aber nur wenn die Grenzen den Charakter der Unverrückbarkeit bekämen, hätte der Gewaltverzicht ein solides Fundament. Ich konterte, eine Anerkennung der Oder-Neiße-Grenze käme bei allen anderen bekannten Argumenten schon deshalb nicht in Frage, weil das eine Alleinvertretungsanmaßung und die Vorwegnahme einer endgültigen Regelung bedeuten würde. Daß wir auch künftig keine Gebietsansprüche erheben wollten, sei genug. Freundlich lud er mich zu einem Besuch in Tbilissi ein, uns als Tiflis vertraut.

Über den Draht wurde der Grund klar: Ulbricht, Stoph und Honecker kamen, um mit Breschnew die zweite Begegnung mit Brandt in Kassel zu besprechen. Sie würden wohl auch drängen, daß die sowjetische Seite nicht zu nachgiebig Bonn gegenüber werde; der Wunsch nach völkerrechtlicher Anerkennung sei nicht vom Tisch. Die DDR bot also ihre großen Kaliber auf, obwohl offensichtlich substantielle Vereinbarungen

in Kassel gar nicht getroffen werden konnten, solange unser Meinungsaustausch in Moskau in der Schwebe hing. Ulbricht unternahm nach
meiner Einschätzung einen Versuch, Moskau auf Forderungen festzulegen, die für Bonn unannehmbar waren, und damit ein Ergebnis zu
verhindern, das auf seine Kosten ging. Deshalb würde die Entwicklung
in den nächsten acht bis zehn Tagen auf eine Entscheidung zulaufen.

Jedenfalls war es angenehm, nicht untätig gleichzeitig mit der DDR-
Spitze in Moskau herumzuhängen. Leo begleitete Sanne und mich
wieder. Auf dem Weg zum Flugplatz begegneten wir der Wagenkolonne mit DDR-Stander. Tbilissi, bunter in den Farben und interessanter in der Architektur als Moskau, füllte nicht nur eine Lücke der
Allgemeinbildung, daß diese erstaunlichen Römer die steinernen Zeug-
nisse ihrer Herrschaft sogar im fernen Georgien hinterlassen hatten.
Frappierender war der Augenschein, daß diese Georgier gegenüber den
Russen wirkten wie Italiener zu Norddeutschen. Eine Erkundigung
ergab, daß weniger als fünf Prozent Zeitungen in russischer Sprache
verkauft wurden; die Vorherrschaft der eigenen Sprache und Schrift
führte zu dem Gedanken, daß es sich eigentlich um ein besetztes Land
handelte, trotz seines immer noch verehrten Sohnes, der sich Stalin
genannt hatte. Wir bewunderten die Ursprünglichkeit der Landschaft
und genossen einen Tag lang die Gebräuche der üppigen Kultur des
Essens wie des Trinkens.

Zurück in Moskau höre ich inoffiziell, daß die Intervention Ulbrichts
nicht zu einer Verhärtung der sowjetischen Position uns gegenüber
geführt habe. Er bleibt aber, zur Erholung. Er will bestimmt durch
Unterrichtung und Interpretation von Kassel die Blamage von Erfurt
vergessen machen und damit auch sowjetisches Mißtrauen uns gegenüber wecken; denn dem Kreml ist nicht so einfach klarzumachen, daß
eine demokratische Regierung Demonstrationen nicht ohne weiteres
verbieten kann. Leo berichtet, daß eine Brandt verächtlich machende
Karikatur in einer unserer Zeitungen wider Willen geholfen hat:
Breschnew habe sie kopfschüttelnd angesehen; wie man denn einen
Staatsmann so darstellen könne; nun verstehe er mehr.

Auf der offiziellen Ebene ist die sowjetische Haltung unverändert.
Meinem Argument, ich könnte zur Grenzfrage in Moskau nur vertre-
ten, was wir auch Warschau vorschlagen, begegnet Falin unter vier
Augen, die Polen würden wie die Sowjets auf Anerkennung bestehen.

Das bedeutet, der gute Duckwitz kommt in Warschau nicht weiter; entschieden wird in Moskau. In diese Situation haben sich die Polen selbst manövriert, was sie später nicht davon abhalten wird, darüber zu klagen, wie unsensibel für den polnischen Stolz Deutsche und Russen wieder einmal gewesen wären.

Ich erlebe es in quälenden Sitzungen: Dogmatische Maximalforderungen der DDR und Polens sind nur in Moskau und mit Moskau zu überwinden. Wenn es nicht gelingt, die Führungsmacht zu bewegen, ist die ganze Ostpolitik gescheitert. Das ist aus dem Ablauf der Verhandlungen zu beweisen. Man möchte es herausschreien, aber darf gerade das nicht, um die »Souveränität« der beiden Staaten nicht so zu verletzen, daß die notwendigen Verhandlungen mit ihnen nicht platzen. Erbitternd wird bald sein, daß die Führung der Opposition intelligent genug ist, um diese Situation zu begreifen, aber rücksichtslos die Bundesregierung angreift, die den sowjetischen Führungsanspruch über Staaten anerkenne, die sie selbst als Satelliten bezeichnet.

Im Vier-Augen-Gespräch erprobt Falin, ob »Unantastbarkeit« der Grenzen geht. Vielleicht wäre das damit zu verbinden, daß wir schreiben, beide »anerkennen die territoriale Integrität aller Staaten in Europa«. Da ist wieder das ominöse Wort Anerkennung, das ich keinesfalls irgendwo auftauchen lassen will, auch wenn die unmittelbare Verbindung mit den Grenzen weg ist. Wir gehen Wort für Wort diesen Punkt nochmals durch. Am Nachmittag bewegt sich Gromyko dickhäutig wie ein Elefant und trampelt auf meinen Nerven, weil er so tut, als habe es das Gespräch mit Falin gar nicht gegeben. Es sei wichtig für die Sowjetunion wie für ihre Verbündeten, jeden Doppelsinn zu vermeiden. Er bitte also um Prüfung seiner Vorschläge und verziert sie mit der Versicherung des ernsthaften Interesses seiner Regierung. Ganz kühl fügt er an, er habe gehört, ich wolle nach Bonn fahren. Wir könnten nach meiner Rückkehr unseren Meinungsaustausch fortsetzen. Allardt macht große erschrockene Augen. Ich gebe mir den Anschein, als sei ich durch Gromykos Grobheit ungerührt; schließlich hatte der mir eine Unterbrechung nahegelegt, die ich nicht wollte. Ich fragte nur lakonisch, ob er so zu verstehen sei, daß wir seine Vorschläge nur annehmen oder ablehnen könnten. Die Antwort lautete: Nein. Um die eisige Stimmung zu mildern, wurden die Mitarbeiter beauftragt, ihre Textvergleiche in beiden Sprachen für alle anderen abgeschlossenen Punkte fortzusetzen. Da nichts mehr zu sagen blieb, wurde die Sitzung aufgehoben; in zwei Tagen würde man sich wieder treffen.

Nun mußte ich ernsthaft überlegen, nach Bonn zu fliegen. In einem früheren Stadium hatte ich Sanne gebeten, sich zu Hause zu erkundigen, wie lange es dauern würde, bis eine Sondermaschine mich aus Moskau holen könnte, falls ich Beratungsbedarf mit diesen verdammten Bonnern hätte, die sich unverändert in Schweigen hüllten. Das hätte im Ernstfall mindestens 48 Stunden gebraucht, kam also für eine kurzfristige Unterbrechung nicht in Betracht; eine Bundeswehrmaschine war noch nicht in die Sowjetunion geflogen. Bei der krisenhaften Zuspitzung wollte ich die nächste Sitzung abwarten. Wenn sich die Sowjets wieder nicht bewegen, würde ich zu Hause feststellen müssen, ob wir uns bewegen konnten oder wollten; denn bisher war ich im Konzept geblieben. Die Zentrale hatte sich darauf verlassen. Es wäre ganz unmöglich gewesen, auf eigene Kappe, wenngleich nur unter Vorbehalt, in einem Schlüsselpunkt nachzugeben. In der Bewertung der Lage teilte ich deshalb dem Amt mit, daß für die nächste Sitzung kein Fortschritt zu erwarten sei, ich dann die Rückkehr plane, obwohl Aussetzung auch zu Verhärtung führen könne. Es sei wohl für die Sowjetunion neu und beunruhigend, eine Interessenabwägung vornehmen zu müssen zwischen offenem Dissens mit Polen, Schwierigkeiten mit der DDR und einem Abkommen mit uns.

In der abhörsicheren Kabine der Botschaft schimpfte ich auf Gromyko, der uns aus dem Lande komplimentiere, fast dränge. Daß ich ihm damit Unrecht tat, erfuhr ich allerdings erst durch die Lektüre von Falins *Erinnerungen*. Sannes Anfrage hatte zu einer Anfrage bei sowjetischen Stellen geführt; das hatten die dem Minister gemeldet, der glaubte, ich wolle mit dem Abflug winken und Druck auf ihn ausüben. Mir war nach solchen Spielchen aber gar nicht zumute. Falin wurde befohlen, mich zu finden und um jeden Preis dafür zu sorgen, daß ich bliebe, Befehl des Politbüros. Als er mich auftrieb – ich war mit Lothar Loewe zu einem ARD-Interview vor dem Landschloß in Archangelskoje verabredet –, erkundigte er sich, es gebe ein Gerücht, ich wolle nach Bonn fliegen, was ich wahrheitsgemäß verneinen konnte.

Allardt hatte sich schon früher über meinen Langmut gewundert: »Jetzt kommt der Pferdefuß; den Sowjets sind ihre Verbündeten wichtiger als Bonn.« Ich mußte zugeben, daß ich mehr als einmal während der

Verhandlungen innerlich gekocht, aber mich beherrscht hatte. Zum einen saß da eine Supermacht, zum anderen wollten wir etwas, und schließlich hatten sich bisher nur die Moskowiter bewegt. Deshalb hatte ich manches heruntergeschluckt oder getan, als sei ich zu dumm oder zu dickfellig, um auf Spitzen zu reagieren.

Doch jetzt hatte Gromyko den Bogen überspannt. Ich formulierte einen persönlichen Brief an ihn, nur von Sanne beraten:

»Nach unserer gestrigen Sitzung habe ich ernsthaft erwogen, heute nach Bonn zurückzukehren, weil es mir sinnlos erscheinen mußte, jetzt einen Meinungsaustausch fortzusetzen, dessen Ergebnisse jeweils durch neue Wünsche oder die Wiederaufnahme alter in Frage gestellt werden. Nachdem Sie in Ihrer gestrigen Eingangserklärung mit keinem Wort auf die Ergebnisse der Arbeitssitzung mit dem von Ihnen autorisierten Vertreter eingegangen waren und sich vorbehielten, auf später zu vereinbarende Texte abermals zurückzukommen, sollten wir uns und unseren Regierungen im Interesse der Verbesserung der Beziehungen zwischen unseren Ländern die bloße Wiederholung einer unkonstruktiven Sitzung ersparen.

Ich hoffe, daß Sie mich als einen Mann kennengelernt haben, der ernsthaft und ehrlich um die konkrete Entspannung bemüht ist. Nur aus diesem Grunde habe ich in der Delegationssitzung so zurückhaltend reagiert und Vorschläge gemacht, die uns noch einmal Zeit zum Überlegen lassen. Nur aus diesem Grunde habe ich mich entschlossen, diese Zeilen an Sie zu richten.

Bei allem Verständnis für die von Ihnen dargelegten Überlegungen bin ich der festen Überzeugung, daß der ausgearbeitete Text von gestern mittag den objektiven Zielen und den Interessen unserer beiden Regierungen entspricht. Ich kann und werde nach den in stundenlangen Diskussionen gemachten Erfahrungen auch meiner Regierung gegenüber keinen anderen Standpunkt vertreten. Nach vielen Monaten eines derartigen intensiven Meinungsaustauschs kann sich in den nächsten zwei oder vier Wochen keine wesentliche Änderung der bekannten Argumente ergeben. Die Erfahrung spricht dafür, daß eine faktische Vertagung niemandem Vorteile, sondern nur Nachteile für beide Seiten und die Sache insgesamt bringt.

Diesen Gesichtspunkt wollte ich Ihnen in großem Ernst nahebringen, bevor wir morgen noch einmal zusammentreffen.«

Der Text war klar, aber ob ein solcher ultimativer Brief abgeschickt werden sollte, mußte überschlafen werden. Am nächsten Morgen zeigte ich ihn Allardt. Der äußerte sich entsetzt: »So etwas können Sie nicht auf die eigene Kappe nehmen. Die Methode ›Friß Vogel oder stirb‹ gegenüber dem Außenminister der Sowjetunion setzt nicht nur die Verhandlungen, sondern unser Gesamtverhältnis aufs Spiel. Das ist nicht ohne Rückendeckung durch Bonn zu verantworten.« Mir schien im Gegenteil, nur ohne Rückfrage würde die Bundesregierung, falls Gromyko keine Wirkung zeigte, mich desavouieren und durch einen anderen Verhandlungsführer ersetzen können. Bonn, unvertraut mit der Atmosphäre, durfte gar nicht in die Verantwortung genommen werden. Nachdem der Brief Gromyko zugestellt war, wurde Bonn von dem Vorgang im Wortlaut informiert, zum erstenmal unter »streng geheim«, damit keine Prestigefragen oder das Gefühl der Demütigung entstehen konnten.

Am Nachmittag findet Falin in einem Vier-Augen-Gespräch, ich hätte mit dem Brief zu hart reagiert. Gromyko sei, ein Ergebnis der kollektiven Führung, noch nicht in der Lage gewesen, Stellung zu nehmen. Er sei halt ein Mann, dessen Art dann zu solcher Wortwahl führe. Ich entgegnete kühl, bei allem Verständnis für kollektive Führung sei das Verhalten des Ministers der Lage nicht adäquat gewesen. Auch ich hätte meine Art und meinen Stil, wenn ich die Worte seines Ministers ernst nähme und auf solchen Druck entsprechend reagiere. Wenn sich das morgen fortsetze, würde ich vor den beiden Delegationen nicht anders reagieren. Dann übergab ich ihm den Wortlaut unseres Briefentwurfs zur deutschen Einheit, nach der Einleitung mit dem entscheidenden Satz: »Das Gewaltverzichtsabkommen beeinträchtigt nicht das Ziel der Bundesrepublik Deutschland, unter Wahrung der legitimen Interessen aller Beteiligten an der Schaffung einer europäischen Friedensordnung mitzuwirken, die dem deutschen Volk seine Einheit wiedergibt, wenn es sich dafür in freier Selbstbestimmung entscheidet.«

Am nächsten Tag ließ uns Gromyko, ein Freund der Pünktlichkeit, im Sitzungsraum etwas warten. Dann erschien Falin, winkte mich zur Tür und fragte, ob mein persönlicher Brief an den ›Minister auch die Meinung der Bundesregierung sei. Der entscheidende Punkt konnte den scharfen Augen nicht entgangen sein. Ich log: »Ja«, worauf er sich umdrehte und uns wieder allein ließ. Nach einer Weile erschien Gromyko und begann geschäftsmäßig, ihm sei berichtet worden, daß die Textvergleiche der Mitarbeiter erfolgreich abgeschlossen sind. Ich nickte nur. Bei der letzten Sitzung habe er noch keine Zeit gefunden, den Text zu prüfen, der zwischen Falin und mir ausgearbeitet worden sei. Er könne ihm zustimmen.

Uff, ein Stein fiel mir vom Herzen, was er weder hören noch sehen konnte. So einfach war das! Ich quittierte ebenso geschäftsmäßig, damit könnten wir unseren Meinungsaustausch als beendet betrachten, um nach Prüfung durch die Regierungen die Umsetzung in Vertragstexte zu beginnen. Ich würde meiner Regierung positiv berichten. Damit könnten die sechs Punkte der Absichtserklärungen (der zweite Teil des »Bahr-Papiers«) als akzeptiert gelten und würden nicht mehr zur Diskussion stehen. Gromyko betonte, die Bundesregierung könne davon ausgehen, daß seine Regierung dieser Grundlage bereits zugestimmt habe. Er sei bereit, in der nächsten Woche im Turnus Dienstag und Freitag die Verhandlungen zügig zum Abschluß zu bringen. Es wurde vereinbart, bis dahin keine Texte zu veröffentlichen. Während die Mitarbeiter sich an den Textvergleich der eben angenommenen Formulierung von der unverletzlichen Grenze machten, verabschiedete ich mich von Gromyko, nicht erstaunt darüber, daß auch der leiseste Anflug von Erleichterung, Erfolg oder gar Herzlichkeit fehlte.

In der Botschaft wurde die kürzeste Vorrangmeldung meiner Laufbahn nach Bonn abgefertigt: »Geschafft. Telegramm folgt. Bahr, Allardt.« Der Botschafter ließ Champagner kommen, gratulierte ehrlich, wie ich empfand. Dann kam ein Telegramm des Außenministers, er billige den Brief an Gromyko und meine Haltung. Die Lüge war aus der Welt. Ich hätte ihm um den Hals fallen mögen und habe Scheel dieses Telegramm nie vergessen.

In meiner abschließenden Bewertung hieß es: »Das durch den Brief erzwungene Ergebnis zeigt den ehrlichen Willen, besser gesagt die gefällte Entscheidung der sowjetischen Regierung, auf der gefundenen Grundlage zügig trotz Bedenken aus Ostberlin und Warschau abzuschließen. Das ist eine Konstellation, die mit einiger Sicherheit nur dann nicht verlorengeht, wenn wir ebenfalls so schnell es irgend geht die Verhandlungen beginnen und zum Abschluß bringen. Jeder Ausdruck des Triumphes wäre jetzt gefährlich.«

Aber in Bonn herrscht die Innenpolitik. In der Bundestagsdebatte wirkt Scheel kraftvoll. Baron Guttenberg hat seine große letzte Stunde, was mich zu einer Notiz an den Kanzler veranlaßt, hier zeige sich der Grund, warum die Ostpolitik der Union nicht klappen konnte. Während die Opposition sich äußert, als ob sie sich befreit von den Kompromissen der Großen Koalition fühlt, kündigt Ralf Dahrendorf, Parlamentarischer Staatssekretär im Auswärtigen Amt, mir auf der Regierungsbank Bedenken Genschers für die anstehende Ministerbesprechung an. Während der Kanzler erklärt, daß eine Entscheidung über die Verhandlungsaufnahme in der nächsten Kabinettssitzung nicht fallen werde, schon weil der Außenminister nach Rom müsse, wendet sich Barzel kopfnickend Genscher zu, und Zimmermann applaudiert: »Bravo, Herr Genscher!«, was Barzel zu einer vertuschenden Handbewegung veranlaßt. In der Kabinettssitzung kommt es gar nicht zum Vortrag. Tags zuvor hatte Scheel über das Treffen mit seinen Außenministerkollegen berichtet, die sich über das Moskauer Ergebnis durchweg begeistert geäußert hätten. Michael Stewart, der britische Außenminister, hätte sich erhoben und von einer historischen Stunde für die Allianz gesprochen; wir stünden am Vorabend eines großen Schritts nach vorn. Brandt und Scheel bestätigen meinen Terminvorschlag, am 9. Juni in Moskau zu verhandeln. Ich lasse Sanne dort nachfragen, ob das passe und ein Überflug durch die Bundeswehr möglich sei. Gleichzeitig wird Kissinger verständigt.

Genscher stellt erstaunliche Fragen: Ob das Wort »antasten« ein Verbot bedeute, Grenzänderungen zwischen uns und den Dänen vornehmen zu können, und wo die Sicherheit Berlins bleibe, solange die DDR behaupte, es liege in und auf ihrem Territorium? Dahrendorf vertritt den Außenminister in der Kabinettssitzung und äußert bei aller Zustimmung zu seinem Minister schwere Bedenken, daß eine heutige Zustimmung für schnell abschließende Verhandlungen keine Mehrheit finden und die Koalition gefährden könne. Bei aller Bewunderung für meine Verhandlungsführung bedauere er, daß wir in eine Lage gebracht worden seien, in der es nur Zustimmung oder Ablehnung gebe. Barzel habe recht, wenn er sage, in Wahrheit hätten wir über andere Staaten mit den Sowjets gesprochen und würden ihre Herrschaft festigen, kurz, die Sache sei noch nicht reif. Genscher beklagt ohne Rücksicht, daß dies eine Kritik an seinem Außenminister und Parteivorsitzenden sei, daß er noch keine volle Kenntnis der Texte habe, deren Verfassungsmäßigkeit er mit seinem Staatssekretär prüfen müsse. Aber natürlich wollten die Freien Demokraten den Vertrag. Brandt fühlt sich zu der Klarstellung genötigt, daß die letzte positive Weisung an mich von Scheel gekommen sei und die Zustimmung des Kanzlers gefunden habe. Ergebnis: Vertagung auf die nächste Woche.

Ich suche in meinem Vorrat nicht druckreifer Wörter, aber nur im Geiste, und empfange im Bungalow Gratulationen und Glückwünsche der dort versammelten Botschafter, während alles wackelt. Selbst einer unserer früheren Botschafter in Moskau, v. Walther, bekennt, auch ein alter Hase könne sich irren, und Allardt schickt ein besorgtes Kabel, man müsse das Eisen schmieden, solange es heiß sei, zumal der Brief zur Einheit nur auf dem Wort Gromykos stehe, der bei langem Zögern vergeßlich werden könne. Sanne kommt zurück, die Sowjets hätten den 9. Juni als Verhandlungstermin angenommen. Moskau meldet sich telefonisch und bestätigt auch den Flug einer Bundeswehrmaschine, und ich muß erklären, daß wir den Termin nicht halten können. Eine Stunde später ein neuer Anruf aus Moskau, merklich kühler: Eine Verzögerung sei nicht gut; auch Gromyko habe einen Terminkalender. Schöne Bescherung: Die Sowjets wollen, der Westen strahlt, die Regierung will auch und kann vielleicht nicht. Am Abend ist der Kanzler ziemlich ernst: Unser Schlesier, Hupka, sei auf dem Absprung; die CDU wolle einige Abgeordnete kaufen. Es gäbe sogar den Gedanken an Sturz. Scheel kommt dazu und plaudert, alles sei nicht so ernst. Dahrendorf sei immer erschreckt. Die Sache bekämen wir hin.

Am nächsten Morgen fahre ich zum Frühstück bei Genscher. Es wird alles genau abgesprochen. Er möchte für seine Partei eine richtige Blume herausholen. Scheel mache es sich zu leicht. In die Präambel könne man eine Passage aufnehmen, die das Ganze in das Interesse des deutschen Selbstbestimmungsrechts stellt, was der Opposition die Ablehnung erschweren würde. Er sucht nach einem Punkt im Beiwerk, also Brief zur deutschen Einheit oder Berlin-Erklärung, von dem man sagen könne, daß Scheel ihn Gromyko abgerungen habe. In einem Vermerk an den Kanzler schreibe ich: »Dafür ist Raum genug.«

In der Sitzung des Parteivorstandes poltert Wehner gegen die verlumpte Art, die uns abhängig vom Gezeter der Opposition mache. Ich war ihm wohl auch zu fein: Allzuweit dürfe man die Absicherung nicht treiben, wenn man nicht schwächer werden wolle. Schmidt findet das Zögern vor einer Hürde, die wohl alle sähen, verständlich. Ralphy-Boy berichtet, seine Leute in Washington wüßten nicht, was sie über Berlin verhandeln sollten. Nixon wolle nichts, was wir als Hindernis für unsere Ostpolitik betrachten könnten; wenn uns die beiden amerikanischen Sender in München störten, also Radio Free Europe und Radio Liberty, müßte das sauber geregelt werden.

Mitte Juni platzt die Bombe. *Quick* veröffentlicht den Wortlaut des »Bahr-Papiers«. Das hat der deutschen Verhandlungsposition geschadet, obwohl die Illustrierte nicht an die Abrede der Vertraulichkeit gebunden war. Denn nun wurde jede Änderung zu einer öffentlich sichtbaren Prestigefrage für die Sowjetunion und ihren Außenminister. Wo war das Leck? Es konnte nur bei Beamten liegen, die als Überzeugungstäter ihre Pflicht zur Verschwiegenheit gebrochen hatten. Die Untersuchung ergab nichts. Ich hatte zwei Botschaftsräte in Moskau im Auge. Einen der beiden Namen hörte ich viel später ganz unverhofft.

1993 hatte das Magazin der *Süddeutschen Zeitung* die Idee, zwei alte Kämpen zusammenzubringen, um zu sehen, was die Milde der vergangenen Zeit von der früheren Leidenschaftlichkeit übriggelassen hatte. Ich folgte der Einladung in das schmucke Haus am Fuße der Zugspitze um so lieber, als der Besitzer, Rainer Barzel, mir ein Lieblingsessen, vorzügliche Weißwürste in unbegrenzter Zahl, versprach. Falls die Redakteure auf eine Neuauflage alten erbitterten Streits gerechnet hatten, mußten wir sie enttäuschen; der Blick auf die Schönheiten der Landschaft, Barzels Frau und der rustikal gedeckte Tisch auf der Terrasse vermittelten Harmonie. Ich erinnerte den Gastgeber, wie ich ihn kennengelernt hatte. Durch meinen Freund Peter Bender, genauer durch dessen Bekannte Helga, die später einen Dr. Wex heiratete und eine bedeutende Rolle in der CDU spielte.

Peter und ich hatten dieselbe Schulbank im Friedenauer Gymnasium gedrückt und gemeinsam unsere Nietzsche-Faszination durchkostet. *Jenseits von Gut und Böse* entsprach dem Zeitgefühl, *Fröhliche Wissenschaft* den eigenen Planungen, und *Zarathustra* wurde Begleiter in der Soldatenzeit. Nach dem Krieg verdiente sich Peter sein Studium als Alt-Historiker, weil nur dies ein überschaubarer Abschnitt der Geschichte sei, und promovierte mit einer Forschungsarbeit über den Alpenübergang Hannibals, die vielleicht dank der Unbeweisbarkeit neuerer Thesen sogar stimmen könnte. Weil der abgeklärte Blick des Historikers der Tagespolitik nicht schaden könne, empfahl ich ihn dem SFB in Bonn, zumal etwas Besseres nicht in Sicht war. Weil es dabei blieb, gewann die deutsche Publizistik eine Feder, die Präzision unserer Sprache pflegt, und ich einen Freund, bewährt über bald sechs Jahrzehnte, wertvoll auch, weil er nicht nur scharf beobachtet, sondern ebenso denkt. Wenn die Logik seiner Überlegungen weiter reichte, als die niedere politische Wirklichkeit gestattete, so habe ich doch immer bei allem, was insbesondere Ostpolitik ausmachte, dankbar die Parallelität des Denkens und die unabhängige Verbundenheit im Geben und Nehmen empfunden.

Als wir eines Abends Anfang der fünfziger Jahre zu dritt zusammensaßen, meinte Helga, ich müsse unbedingt den jüngsten Regierungsrat kennenlernen, der in der Landesvertretung von Nordrhein-Westfalen arbeite, eine Ausnahmeerscheinung an Intelligenz, der eine große Zukunft habe, ziemlich fortschrittlich und gar nicht verbohrt sei. Ich fand das Urteil bestätigt. 1993, am Fuß der Berge und nach der siebten Weißwurst fand ich noch immer, daß Barzel ohne sein »Jetzt nicht und so nicht!« hätte Kanzler werden können. Gerade seine Informiertheit und Einsicht, der Vertrag dürfe nicht scheitern, hätten ihm die Kraft geben müssen, seiner Partei eine Zustimmung zu empfehlen; die Unentschiedenheit in einer Lebensfrage der Nation hat ihn Ansehen und Amt gekostet. Und ohne die »Enthüllung des Bahr-Papiers« wäre die Atmosphäre nicht so »geladen« gewesen, weder innen- noch ostpolitisch. Und plötzlich nennt Barzel den Namen Immo Stabreit, ohne jeden Zusammenhang und irgendeine Charakterisierung oder einen Kommentar von mir. Das war damals einer der Botschaftsräte in Moskau.

Im Juni 1970 bekomme ich den Entwurf des Auswärtigen Amtes für einen Brief zur deutschen Einheit. Der ist viel schöner als meiner. Vielleicht war ich betriebsblind geworden über den Erfolg, einen Brief im Prinzip durchgesetzt zu haben, und hatte meinen Vorschlag, in dem noch ein paar Formulierungen waren, die man sich wegverhandeln lassen konnte, so formuliert, daß er nicht schwer für die Sowjets zu schlucken wäre; wenn die Berufsdiplomaten ein besseres Dokument erreichen könnten, so sollte es mich freuen. Also erhob ich keine Einwände gegen den Entwurf des Amtes. Es gab ohnehin mehrere Gründe, für die abschließende Runde ins zweite Glied zu treten. Die

Sache und die Medien hatten mich stärker ins Rampenlicht gerückt, als es für das Gewicht Scheels in seiner doppelten Eigenschaft als Außenminister und Parteivorsitzender bekömmlich war. Die Koalition durfte nicht darunter leiden. Außerdem mußte das ein Vertrag der Gesamtregierung werden; ein Werk, das für eine nicht überschaubare Zeit die Grundlage der Zusammenarbeit zwischen Bonn und Moskau legen sollte, mußte mit den Namen Brandt und Scheel verbunden werden.

Endlich, am 26. Juli, landet Scheel mit seiner Delegation in Moskau. Wir werden in zwei Villen auf den Leninbergen untergebracht, in denen früher einmal Bulganin und Kossygin gewohnt haben sollen. Für den Ranghöheren ein klein wenig größer, sonst aber gleicher Grundriß, gleiche Zimmereinteilung, gleicher Kinosaal, gleiches Billardzimmer, gleiche Möbel. Das Prinzip der Gleichheit ist beachtlich auf diesem hohen Niveau, auch wenn es zu der Gleichheit für die Lebensumstände weiter unten Klassenunterschiede zuläßt. Die überladene Frühstückstafel bietet Yoghurt, Saft, Mineralwasser, mehrere Fischsorten, Aufschnitt, Gurken, Tomaten, kalten Braten, Käse, Obst, Konfekt, ergänzt durch einen kleinen warmen Gang und zwei Schüsseln mit schwarzem und rotem Kaviar. Lediglich an die mitteleuropäische Gewohnheit, Kaffee und Tee nicht erst am Ende dieses Morgenmahls zu reichen, mußte sich die Bedienung gewöhnen. Nur wer im Luxus lebt, lebt angenehm; Brecht hätte hinzufügen können: und paßt sich leicht ihm an. Allardt berichtete aus seiner Zeit an der Botschaft in Teheran, wo nach Kriegsbeginn die Versorgung mit Marmelade ausblieb und als Ersatz jeden Morgen Kaviar vertilgt werden mußte; nach wenigen Wochen hätte man diese Eierchen nicht mehr sehen wollen. Wir blieben nicht lange genug in Moskau, um Übersättigung zu genießen.

Am Verhandlungstisch wurde die Lage sofort kompliziert. Der Bundesaußenminister, dem die innere Spannung anzumerken war, durfte den Vertrag nicht gefährden, wollte ihn prägen und mußte die Schwäche überwinden, in die er durch die Veröffentlichung des »Bahr-Papiers« gebracht worden war. Er begann gegenüber Gromyko unglücklich: »In Ihren ausführlichen Gesprächen mit Staatssekretär Bahr ist die Substanz dessen, was man territorial Status quo und politisch Modus vivendi nennen kann, ziemlich genau umrissen. Wenn die deutsche Delegation dennoch Vorschläge zur endgültigen Gestaltung des Vertragstextes machen wird, so geschieht dies nicht in der Absicht, die Substanz der zwischen Ihnen und Herrn Bahr gefundenen Texte zu verändern, sondern aus dem Wunsch heraus, durch zusätzliche Präzisierung jedes Mißverständnis in der Interpretation zu vermeiden. Außerdem sollten wir dem Vertrag eine Präambel voranstellen, die der Bedeutung des Geschehens angemessen ist.« Ich wurde ziemlich nervös; denn in eine undiplomatische Sprache übersetzt hieß das: Ihr, Gromyko und Bahr, habt ganz befriedigend gewerkelt, habt Texte »gefunden«, aber jetzt geht es erst ernsthaft los.

Außerdem tauchte der ominöse Begriff »Modus vivendi« auf. Das war eine Erfindung von Frank, korrekt, weil die Endgültigkeit eines Friedensvertrages fehlte, deshalb wohl beruhigend für die Opposition gemeint, aber für die Sowjets alarmierend: War der Gewaltverzicht für die Grenzen nur vorläufig gemeint, bis zu einer besseren Gelegenheit? Was ist von einem Partner zu halten, der die Beziehungen auf ein neues Fundament für künftige Zusammenarbeit stellen will und gleichzeitig dafür den schillernden Begriff Modus vivendi benutzt, zuverlässig bis auf weiteres, solange man halt damit leben muß? Territorialer Status quo und politischer Modus vivendi, das roch fast nach Revisionismus in Glanzpapier, abgeleitet von mühsam erarbeiteten, ausbalancierten Texten. Ich habe den Ausdruck Modus vivendi gemieden, Brandt hat ihn, von taktischen innenpolitischen Gelegenheiten abgesehen, vermieden und gegenüber Moskau nicht benutzt. Der Begriff widersprach der Grundvorstellung der Ostpolitik, Verträge zu schließen, deren Architektur bis zur deutschen Einheit nicht mehr geändert werden muß beziehungsweise bis zu einem Friedensvertrag, falls es den je geben würde. Falls nicht, sollte aus der Vergangenheit kein noch regelungsbedürftiger Komplex zurückbleiben.

Das war auch der Grund, weshalb Brandt aus seinem Gespräch mit Kossygin zwei Wochen später die erwünschte Zusicherung oder Klärung mitbrachte, daß es keine sowjetischen Reparationsforderungen mehr geben werde. Die politische Logik schloß auch eine Laufzeit des Vertrages aus. Er sollte unbegrenzt bis zu einem Friedensvertrag gelten. Er war insofern Friedensvertragsersatz und wurde gegenstandslos mit dem Inkrafttreten des Zwei-plus-Vier-Abkommens.

Gromyko reagierte schroff auf Scheels Einführung. Insbesondere, nachdem trotz vereinbarter Vertraulichkeit die Texte unserer monatelangen Bemühungen veröffentlicht worden seien, komme keine Änderung mehr in Frage. »Kein Punkt, kein Komma.« Er schmückte das sowjetische Entgegenkommen aus, den schmerzhaften Prozeß des Verzichts auf völkerrechtliche Anerkennung vor allem, die Aufgabe der Sowjetunion, sich auf die Artikel 53 und 107 der UN-Charta zu stützen, klarer sogar als die Westmächte, und endlich bestätigte er die Bereitschaft, einen Brief zur deutschen Einheit entgegennehmen zu wollen. Ich schaltete mich ein und machte Gromyko darauf aufmerksam, daß wir schließlich keine unveränderbaren Bibeltexte vereinbart hatten. Aber die Sitzung endete ziemlich frostig, weil die sowjetische Seite auch keine Wortlaute der neuen deutschen Vorstellungen hatte.

Dieser nicht beneidenswerten Aufgabe mußte sich Frank gegenüber Falin unterziehen. Der dort ausgebreitete Stoff hätte Wochen von Verhandlungen erfordert. Weil auf sowjetischer Seite niemand glauben konnte, daß die zugereisten Deutschen den Gang des monatelangen Meinungsaustauschs nicht wirklich nachvollzogen und in ihr Bewußtsein aufgenommen hatten, mußte das Ganze wie ein plumpes Manöver erscheinen, darauf angelegt, die sowjetische Seite zu einem Nachgeben vor den Augen der Weltöffentlichkeit zu drängen. Das war aussichtslos. Weil aber die Herren des Auswärtigen Amtes ihre Vorschläge auch nicht von heute auf morgen aufgeben konnten, endeten mehrere Sitzungen immer wieder in einer Sackgasse. Scheel spürte das, obwohl er scheinbar ungerührt und leichtfüßig in Worten seine Anläufe wiederholte, ohne Wirkung bei seinem Gegenüber zu erzielen. Die Krise war da. Es muß Gromyko irritiert haben, daß Scheel sich gab, als gäbe es sie nicht, aber außerhalb des Sitzungssaals den Druck erkennen ließ, der auf ihm lastete. Frank und ich schirmten ihn gegenüber Journalisten ab, die ihn keinesfalls nicht ganz nüchtern erleben sollten, auch nicht am Billardtisch. Es ist gut, daß die Vorschläge des Amtes nie veröffentlicht worden sind.

Plötzlich meldete sich Leo telefonisch. Der »Draht« war mit unserer Ankunft stromlos geblieben. Als ich Scheel berichtete, die »Spielkameraden« hätten sich gemeldet, reagierte er: »Gott sei Dank. Nun wird alles gut.« Das stimmte auch. In zwei Besprechungen mit Falin und Slawa brachten wir die Kuh vom Eis: Konzentration auf die Präambel, keine Substanzveränderungen im Kern, ein wenig Kosmetik bis hin zum Wortlaut dessen, was Gromyko Scheel bei einer Einladung auf dem Lande vorschlagen sollte; denn der mußte etwas ohne Vorwarnung bekommen, was ihm gestattete, stillschweigend Unerfüllbares fallen lassen zu können. Es handelte sich um die interessante Ergänzung meiner Texte, die in den Scheel-Verhandlungen durchgesetzt wurde: Eine sprachliche Verknüpfung von Artikel 2 und Artikel 3 stellte einen direkten Zusammenhang zwischen »Grenzrespektierung« und »Gewaltverzicht« her. Ich unterrichtete den Bundeskanzler in einem persönlichen Brief (1. August): »Die Brücke zwischen den Leitsätzen 2 und 3 ist zu einer Kernfrage geworden. Wir haben dabei dieselbe Situation wie bei der letzten Gromyko-Forderung im Mai. Ich habe dies mit letztem Ernst als ein essential dargestellt in der internen Beratung mit Falin mit dem Ergebnis, daß das Politbüro dies in der letzten Nacht akzeptiert hat.«

Zurück von der Landpartie äußerten sich Scheel und Frank freudig erleichtert über den Durchbruch. Der vielleicht schönere Entwurf eines Briefes zur Einheit verschwand, statt dessen wurde Bonn ein Wortlaut übermittelt, der auf meinem Entwurf basierte; Falin hatte ihn noch kürzer und eleganter formuliert: Meine europäische Friedensordnung erinnerte die Sowjets zu sehr an Hitlers Vokabular. Der überarbeitete endgültige Text sagte, »daß dieser Vertrag nicht im Widerspruch zu dem politischen Ziel der Bundesrepublik steht, auf einen Zustand des Friedens in Europa hinzuwirken, in dem das deutsche Volk in freier Selbstbestimmung seine Einheit wiedererlangt«.

Eine Episode aus der Schlußphase der Verhandlungen kennzeichnete die völkerrechtliche Lage unseres Landes: Ich hatte die Botschafter der Drei Westmächte in Moskau unterrichtet, wie zufrieden wir seien, mit der sowjetischen Seite förmlich Einverständnis erreicht zu haben, daß die Rechte der Vier Mächte in keinem Zusammenhang mit dem beabsichtigten Vertrag stünden und von ihnen nicht berührt würden. Immerhin sei das mehr, als die Drei Mächte in den letzten Jahren erreicht hätten. Aber der Appetit kommt bekanntlich beim Essen. Nun verlangten sie eine Konsultation, als der Termin für die Paraphierung schon vereinbart war, was sie wußten. Es sollte erörtert werden, ob Moskau nicht zu einem Brief solchen Inhalts an die Drei Mächte veranlaßt werden könnte. Die Beratungen in der abhörsicheren »Laube« der Botschaft, leidenschaftlich und kühl, auf engstem Raum und innerhalb weniger Stunden, wurde zu einer wichtigen Etappe für politische Mündigkeit.

Traditionelle Anpassung hätte nahegelegt, dem Wunsch der drei Botschafter zu entsprechen; Konsultationen hätten Abstimmungen mit den drei Hauptstädten ausgelöst, den Termin der Paraphierung platzen lassen und uns nicht nur in den Augen der Sowjets lächerlich gemacht: ein kleiner Gernegroß, der, wenn es darauf ankommt, wie ein Vasall auf das Kopfnicken seiner souveränen »Freunde« wartet. Wir hatten die Rechte der Vier Mächte nicht nur beachtet, was genug gewesen wäre, sondern gewahrt. Die Klammer um Deutschland als Ganzes sollte uns nicht mehr hindern, in diesem Rahmen zu handeln wie andere Staaten. Die Leichtigkeit, mit der Scheel auch später »Hoch auf dem gelben Wagen« trällerte, ließ viele seinen harten Kern übersehen, ohne den er politisch nicht überlebt hätte. Der Außenminister erwies sich als souverän und entschied, das Erreichte hätte er schon vor drei Monaten seinen westlichen Kollegen als wünschenswert bezeichnet. Das Verhandlungsergebnis sei voll befriedigend. Die Sowjets erfuhren nichts von dieser Episode, die Paraphierung fand wie vereinbart statt, und die drei westlichen Außenminister gratulierten ihrem deutschen Kollegen.

Am Vorabend der Paraphierung wurden Sanne und ich zum erstenmal zu Leo nach Hause eingeladen. Die kleine Zweizimmerwohnung war bis zur letzten Ecke ausgenutzt, mit Regalen für Taschenbücher auch über den Türen, Erinnerungen seiner Reisen und viel Deutschem in Küche und Toilette. Lydia, gewinnend, sympathisch, herzlich, ohne ein Wort deutsch, eilte zwischen Küche und Zimmer, um uns mit Bliny zu versorgen, wie ich sie nie besser bekommen habe. Die Tochter Olga, eine russische Schönheit, konnte gut deutsch. Sie arbeitete bei einer in Moskau ansässigen Firma der DDR. Das Du zwischen den Männern entsprach dem Gefühl, die Einbeziehung der Damen war eine angenehme Zugabe. Der ganze Druck der letzten Monate wich. Den Vertrag würde niemand mehr aus der Welt bringen. »Das reicht für ein Leben. Wenn ich jetzt sterbe, wäre ich nicht traurig.« Aber diese Empfindung wollten die anderen nicht teilen.

Das Feld war bereitet für die Unterzeichnung durch den Bundeskanzler. Ich konnte genießen: Die Begrüßung durch Kossygin und Gromyko mit einer Ehrenformation auf dem Flugplatz, das wohlige Erschauern, als ich unsere Nationalhymne zum erstenmal in Moskau hörte, den dankbaren Händedruck des Freundes auf seiner ersten Fahrt in den Kreml, das funktionierende Protokoll, das gleichzeitig die Türen aufgehen ließ, um Brandt und Breschnew einander entgegengehen zu lassen, den Eindruck, daß die versammelten Größen des Politbüros keinen besonderen Eindruck machten, den Gedanken, daß vor ziemlich genau 31 Jahren in demselben Saal Ribbentrop und Molotow einen Vertrag unterzeichnet hatten; statt Stalin sah nun Breschnew zu, wie die beiden Regierungschefs und ihre Außenminister ihre Namen unter Dokumente setzten. Botschafter Zarapkin klaute die Füller und mußte – ertappt – mir einen abtreten. Gromyko stellte mich Breschnew vor, der die Aura des zweitmächtigsten Mannes der Welt verbreitete, so daß die Frage, ob er ein bedeutender Mann war, gar nicht aufkam. Bei den amerikanischen Präsidenten war das umgekehrt: Da wurde bei jedem die Qualität seiner Persönlichkeit geprüft; denn die Macht stand außer Frage. Ich meinte, einen menschlichen Kontakt zum Herrn des Kreml gefunden zu haben, aber das mußte sich erweisen.

Vier Stunden dauerte das persönliche Gespräch, zu dem sich Generalsekretär und Kanzler zurückzogen, genauer gesagt waren es vier lange Monologe, Breschnew noch an Papieren klebend. Das wichtigste Ergebnis bestand im Gefühl der beiden Beteiligten, mehr Zeit füreinander zu brauchen und neugierig auf den anderen zu bleiben. Das zweite Ergebnis fanden die beiden Parteichefs: Der sowjetische konnte den deutschen verstehen, daß der gar nicht daran dachte, seinen Berliner Landesverband zu einer selbständigen Partei zu machen. Im Grunde wurde die Begegnung zum Durchbruch für das Ende der sowjetischen Politik von der selbständigen politischen Einheit West-Berlins und seine Einbeziehung in die Politik der Entspannung. Das dritte Ergebnis entwickelte sich als das langlebigste: Man vereinbarte nicht nur, sich jährlich einmal zu treffen, sondern installierte, statt des »Drahtes«, einen vertraulichen »Kanal« zwischen den politischen Spitzen beider Länder.

Damit trat neben eine solche Verbindung zu Washington ein »back channel« zu Moskau. Ich bekam Telefonnummern, konnte Leo ständig erreichen und innerhalb von Stunden nach Berlin oder Bonn holen. Dazu brauchte er ein Jahresvisum, das Scheel und in seiner Nachfolge Genscher ohne jede Rückfrage ausstellen ließen. Slawa kam nur bis West-Berlin, dazu war ein Visum nicht erforderlich, so daß meine Funktion als Berlin-Bevollmächtigter auch in dieser Hinsicht eine gute Voraussetzung für engeres Zusammenwirken wurde.

Eine Bedeutung des »Kanals« beschrieb Scheel drei Monate später: Er habe mich in Warschau schmerzlich vermißt. Ohne Verbindungen zu den politischen Stellen wisse man nicht, was gehe und was nicht, wann eine Entscheidung komme und wie, hinge also in der Luft und im Ungewissen. Der Vertrag mit Polen werde schlechter ausfallen, als erreichbar gewesen wäre, wenn es neben dem offiziellen einen politischen Kontakt gegeben hätte. In der Tat hat das Auswärtige Amt lange nicht begriffen, daß bei Verhandlungen mit kommunistischen Staaten nicht mit der kompetenten Stelle verhandelt wird, wenn unserer Seite Vertreter des Außenministeriums einschließlich des Außenministers gegenübersitzen.

Die andere Funktion entfaltete der Kanal, indem er durch einen von Prestigegesichtspunkten weitgehend freien Meinungsaustausch zwischen den Spitzen gestattete. Es entwickelte sich ein Briefwechsel, der Vertrauen wachsen ließ, weil beide Seiten erfuhren, daß sie sich auf das so Übermittelte besser verlassen konnten als auf Berichte von Botschaften, Zeitungen, sogar ihrer Dienste. Außerdem blieb der Kanal dicht, was in Bonn ein halbes Wunder und nur zu erreichen war, weil nicht mehr als fünf Personen operativ mit Inhalt und Technik befaßt waren. Die Sache war zu sensibel und zu wertvoll, als daß eine Indiskretion oder ein Mißbrauch riskiert werden durften. Auf dem direkten Weg über Breschnew konnte zum Beispiel die Position seines Außenministeriums verändert werden, was die Drei Mächte nicht ernsthaft wollten, als es um die Bundespässe für die West-Berliner ging.

Über diesen Kanal schaffte sich Breschnew einen Vorsprung an verläßlicher Information vor seinen Kollegen und Apparaten; seine außenpolitische Kompetenz entwickelte sich, unterstützt von vorzüglichen Beratern in seiner unmittelbaren Umgebung, über die Beziehungen zur Bundesrepublik und trug den Namen Brandt. Breschnews schwer erklärbare persönliche Neigung zu ihm, für die er, wie wir heute wissen, Ulbricht und Honecker beschwindelte, wäre ohne den Kanal kaum entwickelt worden und nicht zu erklären.

Umgekehrt gewann der deutsche Kanzler Gewicht und Autorität; nicht zuletzt Washington erkannte, wie wertvoll ein Partner in Europa wurde, der über eine direkte Verbindung zum Kreml und eigene Erkenntnisse verfügte. Mehrfach gab es amerikanische Bitten, das eine oder andere Moskau auf diesem Weg wissen zu lassen oder nahezulegen. Sofern das geschah, erfolgte es immer unter einem entsprechenden erklärenden Hinweis. Hier durfte keinerlei Zweifel aufkommen über unsere Haltung, weder gegenüber dem alten Freund noch gegenüber dem neuen Partner.

Nachdem Helmut Schmidt 1974 Bundeskanzler geworden war, informierte ich ihn über den Kanal, mit der Empfehlung, ihn fortzusetzen und durch einen Mann seines besonderen Vertrauens »bedienen« zu lassen. Er bat mich, diese Aufgabe auch bei ihm weiterzuführen. Im Laufe der Jahre gewann der Kanal Züge von Institutionalisierung. Man gewöhnte sich beiderseits daran, mündliche Botschaften auszutauschen, darunter solche, die offensichtlich nicht für die Chefs bestimmt waren, aber wichtig für seine Umgebung sein konnten, Erläuterungen oder Warnungen. Eine Attentatswarnung erfolgte einmal auf diesem mündlichen Weg, übrigens auch eine über den amerikanischen Kanal, oder ich erbat eine Antwort auf eine israelische Frage, die nicht vom »Chef« kommen, aber korrekt sein mußte. Als die Gesundheit Breschnews nachließ, haben Schmidt und ich uns mehrfach gefragt, mit wem da eigentlich korrespondiert wurde. Es war die Frage: Wer ist die Führung? Aber wie auch immer die Antwort heißen mochte: Klar und verläßlich funktionierte der Kanal zwischen der Führung in Moskau und dem deutschen Kanzler.

Nachdem Helmut Kohl 1982 Bundeskanzler geworden war, bat ich, ohne Brandt und Schmidt darüber zu informieren, um ein Gespräch. Wir kannten uns gut genug, um ziemlich offen über Personen in beiden Parteien reden zu können. Er verbarg nicht, daß er manch verbalen Hochmut Schmidts nicht vergessen hatte und dennoch dessen Bitten bei der Amtsübergabe selbstverständlich erfüllt habe. »Als Bundeskanzler müssen Sie von der Existenz einer Verbindung zur Kremlspitze wissen.« Ich berichtete über Geschichte, Charakter und Arbeitsweise des Kanals. »Ob Sie das fortsetzen wollen, ist Ihre Entscheidung. Falls ja, würde ich die Russen fragen, ob die das auch wollen. Ich weiß das nicht, aber gehe davon aus. Bei einem positiven Echo müßten Sie einen Mann Ihres Vertrauens benennen; und in einer Zusammenkunft würde ich den Kanal in aller Form übergeben.« Kohl dankte. Er neige dazu, das zu machen; »man kann nicht wissen, was in den kommenden Jahren alles passiert, wo eine solche direkte Verbindung wertvoll ist.« Aber er wolle es eine Nacht überschlafen und mich am nächsten Morgen anrufen. Der Anruf kam prompt und war sehr kurz: »Die Antwort heißt ja. Alles andere besprechen Sie bitte mit Teltschik.«

Wir trafen uns zu dritt im Kanzleramt, Horst Teltschik, ein Nachfolger von Leo und ich. Wenn ich an der Stelle des Kanzlerberaters gewesen wäre, hätte ich es nicht anders und nicht besser machen können: Kontinuität, Zurückhaltung und Offenheit in gerade richtiger Mischung. Da ließ der neue Kanzler eine wichtige Weiche stellen und setzte sein Prestige dafür ein, während ein Stockwerk darunter die neuen Koalitionspartner noch über ihr außenpolitisches Regierungsprogramm debattierten. Ich fuhr zu Brandt, berichtete ihm und schloß: »Ich glaube, was unsere Ostpolitik angeht, ist das Schicksal des Landes in guten Händen.«

Gelegentlich erhielt ich von deutscher Seite Indizien über den weiter funktionierenden Kanal. Kein Zweifel, daß solche Kanäle zwischen Regierungschefs nicht zur reinen Freude ihrer Außenminister, trotz wechselnder Personen, Regierungen und Systeme auch heute noch arbeiten, methodisch an die jeweiligen Umstände angepaßt. Auf diese Möglichkeit von Vertrauensbildung und kurz geschlossener Entscheidungsfindung zu verzichten, wäre töricht.

Der Kanal, über den im jeweiligen Zusammenhang zu berichten sein wird, hat Blicke hinter die kalte und gelackte Fassade des sowjetischen Systems erlaubt. Was für Slawa und Leo zu Beginn im wesentlichen nur Auftrag gewesen sein mag, wurde zur Passion. In Moskau und Ostberlin beargwöhnt, auch geneidet; denn Bedeutung und Einfluß dieser beiden Männer überstiegen bei weitem den Rang ihrer Stellung, von Reiseprivilegien ganz zu schweigen. Wem an der Moskwa oder Spree die ganze Richtung der neuen auf Bonn ausgerichteten Politik nicht paßte, fand Angriffsflächen am leichtesten bei diesen offiziös, aber verdeckt Operierenden. Sie lebten gefährlich und nahmen, systembedingt, erstaunliche Risiken in Kauf. Ihr Motiv bildete die Überzeugung, dahin verdichtete sich meine Auffassung im Lauf der Jahre: Je besser die Beziehungen zur Bundesrepublik, um so besser für ihr Land und die Stabilität in Europa.

Ohne die staatsmännische Seite in Andropow wäre diese Chance nicht eröffnet worden. Als er Generalsekretär wurde, hätte man denken können, daß der Kanal noch größere Bedeutung bekommen würde. Statt dessen schrumpfte sie. Slawa hat das akzeptiert, realistisch und robuster als Leo, der unter seinen vergeblichen Reaktivierungsversuchen litt. Zu Beginn des Jahres 1987 traf ich ihn am Rande eines

Bergedorfer Gesprächs in Moskau. »Dies ist mein letzter Versuch«, sagte er. Als Helmut Schmidt kam, ging ich in die Sitzung. Später setzte sich Schmidt neben mich und flüsterte: »Du, geh doch noch mal raus; deinem Freund geht es nicht gut.« Der fühlte sich sichtbar besser nach dem Gespräch mit dem früheren Kanzler. Ich blickte ihm nach, wie er durch die Tür ging, ohne sich noch einmal umzublicken, und etwas gebeugt im dunklen Mantel in dem unfreundlichen Moskauer Grau von Schnee, Matsch und Regen verschwand. Im April jenes Jahres ist er plötzlich und friedlich gestorben. Slawa tauchte nach der Wende in Bonn auf, als Chefkorrespondent von TASS, der unveränderten Überzeugung folgend, wie entscheidend das vertrauensvolle Zusammenwirken zwischen Rußland und Deutschland für beide Länder und ihre Nachbarn bleibt, über die Zeiten hinweg.

Wie sah die Bilanz des Moskauer Vertrages aus? Den größten Gewinn für die Bundesrepublik hatte Brandt in einem Vier-Augen-Gespräch dem französischen Präsidenten Georges Pompidou gegenüber einen Monat zuvor so ausgedrückt: Die Sowjets würden ein Mittel aus der Hand geben, das sie bisher zur Disziplinierung im Warschauer Pakt benützt hätten, nämlich die antideutsche Linie und die Anprangerung eines vorgeblichen deutschen Revanchismus. Gleichzeitig bekämen ihre Partner im Warschauer Pakt mehr Bewegungsfreiheit. »Es fragt sich, ob über das bedrückende China-Problem und über die großen innenpolitischen Probleme hinaus, die geradezu nach stärkerer wirtschaftlicher und technischer Zusammenarbeit mit dem Westen rufen, die russischen Führer nach der tschechischen Krise eingesehen haben – Breschnew-Doktrin hin, Breschnew-Doktrin her –, daß es für sie schwer ist, an dieser Art der Disziplinierung festzuhalten. Es wäre für mich faszinierend festzustellen, daß die Russen die antideutsche Karte im interkommunistischen Bereich aus der Hand geben.«

In dieser vorweggenommenen Analyse war auch der sowjetische Gewinn enthalten: neben der innenpolitischen Entlastung und den wirtschaftlichen Hoffnungen eine Respektierung oder sogar Bestätigung ihrer Führungsrolle im »Lager«. Dieser Preis war unser Eintrittsgeld, um das Tor zum Osten zu öffnen. Auch hier wurde die scheinbare Widersprüchlichkeit der Entspannungspolitik deutlich: Hat die Bestätigung der Wirklichkeit den Warschauer Pakt stabilisiert oder destabilisiert? Den Status quo zunächst anerkennen, um ihn dann zu ändern:

Jede Seite sollte, konnte und mußte sich Vorteile ausrechnen. Einen Vertrag, der offensichtlich nur uns Vorteile gebracht hätte, konnte die schwache Bundesrepublik nicht erzwingen. Die weitere Entwicklung würde zeigen, welche Kalkulation aufging.

In einem weiteren Punkt konnte die Rechnung aufgemacht werden. Gewaltverzicht statt völkerrechtlicher Anerkennung des Status quo: Ihren Gewinn mußten die Russen mit der Pflicht bezahlen, die uns gemachten Zugeständnisse nun auch in Berlin und Warschau durchzusetzen. Was wir gaben, band sie, und das, ohne einen Schlußstrich unter die deutsche Frage ziehen zu können. Sie blieb ausdrücklich offen.

Der Moskauer Vertrag verschaffte der Bundesrepublik außenpolitisch zusätzliches Gewicht und Ansehen. Ich spürte das, als ich zwei Wochen später Henry Kissinger in Washington ausführlich unterrichtete. »Ich habe noch nicht erlebt, daß eine Regierung uns vorher sagt, was sie machen will, es dann auch tut, und es sogar funktioniert.« Dies war der Beginn eines intimen Zusammenwirkens, ohne das es das Vier-Mächte-Abkommen über Berlin nicht gegeben hätte.

Innenpolitisch gehörte zu den Passiva, daß die Opposition, deren Ablehnung der ganzen Linie ohnehin nicht zu steigern war, auf den Torso verweisen konnte: Eine Berlin-Regelung stand aus. Dagegen zählte zu den Aktiva, daß die Bevölkerung zu Recht empfand, die Bedrohung aus dem Osten mindere sich, was später Strauß sogar fürchten ließ, die Angst könne einschlafen und die Verteidigungsbereitschaft beschädigen.

So sehr Gromyko dazu zwang, in den Verhandlungen das deutsche Selbstbestimmungsrecht zu thematisieren, so sehr hütete ich mich, es auf der internen Ebene auch nur zu erwähnen; denn das Thema sollte offenbleiben, aber die überschaubare nächste Wegstrecke nicht belasten. Der Anspruch durfte nicht verlorengehen, aber ich hatte keine Vorstellung, wann er zu verwirklichen sein würde. Um so mehr elektrisierte es, als Leo an dem Abend in seiner Wohnung plötzlich sagte: »Ich weiß ja nicht, ob Deutschland eines Tages wiedervereinigt werden wird; aber wenn, dann haben Sie jetzt den ersten Schritt gemacht.«

Der Schlüssel lag in Moskau. Die Geschichte hat es bewiesen. Aber wer den Eindruck vermeiden will, die Zukunft prophezeit zu haben, bevor sie Vergangenheit wurde, muß sich über sein damaliges Denken Rechenschaft ablegen. Die internationale Diskussion darüber, ob die

Sowjetunion und ihr System veränderbar oder reformierbar seien, habe ich immer für akademisch gehalten. Ich glaubte jedenfalls, daß die Politik Moskaus beeinflußbar sei, und schrieb Anfang 1970 an Staatssekretär Duckwitz: »Man kann über die langfristigen Absichten der Sowjetunion verschieden philosophieren. Welcher Schule man auch immer darüber den Vorzug geben mag, man sollte sicher nicht so tun, als handle es sich um feste, unverrückbare und unbeeinflußbare Positionen.« Sie war weder innen- noch außenpolitisch so monolithisch und starr, wie sie sich gab.

An einen Berliner Freund schrieb ich zwei Jahre später, ich hätte die ganze Politik nicht ohne die Überzeugung gemacht, »dadurch wirkliche Ansatzpunkte für eine langfristige Entwicklung der deutschen Frage zu erhalten. Die einzigen, die zur Zeit theoretisch dafür sind, sind die Amerikaner. Aber ich halte es für möglich, langfristig auch die Russen zur historischen Vernunft zu bringen.« Nur diese beiden Länder waren stark genug, um die deutsche Einheit nicht fürchten zu müssen. Ziel und Richtung waren also klar. Vorstellungen zu einem konkreten Plan gab es nicht. Es fragte auch niemand danach. Sogar die Voraussetzung einer Friedensordnung für Europa, die auch den kleineren Staaten eine Zustimmung ermöglichen würde, lag noch in nebelhafter Ferne. Doch selbst wenn sie erreichbar sein würde, erschien dann die nächste Hürde: Die Sowjetunion müßte die DDR aufgeben und damit den westlichen Eckpfeiler ihres Imperiums. Wer wollte übermütig genug sein, einer solchen vermessenen Vorstellung nachzuhängen?

Doch wie auch immer. Der Moskauer Vertrag hatte mir eine Erfahrung beschert und sich zu der unerschütterlichen Überzeugung verdichtet: Die Sowjetunion kann bewegt werden. Auch durch uns. Ihre Interessen können mit den Deutschen in Teilbereichen auf einen Nenner gebracht werden. Das war der strategische Gewinn, den wir aus Moskau zollfrei ausführten.

Auf der Fahrt zum Abflug legte der Fahrer, als wir die Panzersperre passierten, seine Hand auf den Arm meiner Sekretärin: »Das kaputt, nie mehr.« Das Gefühl von Erleichterung gab es auf beiden Seiten. Falin, mit seinem gepflegten Hang zur Schwarzmalerei, warnte, es könne uns noch einmal leid tun, den Vier Mächten eine so zentrale Rolle gegeben zu haben. Es sei nun doch möglich, daß Amerika unseren Vertrag torpediere, indem es die Verhandlungen über Berlin zum Scheitern bringe. Ich äußerte mich überzeugter, als ich war, daß dies nicht passieren werde. Im übrigen wünschte er mir Glück: Unsere Verhandlungen seien hart gewesen, die mit der DDR würden schwieriger, aber das alles sei nichts gegen den leicht verletzlichen Stolz und die Starrköpfigkeit der Polen, die wir erleben würden.

Polen – eine unerwiderte Neigung

Polen, erstes Opfer Hitlers, zwischen ihm und Stalin geteilt, stand am Ende des Krieges als der Verlierer unter den Siegern. Der Vertrag mit unserem verwundeten und gedemütigten Nachbarn bedeutete für Brandt mehr als ein Abkommen über eine Grenze, die nicht einmal eine der Bundesrepublik war. Sogar mehr als das Kalkül, mit dem Verzicht auf Gebietsansprüche, bindend auch für seine Nachfolger, eine unverzichtbare Voraussetzung für die deutsche Einheit zu schaffen. Brandt wollte dem Verhältnis zu Polen eine vergleichbare Qualität geben wie der zu Frankreich und eine europäische Perspektive öffnen.

Obwohl und weil durch die Absichtserklärungen in Moskau der Rahmen vorgezeichnet war, verliefen die Verhandlungen zäh. Wieder einmal erschien der Schatten, daß Deutsche und Russen für Polen politischen Raum abstecken. Wir wollten der Realität der Moskauer Dominanz gerecht werden, die Polen mußten es. In die Beratungen, die unter der Leitung zunächst von Ferdinand Duckwitz, dann Paul Frank stattfanden, schaltete ich mich nur selten und behutsam ein, wenn der polnische Delegationsleiter, Vizeaußenminister Józef Winiewicz, ein feinsinniger und einfühlsamer Mann, bat, das fragile Schiffchen flottzumachen, oder vor Sandbänken warnte. Er hat dann doch eine in Nuancen festere als die Moskauer Grenzformel durchgesetzt, wie das Amt etwas betreten mitteilte. Aber das war einem Volk zu gönnen, das ohne seinen unbändigen Stolz, zuweilen die Vernunft mißachtend, die Tragödie seiner Geschichte nicht überlebt hätte.

»Das wird eine schwere Reise«, wußte Brandt. Wie emotionsüberladen sie wurde, ahnte niemand. Eine kleine in der größeren Geschichte: Der Kanzler hatte Marion Gräfin Dönhoff eingeladen, ihn zu begleiten. Ihm lag an der Teilnahme eines Menschen, der den Verlust der geliebten Heimat mit bedeutendem Familienbesitz und die Einsicht wie die Bereitschaft zur Versöhnung verkörperte. Wie lassen sich traditionelle Werte des preußischen Adels mit seinem Widerstand gegen Hitler auf die Gegenwart übertragen, mehr sein als scheinen, geistige Unabhängigkeit, praktische Vernunft, Toleranz, Zivilcourage, Dienst für die öffentlichen Dinge, und das alles nicht bemüht, sondern bescheiden und dennoch unübersehbar gelebt – welcher ihrer Vorfahren hat dem Namen Dönhoff mehr Glanz, über die Grenzen unseres Landes hinaus gegeben? Sie hatte sich entschlossen, die schwere Fahrt mitzumachen, rief mich aber am Tag vor der Abreise an, um abzusagen mit der Bitte um Verständnis: Sie halte den Vertrag für richtig, aber nach der Unterzeichnung obligatorisch darauf anzustoßen, mochte sie sich nicht zumuten. Zurückgekehrt bestätigte der Kanzler handschriftlich sein Verständnis; Einsicht in einen Verlust und seine völkerrechtliche Besiegelung sind nicht dasselbe.

Nach der Landung in Warschau (6. Dezember 1970) fühlte ich mich eingesogen in einen Strudel unterschiedlichster Empfindungen, auf sicheren Boden entlassen erst zwei Tage später, als die Maschine des Kanzlers etwas wackelig zum Rückflug startete. Dem Wagen von Winiewicz zugeteilt, begründete er während der Fahrt sein fehlerfreies Deutsch: Bei seiner Geburt hatte es keinen polnischen Staat gegeben; er hatte die Sprache in der deutschen Schule gelernt und sie weder im Londoner Exil noch als Botschafter in den USA vergessen können. Ich erzähle von den schönen Erinnerungen an Schlesien, die geliebten Verwandten dort, und an Ostpreußen und von der Großmutter, die 1946 den Transport im Viehwagen nach Westfalen gerade überlebt hatte, er von toten Angehörigen. Mein Bericht über die schwierigen Gespräche mit Michael Kohl findet das Echo, wir müßten großzügig sein, die DDR habe Minderwertigkeitskomplexe. »Sie sind schon jetzt zu groß für die Franzosen; für Ihre unmittelbaren östlichen Nachbarn erst recht.« Ein Denkmal sollte man Adenauer setzen. Er habe Polen die Teilung garantiert, und »seien Sie ehrlich: Das ist doch besser für alle«.

Die Unterbringung im Schloß Wilanów ist fürstlich und erinnert an eine gelungene Mischung von Wien und Paris. Am Abend empfängt der Ministerpräsident. Józef Cyrankiewicz entschuldigt sich fast, als Untertan von Kaiser Franz Joseph geboren, für sein bemühtes Deutsch. Als hätte er auch als ehemaliger Sozialdemokrat darauf gewartet, spricht er Willy Brandt leise, mit Augenaufschlag und Seufzer, auf die große sozialistische Familie an. Das überrascht und kann Nachbarn im Osten und Westen nicht gefallen, falls es ihnen zugetragen wird. Die seltsame polnische Version des Bonner Alleinvertretungsanspruchs: Brandt sei der erste Regierungschef, der Polen nach Hitler wieder besuche, als ob Ulbricht nicht ernst zu nehmen wäre. Die mitteleuropäischen Interessen, die Rapacki vor zehn Jahren ausgedrückt hat, sind noch immer lebendig. Er läßt sich begierig unsere verwandten Sicherheitsvorstellungen erläutern. Fast geht alles zu schnell und reibungslos. Innerhalb von zwei Stunden wird aus zurückhaltender Fremdheit eine Atmosphäre, in der man sich wie unter guten alten Bekannten vorkommt. »Wir führen ein europäisches Gespräch«, sagt Cyrankiewicz mit Augen, die fast so blank sind wie seine Glatze.

Die brutalen Realitäten holen uns schnell ein. An der Fernsehansprache des Kanzlers wird noch lange in der Nacht weitergearbeitet. Günter Grass und Siegfried Lenz helfen. Auch wenn nichts preisgegeben wird, was längst verspielt ist, fällt die mündige Einsicht schwer. Die deutsche Unterschrift unter den Verlust von Land, den die Sieger verfügt haben, muß die Landsleute belasten und verletzen, die nach denen, die Tote zu beklagen haben, durch die verlorene Heimat am meisten bezahlen mußten; gerade weil ihnen falsche Hoffnungen gemacht worden sind. Wir wissen, hier passiert etwas Definitives; der rechtliche Vorbehalt des ausstehenden Friedensvertrags ist unentbehrliche wie bloße Formsache. Was für diese Regierung in Bonn ein bedeutender Kraftakt ist, bedeutet für Warschau den Vollzug des längst Selbstverständlichen.

Nicht weniger kompliziert, daß Vertriebenenverbände Recht auf Heimat fordern, während mehr ihre Heimat verlassen wollen, als die Polen zuzugeben bereit sind. Wir sprächen zu viel von Familienzusammenführung, die nach jahrzehntelanger ethnischer Vermischung oft auch Familientrennung bedeute. »Einige zehntausend« sind sie bereit zu formulieren, vielleicht 40 000 sagen sie unter der Hand. Drei Jahre nach der Erfüllung ihrer Zusagen werde ich dann in mehreren vertraulichen Gesprächen mit einem Beauftragten der polnischen Führung versuchen, zusätzlich 120 000 Ausreisen zu erwirken. In keinem Zusammenhang damit sollen die Wünsche für eine Milliarde D-Mark stehen. Das unerfreuliche Tauziehen läuft über viele Wochen. Als wir dann bei 560 Millionen angekommen sind, zieht Brandt vor, daß ich wegen dieser Summe mit dem Finanzminister spreche. Schmidt lehnt brüsk ab. Ich befand mich in einiger Verlegenheit und machte mir Gedanken, wie ich das den Polen beibringen sollte, bis ich merkte, daß sie sich nicht meldeten, weil dieser Preis in Warschau aus umgekehrten Gründen keine Gnade fand. Als Kanzler wird Schmidt dann etwas über eine Milliarde direkt zur Verfügung stellen, und es werden, in keinem Zusammenhang damit, über 100 000 Menschen Polen verlassen. Als Helmut Kohl dann Bundeskanzler geworden war, wunderte sich der polnische Botschafter: »Früher haben wir Geld bekommen, damit die Menschen kommen; jetzt bekommen wir Geld, damit sie bleiben.« Noch etwas später wollen wir nichts mehr von unserer Forderung wissen, daß die Menschen sich frei bewegen müssen zwischen den Wohnungen des europäischen Hauses.

Zenon Kliszko galt als harter Brocken und Vertrauter Gomulkas. Wie er seine Stellung im Politbüro empfand, ergab sich aus einem Vergleich, als wir durch die Altstadt schlendern, in eine gemütliche Kneipe gehen, wo er freundlich begrüßt wird, und wir unter anderen Gästen sitzen: »Können Sie sich vorstellen, mit Suslow oder Axen einen solchen Stadtbummel zu machen?« Das konnte ich nicht, auch ohne beide zu kennen. Er erzählte von seinem Gespräch mit Stehle in Rom. »Über Ihre Sicherheitsvorstellungen müssen wir weiter sprechen. Ich lade Sie ein, kommen Sie zu Weihnachten. Wir fahren nach Masuren. Ich bin auch für die führende Rolle der Sowjetunion, aber das kann keine Gottgleichheit sein.« Wir blickten über die Weichsel dorthin, wo die sowjetischen Truppen stehengeblieben seien, bis Wehrmacht und SS den Warschauer Aufstand niedergeschlagen hatten.

Als die Wagenkolonne sich zum Ghetto-Ehrenmal in Bewegung setzt, vergleichen Berthold Beitz und ich unsere Eindrücke. Wir steigen in Ruhe aus und haben es nicht eilig, uns der dichten Menge von Journalisten und Photographen zu nähern – da wird es plötzlich ganz still. Daß dieses hartgesottene Völkchen verstummt, ist selten. Beim Nähertreten flüstert einer: »Er kniet.« Gesehen habe ich das Bild erst, als es um die Welt ging. Den Freund zu fragen, habe ich mich auch am Abend beim letzten Whisky gescheut. Daß einer, der frei von geschichtlicher Schuld, geschichtliche Schuld seines Volkes bekannte, war ein Gedanke, aber große Worte zwischen uns waren unüblich. »Ich hatte das Empfinden, ein Neigen des Kopfes genügt nicht.«

Brandt und Gomulka waren sich in den letzten Monaten durch öffentliche Erklärungen entgegengekommen; ihre erste persönliche Begegnung blieb förmlicher, gemessen an dem persönlichen Kontakt, der sich so schnell mit Cyrankiewicz eingestellt hatte. »Sie haben uns harte Sachen gesagt, aber so gut, daß man es hört.« Will er nicht, kann er nicht, sieht er nicht: Wir haben Polen, auf dem Umweg über Moskau, den bisher gepflegten Feind genommen; die Bundesrepublik kann nach dem Vertrag nicht mehr verdammt werden, schon gar nicht, wenn sie anbietet, nationale Fragen nicht mehr isoliert, sondern europäisch zu beantworten. Das schafft Polen zusätzliches Gewicht und lockert seine Enge zwischen der Sowjetunion und der DDR. Zweimal bleibt Brandt ohne Echo, wenn er der Aussöhnung mit Frankreich vergleichbar die mit Polen hinzufügen möchte, soweit das bei unterschiedlichen Bündnissen möglich ist. Sein wiederholter Vorschlag, ein deutsch-polnisches Jugendwerk ähnlich dem deutsch-französischen zu beginnen, wird nicht beantwortet; das ist die höflichste Form der Zurückweisung. Vielleicht kommt das alles für die Polen zu schnell, aber enttäuschend bleibt, daß sie den Schwung eines historischen Neubeginns nicht nutzen.

Dabei bleibt die Atmosphäre erstaunlich. Das oft langweilige Verlesen vorbereiteter Tischreden empfindet Kliszko als unangemessen; er reicht Cyrankiewicz einen entsprechenden Zettel zu und bringt ihn aus dem Takt der hölzernen Sätze. Nachdem der – später veröffentlichte – Text beiseite gelegt ist, läßt der Ministerpräsident auch gleich den »Bundeskanzler« fallen und freut sich, mit »Willy Brandt« so einig zu sein. Irgend jemand fragt, ob wir Erich Koch haben wollen. Die Frage verschwindet unter dem kopfschüttelnden Erstaunen, daß weder Kliszko noch wir wußten, daß der Statthalter des Warthegaus hier noch im Gefängnis lebt, wie Rudolf Hess – geht mir durch den Kopf –, der viel weniger Blut an den Händen hat. Die einzige Ähnlichkeit mit den Moskauer Tagen: Man hätte sich viel mehr zu sagen, als die knappe Zeit zuließ. Auf dem Flugplatz mahnte Cyrankiewicz: »Sie müssen uns zu Weihnachten besuchen.« Ich sah ihn erst als Kollegen der Palme-Kommission zehn Jahre später wieder; denn zwei Wochen nach dem Abflug wurden Gomulka und seine Mannschaft abgelöst. Der Unwille über Preiserhöhungen war stärker als die Zufriedenheit über die Bestätigung der Oder-Neiße-Linie durch die Bundesdeutschen.

Vierundzwanzig Jahre später reiste Richard v. Weizsäcker zu seinem letzten Staatsbesuch als Bundespräsident nach Warschau, eine seiner großartigen Gesten, die mehr besagen als viele Worte. Die Stadt wirkte westlicher, als vielen Polen bewußt war. Auf dem Symposium hörte ich – Weizsäcker hatte es schon verlassen, um Präsident Lech Walesa seine Aufwartung zu machen –, wie Tadeusz Mazowiecki, inzwischen schon nicht mehr Ministerpräsident seines Landes, Bundeskanzler Helmut Kohl lobte für den historischen Akt des Staatsvertrags zur Oder-Neiße-Linie. Das wunderte mich, denn die deutsch-polnische Grenze war nicht einen Millimeter verändert worden, und Kohl hatte sich erst drängen lassen. Für die Perspektive wurde der deutsche Bundeskanzler gepriesen, das Verhältnis zu Polen neben das zu Frankreich zu stellen und ein deutsch-polnisches Jugendwerk zu entwickeln. Der Name Willy Brandt fiel nicht. Als ich mein Erstaunen darüber nicht unterdrücken konnte, entschuldigte sich Mazowiecki mit den Worten, der Kniefall sei unvergessen. Das war nun abermals enttäuschend.

Zwischen diesen beiden Daten lag die Geschichte der Solidarność und das Kriegsrecht und das Verständnis der Sozialdemokraten für General Jaruzelski, die sich im Recht glaubten, ohne sich dessen rühmen zu können, und die Begegnungen mit ihm und der Kirche und der Opposition, die – zur Macht gekommen – das natürlich nicht vergessen konnte. Sie blieb trotz der zuletzt noch ausgeräumten Mißverständnisse zwischen den beiden Friedensnobelpreisträgern Brandt und Walesa enttäuscht. Schon vor 1980 hatte es in Polen rumort. Auf dem Hintergrund der Erfahrungen seit 1953 konnte ich mir nicht vorstellen, daß es diesmal besser ausgehen müßte. Ich fand es schlicht verrückt, wegen der Erhöhung von Zigaretten- und Schnapspreisen den Generalstreik zu proben. Wie oft wollten die Polen noch lernen, daß die Sowjetunion nicht hinnehmen kann, wenn die Verbindung zu ihren zwanzig Divisionen in der DDR unkontrollierbar wird? Wir trauten Solidarność nicht das Augenmaß zu, die Sehne nicht zu überspannen. Das war ebenso falsch wie die Annahme, daß ein kommunistisch regiertes Land im Block nicht von unten, sondern nur von oben veränderbar sei. Polen war und blieb die Ausnahme. Polen läßt sich nicht mit anderen Ländern gleichsetzen. Aber verletzt fühlte ich mich durch den Verdacht, wir hätten Verständnis für das Regime gezeigt, weil Solidarność unbequem oder gar störend für unsere Entspannungspolitik gewirkt habe. Wir hatten

Sorge, wie andere auch, daß ein Einmarsch der Sowjets nicht nur vorbereitet, sondern möglich wäre, blutiger würde als 1956 in Ungarn, und den Polen nicht geholfen werden könnte.

Nicht ausschlaggebend, aber wichtig war, daß wir Mieczyslaw Rakowski aus seinen Bonner Journalistentagen als aufrichtigen, selbstkritischen und seriösen Mann kannten und ihm vertrauten. Auf seiner Rundreise versicherte er, daß der General das Kriegsrecht so bald wie möglich aufgeben wolle. Ich bedauerte den altbekannten Kollegen, stellvertretender Ministerpräsident in einer so schrecklichen Lage geworden zu sein, und beneidete ihn nicht um die undankbaren Verhandlungen mit der Solidarność. Ich bewunderte ihn später bei der noch undankbareren Aufgabe als Ministerpräsident, Regierung und Partei von oben zu entschlacken. Sein Ruhm als erster kommunistischer Reformer mit dem Mut zum Pluralismus wird nicht kleiner, weil ein Größerer in einem größeren Land ungleich größere Wirkungen erzielte.

Wir haben Solidarność unterschätzt und nicht ernst genug genommen. Ohne das manchmal Floskelhafte des amerikanischen Sprachgebrauchs: Das tut mir leid. Nicht weniger, daß Polen für Brandt und, nach meinem Empfinden, wohl von beiden Seiten, eine unerwiderte Neigung geblieben ist.

Das Abkommen der Vier über Berlin

Mit der Einschätzung Falins im Kopf, die DDR sei schwieriger, begann ich, die neue Weisung des Chefs auszuführen: »Du mußt dich jetzt auf Berlin konzentrieren. Außerdem solltest du dich darauf vorbereiten, die Verhandlungen mit der DDR zu führen.« Letzteres war bis dahin gar nicht klar gewesen; denn es gab einen Minister für Gesamtdeutsche Fragen. Egon Franke konnte sich ausrechnen, daß nach den vielen Jahren, in denen sein Ministerium seit 1949 unter Jakob Kaiser im wesentlichen gemahnt und geworben hatte, nun endlich die Stunde gekommen war, operativ Politik zu machen. Gerade das ging nicht. Gesamtdeutsche Fragen konnten unmittelbar gar nicht in einer Phase beantwortet werden, in der nach dem Ende des Alleinvertretungsanspruchs das Nebeneinander von zwei Staaten zu regeln war. Die harte Wirklichkeit hatte alle Inhaber dieses Amtes reduziert auf das Bemü-

hen, den Willen zur Einheit in der westdeutschen Bevölkerung wachzu-
halten, und auf die Kompetenz für den Freikauf von Häftlingen. Selbst
nach seiner logischen Umbenennung konnte es nicht einmal die »innerdeutschen« Angelegenheiten federführend behandeln; denn die blieben
im Kanzleramt, unausweichlich erst recht, als es wieder um Gesamt-
deutschland ging. »Reiner Propagandaquatsch« kennzeichnete Helmut
Schmidt das Ministerium und wollte es abschaffen. Als er Kanzler
wurde, merkte er schnell, daß es unklug wäre, den Repräsentanten der
»Rechten« in der Fraktion zu verärgern, auf deren Unterstützung er sich
verlassen wollte und konnte. Also blieb der »Quatsch« bis zum Ende der
Teilung; denn die CDU mit ihrem Sinn für werbewirksame gesamtdeutsche Ansprüche dachte erst recht nicht daran, den Laden aufzulösen.

1970 waren zwei Überlegungen ausschlaggebend. Die Existenz des
Ministeriums betrachteten die Machthaber in Ostberlin als Provokation. Sie mußten zwar hinnehmen, daß der Kanzler den Minister mit
nach Erfurt und Kassel nahm, aber ihn mit den Verhandlungen zu
betrauen, hätte der DDR genug Vorwände auch gegenüber Moskau
gegeben, um ihr Interesse am Scheitern, mindestens am Verzögern zum
Tragen zu bringen. Dieses Risiko war zu groß. Außerdem würden diese
Verhandlungen mit den Drei Mächten und den Sowjets zu koordinieren
sein und dies, so schätzten wir, gehöre nicht zu den Stärken von Egon
Franke. Es war eine bittere Pille, die Brandt ihm feinfühlig zu schlucken
gab. Er hat, nach anfänglichen Schwierigkeiten, zugestimmt und solide,
aufrecht, verläßlich und solidarisch mitgearbeitet. Egon Franke wurde
für mich zum Vorbild eines Sozialdemokraten, der die Sache über die
Person stellte.

Im Ministerium gab es viel Sachverstand über die DDR und Aufgeschlossenheit für eine Politik, die unfruchtbaren Verkrustungen der
Vergangenheit aufzubrechen. Ministerialdirektor Jürgen Weichert
wurde stellvertretender Delegationsleiter. Ich legte zudem Wert darauf,
Vertreter des Innen-, Justiz- und Verkehrsministeriums neben einem
des Auswärtigen Amtes in die Delegation aufzunehmen. Es wurde ein
Team, und jeder hatte seinen unentbehrlichen Anteil am Gelingen des
Ganzen während der Vorbereitung und während der Operation. Zwischen den Ressorts mußte vor Beginn der Verhandlungen abgestimmt
werden, welche Formeln »verfassungssicher« und zugleich »völker-
rechtssicher« waren: Das Grundgesetz mit seinem Gebot der deutschen

Selbstbestimmung und die fortdauernden Rechte der Vier Mächte waren auf einen Nenner zu bringen, um einen völkerrechtsgemäßen Vertrag mit der DDR zu ermöglichen. Das klingt heute haarspalterisch. Damals lag gerade da der innen- und außenpolitisch brisante Kern, die haarscharfe Grenze zwischen Verletzung des Grundgesetzes – mit dem unvermeidlichen Ende der Koalition – und der Verletzung der Vier-Mächte-Klammer um ganz Deutschland. Die rechtliche Konstruktion der Nation in zwei Staaten war zu finden, solange die Teilung dauerte. Fähigkeit und Bereitschaft zu konstruktiver Arbeit der verschiedenen Bürokratien hat sich damals so bewährt, wie zwanzig Jahre später, als es rechtlich einfacher, sachlich ungleich komplizierter um das politisch größere Werk des Einigungsvertrages ging. Bis dahin sollte der Grundvertrag mit der DDR, wie wir ihn im Herbst 1970 konzipierten, halten. Diesen Zweck hat er erfüllt.

Wieder einmal eilte die Planung der Wirklichkeit so weit voraus, daß der Zweifel am Sinn des eigenen Tuns nagte. Ob die Regierung die Monate bis zum Dezember des Jahres 1971 überstehen würde, war offen. Wie eigentlich immer standen Landtagswahlen bevor, in diesem Fall in Hessen und Bayern. Was geschieht, wenn die FDP scheitert, wurde aufgeregt erörtert, während Brandt ganz ruhig bei dem Gedanken an Neuwahlen oder Abtreten war. Dann ging alles gut, die SPD verlor etwas zugunsten der FDP, deren Vorsitzender von Leihstimmen nichts wissen wollte. Selten haben Verluste einen solchen Erfolg bedeutet; denn von Regierungskrise redete schlagartig niemand mehr. Im Gegenteil, stellte ich im Gespräch mit Barzel fest, hatte die Opposition die Hoffnung aufgegeben, die Regierung schnell stürzen zu können. Nachdem er mit dem Konzept für Berlin vertraut gemacht worden war, sagte er zu, seine Leute von einer Resolution in dieser Frage abzuhalten, in der Erwartung, weiterhin als einziger vollständig informiert zu werden. Er zeigte sich überzeugt, daß wir die Risiken auch gegenüber der DDR sähen und etwas Gutes wollten. Auf dieser Vertrauensbasis könnten wir arbeiten. Das ist dann auch insgesamt so geschehen, obwohl Brandt skeptisch blieb, wie lange der Oppositionsführer seriös bleiben würde.

Während die Verhandlungen der Vier Mächte vor sich hindümpelten, erhielten sie die Papiere unserer Berlin-Positionen mit der Bereitschaft zu notwendigen Verkehrsverhandlungen mit der DDR. Die Möglich-

346

keit, daß die beiden deutschen Regierungen dabei auch über das Transitthema reden, konnten die Drei Mächte als Erschwerung ihrer Lage am Konferenztisch empfinden. Sie schlugen eine Konferenz auf der obersten Beamtenebene vor. Dabei zeigten sich Meinungs- und Beurteilungsunterschiede. Für die Drei Mächte führte Martin Hillenbrand, Leiter der Europa-Abteilung im State Department, das Wort. Hillenbrand kannte sich in der deutschen Innenpolitik gut aus; als Botschafter in Bonn war er mit den Christdemokraten vertrauter geworden als mit den oppositionellen Sozialdemokraten und bestimmt nicht frei von einer Haltung aus der Besatzungszeit; er hatte mir einmal erläutert, daß die willkürliche Festsetzung, wonach der Dollar 4,20 DM wert sei, im amerikanischen Interesse der billigen Versorgung aus und in Deutschland gelegen habe. Wir gerieten ziemlich schnell aneinander, nicht nur über die Priorität der Verhandlungsziele.

Für die Alliierten stand an oberster Stelle eine sowjetische Bestätigung ihrer Auffassung vom Vier-Mächte-Status der gesamten Stadt, dessen Jungfräulichkeit ich seit dem Mauerbau nicht mehr für wiederherstellbar hielt. Ich konnte sie nicht davon abhalten, es dennoch zu versuchen. An zweiter Stelle stand das Ziel, West-Berlin aus einem Zustand zu befreien, der dem Osten jederzeit ermöglichte, politischen Druck durch Schikanen auf den Autobahnen auszuüben. Völlige Einigkeit bestand in dem Ziel, endlich den Zugang für den zivilen deutschen Verkehr unbehindert zu machen. Bisher hatte der Westen nicht gut ausgesehen, wenn die Sowjets der DDR grünes Licht gaben, um die Ampeln für die Deutschen auf den Autobahnen auf Rot zu stellen, während sie Angehörige der Drei Mächte passieren ließen. Schon während der Großen Koalition hatte das Kabinett überlegt, ob die Fahrer der Lastwagen ihren Verdienstausfall nach acht Stunden oder erst nach zwölf Stunden Wartezeit durch die Regierung ersetzt bekommen sollten. An vierter Stelle rangierte das Ziel, den Osten zur Aufgabe seiner Forderung von einer selbständigen politischen Einheit West-Berlins zu bewegen, also anzuerkennen, daß die Stadt zur Bundesrepublik gehört. Hier waren die Freunde verständlicherweise vorsichtig: Auf der einen Seite hatten sie nichts dagegen, auf der anderen Seite durfte ihre letzte Verantwortung für die Stadt nicht leiden, die von ihnen und eben nie unmittelbar von Bonn aus »regiert« wurde.

Wir wollten unbedingt erreichen, daß niemand der 20 000 Bundesbediensteten seinen Arbeitsplatz verlor und zusätzlich, daß der Osten zustimmte, wenn Bonn die Interessen West-Berlins nach außen – auch im Osten – vertrat, ohne damit die Rechte der Drei Mächte in Frage zu stellen. Hier war nicht auf nachhaltige Unterstützung zu rechnen. Im Gegenteil: Als ich verlangte, die Sowjets müßten Bundespässe für die West-Berliner akzeptieren, weigerte sich Hillenbrand schlicht, diese Forderung in den Verhandlungskatalog aufzunehmen. Das sei aussichtslos.

Dieser Auffassung konnte er mit Recht sein; denn als im April 1958 nach siebenmonatigen Verhandlungen in Moskau ein Handels- und ein Konsularabkommen abgeschlossen worden waren, hatte Bonn die Bundespässe für die West-Berliner fallen lassen. Es sei schließlich doch keine große Zumutung für sie, ihre Berliner Personalausweise für Ostreisen vorzuweisen, hieß es in einer Bundestagsausschußsitzung. So einfach wurde eine Schlappe verkauft, eigentlich ein Verfassungsbruch, ohne daß die damalige Opposition »Verrat« schrie und nach Karlsruhe rannte. Botschafter Rolf Lahr, der die Verträge verhandelt hatte und mir als Staatssekretär den Rat nach Moskau mitgab, viel Geduld und Sturheit zu entwickeln, hat es in seinen ausführlichen Erinnerungen sogar geschafft, dieses Problemchen der Bundespässe mit nicht einem Wort zu erwähnen. Ich kann meine Bewunderung für die Eleganz dieser Darstellungskunst deutscher Ostpolitik noch immer nicht unterdrücken. Hillenbrand hielt ich entgegen, wir brauchten die Bundespässe als Zeichen ungeschmälerter Außenvertretung zurück. Er fragte barsch: »Verhandeln Sie oder wir mit den Sowjets?« Ich erwiderte nicht weniger grob: »Natürlich verhandeln Sie im Kontrollrat. Aber wenn dabei ein Ergebnis herauskommt, das wir ablehnen, können Sie das Ganze in den Papierkorb werfen.« Wir einigten uns, die Bundespässe auf die Wunschliste zu setzen, wobei alle verstanden, mit letztem Einsatz würde nicht darum gekämpft werden.

Ich fühlte mich auch nicht sicher, ob angesichts wichtiger Forderungen diese Symbole der Bundeszugehörigkeit durchgeboxt werden könnten. In vorgeschalteten Gesprächen mit den russischen »Kanalarbeitern« hatte ich das ohne Echo angemeldet. Moskau mußten die Bundespässe wie lästiger Schmutz unter einem Fingernagel vorkommen. Ein kleiner Schönheitsfehler, gemessen an seinen größeren Interessen, die Voraussetzungen für die Ratifizierung des Moskauer Vertrages zu schaffen, ohne dabei die Perspektive aufzugeben, daß die Stadt auf längere Sicht austrocknen würde; so jedenfalls hatte Falin einmal formuliert. Die Vorgespräche hatten gezeigt, wie weit unsere Vorstellungen von den sowjetischen entfernt waren. Aber als einer der Architekten des Moskauer Vertrages konnte ich auf Glaubwürdigkeit hoffen: »Ohne eine befriedigende Berlin-Regelung wird der Kanzler eher unseren Vertrag aufgeben als seinen sicheren Sturz riskieren.«

Bei so unterschiedlichen Interessen der fünf Hauptbeteiligten, wirkten die deutschen Positionen klärend; sie steckten das Feld ab, auf dem man hoffen konnte, sich mindestens für eine Reihe von Sachproblemen anzunähern, vielleicht zu verständigen. Voraussetzung war, daß wir nach Ost und West dieselbe Sprache benutzten und dieselben Ziele formulierten. Wir wollten Vertrauen gewinnen und nicht Mißtrauen säen. Diese Einstellung erwies sich als segensreich; denn Washington und Moskau hatten ihren direkten Kanal, während ich mit beiden kommunizierte.

Unkonventionelle Geheimdiplomatie, durchsetzt von einer Neigung zu Konspiration, wurde mir damals und danach vorgeworfen. Da mischte sich Richtiges und Falsches. Wenn Kissinger zu Beginn der sozial-liberalen Regierung einen verdeckten Kanal anbot, wäre eine Ablehnung unverantwortlich gewesen. Natürlich entsprang das seinem Mißtrauen gegenüber dem bürokratischen Apparat des Außenministeriums und seiner Absicht, alle Fäden wichtiger außenpolitischer Operationen im Weißen Haus und in seinen Händen zu bündeln, ganz besonders bei einem schwachen Außenminister und einem Präsidenten mit außenpolitischen Fähigkeiten und Ambitionen. Nur so konnte Henry zu dem werden, was er wurde, dem wichtigsten Operateur und Koordinator seines Landes im verkündeten Zeitalter der Verhandlungen, das die Konfrontation mit der Sowjetunion berechenbarer und ungefährlicher machen sollte. Seine geheimen Reisen nach Peking und Moskau, die konspirativ vorbereiteten Treffen mit Vertretern Nordvietnams, die Einrichtung eines geheimen Kanals zu Ägypten, die operative Benutzung des sowjetischen Botschafters Anatoli Dobrynin am eigenen Außenministerium vorbei, das alles entsprach weniger einem Hang zu verdecktem Handeln als der Überzeugung, anders strategische weltpolitische Veränderungen nicht bewirken zu können.

Um damit erfolgreich zu sein, sind mehrere Voraussetzungen nötig. Die intellektuelle Fähigkeit zu konzeptionellem Denken, die Beherr-

349

schung der jeweiligen Materie, die Unterscheidung zwischen wichtig und unwichtig und vor allem das Vertrauen zwischen Bauherr und Architekt. Die Beobachtung bestätigte die eigene Erfahrung: Wer außenpolitisch neue Weichen stellen will, muß die Routine verlassen, also nicht nur geeignete Personen finden, die das können, sondern auch die notwendige Zeit dazu haben. Weder ein Regierungschef noch ein Außenminister können sich die Konzentration auf ein Thema leisten, wenn ihre anderen Pflichten nicht darunter leiden sollen. Unvorstellbar, daß Scheel monatelang in Moskau gehockt oder Rogers Abstecher nach Peking arrangiert hätte.

Man darf nicht vergessen, daß strategische Weichenstellungen in der Regel nicht vorher angekündigt werden: Nixon wäre nicht Präsident geworden, wenn er die Absicht, diplomatische Beziehungen zu China aufzunehmen und aus Vietnam abzuziehen, im Wahlkampf verkündet hätte; Gorbatschow wäre nicht Generalsekretär geworden, wenn er vorher über Perestroika und Glasnost gesprochen hätte; Brandt wäre öffentlich zerrissen worden, wenn er auch nur die Überlegung von sich gegeben hätte, er würde in seiner ersten Regierungserklärung der DDR die Staatseigenschaft bescheinigen. Etwa den Parteirat einzuberufen oder, noch moderner, eine Mitgliederbefragung ohne lange Sachdiskussion in Gang zu setzen, hätte den Verzicht auf die Kanzlerschaft bedeutet. Ohne den Mut zu einem nicht lupenreinen musterdemokratischen Weg hätte es die sozial-liberale Koalition nicht gegeben. Sowohl bei Nixon wie bei Brandt haben die Wähler 1972 entschieden und die neue Politik nachträglich legitimiert. Sie mußte schließlich erst erprobt werden. Niemand konnte vorher eine Erfolgsgarantie geben. Und zur Erprobung eignen sich weder die Apparate, die zur Verwaltung der Routine und der beschlossenen Doktrinen da sind, noch in der Regel die Menschen, die sie verläßlich und weisungsgebunden bewachen sollen. Zur Erprobung oder Sondierung sind Personen geeignet, die über den Administrationen angesiedelt sind, Zugriff auf sie haben und den Chefs direkt unterstehen, ob man sie nun Sicherheitsberater oder Sonderbevollmächtigte nennt. Sollte die Sondierung ergeben, daß der neue Weg gangbar ist, müssen sofort Nägel mit Köpfen gemacht, also der Übergang zu verbindlichen Verhandlungen vorgenommen werden, ohne Wechsel der Beteiligten. Die Konstruktion, die Kissinger, mich und später Teltschik an ihre Chefs band, frei zur Behandlung von Schwerpunkten, ungebunden durch die Verwaltung, aber sie nutzend, im Namen der Chefs, durch sie gedeckt und kontrolliert, war ideal. Ohne diese Konstruktion wären geschichtlich wichtige Entwicklungen zwischen 1970 und 1990 nicht eingetreten, für die einige Friedensnobelpreise vergeben wurden.

In dem Augenblick, in dem ich dem »back channel« Kissingers zustimmte, ergaben sich Verpflichtungen und Folgerungen. Zu den Pflichten gehörte, daß ich Henry schützen mußte. Unsere Treffen, die er vor seinem Außenministerium verhüllte, durften nicht durch mich enthüllt werden. Folglich mußte unser Botschafter ausgeschaltet werden, was weder angenehm noch praktisch war. Zu den Konsequenzen zählte eine Abschirmung gegenüber dem Auswärtigen Amt; denn die Beamten hätten sogar unwillentlich in ihren täglichen Kontakten mit den amerikanischen Kollegen das Gefüge durcheinanderbringen können. Mehr als einmal war es nur dem Glück zu verdanken, daß der Kanal nicht entdeckt und der dann fällige Krach zwischen Weißem Haus und State Department vermieden wurde. Persönliches Vertrauen zwischen den direkt Beteiligten stand auf dem Spiel. Doch noch mehr: Da die Beteiligten hoch genug angesiedelt waren, wurde es zum Test, ob man sich auf die Deutschen verlassen könnte, ob Bonn reif und verschwiegen genug für diese Ebene internationaler Politik sei.

Das wurde meine Hauptsorge. Die Geschwätzigkeit in unserer kleinen Stadt am Rhein ließ gerade auch ausländische Korrespondenten zu dem Urteil kommen, daß da überhaupt nichts Wichtiges geheim blieb. Außerdem war unsere Verwaltung undicht; genug Beamte fühlten sich der CDU ausreichend verbunden, um den Bruch ihrer Pflicht zur Verschwiegenheit sogar als Pflicht, mindestens als Kavaliersdelikt zu empfinden. Die Erfahrung mit dem Bahr-Papier war frisch. Ich verhielt mich entsprechend und nahm den Vorwurf übertriebener Geheimnistuerei nicht übel. Das Urteil, ich sei undurchsichtig, bestätigte nur, daß vieles undurchsichtig bleiben sollte und mußte. Intern stimmte das Gegenteil: Es mußte für alle Beteiligten so klar und durchsichtig sein, wie das unumgänglich war, wenn Vertrauen erworben und gefestigt werden sollte, ohne das Politik auf Dauer nicht erfolgreich gemacht werden kann. Weder Amerikaner noch Russen hatten je Anlaß zu klagen. Beide Seiten haben statt dessen Offenheit, Berechenbarkeit und Kontinuität von Denken, Äußerungen und Verhalten anerkannt. Das

Gefühl, das sich zuweilen einstellte: Oh, wie gut, daß niemand weiß . . . ,
betrachtete ich als kleinen Trost, auf die Angriffe oder Verdächtigungen
gegen mich nicht so offen antworten zu dürfen, wie ich das mehr als
einmal am liebsten getan hätte.

Vor allem: Kanäle, Drähte und verdeckte Verbindungen sind kein
Selbstzweck. Sie dienen dazu, Mißverständnisse zu vermeiden und
Ziele der Regierungen möglichst direkt zu erreichen. Sie sind nichtöf-
fentliche Mittel, möglichst schnell Ergebnisse öffentlich im Licht der
Scheinwerfer präsentieren zu können, Methoden, intern Verbindlichkeit zu erreichen, um sie in internationale Verbindlichkeiten zu transferieren.

Solange sie der besseren Information dienen, ist das unkompliziert;
zur Vorbereitung von Begegnungen auf hoher Ebene sind sie nützlich;
halsbrecherisch wird es, wenn sie operativ eingesetzt werden und an
allen Bürokratien vorbei Vertragstexte erarbeiten, während die Bürokratien nichtsahnend auf den alten Positionen verharren und vergeblich
ihre Weisungen durchzusetzen suchen. Eine solche Methode düpiert die
Beamten, demotiviert und verletzt das Gefüge einer gut funktionierenden Maschinerie, kurz: Es ist nicht in Ordnung. Zu diesem Ergebnis
kommt Kissinger auch in seinen Erinnerungen, nachdem er nicht mehr
im Amt war. Als Sicherheitsberater hatte er das verdeckte Instrumenta-
rium meisterhaft gehandhabt und als Außenminister dafür gesorgt, daß
sein Nachfolger im Weißen Haus diese »unordentliche« Praxis nicht
fortsetzte, weil Henry, an der Spitze des Außenministeriums, sie selbst
weiter nutzte. Da war dann wieder alles in Ordnung.

Diese halsbrecherische Methodik wurde angewendet, um das Vier-
Mächte-Abkommen für Berlin zu schließen. Ohne sie wäre es nicht
erreicht worden und ohne Zusammentreffen vieler glücklicher Umstände auch nicht.

Seit der Aufhebung der Blockade im Mai 1949 hatte es keine Verhandlungen der Vier Mächte über Berlin gegeben. Trotz der Gründung
zweier Staaten in Deutschland, des Juni-Aufstandes 1953, des Chru-
schtschow-Ultimatums und des Mauerbaus und vieler Krisen hatte sich
in 21 Jahren ein Teppich von Moos auf der Vereinbarung bilden können,
die zur Aufhebung der Blockade zwischen den beiden Botschaftern, dem
Amerikaner Jessup und dem Russen Malik, beschlossen worden war.
Die Vier Mächte konnten damit leben, denn ihre Interessen waren

gewahrt und durch keinerlei Unsicherheiten oder Unbequemlichkeiten der Deutschen behindert. Im Gegenteil wurde es gefährlich für sie, an den labilen Zustand zu rühren: Chruschtschow hatte erfahren, daß ein Hinausdrängen der Westmächte eine große Konfrontation heraufbeschwören konnte, und die Westmächte wußten, wie schwach ihre Position auf der Insel im »roten Meer« war. In keiner der vier Hauptstädte gab es Lust, über Berlin zu verhandeln. Aber nun begannen diese Deutschen in Bonn, mit Moskau zu reden, und der sowjetische Außenminister schien mit dem Gedanken zu spielen, diesen Deutschen zu schmeicheln, indem er tat, als wolle oder könne er mit ihnen eine Vereinbarung erstreben.

Hier wurde es nötig, Klarheit zu schaffen und Illusionen zu zerstören, indem man zeigte, wo die Macht lag. Ohne die deutschen Sondierungen im Frühjahr 1970 hätten die Verhandlungen der Vier Mächte nicht begonnen. Sie waren auch geeignet zu zeigen, daß sie sinnlos waren; denn was eigentlich sollte da verhandelt werden? Sollte da die westliche Schwäche offengelegt werden oder – aus östlicher Sicht – mehr herauskommen, als man ohnehin schon hatte? Ein Treffen einmal im Monat im Kontrollratsgebäude, auch dieser komfortable Turnus noch mit Unterbrechungen, reichte, um die unterschiedlichen Standpunkte über den Status auszutauschen und die nicht zu vereinbarenden Rechtspositionen darzulegen. Diese Prozedur ließ sich über Jahre ergebnislos fortsetzen. Das war beruhigend, solange wir in Moskau verhandelten, weil jedenfalls auch kein Unsinn dabei herauskam, wenn nichts herauskam. Aber es wurde gefährlich, nachdem der Vertrag unterschrieben und sein Inkrafttreten von einer Regelung für Berlin abhängig gemacht wurde. Hier stellte sich der zweite glückliche Umstand heraus: Niemand außer den Deutschen konnte den Besitzern der alten Siegerrechte sagen, worüber sie verhandeln sollten. Das war natürlich; denn die Ergebnisse sollten im bisher vernachlässigten deutschen Interesse liegen; es war unnatürlich; denn völkerrechtlich hatten wir keine Kompetenzen in Berlin.

Nicht der unwichtigste glückliche Umstand war, daß der Bundeskanzler »Berlin« gelernt hatte und wußte, daß ich alles für die Stadt Notwendige genauso gut kannte. Als ich ihm die Inhalte unseres Papiers vortrug, nickte er nur. Als ich ihm darlegte, wie ich vorgehen wollte – die beiden Seiten mit unseren Sachpositionen vertraut machen und die beiden Großen vorsichtig an die Hand nehmen und zusammenführen –, meinte er: »Sei vorsichtig und übernimm dich nicht.« Es wurde auch mehr als einmal atemberaubend, aber der Kanzler hat, wenn immer nötig, Deckung gegeben.

Eine deutsche Führungsrolle war uns bewußt, auch wenn wir selbst im kleinsten Kreis das Wort nicht in den Mund zu nehmen wagten. Ganz anders als der amerikanische Botschafter, der sich für eine seiner Reisen nach Washington verabschiedete: »Es geht vor allem um Ihre Interessen, und da brauchen wir die Führung durch den Kanzler.«

Die deutsche Führung wurde durch die internationale Konstellation begünstigt. Kissinger hatte alle Hände voll zu tun, über seine diversen Kanäle die Beziehungen zu China aufzunehmen, den Vietnamkrieg zu beenden, die strategischen Waffen zu begrenzen und für seinen Präsidenten die erste Gipfelbegegnung mit Breschnew vorzubereiten. Angesichts dieser Themen konnte Berlin, klein und kompliziert, um so eher zurückgestellt werden, als dort gerade nichts weh tat und es nichts schaden konnte, der Bundesregierung ihre Grenzen deutlich zu machen. Nicht weniger verlockend konnte in Washington die Überlegung sein, auf diese Weise den Sowjets zu zeigen, daß ohne ihr Entgegenkommen in den strategischen Fragen der Moskauer Vertrag in der Luft hängenbliebe. Um diese Lage zu ändern, mußte der Bundeskanzler am 12. Dezember 1970 einen Brief an Nixon schreiben und drängen, aus den fruchtlosen sporadischen Begegnungen der vier Botschafter eine normale »permanente Konferenz« zu machen. Das war schlecht abzulehnen, sollte nicht der Eindruck am Rhein entstehen, die Amerikaner wollten entgegen glaubhafter Zusicherungen die Ostpolitik torpedieren.

Aber das erforderte eine Abstimmung in der Substanz. Henry teilte in einem durch Kurier übermittelten Brief mit, der Präsident stimme dem Vorschlag des Kanzlers zu; wir sollten uns schnell treffen; er habe eine Einladung des Vizepräsidenten an mich veranlaßt, am Start von Apollo 14 in Cape Kennedy teilzunehmen. Ein Start in den Weltraum sollte der Mantel sein, unter dem wir unsichtbar die Degen nicht kreuzen, sondern schleifen wollten. Zwei Tage später wurde ich in Washington Vizepräsident Agnew vorgestellt, den ich herzlich unsympathisch fand, und flog mit ihm in das sommerlich warme Florida. Nicht nur ein großes Erlebnis stand bevor: Henry und ich winkten uns mit den Augen zu, er schickte mir einen Mann, der mich nach dem Start zu einer bereitstehenden kleinen Maschine bringen sollte, wo ich den Sicherheitsberater Kissinger treffen würde. Die Startbilder am Fernsehschirm können weder das tiefbrüllende Dröhnen der sich langsam erhebenden Rakete noch das Vibrieren des Bodens vermitteln. Die Überfütterung von Augen und Ohren vervollständigte Henry, indem er mich mit Kirk Douglas bekanntmachte, der auch nach New York mitgenommen wurde, sich als genauso strahlend, lebhaft, interessant und interessiert erwies, wie ich mir meinen Filmhelden »Spartakus« vorgestellt hatte, der sich aber bald Henrys Kindern zuwandte, um uns nicht zu stören.

Dem Kanzler konnte ich nach der Rückkehr vollen Erfolg melden. Die Berlin-Verhandlungen werden aktiviert; Kissinger schaltet sich voll ein; dazu wird ein besonderer direkter Kanal über einen Dienst der Marine geschaffen, weil die CIA nicht dicht genug ist; er schließt sich kurz mit dem amerikanischen Botschafter Ken Rush und bittet uns, Papiere auszuarbeiten, die er auch über seinen Kanal zu Dobrynin befördern will, unter Ausschluß des Außenministeriums; jeder hält den anderen auf dem laufenden, um zu verhindern, daß Moskau mit uns spielt; er teilt unsere Grundposition, bei der Einzelheiten zu klären bleiben, und erwartet, daß wir dementsprechend auf die Sowjets einwirken.

Damit hatte ich schon vor der Blitzreise begonnen, die zu Hause unbeachtet geblieben war. Denn so leicht es gewesen wäre, sachliche Verständigung zu Kissinger zu erzielen, so sinnlos würde es sein, wenn die Sowjets dafür nicht zu gewinnen sein würden. Zunächst mußte also die Abstimmung mit Moskau erfolgen. Wofür hatten wir den Kanal? Mehrfach und viele Stunden verbrachte ich mit Slawa und Leo in der Residenz in Berlin und merkte bald, daß eine allgemeine Übereinstimmung die Sachkompetenz nicht ersetzen konnte, die bei Falin lag. Er wurde also nach Berlin geholt, trotz der Sorge der beiden Spielkameraden, die DDR könnte ihn entdecken. Das typisch sowjetische Mißtrauen zeigten sie auch mit dem Blick auf die Telefone; sie bestanden darauf, sie mit Kissen abzudecken, um nicht abgehört zu werden. Wir brauchten 18 Stunden in zwei Tagen, um uns über Umrisse und Materie klarzuwerden, so daß ich genügend Einsicht in die Moskauer Haltung gewonnen hatte, um mit Henry zu sprechen.

Doch der Tau der Zuversicht schwand schnell im grellen Licht der

Wirklichkeit. Die Sowjets nahmen Grundzüge unserer Wünsche, verhüllten sie in eine Toga, gebläht von dem Dunst ihrer unerfüllbaren Forderungen, und gaben die ganze Mixtur über Dobrynin an Kissinger. Die Mischung verband das Notwendige mit viel ungenießbaren Ingredienzien einer selbständigen politischen Einheit. Falin informierte mich darüber, und Henry schwieg. Wenn die beiden Großen glaubten, die Sache untereinander in Washington regeln zu können, würde das Schiff zerbrechen, noch bevor es vom Stapel gelaufen war. Als Dobrynin nach konkreten Stellungnahmen fragte, übermittelte Henry das Ganze seinem Botschafter in Bonn und mir mit der Aufforderung, ihm unsere Antworten an die Sowjets vorzuschlagen. Danach fühlte ich mich durch Kissinger immer ausreichend über seine Kontakte zu Dobrynin informiert, während mein sowjetischer Kanal über seine Washington-Connection die Tugend eines Trappistenmönches annahm.

Als Ausnahme ließ mich Falin »sofort und direkt« über den Kanal von einem Beschluß des Politbüros unterrichten. Das Weiße Haus habe vorgeschlagen, einen inoffiziellen Meinungsaustausch um einige prinzipielle Fragen und Formulierungen zu führen, zur möglichen Lösung der West-Berlin-Frage (West-Berlin hatte Kissinger bestimmt nicht formuliert!). Diese verdeckten Gespräche sollten in ihrem Anfangsstadium nicht die Instruktionen beeinflussen, die die US-Delegation für die Botschaftsverhandlungen habe. (Das bedeutete in eleganter Form: Das Weiße Haus erklärt dem Kreml, die sowjetische Seite solle nicht zu ernst nehmen, was die amerikanische Seite offiziell am Verhandlungstisch sagt.) Das Politbüro habe den Vorschlag angenommen, um die Vier-Mächte-Verhandlungen zum Erfolg zu führen. Falin fügte an, wir sollten uns um gegenseitiges Verstehen bemühen; die sowjetische Seite sei aufrichtig. Diese Zusicherung erwies sich in den folgenden Monaten als ebenso ehrlich wie die Kissingers, den Erfolg zu wollen.

Aber da war noch die DDR. Sie sollte für den Moskauer Vertrag bezahlen und viele ihrer heiligen Kühe schlachten: Ihre völkerrechtliche Anerkennung vor Aufnahme von Verhandlungen, die strikte Ablehnung, mit Bonn über Berlin zu reden, als ob die Bundesrepublik an der Spree etwas zu sagen hätte, oder ihre Souveränität auf den Zugangswegen. Ihr Störpotential demonstrierte sie mit verschleppter Abfertigung, als in Bonn beraten wurde, Sitzungen von Fraktionen und Ausschüssen in Berlin abzuhalten. Das Kabinett überlegte wieder einmal Ausfallzahlungen, die drei Westmächte erhielten Anschauungsunterricht über die Realitäten, ohne sich »Sitzungs-Verbote« leisten zu können, obwohl das Ganze nicht gut in die Landschaft ihrer Verhandlungen paßte, und die DDR zeigte dem großen Bruder, wie wertvoll politisch eine Zitrone ist, die man jederzeit pressen kann.

Nach vielen vergeblichen Versuchen, die DDR an den Tisch zu bekommen, stimmt sie endlich protokollgerecht zu, daß der Staatssekretär beim Ministerrat, Dr. Michael Kohl, den Staatssekretär im Bundeskanzleramt, Egon Bahr, empfangen wolle. Übergang Heinrich-Heine-Straße, vorgesehen für die Westdeutschen. Zum erstenmal lasse ich den Stander an den Dienstwagen setzen und präsentiere nach dem Slalom durch die Sperren dem Offizier der Volkspolizei meinen Berliner Personalausweis. Das setzt ihn in Verlegenheit: »Hier ist kein Übergang für Berliner. Haben Sie keinen Diplomatenpaß?« – »Doch, aber nicht bei mir.« Der Mann tat mir leid; denn er durfte mich nicht durchlassen. Ich riet ihm, Staatssekretär Kohl anzurufen und auszurichten, ich würde nach Bonn zurückfahren, wenn ich hier nicht durchkäme, und einen neuen Termin vereinbaren. Nach zehn Minuten kam er mit rotem Kopf zurück: »Sie können passieren.«

So lernte ich Michael Kohl kennen, wie man sich einen Funktionär des Regimes vorstellte: kalt, abweisend und in diesem Fall noch dazu wütend. Das sei eine beabsichtigte Provokation an der Grenze gewesen. Ich korrigierte, das sei nur eine Demonstration der Realität, auf die sich seine Regierung gern berufe. Ich sei nun einmal West-Berliner Bürger geblieben trotz der Aufgabe am Rhein. Und wenn wir eines Tages über einen Besuch des Bundeskanzlers zu sprechen hätten, müßte seine Regierung wissen, daß Willy Brandt auch einen West-Berliner Personalausweis besitze. Außerdem sei ich Bevollmächtigter der Bundesrepublik in Berlin und käme im Wagen meiner Dienststelle, der eigentlich überhaupt keinen Übergang passieren dürfte, weil sie nach Auffassung der DDR illegal in Berlin sei. Unser erstes Vier-Augen-Gespräch war ein klärendes Gewitter. Beim nächsten Besuch überreichte Kohl einen kleinen Ausweis von der Größe unseres Personalausweises, in taubenblaues Leinen gebunden und mit goldenem Emblem der DDR versehen, der mich berechtigte, alle Grenzübergänge zu benutzen, und die Organe der DDR anwies, den Inhaber zu unterstützen. Ausgestellt vom Ministerrat mit der Nummer 00001 versehen. Von einem zweiten Dokument dieser Art habe ich nie gehört. Gebraucht wurde es nie; denn mein Wagen wurde nicht mehr kontrolliert. Ich sicherte Kohl für seinen Besuch in Bonn bevorzugte Abfertigung in Helmstedt mit der Möglichkeit zu, auch seinen Stander zu setzen, was mir Kritik einer Springer-Zeitung eintrug. So war das, als zwei Deutsche anfingen, Staat zu spielen.

Die vielen neugierigen Fragen in Bonn, auch bei den Botschaftern, wie »er« denn sei, konnte ich nur mit Umschreibungen des Wortes »stur« beantworten. Gegen den sei Gromyko ein Playboy. Dieser zitierte Ausspruch war Kohl zur Kenntnis gekommen und gefiel ihm. Er zeigte menschliche Regungen mit der Bemerkung, er habe gehört, ich sei auch in Thüringen geboren. Aber dieser Wandel durch Annäherung kam erst nach zwei Monaten. Da lag die Feuertaufe hinter ihm, erstmals westlichen Journalisten gegenübertreten zu müssen, ohne ihre Fragen zu kennen: Auf dem Weg zu ihnen damit konfrontiert, war er im Kanzleramt umgekehrt und hatte sich Bedenkzeit ausgebeten. Ohne rückfragen zu können, wollte er sich vorbereiten. Viele kleine Schweißperlen hatten sich auf seiner Stirn gebildet, als wir der Presse gegenübertraten und ich mich bemühte, ähnlich trocken und lapidar wie er zu sein. Vor allem hatte er einen Besuch in Moskau mit seinem Außenminister Winzer hinter sich und räumte nun im Vier-Augen-Gespräch viele seiner bisherigen Positionen. Unsere Verhandlungen sollten ohne Vorbedingungen über einen Verkehrsvertrag beginnen können, auch über allgemeine Transitfragen. Er äußerte Verständnis, wenn wir den Berlin-Transit dabei im Auge behielten, ohne daß der Standpunkt seiner Regierung sich ändere: keine Auftragsverhandlungen mit Bonn für Berlin. Das reichte zwar noch längst nicht aus, aber bedeutete endlich die Deblockierung Ostberlins. Aber die Freude, nun endlich zur Sache kommen zu können, wurde schnell getrübt.

Die drei Botschafter bitten mich förmlich in Berlin zum Gespräch. Sie haben Sorge, die deutschen Transitgespräche verschlechtern ihre Lage gegenüber den Sowjets. Im Grunde verbieten sie in höflichster Form, daß ich überhaupt mit der DDR über Transit rede, auch nicht über ein allgemeines Transitmodell. Ken Rush hatte mich vorgewarnt. Ich weiß, daß die Drei von dieser Haltung nicht abzubringen sind, wir uns keinen Krach mit ihnen leisten können, und das wissen sie auch. Vorbei mit der Vorstellung, die Deutschen könnten parallel zu den Vier Mächten so weit kommen, daß durch uns nicht zuviel kostbare Zeit zusätzlich nötig wird, wenn wir erst nach der Einigung der Vier beginnen.

Doch die Einigung der Vier stand in den Sternen. Zweieinhalb Monate, nachdem Kissinger sich aktiv einschalten wollte, mußten wir uns eingestehen, daß auf diesem Weg wenig bewegt worden war. Vor allem beharrten die Teilnehmer der Verhandlungsebene auf dem Versuch, sich über ihre unterschiedlichen Statusauffassungen zu verständigen. Die Vorstellung, das könnte noch Jahre ergebnislos fortgesetzt werden, brachte mich an den Rand der Verzweiflung.

Vielleicht war es ein glücklicher Umstand, daß Falin demnächst als Botschafter nach Bonn kommen würde. Wenn er praktisch wie bisher die Federführung der Berlin-Verhandlungen für Moskau ausüben durfte, dann konnte ich ihn mit Rush direkt zusammenbringen und mir viele gesonderte Termine mit beiden ersparen. Meine Überlegung fiel bei Falin natürlich auf fruchtbaren Boden. Zwei Wochen später, am 26. März 1971, konnte ich Henry über den Kanal unter anderem mitteilen: »Falin, den ich auf seinen Wunsch gestern abend in West-Berlin traf, hat mir das sowjetische Papier mit einigen Erläuterungen gegeben. Ich habe Ken Rush noch gestern abend im einzelnen informiert. Sein Hauptpunkt: Die Westmächte würden durch die Berlin-Vereinbarungen nicht Rechte bekommen können, die sie nicht haben. Wenn man in Moskau den Eindruck gewinnt, daß Washington ernsthaft zu einem Ergebnis kommen will, würde er bereit sein, die Verhandlungen in Bonn mit Rush direkt zu machen.« Henry hatte den Vorteil dieser Konstruktion sofort erkannt, schlug sie Dobrynin in der mißdeutbaren Form vor, Abrassimow durch Falin zu ersetzen, war erstaunt, daß Dobrynin, offensichtlich informiert, sofort zustimmte, und fragte vier Tage später an, ob ich nicht zur Bilderberg-Konferenz kommen könnte, um uns dort zu besprechen.

Das war nun in der Tat dringlich. Bisher schien der ganze Komplex relativ simpel. Wenn nun die Verhandlungen verdeckt bis zur Unterschriftsreife in Bonn geführt werden sollten, würde neben der Substanz die Koordinierung zu einem gleich wichtigen Problem. Wie das die Amerikaner und Russen machten, war ihre Sache. Mir fiel die Aufgabe zu, das Auswärtige Amt, das in der sogenannten Vierergruppe mit den Alliierten die Verhandlungen konsultierte, und den Senat, soweit es um neue Ergebnisse ging, »einzustimmen«, die Opposition, genauer Rainer

Barzel, soweit es nötig schien, ins Bild zu setzen, die DDR nicht allein auf sowjetische Begleitmusik zu verweisen und die englischen und französischen Partner so unbefangen zu behandeln, wie das üblich war. Ihnen wie allen anderen durfte die Partie zu dritt nicht aufgedeckt werden; Rush berichtete direkt nach Washington, Falin nach Moskau und ich dem Kanzler, der genau informiert wurde, ohne korrigierend eingreifen zu müssen.

Es würde ein Simultanspiel an vielen Brettern werden. Das Ganze könnte, falls überhaupt, nur funktionieren, wenn der fruchtlose Streit über Statusfragen eingestellt wird. Die Unmöglichkeit, sich über die juristische Verpackung zu einigen, behinderte die Lösung der inhaltlichen Fragen. Ich beschloß deshalb, Kissinger vorzuschlagen, den Statusstreit überhaupt fallenzulassen und sich auf die Regelungen für den Zugang, die Bundespräsenz, die Außenvertretung und so weiter einzurichten. Die Kompetenz der Vier Mächte, über Berlin zu verhandeln, wurde schließlich von niemandem bestritten. Jedes neue Statuspapier konnte zudem den gefährlichen Anschein erwecken, als sollte es die unkündbaren originären Rechte ablösen. Jedes Abkommen der Vier Mächte würde den Status bestätigen, so umstritten er im übrigen sein mochte. Zusammen mit Carl-Werner Sanne entwarf ich ein Papier über die strukturelle Einführung eines Abkommens auf dieser neuen Grundlage und führte dabei die Kapitel »Zugang« und »Bundespräsenz« im einzelnen aus, um Kissinger zu zeigen, wie lebensfähig das Kind sein werde, nachdem der Status-Appendix chirurgisch entfernt worden war, und vergewisserte mich der Zustimmung des Kanzlers.

Eine Einladung zur Bilderberg-Konferenz wurde besorgt, die diesmal in Woodstock (Vermont) auf einem pompösen Landsitz stattfand. Diese informelle Zusammenkunft von wichtigen Leuten aus Wirtschaft, Politik und Militär ist nach der Ortschaft in den Niederlanden benannt, wo sie erstmals unter der aktiven Schirmherrschaft der Kronprinzessin Beatrix und Prinz Claus stattfand. Auch nach der Krönung haben die Königin und ihr Gemahl daran festgehalten, diesen erfrischend offenen Meinungsaustausch zwischen Europäern und Amerikanern zu betreuen. Wenn Tausende von Milliarden Dollar in Gewicht von Zentnern zu rechnen wären, dann würde der Fußboden einsturzgefährdet sein, auf dem sich die Herren Rockefeller, Agnelli, Ford, Rothschild, Heinz, kleinere Millionäre wie Wolff von Amerongen, Herren der

Banken, Minister, Präsidenten und sonstige Koryphäen bewegten, die etwas zu sagen haben, dank ihrer Stellung oder ihres Gehirns. Ich hatte wenig Sinn für diese überwiegend interessanten Menschen, sondern war höchst gespannt, ob ich Henry für mein Konzept gewinnen konnte.

Er sieht die Möglichkeit, mit diesem Ansatz einen Zusammenbruch zu verhindern und damit eine ernste Lage in Europa zu schaffen. »Wir wollen, daß Sie Erfolg haben.« Beim Überfliegen des Papiers zeigt er Unsicherheiten in einzelnen Sachpunkten. Kein Wunder; erst vor kurzem war ihm bewußt geworden, wie umfassend die DDR die Zugangswege auf Straßen und Schienen kontrollierte. Ob Ken Rush das Papier kenne. Natürlich nicht. Er will überlegen und erzählt sehr eindrucksvoll von Vietnam, wo der Krieg politisch beendet sei und nur noch abgewickelt werde. Er kann nicht ausschließen, daß es militärisch zu einem Debakel kommt. Im letzten Herbst hatte er mir erläutert, daß die Bombardierungen in Kambodscha militärisch nötig gewesen waren, um den Rückzug der amerikanischen Truppen zu decken. Das war immerhin unter Bruch des Völkerrechts und ohne Kriegserklärung gegen einen neutralen Staat geschehen, drei Wochen nachdem beim Kanzlerbesuch das Gegenteil versichert worden war. Washington hatte nicht vergessen, daß Brandt öffentlich dennoch die Wogen geglättet hatte, statt Öl ins Feuer der verständlichen Aufgebrachtheit zu gießen. Man konnte nur wünschen, daß die Administration erfolgreich bei der »Abwicklung« sein werde. Immerhin hatte Kissinger sein Ziel, Vietnam durch Rückzug zu beenden, im Weißen Haus nicht verändert, seit der Professor uns in Berlin seine Überzeugung erläutert hatte. Das verdiente ein Kompliment.

Am nächsten Morgen beim Frühstück erklärt er sich mit meinem Vorschlag im Prinzip einverstanden: »Das werden die irrsinnigsten Verhandlungen, von denen ich je gehört habe.« Aber er sehe keine andere Möglichkeit und brauche nun das Einverständnis des Präsidenten. Das übermittelt er am nächsten Abend telefonisch aus Washington mit der Bitte, mein Papier auch den Russen zu geben. Mir fällt ein Stein vom Herzen. Willy ist zufrieden.

Am 4. Mai teilt Kissinger über den Kanal mit: »Heute erhielt ich folgende Note von Dobrynin: Die sowjetische Seite ist bereit zu vertraulichen Treffen zwischen sowjetischen, amerikanischen und bundesdeutschen Repräsentanten, um einen Meinungsaustausch über die West-Berlin-Frage parallel zu den fortgesetzten offiziellen Verhandlungen der Botschafter der Vier Mächte zu führen.« Dazu fügte er an: »Ich hatte, wie in der letzten Woche angekündigt, Dobrynin das Konzept im allgemeinen erklärt, das zwischen Ihnen, Botschafter Rush und mir vereinbart wurde. Um zu erläutern, was wir unter einem juristisch neutralen Entwurf meinen, habe ich ihm die Einführungssätze der Abschnitte über Bundespräsenz und Zugang gegeben, die Sie mir in Woodstock am 25. ausgehändigt haben. Aus Dobrynins Antwort heute, später telefonisch bestätigt, können wir schließen, daß dieses allgemeine Konzept für die andere Seite annehmbar ist.«

Meine Antwort einen Tag später: »Falin hat mir gestern abend mitgeteilt, daß er autorisiert ist, mit Rush und mir zu sprechen, und zwar auf der Basis der Prinzipien, die Sie Dobrynin erklärt haben. Ich glaube, daß die Sowjets damit sowohl die Methode wie die generelle Linie akzeptiert haben.

Ich habe mit Rush vereinbart, daß ich Falin morgen die ersten beiden Seiten und die Einleitungen der Annexe gebe, aus denen die Struktur, aber nicht die einzelnen sachlichen Inhalte zu ersehen sind. Sollte er dieser Form im Prinzip zustimmen, sind wir für die Konsultation am 17. und 18. Mai auf sicherem Grund.

Aus der Haltung Falins geht hervor, daß die sowjetische Berlin-Politik durch den Wechsel Ulbricht/Honecker nicht berührt wird. Die innerdeutschen Verhandlungen können schwieriger werden; Honecker hat nicht die Autorität Ulbrichts. Er wird sie sich nach innen zu erwerben suchen. Für die Sowjets wird er ein leichterer Partner. In seiner ersten Erklärung vor dem ZK hat er sich den Angriffen auf Mao angeschlossen. Auf dem Parteitag in Moskau waren Ulbricht und der Rumäne die einzigen, die keinen Angriff gegen China richteten.«

Die erste Zusammenkunft der drei Komplizen für eine gute Sache verabredete ich in der amerikanischen Residenz. Die weiteren würden abwechselnd dort und in der sowjetischen erfolgen, einem abgelegenen Schuppen aus der Gründerzeit, Villa Henzen genannt. Weil die Vorfahrt der beiden Botschafter im Kanzleramt zu auffällig geworden wäre, konnte ich mich nur einmal in meiner Berliner Residenz, in der Pücklerstraße, revanchieren; Unterschied im Angebot der Getränke gab es nicht; Falin blieb ganz, die beiden anderen fast alkoholfrei.

Verhandelt wurde auf der Grundlage der deutschen Papiere in Englisch, das Falin nicht gut sprach. Wenn er große Augen machte, übersetzte ich ins Deutsche, das Rush im Laufe der Wochen immer besser lernte; Falin verstand mein Englisch besser als das amerikanische von Rush, den ich mehrfach bitten mußte, nicht so schnell zu sprechen. Gemessen an der Verantwortung, eine international so knifflige Aufgabe im Namen unserer Regierungen zu lösen, war das sprachliche Handwerkszeug eigentlich ungenügend. Wenn ich zum besseren Verständnis des Russen deutsch formulierte, übersetzte der Amerikaner, der sofort mehrere Versionen parat hatte, aus denen die beste auszuwählen war. Die beste konnte für die Sowjets unannehmbar sein oder für die Deutschen, weil bestimmte Vokabeln vergangenheitsbelastet waren. Das traf genauso auf die Amerikaner zu; denn Ken Rush schlug entgegenkommend Wendungen vor, die der Westen bisher weit von sich gewiesen hatte, worauf er aufmerksam gemacht wurde. Auf diese Weise erfuhren die drei Beteiligten, daß jeder dem anderen helfen, keiner dem anderen schaden wollte, man sich auf »das Wort« des anderen verlassen konnte. Daß wir uns bald nur mit Vornamen anredeten, entsprach jenseits üblicher Gepflogenheit wirklich gegenseitigem Vertrauen.

Ich führte mit der Verständigung ein, die juristischen Statusauslegungsversuche zu vergessen. Was Kissinger in seinen Memoiren einen »genialen Vorschlag« genannt hat, erwies sich als fruchtbar. Wir wurden schnell einig, daß der Verkehr von und nach Berlin auf die international günstigste Art organisiert werden sollte, also korridorähnlich. Diese Formulierung Kens reduzierte im Prinzip die bisherige Willkür und erleichterte mir die nachfolgenden Transitverhandlungen mit der DDR. Mein Argument, wenn die Deutschen sich entzweiten, dürften nicht die Vereinbarungen der Alliierten kaputtgehen, die letzte Kompetenz für Berufung und Verantwortung müsse also bei den Vier Mächten bleiben, finden meine beiden Großen (sie überragten mich wirklich um mindestens 15 Zentimeter) richtig und für sie angenehm. Damit wurde die »Souveränität« der DDR auf den Transitwegen weiter eingeschränkt. Ken ließ keinen Zweifel, daß die Amerikaner die Sowjets verantwortlich machen würden, falls die DDR unsere Vereinbarungen verletzen sollte.

Eine besonders harte Nuß wurde das Verhältnis zwischen West-

Berlin und der Bundesrepublik, genauer: Wie ist zu beschreiben, was bleiben soll wie bisher einschließlich der Bundesbehörden, vielleicht mit einer Besserungsklausel für die Zukunft? Die Sowjets sind zwar bereit, die Idee der selbständigen Einheit zu opfern, aber nicht bereit, Berlin als Teil der Bundesrepublik zu bezeichnen, wie das im Grundgesetz steht. Falin bemerkt, schon Adenauer habe dem amerikanischen Außenminister Dulles und dem sowjetischen Botschafter Smirnow gesagt, nach seiner Meinung hätte Berlin nicht ins Grundgesetz gehört. (Woher dieser Freund alter Dokumente das wohl haben mag?) Aber das hilft auch nicht weiter; denn die Westmächte haben diesen Artikel suspendiert und wollen an ihrer letzten Verantwortung in Berlin auch nichts ändern.

Nachdem alle Vorschläge verworfen oder, soweit sie uns annehmbar erschienen waren, keine Gnade vor den Augen Gromykos gefunden hatten, bat ich Sanne, ein Wochenende zu opfern und in alten westlichen Dokumenten nach einem Ausdruck zu fahnden. Er wurde fündig in Papieren vor Gründung der Bundesrepublik, in denen die Drei Mächte entschieden hatten, daß Berlin »kein konstitutiver Teil« des neuen Staates sein werde. Kens elegante Ergänzung für die Zukunft: »bleibt ein nicht-konstitutiver Teil der Bundesrepublik«; Falins Bonbon für seinen Minister: »und wird auch nicht von ihr regiert«; mein Schönheitspflaster: »und wird auch weiterhin nicht von ihr regiert«. Alle waren zufrieden.

Am Ende des ersten Treffens wurde festgelegt, wie unsere Ergebnisse in die offiziellen Verhandlungen eingespeist werden sollen. Die deutsche Seite hatte ihre Schuldigkeit getan, indem Paul Frank unsere Idee des Verzichts auf juristische Statusklärung den drei Botschaftern vorgetragen und sie, wirkungsvoll von Ken unterstützt, überzeugt hatte. Alles übrige müßte der Amerikaner machen, der dazu seinen Botschaftsrat Jonathan Dean, später US-Botschafter bei den konventionellen Abrüstungsverhandlungen in Wien, ins Vertrauen zog, der die Erprobung seiner Loyalität glänzend bestand. Falin nutzte zum selben Zweck Juli Kwizinski, damals Botschaftsrat bei Pjotr Abrassimow, später sowjetischer Botschafter in Bonn, von dem er glaubte, er könne ihn fördern und ihm vertrauen.

Wir verabschiedeten uns kurz vor Mitternacht. Ich kicherte innerlich, weil die beiden Großen sich ganz einig waren in ihrer ehrlichen Sorge, wir könnten abgehört werden. Am nächsten Morgen reagierte der Kanzler unwirsch: »Diese verdammten Großmächte sollten gefälligst nicht so viele Geheimnisse machen.« Er müsse schon genug schwindeln, nicht zu wissen, wo ich gerade stecke, und wolle von unserer Konspiration nur noch die hoffentlich guten Ergebnisse hören. Das ließ sich nicht ganz durchhalten; denn er kam der Kanal-Bitte Henrys nach und half der Administration mit einem Interview gegen amerikanische Truppenreduzierung, und er schrieb Breschnew, vorher kanal-versichert, einen Brief, daß und warum er die Bundespässe für die West-Berliner brauche, und bekam sie.

Aber das verlief nicht ohne Reibung und Komplikationen. Der Brief war das erste Beispiel für einen direkten Stil und nichtdiplomatischen Ton, die Brandt sich gegenüber dem Chef im Kreml angewöhnte, nachdem er ihn in Moskau als Parteiführer mit Verständnis für innen- und machtpolitische Interessen kennengelernt hatte. Es hieß darin: »Sie werden sicher verstehen, daß ich mich nicht so an Sie wenden würde, wenn ich die Lage nicht als alarmierend ansähe. Ich habe wie keiner meiner Vorgänger schwere Verpflichtungen übernommen und bin entschlossen, sie trotz aller hartnäckigen Angriffe durchzuhalten. Wenn ich Ihre Bemühungen verfolge, Sicherheit und Frieden in Europa zu fördern, so kann ich mir nicht vorstellen, daß es in Ihrem Interesse liegen kann, meine Position und die der Bundesregierung zu schwächen, die ebenfalls aktiv für diese Ziele arbeiten. Wir sollten die Lage von hoher Warte betrachten und uns nicht von Schattenerfolgen verführen lassen. Die Paßfrage ist das Beispiel dafür. Ich weiß aus meiner Berliner Zeit, was das dort und für die öffentliche Meinung hier bedeutet. Ich will auch nicht verschweigen, wie wichtig diese Frage für mich persönlich ist. Ihr Generalkonsulat ist von hier stark unterstützt worden. Es gehört zu dem, was für unsere öffentliche Meinung schwer annehmbar ist. Die Pässe werden die Pille versüßen.« Zunächst blieben die Sowjets unverändert negativ. Ken begann sogar zu fragen, ob wir die Bundespässe nicht aufgeben sollten, und ich hielt es für nötig, ihn über Henry »hart« zu machen, dem ich mitteilte, der Kanzler beabsichtige nicht, nachdem er sich an Breschnew gewandt habe, von den Pässen abzugehen. Vier Tage vor Ende der Verhandlungen kam Falin nach Berlin und teilte mit, Gromyko bleibe wie ein Stein in dieser Frage. Slawa und Leo kamen zu Hilfe. Ich weiß nicht, wie sie es gemacht haben, aber fröhlich kann es Gromyko nicht gestimmt haben, daß er noch einmal nachgeben mußte.

Natürlich bereitete es mir Genugtuung, diese langerwünschte Reparatur der Panne von 1958 geschafft zu haben. Sie diente als Zugabe zur Außenvertretung Berlins durch den Bund. Falin durfte sogar zustimmen, daß die Bundesregierung das Transitabkommen auch für den Senat verhandelt, was Kohl kürzlich noch abgelehnt hatte. Dafür wollten die Sowjets eben wenigstens ein Generalkonsulat in West-Berlin aufmachen dürfen. Ich fand das von Anfang an annehmbar, zumal die Drei Mächte die notwendige Genehmigung erteilen mußten. Es würde der einzige sichtbare Gewinn für die sowjetische Seite in einem Paket werden, das Berlin und dem Westen insgesamt die unschätzbaren Vorteile stabiler Krisenfreiheit bringen sollte. Im übrigen hatten sie die Haftung bei Vertragsverletzungen der DDR zu übernehmen, der sie sich bisher entzogen hatten. Als meine Haltung zugunsten des sowjetischen Generalkonsulats herauskam, gab es einige Aufregungen, ohne daß es mitten in der Operation möglich gewesen wäre, die ganze Szenerie öffentlich auszubreiten. Die drei Musketiere, die in Bonn für Berlin jeweils zwischen fünf und acht Stunden verhandelten, vereinbarten zudem, daß das Generalkonsulat keine politischen, sondern nur konsularische Aufgaben haben werde. Mir kam bei diesen Verhandlungen zugute, daß ich mit der Lage und den Einzelheiten naturgemäß besser vertraut war als die beiden Mitkämpfer. Aber auch das diente letztlich nur dem gemeinsamen Werk. In der Politik wurde das Wunder einer dreifachen Vaterschaft möglich, weil die Überväter im Weißen Haus, Kreml und im Kanzleramt einen Erfolg wollten und ausreichende Vollmachten gaben. Hauptunterhändler, was Kissinger gern gewesen wäre, konnten sie nicht sein.

Er hat später bei anderen Gelegenheiten bewiesen, daß Geheimverhandlungen Probleme lösen können, wo am offiziellen Verhandlungstisch gleiche Intelligenz und Kompetenz versagen. Auch wenn die Norweger im Jahr 1993, anders als wir im Fall Berlin, »nur« ihre guten Dienste anboten und Israelis und Palästinenser zusammenführten – die Mechanismen verdeckter vertraulicher Verhandlungen werden auch künftig in unserer Welt unentbehrlich bleiben, solange es alte Konflikte, verhärtete Doktrinen und traditionelle Feindschaften gibt und sofern die Kontrahenten sich helfen lassen wollen.

Diese Erfahrung aus den frühen siebziger Jahren bleibt gültig, auch wenn das Berlin-Abkommen seit der deutschen Einheit Geschichte geworden ist. Seine Einzelheiten, die ausgetüftelten Formulierungen, der Werdegang seiner komplizierten Konstruktion, die Bändigung der persönlichen und sachlichen Leidenschaften der Beteiligten, Interessierten in Berlin wie Interessenten aller Parteien, zeitweilige Verknäuelung der vielen Fäden, taktisches Hakenschlagen und Fast-Pannen mit fatalen Folgen – das alles ist nur noch geeignet, einem Dichter als Material zu dienen. Er müßte auch Sinn für Komik haben.

Des Spaßes halber sollen ein paar im Rückblick hübsche Erinnerungen angefügt werden. Es lag in der Natur der Methode, daß die drei Musketiere jeweils schneller waren als die vier Botschafter. Die Übertragung unserer Ergebnisse in Vertragstexte im Gebäude des Kontrollrats wurde um so komplizierter, als Franzosen und Engländer, ermutigt durch erstaunliche Zugeständnisse der Sowjets, Appetit auf mehr verspürten. Daran wäre nichts auszusetzen gewesen, wenn Ken und ich das nicht längst mit Falin getestet hätten. Das State Department entwickelte einen Forderungskatalog, gab ihn Ken Rush als Weisung und den Engländern und Franzosen zur Kenntnis, ohne das Weiße Haus oder die Deutschen zu informieren. Nicht nur Falin witterte ein Doppelspiel; denn Moskau konnte sich schwer vorstellen, daß die Ergebnisse der informellen Ebene, von Präsident, Generalsekretär und Kanzler gebilligt, auf offizieller Ebene in Frage gestellt werden könnten. Alle Kanäle wurden aktiviert: Henry versicherte, das Weiße Haus stünde hinter Rush, und bat, Falin die bürokratischen Schwierigkeiten in Washington zu erklären. Der britische Botschafter regte eine zweiwöchige Unterbrechung der Verhandlungen an. Den Bedenkenträgern aller Beteiligten durfte gerade in der Schlußphase keine Zeit gelassen werden. Ken organisierte ein Treffen der drei Botschafter mit Paul Frank und mir. Er »donnerte«, er könne gedeckt von seinem Präsidenten sprechen. Man solle zu dem jetzt erreichbaren Ergebnis kommen. Wir wollten uns die Bälle zuspielen. Ich machte darauf aufmerksam, daß keiner von uns vor dem Moskauer Vertrag, sogar noch vor sechs Monaten, auch nur im Traum daran gedacht hätte, ein derartiges Berlin-Abkommen zu erreichen. Ken entwickelte die »Musketier-Punkte«, die ich für annehmbar erklärte. Franks Eindruck danach: »Donnerwetter, die Amerikaner wollen mit Macht den Abschluß.«

Für die Schlußphase blieb ich in Berlin. Leo berichtete, Gromyko wolle die Dinge selbst kontrollieren und sei in Pankow. Aber einen Gruß an ihn dürfe ich nicht aussprechen, denn sein Aufenthalt solle geheim bleiben. Ein Inkognito, das mir mitgeteilt wurde, ohne daß ich davon wissen durfte – satirereif. Auch die Amerikaner erfuhren Gromykos Anwesenheit in Berlin nicht. Wir verhandelten mit ihm über Falin, der hin- und herpendelte, ins Büro des noch immer nach östlicher Lesart unrechtmäßigen Bundesbevollmächtigten kam, Zeit fand, kopfschüttelnd festzustellen, daß das Leistikow-Gemälde kein Original war, und am Abend den Amerikaner in der Residenz des Deutschen traf. Ein Wunder, was alles unbemerkt blieb.

Keinem Journalisten fiel auf, daß in den Räumen des Bundesbevollmächtigten völlig unüblich nächtelang Licht brannte und daß er auf der Rückseite des Kontrollratsgebäudes vorfuhr, zum ersten- und letztenmal, während die Photographen den Haupteingang bewachten. Die drei westlichen Botschafter wollten Abrassimow nicht wissen lassen, daß sie eine Konsultation mit dem Vertreter der Bundesrepublik nötig fanden. Müde liefen sie im Gänsemarsch in den viel zu großen Raum. Es ging vor allem darum, ob wir ein Einlageblatt oder einen Stempel in die Bundespässe annehmen würden. Es dauerte eine halbe Stunde, bis alles klar war. Der Franzose war dann fröhlich: In ein bis zwei Stunden werde man fertig werden. In gleicher Laune riet ich, ernste Gesichter zu machen, wenn sie zu Abrassimow zurückkehren.

Doch nun fiel mir ein, zugegeben sehr spät, daß wir eine amtliche deutsche Übersetzung des ganzen Vertragswerks brauchten: Obwohl es nur in den drei Sprachen Englisch, Französisch und Russisch verbindlich war, könnten sich die Deutschen über die Auslegung streiten und die Vier Mächte dann immer in die Schlichtung hineinziehen. Da sie das vermeiden wollten, stimmten sie einer Prozedur zu, die sich mit ihrer originären Hoheit eigentlich nur noch schlecht vertrug. Knurrend verschoben sie die Paraphierung, um den beiden Deutschen Zeit zu geben, in Tag- und Nachtsitzungen einen einvernehmlichen deutschen Text zu vereinbaren. Die beiden Deutschen hießen Karl Seidel, Stellvertreter Michael Kohls, und Hans Otto Bräutigam, einer der brillantesten Beamten. Das Auswärtige Amt hätte keinen besseren in meine Delegation abordnen können: Am Anfang kritisch, wurde er während der Verhandlungen mit der DDR zu einem überzeugten Anhänger der Ostpolitik, die ihn später zum Leiter unserer Vertretung bei der DDR machte. Neigung für die Menschen und Verantwortungsgefühl für die innere Einheit ließen ihn nach 1990 auf eine Spitzenkarriere im Auswärtigen Dienst zugunsten der Aufgabe verzichten, das Justizministerium in Brandenburg aufzubauen.

An fast hundert Stellen hatten die beiden Deutschen unterschiedlich übersetzt. Das wurde auf ein Dutzend und schließlich auf zwei reduziert, die blieben, weil nach einem Krimi, in dem Leichtsinn, Sturheit, Täuschung und Ungeduld sich auch heute noch kaum aufklärbar verknoteten, die vier Botschafter am 3. September 1971 das Abkommen paraphierten. Mit dem einen Unterschied konnten wir leben: Der Westen sprach vom Vier-Mächte-Abkommen, der Osten vom vierseitigen Abkommen, was wohl korrekt war. Als politisch gefährlich empfanden wir, daß keine Einigung mehr zustande kam, wie das englische »ties« und das russische »swasi« zu übersetzen sei. Beide Vokabeln bedeuten »Bindungen« wie »Verbindungen«. Der Unterschied zwischen Verbindungen, die Männlein und Weiblein pflegen, und einer Bindung, vom Standesbeamten beglaubigt, braucht nicht erläutert zu werden. War die Berolina nun gebunden oder für Bonn nur lieb und teuer? In der Praxis stellte sich heraus, daß dieser potentielle Konflikt kein neues Gewitter ankündigte, sondern das Wetterleuchten eines abziehenden war.

Noch einmal ignorierte Ken Rush eine Weisung des State Department schlicht und stolz: Das Weiße Haus und er verstünden besser, was im Interesse der Vereinigten Staaten liege. Er war auch sonst hilfreich und erklärte den Unionsspitzen, das Abkommen werde ein Erfolg; wer dagegen sei, würde gegen die Politik des Präsidenten sein. Das wirkte. Nur Strauß nahm an der Zusammenkunft nicht teil und zog seine einprägsame Verleumdung nie zurück, die Bundesregierung wolle in Berlin die Bundesfahne einziehen. In den Notizen jener Tage finde ich zu meinem Erstaunen eine amerikanische Mitteilung, die Union wolle ein paar Abgeordnete der FDP »kaufen«.

Als Hektik und Aufregung hinter uns lagen, fanden wir Zeit für ein ruhiges Gespräch. Ken, der gerade an einem Herzinfarkt vorbeigeschrammt war, berichtete, er habe mit Rücksicht auf die China-Politik im Frühjahr unsere Gespräche über Berlin verzögert. Henry wollte die Reaktion der Sowjets testen. Im Sommer hatte er seine geheime Reise nach Peking unternommen. Ich hatte ihm danach auch zur Machart gratuliert und berichtete, daß keinerlei sowjetische Reaktionen in den Berlin-Verhandlungen spürbar seien. Er hatte sicher nicht nur über mich den Sowjets das unveränderte amerikanische Interesse an der Begrenzung strategischer Waffen und einem entspannten Verhältnis versichert. Das entsprach auch seiner Analyse des globalen Interessengeflechts zwischen Washington, Moskau und Peking. Dazu brauchte er die Aufnahme der Beziehungen zu Peking. Das war richtig, kühl, nicht kühn, aber legte zwei Überlegungen nahe: Was wir in Bonn für richtig hielten, hing von Faktoren ab, die nur bedingt von uns zu beeinflussen waren. Es hatte auch Glück dazu gehört, daß unsere Initiativen eine günstige Konstellation erwischt hatten. Im übrigen hatte sich Henry von einer realistischen Interessenabwägung leiten lassen, bestimmt nicht von Neigungen zum Land seiner Geburt. Interessen sind verläßlich und kalkulierbar. Doch das galt auch umgekehrt. Gerade von Kissinger hat mich gewundert, in seinen Memoiren die Einschätzung zu lesen, ich hätte Amerika »gebraucht« im Sinne von benötigt oder auch benutzt und nicht geliebt. Selbst eine innere Neigung zu einem fremden Land darf die Interessen des eigenen nie überlagern.

Und was den Wert zuverlässiger enger Beziehungen zwischen den USA und der Bundesrepublik angeht und ihr Gewicht für Europa, gab es zwischen Ken und mir keine Meinungsverschiedenheiten. Zunächst hätten der Präsident und Henry wenig von der Ostpolitik gehalten. Das sei jetzt anders. Wir müßten versuchen, Präsidenten und Kanzler menschlich näherzubringen. »Es funkt nicht zwischen den beiden.« Nixon werde mit niemandem warm. Der spröde Norddeutsche, der da auch seine Schwierigkeiten habe, warf ich ein, habe immerhin gesagt, nachdem der Präsident das Ergebnis der drei Musketiere gebilligt hatte: »Auf den Mann kann man sich verlassen.« Das bestärkte den amerikanischen Freund in der Absicht, länger in Bonn zu bleiben, statt interessante Angebote in Washington zu prüfen, und dabei zu helfen, daß Nixon und Brandt wiedergewählt würden. Dann regte er an, die drei Musketiere sollten sich der Reduktion konventioneller Waffen zuwenden. Sie würden es in bewährter Manier schaffen. Das war mit ein Grund, der mich 1974 im April glauben ließ, dem Kanzler ankündigen zu können, bis zum Ende des nächsten Jahres das erste Truppenentflechtungs-Abkommen zu erreichen.

Abrassimow, dem Falin das Format eines Provinzschauspielers bescheinigte, blieb vorbehalten, fröhlich seinen wichtigsten Beitrag »Ende gut, alles gut« zu verkünden. Alle Beteiligten äußerten sich nicht nur zufrieden, sondern waren es, untrügliches Merkmal eines guten Vertrages. Ihre begrenzte Begeisterung konnte der DDR nicht übelgenommen werden. Obwohl der Erfolg viele Väter hat – von dem französischen Botschafter erfuhren wir, wie wichtig der Besuch seines Außenministers Maurice Schuman in Moskau dafür gewesen sei –, empfing ich viele Glückwünsche, sogar Worte des Dankes. Henry, den ich einen Tag früher beruhigt hatte: »Keine Sorge mehr – relax!«, revanchierte sich mit »Congratulations«. Am meisten freute ich mich über das Lob des Kanzlers und des amerikanischen Botschafters. Ken mahnte zu etwas mehr Vorsicht vor einem Herzinfarkt; denn für mich ging es ohne Unterbrechung weiter. Das notwendige Transitabkommen sollte möglichst zügig durchverhandelt werden. Zwischendurch wurde noch die Begegnung des Bundeskanzlers mit Breschnew auf der Krim vorbereitet und absolviert (16.–18. September 1971), aber dann schafften die beiden Delegationen ihr Gesellenstück in zwei Monaten.

Die Ergänzung der Zwei und der Nobelpreis

Die vier Götter hatten ihre Zehn Gebote gegeben. Zu erklären, was das ist, wäre Martin Luther nicht schwerer gefallen als Michael Kohl oder mir. Aber da keiner dem anderen diktieren konnte, wurde es um so komplizierter, weil sich kaum internationale Vorbilder anboten und niemand an den polnischen Korridor zu erinnern wagte. Die Vorgabe las sich simpel: Der Transitverkehr zwischen Berlin und Westdeutschland sollte erleichtert werden, ohne Behinderungen sein und in der einfachsten, schnellsten und günstigsten Weise erfolgen, wie sie in der internationalen Praxis vorzufinden ist. Daraus ergab sich die Forderung, die Reisenden sollten beim Passieren der Grenze weder aussteigen noch bezahlen – müssen – wie bisher. Ein Visum sei überflüssig, und die Transitabgaben sollten pauschaliert werden. Beides lehnte die DDR ab. Ihr Kontrollrecht sei nicht durch den Rahmen der Vier Mächte berührt. Ich würde nicht bekommen, was die drei Westmächte nicht bekommen hätten. Ähnlich Unfreundliches tönte aus Moskau.

Für wen sollten die Regelungen gelten? Auch für Ausländer, soweit sie in Deutschland arbeiten, oder für alle? Natürlich nur für Zivilisten, denn die Uniformierten waren nicht betroffen; für sie blieb es wie bei der Aufhebung der Blockade beschlossen: Da durften die Ostdeutschen nach der Regel »identification but no control« feststellen, daß der Inhaber des Ausweises identisch mit der Person ist, die im übrigen unkontrolliert passieren durfte. Großzügig, wie die DDR im eigenen Interesse sein konnte, einigten wir uns auf alle zivilen Menschen; auch Ausländer sollten in den Genuß des Fortschritts kommen.

Wirklich alle? Die Transitstrecken konnten nicht das einzige Gebiet werden, auf dem durch Interpol Gesuchte sicher waren. Aber was ist ein Krimineller? Ich setzte mich für Axel Springer und den Präsidenten des Bundes der Heimatvertriebenen ein, deren Haltung in Medien der DDR kriminell genannt worden war. Umgekehrt fand Michael Kohl, seine Regierung könne die Augen nicht verschließen, wenn Spruchbänder mit friedensfeindlichen Parolen an den Autos durch die DDR gekarrt oder solche Flugblätter aus den Fenstern geworfen werden. Ich drängte, daß alle, die nach Auffassung seiner Regierung die DDR illegal verlassen hätten, auf dem Transit nicht behindert werden dürften. Er entrüstete sich, kein Land der Welt verzichte darauf, einen Fahnenflüchtigen festzunehmen, schon gar nicht, wenn der Mann in diesem Zusammenhang zum Mörder geworden ist. Die Drei Mächte ließen mich ihrer Ansicht teilhaftig werden, man könne der DDR keine Kriegsverbrecher auf den Transitwegen zumuten.

Wir mußten also in einem Artikel definieren, was Mißbrauch ist, ohne der DDR damit einen Vorwand zum Mißbrauch dieses Artikels liefern zu dürfen. Wir tasteten uns mühsam heran, daß Mißbrauch nur während der Benutzung der Transitwege möglich ist. Also kann niemand Mißbrauch begehen, weder der ehemalige Republikflüchtling noch wer zu einer Kundgebung gegen die Mauer nach Berlin fährt. Ein Vierteljahr nach Inkrafttreten des Transitabkommens bürgerte die DDR alle Republikflüchtlinge aus, die das Land bis Ende 1971 verlassen hatten, und schuf damit ein zusätzliches Gefühl der Sicherheit für die Betroffenen, von denen mich viele nach Abschluß der Verhandlungen fragten, ob sie sich denn trauen könnten zu fahren. In wirklich zähen Verhandlungen gelang die Regelung: Wer nicht zurückgewiesen wird, kann unbehindert reisen. Unser Ergebnis: Wer in den Transit hineinkommt, kommt auch wieder heraus. Es lag an der Grenze des Zumutbaren, daß die DDR der Bundesregierung ermöglichte, vor dem Bundestag zu erklären, die DDR werde nur Personen zurückweisen, die Straftaten gegen das Leben, vorsätzliche Straftaten gegen körperliche Unversehrtheit und schwere gegen Eigentum und Vermögen begangen haben. Selbst ein in der DDR wegen Mordes Gesuchter würde also nicht festgenommen, sondern nur zurückgewiesen werden. Über Zurückweisungen oder Festnahmen etwa bei schweren Verkehrsverstößen waren unsere Behörden unverzüglich zu unterrichten. Zur Behandlung strittiger Fragen wurde eine Transitkommission festgelegt, die in den 28 Jahren ihres Bestehens bis 1990 nur fünzigmal tagen mußte, vor allem weil die DDR sich gegen Mißbrauch wegen »Ausschleusung« ihrer Bürger wandte, was in der Bundesrepublik nie strafbar war.

Die Mitglieder der beiden Delegationen können stolz darauf sein, daß die Vier Mächte nicht ein einziges Mal angerufen werden mußten, um einen Streit zwischen den beiden deutschen Regierungen über die Auslegung dieses Abkommens zu schlichten.

Es lohnt nicht mehr, diese Verhandlungen in ihrer ganzen Dramatik, ihren Krisen und ihren Einzelheiten darzustellen; sie hatten für die Zukunft eine Bedeutung, die mir erst Jahre später bewußt wurde: Wir gewöhnten uns aneinander und gewannen langsam persönliches Vertrauen.

Michael Kohl war mir gänzlich unsympathisch: grob, stur, eng, linkisch, komplexbeladen und humorlos. So sah also ein Spitzenprodukt der DDR-Erziehung aus. Meine Lockerungsversuche tötete er durch Ernst: Ich konnte mir zum Beispiel ein durchgehendes Pferd, aber keinen durchgehenden Bus vorstellen, besonders nicht für Fahrgäste, die mal dringend »müßten«. Das führte nur zur aufwendungsreichen Einrichtung besonderer »transit-geschützter« Rastplätze für Busse, die dann wenig benutzt wurden. Bei etwas weniger Selbstsicherheit wäre mir, stärker kontrolliert, die ärgerliche Bemerkung nicht entschlüpft: »Das macht den Kohl auch nicht fett.« Auch wenn er das, etwas übergewichtig, schon einmal gehört haben mußte, dauerte es, ehe wir langsam einigermaßen unbefangenen Umgang lernten. Mit den Russen war es leichter gewesen. Er sei Honecker und – in Abwesenheit – Sindermann direkt unterstellt, wertete er sich auf. Beide Kinder eines Bewußtseins, geprägt durch Sein und Vergangenheit, probten wir, deutsche Verkrampfungen zu lösen, behindert wie gefördert durch die Aufgabe, das erste förmliche Abkommen zwischen der Bundesrepublik Deutschland und der DDR schließen zu sollen.

Die Mitglieder unserer Delegationen fanden etwas leichter zueinander. Während ich mit Kohl vorzog, unsere Laokoon-Darstellung unter vier Augen zu versuchen, tagten Expertengruppen für alle möglichen Verkehrsfragen, sogar Veterinäre; denn es sollten nicht nur Menschen, sondern auch Vieh und sonstige Güter verplombt transportiert werden. Wir tagten abwechselnd im Haus des Ministerrats und dem Kanzleramt. Mehr in Ostberlin, was Helmut Schmidt nicht in Ordnung fand, ich aber immer fortsetzte, um Kohl notwendige Rückfragen zu Entscheidungen zu erleichtern. Zuerst öffnete sich die schwere Tür wie von Geisterhand, wenn ich vorfuhr, aber bald traute man sich, die anderen Deutschen auch sichtbar zu begrüßen. Umgekehrt bestand ich verletzend darauf, am Abend nach West-Berlin zu fahren, um dort im eigenen Bett zu übernachten, bis Brandt sagte, man könne den Hokuspokus auch übertreiben; wir wohnten dann genußvoll im ehemaligen Kronprinzen-Palais, was in West-Berlin kritisiert wurde. Kohl machte bei einer gemeinsamen Fahrt den Fehler, mir meine Stadt zeigen zu wollen: »Das ist das alte Heine-Viertel.« Und meine Korrektur ließ ihn verstummen: »Das ist das alte Fischer-Kietz.« Was mag der begleitende Protokollchef wohl gedacht haben, als er mich bestätigte? Ich war hier mehr zu Hause als Kohl in seiner Hauptstadt.

Ulrich Sahm, mein Stellvertreter und nach Abschluß der Transitverhandlungen unser Botschafter in Moskau, erlebt bewegende Reisen in die Vergangenheit. Sein Vater, der letzte demokratisch gewählte Oberbürgermeister Berlins, hatte das Ermeler-Haus eingeweiht, in das wir uns nun zum Essen führen lassen, und Sahm kann bestätigen, wie vorzüglich die Restauration an neuer Stelle gelungen ist. Ich mache mit ihm einen kleinen Spaziergang, »die Linden« hinauf. Menschen blinzeln oder lächeln und trauen sich nicht heranzukommen. Verrücktes Gefühl, hier zu Hause zu sein als Gast einer anderen Regierung. Ein vertrauter Blick, dem nur der Alte Fritz auf seinem Sockel fehlt. Wir finden, daß unserem Staat diese Stadt eigentlich gut zu Gesicht stünde, im Vergleich zum netten Provisorium Bonn. Das Brandenburger Tor verschließt die Prachtstraße, und dahinter sehen wir den Widerschein der West-Berliner Helligkeit an den Wolken. Die Menschen hier sehen das nun seit Jahren, eine tägliche Lockung, zum Greifen nahes farbiges Abbild eines leichteren Lebens, Fata Morgana, verführerischer als die Wirklichkeit, die sie spiegelt. An diesem Abend begreife ich den ohnmächtigen Haß der Machthaber gegen dieses West-Berlin, das sogar nach dem Bau der Mauer täglich gegen die Konsolidierung ihres Staates wirkt.

Eine schönere Wohnung im Herzen der Stadt ist nicht vorstellbar. Der Blick schwelgt vom Schlüterschen Zeughaus über die Museumsinsel und den Dom bis zum Roten Rathaus, erträgt die kalte Rückseite des Außenministeriums und kann sich widerwillig mit dem Ausrufungszeichen des Fernsehturms befreunden. Die Suite im Gästehaus der Regierung ist großzügig und bietet sogar Sauna und Trainingsgeräte. Doch zu luxuriöser Gesundheitspflege bleibt kaum Zeit. Die Delegationen arbeiten zwei bis drei Tage zunächst alle zwei Wochen, dann wöchentlich, unter Einbeziehung von Wochenenden und Nachtsitzungen bis in die frühen Morgenstunden. Sahm bezeichnet das als »Periode intensivster Arbeit, wie ich sie in meinem dienstlichen Leben weder vorher noch nachher je erlebt habe«. Sein Kollege Karl Seidel beschreibt diesen »Marathonlauf« von mehr als 75 Gesprächsrunden als »die interessanteste Zeit meiner Tätigkeit im Ministerium für Auswärtige Angelegenheiten, zugleich aber auch die anstrengendste, die gesundheitliche Spuren bis heute hinterlassen hat«. Kohl und ich weisen unsere Gleichberechtigung auch insofern nach, zu oft mit nur dreieinhalb oder vier Stunden Schlaf auskommen zu können. So etwas verbindet. Ich lerne auch seine gute Vorbereitung und Vertrautheit mit der Materie achten. Wir schenken uns nichts und kommen uns gerade deshalb näher.

Jeder Diplomat weiß, wie erleichternd für die Atmosphäre, wenn auch nicht fürs Gewicht, gutes Essen ist. Insofern entwickelten wir ganz absolut normale, gar keine besonderen Beziehungen. Ich fragte bei einer solchen Gelegenheit einen Mitarbeiter Kohls, der angeblich aus dem Verkehrsministerium kam, ob seine Frau beschäftigt sei. Die schöne, sächsisch getönte Antwort: »Die arbeitet in demselben Organ«, war wundervoll und bestärkte den Verdacht, daß dies wohl der Stasi-Mann sei. Aufregend, alte Vermutungen bestätigt zu bekommen: Die Parolen der DDR, Deutsche an einen Tisch, seien doch reine Propaganda gewesen, klopfte ich auf den Busch. Kohl lachte: »Auf die Ablehnung Adenauers konnte man sich verlassen. Man wußte genau: Es wird gar nicht ernsthaft geprüft. Jetzt ist es nicht mehr so einfach.« Nicht nur durch den Interzonenhandel hat Bonn die frühe DDR stabilisiert.

Während einer Vorbesprechung mit Sahm im Kanzleramt kommt die

Meldung, Brandt sei der Friedensnobelpreis zugesprochen worden. Der erste Gedanke ist: interessant; er hatte doch Jean Monnet vorgeschlagen. Als die Bedeutung der Meldung ins Bewußtsein sickert, freue ich mich herzlich für den Freund, will ihm gratulieren und finde ihn in dem Raum, in dem ich tags zuvor die schlechte Lage unserer Verhandlungen erläutert hatte. Schiller spricht Ehrendes, und Willy zählt seine Finger ab. Im Bundestag kann die Opposition sich nicht entschließen, ob sie sitzenbleiben oder aufstehen soll, und Barzel gratuliert mit einer Kondolenzmiene. Im Arbeitszimmer umarmt mich Willy und sagt: »An dem Preis hast du deinen Anteil. Du mußt nach Oslo mitkommen.«

Nachdem ich die pauschale Zahlung für Straßenbenutzung und Visagebühren durchgesetzt habe, feilschen wir wie maghrebinische Teppichhändler. Gut präpariert durch den Vertreter unseres Verkehrsministerium will ich nach dem Prinzip »im Dutzend billiger« verfahren, während Kohl nicht nur die zusätzlichen Aufwendungen seiner Regierung auf den Transitwegen, sondern die zu erwartende bedeutende Zunahme des Verkehrs geltend macht und dafür jährlich 550 Millionen verlangt. »Eigentlich sind die pleite«, hatten wir schon vor Monaten aus Kirchenkreisen Ostberlins gehört. Aber solche Einschätzungen sind seit Jahrzehnten nichts Neues und immer ohne erkennbare Auswirkungen geblieben. Kohls Gier nach Geld macht mich umgekehrt verbissen: Wir können keine übertriebenen Steigerungsraten zugrunde legen. Schließlich einigen wir uns für die ersten vier Jahre auf je 234,9 Millionen D-Mark.

Nach dem Abkommen stieg die Zahl der Reisenden sprunghaft, wie Kohl erwartet und ich nur nicht hatte zugeben wollen. Mit meinem eigentlich zu »billigen« Verhandlungsergebnis habe ich Günter Gaus später nur das Geschäft erschwert; denn er mußte den berechtigten großen Sprung auf jährlich 400 Millionen zugeben und in Bonn erklären. Die Regierung Kohl sagte sogar 860 Millionen zu, konnte das Geld ab 1991 für andere Kosten der Einheit nutzen.

Für mich dauerte der Marathonlauf 15 Monate bis zur Unterzeichnung des Grundlagenvertrags. Er wurde erschwert, weil ich nach jeder Sitzung einen Kontaktausschuß des Parlaments nicht nur informierte, sondern mich sachlich beraten ließ. Das war lohnend für alle Beteiligten, unter denen die Union mit den gewichtigen Namen Marx, v. Weizsäcker und Gradl vertreten war. Daß sie das Auf und Ab so genau verfolgen konnten, war für die positive Bewertung des Ergebnisses hilfreich. Nur die Beratungen mit der Delegation erfrischten, um die nächste Runde vorzubereiten. Die Sonderunterrichtung für den Oppositionschef blieb, und der Auswärtige wie der Gesamtdeutsche Ausschuß meldeten mehrfach Unterrichtungsbedarf an. Das Kabinett wollte bedient werden, die Botschafter wollten auf dem laufenden bleiben, die politischen Direktoren der drei Außenministerien berieten dazu in Paris, doch besonders strapazierend für die Nerven war die Koordinierung mit Berlin.

Ein Senatsbeauftragter verhandelte über Besuchsmöglichkeiten von West-Berlinern in »die angrenzenden Gebiete«, hielt sich analog an unsere Regelung, wonach ausreisen darf, wer einreisen durfte, und über einen Gebietsaustausch. Daß die West-Berliner die Erlaubnis zu Mehrfachbesuchen bis zu dreißig Tagen bekamen, privilegierte sie gegenüber den Westdeutschen, allerdings zum erstenmal. Es glich ihre bisherige Benachteiligung aus, in den letzten Jahren nicht einmal Passierscheine für Tagesbesuche erhalten zu haben. Natürlich tauschten wir Erfahrungen und Papiere aus, damit der Senat nicht unwissentlich das feine Gefüge seiner Bindungen zum Bund auch nur mit einem Wort zugunsten der DDR verletzt. Innerberliner Schwächen waren der Grund für meinen telefonischen Eingriff vor Augen und Ohren Kohls. Der brummte: »Nun haben Sie ja endlich die offizielle Koordinierung, die Sie immer gewünscht haben.« – »Wenn Sie zugelassen hätten, daß Bonn auch in Berlin regieren darf, wäre die Panne nicht passiert.« Daß wir in einer kritischen Situation so miteinander umgehen konnten, war nicht das geringste Ergebnis dreimonatiger Nähe. Daß ich auch öffentlich erklärte, nicht die Regierung der DDR sei schuld an der Verzögerung, die Besuche zu Weihnachten leider unmöglich mache, fand er mutig und übermittelte mir von Honecker, seine Seite hätte sich überzeugt, daß ich immer prinzipiell gewesen sei, hart, aber fair. Leo bestätigte gleiche Äußerungen Honeckers gegenüber Moskau. Beides war mir für die Zukunft wichtig.

Bonn hatte zwar für Berlin über den Transit verhandelt, aber das bedeutete nicht automatisch das Einverständnis der DDR zu unserer Unterschrift für Berlin. Nach verlorenen Rückzugsgefechten bestand Honecker wenigstens auf einer Mitteilung des Senats an die DDR über die Bereitschaft, das Abkommen zu übernehmen. Dann konnten wir die Verhandlungen beenden, die Papiere zur Paraphierung vorbereiten lassen, und Kohl zeigte sogar Verständnis für meine Äußerung der Wehmut, daß es mit unserem Land so weit gekommen ist, das erste Abkommen zwischen zwei Regierungen als einen Fortschritt bezeichnen zu können und zu müssen. In homöopathischen Dosen gewöhnte er sich an das besondere deutsche Verhältnis.

Obwohl das Hickhack in Berlin noch nicht beendet ist und offenbleibt, wann der Senat »paraphierungsfähig« ist, fliege ich nach Oslo und genieße, in den Straßen spazierenzugehen, nicht erkannt und angesprochen zu werden, nur dabei zu sein und keine Verantwortung für den Ablauf des feierlichen Aktes zu haben. Es tut wohl, wie genau und interessiert die norwegischen Freunde unsere Dinge verfolgen und sich erkundigen, ob morgen paraphiert werden kann. Erst beim Abendessen kommt die erlösende Mitteilung: Senat zehn Uhr. Ich erreiche Kohl, verabrede für uns elf Uhr und informiere Willy, der uns erleichtert gratuliert. Am nächsten Morgen startet die Parforcetour. Der erste Flug einer Bundeswehrmaschine nach Schönefeld auf einer ganz neuen Trasse über Skagen, Malmö und Rügen. Das immer noch unerreichbare Traumziel Hiddensee ist gut zu erkennen. Seidel behält zur Begrüßung den Hut auf; statt des nicht hinnehmbaren persönlichen Affronts, wie ein Bonner findet, vermute ich Aufregung. Der Paraphierung im Haus der Ministerien folgen in West-Berlin Interviews zusammen mit Schütz, dann die Rückfahrt nach Ostberlin. Kohl begleitet mich nach Schönefeld. Wir verabreden die Unterzeichnung in Bonn noch vor Weihnachten. Die Bundeswehrsoldaten sind begeistert: Sie durften in Zivil unsere fremde Hauptstadt besichtigen. Selbst die Luftstraße über der DDR und der ČSSR ist holprig, was die euphorische Stimmung und leichtsinnige Äußerungen über deutsche Möglichkeiten nicht hindert. In Bonn: Pressekonferenz und eilige Arbeit im Amt, im Hubschrauber nach Köln-Wahn, Flug nach Stockholm, im Hotel in den vorgeschriebenen Smoking gestiegen, und pünktlich eine Minute vor zwanzig Uhr treffe ich zu dem Abendessen für den Bundeskanzler ein, ziemlich bestaunt, weil einige mich gerade noch auf der Mattscheibe bei Pressegesprächen in Berlin und Bonn gesehen hatten. Der 11. Dezember 1971, ein Tag nach der Verleihung des Nobelpreises, war wirklich ausgefüllt.

Das Transitabkommen befreite Berlin aus jahrzehntelanger Krisen- und Druckanfälligkeit. Zum erstenmal seit dem Ende des Krieges war eine Rechtsgrundlage für den zivilen Verkehr geschaffen worden, deren Regelungen zuvor niemand erwartet und die westliche Seite nicht einmal gefordert hatte. Die Insel rückte dem Festland etwas näher; das hatte psychologisch wie geschäftlich Bedeutung: Man konnte, über Straße oder Schiene aus West-Berlin kommend, zu jeder Verabredung in Westdeutschland pünktlich erscheinen, wie jeder Bundesbürger. Verspätung wurde durch Verkehrsdichte und nicht mehr durch Politik verursacht. Und man konnte unbesorgt und unschikaniert fahren; denn die DDR bestimmte grundsätzlich nicht mehr über den Zugang. Das politisch Entscheidende ging auf ihre Kosten: Der Verkehr lief im Prinzip unkontrolliert. Die Ehrenbürgerschaft für Willy Brandt drückte auch den Dank der Stadt dafür aus, daß er sein Wort gehalten hatte, für die Berliner in Bonn mehr tun zu können als von der Spree aus.

Ich empfinde noch heute Genugtuung, daß das Abkommen alle Bewährungsproben bestand und hielt, bis es mit dem Ende der Teilung seinen Zweck erfüllt hatte.

Das Transitabkommen markiert noch einen anderen Punkt der deutschen Nachkriegsgeschichte. Bisher hatten die vier Sieger über die Deutschen bestimmt. Nun war zum erstenmal der Augenblick erreicht, in dem sie eine Mitwirkung der Deutschen brauchten, um eine für ganz Deutschland und sogar für sie selbst wichtige Vereinbarung zu treffen. Einen Krisenherd, der seine Gefährlichkeit von mindestens europäischer Dimension mehrfach gezeigt hatte, konnten sie nur beruhigen, sich von dem Faktor der Unruhe nur entlasten, wenn zwei deutsche Regierungen beteiligt wurden. Das wertete unvermeidlich beide auf. Die neue politische Wirklichkeit in der Mitte Europas hieß Vier plus Zwei. Der geschichtliche Zufall stellte sie in fast gleiche zeitliche Entfernung zwischen die 1990 berechtigte Umkehrung auf Zwei plus Vier und die gegeneinander organisierte deutsche Wiederbewaffnung 1954/55. Die Mitte des politischen Weges vom machtlosen Objekt nach der bedingungslosen Kapitulation zum verantwortlichen Subjekt seiner Geschichte hatte unser Land Anfang der siebziger Jahre zurückgelegt.

Noch bevor Kohl und ich die Briefe abstimmten, durch die unsere Regierungen den Vier Mächten die Texte unseres Abkommens mitteilten, damit es als Teil des Gesamtpakets durch die Unterschriften unter die Schlußakte in Kraft gesetzt werden konnte, hatten wir uns ein wenig amüsiert: Falls wir uns nicht einigen, sind die Vier Großen gescheitert; solange wir uns nicht einigen, müssen sie warten. Man brauchte sich gegenseitig; international die DDR zum erstenmal, 1990 zum letztenmal, damit aus Vier plus Zwei oder Zwei plus Vier rechnerisch falsch, aber politisch richtig Fünf wurde.

Mit Rotkäppchen-Sekt stießen wir auf die Unterzeichnung an und beglückwünschten uns. Ich dachte laut nach: »Die Phase, in der wir die Vier Mächte gebraucht haben, ist eigentlich zu Ende. Es wäre an der Zeit, sie ein wenig in den Hintergrund der Geschichte sinken zu lassen und uns auf uns selbst zu besinnen. Ihre Mitwirkung wird erst wieder beim Friedensvertrag unentbehrlich.« Kohl nickte, wahrscheinlich aus anderen Motiven.

Das Transitabkommen hatte nicht nur das Verständnis füreinander bei den Beteiligten gefördert, die Einsicht in Mechanismen, Stärken und Schwächen, Abhängigkeiten und Interessen der jeweils anderen Seite vertieft, sondern die beiden Verhandlungsführer hatten sich miteinander »eingearbeitet« und Lust auf die Fortsetzung bekommen. Ohne dieses wertvolle nicht sichtbare Ergebnis der Tage und Nächte für den Transit wäre der Grundlagenvertrag nicht so schnell erreichbar gewesen. Zur Fortsetzung unserer Arbeit verabredeten wir uns zum 20. Januar 1972.

7. KAPITEL

Triumph der Ostpolitik

Ein vergessener Vertrag

Nun wollte die DDR endlich einen richtigen Staatsvertrag mit der Bundesrepublik erreichen, ratifizierungsbedürftig durch die beiden Parlamente, und konnte sich dadurch mindestens Zugang zu internationalen Abkommen und Organisationen versprechen. Wir wollten diesen Preis bezahlen, um die Reisemöglichkeiten für die Menschen in beiden Staaten zu erweitern. Umgekehrt sollte die DDR wachsende Reputation nach außen durch innerdeutsche Erleichterungen ausgleichen. Wenn letzteres überzeugend genug wäre, würde die Hürde der Zustimmung durch den Bundestag zu überspringen sein. In diesem Fall wäre das nicht mehr revidierbare erste Beispiel für eine Politik etabliert, die DDR als Staat, aber mit besonderen Beziehungen zu behandeln. Nach einem solchen Durchbruch sollte es möglich sein, das Verhältnis der beiden deutschen Staaten grundsätzlich zu regeln. Diese Überlegung zu Beginn des Jahres 1972 verlangte einen Verkehrsvertrag als Probelauf.

Im Innenverhältnis zwischen Bonn und Berlin hat das auch so funktioniert. In der Außenwirkung wurde der erste Staatsvertrag viel weniger beachtet und lief im Windschatten von Ereignissen mit, die ungleich leidenschaftlicher die Gemüter erregten: der gescheiterte Kanzlersturz, die Ratifizierung des Moskauer und Warschauer Vertrages, die Inkraftsetzung des Vier-Mächte-Abkommens für Berlin, die vorzeitige Auflösung des Bundestag und die vorgezogenen Neuwahlen.

Meine Notizen zeigen immer wieder, wie unsicher wir waren, ob die Regierung mit ihrer bröckelnden Mehrheit auch nur den Moskauer

Vertrag durchbringen könnte. Im negativen Falle würde von dem ganzen Konzept nur das Vier-Mächte-Abkommen übrigbleiben, das von der Zustimmung des Bundestages unabhängig war. Kleinmütige begannen den Kopf zu schütteln bei der Vorstellung, in dieser Lage der Öffentlichkeit und der Koalition den ersten Staatsvertrag zumuten zu wollen, der viele auch emotional beladene Fragen mit der DDR beantworten mußte. War das noch verantwortbar? Sollte nicht besser das Tempo gedrosselt und erst einmal die Koalition konsolidiert werden? Brandt entschied in großer Ruhe: »Wir machen weiter, was wir für richtig halten.« Wehner bestärkte ihn. Scheel wackelte nicht. Ehmke: »Wenn wir schon untergehen, dann mit wehenden Fahnen.« Die Festigkeit, auch nach dem Verlust der Mehrheit im Bundestag, zu tun, was man sich vorgenommen hatte, nicht in die Knie zu gehen und für die Sache zu kämpfen, hat die Bevölkerung dann im Herbst honoriert. Politische Führung gewinnt Respekt, wenn sie ihrer Überzeugung und nicht Meinungsumfragen folgt. Die Menschen spüren, ob da jemand Macht hat und behalten will für sich oder für eine Sache, im persönlichen oder größeren Interesse.

Über den Kanal höre ich, daß die DDR Moskau den Gedanken nahelegt, nachdem der Bundesausschuß der Union die Ostverträge einstimmig abgelehnt hat, ob denn dieser Brandt seriös sei, wenn er mit der Sowjetunion einen Vertrag unterzeichnet hat, ohne einer Mehrheit dafür sicher zu sein. Slawa und Leo zeigen Zeichen von Nervosität: Wird es reichen für die Ratifizierung? Immerhin steht auch das Prestige ihres ersten Mannes auf dem Spiel, der eine neue Politik gegenüber Bonn durchzusetzen hatte. Ich gebe jeweils ein völlig offenes, schonungsloses Bild, bewerte die Chancen monatelang mit fünfzig zu fünfzig, auch wenn die Voraussagen mal besser, mal schlechter stehen: Wichtiger ist, keine falschen Erwartungen zu wecken. In diesen schwierigen Monaten wächst Vertrauen. Mehrfach höre ich die Frage, wie sie helfen könnten. Breschnew gibt Weisung, einer großen Gruppe von Rußlanddeutschen die Ausreise zu gestatten. Aber das bewegt hier keinen Abgeordneten zu einem Ja für die Verträge. Ich erzähle Slawa, daß die Aufzeichnung über das Gespräch mit dem sowjetischen Botschafter nicht im Kanzleramt zu finden ist, in dem Adenauer seinen Vorschlag für einen Burgfrieden gemacht hat; ein solches Arrangement, das auf der deutschen Teilung für eine begrenzte Zeit ruht, könnte schon beeindrucken. Bei unserer nächsten Zusammenkunft bekomme ich die Antwort, daß Gromyko abgelehnt hat, den Bericht herauszugeben: »Wer mit uns spricht, kann sich auf unsere Vertraulichkeit verlassen.« Jede andere Reaktion wäre alarmierend gewesen. Das findet auch Brandt, der mich leise tadelt wie lobt für Sondierung und Ergebnis. Es kommt ein neues Thema dazu: Wie soll man Breschnew erklären, was ein konstruktives Mißtrauensvotum ist? Nach den Erfahrungen von Weimar kann ein Kanzler im Interesse der Stabilität auch ohne Mehrheit regieren, bis das Parlament einen neuen gewählt hat. Das sehen die sowjetischen Freunde ein, aber fragen, logisch schwer widerlegbar, warum wir nicht auch Abgeordnete kaufen, wie es die Opposition macht, was sie ziemlich genau wüßten. Ich durfte bestimmt nicht antworten, daß wir so unfein nicht seien, sondern sagte, was ich dachte: Wir hätten kein Geld, und deshalb reize dieser Weg nicht.

Wirksame Hilfe wäre, wenn die DDR sich nicht mehr dagegen wehrte, daß der Verkehrsvertrag auch für West-Berlin gelten muß. Ich konnte den sowjetischen Partnern das nicht ersparen; denn sie hatten wie ich angenommen, daß dieses leidige Thema mit dem Transitabkommen endlich erledigt sei. Sie vermittelten umgekehrt die Klage der DDR, ich würde Kohl mit der wackligen Lage für die Verträge und dem beabsichtigten Kanzlersturz fast erpressen. Sie sollten immer liefern, was sie nicht bestellt hätten. Dieser Satz war logisch unsinnig, aber gut zu verstehen. Ob es nützlich wäre, wenn Moskau auf die Amerikaner einwirkt, damit die ihren Einfluß auf die Opposition zugunsten des Vertrages verstärken? Aber das war unnötig; denn inzwischen konnte das amerikanische Interesse am Zustandekommen des Ganzen gar nicht mehr bezweifelt werden; eine Reise nach Washington im März hatte mir bestätigt, daß dort keine Irritation erwünscht war, während Kissinger nach dem Besuch seines Präsidenten in Peking einen solchen nach Moskau vorbereitet. Eines Tages kam Leo nach Bonn und meinte während des Gesprächs, es könne doch nicht nur am Geld liegen, ob die Regierung bleibe; da könne man doch nachdenken. Ich war erschrokken: »Jedes Angebot wäre eine Beleidigung.« Leo war auch erschrokken: »Das habe ich nicht gemeint.« Ich habe Brandt gar nicht davon berichtet und erst 1993 erfahren, daß Slawa gleichzeitig mit einem Koffer voller Geld in Berlin wartete, sicher, er würde es seinen Auftraggebern zurückgeben. Mit Wünschen um Unterstützung für touristische

Reisen, Herabsetzung des Rentenalters für Besuche, mehrmalige Einreisen zu Besuchen nicht nur von Verwandten, sondern auch Bekannten, wollte ich die Sowjets nicht behelligen. Das mußte denen entweder klein oder verrückt vorkommen, wahrscheinlich beides angesichts der Reisemöglichkeiten ihrer Bürger »ins Ausland«.

Und zum »Ausland«, noch dazu zum kapitalistischen, hatte uns Honecker gerade erklärt und Visumfreiheit mit Polen und der ČSSR vereinbart. Brandt versicherte Breschnew, er sei trotz aller Schwierigkeiten entschlossen, seine Politik unbeirrt weiterzuverfolgen. Der Generalsekretär mußte sicher sein, daß sein neuer Partner sich verläßlich an alle Absprachen halten und den Weg bis zum Ende gehen würde. Dies mag Breschnew bestärkt haben, die DDR zu einer kooperativeren Einstellung aufzufordern.

Ich merkte das jedenfalls. Bei unseren Treffen, wieder im wöchentlichen Rhythmus, hatte Kohl zunächst den Gedanken brüsk verworfen, während der Osterwoche auf den Transitwegen schon einmal so zu verfahren, wie wir vereinbart hatten. Der gewaltige Unterschied würde den Menschen die Erfolge der Entspannungspolitik deutlich und erlebbar machen. Schon die Ankündigung wäre gut für die wieder anstehenden Landtagswahlen, aber auch für die Ratifizierung der Verträge. Als Kohl scheinbar aus heiterem Himmel kooperativ wurde, zeigte sich eine lustige und seltene Übereinstimmung zwischen DDR und Frankreich. Beide lehnten meinen Vorschlag ab, das Transitabkommen als Probelauf in Kraft zu setzen, die Franzosen, weil ein solcher Akt nicht durch die Deutschen, sondern nur durch den Schlußakt der Vier Mächte erfolgen dürfe, die DDR, weil sie den unbehinderten Verkehr nicht »verschenken« wollte, falls die Verträge scheiterten. Außerdem sieht kein Staat gut aus, wenn er ein Geschenk zurücknehmen will, weil seine Ursache, der Moskauer Vertrag, nicht in Kraft tritt. Ich konnte nicht ausschließen, daß diese Möglichkeit in Ostberlin auch als Hoffnung gesehen wurde.

Dann kam Kohl mit einem ganz anders gearteten Argument: Seine Regierung dächte nicht daran, einem neuen Bundeskanzler Barzel die Morgengabe des Transitabkommens zu bescheren. »Wenn alles schiefgeht, werden die Zeiten eisig, dann kann man mal wieder richtig schimpfen, und nicht nur das.« Es war absolut glaubwürdig, daß es ihm Spaß machen würde. Hier wurde eine Weichenstellung deutlich: Eine konservative Bundesregierung wäre für die DDR bequemer als eine sozialdemokratisch geführte, Konfrontation ungefährlicher als Entspannung. Wenn aber Entspannung sich durchsetzt, dann gewann die DDR ein Interesse daran, die sozial-liberale Regierung zu unterstützen, damit die Vorleistungen des Berlin-Abkommens sich für sie auszahlten und sie die erwarteten und ersehnten Leistungen bis hin zum immer noch versperrten UN-Beitritt kassieren konnten.

Hier, im Frühjahr 1972, wurde der Umschwung des Interesses deutlich, die sozial-liberale Regierung möglichst zu erhalten und mit ihr langfristig zusammenzuwirken. Das blieb so bis Ende 1982. Ein neuer Abschnitt begann, als Helmut Kohl, Bundeskanzler geworden, die bisherige Politik wider Erwarten fortsetzte und die neue Opposition ein Faktor wurde, den die DDR innenpolitisch in der Bundesrepublik zu nutzen versuchte.

Im Vorfeld des konstruktiven Mißtrauensvotums ging die DDR »das Risiko« ein, wie Michael Kohl sagte, und schenkte uns die zeitweilige »Anwendung« des Transitabkommens unter Vermeidung des ominösen »In Kraft setzen«. Aber mir ging es nicht nur darum, der DDR Minderwertigkeitskomplexe zu nehmen, indem ich erfolgreich darauf verwies, daß normale Staaten Verträge und nicht »Staatsverträge« schließen, wie es das Kompensationsbedürfnis Ostberlins verlangt hatte, sondern die DDR sollte das Gefühl gewinnen, daß sie selbst Einfluß auf die Bundesrepublik gewinnen könnte. Ich legte also dar, daß materielle Zugeständnisse für Reiseerleichterungen auf die Abstimmung im Bundestag zugunsten Brandts wirken könnten, ganz im Sinne Moskaus. Vielleicht lag es an diesem Argument, daß Kohl die Frage stellen durfte, ob ich nicht Honecker sprechen möchte.

Die Vermischung von Innen- und Außenpolitik ist ein großes Thema, ein Tummelplatz von Heuchelei zu allen Zeiten. Die idealistische Vorstellung, die Interessen eines Staates von denen zu trennen, die das Wohlergehen der eigenen Bürger ausmachen, traf die Wirklichkeit nicht einmal, als dafür theoretisch noch die besten Voraussetzungen gegeben waren; absolute Herrscher konnten über die Geschicke ihrer Staaten verhandeln, ohne eine Strafe ihrer Völker zu sehr fürchten zu müssen. Schon Bismarcks *Gedanken und Erinnerungen* können noch vor dem Zeitalter der Demokratie lehren, wie stark innenpolitische Erwägungen außenpolitische Schritte beeinflussen, bedingen, ausschließen. Das gilt erst recht in einem politischen System, in dem die

Gunst der Wählerinnen und Wähler darüber entscheidet, wer auf Zeit Macht gewinnt. Zu leugnen, daß alle Regierungen diese Zeit verlängern wollen, wäre weltfremd. Daß sie das nicht aus Eigennutz wollen, läßt sich gerade auf dem Gebiet der Außenpolitik demonstrieren. Auch deshalb ist das Außenministerium so begehrt, weil die parteipolitischen Interessen seines Inhabers hinter den Interessen des Staates verschwinden, jedenfalls verschwinden sollen, dennoch unsichtbar existieren. Da in der Demokratie die Macht nicht aus den Gewehrläufen, sondern aus den Wahlurnen kommt, ist das sogar legitim.

Gleichzeitig leistet der Amtsinhaber den Eid auf die Verfassung, das heißt, er verpflichtet sich, das Wohl des Staates über das Wohl seiner Partei zu stellen. Verwechslungen kommen immer wieder vor. Vermischungen sind unvermeidbar. Sofern im Idealfall die Interessen des eigenen Staates zu einer gemeinsamen überparteilichen Außenpolitik führen, werden Vor- und Nachteile für den nächsten Wahlkampf einkalkuliert. Ob der Präsident die Boys in den Kampf schickt oder heimholt, ob er führt oder lahmt, wird nicht entschieden, ohne die innenpolitischen Auswirkungen zu berechnen. Jeder Staatsmann wird einen erwünschten außenpolitischen Schritt abwägen, wenn durch ihn ein Grundkonsens der Gesellschaft gefährdet wird. Niemand kann ihm die Abwägung verübeln, mit seiner Entscheidung die eigene Mehrheit aufs Spiel zu setzen, sei es im Parlament, sei es in der eigenen Partei. Schlimm wird es, wenn aus Bequemlichkeit, Feigheit oder Rücksicht auf eigene Wählergruppen ein Schritt unterbleibt, den das Interesse des Staates gebietet. Das jahrelange Gezerre um die Anerkennung der Oder-Neiße-Linie ist dafür ein Beispiel, um die Konsequenzen kollektiver Sicherheit ein anderes.

Im Frühjahr 1972 waren wir so durchdrungen von der Überzeugung, das Richtige für unseren Staat und das Volk, das ja auch in einem anderen Staat lebte, zu tun, so erfüllt von einem missionarischen Eifer, daß es beinahe Pflicht schien, dafür die eigene Mehrheit zu riskieren. Zumal wir damals die Opposition aus verschiedenen Gründen unfähig sahen, die deutsche Chance der Entspannung in der Mitte Europas zu nutzen. Das war zehn Jahre später ganz anders, als das erschöpfte Gespann Schmidt/Genscher das Land verwaltete, die Ostpolitik gewissermaßen abgehakt und kein gesamteuropäisches Ziel hatte, faszinierend genug, um dafür alle Kräfte zu mobilisieren.

Es gibt noch einen weiteren Aspekt der Vermischung von Innen- und Außenpolitik. Wenn Kissinger ein Interview von Brandt erbat, um den Kongreß zu beeinflussen, oder intern auf die deutsche Opposition zugunsten der Verträge einwirkte, so ist das genaugenommen Einmischung in die inneren Angelegenheiten eines anderen Staates im eigenen Interesse. Wenn der amerikanische Botschafter und ich überlegten, was wir tun sollten, damit Brandt und Nixon wiedergewählt würden, nahmen beide Partei gegen die Opposition im anderen Land, natürlich überzeugt, daß die Fortsetzung der eigenen Regierung gut für das eigene Land und die Zusammenarbeit beider Staaten wäre. Im Grunde kann man das Neben-Außenpolitik nennen. Wenn Walther Leisler Kiep (CDU) bei seinen Gesprächen in Moskau wie in Washington und Ostberlin vertraulich versicherte, diese Länder brauchten sich keine Sorgen zu machen, ihre Interessen der Zusammenarbeit mit der Bundesrepublik wären fast besser aufgehoben, wenn die Union den Kanzler stellt, war das Innenpolitik nach außen getragen. Und zu den Aufgaben der Konrad-Adenauer- und der Friedrich-Ebert-Stiftung in Washington gehört eben auch diese Neben-Außenpolitik, die im Kontakt mit der jeweiligen Opposition außenpolitische Interessen des eigenen Landes und der eigenen Auftraggeber erläutert und nahebringt, ganz abgesehen von dem Kontakt zu Menschen, die morgen wichtige Aufgaben in den Ministerien übernehmen werden.

Diese Vermischung innen- und außenpolitischer Interessen gab es auch gegenüber der DDR. Insofern war sie Ausland, entgegen Gefühl und Erklärung, daß sie für uns nie Ausland sein könne. Da gab es keinen Unterschied zwischen SPD, CDU, FDP oder CSU und SED, miteinander zu reden und dabei das jeweilige innenpolitische Interesse nicht aus den Augen zu verlieren, gerade weil diese beiden Staaten durch Nähe und Geschichte gar nicht anders konnten, als aufeinander einzuwirken. In einer Beziehung hat die DDR wirklich Weltspitze erreicht und sogar nach ihrem Ende behauptet: Kein anderer Staat ist vergleichbar offengelegt worden. Der einzige Überfluß, den die DDR produziert hat, die Berge von Papier, der unerhörte Reichtum an Protokollen und Vermerken bezeugen die einmalige Mischung aus staatlichem Respekt und innenpolitisch gegenseitigem Verständnis. Bevor das Ziel, von einem Nebeneinander zu einem Miteinander zu kommen, öffentlich proklamiert wurde, erprobten die Beteiligten intern bereits den seltsamen engen innerdeutschen Umgang von staatlich verfeindeten Brüdern, vertraut und fremd zugleich.

Von Adenauers Interzonenhandel bis zu den ungebundenen Finanzkrediten, durch Franz Josef Strauß arrangiert, vom gescheiterten Redneraustausch bis zu dem gemeinsamen Papier von SPD und SED über Streitkultur, nichts davon wäre zwischen anderen Staaten und Parteien aus den beiden gegnerischen Lagern denkbar; das Bewußtsein, einer Nation anzugehören, blieb während der jahrzehntelangen Teilung auf beiden Seiten erhalten und wirksam. Die veröffentlichten Dokumente bezeugen die erstaunliche Rücksichtnahme auf die innere Lage, noch nach dem Fall der Mauer. Die Gespräche zeigen in Themen und Ton Unterschiede, die sich auch aus den Funktionen der bundesrepublikanischen Spitzenpolitiker ergeben, sind aber frappierend ähnlich durchdrungen von Verständnis füreinander und für die jeweiligen innenpolitischen Sorgen.

Dabei darf nicht vergessen werden, daß eine interessante Portion östlicher Aufzeichnungen verschwunden ist. Schwer vorstellbar, daß die Besprechungen des Kanzleramtschefs Schäuble mit Herrn Schalck-Golodkowski privater Natur und nicht erinnerungswürdig oder bewahrenswert gewesen sind. Schade auch die Zurückhaltung, westliche Archive zu öffnen, soweit sie Angehörige der Regierungsparteien betreffen; denn der Historiker sollte nicht nur für Sozialdemokraten seine Analysen aus dem Vergleich westlicher und östlicher Protokolle der Gespräche ziehen. Aber auf diesem Gebiet ist der Westen insgesamt eben nicht so weit fortgeschritten, was den freien Markt angeht. In Moskau bestimmt die Nachfrage den Preis erwünschter Materialien viel weiter als im Westen, wo Archive sogar über die übliche Frist hinaus verschlossen bleiben. Das mag auch an der Scheu liegen, die gern geleugnete Vermischung von Innen- und Außenpolitik offenzulegen.

Die sachlichen und die innenpolitischen Interessen waren für mich zu einer untrennbaren Einheit verschmolzen, als ich Erich Honecker zum erstenmal traf. Am 24. April 1972 verlassen drei Abgeordnete der FDP und ein Sozialdemokrat ihre Fraktionen und lassen die Koalition ohne absolute Mehrheit. Horst Ehmke bespricht mit Katharina Focke und mir, was vorzubereiten ist, wenn in drei Tagen ein neuer Kanzler gewählt wird. Die übliche »kleine Lage« am nächsten Morgen ist vielleicht unsere letzte Besprechung im Palais Schaumburg. Der Auswärtige Ausschuß debattiert, als gäbe es nichts Wichtigeres als die Interpretation meiner Telegramme aus Moskau. Fälschungen sind ekelhaft nach der Methode, die Bibel zu zitieren: »Es gibt keinen Gott«, und die Fortsetzung zu unterdrücken: »sagen die Toren.« An diesem Tag möchte ich die Verhandlungen über den Verkehrsvertrag abschließen, aber Kohl will mir die Reiseerleichterungen für die Menschen nicht geben, die ich für nötig halte. Am Nachmittag in Ostberlin erklärt er die Bereitschaft zu großem Entgegenkommen und schlägt vor, in der Nacht noch alle Texte fertigzustellen und am nächsten Morgen zu paraphieren. Das kann ich nun nicht; denn Bonn muß die neuen Texte prüfen können. Von West-Berlin aus erreiche ich den Kanzler, der verständlicherweise anderes im Kopf hat, aber doch zu gewinnen ist, sich einige Formulierungen aufzuschreiben, zu denen er Rückruf in der Pücklerstraße am Abend zusagt. Sanne bringt ganz ungenügende Texte, was die Einbeziehung Berlins angeht und die vorgesehene Schlußerklärung Kohls. Gegen einundzwanzig Uhr meldet sich Ehmke. Prima Junge! Meine Basis für die Endrunde ist gebilligt. Wir fahren nach Ostberlin und arbeiten bis vier Uhr, Sanne und Seidel noch allein weitere zweieinhalb Stunden. Um halb fünf finde ich Leo in der Pücklerstraße auf einem Sofa friedlich eingeschlummert. Er berichtet, Breschnew habe Kissinger als interessanten Mann eingeschätzt, mit dem man gut und realistisch arbeiten könne, während andere in ihm eine Spielernatur vermuten. Morgen würden die Vietnam-Verhandlungen in Paris weitergehen; doch wichtiger sei dem Generalsekretär zu erfahren, ob Brandt morgen Kanzler bleibt. Ich kann es ihm nicht sagen.

Zwei Stunden Schlaf reichen, wenn Honecker wartet. Überraschend ist er kleiner als ich, mit fahler pergamentener Haut und stechendem Blick. Der erste Eindruck der Unsicherheit schwindet, nachdem er Kaffee eingeschenkt hat. Angenehmerweise fragt er nicht, wie es denn morgen ausgehen wird, sondern kommt schnell und geschäftsmäßig, wie ein Manager, der weiß, was er will, zur Sache. Nach dem Blick auf ein Blatt Papier demonstriert er Macht und nimmt meinen Vorschlag der Einbeziehung Berlins in den Vertrag an, als ob Kohl nicht bis zuletzt dagegen gekämpft hätte. »Wenn es nötig ist«, bietet er eine noch bessere Formel an, das lehne ich ab, weil man Partnern nicht den letzten Tropfen abpressen sollte. Kohl danach: »Das werden wir Ihnen hoch anrechnen.«

Die mit Honecker vereinbarten Punkte hatte er sich aufgeschrieben und ermächtigte mich, den Beschluß zu verkünden, daß Westdeutsche auch mehrfach Bekannte und nicht nur Verwandte in der DDR besuchen können, die Freigrenze für Geschenke erhöht wird, daß touristische Reisen möglich werden und Reisende mehr als bisher den eigenen Wagen benutzen können. Künftig würden auch Reisen nach Westdeutschland in dringenden Familienangelegenheiten genehmigt werden. Die Familienzusammenführung soll ohne Beschränkung der Altersgrenze erleichtert werden. Zur Herabsetzung des Rentenalters für Besucher nach West sehe er sich noch nicht in der Lage.

Das war damals der erste bedeutende Schritt, der den Menschen in beiden Staaten Erleichterungen brachte, der Durchbruch, später zeitweilig gedrosselt, dann erweitert, die Quelle der millionenfachen Besuche, die Quelle, aus der ein Strom wurde.

»Wir sind bereit, diesen Weg zu gehen«, entwickelte Honecker glaubwürdig. »Wir wollen die Sache wirklich ähnlich wie zu Polen und Tschechen in Fluß bringen, die Sperrbezirke verkleinern, die Voraussetzungen schaffen, daß Besuchserlaubnisse nicht mehr an die Kreise gebunden werden, die Hotelkapazitäten erweitern und für Ihre Bürger freihalten.« Die Einschränkung, die er machte, fand ich verständlich: »Wir müssen den Prozeß unter Kontrolle halten.« Und die quantitativen und qualitativen Ausweitungen der Besuche würden widerspiegeln, wie sich die Beziehungen zwischen den beiden Staaten entwickeln.

Diese annehmbaren und langfristigen Vorstellungen enthielten schon die Zwickmühle, die mit den Jahren immer härter funktionierte: Je mehr Menschen fuhren, um so mehr wollten fahren. Kein Ausreiseschub konnte die Bevölkerung zufriedenstellen. Der Drang nach Westen wurde zu stark, um ihn durch Reisezuteilungen eindämmen zu können. Nachdem die Droge erst einmal erlaubt, legitimiert war, konnte die Sucht nach immer größeren Dosen nicht mehr gestillt werden. Die Absicht des Mauerbaus 1961, die DDR zu konsolidieren, begann sich 1972 selbst zu zersetzen, indem die DDR, durch das Entspannungsbündnis zwischen Bonn und Moskau veranlaßt, beginnen mußte, sich ein wenig zu öffnen. Die materiellen und psychologischen Folgen dieses Prozesses konnten durch keine der von uns erwarteten Abgrenzungskampagnen aufgehalten werden. Wir mußten uns im Gegenteil unzulänglich damit auseinandersetzen, das Regime aufgewertet zu haben und seine nur zu verständlichen Abgrenzungsbemühungen nicht verhindern zu können.

Außerdem sagte mir Honecker die Bereitschaft zu, »wenn alles gutgeht«, die grundsätzlichen Beziehungen zwischen den beiden Staaten im Geiste guter Nachbarschaft zu regeln. Das schien mir für die Perspektive fast noch wichtiger als der materielle Durchbruch. »Wir wissen, welchen persönlichen Beitrag Sie geleistet haben. Wir sind bereit, diesen Weg zu gehen, und haben Sie hierhergebeten, um Ihnen das zu sagen.« Wir tranken einen armenischen Cognac, er richtete Grüße an Brandt und Wehner aus und begleitete mich zur Tür.

Nach der Unterrichtung der Delegation, die sich an die Arbeit macht, um die Protokollnotizen und den Briefwechsel zu vergleichen, bringt mich die Bundeswehr nach Bonn, wo niemand Sinn für meine Hochstimmung hat, aber alle alles billigen, und zurück nach Berlin, um mit Kohl am Abend auf einer Pressekonferenz den erfolgreichen Abschluß unserer Verhandlungen zu verkünden. Zu spät, um als Bombe zu wirken. Es war naiv zu glauben, daß Leidenschaft und Lärm im Kampf um die innenpolitische Macht noch von außen zu bändigen oder zu übertönen seien.

»Wenn alles gutgeht« war die Bedingung für die Zugeständnisse der DDR, die geschickt umgekehrte Junktims schuf: heute Ende der Verhandlungen, Paraphierung des Vertrages nur, wenn morgen Brandt politisch überlebt, Unterzeichnung erst nach Inkraftsetzung des Vier-Mächte-Abkommens und Ratifizierung, also Gültigkeit, nach Ratifizierung der Ostverträge durch den Bundestag. »Dies alles steht in einem untrennbaren Zusammenhang«; kein Grund zur Beschwerde, wenn Kohl nun wortgleich wiederholt, was ich zwei Jahre vorher Gromyko erklärt hatte. Das materielle Entgegenkommen der DDR ist groß genug, um die Unionsfraktion im Herbst mehrheitlich dem Vertrag zustimmen zu lassen. Das ist schon mitten im Wahlkampf; Ablehnung würde Aufsehen erregen und ihr schaden. So wird der Vertrag seine Wirkungen entfalten, wenig beachtet und immer im Windschatten westdeutscher Aktualitäten, die mehr Aufmerksamkeit auf sich ziehen.

Im Kronprinzen-Palais sitzen die beiden Delegationen noch zusammen, erschöpft, zufrieden, besorgt, welches Schicksal der morgige Tag ihrer Arbeit bereiten wird. Kohl und ich sind uns jedenfalls einig, daß ohne diesen Druck dieses Ergebnis nicht erreichbar gewesen wäre. Aber weder Freude noch ein Gefühl der Dankbarkeit für Barzel will sich einstellen. Am nächsten Morgen kommt Kohl zum Frühstück, 21 Verhandlungsrunden haben wir hinter uns. Meine Bemerkung, in so kurzer Zeit sei das international ganz unüblich, ruft keinen Protest mehr hervor, sondern fast freundschaftliches Lächeln. »Vielleicht bin ich ab nachmittags im Urlaub« - »Wird die Sache übertragen?« – »Sehen Sie oft Feindsender?« Wir sind uns menschlich nähergekommen.

Im Kanzleramt ist die Stimmung bedrückt. Ich solle das Haus hüten, meint Ehmke auf dem Weg zur Abstimmung: »Die kriegen es fertig, unmittelbar nach der Abstimmung hier anzurücken.« Nach dem Ergebnis, erhofft, nicht erwartet, eine fröhliche Kabinettsrunde. Man scheint zusammenzuwachsen. Genscher dankt, daß der FDP keine Vorwürfe gemacht worden seien, weil sie nicht sagen konnte, wer für die Regierung stimmen würde und wer nicht. Die Lage sei nicht zum Gratulieren, konstatiert ernüchternd der Kanzler, denn die Regierung hätte keine Mehrheit. Wir müßten Zeit gewinnen, sonst komme die Rache beim Haushalt. In seinem Arbeitszimmer überlegt Brandt, die Vertrauensfrage zu stellen, Ehmke ist ganz dafür, ich ganz dagegen. Willy fährt mich an: »Ein Kanzler, dem der Haushalt verweigert wird, muß sich stellen.« Das stimmt normalerweise, aber in diesem Fall, beharre ich, »ist Barzel auf den Bauch gefallen. Warum mußt du ihm folgen?« Eine Regierung sei da, könne nur durch ein Votum gestürzt werden, das gerade gescheitert ist. So hat es das Grundgesetz vorgesehen. Wir seien bei einem Patt, und da dürfe die Regierung keinen Kraftakt aufführen wollen. In der abendlichen Kabinettssitzung lächelt der Kanzler und formuliert typisch für ihn: »Jedes Land braucht eine Regierung. Dieses Land hat eine Regierung. Das trifft sich gut.«

Über die nächste Hürde – die Ratifikation der Verträge – wollten viele helfen. Kissinger fragte, ob ein Brief des Präsidenten an Brandt und Barzel erwünscht sei; denn ohne die Ratifizierung der Ostverträge würde das Vier-Mächte-Abkommen nicht in Kraft treten. Ob er noch etwas tun könne, erkundigte sich Breschnew in einer Botschaft an den Kanzler, der in beiden Fällen abwinkte. Am Ende einer dramatischen Kriminalkomödie gab es eine gemeinsame Entschließung, an der der sowjetische Botschafter überparteilich mitarbeitete, genauer, mit allen Parteien sprach, beriet, formulierte, eine Einmaligkeit besonderer Art. Die Entschließung änderte den Text des Moskauer Vertrages natürlich nicht, war aber so abgestimmt, daß der Kreml nicht protestieren mußte. In einer Schicksalsfrage der Nation, wie die Union den Moskauer Vertrag genannt hatte, fand sie nur die Kraft, sich mehrheitlich der Stimme zu enthalten. Daß Barzel, der den Vertrag wollte, sich nicht durchringen konnte, dafür einzutreten, kostete ihn letztlich die Führung, vielleicht sogar die Kanzlerschaft. »Enthaltung vom Gewissen«, spottete Brandt, obwohl damit die Ratifizierung gelang.

Der Gipfel: Grundlagenvertrag und Wahlsieg

Richtig freuen konnten wir uns nicht. Daran änderten die Glückwünsche aus Ost und West nichts, auch nicht die Erleichterung der Menschen und die Zeichen ihrer Dankbarkeit, die ich bei einem Besuch in Potsdam erhielt. Wie bei einem Reißverschluß verklammerten sich die Teile: Nach der Ratifizierung der Verträge am 17. Mai 1972 wurde der Verkehrsvertrag am 26. Mai in Berlin unterzeichnet, und am 3. Juni setzten die Außenminister der Vier Mächte im Gebäude des ehemaligen Kontrollrats das Berlin-Abkommen und damit die deutsche Transitregelung in Kraft. Doch statt zu feiern, schleppte sich die Regierung ohne Mehrheit weiter und erörterte intern Daten für Neuwahlen. Anfang Oktober, wie Brandt am liebsten wollte – nach den Olympischen Spielen –, war Scheel zu früh. Die FDP brauchte mehr Zeit zur Vorbereitung. An Winzigkeiten, die Streit nicht lohnen, schleichen sich Mißhelligkeiten ins Kabinett. Hat der Leiter der »Verbindungsbehörde« des Bundes in Berlin Weisungsbefugnis gegenüber den Dienststellen der einzelnen Ministerien an der Spree? Da ich mich erst in letzter Minute mit dem Innenministerium einigen kann, wie der Erlaß für den Bundesbevollmächtigten aussieht, gibt es nur eine Tischvorlage, was Helmut Schmidt, damals Verteidigungsminister, wütend ausbrechen läßt: Er wünsche weniger Lob für Bahr; der habe als Beamter ohnehin unangemessen viel Publizität. Breschnew beklagt sich über Machenschaften des Auswärtigen Amtes, das der einseitigen Entschließung des Bundestages für den Austausch der Ratifizierungsurkunden dasselbe Gewicht geben wolle wie dem Vertrag. Scheel verteidigt das, bis Brandt darauf hinweist, daß der Kreml kein Amtsgericht sei und wir schließlich den Brief zur deutschen Einheit hätten.

Der Kanzler ist mißtrauisch, weil er Ehmke als angebliche Quelle von Indiskretionen vermutet, über die Wehner und Schmidt sich beklagen. Kurz: Brandt hat keine Lust mehr. Er wolle Schluß machen und den ganzen Kram loswerden. Die Partei sei nicht regierungsfähig. Mit Schiller, dem Verrückten, ginge es nicht, mit Wehner auch nicht, und Schmidt habe ihm scheißfreundlich geschrieben, in der Fraktion gebe es Widerstände, weil er nicht führe. »Ich bin gescheitert mit meiner Art, die eben keine Befehle austeilt und Menschen wie Menschen behandelt.« Und das Kanzleramt halte sich neben seinem Amtschef noch einen Kanzler. Depression im November kannte ich schon; im Sommer war sie alarmierend, gemildert durch die unverkennbare Beimischung von Wut. Immerhin wollte er im Husarenritt sofort zur Auflösung des Bundestages kommen mit dem Ziel, am 3. August wählen zu lassen. Glücklicherweise war der Bundespräsident auf einer Reise.

Es gehörte zu den Eigenschaften dieses komplizierten Charakters, daß seine Sensibilität für Stimmungen und negative Möglichkeiten ihn niederdrückte, während er, wenn die Lage schlecht geworden war, sich an der Wand fühlte, alles abwarf und kämpfte, als hätte es Selbstzweifel nie gegeben. Auch Einsicht in die eigenen Grenzen kann Kraft verleihen. Als Schiller ausschied, was Brandt nicht bedauerte, der SPD-Staatssekretär Wetzel aus Frankes Ministerium folgte und für die CDU wirkte, als niemand mehr etwas für das Überleben der Regierung gab und diskutiert wurde, wieviel Prozent Schiller-Wähler es gebe, da focht Brandt entschlossen; innere Zweifel waren vergessen, vielleicht verbannt, jedenfalls unerkennbar. Viele Jahre später wollte Karl Schiller, der Mann brillanter Fähigkeiten und erstaunlicher Mängel, wieder Mitglied der Partei werden, die er schnöde in schwieriger Zeit verlassen hatte, und Brandt half mit einer Toleranz, die ich in diesem Fall nicht teilen konnte. Brandts Stärken wuchsen aus seinen Schwächen oder umgekehrt: daß er seine Schwäche nicht verbarg, zuweilen mehr Mensch als Staatsmann zu sein, machte ihn stark.

Gerade in den Sommermonaten 1972 liefen drei Entwicklungen parallel: Die Zweifel, ob die Regierung im Herbst noch existieren und die Koalition Wahlen gewinnen könne, und die Ausweitung unserer bisher bilateralen Entspannungspolitik. Die Stränge berührten sich. Es war zu spüren, daß die Drei Mächte sich zunehmend fragten, ob es lohne, die Regierung zu unterstützen, und es nicht klug sei, die Opposition stärker zu berücksichtigen. Ken Rush erklärte mir recht offen, daß der Wortlaut einer Drei-Mächte-Erklärung gerade deshalb so vorsichtig artikuliert, eine andere erwogen worden war, aber unterblieb. In dem engen und vertraulichen Meinungsaustausch mit Kissinger war davon nichts zu spüren. Er blieb kooperativ und gegenseitig informativ, als ob das Weiße Haus nie an dem letztlichen Triumph Brandts gezweifelt hätte. Gleiches galt für die Sowjets.

Kurz nacheinander kehrten der amerikanische und der sowjetische Außenminister in Bonn ein. Rogers sympathisch und wenig ergiebig, Gromyko trocken und meisterhaft. Beide berichteten übereinstimmend von der Verständigung, die Europäische Sicherheitskonferenz vorzubereiten und den Komplex konventioneller Streitkräfte davon zu trennen. Das war vernünftig; denn die Streitkräfte betrafen nur die Staaten der beiden Paktsysteme, während die Partner und die Themen, die 1975 mit der Schlußakte von Helsinki verbunden werden sollten, umfassender waren.

Daß die beiden Großen dafür Prinzip und Wortlaut von der Unverletzlichkeit der Grenzen aus dem Moskauer Vertrag angenommen hatten, bereitete Genugtuung. Überhaupt sahen der Amerikaner wie der Russe, welchen Wert es für sie versprach, wenn in Europa die Lage entspannt würde, und welchen genuinen Beitrag die europäischen Staaten, die beiden deutschen eingeschlossen, leisten könnten. Damit zeichnete sich ein Erfolg unserer Ostpolitik ab, der kaum ins Bewußtsein drang: Mit dem Vier-Mächte-Abkommen akzeptierten die Sowjets, daß die Amerikaner zeitlich unbegrenzt in der Mitte Europas bleiben würden. Mit der Europäischen Sicherheitskonferenz akzeptierten sie, daß Sicherheitsfragen in Europa nicht ohne oder gegen die Amerikaner zu lösen wären. Seit 1972 verstummte ihre jahrzehntelang erhobene Forderung: Ami, go home! Daß die Sowjets diese Kurskorrektur leise vollzogen, mag dazu beigetragen haben, daß einige Deutsche das lange nicht merkten. Das galt nicht nur auf dem linken Spektrum, auch auf der konservativen Seite meinte man sehr lange, gegen Moskaus Wunsch kämpfen zu müssen, die Amerikaner aus Europa herauszudrängen. Provinzielle Wahrnehmung ist auch parteiübergreifend. Auf den Anfang der siebziger Jahre läßt sich datieren, daß allmählich die USA aus einer Macht in Europa eine europäische Macht wurden. 1996 ist das unübersehbar geworden. Es spiegelt die realen Machtverhältnisse.

Gromyko genießt, daß der Bundeskanzler ihm ein Abendessen im Palais Schaumburg gibt. Er begrüßt mich mit einem wohlwollenden Beispiel seines kargen Humors:»I met this man before.«Im Gespräch berichtet der alte Könner so informativ und präzise über sein Treffen mit Rogers, daß ich mir Rückfragen bei Kissinger ersparen kann. Darunter eine Äußerung Nixons, daß die Haltung der Bundesrepublik in der Frage des UN-Beitritts beider Staaten bestimmend für die amerikanische Haltung sein werde. Daraus entwickelt sich ein verbales Florettgefecht. Der Donnerer säuselt:»Es ist doch Ihr Nachteil, wenn Sie die Vier Mächte zum Fetisch machen, zu einer Ikone, die man anfleht.« Brandt lächelt,»die Bündnisse werden weiter wirken«, aber Fetischisten seien wir nicht. Er werde die Rechte der Vier Mächte beachten, wo sie bestehen. Also nicht neu etablieren, wo sie nicht mehr existieren? Man muß sie an den rechten Platz setzen, zum Beispiel in Berlin. Die Sowjetunion, meint der Russe, werde sich nicht daran beteiligen, Rechte praktisch neu zu schaffen, um zwei Staaten daran zu binden. Da widerspricht der Kanzler nicht. Schließlich sind sich beide einig: Zwei souveräne Staaten sollen sich um den Beitritt zu den Vereinten Nationen bewerben; weder Bonn noch Moskau sind interessiert, China ein Argument zu liefern, daß koloniale Gebiete keinen Zugang zu den UN bekommen können. Aus dieser Verständigung entwickelte sich die bloße Form eines Briefes, durch den die beiden deutschen Regierungen ihren jeweiligen Freunden mitteilten, daß sie die Mitgliedschaft in den Vereinten Nationen beantragen würden, ohne daß damit die Rechte der Vier berührt werden.

Dann sollte ich erzählen, was ich denn jetzt Böses mit der DDR vorhätte. Da sei ich in einer hervorragenden Position; denn das kenne er alles aus unseren Moskauer Absichtserklärungen. Wenn wir die UN sofort entsperrten, würde alles leichter. Aber den Gefallen konnten wir ihm nicht tun. Daß wir das weite Feld der internationalen Organisationen nicht mehr für die DDR blockieren würden, wollte ich lieber Kohl direkt schenken.

Den dritten Strang jenes Sommers bildete der Meinungsaustausch über einen Grundvertrag mit der DDR. Das war für mich die Hauptsache. Nicht aus Geringschätzung für das Schicksal der Regierung, sondern weil ich hier einen vielleicht entscheidenden Hebel zur Sicherung der Regierung sah. Da schien Eile geboten, weil die internationale

Diskussion sich bereits den europäischen Fragen zuwandte und sich möglichst wenig dadurch aufhalten lassen wollte, daß diese Deutschen noch etwas unter sich auszumachen hatten. Was für uns den Schluß-stein unserer bilateralen Ostpolitik bedeutete, erschien den Partnern als hübsche Vervollständigung. Die Frage ihrer Rechte in Deutschland war geklärt, ihre Entlastung in Berlin vereinbart; ihnen würde kein Schaden entstehen, wenn die beiden Deutschen sich nicht verständigten. Das Herz unserer Politik war für die Verbündeten wie ein Wurmfortsatz – nicht lebenswichtig. Am Eröffnungstag der Konferenz für Sicherheit und Zusammenarbeit in Europa (KSZE) würde die DDR gleichberech-tigt am Tisch sitzen. Ohne sie könnte keine europäische Regelung beschlossen werden. Im Besitz ihrer endlich erreichten internationalen Anerkennung würde sie kühl alle rechtlichen und materiellen Zuge-ständnisse ablehnen können, die wir erreichen wollten. Die internatio-nale Deblockierung sollte die DDR Bonn verdanken. Um den Wettlauf mit der Zeit zu gewinnen, sollten unsere Verbündeten die Vorbereitun-gen der KSZE verzögern, und sie taten es dankenswerterweise. Den Zeitgewinn schätzte ich auf zwölf Monate, also nicht sehr viel, um einen so wichtigen Vertrag abzuschließen.

Einen Zeitdruck ganz anderer Art schuf die innenpolitische Lage. Die veröffentlichte Meinung jenes Sommers gab der Koalition kaum noch eine Chance zu überleben oder die Wahlen zu gewinnen. Der Entschluß der Regierung, ihre Politik unbeirrt fortzusetzen, war eine Sache; eine ganz andere, mit dem Grundvertrag vollendete Tatsachen vor der Wahl zu schaffen. Daß der Kanzler zweifelnd seinen Kopf schüttelte, war berechtigt, aber er gab grünes Licht für die Taktik, den Meinungsaus-tausch mit Maximalpositionen zu beginnen, statt sich von leichteren zu schwereren Fragen vorzuarbeiten. Nach außen galt: Wer es eilig hat, darf nicht so schnell laufen, daß er stolpert. Das lief so in den ersten Runden.

Sobald wir intern den 19. November als Wahltag beschlossen hatten, ließ ich intern keinen Zweifel an dem selbstgesetzten Druck, den Ver-trag vorher durchverhandelt zu wünschen, natürlich unter der Voraus-setzung, daß seine Substanz befriedigen würde. Da ich das Interesse in Moskau und Ostberlin am Erhalt der Koalition für ziemlich sicher hielt, sollte es für den Vertrag genutzt werden. Bevor das Datum des 19. No-vember in den Zeitungen stand, wurden davon Moskau und Washington über die Kanäle und Michael Kohl persönlich und gleichzeitig informiert. Zugleich wurde damit im schönen Urlaubsmonat August das Startzeichen für Verhandlungen anstelle des bisherigen Meinungsaustauschs gegeben.

Zu diesem Zeitpunkt konnte ich dem Chef und Freund die Einschätzung geben, die Sache könne bis zum 1. November erreicht werden. Es wurde dann der 8. November. Er überraschte mich mit dem Vorschlag, ein Bundestagsmandat anzustreben. »Dein Freund Helmut Schmidt hält es für nötig, dich in der Partei stärker hervorzuheben.« Außerdem könne das nichts schaden, falls wir die Wahlen verlieren. Der Gedanke, Bundestagsabgeordneter zu werden, lag mir ganz fern; freiwillig von Regierung zu Parlament zu wechseln noch mehr, und angesichts meines überschaubaren Herbstprogramms würde der erforderliche Zeitaufwand einfach nicht zu leisten sein. Ich sollte mir das noch einmal durch den Kopf gehen lassen.

Die positive Einschätzung für den Grundvertrag hatte sich eingestellt, obwohl der Meinungsaustausch hart, zuweilen scheinbar aussichtslos begonnen hatte. Kohl hatte den systembedingten Fehler gemacht, einen Entwurf vorzulegen, der die Träume der DDR formulierte: Sofort diplomatische Beziehungen mit Botschafteraustausch, sofort UN-Beitritt beider Staaten, sofort internationale Deblockierung der DDR, keinerlei »Sonder-Beziehungen«, zu gegebener Zeit könnten dann Verhandlungen auf normaler völkerrechtlicher Grundlage über Wirtschaft, Wissenschaft, Umwelt, Kultur, Sport und anderes geführt werden, was wir materiell wünschten. Ich trug unsere Position mündlich vor. Das bringt taktische Vorteile, weil man härter, aber flexibel zugleich formulieren kann und Korrekturen des eigenen Standpunkts nicht zu nachlesbaren Niederlagen werden, wie Kohl sie dann erleben mußte. Ich ging von den Moskauer Absichtserklärungen aus, die eine völkerrechtliche Anerkennung der DDR ausschlossen, weil das Dach der Vier Mächte weiter bestand. Das Grundverhältnis sollte entsprechend den Verfassungen beider Staaten dem Bestehen einer deutschen Nation Rechnung tragen und dürfe den Weg zu einem einheitlichen deutschen Staat nicht verbauen. Diesem besonderen Verhältnis entsprechend, seien wir bereit, statt Botschafter den Austausch von bevollmächtigten ständigen Beauftragten zu vereinbaren. Erst sobald wir unsere im übrigen gleichberechtigten Beziehungen geregelt hätten, würden wir den Widerstand gegen die Beziehungen der DDR zu Drittstaaten aufheben. Die Aufnahme in die UN könnte nur das Ergebnis unseres Vertrags sein. Schließlich sollten wir einige besonders empörende und unnormale Zustände beseitigen und zum Beispiel einen kleinen Grenzverkehr, neue Grenzübergänge und Familienzusammenführung vereinbaren.

Kohl brachte auch einen Protokollführer mit. Von Leo war zu vernehmen, man wolle Kohl kontrollieren. In der Folge fand der empfindliche und schwierige Teil der Verhandlungen also unter vier Augen statt. Den Verdacht, daß Nähe Sympathie schafft und wir vielleicht zu nachgiebig wären, gab es auf beiden Seiten. In solchen Verhandlungen ist gar nicht zu vermeiden, daß die Delegationsleiter einen Zweifrontenkrieg führen: gegen den anderen und gegen Unvernunft und uninformierten Maximalismus zu Hause. Kohl hat seine Regierung gut vertreten. Ich kann das von mir auch sagen, zumal ich dafür die Opposition gegen ihren Willen benutzte und neben ihren öffentlichen Erklärungen auch Anregungen verwandte, die ihre Vertreter in der weiterbestehenden parlamentarischen Arbeitsgruppe machten. Die DDR sollte wissen, was sie von einer neuen Regierung in Bonn zu erwarten hätte. Beide Delegationsführer waren überzeugt, daß ein Grundvertrag im Interesse ihrer beiden Regierungen lag. Ihre Beziehungen sollten auf lange Fristen angelegt werden; täuschen konnte jeder den anderen, aber nur einmal und nicht für lange. Das aufkeimende Vertrauen zu riskieren, hat Kohl nicht versucht. Ein einziges Mal hat er mir nicht die Wahrheit gesagt, als ich mich empört über die eingebauten Selbstschußanlagen an der Grenze beschwerte. Die leugnete er zunächst und sicherte dann ihren Abbau zu. Ob er nicht anders durfte oder ob er sich schämte, weiß ich nicht.

Der vorsichtige Optimismus für den Erfolg der Verhandlungen speiste sich aus drei Elementen: Das wichtigste war die in den vergangenen Verhandlungen gewonnene Vertrautheit mit dem Gelände. Die Diskussionen über begrenzte Souveränität und Grundgesetz hatten schon für den Verkehrsvertrag stattgefunden. Auf dem Schrotthaufen, zu dem Ulbrichts Entwurf vom Dezember 1970 und Stophs Position in Kassel nach dem Moskauer Vertrag geworden waren, würde die DDR nicht lange bequem sitzen bleiben. Sie räumte ihn auch bald. Zum anderen versuchte Kohl im persönlichen Gespräch, ob nicht vielleicht doch der Beitritt zu irgendeiner internationalen Organisation zu bekommen, die

Aufnahme diplomatischer Beziehungen gewissermaßen als Vorschuß zu dem einen oder anderen Land zu erreichen sei. An Indien lag ihm besonders. Ein indischer Minister hatte der DDR erzählt, die Bundesregierung habe seine Regierung gebeten, bis nach den Neuwahlen zu warten. Ich konnte ihm aus einem Telegramm die Erklärung aus Delhi vorlesen, wonach Indira Gandhi keinesfalls etwas tun wolle, was Brandt die Lage erschweren könnte. »Also dem lieben Willy zuliebe nicht«, resignierte Kohl. Ich konnte ihm nach einer Verständigung mit Scheel mitteilen, daß wir die internationalen Organisationen »freigeben«.

Die DDR erkannte, daß sie dem internationalen Durchbruch nahe war, ihn voll erreichen konnte, sofern wir den Vertrag schaffen. Wenn die DDR entschlossen ihr Glück versucht hätte, wären wir ihr nicht mehr in den Arm gefallen. Daß sie statt dessen passiv blieb, kann daran gelegen haben, daß ich Kohl gegenüber erklärte, er bekäme »danach« auch Botschaften der Drei Mächte. Er zeigte ungläubige Augen: »Der drei Westmächte?« Dafür lohnte es, Wohlverhalten zu üben und uns nicht durch Botschaften aus drei Entwicklungsländern zu verärgern. Ich konnte das ohne Rückfragen versprechen, weil die Verbündeten uns »danach« sicher nicht allein lassen wollten in Ostberlin. Dann klopfte Kohl an, wie es mit einem Beobachterstatus bei den UN wäre, was ich zusagte: nach Unterschrift unseres Vertrages. Ich wurde immer sicherer, daß die DDR ihn auch wirklich wollte, und zwar möglichst bald.

Schließlich hatte ich Kohl vorgeschlagen, den kalten Krieg zwischen unseren beiden Streitkräften einzustellen. Soldatensender, Lautsprecher, Ballons mit Flugblättern paßten nicht mehr in die Landschaft. Die Bundeswehrführung hatte zugestimmt, die DDR tat es auch. Dieser Teil des innerdeutschen Zwists in Ton, Bild und Schrift wurde am 1. Juli 1972 eingestellt, ohne ein Stück Papier, ohne Mitteilung, beide Seiten hielten Wort.

Ein Zugeständnis fiel mir nicht schwer: Abgesehen vom Verkehr und dem Interzonenhandel bestand zwischen den beiden deutschen Staaten ein vertragsloser Zustand. Zweifellos eine negative Besonderheit, nur von Korea übertroffen. Was wir ins Auge gefaßt hatten, war nicht in Monaten nachzuholen. In der Praxis dauerte es dann 14 Jahre. Die Kultur (war Goethe West-, Ost- oder etwa Gesamtdeutscher?) mußte besonders lange warten. Wir konnten jetzt nur einen Rahmen festlegen, und so wurde aus dem Grundvertrag der Grundlagenvertrag.

Dafür machte es Spaß, für die Nation ins Feld zu ziehen. Die DDR werde nicht von Deutschland weglaufen können. Ich empfahl Kohl einen Blick in seine Verfassung, erinnerte an den »Deutschlandsender«, *Neues Deutschland* und bezweifelte, daß seine Partei das »D« aus ihren drei Buchstaben entfernen werde. Die Menschen in beiden Staaten fühlten sich als Deutsche. Das sei etwas Besonderes, was in dem Vertrag Ausdruck finden müsse mit der Perspektive der Einheit. Kohl reagierte unwirsch, grob, betroffen, unzugänglich und unzulänglich. Später hörte ich, daß meine Ironie den Prozeß ausgelöst habe, die deutsche Nation aus der Verfassung der DDR zu streichen; aus dem Bewußtsein des Volkes war sie nicht zu tilgen.

Kohl verliest eine persönliche Mitteilung von Honecker an mich, die neben seinem Lob für Kohl den Willen unterstreicht, trotz aller Schwierigkeiten die Verhandlung zügig fortzusetzen, verbunden mit der Bereitschaft zum persönlichen Gespräch »mit einem Beauftragten des Bundeskanzlers«. Das ist ganz ungewöhnlich. In Bonn bespreche ich das mit Brandt und Wehner, der zögernd erwägt, selbst zu fahren, aber – mit den Einzelheiten der Verhandlungen unvertraut und »in dieser Situation« – dann doch abwinkt. In dieser Situation – das ist nach der gedrückten Kabinettssitzung am 6. September, in der Genscher berichtet hatte, er werde nie in seinem Leben das Gespräch mit den Geiseln vergessen, gefesselt an Händen und Füßen und zwei Leichen im Zimmer. Am Tag zuvor hatte der »Schwarze September« die heiteren Spiele in München mit dem Anschlag gegen die olympische Mannschaft der Israelis zerstört. Also flog ich nach Berlin, ohne daß Zeit gewesen wäre, eine Mitteilung des Kanzlers auch nur zu erörtern, geschweige zu formulieren. Das mache ich im Flugzeug und trage Honecker vor, ohne ihn sehen zu lassen, daß ich nur vielfach korrigierte stenographische Notizen auf dem Zettel habe.

Er begrüßt mich als guten Bekannten, drückt sein Bedauern über den Anschlag aus, findet uns gut beraten, die Spiele nicht abzubrechen, und nickt zu meiner Bemerkung, er hätte sich sicher gefreut, wie betont freundlich »seine« Mannschaft im Stadion begrüßt worden sei.

»Der Bundeskanzler läßt Ihnen mitteilen:

1. Auch unsere Seite wünscht, die Verhandlungen zügig zu führen und möglichst Anfang November abzuschließen. Dies liegt nach unserer Auffassung im Interesse der Politik der Entspannung und der friedli-

chen Koexistenz, die keinen Rückschlag erleiden sollte. Die Gegner einer Konferenz für Europäische Sicherheit und Zusammenarbeit würden Schwierigkeiten, Verzögerungen oder Krisen in unseren Verhandlungen bei der zentralen Bedeutung, die sie für die europäische Szene haben, sicher benutzen. Die zeitlichen Vorstellungen wären auch ohne Bundestagswahlen nicht anders. Nicht wegen, sondern trotz der Wahlen streben wir ein positives Ergebnis an.

2. Ihre Friedenspolitik hat die Bundesregierung parlamentarisch in Schwierigkeiten gebracht; die Unterstützung in der Bevölkerung ist größer als im Bundestag. Die Opposition möchte am liebsten die sogenannte Ostpolitik aus dem Wahlkampf ausklammern. Die Koalition möchte gerade dieses Thema aktivieren, wenn, und dieses Wenn ist zu unterstreichen, das von der Sache selbst her möglich ist. Aus der Wahlsituation stellt sich die Frage so: Ein gutes Ergebnis rechtzeitig kann nützen, aber besser kein Ergebnis als ein schlechtes. Es wird kein Ergebnis geben, dem die Opposition zustimmt; aber es muß ein Ergebnis geben, dem die Öffentlichkeit zustimmt.

3. In den Grundfragen bedarf es einer politischen Entscheidung. Je früher sie fällt, um so besser. Die Realität der Lage, der Entwicklung, des Bewußtseins der Bevölkerung muß angemessenen Ausdruck finden, um einen Grundlagenvertrag annehmbar und verfassungssicher zu machen. Dabei ist klar, daß die Frage der staatlichen deutschen Einheit eine Frage der Geschichte ist, für die das Problem der unterschiedlichen Gesellschaftsordnungen eine entscheidende Rolle spielt. Es habe den Anschein, als ob die Beurteilung der Lage weniger umstritten ist als die Frage, ob und wie sie in einer für beide Seiten annehmbaren Weise formuliert werden kann. Die bisherige Haltung des DDR-Verhandlungsführers, wonach allein über das vorgelegte Konzept der DDR gesprochen werden kann, kann nicht weiterführen.

4. Für den Komplex der konkreten Normalisierung zwischen den beiden Staaten sehen wir die Sicherheitsinteressen der DDR. Die Normalisierung muß, so weit es irgend geht, ebenso klar, einverständlich und irreversibel sein, wie es die internationalen Vorteile sind, die die DDR gewinnt. Dabei braucht sicher nicht begründet zu werden, welche Bedeutung sofortige sichtbare Ergebnisse haben.

5. Es wird bestätigt, was in der Form des informellen Austauschs zu der Frage der bilateralen Beziehungen der DDR zu dritten Staaten

erfolgt ist. Zu einem Beobachterstatus der DDR bei den UN ist die Lage so, daß er heute nur gegen den Widerstand der Drei Mächte durchsetzbar wäre, dem sich die Bundesregierung anschließen müßte. Es wäre eine internationale Zuspitzung, die sich negativ auf das Klima unserer Verhandlungen auswirken würde. Wir sind aber bereit, im westlichen Lager dahingehend zu wirken, daß bei Abschluß des Vertrages der Beobachterstatus möglichst reibungslos erreicht wird. Die Zusage ist möglich, daß dann die Bundesregierung einem entsprechenden Schritt keinerlei Widerstand entgegensetzen wird, der für die DDR noch während dieser Vollversammlung verwirklicht werden kann.

6. Herr Bahr hat die Instruktion, alle in diesem Zusammenhang möglichen Fragen zu beantworten und andere Probleme zu erörtern, wenn das gewünscht wird. Dem Gespräch wird große Bedeutung zugemessen.«

Als ich Willy am Abend in München vorlas, was in seinem Namen verkündet worden war, lachte er: »Gott sei Dank, daß du das gemacht hast.« Er wäre weniger scharf gewesen und nicht bis in die Diktion hinein auf die Psychologie des sozialistischen Lagers abgestimmt. Aus den sechs Punkten ist unsere ganze Taktik ablesbar, die wir bis zum Schluß verfolgt haben, kaum abgewandelt auch gegenüber Moskau.

Honecker erklärte, die Mitteilung des Bundeskanzlers werde im Politbüro geprüft werden, deckte, selbstverständlich, seinen »klugen Verhandlungsführer« Kohl und bestätigte in seiner ausführlichen Antwort das große Interesse an der Förderung der Entspannung und der Europäischen Konferenz für Sicherheit, wie das bei dem Treffen des sozialistischen Lagers auf der Krim zum Ausdruck gekommen sei. Die DDR spürte also nicht anders als wir den Wunsch der Verbündeten, den Entspannungsprozeß zu europäisieren und den Regelungsbedarf zwischen den Deutschen nachrangig zu sehen. Dieser internationale Hintergrund stützte unsere Verhandlungen zusätzlich, zumal Bonn den Zugang zu den Vereinten Nationen blockierte.

Der Generalsekretär hob die Interessengleichheit für Frieden und Entspannung hervor, fand die Formulierung in der Mitteilung »trotz der Wahlen« richtig und »erfreulich«, weil sie die Ernsthaftigkeit der Bonner Bemühungen unterstreiche. Er sei interessiert an einem Abschluß. »Um es offen zu sagen: Wir sind für das Bestehen der jetzigen Koalition und werden unsererseits alles tun, um zu ihrem Erfolg bei den

Wahlen beizutragen.« Aber bitte: »Keine falschen Schlußfolgerungen. Unser Entgegenkommen kann nicht grenzenlos sein.« Die Interessen der DDR als souveräner Staat müßten gewahrt werden, die Verträge völkerrechtswirksam sein, was ich bestätigte.

Dann ging er, nur von Stichworten gestützt, die einzelnen Fragen durch. Daß der Handel im Vertrag verankert werden sollte, ausgehend von den bestehenden Abkommen, war eine wichtige Verständigung. Auf beiden Seiten hatte es Tendenzen gegeben, diese Einrichtung, die insgesamt im beiderseitigen Interesse lag, aber auch eine gehütete Spielwiese der beteiligten Ressorts war, unangetastet zu lassen. Die gegenseitige Vorzugsstellung durch den Interzonenhandel wollten die beiden Deutschen bewahren. Die DDR stand mit einem Bein in der EWG und sparte durch das etablierte Verrechnungssystem Devisen. Das gefiel ihren Verbündeten nicht besonders, unseren Partnern auch nicht. Mir lag daran, diese »Sonder-Beziehungen« unkündbar zu machen, indem sie Teil des unkündbaren Grundlagenvertrags wurden. In Brüssel wurde das nicht gern gesehen. Dort hätte man eine Zollgrenze vorgezogen oder jedenfalls eine Regelung, die unseren Partnern für den Handel mit der DDR Chancengleichheit gegeben hätte. Als meine Argumente nichts fruchteten, mußte ich in Brüssel dann auf das vitale nationale Interesse verweisen und damit die Diskussion beenden. Ich verständigte mich mit Honecker, daß die »Treuhandstelle für den Interzonenhandel« unserem beabsichtigten Vertrag entsprechend umbenannt werden würde. So funktionierte es bis zur Einheit.

In den einzelnen Sachkomplexen gab sich Honecker entgegenkommend und flexibel. Vom Rechtshilfeverkehr mit dem Vorrang für Mündelgelder über Zeitungsaustausch, Betätigung unserer Journalisten und dem Medikamenten-»Austausch« (auf dieses Wort legte er Wert) bis zum Umweltschutz wurde ein großes Verhandlungsfeld abgesteckt, wobei es ihm nicht so wichtig war, ob die jeweilige Sache im Vertrag, im Briefwechsel, in Protokollnotizen oder mündlichen Erklärungen gelöst wurde. »In irgendeiner Form kann unsere Absicht verankert werden, Bürgern, die die DDR vor dem 1. Januar 1972 verlassen haben, die Einreise zu gestatten, wenn sie keine Straftaten begangen haben.« Und: »Das werden Sie mit dem Genossen Kohl schon machen.«

Wichtiger war die Zustimmung Honeckers zum kleinen Grenzverkehr, zur Eröffnung neuer Grenzübergänge, »um große Umwege zu vermeiden«, wie ich bisher vergeblich argumentiert hatte, und zu einer Kommission, die eine »Markierung« der Grenze vornehmen sollte. An mehr als hundert Stellen zwischen Ostsee und Böhmerwald sollten kleine Grenzänderungen vorgenommen werden, im Interesse der dort wohnenden Menschen wie der Vernunft; aber weil die Deutschen keine Grenzen, auch nicht die zwischen ihnen festgelegten, ändern durften – so souverän waren wir nicht –, wählten wir komplizenhaft die Formel »festzustellen«, wo die von Alliierten bestimmte Grenze zwischen ihren Zonen genau lag, wem diese Wiese und jener Bach gehörte. Daraus wurde für viele Jahre eine segensreiche Arbeit.

Doch nun, immerhin nach den Menschen, ging's um »größere« Fragen. Auch wenn vom Potsdamer Abkommen wenig übriggeblieben sei, stellten die Vier Mächte eine unüberspringbare Hürde dar. »Wir haben kein Recht, darüber zu befinden«, befand der erste Mann der DDR kühl und ganz auf der Höhe jener Zeit. »Wir alle haben Mitwirkungsverdienste am Vierseitigen Abkommen und wollen nicht in Frage stellen, was allgemein anerkannt wird. Wir respektieren also die Luftkorridore und beabsichtigen nicht, das in Frage zu stellen, es sei denn, wir kommen überein, unausgesprochen, daß wir diese Frage in Zusammenhang bringen mit Artikel 9.« Meine Empfindung: Das ist eine Wucht. Der Artikel 9 sollte die in Moskau gefundene Formel wiederholen, wonach unser Vertrag die bestehenden Verträge und Verpflichtungen beider Staaten nicht berührt. Politisch sollte das unberührbare Alte uns am Neuen nicht hindern. Wir wollten tun, was möglich wäre, ohne unsere unveränderbaren Bindungen zu verletzen. Honecker deutete hier elegant, unangreifbar und kaum verhüllt an, was ich auch im Kopf hatte: ein deutsches Luftfahrtabkommen neben den Korridoren. Aber ich ging nicht darauf ein, denn die Zeit dafür war noch nicht reif: Dennoch war es angenehm – auch der Landsmann zeigte Emanzipationsneigung.

Die Erfüllung meines Wunsches, als Punkt auf dem i die Lufthansa nach Berlin zu bringen, scheiterte 1973, nicht an der DDR, nicht an Herrn Gromyko, der etwas mürrisch ja sagte, sondern an den Drei Mächten, genauer deren Luftattachés, die die Interessen ihrer Monopolgesellschaften hinter dem Argument der unantastbaren und unkontrollierten Luftkorridore verbargen. Meinen Vorschlag, wir könnten ja darüber, das heißt über der 3000-Meter-Grenze fliegen, fanden sie

»noch schlimmer«; denn dann würde die Lufthansa kostengünstiger fliegen. Ich glaubte, Brandt versprechen zu können, bis Ende 1974 ein deutsches Luftfahrtabkommen mit Überflugrechten der Interflug und Landerechten für die Lufthansa in Berlin zu schaffen. Aber nach dem Rücktritt Brandts betrieb das niemand mehr und nach dem Rücktritt Schmidts auch nicht.

Honecker bedankte sich für die Information zum Beobachterstatus der DDR bei den Vereinten Nationen. Ich wunderte mich nicht, ihn ganz nahe bei der eigenen Vorstellung zu finden, wie wir die Vier Mächte für unseren Beitritt zu den Vereinten Nationen beteiligen wollten. »Wir bitten die Sowjetunion, und Sie bitten Ihrerseits die Drei Mächte. Keine Protokollnotiz im Vertrag. Nichts steht da zwischen uns. Das sage ich in Kenntnis aller Vorgänge.« Ob er wußte, daß die Engländer sogar ein Vier-Mächte-Dokument im Sinn gehabt hatten, durch das die DDR förmlich zur Anerkennung der Vier-Mächte-Rechte festgelegt werden sollte? Das war mit Gromykos Hilfe und Zustimmung Kissingers beerdigt worden. Als Kohl und ich später die gleichlautenden Briefe unserer Regierungen an die jeweiligen Freunde abstimmten, Ausdruck gleicher Interessen und insoweit gleicher Abhängigkeit, wie wir verständnisinnig lächelten, antworteten die Amerikaner, daß ihre Rechte für Deutschland durch den Beitritt der beiden Staaten in die UN gar nicht berührt werden »könnten«. Das war korrekt und deutlich. Besiegte können Siegerrechte nicht aufheben.

Die Nation: Zu keinem anderen Thema äußerte sich Honecker ausführlicher, facettenreicher und unter verschiedenen Blickwinkeln, zuletzt offen. Zur Wiedervereinigung habe man uns ursprünglich durch die Einbeziehung des Wortes »Selbstbestimmung« entgegenkommen wollen. Aber das genüge offensichtlich nicht. »›Wiedervereinigung‹ und ›Einheit der Nation‹ sind sehr strapaziert. Wir können uns keinen Vertrag vorstellen, in dem davon etwas niedergeschrieben wird.« Die DDR bereite sich auf den 23. Jahrestag ihres Staates vor. »Wir werden auch weitere 23 Jahre existieren.« Mit dieser Voraussage verfehlte er die Wirklichkeit nur um fünf Jahre, aber das wußte er nicht, und ich auch nicht. Wir könnten doch ein Vorschaltgesetz zum Grundlagenvertrag machen, in dem wir unsere Meinung zur Einheit bekräftigten. »Sie können uns auch einen Brief überreichen, den wir zur Kenntnis nehmen.« – Damit war dieser Punkt der Verhandlungen auch erledigt.

»Wir wollen nicht unehrlich sein: Kein Vertrag wird unterschrieben werden, in dem das Wort Einheit der Nation und Wiedervereinigung vorkommt. Hier ist die Interessenlage zwischen BRD und DDR verschieden.«

Dazu komme noch etwas anderes: Keiner unserer Verbündeten sei für die Einheit. Beide Staaten zusammen würden wirtschaftlich und militärisch so stark sein, daß unsere Verbündeten auf beiden Seiten »alle Hände hochheben, wenn sie das Wort nur hören«. Einheit sei Illusion. »Wir wollen nicht unwahrhaftig sein: Wir leben uns auseinander. Aber durch den Vertrag, unter Vermeidung dieser Worte, werden wir die Menschen näherbringen, und das ist die entscheidende Frage, nehme ich an.« Die bisherige Einmischung sei dafür sehr hinderlich. »Wir wollen nicht Deutschland ausmerzen, wenn wir den Deutschlandsender beenden.« Er wolle die Einmischung in die inneren Angelegenheiten der Bundesrepublik abbauen. Der Deutschlandsender habe das dauernd getan. Das gesamtdeutsche Staatssekretariat werde liquidiert und umgetauft, die Westabteilung der Partei aufgelöst. »Wir bauen auf der ganzen Linie ab, unabhängig vom Ergebnis unserer Verhandlungen, alle Institutionen, die sich einmischen wollen. Wir können das von Ihnen nicht in gleichem Umfang erwarten, aber es ist zweckmäßig, in unserem Vertrag das Wort Nichteinmischung stehenzulassen, das zu elementaren Grundsätzen zwischen Staaten gehört.« Einen entsprechenden Schlußstrich unter die Vergangenheit habe der Parteitag gezogen. In Zukunft gehe es »um das Verhältnis der beiden deutschen Staaten zueinander«. Er unterstrich: »zu-einander.« Die DDR sei fest integriert in die sozialistische Staatengemeinschaft. Wir hätten in der Tat keinen Friedensvertrag. »Ich sage offen: Lassen wir vorläufig das Wort aus den Verhandlungen aus. Wir haben die Dinge noch nicht durchdacht und müssen die Frage konsultieren. Es wird keinen Friedensvertrag geben, das wissen wir heute schon. Vielleicht kann man das Wort zum Schluß hineinschreiben. Ich weiß es nicht.«

Übersicht, Entscheidungsfähigkeit und Augenmaß hatte Honecker bewiesen, dazu mehr Kompetenz als mancher unserer Oberen in Bonn. Neben den übergeordneten Interessen seines Staates blieb in seinem Denken und Fühlen Platz für die deutschen Dinge. Ohne ihn wäre der Weg zur innerdeutschen Entwicklung auch nicht möglich gewesen. Das sollte nicht vergessen werden, trotz allem, was negativ mit seinem

Namen verbunden bleibt. Der Vorwurf, es sei eben ein Unding, daß ein Saarländer an der Spitze der DDR stehe, war schändlich; damit versuchten später Leute aus seiner Umgebung, ihn in Moskau zu verdächtigen und zu stürzen. Wie er nach der Einheit behandelt worden ist, ist allerdings auch kein Grund zu Stolz. Doch abgesehen von seinem Altersstarrsinn mit verkümmerter Wahrnehmung muß man nach dieser enthüllenden Momentaufnahme seines damaligen Verhaltens fragen, was diesen doch nicht dummen Mann bei der Überlegung bewegt hat, die widersprüchliche deutsche Annäherung mit der Abgrenzung auf Dauer verbinden zu können? Wie konnte er annehmen, den zunehmenden Drang bei zunehmenden Begegnungen beherrschen, eindämmen und seinen Staat konsolidieren zu können, das Unmögliche möglich zu machen? Vielleicht ist eine Erklärung in der Struktur seiner Persönlichkeit zu finden, in der über dem Staatschef und dem Deutschen der Kommunist rangierte mit seinem festen Glauben an die »Entwicklung des sozialistischen Menschen«.

Was damit gemeint ist, kann eine Episode zeigen. Kohl und ich überschritten in jenem Herbst unsere sechzigste Verhandlungsrunde, einschließlich einer mindestens doppelt so großen Zahl von Essen. Nachdem ich schon mit den Nierensteinen seiner Frau vertraut gemacht worden war, wandte ich mich eines Abends einer etwas größeren Frage mit der Behauptung zu, der Kommunismus sei dem Untergang geweiht. Das wies er entschieden als »unerhört« zurück. Die These, ich könne das beweisen, machte ihn neugierig: Wenn ich Thukydides, Plato, Sophokles und andere nette alte Griechen läse, dann sei das alles zu verstehen. Wie sich die Menschen verhalten, sei einsichtig, bewegt von Haß und Liebe, Willen zu Macht und Besitz, mit viel Verrat und wenig Treue, mehr Eigennutz als Gemeinsinn. Dies aber bedeute, daß sich der Mensch in den letzten zweitausend Jahren nicht verändert habe, als ob insofern Jesus Christus nicht gelebt hätte. Und nun kämen sie, die Kommunisten, mit dem Anspruch, den Menschen umbauen, den sozialistischen Menschen schaffen zu können, der hingebungsvoll den Sinn seines Lebens in der Arbeit für die ideale Gesellschaft sehe. So sehr weit und überzeugend sei das seit 1917 nicht gediehen, wenn man die Sowjetunion betrachte. Aber vielleicht sei das zu kurzfristig. Wenn wir uns in fünfhundert Jahren wiedersähen und meine Skepsis widerlegt sei, würde ich mich bei ihm entschuldigen. Kohl war still und kam auf das

Thema nicht zurück. Aber Honecker war ein gläubiger Kommunist, von der unerschütterlichen Zuversicht getragen wie geschlagen, ausreichend viele seiner Deutschen zu »neuen Menschen« erziehen zu können. Der überhebliche Wille, den Menschen zu verändern, mag die tiefste Ursache für das Scheitern des Systems gewesen sein.

»Grüßen Sie Herrn Brandt und Herrn Wehner von mir«, sagt Honecker beim Hinausgehen und fügt an, er sei im Saargebiet Wehners Untergebener gewesen und wolle ihn gern einmal »in seinem Gebiet« haben. Ein verständlicher, nicht unsympathischer privater Zug, Schlußstrich unter die Vergangenheit. Der »Onkel«, dem ich das etwas schonender berichte, ist erleichtert – »Ich habe nie etwas persönlich gegen ihn gesagt« - und findet es wie Willy gut, daß wir nun wohl durchverhandeln können.

Die Olympischen Spiele waren ein mindestens so guter Grund, sich unspektakulär zu sprechen wie ein Start in den Weltraum. Kissinger hatte die Einladung nach München gern angenommen. Seit meinem Besuch im März konnte ich unser persönliches Verhältnis »fast herzlich« nennen. Er hatte sich vor seinem ersten amtlichen Moskau-Besuch nach seinem »Kollegen« Alexandrow, dem Sicherheitsberater Breschnews, erkundigt. (»Der CIA hat nicht einmal ein Foto von dem.«) Ich konnte ihn auf einen zierlichen Mann vorbereiten, der seine Frau mit Versen von Heinrich Heine »betört und gewonnen« hatte, Verse in Altisländisch schrieb, in mehreren skandinavischen Sprachen zu Hause war und mit dem er ohne Dolmetscher auch deutsch sprechen könne. Dieses Wissen verdankte ich der gemeinsamen Autofahrt mit ihm auf der Krim im Jahr zuvor nebst der Erkenntnis, Alexandrow sei gleichermaßen intelligent, wie in Sicherheitsfragen kundig; man könne mit ihm »in unseren Kategorien« diskutieren.

Schön, daß wir einem Amerikaner einen derartigen kleinen Dienst leisten konnten, während wir ständig auf ihren guten Willen angewiesen blieben. Intensität und Intimität zwischen Bonn und Washington erreichten einen Grad, wie er unter guten Verbündeten und Freunden nicht besser sein kann. Nichts Wichtiges mußten wir aus Zeitungen erfahren. Um Tage, mindestens wichtige Stunden wurde das Kanzleramt im voraus informiert: daß Nixon nach Peking fuhr, Kissinger geheim nach Moskau, wie der amerikanische Abzug aus Vietnam sich gestaltete, den Wortlaut der Prinzipienerklärung für die amerikanisch-sowjetischen Beziehungen zum Beispiel. Deutsche Stellungnahmen konnten bedacht und unmittelbar nach den Ereignissen abgegeben werden. Rat wurde empfangen und erfragt. Auch unter großem Zeitdruck funktionierte der Kanal, wobei Kissinger öfter Veranlassung hatte, eine Information »nur für den Kanzler« zu übermitteln als umgekehrt. Auf die Vertraulichkeit war Verlaß, auch wo außen- und innenpolitische Interessen sich vermischten.

Im Frühjahr 1972 hatte der frühere Außenminister Gerhard Schröder von einer Chinareise die Bereitschaft Pekings mitgebracht, diplomatische Beziehungen zur Bundesrepublik aufzunehmen. Die Eile des Auswärtigen Amtes, darauf einzugehen, mußte gebremst werden. Das konnte uns gerade noch fehlen: Die Verträge scheitern, aber wir tauschen Botschafter mit China aus – in beiden Fällen »dank« der Opposition. Dennoch sollte Washington wissen: Falls China einen amtlichen Schritt unternehmen würde, wäre die Reaktion positiv. Aber unsere Auffassung, wir hätten es nicht eilig, und das Gewicht unseres Interesses bliebe in Europa, bezeichnete Kissinger als weise. Über den anderen Kanal wurde Moskau informiert gehalten und so vorbereitet, daß Scheels Erfolg in Peking im Oktober, als er die Beziehungen zu China herstellte, in Moskau verstanden wurde und meine gleichzeitigen Bemühungen nicht beeinträchtigte, mit Breschnew den Grundlagenvertrag zu fördern.

Ein anderes Beispiel: Henry erläuterte das amerikanische Interesse an einem sowjetischen Engagement für Gespräche über Truppenreduktion, weil das gegen die amerikanische Opposition helfe, die auf einseitige Reduktion dränge. Ich könnte Breschnew gegenüber die Erwartung ausdrücken, daß die amerikanische Antwort auf einen sowjetischen Vorschlag, über den wir auch unterrichtet waren – durch Washington und nicht durch Moskau –, für die Sowjetunion befriedigend sein werde.

So eng war das Geflecht unserer Beziehungen, als der Kanzler und ich – zuvor gesondert – Kissinger in München trafen, wo er Endkämpfe der Spiele sehen wollte, ohne sich ein Fußballspiel entgehen zu lassen. Daß er danach direkt nach Moskau fliegen würde, hatte er schon angekündigt. Kissingers Information in seiner Hotelsuite, deren Balkon zur Sicherheit scheußlich verdrahtet war, konnte nur sensationell genannt werden. Die Russen hatten einen Vertrag angeboten, keine Atomwaffen gegeneinander einzusetzen. Washington sei daran interessiert. Das

410

werde Kern seines Gesprächs mit Breschnew sein. Ich glaubte ihm, daß Paris und London nur ganz allgemein unterrichtet würden und er die deutsche Reaktion testen wollte, als er Einzelheiten darlegte.

Wie ein nächtlicher Blitz, der für Sekunden gespenstisch die Landschaft erhellt, wurde die gewaltige Dimension erkennbar, der gegenüber Bundesrepublik und DDR zu untergeordneter Winzigkeit schrumpften. Die beiden Supermächte würden das unausgesprochene Interesse in Worte und Verpflichtungen vereinen, ihre Territorien zu verschonen. Das würde nicht für China, den Nahen Osten und Europa gelten. Ich war gar nicht erschrocken; denn ich hatte schon lange gedacht, im Ernstfall wäre Europa ein entsetzlicher atomarer Exerzierplatz, begrenzt und eingehegt durch das vitale Interesse der beiden Großen, ihr Sanktuarium jedenfalls unangetastet zu lassen und möglichst zu überleben. Diese Realität sollte also »nur« Vertrag werden. Er konnte die atomare Gefahr verringern.

Das war zu begrüßen, sofern politisch die Interessen der Verbündeten gewahrt blieben. So reagierte ich auch. Es dürfe keine Unsicherheit über die uneingeschränkte Gültigkeit der NATO-Verpflichtungen entstehen, was Kissinger natürlich ebenso sah. Im übrigen könnte er positiver Kommentierung und guter Wünsche für seine Moskauer Gespräche gewiß sein, es sei denn, der Kanzler sehe das anders. Doch der dachte, durchdrungen von der Überzeugung, daß Koexistenz die einzige Chance des Überlebens ist, wie er in Oslo nach der Entgegennahme des Nobelpreises formuliert hatte, nicht anders. Der Vertrag der beiden Großen faßte ein Gesetz der Koexistenz in Paragraphen, ein Jahr später. Die Vertraulichkeit wurde gewahrt; selbst in den »Kanal-Mitteilungen« wurde nie das Thema genannt, sondern nur auf die in München »nur für den Kanzler bestimmte Sache« Bezug genommen. Aber die unwirklich wirkliche, meist beschwiegene Realität der übergeordneten Interessen größerer Mächte blieb unvergeßlich und orientierend.

Auch sie veranlaßte mich, bei den Verhandlungen mit der DDR darauf zu drängen, daß europäische Sicherheitsfragen künftig zwischen den deutschen Staaten konsultiert werden sollten. Hier würde es um existentielle Fragen gehen. Ich faßte sogar den Austausch von Militärattachés ins Auge, was unterblieb. Aber wenn wir durch den Vertrag das Nebeneinander organisiert hätten, sollte das Miteinander beginnen. Daß wir ein gemeinsames Interesse daran hätten, Deutsch als Konferenzsprache zu fördern, bedurfte keiner Begründung. Daß wir möglichst abgestimmt auf dem Gebiet der Sicherheit auftreten, das nun in das Scheinwerferlicht der europäischen Bühne geraten würde, habe ich am Anfang und Ende meiner Erklärung aus Anlaß der Paraphierung zum Leitmotiv gemacht. Wir eröffneten uns durch den Artikel 5, damals auch international kaum beachtet, ein politisches Feld, das in den folgenden Jahren kaum beackert, sogar über das Jahr 1975 hinaus vernachlässigt wurde, bis SPD und SED 1983 über Chemiewaffenfreiheit und einen atomwaffenfreien Korridor zu sprechen begannen und für die Reduktion konventioneller Waffen in Wien die deutschen Delegationen zusammenwirkten.

Inzwischen hatte ich mich bereit erklärt, ein Bundestagsmandat anzustreben. Willy vermittelte den Kontakt zu Jochen Steffen. Dieser linke Feuerkopf, entschiedener Demokrat und Sozialist, sorgte an der Spitze des Landesverbandes Schleswig-Holstein für ein im Vergleich zur Berliner Partei erfrischendes Klima: Leidenschaftliche politische Auseinandersetzungen beschädigten das persönliche Vertrauensverhältnis nicht. Auf sein Wort war Verlaß. Ein wenig Stolz, immer an der Spitze des Fortschritts zu marschieren, hat sich der Landesverband lange erhalten. Damals bedeutete das, entschieden für den Ausbau der Kernenergie zu streiten, die alle Energieprobleme sauber lösen könnte; später bedeutete das, entschieden den Ausstieg aus einer Technik zu fordern, deren Entsorgung ungelöst sei und mit dem Angebot eines Autos ohne Bremsen verglichen wurde. So entsprach es der jeweils letzten wissenschaftlichen Erkenntnis. Steffen empfahl den Gremien, »solch einen Eierkopf können wir brauchen«, und die setzten mich mit unerwartet hoher Stimmzahl an die Spitze der Landesliste. Ich bleibe zu großem Dank für das Verständnis verpflichtet, das Kiel und dann noch mehr der Wahlkreis für meine Bonner Aufgaben aufbrachten. Jedenfalls wurde der Montag im Norden den übrigen Verpflichtungen hinzugefügt, fast immer, und wenn die Verhandlungen es nicht gestatteten, ein Ersatz möglichst am Wochenende gesucht. Die Sicherheitsbeamten, die mich seit München dauernd begleiteten, sind am Anfang lästig, zumal sie die Wohnung teilweise zur Wachstube machen, aber heben das Ansehen und gehören bald fast zur Familie. Ehmke und ich verabreden, wenn einer von uns entführt wird, wird der andere handeln, als ob es nicht um den Freund geht.

Wie groß soll das grenznahe Gebiet sein, dessen Bewohner sich jedenfalls von West nach Ost besuchen dürfen? Hamburg und Hannover haben, sagt Kohl, einfach zu viele Einwohner, um sie verkraften zu können. Wir schneidern dann ein Gebiet, das 110 Landkreise umfaßt, selbstverständlich nicht so einfach und schnell, wie es sich jetzt liest. Viel schwieriger werden die neuen Übergänge. Ich möchte zusätzlich acht. Aber mehr als die Verdoppelung der schon bestehenden vier sind nicht durchsetzbar. Ich nehme Kohl ab, daß er sich für weitere einsetzt, »aber es geht jetzt einfach nicht«. Der eine und andere wird aus militärischen Gründen abgelehnt. Ich erinnere an die Erfahrung mit den Passierscheinstellen: Da hatten sich – zudem im Winter – derartig lange Schlangen in Berlin gebildet, daß die Zahl erhöht werden mußte, wenn die Operation nicht zu einem Skandal werden sollte. »Ich rechne mit einem ungeheuren Andrang, der schnell aus etwas Gutem Empörung machen wird.« Kohl: »Ich kann mich hier nicht mehr bewegen, aber ich sage Ihnen zu: Wenn der Andrang so groß wird, setzen wir uns sofort zusammen und vereinbaren neue Übergänge.« Es gehört zu meinen großen politischen Enttäuschungen, daß es keinen Grund dazu gab: So viele der Älteren wollten ihre Angehörigen – entgegen meinen Erwartungen – gar nicht sehen und so viele der Jüngeren ihnen unbekannte Landschaften und Menschen nicht kennenlernen. Doch selbst diese Erfahrung hat nicht verhindert, daß die Enttäuschung sich nach dem 3. Oktober 1990 wiederholte: Ich hatte mit einem großen Aufbruch gerechnet, zurück in die alte Heimat, begierig, den im Westen gewonnenen Zuwachs an Wissen und Mitteln endlich einzusetzen.

Die Amerikaner sind Meister der Short stories, die Russen des epischen Romans. Die beiden »Kanäle« spiegeln diese verschiedenartigen nationalen Vorzüge. Der Austausch von Meinungen und Informationen mit Washington ist knapp, präzise, auf das Wesentliche konzentriert, der Briefwechsel mit Breschnew ist argumentativ und zieht sich meist über viele Seiten, in denen das Wesentliche oft am Schluß zu suchen ist. Die Unterschiede zeigen auch, mit den Amerikanern versteht man sich, mit den Russen ist Verstehen erst herzustellen. Außerdem: Kissinger entscheidet kompetent, sofort und weiß, wann er den Chef zu fragen hat; Breschnew kann alles entscheiden, aber muß dazu oft seine Berater fragen. Die geliehene Macht wird so effizienter als die Macht.

Der Briefwechsel zwischen Brandt und Breschnew entwickelte sich von einer Pflichtübung zu einer Kür, die beide gern absolvierten. Man hielt sich auf dem laufenden. Es kann sein, daß Breschnew zum erstenmal erlebte und Geschmack daran fand, mit einem Mann im Westen Informationen und Meinungen austauschen zu können, wie das zwischen westlichen Hauptstädten längst Routine geworden war. Die Eindrücke, die Brandt von seinen Begegnungen mit Pompidou, Heath und Nixon vermittelte, bevor der Mann im Kreml diese Männer persönlich gesehen hatte, oder von EWG-Konferenzen, brachten ihn einer ihm fremden und doch wichtigen Welt näher. Umgekehrt waren für den Kanzler die Interpretationen wertvoll, die Breschnew über die Treffen mit den Spitzenleuten seines Lagers gab. Was war ihm wichtig, was konnte übersehen oder vernachlässigt werden? Die Einschätzungen über den Osten wurden so am Rhein insgesamt fundierter als bei den Drei Mächten, was dort mit nicht nur freundlicher Aufmerksamkeit registriert wurde. Beide öffneten sich ein bisher verschlossenes Fenster, das Blicke auf die andere Seite freigab.

Ton und Stil ihres Schriftwechsels wurden im Laufe der Zeit direkter, undiplomatisch, zuweilen schnörkellos offen. Dem Generalsekretär gefiel das. Brandt blieb bedeckter. Ich hatte nie gedacht, einmal für einen solchen Umgang mit dem zweitmächtigsten Mann so nahe helfen zu können. Wenn wir von einer Krankheit erfuhren, waren die Genesungswünsche ehrlich. Beides blieb geheim, denn der Generalsekretär der KPdSU mußte angeblich ein Übermensch sein: gefeit gegen jeden Virus und fast geschlechtslos. Die Zeit, in der Chruschtschow – in sowjetischen Augen disziplinlos – seine mollige und bescheidene Nina zeigte, war vorbei; und die der eleganten und selbstbewußten Raissa noch längst nicht gekommen.

Der oberste Kommunist begann für den obersten deutschen Sozialdemokraten persönliche Gefühle zu entwickeln, und seine positive Empfindung entsprach weder dem, was er von seinen deutschen Genossen vorher gehört, noch den Warnungen vor diesem gefährlichen Brandt, die er ihnen selbst gegeben hatte. Willy Brandt war kein Feind. Der Abbau von Vorurteilen und Feindbildern, gegenseitig, war mit Händen zu greifen. Der russische Renaissancemensch wollte das auch zeigen und stieß bei dem spröden Lübecker auf Reserve. Nicht als Genossen, sondern als Menschen hätte er ihn umarmt – vielleicht sogar geküßt –, wenn ich nicht seiner Umgebung rechtzeitig und schonend beigebracht hätte, daß Brandt das nicht mochte, jedenfalls nicht von Männern. Als Breschnew die Vokabel »Freundschaft« für ein Kommuniqué und ein Abkommen vorschlug, winkte ich ab: Das sei ein zu großes Wort, um es jetzt schon für unsere Beziehungen zu verwenden. Der Pfälzer Helmut Kohl konnte nur einige Jahre später viel unbefangener und direkter agieren. Aber da hatte er schon Gorbatschow zum Partner und eine Opposition, die das nicht bösartig, sondern fast neidisch verfolgte.

Die menschliche Seite und das wachsende Gefühl der Verläßlichkeit ergänzten die Hoffnungen beider, ein Europa des Friedens und der Zusammenarbeit schaffen zu können, ohne den Blick für die Wirklichkeit zu verlieren. Vielleicht war gerade der offensichtliche Machtunterschied ein Grund, daß Breschnew Brandt gegenüber keinerlei Minderwertigkeitsempfinden zeigte, das Kissinger als Repräsentant der Supermacht an ihm entdeckte.

Auf der Krim im letzten Herbst hatten Brandt und Breschnew vereinbart, sich jährlich zu sehen. Nun, 1972, bedauerte der Kanzler, die Einladung wegen des Wahlkampfes verschieben zu müssen. Damals hatten sie schon miteinander lachen gelernt, Witze sehr unterschiedlicher Qualität genossen, jetzt, nach gemeinsamer Erleichterung über die Ratifizierung der Verträge, versuchte Brandt, dem nähergerückten Partner ausführlich und umfassend unsere Argumente für den Grundlagenvertrag zu erläutern. In seiner Antwort lobte der Generalsekretär das Entgegenkommen der DDR, erkundigte sich nach dem UN-Beitritt und versicherte dem Kanzler seine Sympathie für den Wahlkampf: »Nebenbei möchte ich bemerken, daß wir die uns zur Verfügung stehenden Möglichkeiten wahrnehmen, um den Regierungen einflußreicher Länder den Nutzen eines loyalen wohlwollenden Verhaltens gegenüber der Politik der von Ihnen geführten Regierung verständlich zu machen. Ich persönlich hatte vor kurzem ein Gespräch darüber mit H. Kissinger. Wir haben durch unsere Botschaften ein Schreiben ähnlichen Inhalts dem Präsidenten G. Pompidou überreichen lassen. Wir sind weit davon entfernt, die Bedeutung der Versprechungen überzubewerten, die man bei diesen Gelegenheiten zu hören bekommt. Wir sind aber der Meinung, daß unsere diesbezüglichen Schritte einige für Sie nützliche Wirkungen haben könnten.

Es ist verständlich, daß es für mich von Interesse wäre, über Ihre

Beurteilung der Lage in der Bundesrepublik sowie gegebenenfalls über Ihre Wünsche zu erfahren, die weitere Entwicklung der Beziehungen zwischen unseren Ländern betreffen. Ich bemühe mich, all diese Fragen stets zu verfolgen.«

Aus diesem Brief vom 30. September war herauszuhören, wie stark Ostberlin sich selbst nach meiner Begegnung mit Honecker gelobt hatte, aber in den prinzipiellen Fragen von Nation und Friedensvertrag zeigte sich kein Verständnis. Brandt verwies in seiner Antwort (6. Oktober) auf anstehende substantielle europäische Themen des Truppenabbaus, für die deutsche Mitwirkung nötig bleibe, würdigte Breschnews Sympathie und Verständnis, erkannte Entgegenkommen und Schwierigkeiten der DDR-Führung an, aber erklärte ohne jede Abmilderung: »Ein Erfolg wird die ganze Sache nur dann, wenn sie für alle Beteiligten ein Erfolg wird. Dazu gehört für die Bundesregierung, daß ungeachtet aller unterschiedlichen und sogar nicht zu vereinbarenden Auffassungen und Ziele im Vertrag selbst zum Ausdruck kommt, daß es sich bei den deutschen Staaten um solche einer Nation handelt. Ohne entsprechende Formulierungen ist der Vertrag politisch nicht durchsetzbar; er würde auch durch das Verfassungsgericht für ungültig erklärt werden.«

Über den Kanal war zu hören, es bewege sich nicht viel, verbunden mit der Anregung, ich sollte es direkt mit Breschnew versuchen. Dafür mußte vor allem der – richtige – Eindruck vermieden werden, wir wollten über den großen Bruder Druck ausüben. Ich sammelte möglichst viele offene Fragen, darunter den Austausch von Militärattachés, Niederlassungen für die Deutsche und die Dresdner Bank, Vertretungsmöglichkeit für kleinere und mittlere Betriebe, Zulassung eines *Spiegel*-Korrespondenten und weiterer westdeutscher Journalisten, sagte einen Termin mit Kohl ab, weil ich neben einem Meinungsaustausch über bilaterale Fragen auch eine Botschaft des Bundeskanzlers überbringen solle, flog vom Parteitag in Mölln nach Moskau und empfand es angenehm, in der Residenz bei Botschafter Sahm zu übernachten.

Die Reise stand unter schlechtem Vorzeichen. Als sie entschieden wurde, war Scheel gerade auf dem Weg nach Peking und mußte telegraphisch unterrichtet werden. Unter den drei Botschaftern gab es die Sorge, ich könnte in Moskau über die Vier-Mächte-Erklärung zum UN-Beitritt reden, die ihre Sache sei. An Ort und Stelle empfing mich Leo: »Alles ist ganz schlecht.« Kohl war durch mich von der Reise

416

informiert worden, als Honecker aus Moskau noch nichts darüber gehört hatte. Aufgebracht und wütend hatte der zum Telefonhörer gegriffen und Breschnew gefragt, was denn da los sei. Dazu bezweifelte unsere Presse, daß die Reise nur der Information dienen solle. Nun stünden Prestigefragen auf dem Spiel. Gromyko sei auf Kampf eingestellt wegen des Friedensvertrags, kurz: Nichts werde gehen.

Der Kampf findet nicht statt. Die dreieinhalb Stunden mit Gromyko am nächsten Tage verlaufen in guter Atmosphäre und auf beiden Seiten in großer Besetzung. Ich informiere, wie das auch in Washington, Paris und London geschehe, über den Stand der Verhandlungen mit der DDR und weise Spekulationen der Presse zurück, wir wollten mit der Sowjetunion darüber verhandeln. In den bekannten Grundsatzfragen seien wir auseinander. Gromyko dankt für die Unterrichtung und entwickelt einen gefährlichen Gedanken: Wenn Bonn sich auf das Grundgesetz berufe, so könne es daraus keine Verpflichtungen für andere ableiten. Es sei zwischen Staaten üblich, Fragen auszuklammern, über die man sich nicht verständigen könne. Wenn die sachliche Substanz für einen Vertrag ausreiche, solle man die Chance nicht verpassen. Dann zählt er die Kette der erzielten Verständigungen durch »beachtliches Entgegenkommen der DDR« auf, die man vor zwei Jahren ins Reich der Phantasie verwiesen hätte.

Ich stellte fest, wir hätten beide die DDR gelobt. Das erreichte Niveau würde es gestatten, einen Vertrag zur Verbesserung der Beziehungen zu schließen. Es wäre bequem, würde aber nicht das Problem bereinigen, wie sich die beiden Staaten im internationalen Bereich begegnen sollen. Dazu brauchten wir einen Grundlagenvertrag, der weder unser Grundgesetz noch die Verfassung der DDR, die übrigens auch auf die Einheit der Nation gerichtet sei, auslegt oder verletzt.

Offenbar war das überzeugend genug, denn der Außenminister ging auf die Vier-Mächte-Rechte ein, die wir ähnlich sahen. Nach einer ausführlichen Erörterung der Auslegung des Vier-Mächte-Abkommens über die Behandlung Berlins spulte ich meine bilateralen Fragen ab, einschließlich des ihm verständlicherweise unbekannten Wunsches, unsere amtliche Informationszeitschrift *Scala* in russischer Sprache verteilen zu können. Da am darauffolgenden Tage alles durch den Generalsekretär positiv beschieden wurde, was mich für den Austausch der Militärattachés besonders freute, ergab sich eine genügende Liste, um die

Absicht meines Besuches zu verhüllen und die Keuschheit des großen Bruders zu behaupten. Zuletzt besprachen wir den Fortgang der Europäischen Konferenz und der Truppenreduktion.

Am Abend nimmt Gromyko mich zur Seite; er werde dem Generalsekretär berichten, und entschuldigte sich, daß er früher gehe. Nach und nach verlassen Botschafter Falin und seine Kollegen von der 3. europäischen Abteilung, Bondarenko und Tokowinin, die Tafel wie die Musiker in der *Abschiedssinfonie* von Haydn und begeben sich an die Arbeit. Ich treffe mich noch mit Slawa, der berichtet, es sei aus ihrer Sicht gutgegangen mit Gromyko, und vorwarnt, der Generalsekretär werde noch keine Antwort zu den prinzipiellen Fragen geben: »Das machen wir Ende der Woche in Berlin.«

Am nächsten Morgen (10. Oktober) im Kreml bin ich mit Breschnew, vom Dolmetscher abgesehen, allein. Er begrüßt mich sehr herzlich: »Ich spreche mit Ihnen wie mit dem Kanzler.« Also beginnt er mit Anekdoten, die nicht meine starke Seite sind. Auch notierte Stichworte wie »vier Frauen«, »die Geschichte mit der Logik«, »der Siebzigjährige« bringen keine Erinnerung an die Pointen, obwohl ich, wie es sich gehört, Brandt noch damit amüsieren konnte. Die Botschaft des Kanzlers läßt er sich übersetzen und dankt. Die aufgeworfenen Fragen seien kompliziert und erforderten ernsthafte Erwägung. Er könne sie nicht aus dem Stegreif beantworten. Brandt hatte geschrieben, das Werk könne immer noch scheitern, wenn die »Zugehörigkeit beider deutscher Staaten zu einer Nation keinen angemessenen Niederschlag im Vertrag« finde. »Vor den Geboten der Verfassung gibt es natürlich keinen Unterschied zwischen Regierung und Opposition.«

Während Breschnew sich nach der Lage in der Bundesrepublik und dem Wahlkampf erkundigt und erstaunt ist, daß die Union weniger Mitglieder hat als die SPD, kehrt sein Blick immer wieder auf meine Pfeifentasche zurück. Als ich sie öffne und beginne, eine Pfeife zu stopfen, entspannen sich seine Züge. Vielleicht hatte er ein laufendes Bandgerät vermutet. Er zieht ein Zigarettenetui aus der Tasche und klagt, während er sich einen Glimmstengel anzündet, seine Ärzte quälten ihn; das Etui lasse sich nur alle dreißig Minuten öffnen. Mein Vorschlag, es doch offenzulassen, wird mit demonstrativer Willensstärke, also Schließen, beantwortet.

Ich hatte ihm einen Film von einer Bundestagsdebatte geschickt, um ihn die seltsamen Bräuche funktionierender Demokratie sehen zu lassen. Doch unsere Diskussionen über Anzeigen und Fernsehzeiten amüsierten ihn eher. Das sei hier leichter. Da gebe das Volk mit großer Begeisterung seine Stimme ab. Da gebe es keine Probleme, zumal die Sowjetunion nur eine Partei habe. Sein Ernst verbot, mich amüsiert zu zeigen.

Die intensive Diskussion über den Grundlagenvertrag folgte dem Muster des Gromyko-Gesprächs. Die Streitpunkte, ob »Nation« und der fehlende Friedensvertrag ausdrücklich aufgenommen werden müßten, wurden ausführlich erörtert, immer unter Betonung des Kremlherrn, daß nicht der Eindruck entstehen dürfe, als würden sie in Moskau entschieden. Jeder Hinweis auf »Friedensvertrag« könne benutzt werden, um »die Festigkeit« des Vertrages zu bezweifeln. Auch der Moskauer Vertrag sei ohne zeitliche Begrenzung. Mit der DDR dürfe es nicht anders sein. Da sah ich keine weitere Gesprächsmöglichkeit, offen gestanden auch keine Notwendigkeit; denn die Vier Mächte würden sich und ihre Rechte schon wieder in Erinnerung bringen, wenn beide Staaten Mitglieder der UN werden wollten. Wir haben denn auch in der Folge den sinnlosen Kampf aufgegeben, uns selbst zu bescheinigen, was die Deutschen aus eigener Kraft ohnehin nicht ändern konnten.

Bei der Nation war es etwas anders, zumal Breschnew selbst von »den zwei deutschen Staaten« sprach. Nicht einmal diese Formulierung wolle die DDR in den Vertragstext aufnehmen, argumentierte ich, vergeblich; denn er hielt sich an die mir angekündigte Linie: hier und heute keine Entscheidung in der Substanz. Er wolle nachdenken. Dieses im Augenblick dürftige Ergebnis wurde kompensiert durch Zustimmung oder Bestätigung aller meiner Wünsche und Anregungen, die ich bilateral bei Gromyko »abgeladen« hatte, bis zur Zusage, er werde Weisung geben, weitere Ausreisen beschleunigt zu gestatten. Nach vier Stunden = zehn Zigaretten (man muß schließlich die Willensstärke nicht übertreiben), bedauerte er abzubrechen, weil er den Schah empfangen müsse.

Daß ich auch heute noch gern an Breschnew denke, mag daran liegen, daß er der erste Kremlherr war, der aus einem unheimlichen Machtfaktor zu einem Menschen geworden war, erlebt und einschätzbar in seinen Stärken und Schwächen. Eine russische Seele hatte der Mann offenbart, großer Emotionen und großzügiger Gesten fähig, sicher auch der Brutalität. Doch es war schon damals ein weites Feld, welche Eigenschaften in einem einzelnen Menschen zusammentreffen müssen, um das Riesenreich zusammenhalten und regieren zu können. Wie es da drinnen aussah, wußten wir nicht genau; nichts, was seither bekanntgeworden ist, hat mich überrascht. Dennoch mußte die Sowjetunion zum Nennwert genommen werden; ohne sie, ihre Mitwirkung, ihre Bindung war Friede nicht zu garantieren. Aus Verantwortung, nicht aus Zynismus, wurde Sicherheit den Menschenrechten übergeordnet – insoweit von Nixon wie von Brandt. Das allgemeine Urteil, er verkörpere die Ära der Verkrustung und Erstarrung, die vielleicht sogar Gorbatschows innere Reformen unmöglich gemacht habe, könnte objektiv zutreffen, obwohl Russen Mitte der neunziger Jahre sich verklärt an Ordnung und Wohlstand unter Breschnew erinnern. Der Ausruf »Wenn wir doch wieder so weit kämen!« zeigt das Scheitern westlicher Hoffnung, daß Demokratie und Marktwirtschaft nach dem Ende der Sowjetunion schnell eine große Erfolgsstory werden würden.

Der damalige Generalsekretär hat seinen Sinn für eine veränderte Welt bewiesen. Krieg und Kalter Krieg, so führte er in dem Gespräch aus, seien eine schreckliche Sache, und manche Leute begriffen noch nicht, daß nun die Welt wirklich in Frieden leben könne. Das sei das Ergebnis der Technik. Jeder wisse etwa, was der andere habe und könne, Betrug und List schieden aus. Man sei offen für Verhandlungen. Er verstehe jedenfalls, daß Reduzierung von nationalen und Stationierungstruppen die gesamteuropäische Entwicklung unterstützen müßten. Washington fand für seine Entspannungsüberlegungen einen Partner in Moskau, der zu ähnlichen Erkenntnissen gekommen war. Man habe schon Papiere ausgetauscht mit Kissinger über das Grundverhältnis zwischen den beiden Weltmächten, informierte er für den Kanzler. Er hatte nicht nur die Waffen globaler Reichweite, sondern die europäische Dimension im Auge. Es wäre ungerecht, nicht anzuerkennen, daß er die jahrzehntelange Linie sowjetischer Aufrüstung »gebrochen« hat, aus welchen Gründen auch immer. Breschnew war der notwendige Übergang zu Gorbatschow; was jener vollzog, hat Breschnew eingeleitet. Für den Weltfrieden war er ein Gewinn.

Von Breschnew am Vormittag eilte ich gewissermaßen zu Kohl am Nachmittag, der in Bonn mit verlegenem Unmut und ohne Information wartete und erst am Abend sein Gleichgewicht im Weinhaus Maternus wiederfand: Die Gäste erkennen sein Gesicht, das überdies durch die bilateralen Vereinbarungen in Moskau gewahrt bleibt. In einem kurzen Dankschreiben an Breschnew verweise ich auf eine Umfrage, nach der 48 Prozent der Bevölkerung angesichts der Gemeinsamkeit der beiden deutschen Staaten eine besondere Regelung für erforderlich hält. Der schickt über Slawa eine Mitteilung an den Kanzler: »Ich bin sehr zufrieden über das Gespräch mit Herrn Bahr. Ich sprach mit ihm und hörte Ihre Stimme. Ich überzeugte mich noch einmal, wie wichtig der Kontakt zwischen uns ist, wo man ehrlich und objektiv seine Meinung austauschen kann... In dem Gespräch mit Herrn Bahr äußerten wir beide manchmal verschiedene Standpunkte. Das ist kein Grund, enttäuscht zu sein. Ich konnte nicht alle von seiner Seite gestellten Fragen und Vorschläge beantworten oder unterstützen, aber in vielen Fragen, und das ist sehr wichtig, haben wir gemeinsame Standpunkte gefunden... Wir verstehen die Wichtigkeit des Problems der Normalisierung zwischen der BRD und vor allem der DDR. Und wir sind bereit, alles Mögliche zu tun, um Ihnen Hilfe zu leisten.«

Die mündliche Ergänzung ergab eine negative Festlegung Gromykos gegen die Erwähnung des Friedensvertrags. Mein Vermerk hält fest: »Es sei für den Generalsekretär sehr schwer, ihn zu überrollen. Man sehe, daß der Generalsekretär und der Bundeskanzler Schwierigkeiten mit ihren Außenministern hätten; der Unterschied sei, daß Herr Scheel für den Bundeskanzler unentbehrlich sei.«

Es kostete Mühe und Nerven, die eigene Seite vom Friedensvertrag wegzubringen. Die Nation bleibt die letzte offene Frage. Die andere Seite beginnt, nervös zu werden. In meinem Vermerk für den Kanzler zwei Tage vor der Entscheidungssitzung mit Kohl heißt es: »Die Stimmung bei der DDR ist auf dem Nullpunkt, nachdem sie zu Berlin, zu Vermögensfragen, zum Staatsbürgerrecht alles schlucken mußte, was vor drei Tagen noch unannehmbar war. Das macht sich bis in die Delegation hinein bemerkbar. Kohl bat mit äußerster Dringlichkeit, jetzt auf keinen Fall Inhalte anzugeben. Der Form nach: Es ist nach wie vor Vertraulichkeit vereinbart, die nicht einseitig gebrochen werden darf. In diesem Zusammenhang ist auch der Hinweis – von Honecker übermittelt – zu verstehen, daß der entgegenkommende Verständigungsvorschlag in humanitären Fragen unter dem Aspekt von Zeit und Raum zu verstehen sei. Man könne ihn nach dem 19. November weder in dieser Form noch mit gleichem Inhalt wieder erwarten. Man wolle sicher sein, ob paraphiert wird, weil man dann Zeit brauche, den gesamten Apparat umzustellen, der ein ganz anderes Ergebnis erwartet.«

Auch ich hatte unterschätzt, welche Schwierigkeiten die DDR auf sich genommen hatte, um für den kleinen Grenzverkehr vorbereitet zu sein, bis hin zu Sicherheitsfragen, die mit der Verkleinerung der Sperrzone entstehen. Einschneidender mußten die politische Umstellung sein, die Zugeständnisse, vor allem langfristig: Ich hatte darauf bestanden, in der Präambel nicht nur die historischen Gegebenheiten zu erwähnen, sondern zu verankern, daß es unbeschadet unserer unterschiedlichen Auffassung zu Grundfragen eben auch die »zur nationalen Frage« gibt. Kohl hatte noch versucht, sie durch den Plural abzumildern. Aber zuweilen ist die Mehrzahl weniger als die Einzahl. Nach der Unterzeichnung hören wir intern aus der SED, ihre Leute seien zum Teil verstört. Plötzlich gebe es die Nation doch? Das könne schlicht angst machen. Ob man nicht entgegenwirken und überlegen müsse, den Briefwechsel zwischen beiden Staaten zu drosseln oder wenigstens für einen Funktionärskreis zu unterbinden?

Übrigens war auch Brandt in diesen Tagen nervös über Bedenken Genschers. Schon einmal hatten sie zur Verschiebung der Moskauer Verhandlungen geführt. Aber diesmal konnte ich beruhigen: »Von meinem FDP-Freund aus dem Innenministerium bin ich über ein Gespräch zwischen ihm und Genscher informiert worden. Genscher hat gesagt, daß er die Lawine nicht aufhalten könne, zumal er in einigen Punkten nicht mit Scheel übereinstimme. Er möchte aus Profilierungsgesichtspunkten und um sagen zu können, daß er dies oder jenes durchgesetzt habe, Schwierigkeiten machen. Er werde zuletzt zustimmen.«

Es war verständlich, daß Honecker wissen wollte, ob die Paraphierung sicher sei. Sie ist normalerweise die Bestätigung, daß die Delegationsleiter ihre Verhandlungen für beendet ansehen und das Ergebnis ihren Regierungen zur Billigung vorlegen, wobei es eine ganz seltene Desavouierung wäre, wenn dann eine Regierung noch eine »Nachbesserung« wünscht. Um Ostberlin diese Sorge zu nehmen und nicht weniger, weil es schließlich um einen Vertrag ging, der einen Einschnitt in der deutschen Nachkriegsgeschichte markiert, erteilte die Bundesregierung eine förmliche Ermächtigung zur Paraphierung, die – Helmut Schmidt: »Macht schnell« - am nächsten Tag, dem 8. November 1972, in Bonn erfolgte.

422

Indem die Paraphierung und Veröffentlichung aller Texte einige Tage vor den Wahlen erfolgte, sollte die Bevölkerung zugleich über einen weitreichenden Vertrag abstimmen, den eine Regierung ohne Mehrheit vorlegte. Bei positivem Ausgang würde sie sich die Legitimierung zur Unterschrift holen, im negativen Fall wäre eine neue Mehrheit nicht gebunden und könnte neu oder gar nicht verhandeln.

Nach dem Akt im größten Saal des Kanzleramtes und viel künstlichem Licht empfing Brandt im Interesse der Gleichberechtigung Kohl, nachdem mein Besuch bei Honecker bekanntgeworden war. Anschließend saßen die beiden Delegationen erschöpft und ungläubig, daß die große Sache wirklich geschafft sei, im Bungalow. Vergleichbares würde keiner der Beteiligten noch einmal erleben. Kohls Bezeichnung »historisch« dämpfte ich: Davon sei nicht vor der Unterschrift, also vor dem Wahlergebnis, zu reden. Aus meiner Delegation werde ich beglückwünscht, weil ich zuweilen nicht auf sie gehört hätte, und in der Delegation der Landsleute von drüben entdecke ich Zeichen von Depression und Niedergeschlagenheit. Sie hätten zuviel geben müssen. Unvermutet fühle ich es notwendig, einem jüngeren intelligenten DDR-Bürger klarzumachen, daß ihr Entgegenkommen sie von einer demütigenden Abnormität befreien werde. Das internationale Parkett stünde ab sofort offen. Gehen müßten sie schon allein.

Das kam den Partnern unwirklich vor, nun am Ziel der Entblockierung zu sein. »Gilt das auch für die UNESCO, die gerade in Paris tagt?« »Natürlich.« Ein paar Tage später stellten wir fest, daß Anträge zur Aufnahme am 21. November, also zwei Tage nach der Bundestagswahl, entschieden werden und dann erst wieder ein Jahr später. Seidel kommt noch einmal fürsorglich, um nicht zu schaden, fast rührend, nach Bonn. Wir vereinbaren – vor vier Wochen noch undenkbar –, daß sich unsere beiden Delegationen in Paris abstimmen, damit die DDR ihren Antrag rechtzeitig am Freitag nachmittag vor der Wahl stellt. Dann würde es klappen, bestimmt einstimmig.

Am 21. Dezember wurde der Grundlagenvertrag unter großem Medieninteresse im Haus der Ministerien unterzeichnet. Die Erwägung, daß Brandt dazu nach Berlin kommen und Honecker bei dieser Gelegenheit persönlich kennenlernen sollte, wurde verworfen. Den Kanzler »zog« es nicht; persönlich und politisch bedrückte und beschäftigte ihn anderes. Statt dessen entschied er: »Du hast es verdient, deinen Vertrag zu unterschreiben.« Ich empfand ihn auch als mein Kind. Auf die Frage eines Journalisten nach meinen Erwartungen erklärte ich: »Bisher hatten wir keine Beziehungen, jetzt werden wir schlechte haben, und das ist der Fortschritt.« Nur langsam und mühsam würde sich das Räderwerk zwischen den beiden deutschen Staaten in Gang setzen lassen, es würde quietschen, vielleicht stehenbleiben zeitweilig und sorgsame Wartung verlangen, aber der Rahmen bis zur Einheit war geschaffen.

Es hat Stimmen, auch im Ausland, gegeben, die sich nun befreit fühlten von den deutschen Querelen und meinten, die Deutschen hätten sich mit der Teilung abgefunden. Andere fürchteten, dies sei der Anfang der Einheit. In Wirklichkeit war es weder das eine noch das andere, sondern Koexistenz auf deutsch, die Organisation einer abnormen Normalität. Die einen würden zu gegebener Zeit ihren Irrtum einsehen, die anderen vorsichtig sein, was nicht schaden konnte. Hinter den offensichtlichen Gründen für den so unerwarteten Sieg der Glaubwürdigkeit Brandts und der Konsequenz, mit der die Regierung ihrer Ostpolitik gefolgt war, erschienen noch tiefere Motive. Der Vertrag mit Moskau machte aus einem Feind einen Gegner und minderte die Bedrohung; das Viermächte-Abkommen machte aus dem Krisenherd Berlin eine Großstadt mit einigen Sonderproblemen; der Grundlagenvertrag machte aus einer absurden SBZ den Staat DDR, der sich wohl auch als solcher, das heißt einigermaßen zivilisiert verhalten würde.

Die Ostpolitik befreite die Bundesdeutschen psychisch und politisch von Belastungen; Ostpolitik versprach Ruhe vor dem Osten. Sie versprach, nun unbehinderter den eigenen Wünschen und Hoffnungen in der eigenen westlichen und europäischen Welt nachgehen zu können. Der Wahlsieg enthielt auch das Element der mentalen Teilung; aber die DDR-Deutschen verbanden mit dem Grundlagenvertrag nach Westen gerichtete Hoffnungen. Daß beide Volksteile nach Westen dachten, brachte sie einander nicht näher.

Die Periode zwischen Fall der Mauer und deutscher Einheit enthüllte: Es gab kein Drängen der westdeutschen Bevölkerung, weder nach Osten noch auf Einheit. Als es soweit war, stellte sich zur Beruhigung der Nachbarn kein nationaler Rausch ein, weil die neuen Landsleute nun dazukommen und entsprechend leben können. Es gab das Drängen der Ostdeutschen, das die Bundesregierung nutzte. Die mentale Teilung des Volkes offenbarte sich im Augenblick seiner Einheit. Die Überzeugung von der Einheit der Nation trotz staatlicher Teilung wich der schmerzlichen Erkenntnis von der geteilten Nation in dem vereinten Staat.

Mit dem Grundlagenvertrag beendeten beide Staaten die verbissenen Versuche, sich gegenseitig zu behindern und zu schädigen, und wurden frei, zu neuen Ufern aufzubrechen. Die DDR konnte sich international tummeln. Als ich Kohl fragte, ob sie denn so schnell, wie es jetzt gehen würde, genügend Kader für die vielen Botschafter sammeln und genügend Gebäude für die vielen ausländischen Botschaften in Berlin hätten, meinte er: »Das lassen Sie mal meine Sorge sein.« Ich suchte und fand rechtzeitig vor dem Andrang der Ausländer ein geeignetes Objekt in der Hannoverschen Straße – Kohls Frage: »Muß es denn so groß sein?« –, groß genug, um im Hof Empfangsräume dazuzubauen, nicht groß genug, um später die vielen Flüchtlinge aufzunehmen, die in Prag und Warschau Botschaftsbesetzer genannt wurden.

Im Kanzleramt fühlten wir uns am Ziel des ersten großen Abschnitts unseres Konzepts. Die bilateralen Verträge hatten das Feld planiert, um nun den großen zweiten Abschnitt beginnen zu können, ein Gebäude der europäischen Sicherheit zu errichten, um damit die Voraussetzungen für die staatliche Einheit zu schaffen. Wir hatten den Punkt erreicht, von dem aus die Vergangenheit uns nicht mehr hindern sollte, uns der Zukunft zuzuwenden, wie Brandt formulierte. Das war nur multilateral möglich. Teil eins der im Planungsstab entwickelten Papiere war abgehakt, der zweite Teil der europäischen Sicherheit konnte begonnen werden. Erreicht ist sie bis heute nicht.

Die nächste Etappe beschrieb Brandt in seinem Brief zum Ende des Jahres 1972 an Breschnew so: »Das nächste Jahr wird im Zeichen der europäischen Aktivitäten stehen. Wir haben zwei große Konferenzen vorzubereiten. Ich habe in früheren Jahren von der Politik der kleinen Schritte gesprochen, was nicht heißt, daß man nicht auch größere machen kann; ich bleibe ein Gegner des Alles oder Nichts.

Dabei bin ich der Auffassung, daß Truppen- und Rüstungsreduktion zwar schwieriger, aber auch für die Sicherheit des Friedens und der Entspannung wichtiger sind.« Gemeint war, wichtiger als das, was 1975 zu Helsinki führte. »Für die Frage der Truppenreduktion wird es sehr darauf ankommen, ob sich die Bundesrepublik Deutschland, die Sowjetunion, die Vereinigten Staaten und die DDR verständigen können, natürlich im Rahmen ihrer Bündnisse und Loyalitäten.«

Am Wahlsonntag finde ich mich erstmals in die Kategorie derer befördert, deren Stimmabgabe fotografiert wird. Danach zu Willy. Er ist ganz ruhig. »Wir haben getan, was wir konnten, und einiges in die Welt gesetzt, was kaum wieder wegzubringen ist.« Es gebe sogar eine kleine Chance, stärkste Partei zu werden, »aber damit kann man nicht rechnen«. Fast feierlich dankt er für den Grundlagenvertrag: »Der allein bringt sicher zwei bis drei Prozent.« Ich rate, das Kanzleramt stark zu machen, das Ehmke verlassen will. Das Angebot, diese Aufgabe zu übernehmen, lehne ich ab; ich will mich weiter auf außenpolitische Schwerpunkte konzentrieren können. »Jedenfalls solltest du das Bundestagsmandat annehmen.«

Der Abend im Kanzlerbungalow ist überwältigend. Mit 45,8 Prozent liegen wir fast ein Prozent vor der Union, die Zahl der direkt errungenen Stimmen ist noch höher. Schleswig-Holstein hat den größten Sprung nach oben gemacht. Günter Grass behauptet, mich küssen zu müssen, und tut es. Willys Umarmung schmerzt fast. Henry ruft aus Paris an und beginnt, mich zu duzen. Honecker telefoniert zum erstenmal mit einem Bundeskanzler und läßt grüßen. Gewinnen ist schön.

Die folgenden Tage beginnen geschäftsmäßig. Leo überbringt die Glückwünsche Breschnews und nimmt die Anregung mit, der Generalsekretär solle nach Bonn kommen, bevor er die USA besucht. Mit Henry wird festgestellt, daß die Regierungserklärung in Bonn und Nixons Bericht zur Lage der Nation im Januar nur zwei Tage auseinanderliegen werden; es kann nur gut sein, wenn künftig die Wahlen in beiden Ländern in demselben Herbst stattfinden. Der Präsident und der Kanzler hätten vier Jahre vor sich, in denen sie viel bewegen können. Zwei Jahre später waren beide nicht mehr im Amt, wenngleich die Gründe des Scheiterns in der Unterschiedlichkeit ihres Charakters lagen.

Nur jetzt nicht triumphieren; hoffentlich können wir die Erwartungen befriedigen – das war die gesunde Grundhaltung Brandts nach seinem Triumph. Doch der Augenblick seiner unangefochtenen Stärke als Parteivorsitzender und Kanzler fand ihn erschöpft und gesundheitlich angeschlagen. Zunächst schien das überdeckt durch das allgemeine Gefühl, das Scheel formulierte: »Herr Bundeskanzler, jetzt können wir es mal etwas ruhiger angehen lassen. Das Jahr 73 sollte mehr Erholung als Neues bringen, vor allem sollten wir uns Zeit nehmen, der Bevölkerung alles zu erklären, was wir gemacht haben.« Daß da Nachholbedarf sogar in der eigenen Partei bestand, spürte ich später. Man war begeistert über die Aktionen und noch mehr über den Erfolg, hatte aber weder die Tragweite noch die Grenzen des Erreichten ins Bewußtsein aufgenommen. Beim ersten Gegenwind zeigte sich Unsicherheit, Mangel an geistiger Verarbeitung, als Fragen der Opposition kritiklos übernommen und Zweifel am eigenen Erfolg verbreitet wurden. Dazu kam eine sozialdemokratische Neigung, den Kern amerikanischer Werbung, tue Gutes und rede darüber, fast in das Gegenteil zu verkehren: Rede nicht über das Erreichte, sondern über das, was noch getan werden muß. Das kann zu Antiwerbung werden, weil anstehende Entscheidungen meist umstritten sind und sich gar über ungelegte Eier besonders schön streiten läßt. Als Volkspartei läßt sich die SPD auch nicht das Recht auf ihren Anteil an Feiglingen nehmen, die in die Knie gehen, statt stolz zu verteidigen, was ihre Partei in den zurückliegenden fünfzig Jahren für das Land bewirkt hat.

Brandt muß ins Krankenhaus, wo seine Stimmbänder geschält werden. Bis auf weiteres darf er nicht rauchen und mindestens vierzehn Tage nicht sprechen, was ihn praktisch den bestimmenden Einfluß auf die Koalitionsstruktur kosten wird. Dann kann er hoffen, wieder seine normale Stimme zu bekommen. Er freut sich fast masochistisch auf die Vollnarkose; bei dem Ärger um die Neubildung der Regierung verständlich, einmal nichts hören, sehen und denken zu können. Monate danach erzählt er, unter dem Rauchverbot habe er wie ein Hund gelitten. Jeden Tag habe er zwei Fehler gemacht, es gewußt und sei nicht fähig gewesen, es zu ändern. Zuvor hatte er mir nochmals nahegelegt, Chef des Kanzleramts zu werden. Aber der Versuchung widerstehe ich. Der Titel sei mir gleichgültig, und die Aufgabe würde von der europäischen Entwicklung wegführen, die nun beginne. Im übrigen wollte ich mich nicht an dem Karussell von Personen und Ämtern beteiligen, das nun wie üblich einsetzte, und verabschiedete mich zu einem Urlaub nach Sierra Leone. Das war weit weg, warm und praktisch ohne Nachrichten aus Deutschland. Bevor ich fuhr, gab ich noch den Rat, keinesfalls der Spinnerei einiger nachzugeben und Bundesminister für besondere Aufgaben zu ernennen.

Die sozial-liberale Koalition und Willy Brandt hatten am 19. November 1972 den Gipfel erreicht, ohne der Logik des Bildes entgehen zu können: Von nun an ging's bergab.

Für mich zunächst nicht. Nach zwei Wochen, zurück, empfing mich Brandt und teilte jungenhaft grinsend mit, ich würde zum Bundesminister für besondere Aufgaben ernannt, neben Maihofer. Das sei ein Koalitionsergebnis; an den vereinbarten Aufgaben ändere sich nichts. Horst Grabert sollte nun als Staatssekretär dem Kanzleramt vorstehen. Als Berliner Bundessenator war er mit der politischen Umwelt in Bonn ebenso vertraut wie mit der Deutschlandpolitik. Menschlich angenehm, unaufgeregt und leise verlief die Zusammenarbeit, allerdings auch ohne die oft fruchtbaren Reibungen, die Horst Ehmke nicht ungern auslöst. Der Apparat wurde nicht weniger effizient, aber schwächer gegenüber gewichtigen und durchsetzungsgewohnten Ministern und der Fraktion, obwohl Karl Ravens, der die neue Bundesministerin für Familie, Jugend und Sport, Katharina Focke, ersetzte, diese Verbindung gut pflegen konnte.

Der Rausch war weg, der alle Beteiligten über drei Jahre getragen hatte, mit Lust und Spaß an Arbeit und Kampf.

Ein kaum definierbares Gefühl des Unbehagens stellte sich ein, festzumachen zunächst nur an dem Wort »compassion«. Was sollte ein englischer Begriff, der eben umfassender ist, als daß er durch »Mitleid« übersetzt werden kann, in der Regierungserklärung des Kanzlers? Er stammte von Klaus Harpprecht, hochbegabt und Meister geschliffener Formulierungen, aber mit der Welt der Literatur vertrauter als mit der der Politik, eine Bereicherung als Redenschreiber. Brandt fand Gefallen an seiner Brillanz, die viele Herzen und Köpfe, aber nicht mehr erreichte, und mir fehlte die Lust zum Streit um Stilfragen. Es war, als ob sich die Apathie des Freundes auf die eigene Psyche übertrug. Selbstvorwürfe, verreist gewesen zu sein und damit Mitverantwortung vernachlässigt zu haben, kamen hinzu.

Wer an wichtiger Stelle Zügel schleifen läßt, zwingt geradezu andere, sie aufzunehmen. Zuweilen verbirgt sich hinter dem heroischen und mitleiderregenden Bild, den Karren zu ziehen, der Wille, ihn zu lenken. Bei einer kurzen Schwächeperiode des Kutschers ist das sogar hilfreich. Bei Brandt dauerte sie mehr als ein Jahr. Als er sich erholt hatte und entschlossen wieder führen wollte, auch die Kraft dazu fühlte, im Frühjahr 1974, wurde Guillaume enttarnt.

8. KAPITEL

Herbert Wehner

Der Name Herbert Wehner hatte immer einen besonderen Klang. Mit ihm verband sich das etwas unheimliche Gefühl: Dieser Mann war einmal auf der anderen Seite gewesen. Er kannte Moskau, das uns gleichbedeutend mit einem bedrohlichen Geheimnis war, und er war entkommen.

Als Korrespondent des Rias in Bonn seit 1949 hatte ich ihn kennengelernt und zuweilen getroffen. Ich empfand es als besonderen Vertrauensbeweis, als er mir eines der sicher nicht zahlreichen Exemplare jener Aufzeichnung überließ, die er für Kurt Schumacher über sein Leben und seinen Weg gemacht hatte. Ich konnte mir das, da ich in keinem besonders engen Verhältnis zu ihm stand, nicht anders erklären als durch den Wunsch, um Verständnis zu werben und vielleicht Sympathie zu gewinnen bei einem Korrespondenten, der für einen amerikanisch überwachten Sender tätig war. Aber unsere Beziehung erlosch fast, als mir zugetragen wurde, daß er mich als einen teils amerikanischen, teils einen Agenten Globkes bezeichnet hatte.

Die Aufzeichnung war geeignet, die Bewunderung für diesen Mann zu steigern, der Unsägliches mitgemacht und wohl auch durchlitten hatte, dessen Wandlung zum Demokraten glaubwürdig war, zumal man dem Instinkt Kurt Schumachers trauen konnte, eines demokratischen Antikommunisten bis auf die Knochen. Auch ohne die Moskauer Dokumente, die man heute kennt, war erklärlich, daß Herbert Wehner in einer zuweilen fast flagellantenhaften Bußfertigkeit versuchte, Gutes zu tun, wo er nur konnte. Und es überraschte gar nicht, daß er nach dem Verlust des Gottes, der keiner war, eine neue absolute Bindung ins

Religiöse suchte. Er fühlte sich selbst und vor sich selbst schuldig bis zu seinem Ende, Menschen zu helfen, wie immer er konnte, fast darum bemüht, weder Dank noch gar öffentliche Anerkennung zu gewinnen. Nachdem wir nun wissen, daß er Menschen ans Messer geliefert hat, um sich selbst zu retten, kann man nur erschauern. Wahrscheinlich wäre er den Weg vieler gegangen, also tot, hätte er versucht, menschlich sauber zu bleiben. Ich wage jedenfalls nicht, deshalb den ersten Stein zu werfen.

Die andere Frage, ob er denn eine solche Rolle beim Aufbau des demokratischen Deutschland gespielt hätte, wenn wir schon damals gewußt hätten, was wir heute wissen, kann ich nur so beantworten: Zum Glück wußten wir es nicht. Uns wäre die Erfahrung eines Urgesteins verlorengegangen, die Erfahrung, daß 40 Jahre demokratischer Bewährung nach heftigem Bemühen angesichts der vorhergehenden Jahre des Gegenteils nicht ausgelöscht oder diskriminiert werden dürfen. Wo kämen wir hin in unserem Land, wenn eine kommunistische Vergangenheit zu unauslöschlichem und unaufhebbarem Stigma führen würde?

Seit ich ab Februar 1960 im Schöneberger Rathaus arbeitete, waren wir uns eigentlich klar darüber, daß manche überscharfe und gehässige Äußerung Wehners gegenüber den Kommunisten mit der verständlichen psychologischen Verfassung des Renegaten erklärbar war, einer Mischung aus seinem besonderen Wissen, so scharf formulieren zu können, und dem Gefühl, aus dauerndem Rechtfertigungsbedarf so formulieren zu müssen. Jedenfalls war klar, daß es sich um einen Mann handelte, der seine Vergangenheit gar nicht loswerden konnte, weder aus sich selbst heraus – das dauernde Gefühl seiner Schuld muß ihn nach dem, was wir heute wissen, nicht verlassen haben – noch weil ihn die Gegner ziemlich unchristlich und gnadenlos behandelten, bis ihm politische Anerkennung und Vergebung durch die Mitgliedschaft in der Regierung der Großen Koalition zuteil wurde. Wie sich später zeigte, war das nur zeitlich begrenzt, solange er Mitglied der Bundesregierung war.

Der Rückfall in die verletzenden Diffamierungen, nachdem er Fraktionsvorsitzender geworden war, muß ihn besonders getroffen haben, zumal ihm bewußt wurde, daß er damit auch für seine Partei ein Stück Belastung war und trotz der Selbsteinschätzung seiner intellektuellen

Fähigkeiten und seiner politischen Kraft zu dem Ergebnis kommen mußte, daß ihm der Weg an die Spitze nicht offenstand, weder als Parteivorsitzender noch als Kanzler.

Brandt war etwas unwirsch, als er von Wehners Rede am 30. Juni 1960 hörte, mit der die Partei im Bundestag auf die Grundlage der von Adenauer unterzeichneten Verträge, insbesondere des NATO-Beitritts, gestellt wurde. Brandt war von diesem Schritt vorher nicht unterrichtet worden. Nach seinen Äußerungen hatte es im Präsidium darüber auch keine Beratung gegeben. Die von Wehner für die SPD-Fraktion vorgetragene Auffassung widersprach auch Parteitagsbeschlüssen der SPD. Der ein Jahr zuvor verabschiedete »Deutschlandplan« wurde damit zu Makulatur. Er hatte den letzten Versuch dargestellt, noch einmal auf Verhandlungen über ein vereintes Deutschland zu drängen, bevor das Land auf den langen Weg der Zweiteilung gezwungen wurde mit der Integration der beiden deutschen Staaten in gegeneinander gerichtete Militärbündnisse.

Wehners Rede vom 30. Juni war das Ende der sozialdemokratischen Politik, Einheit vor Westintegration als oberstes Ziel deutscher Politik zu behaupten. Sie zeigte Mut und persönliche wie politische Risikobereitschaft; man könnte auch sagen: Hier wurde ungeachtet der Beschlußlage ganz unsozialdemokratisch »Ballast abgeworfen«. Es war Machtpolitik; denn Wehner hatte die Kräftekonstellation in der Partei richtig eingeschätzt (er lief kein großes Risiko), die Partei auf den Boden der Wirklichkeit gestellt, sie gewissermaßen »befreit« von der Auffassung, daß Wiedervereinigung das erste Ziel deutscher Politik sei, und damit die Voraussetzungen geschaffen, die 1966 zur Großen Koalition und 1969 zu der von ihm gar nicht gewünschten sozial-liberalen Koalition führen sollten.

In Berlin gab es keinen Widerstand. Die Berliner SPD war seit den Zeiten Ernst Reuters »westlicher« orientiert als die westdeutsche Partei. In Berlin war man gewissermaßen aus Zwang geneigter, mit Realitäten umzugehen, auch wenn sie nicht gefielen; zudem waren während der Blockade aus den westlichen Besatzern Freunde geworden. Aber die Einsicht in das Notwendige und Richtige, das sich in Wehners Rede ausdrückte, konnte bei Brandt nicht das Gefühl auslöschen, daß hier einer mit der Partei und ihrer Führung umgesprungen ist, wie es seinem Kalkül entsprach. Wahrscheinlich ist von dieser Erfahrung her auch

Brandts innere Distanz zu einem Mann abzuleiten, der ziemlich rücksichtslos vorging – »wie er es gelernt hat«, habe ich damals Brandt gesagt. Er empfahl mir, nicht so vorlaut zu sein, und meinte, in der Sache habe Wehner so unrecht nicht.

Auch im Rückblick erscheint mir diese berühmte Rede als die strategisch wesentliche Entscheidung, die Wehner herbeigeführt hat. Hinter ihr tritt sein Drängen sechs Jahre später auf die Große Koalition deshalb zurück, weil es für ihn wohl »nur« die Konsequenz aus dieser Rede war, die die SPD regierungsfähig machen sollte. Anzufügen bleibt, daß Brandt sich auch im Herbst 1966, als er eine sozial-liberale Regierungsbildung erwog, unter Ausnutzung seiner räumlichen Entfernung in Berlin durch Wehner geschoben und gezwungen fühlte, der Großen Koalition zuzustimmen. Das ging bis zu der Erwägung, sich aus Trotz auf das Gesamtdeutsche Ministerium zurückzuziehen. Er wolle der Koalition zwischen Wehner und Kiesinger als Parteivorsitzender nicht im Weg stehen. Es war ähnlich wie 1960: Wieder Machtpolitik, diesmal mit höherem Einsatz, wieder in der Sache richtig, wieder mit kalkuliertem Risiko eine neue Lage schaffen, andere mitreißen oder zwingen. Wehner führte, Brandt wurde geführt. Beiden blieb das im Gedächtnis.

Im inneren Gefüge der Großen Koalition war jedenfalls das Verhältnis zwischen Wehner und Kiesinger, Guttenberg und Lücke fruchtbarer als das zwischen dem Außenminister und dem Kanzler oder dem Außenminister und seinem Kollegen im Gesamtdeutschen Ministerium, der sich für das Funktionieren der Großen Koalition in eine Schlüsselrolle versetzt sah. Sie wurde ihm erleichtert durch das Verhältnis zu dem neuen Fraktionsvorsitzenden Helmut Schmidt; die beiden Hamburger hatten viele Jahre ein kleines Bundestagsbüro geteilt. Natürlich verbietet es sich, eine so herausragende Figur wie Herbert Wehner als graue Eminenz zu bezeichnen, die in der zweiten Reihe wirkt, ohne die nichts geht, aber, sofern man das Grau wegläßt, war das der Kern seiner Position in Bonn zwischen 1966 und 1969. Niemand konnte überrascht sein, daß er die Große Koalition fortsetzen wollte. Sie war der Höhepunkt seines Einflusses, bis dahin. Die sozial-liberale Koalition war insofern die volle Emanzipation Brandts von Wehner.

Als Bundesminister für Gesamtdeutsche Fragen hatte Wehner von seinem Vorgänger Barzel auch jenen Komplex übernommen, der unter strikter Abschirmung nach außen später als Häftlingsfreikauf öffentlich wurde. Wehner wurde also zuständig für einen verdeckten, aber offiziellen Kanal. Er brachte ihn pflichtgemäß in Verbindung mit der anderen Seite. Dort war Ulbricht der erste Mann, sein vertrauter Feind aus Moskauer Tagen. Daß Wehner als Verräter galt, gegen den Material zu sammeln war, konnte nicht überraschen, zumal Wehner in der ihm eigenen Schroffheit seine demokratischen Auffassungen nach Osten vertrat. Irgendwann nachdem er Bundesminister geworden war, muß in Ostberlin die Entscheidung getroffen worden sein, dieses Material nicht zu benutzen. Es würde ja nicht faulen. Für einen Staat, der immer Bedarf an Devisen hatte, war es wohl ratsamer, mit einem Mann umzugehen, der über das Geld zu entscheiden hatte, als eine Erpressung zu versuchen mit unüberschaubaren Konsequenzen, auch im eigenen Lager.

Im Herbst 1969 griff Brandt zu. Er ging an Wehner vorbei und schuf mit Scheel vollendete Tatsachen, die Wehner und anderen nur die Möglichkeit zur Zustimmung ließen. Der »Onkel« respektierte das. Man könnte fast den Eindruck gewinnen, daß er geführt werden wollte. Bei der Formulierung des außenpolitischen Teils der Regierungserklärung spielte Wehner keine Rolle. Es ist auch zwischen Brandt und Scheel entschieden worden, jene exklusive Formulierung aufzunehmen, die der DDR die Staatseigenschaft attestierte, innenpolitisch explosiv wie außenpolitisch befreiend für alles, was danach als Ostpolitik kam.

Im Laufe der Jahrzehnte gab es oft Anlässe, mit Brandt über Wehner zu sprechen. Dabei verfestigte sich die Einschätzung, daß dieser Mann, von jener Rede im Juni 1960 abgesehen, keinen inhaltlich gestalteten, innovativen Vorschlag gemacht hat. Es gibt keinen »Wehner-Plan«. Es war nicht seine Sache, ein neues Konzept zu entwickeln oder eine Theorie oder ein Grundsatzprogramm oder die Ostpolitik. »Wandel durch Annäherung« bezeichnete er als »Narretei« mit entsprechendem Echo in der Partei. Brandt schrieb mir damals ein paar Zeilen. Wir dürften uns nicht »von ein paar Holzköpfen« beirren lassen. Ohne seine Festigkeit, menschlich wie politisch, wäre ich wieder dem einfacheren und einträglicheren Journalismus nachgegangen. Aber es gab keinen, der wie Wehner mit vergleichbarer Kraft, Stärke, Entschiedenheit, Konsequenz eine politische Entscheidung, wenn sie einmal gefallen oder klar war, wie sie fallen würde, durchsetzte, verfocht, erzwang, verteidigte.

Da war Verlaß. Er wußte die ganze Klaviatur einzusetzen von den leisen Tönen bis zum Fortissimo, von komplizierten Schachtelsätzen bis zu der scheinbaren Simplizität – »Wir müssen sie schlagen« –, mit der er einmal intellektuell anspruchsvolle Wahlprogramm-Überlegungen fast verächtlich beendete.

Beim Godesberger Programm wie bei der Ostpolitik setzte Wehner sich an die Spitze mit unerhörter Disziplin und wurde zum Zuchtmeister, nicht immer angenehm, aber schwer entbehrlich. Kein strategischer Vorschlag stammt von ihm, aber für die Durchführung, die Methodik, die Taktik verfügte er über Kraft und Erfahrung, wie kaum ein anderer.

Wir wußten nicht, ob Wehner die Kontakte, die ihm als Bundesminister zugewachsen waren, aufrechterhalten wollte oder konnte. Das war zunächst auch uninteressant; denn die Routine des Freikaufs besorgte der ihm nachfolgende Egon Franke, und die Ostpolitik hatte in Moskau zu beginnen. Konzeptionelle wie operative Ausformung fand innerhalb der Bundesregierung statt. Es war Sache des Kanzlers und seines Stellvertreters, die Vorsitzenden der Koalitionsfraktionen zu unterrichten. Die Information des Oppositionsführers durch mich war sicher systematischer und intensiver. Ich traf Wehner zum persönlichen Gespräch nur, soweit ich den Chef des Bundeskanzleramts, Horst Ehmke, bei dem montäglichen Frühstück zu vertreten hatte, das in seiner Wohnung stattfand, um laufende Fragen abzustimmen. Dabei wurde das unangenehme Gefühl, wie ätzend, treffend, ungerecht, beleidigend er über fast alle innerhalb und außerhalb der Partei sprach, begrenzt aufgewogen durch seine damit ausgedrückte Überzeugung, ich würde zu schweigen wissen.

Das Frühjahr 1972 war turbulent. Am 23. April verliert die sozialliberale Koalition ihre absolute Mehrheit, drei Tage später werden die Verhandlungen über einen Verkehrsvertrag mit der DDR abgeschlossen, einen Tag später scheitert das konstruktive Mißtrauensvotum gegen Brandt. Im Mai werden der Moskauer und der Warschauer Vertrag im Bundestag gebilligt. Die Verhandlungen über das Vier-Mächte-Abkommen für Berlin liegen hinter uns. Die Weichen für vorgezogene Wahlen sind gestellt. Die Frage war: wie weiter?

In einer Besprechung schlug Wehner vor: Wir sollten nun mit der DDR nacheinander Verträge über die verschiedenen Sachthemen machen. Sport, Kultur, Zahlungsverkehr – Besucherverkehr fehlte –, um auf diese Weise ein Geflecht von Verträgen zu schaffen, die jedesmal die Opposition vor die Frage von Zustimmung oder Ablehnung stellen sollen. Nach meiner Auffassung war die Zeit gekommen, in einem Grundvertrag die Beziehungen zwischen den beiden deutschen Staaten so zu regeln, wie das angesichts der weiterbestehenden Rechte der Vier Mächte möglich ist, also für die ganze Zeit bis zu einem Friedensvertrag und der Lösung der deutschen Frage. Wehner fand das zu abstrakt. Außerdem würde es zu lange dauern. Brandt wollte nicht entscheiden: »Überlegt mal weiter.« Als ich Wehner den langen Gang im Palais Schaumburg begleitete, erläuterte ich ihm: Das abstrakte Thema würde sehr konkret; denn es ginge um viele Grenzkorrekturen, unter denen die Menschen von der Ostsee bis zum Böhmerwald leiden, um die Eröffnung eines grenznahen Verkehrs; außerdem dächte ich an neue Übergangsstellen. Nicht zuletzt würde es bedeuten, daß während des Wahlkampfes jede Woche die Medien gar nichts anderes könnten, als ständig über diese Verhandlungen zu berichten. Zuletzt würden die Wahlen – fast wie in einer Volksabstimmung – entscheiden, ob die Bevölkerung die mögliche Entspannung zur DDR wolle oder nicht. »Das ist genial« war seine Reaktion. So fiel die Entscheidung über den großen Sprung zu Verhandlungen über den Grundlagenvertrag.

Ein paar Tage später bemerkte Brandt, Wehner, so habe der ihm fragend gesagt, könne sich vielleicht mit Honecker treffen. In einem Vermerk riet ich, eine solche »Zusammenkunft bis nach den Wahlen zu verschieben«. Zum einen würde das Treffen nicht geheim bleiben und im Wahlkampf stören, zum anderen fürchtete ich, Wehner würde in politisch wichtigen Punkten »sicherlich weniger pingelig« sein als ich, und Honecker »würde wieder Entscheidungen fällen wollen, schon um zu zeigen, daß er es kann«. Bei den Verhandlungen wäre ich dann sicher »in keiner angenehmen Situation, mir Zitate vorhalten lassen zu müssen, selbst wenn ich sicher bin, daß dies nur in persönlichen Gesprächen geschähe«. Wir haben nicht mehr darüber gesprochen.

In der Schlußphase der Verhandlungen, vier Monate später, stellte sich heraus, daß die DDR keinen Bezug auf die Nation in dem Vertrag haben wollte. In der Koalitionsrunde, der ich berichtete, äußerte Wehner: »Darüber soll man sich nicht verkämpfen.« Scheel fügte an: »Herr Bahr kann es ja noch einmal versuchen.« Beim nächstenmal hatte ich nichts Neues mitzuteilen. Die Nation war sogar der einzige harte Punkt, der übriggeblieben war. »Daran darf es nicht scheitern«, war Wehners Befund, der unkommentiert blieb.

Ich beschloß, aufs Ganze zu gehen, und bat Michael Kohl zu Beginn der Verhandlungen um ein Vier-Augen-Gespräch. Ich müsse ihm mitteilen, daß die Frage der Nation in der Präambel unseres Vertrages unverzichtbar sei. Wenn seine Regierung das nicht akzeptiere, hätte es keinen Sinn, unsere Runde zu beginnen. Er bat um Unterbrechung. Wenn die Antwort negativ sein würde, käme ich in eine schwierige Situation; denn was sollte ich dann zu Hause sagen? Es war jedenfalls das erste Mal, daß ich Kohl gegenüber so geblufft hatte, wenn auch für eine gute Sache. Zu meiner großen Erleichterung war die Antwort nach mehr als einer Stunde positiv.

Heute scheint mir diese Episode zu beweisen, daß Wehner im Herbst 1972 noch keinen täglichen engen Kontakt zu Ostberlin gehabt hat. Er hatte keine Vorwarnung an Honecker gegeben. Wehner hätte mich desavouieren können. Der Grundlagenvertrag wäre auch ohne Bezug auf die nationale Frage abgeschlossen worden.

Als meine erste Begegnung mit Honecker anstand, habe ich Wehner um Rat und Beurteilung gebeten. Er war ganz sachlich, aber unvergeßlich in seiner Formulierung: »An den Händen dieses Mannes klebt kein Blut.« Ich habe ihm geglaubt.

Nach dem Ende der Verhandlungen über den Grundlagenvertrag habe ich, ohne Brandt zu informieren, Michael Kohl, meinem Partner für die DDR, die Frage gestellt, ob es nicht an der Zeit wäre, den Grundlagenvertrag zum Anlaß zu nehmen, den Häftlingsfreikauf auf eine geordnete, staatliche Basis zu heben. Die bisherige Praxis könne schließlich für keine Seite angenehm sein – Weltniveau sei das jedenfalls nicht. Nicht überraschend erklärte sich Kohl außerstande, darüber zu sprechen; er werde aber berichten. Dies veranlaßte mich, darüber nun auch dem Bundeskanzler zu berichten. Seine Antwort: »Versuch mal!« Bei der nächsten Zusammenkunft erklärte Kohl in einem Vier-Augen-Gespräch: Wenn ich das wollte, könnte ich darüber mit dem Mitglied des Politbüros, Paul Verner, sprechen, der beauftragt worden sei, mich zu empfangen.

Zu diesem Gespräch wurde ich zu einem unüblichen Ausgang des Ministerratsgebäudes gebracht, wo ein Volvo, mit Gardinen ausgestattet, wartete. Die wollten nicht, daß ich gesehen würde. Man fuhr mich durch einen Seiteneingang des ZK-Gebäudes in einen menschenleeren Innenhof. Der kleine dunkle Raum mit spartanischer Ausstattung war jedenfalls nicht das Arbeitszimmer eines Politbüromitgliedes. Den Partner kannte ich von Bildern. Wir waren allein, aber was besagt das schon. Ich wiederholte meine Argumente und fügte hinzu, natürlich werde man den Übergang zur staatlichen Ebene so abzustecken haben, daß kein Schaden entstehe. Dabei dachte ich nicht nur an die Menschen und ihre laufenden Verfahren, sondern auch an die finanziellen Interessen und Interessenten auf beiden Seiten. Im Ergebnis erklärte sich Verner für überzeugt, er werde dem Genossen Erich Honecker das entsprechend vortragen. Ich könne dies auch so dem Bundeskanzler übermitteln. Kohl werde mich über das Ergebnis unterrichten.

Ich fühlte mich ein wenig stolz, jedenfalls fröhlich. Als ich Brandt das erzählte, beglückwünschte er mich und war ebenfalls fröhlich. Der Zufall wollte es, daß einige Minuten später Wehner ins Zimmer kam, und Brandt ihm das als erfreulichen Fortschritt mitteilte. Nach zwei Sekunden des Schweigens explodierte Wehner. Dies sei schrecklich. Es sei ein Fehler, kaum wiedergutzumachen, es werde zur Einstellung der laufenden Aktionen führen. Mein Einwand, daß sie nicht gefährdet seien, ich hätte verabredet, gerade sie natürlich als ersten Punkt zu verhandeln, es ginge um ein neues Verfahren, nicht um eine neue Politik von Abschottung der DDR, ließ er nicht gelten, sondern blieb dabei, er könne nicht sehen, ob da noch etwas zu retten sei. Brandt und ich waren »betreten«, aber ohne Argwohn.

Zwei Tage später teilte mir Kohl telefonisch mit: Das Ergebnis meiner persönlichen Unterredung in der Vorwoche sei positiv bestätigt worden. Er könne mit mir einen Termin vereinbaren, um dann die Einzelheiten zu besprechen. Ich vergewisserte mich, daß dies auch die laufenden Fälle betrifft. Der Termin wurde verabredet. Brandts Reaktion: »Es geht also doch weiter.«

Zwei Tage vor dem verabredeten Termin teilte Kohl mit, daß er ihn nicht wahrnehmen könne. Er werde die Gründe bei unserem nächsten Treffen erläutern. Die Erläuterung bestand aus dem einzigen Satz, daß ihm die Weisung gegeben worden sei, das Thema mit mir nicht mehr zu berühren. Er sei davon auch überrascht.

In der Folge entwickelte sich alles, wie Wehner es vorausgesagt hatte:

Die laufende Aktion wurde gestoppt, Menschen, die ihre Ausreise schon erhalten, zum Teil Wohnungen aufgegeben hatten, saßen nun auf ihren Koffern. Brandt bemerkte, daß Wehner sich über seine Kanäle bemühe, die Sperre zu lockern. Ich war angewidert und beschloß, mich um diesen Komplex, wie schon vorher, nicht mehr zu kümmern. Ich hatte ein Sakrileg begangen, ich hatte Wehner den Cover genommen, die Deckung seiner Kontakte durch humanitäre Angelegenheiten. Die von ihm provozierten »Kofferfälle« wurden später von ihm gelöst, und dafür war sogar Dankbarkeit angebracht.

Im Rückblick ist ziemlich klar, daß Wehner damals noch keinen ständigen operativen Kontakt zu Ostberlin gehabt haben kann, als der Versuch unternommen wurde, den unwürdigen Menschenhandel zu beenden. Er wäre sonst nicht überrascht worden; er war weder von der Beratung noch der Entscheidung des Politbüros unterrichtet, Verner zu beauftragen, noch von dem positiven Ergebnis, das Kohl mir noch übermittelt hat. Er kann erst tätig geworden sein, nachdem er die Sache zufällig bei Brandt erfuhr. Auch dann dauerte es mehrere Tage, um den neuen Ansatz zu torpedieren.

Es gibt ein weiteres Indiz für die an Sicherheit grenzende Vermutung, daß Wehner zu jener Zeit noch keinen Arbeitskontakt zu Honecker unterhielt. Brandt, Wehner und ich saßen zusammen. Wehner berichtete von einer kurzfristigen Einladung Honeckers, um die Ausreisefragen zu erörtern, und äußerte Sorge, ob er das riskieren könne. Brandt meinte, er solle diese Chance nutzen; das politische Risiko könne begrenzt werden. Wehner entgegnete, er habe daran gedacht, Mischnick mitzunehmen, aber für ihn gebe es ein anderes Risiko: Da sei leicht ein Unfall zu organisieren. Ich glaubte, sagen zu können: Wenn er auf Einladung der Nummer eins in die DDR fahre, sei er so sicher wie in Abrahams Schoß, sicherer als hier. Seine Reaktion war unvergeßlich. Er ließ die Pfeife im Mund und preßte abgehackt und mit gehobener Stimme hervor: »Das versteht ihr nicht. Da gibt es Sachen, die sind weder zu vergessen noch zu vergeben.« Mich beschäftigte noch lange Zeit das »Ihr«. Auf den ersten Blick waren damit Brandt und ich gemeint. Aber es bedeutete auch, daß »Ihr ohne meine Vergangenheit« beziehungsweise, etwas überheblich, »Ihr typischen Sozialdemokraten«, »Ihr politischen Naivlinge gegenüber den Kommunisten« gar nicht fähig seid, die Gefahr für ihn abzuschätzen. Da war auch Distanz zu »uns« spürbar. Herauskam jedenfalls eine echte physische Angst, die wir ihm soweit nehmen konnten, als bis ins einzelne besprochen wurde, wann er fährt, wo der Übergang ist, wie er sich melden würde, welche Mitteilung wir herausgeben würden, wenn er sich entweder nicht meldet oder gesehen und das unangekündigte Treffen vorher bekannt wird.

Wehner kann diese Angst nicht gespielt haben, um grünes Licht für das Treffen selbst zu erhalten; denn politische Rückendeckung hatte Brandt schon in seiner ersten Antwort gegeben. Ich schließe daraus, daß dieser 31. Mai 1973 seine erste Wiederbegegnung mit Erich Honecker gewesen ist. Daß er Mischnick zu seinem Flankenschutz haben wollte, war im damaligen innenpolitischen Umfeld verständlich und hinderte ihn jedenfalls nicht, mit Honecker lange genug unter vier Augen zu sprechen. Auch bei allem, was inzwischen bekanntgeworden ist: Das war keine Verstellung und schon gar nicht die Sprache eines Mannes, der für die andere Seite arbeitete oder gar von der Existenz des Spions Guillaume wußte.

Die Kofferfälle lösten sich. Alles ging wie bisher weiter. Das Kanzleramt bereitete auf der Regierungsebene die Eröffnung der Ständigen Vertretungen vor, die Folgeverhandlungen zum Grundlagenvertrag liefen, während daneben verdeckt mit Hilfe der Anwälte und der Evangelischen Kirche Freikäufe betrieben wurden. Der Unterschied zu der Zeit vor dem 31. Mai bestand nur darin, daß Wehner in eine Schlüsselfunktion für den Freikauf gerückt war, ohne daß man wissen konnte, was darüber hinaus bei den dafür erforderlichen Kontakten besprochen wurde. Viel konnte das nicht sein; denn für unsere Regierungsverhandlungen gab es keinerlei Hinweise, Vorschläge, Warnungen, weder von Wehner noch vom Kanzler übermittelt. Weder Vermutungen noch Verdacht tauchten auf, daß da zwischen dem »Onkel« und Honecker mehr sein könnte.

Die Aufmerksamkeit war durch Wichtigeres in Anspruch genommen. Das Bundesverfassungsgericht lehnte den zweiten bayerischen Antrag ab, durch Einstweilige Anordnung den Grundlagenvertrag anzuhalten, den wir dann durch Notenaustausch in Kraft setzten. Die Außenminister eröffneten die Konferenz für Sicherheit und Zusammenarbeit in Helsinki. Die beiden deutschen Staaten wurden Mitglieder der UN, und für Wien waren die Verhandlungen über konventionelle Rüstungsbegrenzungen vorzubereiten.

Seit dem Sommer 1973 erhielt ich über den »Kanal« nicht nur einmal Hinweise, daß Wehner in seinen DDR-Kontakten abträgliche Äußerungen über Brandt losließe. Das sei nicht gut für das Ansehen des Kanzlers in Moskau. Nun waren negative Äußerungen Wehners über Sozialdemokraten nichts Neues. Daß der Kontakt zu Honecker eng genug war, um kühl und berechnend, jedenfalls nicht in der Spannung eines Gesprächs, loszuwerden, was er loswerden wollte, war beunruhigend; daß Honecker das weitergab, konnte bedeuten, daß er den Moskowitern zeigen wollte, wie gut seine Verbindungen zu Bonn waren, um sie zu warnen, zu sehr auf Brandt zu setzen. Für das Denken der Machthaber in Moskau mußte das nach Machtkampf in der oder um die Spitze in Bonn riechen, vielleicht sogar nach der Möglichkeit eines deutsch-deutschen Komplotts. Brandt war alarmiert, obwohl da zunächst nichts zu machen war, und ließ jedenfalls für die Hinweise danken.

Ende Oktober fuhr Wehner mit einer parlamentarischen Delegation nach Moskau. Er verdankte diese Reise Brandt. Ohne ihn und seine Politik würde er kaum die Stadt wiedergesehen haben, mit der ihn so viele Erinnerungen verbanden. Wir waren uns im Kanzleramt einig, wie aufregend es für den Onkel sein müßte, ob er wohl in das Hotel Lux hineinsehen würde? Es war ihm zu gönnen: Die Reise selbst bedeutete einen Schlußstrich für alles, was es noch an unbeglichenen Rechnungen gegen den Abtrünnigen oder an Papieren geben könnte, vor denen sich der Onkel sorgen mochte. Er würde milde gestimmt sein. Das war ein Irrtum. Die bösartig herabsetzenden Ausbrüche, die Journalisten berichteten, waren empörend genug. Beim Besuch seines alten Chefs, Boris Ponomarjow, Leiter der internationalen Abteilung im ZK-Apparat, mußte er sich schlimmer, ausführlicher geäußert haben. Die Mitteilungen des »Kanals« gipfelten in der Beurteilung: »Der ist ein Verräter.«

Selten habe ich Brandt so erregt erlebt. Er bebte vor Wut. »Jetzt ist es genug. Er oder ich.« Eine Nacht darüber zu schlafen, würde jedenfalls gut sein. Am nächsten Morgen war es auch nicht viel besser. Ich gab den Rat, von dem ich mich bis heute frage, ob er falsch gewesen ist, in der ohnehin schwierigen innenpolitischen Lage keine überstürzte Kraftprobe in der Fraktion zu unternehmen; der Ausgang wäre zwar klar, aber das würde Zeit und Energie kosten, die für anderes nötiger seien. Er müsse Wehner natürlich stellen, zu einer Erklärung zwingen und in einem persönlichen Gespräch feststellen, ob die Kraftprobe unvermeidlich sei. Die Erklärung wirkte als halbe Entschuldigung, ergänzt durch die persönliche, versöhnliche Bitte Wehners:»Laß es uns noch mal versuchen.«

Ende Januar 1994 veröffentlichte Greta Wehner ein seltsames Dokument, datiert vom Dezember 1973. In einer einzigen Niederschrift Wehners sind mindestens drei sehr unterschiedliche Teile zusammengefaßt. Mitteilungen Honeckers an ihn, Erklärungen – fast Entschuldigungen –, warum er trotz wiederholter Ersuchen zu»direkten Gesprächen« erst zweieinhalb Monate später eine zusammenhängende Antwort an Honecker gibt.

Schon der erste Teil ist erstaunlich. Abgesehen von Honeckers Rat, nach Moskau zu fahren, behandeln sieben Punkte das, was man innerdeutsche Angelegenheiten genannt hat. Dabei kommt Brandt gar nicht vor, einmal Schütz, einmal Schmidt, aber fünfmal Bahr. Letzterem wird provokatives und arrogantes Auftreten und oft persönliches und verletzendes Benehmen bescheinigt. Das wäre ja noch nicht so schlimm als Kontrast zu dem Vorwurf aus der Union, ich sei gegenüber der DDR nachgiebig, liebedienerisch und anpasserisch gewesen. Wenn Honecker entgegen allen Erklärungen meint, ich würde das Urteil des Bundesverfassungsgerichts zum Grundlagenvertrag als»Bremsblock für die Entwicklung gegenseitig vorteilhafter Beziehungen« benutzen, wird die Sache verleumderisch. Ein Bubenstück ist es schließlich, wenn dort formuliert wird, daß die Familienzusammenführung»unter Herrn Bahr überhaupt nicht mehr funktionierte«. Das wußten beide besser. Brandt auch.

Die Niederschrift Wehners versucht, in einer manchmal peinlichen Weise, Honecker in den Mund zu legen, daß und warum ich für die Koordinierung der Geschäfte zwischen Bonn und Berlin nicht mehr in Frage komme. Wer diese Stellung einnehmen sollte und mußte, lag auf der Hand.

Bezeichnend auch, daß Wehner auf keinen dieser Anwürfe gegen mich geantwortet hat. In einem einzigen Punkt erwähnt er, daß er »einmal« handschriftlich eine Mitteilung Brandts weitergegeben hat, in der mir Äußerungen unterstellt würden, für die ich nicht verantwortlich sei. Brandt hat mir davon nicht einmal etwas gesagt. Es ist völlig ausgeschlossen, daß Brandt den Vorgang einer Generalattacke Honek-

441

kers gegen mich nicht besprochen hätte, zumal die Verhandlungen mit der DDR weitergingen.

Erst recht ist völlig auszuschließen, daß Wehner Brandt »die Gedanken« zu lesen gab, die er Honecker dann Anfang Dezember 1973 schrieb. Bei der Tragweite dieses Dokuments wäre es selbstverständlich gewesen, es mit dem Parteivorsitzenden und Kanzler zu erörtern, sogar zu beraten. Eine Sitzung mit den engeren Mitarbeitern wäre angebracht gewesen, wenn es um die Einrichtung eines Mechanismus ging, durch die praktisch alles vorgeklärt, abgesprochen, koordiniert werden sollte, was zwischen den beiden deutschen Staaten lief, wenn dies eben nicht mehr im Kanzleramt geschehen sollte. Gerade das war natürlich der Grund, daß Wehner dieses Dokument Brandt nicht zeigen durfte.

Es wäre für Brandt eine Ungeheuerlichkeit gewesen, lesen zu müssen, was Wehner da anbietet: »Die außerordentlich weitgehenden Vorschläge« Honeckers »begrüße ich dankbar und bin meinerseits bestrebt, sie zu verwirklichen zu helfen.« Zu seiner Sicherung nach beiden Seiten fügt Wehner hinzu, daß er ohne Regierungsamt in kein Ressort hineinregieren kann. »Das zwingt mich der Natur der Sache nach ... zu immerwährenden Versuchen, meine Freunde im Regierungsamt zu bedrängen, ohne daß ich imstande wäre, entscheidenden Einfluß auszuüben.«

Aber es kommt noch besser: Wehner will »die Verhandlungen über Folgevereinbarungen soweit wie möglich dem Trott ressortamtlicher Werkelei« entziehen und zu diesem Zweck »beiderseitig miteinander über Grundgedanken und Hauptrichtungen« sprechen und Gedanken abklären. »Die beiden führenden Persönlichkeiten jeder Seite müssen sich überlegen und darüber zu verständigen versuchen, wie das praktiziert werden soll.« Da schreibt schon ein Könner; denn er wie der Adressat Honecker wissen, daß Brandt dafür nicht in Frage kommt. Die führende Persönlichkeit auf westdeutscher Seite ist Wehner, ohne Brandt ausdrücklich auszuschließen. Das grenzt an ein Komplott.

Die Einzelanalyse des ganzen Schriftstücks enthüllt unwillentlich manches, was Wehner später verhüllen wollte. »Mit dieser Niederschrift gebe ich erstmals schriftlich aus meiner Hand, was mir aus meinen Notizen übermittelt oder dargelegt worden ist.« (Also schriftlich wie mündlich.) »Mir ist klar, was das bedeuten kann. Ich begebe mich der Möglichkeit, die ich bisher in meiner Hand hatte, funktionell das Notwendige aus dem dieser Niederschrift zugrundeliegenden Vorgang anderen zu sagen, soweit sich das im Interesse der Sache jeweils ergeben hatte.« Hier steht nicht nur, daß er anderen, insbesondere Brandt, nichts »gezeigt«, sondern eben nur gesagt hätte, was er jeweils für nötig oder richtig hielt. Ihm ist bewußt, daß er sich damit in die Hand der anderen Seite begibt; denn die andere Seite kann eine Niederschrift benutzen, in der klar umschrieben wird, daß die eigene Seite sie nicht kennt.

Am Schluß kommt Wehner noch einmal darauf zurück, was für ihn wie ein politisches Testament klingt. »Ich bin mir bewußt, daß mit dieser Niederschrift mein Schicksal als politisch im Vordergrund wirkender Mann von anderen besiegelt werden kann, die mit dieser Niederschrift Mißbrauch treiben oder sie auch nur entsprechend ›verwenden‹. Mir wäre lieber, dies wäre noch nicht mein ›Testament‹, sondern ich dürfte noch einige Zeit wirken für Einsichten, die manch andere noch nicht oder nicht mehr haben.« Natürlich durfte Brandt auch diese, ihn beleidigenden Bemerkungen nicht lesen. Wehner bestätigt das selbst, indem er ein halbes Jahr später eine Zusammenstellung von Mitteilungen zwischen Brandt und Honecker an Helmut Schmidt gibt, die erst nach seinen »Gedanken« an Honecker einsetzen. Es steht auf einem anderen Blatt, daß er damit riskiert, Schmidt könne ersehen, wie sein Vorgänger hintergangen worden ist. Insofern hatte sich Wehner damit auch in die Hand des neuen Bundeskanzlers begeben. Aber zugleich festigte er seine Stellung in Bonn und verringerte seine Druckanfälligkeit aus Ostberlin.

Das »Gedanken«-Dokument stellt den persönlichen Grundlagenvertrag zwischen Herbert Wehner und Erich Honecker dar. Das fängt mit dem Verhältnis zwischen SED und SPD an. Das Verhältnis der beiden deutschen Staaten wird definiert, als ob es den Grundlagenvertrag mit der Erwähnung der Nation und den Brief zur deutschen Einheit nicht gäbe. Dann kommt die Abgrenzung der SPD gegenüber der von der SED praktizierten »Begegnung« zwischen Parteifunktionären auf lokaler Ebene »auch im Interesse ihrer Selbstbehauptungen gegenüber reaktionären und demagogisch operierenden Feinden der Verträge«. Danach wird das Thema abgehandelt, die Beziehungen der beiden Staaten könnten veröden; bei der Nichtvereinbarkeit der beiden Staatsangehörigkeitsbestimmungen vertritt Wehner den Regierungsstandpunkt; für die Kompetenzzuweisung der Ständigen Vertretungen klammert er die

Konfliktfälle aus, enthält sich jeder Schärfe über die Verdoppelung der Umtauschquoten, die gerade zwei Wochen zuvor von der DDR erlassen worden waren. Endlich kommt er auf den 31. Mai, wobei man erfährt, daß es schon am 30. Mai eine Begegnung gegeben hat, ohne Fotos und ohne Mischnick. Der eigentliche Anlaß, die Familienzusammenführung wieder flottzumachen, spielt nur eine Nebenrolle. Im Mittelpunkt steht ein Fraktionsvorsitzender, der erläutert, wie er sich das Verhältnis zwischen den beiden deutschen Staaten vorstellt, als Partner für den Staatsratsvorsitzenden.

Willy Brandt und ich haben später nach seinem Rücktritt mehr als einmal überlegt, wann Wehners operativer Kontakt zu Honecker begonnen haben mag, wie weit er ging und wie das funktioniert haben könnte. Wir kannten das Schlüsseldokument der »Gedanken« noch nicht. Es ist schade, daß Brandt nicht mehr lesen konnte, was er im Amt nicht lesen durfte.

War das Verrat? Nicht am Land, wohl aber an Brandt; denn Wehner hatte nach seiner Rückkehr aus Moskau seinem Vorsitzenden versprochen: »Laß es uns noch mal versuchen.« Das war gerade vier Wochen vor seinem »Gedanken«-Dokument.

Soweit bei dem Rücktritt das Verhältnis zwischen Brandt und Wehner ausschlaggebend war, stellt sich mir das fast simpel dar. Scheel hatte ermutigt: »Das reiten wir auf einer Backe ab, Herr Bundeskanzler.« Nichts Entsprechendes kam von Wehner bei dem entscheidenden Treffen. »Ich würde es davon abhängig machen, ob du dich einer klaren Unterstützung sicher fühlen kannst«, hatte ich Brandt empfohlen. Der Test fiel negativ aus. Für das Gespräch gibt es keine Zeugen. Viele Fragen bleiben deshalb unbeantwortbar: Hat Brandt klar genug formuliert? Wollte er die Fortsetzung seiner Kanzlerschaft Wehner verdanken? Hat Wehner auslegbar genug formuliert, um danach sagen zu können, er hätte ihn unterstützt, wenn Brandt gewollt hätte? Aber alles andere als die selbstbewußt fröhliche Ergänzung der sozialdemokratischen Backe, die eine solche Affäre nicht schlechter abreiten kann als der Koalitionspartner, konnte Brandt nur negativ auffassen. Was er ja auch tat: »Das ist vorbei«, war sein Kommentar danach. Ich fühle mich ganz sicher in der Vermutung, daß Brandt in den nächsten Tagen auch dachte, Wehner habe gewonnen, und sich vornahm, wenn irgend möglich herauszubekommen, was der wirklich für eine Rolle gespielt hat.

Die Große Koalition hatte Wehner zu einem Gipfel geführt; sein Verhältnis zu Bundeskanzler Kiesinger war für das Funktionieren der Regierung unentbehrlich; das Amt des Bundesministers für Gesamtdeutsche Fragen wies ihm die Kontakte zu Ostberlin für Freikauf und Familienzusammenführung zu. Als die SPD den Kanzler stellte, konnte er annehmen, daß sein Einfluß noch steigen würde. Das Gegenteil trat ein. Er, ein Mann, der besser als viele wußte, wie Apparate zu handhaben sind, mußte die Regierung verlassen. Der neue Fraktionsvorsitzende mag sich mehr hinaus- als heraufbefördert gefühlt haben, zumal nun die operativen Ostfragen im engen Regierungskreis entschieden wurden. »Mir sagt man ja nichts. Ich habe nur dafür zu sorgen, daß die Fraktion ruhig ist und zustimmt, wenn's gewünscht wird«, beschwerte er sich bei einem Montagsfrühstück. Die Entspannungspolitik hatte er zu decken und nicht zu machen. Insofern war er nun mehr am Rand als während der Großen Koalition mit Ausnahme des Freikaufs aus der DDR, und ausgerechnet der sollte ihm weggenommen werden?

Als ich Markus Wolf fast zwanzig Jahre später auf den torpedierten Versuch ansprach, das Zwielicht des Menschenhandels zu beseitigen, und vermutete, ich hätte Wehner damit sein »Cover« genommen, lachte er: »Natürlich, was denn sonst.«

Ende Mai 1973 legte Wehner den Grundstein mit Honecker für das, was im Dezember formalisiert wurde. Es waren die Monate, in denen Brandt schwächer wurde und die Zügel schleifen ließ. Wehner und nicht Brandt verlangte »nichts draufzusatteln« und die Belastbarkeit der Verträge nicht zu erproben. Solche öffentlichen Aussagen, für die er angegriffen wurde, halfen. Mehr als einmal empfand ich sie dankbar als nötige Rückendeckung, von der ich gewünscht hätte, sie wäre vom Kanzler gekommen.

Der Fraktionsvorsitzende füllte ein Vakuum. Was auch immer der Präsident des Verfassungsschutzes Nollau ihm zugetragen haben mag, wird ihn in seiner Bitterkeit über einen Mann bestärkt haben, für den das Leben nicht nur aus Politik zu bestehen schien und der in seinen Augen nicht hart genug war. Mehr als einmal erinnerte das an Siegfried und Hagen.

Ich weiß nicht mehr, was da noch zu besprechen gewesen ist im Kanzleramt nach dem Rücktritt Brandts. Jedenfalls gingen Wehner und ich zu Fuß den kurzen Weg hinüber zum Fraktionssaal der SPD, wo

Wehner den Rücktritt bekanntgeben würde. Ich dachte, wie seltsam, neben diesem Mann zu gehen. Hätte der eine andere Haltung eingenommen, wäre Brandt noch im Amt. Plötzlich berührte er mich am Arm und wandte sich mir zu: »Wir müssen jetzt eng zusammenarbeiten.« Mir kam es vor, als sähe ich in einen bodenlosen Abgrund. »Überleg mal, es geht um unsere Sache.« Welche Menschenverachtung und Niedertracht neben allem anderen wurden da so schlicht offenbart.

Der Fraktionssaal summte. Ich war noch ganz bei dem eben Erlebten und konnte nicht klatschen, als Willy hereinkam. Der obligate Strauß, üblich bei Geburtstagen wie bei Todesfällen, lag vor den Mikrofonen. Auch in solcher Situation darf die Routine nicht vernachlässigt werden. Wehner begann. Als ich ihn schreien hörte: »Wir alle lieben ihn«, konnte ich meine Tränen nicht mehr zurückhalten. Ich habe nicht über den Rücktritt geweint, sondern über die Gemeinheit und die Heuchelei.

Noch einmal erhielt ich ein großes Lob von Wehner. Das war nach meiner ersten Rede als Bundesgeschäftsführer 1976 vor den Funktionären der Partei in der Godesberger Stadthalle. Ich hatte über den Umgang unter Genossen gesprochen und über unsere Aufgabe, den Frauen ihren gleichberechtigten Platz wirklich zu schaffen. In den Beifall hinein erhob sich der Onkel, faßte mich um die Schulter und sagte: »Das war Gold wert.« Warum verschweigen, daß ich trotz allem, was geschehen war, Stolz empfand und Freude?

Wehner war überzeugt, intelligenter zu sein als alle, mit denen er zu tun hatte. Intelligenter als Brandt und Schmidt und erst recht Honecker. Also glaubte er, gestützt auf seine politischen Qualitäten und in der Einsicht, das Schicksal habe ihm verwehrt, an die Spitze zu kommen, die Spitze manipulieren zu können. Am Rhein wie an der Spree. An Machtbewußtsein weder Brandt noch Schmidt unterlegen, an Erfahrung Honecker sicher überlegen, spielte er mit allen dreien, teils gleichzeitig, teils nacheinander.

Der Sturz Brandts führte Wehner auf einen neuen Gipfel. Er konnte den neuen Kanzler, der sich erst einmal fest in den Sattel zu setzen hatte, in die Geheimnisse der Beziehungen zur DDR einweihen. Das geschah in einem Brief an Schmidt Mitte Juni 1974, mit einem riesigen Konvolut von Texten als Anlage, darunter auch die seltsame Niederschrift mit den »Gedanken«, scheinbar ohne Anrede an Erich Honecker. Hier hatte Schmidt einen, der die Sache im Griff hatte. Er war der Schlüssel auch

446

für alle darüber hinausgehenden Fragen mit Ostberlin. Ein paar Monate später sagte mir Hans-Jürgen Wischnewski, der in einer Berliner Wohnung Zeuge war, wie Wehner in Gegenwart Schmidts mit Honecker telefonierte: »Du, ich weiß nicht, nachdem wie der Onkel gesprochen hat, wo dessen Loyalität liegt.«

Shakespearesche Königsdramen finden noch immer statt, auch wenn auf republikanischen oder kommunistischen Höfen Gift nur noch im übertragenen Sinne gebraucht wird und der demokratische Dolch nur noch den politischen Tod bringt.

Die Aufzeichnung über sein Leben, die für Schumacher bestimmt war, und das »Testament« für Honecker haben mindestens eins gemeinsam: Es sind Bekenntnisse eines Mannes zu der Sache, für die er stehen will und der sagt, ihr müßt mich nehmen, wie ich bin. Zerknirschung und Stolz, Demut und Selbstbewußtsein, taktische Anpassung und Arroganz sind in beiden Papieren seltsam gemischt. Letztlich hat dieser machtbewußte Mann in gigantischer Selbsteinschätzung gewirkt, wie er es für richtig hielt. Er hat mit der anderen Seite gearbeitet, nicht für die andere Seite.

Wenn es zutrifft, daß einige in Ostberlin geglaubt haben, er stünde ihnen näher als seinen eigenen Leuten, so kann er selbst diesen Eindruck noch einkalkuliert haben; denn er fühlte sich wohl immer intelligent und geschickt genug, um Meister der Situation zu bleiben. Wer den Rubikon einmal überschritten hat, geht nicht zurück.

Aber wofür das alles? Die deutsche Einheit? Die Demokratie? Die Einheit der Arbeiterklasse? Für nichts von alledem hatte er eine Vision oder eine Strategie. Er war ein Machtzentrum, das sich selbst genügte. Herbert Wehner war ein einsamer Mann.

9. KAPITEL

Zwischenspiel

Günter Gaus, den vormaligen Chefredakteur des *Spiegel*, davon zu überzeugen, daß er ein Vertreter werden sollte, wenngleich Ständiger und erster bei der DDR, war gar nicht leicht. Die beiden Ständigen Vertretungen würden wie Botschaften arbeiten; dem Staatssekretär Kohl in Bonn mußte ein Staatssekretär in Berlin (Ost) entsprechen. Aber weniger Titel und Rang überzeugten den Parteilosen (erst als Bundesgeschäftsführer konnte ich ihn für die SPD »werben«), als die Aufgabe, für lange Zeit Maßstäbe zu setzen, das Verhältnis zwischen den beiden deutschen Staaten lebendig und fruchtbar zu machen. Er sollte praktisch in meiner bisherigen Schlüsselposition arbeiten, weil ich nun die Europäisierung unserer Ostpolitik vorantreiben wollte. Seinem Einwand, ich hätte die DDR in seinem Verständnis spürbar zu sehr als Satelliten gesehen, begegnete ich mit dem Argument, sie sei nur über Moskau zu bewegen gewesen, aber mit dem Grundlagenvertrag hätten wir ein Interesse gewonnen, die Emanzipation der DDR zu pflegen, so weit und so begrenzt das möglich sei. Je selbständiger sie im europäischen Konzert werde, um so besser. Die Sicherheitsinteressen beider Staaten mußten fast identisch sein. Gaus, bis dahin ein westdeutscher Saulus, wurde zu einem deutschen Paulus, voller Bekehrungseifer. Zu der Leidenschaft des Bekehrten gesellte sich Brillanz des Intellekts und eine entsprechende Formulierungsgabe, die er, ohnehin ohne Mangel an Selbstbewußtsein, zuweilen auch provokativ zu zeigen beliebte. Das machte ihm nicht nur Freunde; besonders bei Bundeskanzler Schmidt wurde die Abneigung gegenseitig. Wir hätten keinen Besseren finden können, der sieben Jahre lang die Aufgabe prägte und der Sache diente.

Dazu half ihm die Fähigkeit, mit der neuen Lebenslüge umzugehen. Die alte lautete, den Staat DDR zu leugnen, die neue, ihn als souverän zu bezeichnen. Wie kümmerlich die Wirklichkeit war, erfuhren wir, als Sanne von einer Besprechung mit Seidel berichtete, die Verhandlungen zur Einrichtung der Ständigen Vertretungen müßten bis auf weiteres unterbrochen werden; Gromyko habe rigoros interveniert: das sei nicht eilig. Ergebnis: Zeitverlust von einem Jahr. Wenn die DDR in einer so winzigen Frage weisungsgebunden war, konnte niemand auf die Idee kommen, ihr Entscheidungsbefugnis für das schreckliche Regime ihrer Westgrenze zu unterstellen. Wenn wir auch nur eine Sekunde geglaubt hätten, sie sei da souverän, hätten die Verhandlungen mit der Forderung beginnen müssen, die Lage an der Grenze zu normalisieren oder den »Schießbefehl« aufzuheben. Niemand, auch nicht die Opposition, hat das verlangt, weil jeder die Wirklichkeit kannte. Der Vorwurf der Justiz in dem Prozeß gegen Mitglieder des Politbüros fünf Jahre nach der Einheit, sie hätten das billigend in Kauf genommen, ging an der Wirklichkeit vorbei: Die DDR war nicht so souverän, wie sie sich nannte. Wir haben das Grenzregime mißbilligend in Kauf genommen. Wir pochten auch weiterhin auf einen unerfüllbaren Wunsch, ehrlich genug, ihn nicht zur Vorbedingung der Beziehungen zu machen. Wir drängten auf Milderung, wohl wissend, daß die Leitern ausverkauft wären am Tag nach der öffentlichen Aufhebung des »Schießbefehls«; denn ohne Risiko über die Mauer zu klettern, würde wieder die Perspektive auf ein Land ohne Volk eröffnen. Eine solche Bemerkung hat mir Ärger bereitet. Das Paradox bestand gerade darin, daß der Westen die Breschnew-Doktrin kannte, die die Souveränität aller Paktstaaten dem souveränen Sicherheitsinteresse der Sowjets unterordnete, aber in Helsinki 1975 so tat und tun mußte, als hielte er sie alle für gleich souverän. Das war der Umweg und die Erwartung: Wenn einmal Warschau und Prag und Budapest ihren polnischen und tschechischen und ungarischen Interessen folgen könnten, würde Berlin deutschen Interessen gegenüberstehen. Die schon vorhandene Selbständigkeit mußte gefördert werden, indem man tat, als gäbe es sie schon. Das verlangte auch die Achtung vor dem Stolz aller Beteiligten. Niemand wußte, wie relativ schnell das gehen würde, von Breschnew bis Gorbatschow, der die Souveränität ernst nahm und Satelliten zu Staaten machte, die ihren eigenen Weg gehen durften.

Meine erste Bundestagsrede im Januar 1973 wurde zu einem fulminanten Mißerfolg. Es war falsch und unnötig, ehrlich zu erklären, wir hätten 1969 die Wahlen nicht gewonnen, wenn wir die Anerkennung der DDR als Staat vorher angekündigt hätten. Weniger die Aufregung darüber als den blanken Haß in den Augen vor mir sitzender Abgeordneter der CDU und der CSU habe ich bis heute nicht vergessen. Ich ließ mich hinreißen zu bemerken, »mit der DDR zu reden, ist eine Pflicht des Grundgesetzes; es ist aber keine Pflicht des Grundgesetzes, mit jedem Abgeordneten zu reden«. Am Ende der Debatte nahm ich diese Äußerung zurück: »Die Ausführungen von Herrn Abgeordneten Windelen, wonach ein Satz der Regierungserklärung den Verdacht begründet, er könnte den Vorwurf ungenügender Vertretung nationaler Interessen rechtfertigen, haben mich zu der Äußerung des Zweifels veranlaßt, ob es mit solchen Leuten über Gemeinsamkeiten zu reden lohne. Es ist selbstverständliche Pflicht eines Bundesministers, jedem Abgeordneten Rede und Antwort zu stehen.« Wenige Wochen danach erlitt ich einen Kreislaufkollaps. Der Arzt stellte fest, der Vorrat an Adrenalin sei fast aufgebraucht; die Regenerierung könne Monate brauchen. Apathisch sinnierte ich, wie unwichtig die schönsten Pläne und Absichten ohne Gesundheit werden. Nachdem ich aufstehen durfte, um wochenlang in einem Sanatorium am Tegernsee auskuriert zu werden, merkte ich zu meinem tiefen Schrecken, daß die Artikulationsfähigkeit gelitten hatte: Das Gehirn gab nicht alle Wörter wieder, die ich suchte, und einige sprachen sich nur mit Mühe oder falsch aus.

Die letzte Sicherheit, daß Kopf und Zunge wieder gewohnt funktionierten, fand ich erst im Sommer vor dem Bundesverfassungsgericht, wo ich für die Bundesregierung gegen die Klagen der Bayerischen Staatsregierung plädierte. Der Versuch aus München, durch Einstweilige Verfügung und eine Entscheidung in der Sache den Grundlagenvertrag zu Fall zu bringen, mißlang. In ihrer Urteilsbegründung konnten die obersten Richter nicht vermeiden, eine andere Lebenslüge der alten Bundesrepublik erkennbar zu machen. Korrekt hätte sich Karlsruhe als »Grundgesetz-Gericht« bezeichnen müssen, aber es fühlte sich als Hüter einer Verfassung, die »gesamtdeutsche Hoheitsgewalt in Westdeutschland« ausübte, wie Carlo Schmid, einer ihrer Väter, formuliert hatte. Die Tatsache, daß Teile des Grundgesetzes von den Siegern suspendiert worden waren, konnte und durfte wohl auch die Richter nicht daran hindern, den Anspruch des Grundgesetzes auszulegen mit dem lebensfremden Ergebnis, der Grenze zwischen Hessen und Thüringen denselben Charakter zuzusprechen wie der zwischen Hessen und Bayern. Man konnte niemandem empfehlen, das, gestützt auf Karlsruhe, zu erproben.

Um die Groteske weiterzuführen: Der Artikel 23, den die alten und neuen Länder Ostdeutschlands später zum Beitritt nutzten, blieb für Groß-Berlin noch danach außer Kraft gesetzt, bis alle Vorbehaltsrechte der Drei Mächte im März 1991 mit der Wiederherstellung der deutschen Souveränität erloschen. Erst mit diesem Akt der Ratifizierung der Zwei-plus-Vier-Verträge endete auch die Schizophrenie, daß die Westintegration bis zur unauflösbaren politischen Union einschließlich einer Währungsunion niemals einer Prüfung durch das Bundesverfassungsgericht unterzogen wurde, ob das »einheitsverträglich« sei. Der Brief zur deutschen Einheit fehlt den Römischen Verträgen und allen ihren Nachfolgern. Anders als bei dem NATO-Beitritt erfolgte kein Vorbehalt mehr zugunsten eines nicht untergehenden Wunsches nach Selbstbestimmung. Das Verfassungsgericht verlangte, daß wir verschmelzbar mit dem anderen deutschen Staat bleiben müßten. Niemanden hat je die Sorge nach Karlsruhe getrieben, die Europäische Gemeinschaft könne eine substantielle Einheit werden, die den Auftrag des Grundgesetzes im Sinne einer Entscheidungsfreiheit des gesamten deutschen Volkes unerfüllbar machte, also bricht. Gerade weil noch 1989 unvorstellbar schien, daß die Sowjetunion schwach genug werden könnte, um Anschluß der DDR an die westlichen Systeme und Beitritt zur Bundesrepublik zu gestatten, wird die bundesdeutsche Gleichgültigkeit gegenüber dem Schicksal der Brüder und Schwestern so deutlich.

Der erste Besuch Breschnews in Bonn im Mai begann mit kleinem Ärger: Ich konnte mich nicht beim Auswärtigen Amt durchsetzen, den Generalsekretär mit den Salutschüssen zu begrüßen, die er im großzügigeren Paris wie ein Staatsoberhaupt erhalten hatte, und nicht beim Kanzler, dem Protokoll eine solche Weisung zu geben. Am Ende des Besuches hatte das Amt keine Bedenken, Breschnew die Dokumente zur Unterschrift vorzulegen, obwohl der eigentlich gar nicht »für die Regierung der Sowjetunion« unterschreiben durfte. Der größere Ärger stellte sich ein, weil beide Außenämter sich nicht auf eine Formel einigen konnten, die Berlin in die wissenschaftlich-technische Zusammenarbeit einbeziehen sollte. Brandt beauftragte mich, das mit Gromyko zu regeln, der dafür zunächst gar keinen Bedarf sah, weil alles durch die Vier Mächte festgelegt sei, was die Deutschen nichts angehe. Als ich auf diese Frechheit grob antwortete, dann werde es kein Abschlußkommuniqué geben, entstand peinliche Stille, bis Falin vorsichtig vorschlug, er könnte es ja mal in Kenntnis aller Umstände mit mir versuchen, was sein Minister brummig und gnädig erlaubte. Wir schafften es in der Nacht, die salomonische Formel von der »strikten Einhaltung und vollen Anwendung« zu entwickeln, eigentlich eine Selbstverständlichkeit, mit der alle zufrieden waren. Ohne daß Paul Frank dafür die Urheberschaft in Anspruch nahm, machte sie als »Frank-Falin-Formel« das Leben leichter, aber nicht leicht; denn immer wieder war zu entscheiden, wie – nicht mehr ob – im einzelnen Berlin einzubeziehen war.

Doch die gelockerte Atmosphäre in der Residenz des Kanzlers auf dem Venusberg wurde von all dem nicht getrübt. Breschnew genoß sie und nicht weniger die Bekanntschaft mit Rut; am liebsten, so sah es aus, hätte er ihr nicht nur die Hand lange geküßt. Er setzte sich auch über die Bedenken seiner Sicherheitsleute hinweg und flog mit dem Hubschrauber nach Schloß Homburg, wo ihm das rustikale Essen mit Brot, Wurst und Käse, Tomaten und Gurken von Holztellern außerordentlich behagte. An einem Abend entwickelte sich eine unerwartete Intimität um den Tisch, an dem maximal 24 Personen eng sitzen konnten. Wir hatten einen kleinen privaten Raum auf dem Venusberg dem repräsentativen Palais Schaumburg vorgezogen. Breschnew brauchte Trinkfestigkeit nicht zu demonstrieren, er trank gern. Die gelöste Stimmung erlaubte Scherze, gutartig nur auf Kosten der Anwesenden. Eine gewisse physiognomische Ähnlichkeit zwischen unserem Innenminister und seinem für Westeuropa zuständigen Parteiberater ließen mich anregen, wir könnten doch Genscher und Wadim Sagladin austauschen. Aber plötzlich wurde es ernst, als der Generalsekretär von Erlebnissen an der Front berichtete, Kämpfen, Toten, einer Feuerpause und deutschen Kriegsgefangenen, und der ehemalige Oberleutnant Helmut Schmidt Gleiches von der anderen Seite. Leonid Iljitsch war sichtlich und ehrlich bewegt. Es knisterte. Wenn man einmal die Kriegsverbrechen wegläßt, blieb, daß keine zwei Völker sich tiefere Wunden geschlagen haben. Was sie sich angetan haben, wozu sie fähig waren, hat sich unvergeßlich in die Erinnerung der Deutschen und der Russen eingebrannt, Achtung wie

Furcht hinterlassen über das Maß hinaus, das der kühle Verstand setzt. Aber die Völker werden auch weiterhin nicht vom Brot allein und vom Verstand leben.

Wenn die Deutschen und Russen Frieden halten können, können alle gut schlafen; wenn die Deutschen und die Russen den Frieden in Europa organisieren wollen, bekommen andere Völker Alpträume. Doch das ist ganz unnötig; denn diese Zeiten sind vorbei. Europäische Sicherheit gibt es nicht mehr ohne Amerika und ohne Frankreich und alle anderen Staaten, aber eben auch nicht ohne Rußland.

Als Breschnew sich auf dem Flugplatz verabschiedet, legt er mir den Arm um die Schulter und fragt, warum ich ein so unzufriedenes Gesicht mache. Ich kann den neugierigen Journalisten nicht meine Antwort sagen: Die Gespräche über die europäische Sicherheit seien unzulänglich gewesen; auch nicht die Erwiderung des Generalsekretärs: Das stimme, aber ich solle nicht pessimistisch sein; es werde alles gut werden.

Die DDR hatte, ihrem Abgrenzungsbedürfnis folgend, begonnen, die Verträge möglichst einengend auszulegen. Ich wollte ihr wie der Opposition zeigen, was »strikte Einhaltung und volle Anwendung« bedeutet. Im Vier-Mächte-Abkommen stand, daß die Bindungen – oder Verbindungen wären hier genauso gut gewesen – »aufrechterhalten und entwickelt werden«. Als es um ein neu zu schaffendes Bundesumweltamt ging, dachte der Innenminister an viele dafür in Frage kommenden Standorte, nur nicht an Berlin. In einem Brief schlug ich deshalb Genscher gerade das vor, zumal ein solcher Ausbau der bestehenden Bindungen auf einem Gebiet erfolgen würde, »auf dem Berlin besondere Anstrengungen unternimmt, Modelle zu entwickeln. Die Materie ist schließlich nicht geeignet, von der DDR etwa als Provokation betrachtet zu werden«. Die Drei Mächte sahen das nicht anders, und das Kabinett beschloß so einstimmig. Nicht vorausgesehen hatte ich, daß der Kollege Genscher noch vor Ende der Kabinettssitzung hinauseilte und den Beschluß verkündete. Damit war meine Absicht gegenstandslos geworden, Moskau vor der Veröffentlichung durch den Kanal auf die volle Anwendung einzustimmen und das danach Kohl zu erläutern. Ich bin noch heute überzeugt, der folgende Krach wäre vermeidbar gewesen.

Also kam heftige Kritik aus Moskau wie aus Ostberlin, das »eine derartige zentrale Regierungsbehörde« zum Vorwand nahm, die Regelung von Umweltfragen zwischen der DDR und West-Berlin in Frage zu stellen. Die eigenen Freunde ärgerten sich über meine Fehleinschätzung, weniger gute genossen sie; Slawa und Leo beschwerten sich, weil sie die Überraschung zu Hause hätten erklären müssen; natürlich wäre es bei guter Vorbereitung reibungslos gegangen. So wurde das Bundesumweltamt in Berlin geschaffen, zum Lobe des Verkünders, zum Tadel des Erfinders. Den Stimmungsrückschlag nach Osten beseitigte erst ein Jahr später Helmut Schmidt, der bei seinem ersten Besuch als Kanzler dem Generalsekretär versicherte: »Soweit mein Einfluß reicht, werde ich verhindern, daß in Zukunft erneut ähnliche Streitigkeiten entstehen.« Brandt habe guten Gewissens und in voller Übereinstimmung mit dem Vier-Mächte-Abkommen gehandelt; aber zuweilen müsse man zwischen Rechtsstandpunkt und politischer Zweckmäßigkeit unterscheiden. Da hatte er recht. Breschnew bemerkte versöhnlich, vielleicht hätten wir »zuviel Vorschuß genommen«, und Berlin wurde in die wissenschaftliche Zusammenarbeit des Umweltamtes einbezogen.

Wir hatten Meldungen verfolgt, daß Alexander Solschenizyn wachsende Schwierigkeiten bekam. *Krebsstation* und *Der erste Kreis der Hölle* waren aufregende Bücher. Das Schicksal ihres Verfassers sei uns nicht gleichgültig, hatte ich bei Kanal-Begegnungen wiederholt betont in der Erwartung, unser Interesse würde ihn ein wenig schützen. Eines Abends im Herbst 1973, als die anliegenden Punkte erledigt waren und ich wieder nach Solschenizyn fragte, unterbrach mich Slawa: »Würden Sie ihn denn nehmen?« – »Würden Sie ihn denn herauslassen?« – »Das könnte sein.« Ein Asylangebot konnte ich erst nach Rückfrage bei Brandt machen, der sofort entschied, Solschenizyn sei uns willkommen. Slawa hatte darauf aufmerksam gemacht, welche schwere Strafe es für einen Russen sei, sein Land zu verlassen. Ich dachte, wenn er darf, wird er auch wollen. Beim nächsten Treffen in Berlin ergänzte sich unser Ja mit der Moskauer Bereitschaft, Solschenizyn ausreisen zu lassen, aber ohne Paß. Zu meiner Frage, ob er seine Frau mitbringe, grinste Leo: »Welche?« Slawa sachlich, er werde mit Frau kommen.

Am Paß sollte es nicht scheitern. Sanne war schon mehrfach ohne Visum in Moskau gewesen und vom Flugzeug an allen Paß- und Zollbarrieren vorbeigeschleust worden. Staatssekretär Frank machte es Spaß zu zeigen, daß wir so etwas auch könnten, und bereitete alles elegant vor. Ich hatte mit Heinrich Böll telefoniert, der dem Freund sein Eifel-Häuschen zur Verfügung stellen wollte, bis er sich entschieden hätte, wo er sich niederlassen wollte. Über den Kurierdienst der Botschaft brachten wir Unterlagen und Papiere heraus, die Solschenizyn zur weiteren Arbeit brauchen würde. Damals hat sich mancher gefragt, wie wir einen solchen Regimekritiker aus dem Land bringen konnten, ohne unsere Beziehungen zu belasten. Heute wissen wir, daß der Kreml ihn gern loswerden wollte. Solschenizyn hat sich über den Vorgang nicht beklagt, es wäre auch verwunderlich gewesen.

Max Frisch, Heinrich Böll und Marion Dönhoff sprachen mich darauf an, ob für den Germanisten Lew Kopelew nicht ein Studienaufenthalt in der Bundesrepublik zu erwirken sei. Der ARD-Korrespondent in Moskau, Fritz Pleitgen, lud im Mai 1977 ein, und als der Hüne den Raum füllte, mußte ich an Leo Tolstoi denken. Dieser Groß-Russe im wahrsten Sinne des Wortes hatte nicht nur den imposanten Vollbart, sondern seine offenen Augen sprachen: Hier kommt ein aufrichtiger Mensch. Er würde gern ein Manuskript über einen deutschen Arzt, Friedrich Joseph Haass, vollenden, der im 19. Jahrhundert aus Münstereifel nach Moskau gekommen und dort zu einem Beschützer und Helfer der Kranken und Verbannten geworden sei. Dazu müsse er noch Quellen in Deutschland einsehen. Er wolle keinesfalls sein Land verlassen oder die Ausbürgerung riskieren. *Verbietet die Verbote* hieß der Titel seines in Deutschland erschienenen Buches, das er mit der Widmung versah: »Herrn und Genossen Egon Bahr mit aufrichtigem sozialdemokratischem Gruß.« Einen Kritiker zu beurlauben, ohne ihn loszuwerden, fiel dem Regime sehr schwer. Während der Kanal tätig wurde, zögerte Kopelew, ob er das Risiko auf sich nehmen solle. Als er sich entschlossen hatte, erklärte Leo: »Den Antrag muß er schon selbst stellen, den können wir nicht auch noch für ihn ausfüllen.« Bedingung würde sein, daß er wirklich nur Quellen studiere und nicht sein Land kritisiere. Das war in unserer Medienlandschaft kaum durchzuhalten. Mehr als dreieinhalb Jahre dauerte es, bis Kopelew in Frankfurt landete – und dann doch bald ausgebürgert wurde. Der Kanal hatte funktioniert, aber nicht verhindern können, daß andere Dienststellen nach Belieben handelten.

Beim »Stellvertreter des Führers« hat der Kanal nicht geholfen. Über viele Monate hinweg lief der vorsichtige Versuch, Moskau mit dem Gedanken vertraut zu machen, Rudolf Heß, den letzten der in Nürnberg verurteilten Kriegsverbrecher, aus dem von den Vier Mächten verwalteten Gefängnis in Spandau zu entlassen, genauer: zuzustimmen, falls die Drei Mächte bereit wären, den zu lebenslanger Haft Verurteilten zu begnadigen. Slawa und Leo reagierten zunächst verständnislos, daß Brandt mit seiner vorbildlichen antifaschistischen Vergangenheit eine solche Frage überhaupt aufwerfen ließ. Sie sahen ein, daß gerade er, der niemals der NSDAP auch nur nahegestanden hatte, das könne, ohne falsche Verdächtigungen hervorzurufen. Man dächte nicht daran, kam das erste Echo aus Moskau, dazu beizutragen, einen neuen persönlichen Bezugspunkt zur Wiederbelebung nazistischer Umtriebe zu schaffen. Ich konnte darauf verweisen, daß weder Hitlers Rüstungsminister Speer noch dessen Jugendführer v. Schirach nach ihrer Entlassung politisch aktiv geworden seien. Die sowjetische Entgegnung: Aber Heß habe nie ein Wort der Reue von sich gegeben. Meine Meinung, er würde eher ein Märtyrer, wenn er im Gefängnis stürbe als nach einem Akt der Gnade, enthielt die abschließende Antwort: Die Menschen in der Sowjetunion würden nach allem, was sie durch den Krieg erlebt hätten, ihre Führung nicht verstehen, wenn sie den zweiten Mann nach Hitler laufen ließen.

Es reizt nicht, die oft beschriebenen Stationen vom Verfall der Macht noch einmal nachzuzeichnen, die innerhalb von zwölf Monaten nach dem Triumph zu registrieren waren. Auch von Brandt. Ein kleines Zeichen beginnender Erholung brachte die Reaktion auf die erste Ölpreisexplosion. Es konnte sich schon sehen lassen, wie innerhalb von drei Wochen ein Gesetz entworfen und beschlossen wurde, das vier autofreie Sonntage regelte. Das löste zwar nicht das Problem, aber machte der Bevölkerung die Abhängigkeit von diesem wertvollen Rohstoff bewußt. In einer Kabinettssitzung wollte der Kanzler wissen, wie eigentlich der Ölpreis zustande komme. Wirtschaftsminister Hans Friderichs versicherte, das wüßte er nicht, aber es sei kein Problem, er werde in der nächsten Kabinettssitzung berichten. Eine Woche später mußte er gestehen, das sei Sache der Ölmultis und undurchsichtig. Worauf ich erklärte, das sei kein Problem, ich würde Kissinger anrufen. Der erklärte, das sei kein Problem, er werde in wenigen Tagen zurückrufen, was er auch tat. Mit demselben Ergebnis wie der Bundeswirtschaftsminister. Daß nicht einmal die amerikanische Regierung da einen Zugriff auf die Preiskalkulation hatte, demonstrierte unvergeßlich eine aufregende Realität: Der globale Rohstoff Öl wird global verwaltet, über die nationalen Grenzen hinweg, durch eigene Flotten verteilt, von übernationalen Gesellschaften, die mutiger sein können als nationale Regierungen, die den Rohstoff brauchen. In der geschichtlichen Entwicklung ist diese Globalisierung richtig und unausweichlich. Wieder eine Erinnerung an Emery Reves. Die multinationalen Gesellschaften folgen ihrem legitimen Prinzip, Gewinne zu machen und Einfluß auszudehnen. Sie stellen eine ungeheure Macht dar und werfen für den Demokraten die Frage nach der Gegenmacht auf. Diese Frage ist bisher nicht beantwortet.

Daß Brandt Spannkraft und Spaß am Regieren wiedergefunden hatte, erwies sich spätestens auf dem Rückflug von Ägypten. Er wollte die Regierung umbilden, wir bastelten die neue Kabinettsliste und skizzierten die Linien der Regierungserklärung unter dem Arbeitstitel »Neuer Schwung für Europa«. Es war wie in alten Zeiten. Ich entwickelte ihm das Konzept, daß bis Ende 75 das erste Teilabkommen zur Truppenentflechtung geschaffen und schon am Ende dieses Jahres die Lufthansa nach Berlin gebracht werden könnte. Als wir landeten, amüsierten wir uns über das große Aufgebot zum Empfang; denn so bedeutend sei die Reise gar nicht gewesen. Als wir ausstiegen, ging Genscher auf den Kanzler zu, und Horst Grabert nahm mich beiseite: »Heute früh haben wir Guillaume verhaftet. Er hat schon gestanden.«

Der Rest ist bekannt. Mir fiel ein, daß Ehmke mich nach meinem Rat gefragt und ich ihm nach Einsicht in die Akte auf einem Zettel mit der Hand geantwortet hatte, vielleicht tue man dem Mann unrecht, aber bei der Sensibilität des Kanzleramtes wäre es besser, Guillaume anderswo zu beschäftigen. Ich hatte das vergessen, bis Guillaume auftauchte. Ehmke, daraufhin befragt, antwortete, er habe – auch durch den Zettel – veranlaßt, Guillaume so durch die Mühlen zu drehen wie keinen anderen vorher und nachher, und ihn eingestellt, da sich nichts Verdächtiges ergeben hatte. Der Zettel lag noch bei den Akten.

Grabert teilte mir den unbestätigten Verdacht mit, Guillaume habe mit meiner zweiten Sekretärin »angebandelt«. Als ich das Büro betrat und sie mich ansah, wußte ich, daß es so gewesen war. Die direkte Frage beantwortete sie sofort und weinte: Männer hätten sich wenig für sie interessiert. Sie habe Guillaume nichts verraten, »aber die Schande«. Mein Versuch, ihr Mut zu machen, hielt nicht. Wenige Monate später nahm sie sich das Leben.

Ich stellte fest, daß Guillaume erst ins Amt gekommen war, nachdem die Verhandlungen über den Grundlagenvertrag abgeschlossen waren. »Die Kirsche« hatte ihm instinktiv erklärt, in diesem Büro habe er nichts verloren, und mir war seine beflissene liebedienerische Art auch nicht sympathisch.

An einem der nächsten Abende in Brandts Wohnung besprachen wir zu dritt, mit Gaus, noch den Neuanfang auch in der personellen Struktur des Kanzleramtes, aber ich bekam das Gefühl, ohne das auch nur auf ein einziges Wort beziehen zu können, daß im Innersten des Freundes Resignation keimte. Am Tag des Zweifels, in seinem Amtszimmer, riet ich zum Rücktritt: »Sie werden dich jagen und in sechs oder acht Wochen zum Rücktritt zwingen; nur jetzt bestimmst du noch das Gesetz des Handelns.« Ich war überzeugt, daß der Freund nur durch diesen Schritt vor der Zerstörung oder Selbstzerstörung bewahrt werden könnte, obwohl mir der tiefe Einschnitt absolut bewußt war: Ohne Brandt würde niemand mehr die Entspannung aus der Mitte Europas vorantreiben; Bonn würde stärker in eine reagierende und begleitende Rolle zurückfallen, mindestens für die nötige Zeitspanne, bis sich das Gespann Schmidt/Genscher in den neuen Sätteln sicher fühlte. Der Mensch mußte vorgehen; ihn für die Politik zu opfern und in einen Kampf zu drängen, dessen fataler Ausgang sicher schien, war eine schauderliche Vorstellung.

Auch heute noch glaube ich, richtig geraten zu haben. Das Moment der eigenen Entscheidung mag Brandt auch 1987 bei dem von mir nicht erwarteten Rücktritt vom Parteivorsitz wieder eine wichtige Rolle gespielt haben. Auch in bedrängtester Lage nicht zum Objekt anderer zu werden, war nach einem schon langen Leben ein Kern der Persönlichkeit und der Selbstachtung Willy Brandts. So wurde der Rücktritt zu einem seltenen Beispiel, was letzte Kanzlerverantwortung bedeutet, obwohl andere durch Amt und Rat eine nähere unmittelbarere Verantwortung trugen. Der Rücktritt war die Quelle einer Erholung, die Brandt einen neuen Abschnitt seines Lebens aus eigenem Recht eröffnete – der Nord-Süd-Dimension. Außerdem wäre eine fruchtbare Zusammenarbeit mit Genscher gar nicht sicher gewesen, nachdem der willensstarke Scheel wenige Tage später zum Bundespräsidenten gewählt worden war. Nachträglich könnte es scheinen, als habe Brandt durch seinen Rücktritt der neuen Führungsspitze der Bundesrepublik den Anfang erleichtert.

Breschnew hatte zu denen gehört, die Brandt gedrängt haben, im Amt zu bleiben. Er ließ über den Kanal Rat und Ermutigung übermitteln, empfand es fast als persönliche Beleidigung, daß Honecker nach der direkten Kontaktaufnahme zwischen dem Kreml und dem Kanzler seinen Spion nicht entfernt hatte, und würde das nicht verzeihen. Am Tag nach dem Rücktritt ließ er Slawa anrufen, und ich machte folgenden Vermerk darüber am 7. Mai 1974: »Der Generalsekretär ist von dem Entschluß zum Rücktritt überrascht worden. Er hat auf einer offenen Leitung, noch von seiner Wohnung her, telefonisch nach Ostberlin gesagt, er könne diesen Schritt absolut nicht verstehen. Auf der anderen Seite könne er nicht ausschließen, daß der Kanzler recht habe. Aber es gebe höhere Ziele, die man unbedingt verfolgen solle. Jeder könne jede Minute einen schweren Schlag bekommen, von welcher Seite auch immer. Aber wir sollten uns das nicht so zu Herzen nehmen; die Geschichte werde uns nicht nach Empfindungen, sondern Taten beurteilen. Er sei überzeugt, daß dies alles vorbeigehen werde, was jetzt solchen Wirbel verursache. Der Rücktritt sei ein schwerer Schlag für die Politik des Friedens. Er hoffe, daß sich die Situation in einigen Monaten ändern werde. Es täte ihm sehr leid. Der Rücktritt werde die europäische Politik, aber auch die Weltpolitik schwerer machen. Es sei ein großer Schlag. Es sei auch für ihn ein schwerer Schlag. Es sei ganz unerwartet.

Er habe frei gesprochen, sehr emotional, und habe dann schrecklich auf Honecker geschimpft. Dies würde nicht ohne Folgen bleiben.

Auf die Frage des Übermittlers, was er dem Generalsekretär mitteilen könne, habe ich gesagt, der Bundeskanzler lasse danken und erwidere den Gruß. Er sei überzeugt, gehandelt zu haben, wie es notwendig und richtig war. Er resigniere nicht und wolle als Parteivorsitzender für seine Politik weiterarbeiten.

Auf die Frage nach meinen eigenen Vorstellungen habe ich erwidert, daß ich bis 1976 das Mandat ausüben und während dieser Zeit überlegen wolle, was ich danach täte. Der Gesprächspartner äußerte sein persönliches Verständnis dafür, wies aber nicht ohne Erregung darauf hin, daß es drei Namen gebe, die für eine neue Ära in der europäischen Politik stünden: Brandt, Scheel und Bahr. Man werde sehr genau beobachten. Wenn alle drei gingen, dann werde das Konsequenzen haben, ›keine guten für Ihr Land‹. Der Generalsekretär kenne Herrn Schmidt nicht, aber er könne es sich nicht vorstellen, daß man das erworbene Kapital an Vertrauen einfach wegschmeiße.

Es hätte die neuen großen Vier gegeben für die Politik der Entspannung; Pompidou sei tot, Brandt zurückgetreten, Nixons Schicksal ungewiß, Breschnew sei allein. Ohne die Fortsetzung seiner persönlichen Bindungen zu Deutschland sei es schwer, sich vorzustellen, was alles passieren mag.

Ich habe gesagt, daß ich sicher sei, der Bundeskanzler werde seinen Nachfolger über diese besondere Verbindung unterrichten. Der neue Kanzler müsse dann entscheiden.«

Zwei Tage später gab Brandt seine Antwort, die ich, wie gewöhnlich, entwarf. (Der korrigierte Entwurf ist im Fototeil reproduziert.) Weniger als eine Woche darauf schrieb der Kremlchef sehr ausführlich unter anderem (nach der inoffiziellen Übersetzung):

»Mit Bedauern habe ich die Nachricht von Ihrem Entschluß erfahren, Ihre Funktion als Bundeskanzler der BRD niederzulegen. Ich gebe zu, dieser Ihr Schritt kam für mich ziemlich überraschend. Anscheinend haben Sie ihn unternommen, von Interessen geleitet, weiterhin der Sache zu dienen, für die Sie als Bundeskanzler soviel Kredit und Energie ausgegeben haben. So oder so, Sie allein waren kompetent genug zu urteilen, wie man in der entstehenden Lage zu handeln hat.

In diesem Zusammenhang möchte ich nur betonen, daß Sie in der Sowjetunion nach wie vor ein großes Ansehen genießen als der Mann, mit dessen Namen eine entschlossene Wende zum Besseren in den sowjetisch-westdeutschen Beziehungen, in den Beziehungen der BRD zu den sozialistischen Staaten verbunden ist. Man kann ohne Übertreibung sagen, daß, je weiter wir davon entfernt sein werden, desto eindrucksvoller wird sich der Stellenwert dieser Leistungen offenbaren ...

Ich würde nicht sagen, daß Sie und ich immer eine freie Fahrbahn vor uns gehabt haben. Es gab nicht wenige Schwierigkeiten. Sie und ich, wir wissen es wie kein anderer. Ein Gebäude auf einem von Trümmern überschütteten Bauplatz zu bauen, ist vielfach schwieriger als auf einer planierten Platte ...

Im Ergebnis der gemeinsamen Anstrengungen stehen jetzt die Beziehungen der UdSSR und der BRD auf einem sicheren Fundament ... Unsere Zusammenkünfte, in deren Verlauf Kardinalfragen der bilateralen Beziehungen und viele aktuelle internationale Probleme im Geiste der Aufrichtigkeit und des Vertrauens besprochen wurden, waren immer von konstruktivem Charakter. Ich denke gerne an diese Begegnungen zurück. Rein menschlich möchte ich Ihnen sagen, daß mir die Zusammenarbeit mit Ihnen, einem Mann, der in großen politischen Dimensionen wirkt und sich durch Gedankenkühnheit auszeichnet, immer Genugtuung gebracht hat.

Es ist heute eine Tatsache, daß es die UdSSR und die BRD fertiggebracht haben, eine gemeinsame Sprache bei der Behandlung vieler wichtiger internationaler Probleme zu finden... Ich hoffe, daß auch die neue Bundesregierung in ihrer Tätigkeit von gleichen Wertmaßstäben ausgehen wird.

Ich glaube, daß die neue Situation an guten Beziehungen zwischen uns beiden nichts ändern soll. Außerdem ist Ihnen, wie wir verstehen, der Gedanke fern, sich von dem aktiven politischen Wirken zurückzuziehen, und Sie schließen auch die Möglichkeit nicht aus, die Tätigkeit als Staatsmann wieder aufzunehmen. Für uns alle und für mich persönlich ist das eine erfreuliche Erkenntnis. Ich bin immer bereit, mit Ihnen zu diesen oder jenen sich ergebenden Fragen Meinungen auszutauschen.«

Brandt beendete am 7. Juni diesen Briefwechsel fürs erste, der für das persönliche wie sachliche Verhältnis der beiden Männer charakteristisch ist: »Ihren Brief vom 15. Mai habe ich mit großer Genugtuung gelesen. Er war für mich eine Bestätigung für die außerordentlichen Beziehungen, die sich zwischen uns entwickelt haben. Das war nicht einfach; verschiedene Umstände haben dabei mitgeholfen; aber ohne Ihren Mut und Ihre Bereitschaft zu weitsichtigen Konzeptionen wäre nicht zustande gekommen, was sich als ein neuer Abschnitt in der Geschichte unseres Kontinents darstellt.

Sie können sicher sein, daß ich als Vorsitzender meiner Partei alles in meinen Kräften Stehende tun werde, damit die in den letzten Jahren entwickelte Politik fortgesetzt wird. Persönliche Erfahrungen sind kaum übertragbar. Mein Nachfolger im Amt des Bundeskanzlers wird sie selbst machen müssen. Aber man sollte im Interesse der weiteren Beziehungen zwischen unseren beiden Staaten und der Entwicklung in Europa alles tun, damit es gute Erfahrungen sind, die er macht, und damit es ihm leichtfällt, diese Erfahrungen zu machen. Von hier aus geschieht das Nötige.

Sie wissen, daß die Sozialdemokratische Partei Deutschlands für die Bundesrepublik nicht die Rolle spielt wie die KPdSU in Ihrem Lande; Sie kennen die Unvergleichbarkeit der Möglichkeiten, die ein Generalsekretär der KPdSU und ein Vorsitzender der SPD haben; dennoch wird die Rolle wichtiger werden, die die SPD zu spielen haben wird und für deren innere Festigung ich in den letzten Jahren nicht genügend Zeit aufbringen konnte.

Der Schritt des Rücktritts ist mir nicht leichtgefallen. Er war – leider – nötig. Ich hoffe, daß Sie meinen Zeilen entnehmen, daß meine Gedanken nach vorn gerichtet sind und daß ich nicht daran denke zu resignieren. Deshalb bin ich sicher, daß es für uns beide nützlich sein wird, im Meinungsaustausch zu bleiben. Ich freue mich darauf, mit einem Mann weiter zu wirken, der eine Haltung der Aufrichtigkeit und des Vertrauens bewiesen hat.«

10. KAPITEL

Im Kabinett Schmidt

Menschenverachtende Vertröstung

Er müsse es nun machen, hatte Brandt in seinem Amtszimmer zu Helmut Schmidt gesagt. Den begleitete ich die große geschwungene Treppe im Palais Schaumburg hinunter. Er hielt sich, schwer atmend und mit gebeugten Schultern an dem Geländer, als trüge er schon die Last. »Das habe ich nicht gewollt, und ich weiß bei meiner Gesundheit nicht, ob ich es kann.« Bewußt schonungslos antwortete ich: »Helmut, das ist Quatsch. Vielleicht hast du nicht mehr geglaubt, Kanzler zu werden, aber du kannst es und weißt es und wirst es mit ganz neuer Kraft machen.« In seiner kleinen Wohnung in der Schedestraße bastelte Schmidt an der Kabinettsliste. Helmut Rohde war noch bei ihm. Ich saß mit Loki in der Küche und versuchte, ihr die ganz unnötige Sorge zu nehmen, ob sie der Rolle gerecht werden könnte, die Rut so zurückhaltend wie elegant gespielt habe. Als ich »dran« war, eröffnete ich, meinetwegen brauche er sich keine Sorgen zu machen; mit Willy so nahe verbunden, wolle ich ins Glied zurücktreten, zumal es auch persönlich gut sei, Abstand zu gewinnen. »Auch nicht Innerdeutscher Minister?« Dieses Ressort hatte er eigentlich abschaffen wollen. Die Lust, sich politisch zu entmannen, war begrenzt. »Wenigstens weiter Bundesbevollmächtigter in Berlin?« Da klärte ich auf, daß dies eine Aufgabe der Exekutive und nicht eines »Nur«-Abgeordneten sei. Als das ausgestanden war, »enthüllte« ich den Kanal und empfahl, ihn durch einen Mann seines Vertrauens zu erhalten. Schmidts Bitte, dies für ihn zu machen, folgte ich gern.

Leo wurde dem Kanzler vorgestellt und konnte die Versicherung der Kontinuität überzeugend und für Moskau beruhigend unmittelbar hören. Dennoch änderte sich etwas. Mit der Art seines Denkens und seines Stils unvergleichbar weniger vertraut, durfte ich nicht daran denken, für Schmidt zu sprechen, wenn die absolute Verläßlichkeit dieser Verbindung gewahrt werden sollte. Bisher hatte ich für Brandt Briefe an Breschnew geschrieben, die nur wenig verändert oder sogar nur nach seinen Stichworten abgeschickt worden waren. Der Nachfolger mußte seinen anderen und auch unverwechselbaren Ton gegenüber dem Kreml finden und sein persönliches Verhältnis entwickeln. Ich konnte Entwürfe machen, Hinweise geben, aber die neue Handschrift mußte eben auch in Moskau nicht nur lesbar, sondern auch spürbar werden. Eine unausweichliche Folge: Schmidt sah und sprach Leo viel mehr, als Brandt es je getan hatte. Der »Spielkamerad«, wie er ihn nannte, erwies sich als Gesprächspartner, der die Haltung seines Landes intelligent, kooperativ und fest vertrat. »Da irren Sie, Herr Bundeskanzler«, konnte er ohne Schärfe sagen, und sehr viele Menschen gab es nicht, von denen sich Schmidt das sagen ließ, ohne ungnädig zu werden. Das ließ sich gut an. Schmidt konnte durch meine Beteiligung Kontinuität demonstrieren und ein Verhältnis zu Breschnew entwickeln mit dem Wunsch, im Interesse des Landes, in das persönliche Vertrauen hineinzuwachsen, das Brandt sich erworben hatte. Um es vorwegzunehmen: So wurde es nicht; die Dezember-Geburtstage am 18. und 19. von Brandt und Breschnew lagen einander näher als der 23. von Schmidt.

Jedenfalls entwickelte sich eine vertrauensvolle Zusammenarbeit zwischen Schmidt und mir. »Ich habe dich nie kritisiert«, erinnerte er, als wir über seine verbalen Rülpsereien gegen das Kanzleramt sprachen. Nachdem er erfahren hatte, daß ich nicht nur schweigen konnte und seine Offenheit nicht mißbrauchte, sondern wo immer möglich Spannungen zu glätten versuchte, verbarg er auch persönliche Neigungen nicht. Wenn es die Zeit erlaubte, spielten wir Schach, gern und ausgewogen dilettantisch erfolgreich. Ich erfuhr, daß er sich die Kenntnisse internationaler Finanz- und Währungszusammenhänge erst als Finanzminister angeeignet hatte: »Mit etwas überdurchschnittlicher Intelligenz kann man das«, belehrte er mich, weil ich für die Leitung von Finanzen, Justiz und Landwirtschaft entsprechende Ausbildung für nötig hielt.

Der abrupte Verlust von Macht auf der Höhe der Leistungskraft bringt psychische, sogar physische Probleme. Bei einem Besuch Barzels, der im Vorjahr Vorsitz von Partei und Fraktion verloren hatte, schilderte der, daß Kopf und Körper – an dauernde Höchstleistungen gewohnt – gefährlichen Schockwirkungen unterliegen, wenn die Maschine von einem zum anderen Tag fast auf Stillstand gestellt wird. Angst, wie das zu verarbeiten sein würde, war bei Brandt noch verständlicher. Kissinger erkundigte sich bei einem Gespräch in seinem neuen Amt als Außenminister neugierig und besorgt, wie ich damit fertig geworden sei. Ich konnte ihn beruhigen: Nach drei Wochen schon hätte ich fast glücklich empfunden, daß mein Ich unbeschadet geblieben sei und das Amt nicht brauche. Neugierig zu bleiben, sei wohl das Entscheidende; diese Eigenschaft werde er bestimmt auch nicht verlieren.

Ich war gerade lange genug »nur« Bundestagsabgeordneter, um diese kostbare Erfahrung zu machen. Seit 24 Jahren gewohnt, dauernd unter Druck zu arbeiten und selten am Abend alles geschafft zu haben, was eigentlich hätte erledigt werden sollen, fühlte ich mich plötzlich in einem Zustand, der mich zu einem Journalisten bemerken ließ, ich wüßte nicht, was ich am Nachmittag machen solle. Das war ungerecht, verletzend und klang arrogant. Außerdem wollte und sollte ich den Unterausschuß für Abrüstungsfragen leiten; denn das Gebiet der Sicherheit schien der Schlüssel, um »der alten Sache auf neue Weise« zu dienen, wie ich Heinrich Albertz schrieb. »Da hast du ja etwas, was dich für den Rest deines Lebens beschäftigen wird«, meinte Brandt skeptisch. Daß er richtig prophezeit hat, wird von Jahr zu Jahr wahrscheinlicher.

Doch zunächst ergaben sich für fast sieben Jahre zwei Aufgaben, die Sicherheitsprobleme zur Nebenbeschäftigung machten, das Ministerium für wirtschaftliche Zusammenarbeit und der Bundesgeschäftsführer der SPD. Beiden werde ich im Interesse der Hauptsache nicht den Raum geben können, den sie verdienen. Helmut Schmidt und Erhard Eppler waren sich herzlich unsympathisch, und die Herzlichkeit verlor sich rasch, nachdem der eine Bundeskanzler geworden war. Macher und Visionär sind Typenbezeichnungen mit positiven und negativen Seiten, chemisch rein weder in dem einen noch in dem anderen verkörpert, aber ganz überwiegend negativ gemeint, wenn der eine über den anderen sprach. Außerdem interessierte sich Schmidt wenig für die Probleme der Dritten Welt. Eine Unterschätzung der langfristig bedrohlichen

Dimension zeigte sich auch in der distanzierten Art, in der er später den Bericht der Brandtschen Nord-Süd-Kommission behandelte. In »mein« Ministerium entließ mich Schmidt mit der Richtlinie: »Mach, was du für richtig hältst, aber möglichst wenig Ärger.«

Eppler war zurückgetreten, nachdem ihm einige Dutzend Millionen D-Mark in seinem Haushalt gekürzt wurden. Ein Gespräch, in dem ich ihn davon abbringen wollte, überzeugte mich, daß dies nur der Anlaß und nicht der Grund gewesen war. Da meine Motive der Ablehnung, in ein Kabinett Schmidt zu gehen, immer noch galten, hatte mich erst Brandt bewogen, das wiederholte Angebot des Kanzlers anzunehmen. Seine Argumente: Es zeige nach außen Kontinuität und könne intern zwischen Partei und Regierung Reibungen verringern oder verhindern. Er hätte auch sagen können: »Zwischen Helmut und mir.« Die Erfahrungen beider Männer in den folgenden zweieinhalb Jahren haben ihnen jedenfalls gereicht, mich zu drängen, die Nachfolge von Holger Börner anzutreten, als der 1976 den Sessel des Bundesgeschäftsführers in der »Baracke« mit dem des hessischen Ministerpräsidenten vertauschte.

Im Amt stellte ich fest, daß die von mir akzeptierte Kürzung des Haushalts praktisch gegenstandslos war; denn in einem »Chef«-Gespräch mit dem neuen Finanzminister Apel bekam ich rund eine Milliarde Verpflichtungsermächtigungen zusätzlich. Hinter diesem Ausdruck verbirgt sich der Finanzrahmen, innerhalb dessen das Ministerium Zusagen für Projekte machen kann, die ihrer Natur nach nicht in einem Haushaltsjahr »fällig« werden. Wenn die Projekte aber nach Vorbereitung und Prüfung im zweiten oder dritten oder vierten Jahr verwirklicht werden, müssen die dafür vorgesehenen Kosten beglichen werden, selbst wenn damit der in dem betreffenden Jahr angesetzte Haushaltsrahmen überstiegen wird. Nur etwas übertrieben kann man das einfach ausdrücken: Die Verpflichtungsermächtigungen sind für die Arbeit wichtiger als der Haushalt; das Ministerium bestimmt selbst, wieviel es ausgibt, von Jahr zu Jahr, wenn es im Rahmen der Verpflichtungsermächtigung bleibt. Im Herbst ergab sich, daß die Abflüsse so schleppend waren, daß voraussichtlich sogar 300 Millionen weniger ausgegeben würden, als der gekürzte Haushalt vorsah! »Wenn ihr eurem Minister nicht noch nachträglich einen Tritt in den Hintern geben wollt«, spornte ich die Mitarbeiter an, dann müßten sie dafür sorgen, daß es jedenfalls nicht an der Bürokratie liegt, wenn am Ende des

Jahres viel weniger Mittel als vom Bundestag bewilligt verbraucht würden. Wir blieben trotzdem unterhalb der Ansätze.

Die Sachprobleme waren aus der Zeit der außenpolitischen Appetithäppchen vertraut. Während der letzten 15 Jahre waren eineinhalb Dutzend internationaler Organisationen in ein üppig blühendes Leben gerufen worden, ohne verhindern zu können, daß die Probleme wuchsen. Sie sind bei allem guten Willen der Beschäftigten von sehr unterschiedlichem Nutzen und verbrauchen jedenfalls sehr viel Geld. Ein globaler Reformator mit Sondervollmachten wäre wünschenswert, um erfolgreicher als die Rationalisierungs- oder Verschlankungsversuche nationaler Regierungen zu sein. Die meisten dieser internationalen Organisationen sind schon im Augenblick der Geburt der Unsterblichkeit nahe. Es sei denn, die Dritte Welt verschwindet. In meiner Zeit entwickelte sich statt dessen die unterscheidbare Vierte Welt der ärmsten Länder. Und aus dem Ende der Zweiten Welt, den Ostblockstaaten, entstanden nur wenige Länder der Ersten, aber viele, die der Dritten und Vierten Welt zuzurechnen sind.

Denkgewohnheiten und eingefahrene Mechanismen zu ändern, ist ungleich schwerer, als einen großen Tanker umzusteuern. Vor allem ist dazu mehr Zeit erforderlich, als ich zu meinem Bedauern bekam. Im öffentlichen Bewußtsein lag Entwicklungshilfe, soweit davon überhaupt Notiz genommen wurde, ziemlich nahe bei der christlichen Pflicht des Wohlhabenden, mitleidig Menschen in Not zu unterstützen. Der Verdacht, unter Mißbrauch von Steuergeldern habe sich ein Afrikaner ein goldenes Bett gekauft, empörte, während der Begriff angepaßter Technologie die Phantasie nicht beflügeln konnte. Unser Interesse mußte stärker betont werden, das Interesse an künftigen Märkten, an Prävention sozialer Spannungen. Es nützt uns, wenn andere etwas kaufen können, sichert sogar Arbeitsplätze. Ein Handbuch wurde mit den Gewerkschaften herausgegeben, das neben den handfesten Argumenten an die Tradition erinnerte, daß Solidarität nicht an den Grenzen endet. Gleichzeitig erhöhte ich die Mittel für Investitionshilfen besonders für mittelständische Betriebe, die politischen Stiftungen und die Kirchen, die am schnellsten und unmittelbarsten das Geld in kleine Projekte verwandelten, wo sie dringend gebraucht wurden.

Um diese Mittel zu gewinnen, mußte umgesteuert werden: Afrika, der Kontinent vor der europäischen Haustür, sollte ein Schwerpunkt unseres Engagements werden. Hier können die begrenzten deutschen Möglichkeiten ungleich größere Wirkungen erzielen als in Asien mit seinen Milliarden von Menschen. Die Kapitalhilfe für Indien wurde also nicht mehr erhöht, und Indira Gandhi, der ich das erläuterte, war nicht begeistert, aber einsichtig. Es schien mir schon damals widersinnig, den indischen Gesamthaushalt, der höchst eindrucksvolle atomare Technik finanzieren konnte, mit deutschen Millionen zu erleichtern. Das war im Kalten Krieg gegen die DDR zu vertreten gewesen, aber nun brauchten wir nicht mehr durch sie bestimmen zu lassen, wo wir unsere Fahne einziehen oder erpreßbar werden.

Im Gegenteil ging ich der reizvollen Überlegung nach, gemeinsame Projekte mit der DDR in der Dritten Welt zu versuchen. Sie würden die Technik liefern, wir das Geld, Zusammenarbeit zugunsten eines Entwicklungslandes. Das scheiterte, weil Entwicklungsländer unsere Technik wollten und Ostberlin kein Geld hatte. Eine Arbeitsteilung, bei der wir einen Hafen ausbauen, in dem sie ihre Waffen anlanden, kam nicht in Frage. Auch eine andere Vorstellung ließ sich nicht verwirklichen. Daß Entwicklungsländer nicht unbedingt den jeweiligen letzten modernsten Standard unserer Technik brauchen, sondern eine einfache, ihren Bedürfnissen entsprechende, eben angepaßte Technologie, zudem billiger und unanfälliger, wurde damals erwogen. Die Firma Klöckner mobilisierte Ruheständler, die ihre nach dem Krieg erworbenen Fähigkeiten noch nicht vergessen hatten, mit einfachen Mitteln etwas Nützliches zu konstruieren. Das Ergebnis, ein Traktor, der zwar allen Anforderungen, nur nicht den Vorschriften der deutschen Straßenverkehrsordnung gerecht wurde, blieb auf dem Papier. Ein afrikanischer Kollege, dem ich die Zeichnung erklärte in der Erwartung, er würde mich umarmen, wollte ihn nicht haben. Er bestand auf dem letzten Schrei; das Neueste sei gerade gut genug.

So verlor ich jenen Rest europäischer Überheblichkeit, die glaubt, besser zu wissen, was für die Dritte Welt gut oder schlecht ist, und ihre Bedürfnisse bestimmen zu können. Die Achtung vor ihrer Selbstbestimmung und Würde muß ihr Recht respektieren, eigene Fehler zu machen. Europäische Vergangenheit ist zudem keine Geschichte der Unfehlbarkeit.

Das schließt keinen Zwang ein, ein Stahlwerk zu finanzieren, das wir aus wirtschaftlichen Gründen am vorgesehenen Standort für falsch halten, selbst wenn es eine deutsche Firma bauen möchte. Ein Nein schafft auf Dauer mehr Vertrauen, sogar wenn der Unsinn von einem anderen Land gemacht wird. Doch das Gegenteil kann auch stimmen. In Daressalam bot ich Staatschef Nyerere landwirtschaftliche Projekte an. Er winkte ab. Er brauche von den Deutschen nicht zu lernen, wie man rentable Hühnerfarmen schafft, sondern wir sollten die spärlichen Kohlevorräte des Landes erschließen. Auch wenn das teuer wäre und Kohle auf dem Weltmarkt billig sei; er könne sie nicht kaufen und noch viel weniger das teuer gewordene Öl. Das Land gehe pleite ohne eigene Energiebasis. Er war nicht zu widerlegen: Mit jedem Stück importierter Technik finanziere er steigende Löhne und steigenden Lebensstandard in Europa, während er für den Rohstoff Sisal im Export immer weniger einlösen könne.

Auch damit war die eigene Überzeugung nicht widerlegt: Kein Land ist wirklich unabhängig, solange die Bevölkerung sich nicht durch ihre Arbeit ernähren kann. Wer genug Lebensmittel produzierte, um sie exportieren zu können, würde sich jede gewünschte Technik kaufen können, besonders wenn die Zahl hungriger Menschen schneller wächst als die Anbauflächen und Ernten. Der Sudan bot sich an, auf einem mehrere hundert Kilometer breiten Streifen zwischen dem trockenen Norden und dem feuchten Süden in großem Maßstab Getreide zu erzeugen. Das Gebiet hatte gesichert eine mehr als doppelt so hohe jährliche Regenmenge als die von Israel kultivierten Negev-Gebiete. Großfelderwirtschaft, mit Maschinen von wenigen Menschen bearbeitet, entsprach den Gegebenheiten des Landes. Der gesamte Bedarf des Nahen und Mittleren Ostens könnte gedeckt werden und zur Befriedung der Krisenregion beitragen, rechneten wir aus. Der Sudan in seiner geostrategischen Lage nördlich des Schwarzen Afrika und am Südrand der islamisch-arabischen Welt würde reich werden, auch unanfällig gegenüber osteuropäischen kommunistischen Verlockungen (islamischer Fundamentalismus war noch nicht virulent). Bedenken und Widerstand im Ministerium waren beträchtlich, teils berechtigt, teils vorgeschoben. Die Straßen fehlten, auf denen riesige Mengen zu transportieren wären. Auch wenn sie gebaut würden, fehle ein Hafen; denn der einzige, Port Sudan, war jetzt schon verstopft, wie ich mich überzeugen mußte. Also suchten und fanden wir den Platz für einen neuen Hafen.

Viel vorsichtiger wurden dem Minister andere Motive vorgetragen. Ein solches Riesenprojekt barg entsprechende Risiken. Eine große Ruine fällt in der Landschaft mehr auf als kleine Entwicklungsruinen, die es trotz aller Sorgfalt, sie zu verhindern, leider gab. Durften wir uns etwas zutrauen, was weltweite Aufmerksamkeit auf sich ziehen würde? Und noch ein Moment, über das nicht gern gesprochen wurde: Ein großes Projekt erfordert nicht viel mehr Verwaltungsaufwand als ein kleines. Der Apparat des Ministeriums war auf viele kleine und mittlere Vorhaben ausgelegt. Die Mitarbeiter des Hauses setzten sich mit Hingabe für die Idee der Hilfe zur Selbsthilfe ein, die es in anderen Häusern so nicht gab; ganz abzuweisen war die Sorge nicht, da könnten Haushälter im zuständigen Ausschuß auf den Gedanken kommen, Stellen zu streichen; zur Überweisung und Kontrolle der ordnungsgemäßen Verwendung großer Summen braucht man weniger Leute als für die Überwachung vieler kleiner Vorhaben.

Nachdem sich die meisten Ölförderstaaten zum Kartell der OPEC (Organisation erdölexportierender Länder) zusammengeschlossen hatten, wobei Amerika und die Sowjetunion draußen blieben, aber auch von den erhöhten Preisen profitierten, wurde international diskutiert, wie die enormen Gewinne reicher Entwicklungsländer wieder in den finanziellen Kreislauf der industriellen Welt zurückgeführt werden könnten. Recycling wurde ein Modewort. Mein Beitrag bestand in der Idee, daß mit Ölgeld unsere technische Hilfe zugunsten ärmerer Länder bezahlt werden könnte. Ich nannte das Dreiecks-Kooperation. Zwei Jahre nach meinem Ausscheiden aus dem Ministerium »meldete« mir ein ehemaliger Mitarbeiter, die erste Milliarde so finanzierter Projekte sei erreicht. Damals versuchte ich, Saudi-Arabien für das große Sudan-Projekt zu interessieren. Sein Botschafter in Bonn reagierte zurückhaltend, und bevor ich seine Regierung überzeugen konnte, war ich nicht mehr im Amt. Von dem Projekt wurden nur der Hafen und die Straße verwirklicht, die auch ohne die nicht weiter verfolgte Hauptsache bis heute voll genutzt werden.

Durch die vierte Konferenz der Vereinten Nationen für Handel und Entwicklung (UNCTAD) in Nairobi erhielt ich Anschauungsunterricht besonderer Art. Die Wünsche der Entwicklungsländer, eine neue Weltwirtschaftsordnung müsse auf erhöhten garantierten Rohstoffpreisen aufgebaut werden, waren unerfüllbar. Als die Konferenz zu scheitern drohte, wurde eine kleine Arbeitsgruppe gebildet aus derselben Anzahl von Ländern des Nordens und des Südens, die in drei nächtlichen Marathonsitzungen Kompromißformeln erarbeitete. Das Ergebnis würde voraussehbar in Bonn keine Begeisterung wecken, beim Kanzler so wenig wie beim Koalitionspartner; deshalb war ich froh, daß Wirtschaftsminister Friderichs nachkam und das Resultat dann zu Hause mittrug, obwohl er ohne ausreichende Englischkenntnisse kaum mitverhandeln konnte. Die komfortabelste Position hatten allerdings die Chinesen bezogen: Sie konnten Ausflüge machen und erklären, sie würden alles unterstützen, was die Entwicklungsländer annähmen. Als alles fertig war, fiel bezeichnenderweise einem Vertreter der Industriestaaten ein, man müsse noch etwas für die ärmsten der armen Länder machen. Ein solcher Vorschlag hätte einem der durch Öl neureich gewordenen Entwicklungsländer einfallen sollen. Aber Eigennutz ist kein Monopol der Weißen.

In Washington erneuerte ich die Bekanntschaft mit Robert McNamara. Aus dem Herrn des Pentagon, der in kühler Addition von Material und Waffen den amerikanischen Sieg in Vietnam ausgerechnet hatte, war ein Mann geworden, der den Faktor Mensch sah, ohne als Präsident der Weltbank die Beherrschung von Zahlen zu verlieren. Nachdem wir unsere Geschäfte erledigt hatten – ich gehörte von Amts wegen zum Kreis der Weltbankgouverneure –, entwickelte er die Idee, unter der Schirmherrschaft der Vereinten Nationen eine Kommission ins Leben zu rufen, die Vorschläge für eine Verbesserung der Entwicklungspolitik erarbeiten sollte. Dieses immer bedrückender werdende globale Problem erfordere Weitsicht, Beteiligung von Menschen, die Erfahrung mit Macht und Verantwortung in allen Teilen des Globus gesammelt hätten und unabhängig von ihren Regierungen sein sollten. Willy Brandt verfüge über die Autorität, ein solches Gremium zu leiten. Ob ich ihn dafür gewinnen könnte? Brandt zögerte. Seine Haltung zu dem Menschheitsthema hatte dem Ressort unter Eppler einen höheren Stellenwert gegeben, und die Sicht, daß Frieden und Hunger zusammenhängen, war ihm lange vertraut. Er bezweifelte sein notwendiges Fachwissen in einem Kreis von Leuten, die von der Sache viel mehr verstünden. Ich überzeugte ihn mit zwei Argumenten: Zum einen würde das Wissen des Ministeriums zu seiner Verfügung stehen, und ich könne ihm bei der Auswahl von Menschen helfen, zum anderen täte es ihm gut, ein neues Aktionsfeld außerhalb der Landesgrenzen zu gewinnen, anstatt im wesentlichen darauf bedacht zu sein, daß die persönlichen und sachlichen Fäden zwischen Partei und Regierung sich nicht verknäulen.

Bei der Zusammensetzung der Kommission entzog sich die Sowjetunion noch der Mitarbeit. Es gelang Brandt, bei Breschnew wenigstens die Türen zu öffen: Das IMEMO (Institut für Weltwirtschaft und Internationale Beziehungen) in Moskau wurde autorisiert, Sachverständige der Kommission zu empfangen. Wir konnten feststellen, daß diese Wissenschaftler mit dem internationalen Stand der Diskussion voll vertraut waren und Meinungen hatten, die viel fortschrittlicher als die ihrer Regierung waren. Auf diesen frappierenden Unterschied angesprochen, erklärte einer von ihnen, in seinem System brauche es leider mehr Zeit als anderswo, um neue Ideen nach oben zu bringen und durchzusetzen. Das ermutigte mich, im Sommer 1978 in Moskau eine Rede zu halten, von der Georgi Arbatow sagte, solche Töne seien in Moskau noch nicht öffentlich gehört worden. Ich konnte mir erlauben, die Zuhörer mit der sowjetischen Rückschrittlichkeit in Sachen Entwicklungspolitik zu konfrontieren.

Als Brandt seinen Bericht *Das Überleben sichern* Ende 1979 vorlegte, fiel niemandem auf, daß von Demokratie wenig und von Menschenrechten überhaupt nicht die Rede war. Selbst wenn das bemerkt worden wäre, hätte niemand geglaubt, Brandt sei kein guter Demokrat und kein Verfechter der Menschenrechte. Da wird von Friede, Verständnis, Engagement und Solidarität gesprochen und Themen wie Hunger, Bevölkerungswachstum, Energie, Rohstoffe, Handel, Währung, Investitionen und Organisationen behandelt. Die globalen Probleme drängen, unabhängig davon, ob Staaten demokratisch regiert sind. Wenn wir Entwicklungshilfe an die Bedingung etablierter Demokratie geknüpft hätten, wären wir rund 80 Prozent unserer »Kunden« losgewesen. Denen zu helfen, die sich an demokratischen Staaten ausrichten wollen, ist selbstverständlich; doch Versuche, unsere gesellschaftlichen Vorstellungen zu exportieren, sind abzulehnen. Von England und Amerika abgesehen, sind die europäischen Wurzeln einer Demokratie, die auf gleichen und geheimen Wahlen beruhen, nicht sehr alt. Man kann bezweifeln, ob Demokratie der beste Weg für Völker und von Staaten ist, die erst eine Nation werden wollen und ihre ganz anders gewachsenen Traditionen nicht brechen dürfen, wenn schwere Erschütterungen vermieden werden sollen. Was unserer Überzeugung nach die beste, wenngleich immer noch zu verbessernde Regierungsform ist, erweist sich als Ideologie vor dem Hintergrund globaler Probleme, die sich objektiv stellen und nicht warten können, bis die Welt, genauer die Mehrheit der Staaten, demokratisch geworden ist.

Mit den Menschenrechten verhält es sich ähnlich. Aus dem Anspruch auf Leben haben die Vereinten Nationen universale Rechte für die Menschen postuliert. Sie sind auf universale Geltung angelegt, mußten also genügend Raum für unterschiedliche Wertvorstellungen unterschiedlicher Kulturen lassen. Gerade darauf berufen sich Diktatoren und Tyrannen gern und fälschlich. Der Kampf um die Durchsetzung kann wohl erst erfolgreich beendet werden, wenn die Macht des Stärkeren durch die Stärke des Rechts abgelöst wird und eine global einsetzbare Macht diesem Recht Geltung verschafft.

Eine bedeutende Etappe zu diesem Ziel in weiter Ferne stellt der weitgehend verläßliche Rechtsstaat dar, in dem Willkür Ausnahme ist. Franco, der Schah, Deng oder das Apartheid-Regime, durchweg weit von Demokratie entfernt, stehen für Systeme, die für ihre Untertanen verhaßt, aber berechenbar, veränderungsbedürftig sind, aber im ganzen kalkulierbar funktioniert haben. Mandelas Größe hatte sich entfalten können, weil er trotz aller Risiken auf ein Mindestmaß von Rechtssicherheit kalkulieren konnte. Es bedeutete eine qualitative Veränderung nach Stalin und dem Gulag, wenn Sacharow einen offenen Brief an Brandt und Schmidt schreiben konnte. Die gesetzliche Willkür von Todesschwadronen steht eine Stufe unter den auch schrecklichen Brutalitäten auf dem Platz des Himmlischen Friedens, die Kissinger mir gegenüber als geringe Zahl von Opfern im Interesse der Stabilität bezeichnete, gemessen an früheren Ereignissen in der chinesischen Geschichte. Gemessen an unseren Wertvorstellungen klang das zynisch, doch ein Rechtssystem, so sehr die eigene Haltung es auch ablehnt, bleibt immer der Willkür vorzuziehen, dem Chaos sowieso. Es gestattet Anpassung im Kampf um Veränderung.

Die Heuchelei darf nicht verschwiegen werden, mit der die Menschenrechte propagiert, aber einäugig ihre Verletzungen durch Freunde übersehen werden, sofern das für den eigenen Einfluß nützlich erscheint. In solchen Fällen werden Menschenrechte anderen Interessen nachgeordnet. So unbefriedigend es bleibt, kann kaum bestritten werden, daß die Erhaltung des Friedens noch wichtiger ist als die Durchsetzung der Menschenrechte. Das sagt jedenfalls der Verstand, auch wenn das Gefühl rebellieren möchte. Das ist immer noch besser als verletzte Menschenrechte guten Geschäften unterzuordnen.

Wie weit unbedingter Kampf für Menschenrechte in die Irre gehen kann, erfuhr ich durch Wladimir Bukowski. Dieser prominente Dissident war Ende 1976 gegen den chilenischen KP-Vorsitzenden Corvalan ausgetauscht worden. Bald danach bat ich den Bewunderten in mein Büro. In unserem Gespräch kritisierte er nicht nur das sowjetische System, sondern mindestens so heftig unsere Entspannungspolitik. Wir dürften dieses menschenverachtende System nicht hinnehmen. In letzter Konsequenz führe seine Haltung zu der Empfehlung, zum Krieg bereit zu sein und ihn auch zu führen, bemerkte ich, was er ganz ruhig und sachlich bejahte. Zu unser aller Heil ist Washington dem Rat Bukowskis nicht gefolgt.

Selbst Menschenrechte sind nicht gefeit davor, mißbraucht zu werden im innen- wie außenpolitischen Kampf. Da können Fanfarenbläser des Beifalls immer sicher sein. Das ist einfach. Schwieriger, Menschen praktisch zu helfen, ohne sich dessen zu rühmen, weil damit die Möglichkeit weiterer Hilfe verbaut würde. Da soll es denn bis in die Gegenwart schon vorkommen, daß Menschenrechte mit Rücksicht auf die Notwendigkeiten der Innenpolitik als lästige Pflichtübung angemahnt oder öffentlich ihre Verletzung gar nicht erwähnt wird. Das ist unterschiedlich zu beurteilen. Zuweilen ist öffentliches Verschweigen die Voraussetzung für erfolgreiche Diskussion hinter verschlossener Tür, zuweilen ist es Feigheit oder dient dem Interesse, Geschäfte nicht zu schädigen. Unterschiedliches Verhalten gegenüber Freunden und Gegnern, gegenüber größeren oder kleineren Staaten sollte gewogen werden. Gegenüber Israel und Saudi-Arabien fällt das schwerer als etwa gegenüber Chile oder Nicaragua. Einäugigkeit ist auf dem linken wie auf dem rechten Auge möglich. Der öffentliche Druck auf die Regierenden, drinnen wie draußen, bleibt unentbehrlich, ihre ständige Mahnung nötig.

Bevor Carter Präsident wurde, erkundigte sich Breschnew, was von dem Mann zu halten sei. Aber der war auch für Bonn ein unbeschriebenes Blatt. Nach seiner Wahl bekamen wir Sorge. Wenn die Menschenrechte wie eine Keule geschwungen würden, dann entstünde potentiell die Gefahr von Spannungen: mit Washington, weil Bonn, gerade im Interesse der Menschen, leise Töne bevorzugte, aber auch die Gefahr von Spannungen zwischen Ost und West. Aber wer will schon gegen mehr Moral in der Politik sein? Man konnte nachsichtig sein: Auch wenn am Potomac große Töne gespuckt wurden, so würde schon rechtzeitig ein Decrescendo kommen; denn wegen der Menschenrechte würde es auch der Neuling nicht zum Krieg kommen lassen. Umgekehrt wurden solche Töne aus Bonn in Washington als überheblich oder belehrend empfunden und nicht vergessen.

Ich hatte mit der Rückendeckung von Brandt und Schmidt den »Fall Sacharow« über den »Kanal« zu erörtern begonnen, Solschenizyn im Hinterkopf. Nach einigem Hin und Her rückte Leo heraus, den würden seine Leute nie ins Ausland lassen, weil in seinem Gehirn unvergeßlich Geheimnisse der sowjetischen Atomwaffen gespeichert seien. Erkundigungen gab ich dennoch nicht auf, bis Carter mit der vollen Kraft seiner Ehrlichkeit und dem Gewicht seines Amtes Freiheit für Sacharow forderte. Bei unserem nächsten Treffen erklärte Leo: Nachdem nun die oberste Instanz des Westens sich in dieser Weise für Sacharow eingesetzt habe, sei ihm untersagt worden, künftig mit mir den Fall auch nur zu diskutieren. Wir würden ja sehen, wie weit der amerikanische Präsident mit seinem öffentlichen Druck komme. Wenn Elefanten kämpfen, machen kleinere Tiere besser Platz. Jedenfalls kam Sacharow nicht durch Druck Carters, sondern durch Gorbatschow, der von Menschenrechten fast nie sprach, aus der Verbannung in Gorki in die Freiheit Moskaus.

Für viele in der Welt ist unsere Menschenrechtsdiskussion ignorant und einseitig, fast verachtenswert und dabei wirkungslos aus einem anderen Grund. Sie verlangt von anderen Staaten und Gesellschaften, was bei uns verwirklicht ist: Meinungsfreiheit, Sicherheit vor Willkür und eine ganze Menge Rechte des einzelnen gegenüber dem Staat, der verpflichtet ist, die Würde des Menschen, unantastbar, zu achten. Der selbstverständliche Besitz unserer Verfassung ist global blanker Luxus. In der Erklärung der Menschenrechte wird eine Welt gefordert, als höchstes Bestreben der Menschheit verkündet, die »frei von Furcht und Not« ist. Gerade wir Deutsche wissen, was die Freiheit von Furcht wert ist. Doch zu leicht wird die Freiheit von Not übersehen. Sie steht gleichberechtigt neben der Freiheit von Furcht.

Der Mensch lebt eben auch vom Brot. Wer will Menschen übelnehmen, nicht gegen die Furcht zu kämpfen, solange alle Kräfte für den Kampf gegen die Not aufgezehrt werden? Wer kann Menschen, die gegen den Hunger kämpfen müssen, vorwerfen, daß sie nicht für die Freiheit kämpfen? Was nützt das Recht auf Pressefreiheit denen, die nicht lesen können? Das Brecht-Wort »Erst kommt das Fressen, dann kommt die Moral« ist nicht nur deftig, sondern auch weise. Die Freiheit von Not ist global das dringlichere Menschenrecht.

In den zwanzig Jahren, seit ich diese Erkenntnis gewonnen habe, sind die Menschen nicht mehr zu zählen, die sterben mußten, weil sie ihr Recht auf Leben nicht bekamen. An Bilder des Massenelends gewöhnt, wird das Gewissen der Welt müder und verdrängt, daß die Menschenrechte Forderungen der armen Mehrheit an die reiche Minderheit bedeuten. Wer nicht akzeptiert, daß die Erklärung der Menschenrechte nicht nur für die reichen Staaten, sondern auch für die armen Staaten gilt, zerstört eine Grundlage des Friedens in dieser Welt.

Die Konsequenzen aus der Menschenrechtskonvention, die unser Land 1967 ratifiziert hatte, sind irritierend unangenehm. In den kommunistisch regierten Ländern gab es in diesem Sinne keine Not, aber Furcht. In der Dritten Welt überwog die Not die Furcht. Die Industriewelt, aus dem Süden gesehen beneidenswert frei von Furcht und Not, focht laut und tapfer für die Freiheit von Furcht, aber nur leise und eigennützig für das Recht auf Leben. Würden wir wirklich das erste Menschenrecht anerkennen, daß jeder einzelne auf diesem Planeten ein Recht auf Teilhabe an den Gütern dieser Welt hat, Nahrung, Kleidung, Erziehung, Gesundheit, Wohnung, müßten wir die Mittel im Einzelplan 23 – die Nummer im Haushalt des Bundes entspricht dem Gewicht des Ministeriums – dramatisch erhöhen, auf Befriedigung der Grundbedürfnisse konzentrieren und unserer Politik die Aufgabe stellen, aus der internationalen Ethik der Menschenrechte verpflichtende Konventionen zu machen, »die den Ressourcen-Transfer von den Reichen zu den Armen als gültiges Recht etablieren, nicht als System der Bettelei« (Julius Nyerere). Doch auch die Stimmen der Schwachen sind schwach geworden und müde.

Es lag nahe, daß Brandt und ich prüften, wieweit die Erfahrungen der Ostpolitik auf das Nord-Süd-Verhältnis anwendbar waren. Die Methode, unauflösbare Interessengegensätze so weit zu entkrampfen, daß sie nicht durch Anwendung von Gewalt ausgetragen wurden, gehörte gewiß dazu. Nicht weit davon ergab sich die frappierende Feststellung, daß die Kürzung von nur einem Prozent der Rüstungsausgaben genug Geld flüssig machen würde, um alle geplanten Entwicklungsprojekte auf unserem Globus finanzieren zu können; eine deprimierende Erkenntnis, wie schwach die Vernunft ist.

Ich fühlte mich 1976 sicher genug, die bis dahin gesammelten Erfahrungen in zwei Vorträgen vorzustellen, »Die neue wirtschaftliche Entspannung« in Bombay und »Globale konzertierte Aktion« in Tokio. Dabei erinnerte ich an die Erfahrungen, die Deutschland zu Beginn der ersten industriellen Revolution gemacht hatte: Ende des vorigen Jahrhunderts wurde entschieden, wie mit den Forderungen der unterprivilegierten Mehrheit umgegangen werden sollte. Auch damals hatte es die Meinung gegeben, daß mehr Rechte für die Arbeiterschaft, die Abschaffung der Kinderarbeit und Begrenzung der Arbeitszeit zum Zusammenbruch der Wirtschaft führen müßten. An den Achtstundentag oder bezahlten Urlaub wurde noch nicht gedacht. Zunehmende Rechte und Erhöhung der Produktivität kamen wirtschaftlich allen zugute; politisch verhinderte der evolutionäre Reformweg den revolutionären, den Rußland 1917 einschlug. Nun stelle sich ein ähnliches Problem im Weltmaßstab. – Zwanzig Jahre später ist das noch immer so mit dem Unterschied, daß eine Reihe von Ländern die Schwelle der Industrialisierung inzwischen erreicht hat, während die Mehrzahl der Armen noch schwächer geworden ist. Wer von den Informationsströmen der Datenautobahnen zwischen Amerika, Europa und Japan ausgeschlossen ist, bleibt weiter zurück, auch in der Hoffnung auf Zukunft.

Der politischen Entspannung zwischen Ost und West müßte eine wirtschaftliche Entspannung folgen zwischen Nord und Süd. Dafür sollte man sich global darauf verständigen, welche Schritte für die Weltwirtschaft nötig und möglich sind. Mit der Konzertierten Aktion, die alle beteiligten Partner zusammenführt, hatten wir in unserem Land gute Erfahrungen gemacht. 1978 schlug die Brandt-Kommission ein Gipfeltreffen vor, das Orientierungen und Anstöße für künftige Verhandlungen geben sollte. Die Globalisierung der Probleme verlangt globale Mechanismen und globale Regeln, war meine logische Deduktion, deren Verwandtschaft mit der Anatomie des Friedens oder der Vorstellung einer Weltinnenpolitik unverkennbar ist. Ich verstieg mich zu Überlegungen, wie die Bevölkerungsexplosion einzudämmen sei, jener wohl Archimedische Punkt, von dem aus alle gefährlichen Entwicklungen zu betrachten sind. Ohne eine Verpflichtung aller Länder, ihre von den Vereinten Nationen festzulegenden geringeren Geburtenraten in überschaubarer Zeit in eigener Verantwortung zu erreichen, würde es wohl nicht gehen. Das Land, das sich dieser Verpflichtung entzieht, würde den Anspruch auf Hilfe der Familie der Völker verlieren.

Die Vorstellung einer Welt, die globale Regelwerke schafft und mit Druckmitteln durchsetzt, ist nicht berauschend; die Vorstellung einer Welt, die ihre Entwicklung den Regeln des unvermeidbar gewinnorientierten Marktes überläßt, ist unmenschlich.

Erst nach dem Einzug in die Baracke hatte ich eine weitere, überzuordnende Dimension entdeckt. Eines Morgens hatte ich in einer Magazinsendung des Rundfunks den Bericht über ein Buch gehört. Ein emigrierter deutscher Philosoph namens Hans Jonas hätte unter der Überschrift *Das Prinzip Verantwortung* entwickelt, daß die Menschheit nicht länger alles tun dürfe, was sie könne, wenn sie überleben wolle. Es handle sich auch um eine Kampfschrift gegen *Das Prinzip Hoffnung*, in dem ein marxistisch geprägter Philosoph, Ernst Bloch, die technische Entwicklung begrüßt habe, die uns endlich alles zu verwirklichen gestatte, was wir uns je erträumt haben. Jonas verlange eine totale Veränderung menschlichen Denkens und Verhaltens, statt der Sorge für Kinder, allenfalls Enkel, das Bewußtsein der Verantwortung für die nächsten zehn oder fünfzehn Generationen, um denen noch den Raum für eigene Entscheidungen und das Recht auf Geschichte zu erhalten. Zum erstenmal in ihrer Geschichte stünde die Menschheit vor der Aufgabe, die Natur als Grundlage jeden Lebens zu erhalten. Das war so faszinierend, daß ich den Verfasser unbedingt kennenlernen wollte.

Ein kleiner Mann betrat das Zimmer im Waldorf-Astoria-Hotel, mit jungen Augen in einem alten Gesicht. Ich fragte, ob ihm bewußt sei, daß er eigentlich eine Philosophie für die Grünen geschrieben habe. »Was sind die Grünen?« Ganz unvertraut mit der politischen Entwicklung in Deutschland hatte er seine Erkenntnisse gewonnen, in großer Distanz zu den Aufgeregtheiten des Tages und im traditionellen Stil deutscher Philosophen zu Papier gebracht. Seine Analyse sei unwiderleglich; nun müsse er daraus Maximen politischer Anwendung erarbeiten, wozu er sich ganz unfähig erklärte. Der Gefährdung unserer Welt so nahe, blickte er mich weltfremd an, als ich anregte, er müsse nach Deutschland kommen. »Niemand hat mich eingeladen.« Zu Hause schickte ich sein Buch an Brandt und Schmidt als Pflichtlektüre. Erst Hans-Jochen Vogel hat für Aufnahme und Verbreitung von Hans Jonas viel bewirkt.

Eine Revolution der Weltanschauung wird verlangt. Statt sich vor den Gewalten der Natur zu schützen, sie zu beherrschen, soll der Mensch sie bewahren. Macht euch die Erde untertan, ist eine Aufforderung, die allen Parteiprogrammen zugrunde liegt, die vom Denken des christlichen Abendlandes geprägt sind, konservativen wie sozialdemokratischen und kommunistischen. Nur das Wie ist umstritten. Ob dieses fundamentale Umdenken rechtzeitig gelingt, ist zweifelhaft. Die ungleich leichtere Aufgabe, der weiblichen Hälfte der Bevölkerung ihre selbstverständliche Gleichheit im täglichen Leben zu verschaffen, hat die SPD auch nach hundert Jahren noch nicht »erledigt«.

Freiheit, Gerechtigkeit und Solidarität sind die Grundwerte, die im Godesberger Programm formulieren einen Weg aus den Widersprüchen unserer Zeit weisen sollten. Dreißig Jahre später, 1989, wollte das Berliner Programm die Konsequenzen aus den gewaltigen Veränderungen, dem Ende des Kolonialismus, der Entwicklung der Elektronik bis zur Umweltgefährdung ziehen. Weder die deutsche Einheit noch das Ende der Sowjetunion waren in diesem Programm berücksichtigt – untergeordnete Ereignisse in der Dimension des Denkens von Jonas. Nicht ohne Stolz verwies die Partei auf ihre unveränderten Grundwerte, die in einer veränderten Welt Orientierung für Wege aus der Gefahr geben sollten. Ich empfand das als ungenügend, wie ich Brandt schrieb und erläuterte; zu spät, meinte er, nachdem ich mich bis dahin nur um den Sicherheitskomplex gekümmert hätte. Es reiche nicht, »eine lebensfähige Natur« zu erwähnen, auch wenn das ein wichtiger Schritt in die richtige Richtung sei, solange nicht die gesamte Grundorientierung auf die Bewahrung der Natur ausgerichtet wird.

Der fundamentale Grundwert ist die Erhaltung des Lebens. An ihm sind die Ziele des Friedens, einer gerechteren Gesellschaft und der menschlichen Würde zu messen. Diesem fundamentalen Muß sind die Grundwerte unterzuordnen; sie bleiben tauglich zu beschreiben, wie das übergeordnete Ziel verwirklicht werden soll. Deshalb war und bleibe ich der Auffassung, daß das Berliner Programm nicht wie das von

Godesberg dreißig Jahre überdauern wird. Sehr früh im neuen Jahrhundert wird die Sozialdemokratie sich der noch ungenügend durchdachten Aufgabe zuwenden müssen, ihre Vorstellungen für eine bewahrenswerte Welt zu entwickeln, übrigens befreit von ihrer Fixierung auf den Kommunismus. Vielleicht könnte sie, gestützt auf ihre Tradition, die beiden Prinzipien versöhnen, damit Hoffnung, gegründet auf Verantwortung, wieder möglich wird.

Eine kleine Ärgerlichkeit ist zu erwähnen. Ich entdeckte, daß jährlich 150 Millionen D-Mark nach Israel flossen als Haushaltshilfe, ohne jede Kontrolle oder Prüfung, ob das Geld für die Entwicklung des Landes oder Waffenkäufe verwendet wird. Im Grunde verstießen wir damit gegen jede Vorschrift. Ich hatte nichts gegen Wiedergutmachung oder Hilfe für Israel, wohl aber gegen die Tarnung im Haushalt des BMZ. Durchgesetzt habe ich mich nicht. Erst 1995 wurde vereinbart, daß diese unveränderten 150 Millionen D-Mark jährlich projektgebunden, also normal behandelt werden im Zusammenhang mit der erhofften Normalisierung der Entwicklung zwischen Israelis und Palästinensern.

Bei einer allfälligen Überprüfung unserer gesamten Außenbeziehungen nach dem Ende des Ost-West-Konflikts sollte gewiß überlegt werden, Entwicklungshilfegelder allen Ländern zu streichen, die mit der Atomspaltung umgehen, sei es auf dem zivilen oder dem waffenfähigen Sektor. Es ist grotesk, wenn Deutschland Entwicklungshilfe an Indien leistet und aus Indien Chips bezieht oder gar China in den Kreis der Empfängerländer eingereiht hat. Der Entschluß, unsere begrenzten Mittel für die Ärmsten der Armen zu reservieren, ist global sinnvoll, könnte vielleicht in Europa Nachahmer finden und hätte fühlbare Auswirkung, wenn die Europäische Union zu einer ähnlichen Haltung zu bewegen wäre.

Viel ist durch Entwicklungshilfe geleistet worden. Ein Gefühl des Scheiterns leitet sich aus der bitteren Tatsache ab, daß die Industrieländer das Gegenteil des Ziels erreicht haben, das sie sich selbst gesetzt hatten: Die Reichen sind reicher, die Armen ärmer geworden. Die Probleme, die ich vor vierzig Jahren kennengelernt hatte, gibt es noch immer, nur die Ziffern sind, zum Teil erschreckend, gewachsen: Hungertote und Geburten, Kriege und die vor ihnen Fliehenden; schließlich die Zerstörung der Umwelt. Erschreckende Feststellung: als ob es den Ost-West-Konflikt nicht gegeben hätte. 1976 waren Untergangsszenarien noch selten. Vor 20 Jahren war das Ozonloch noch nicht entdeckt, das ich nur als Beispiel für die friedliche Selbstzerstörung der Menschheit nehme. Hinter diese Gefährdung könnte das ältere Problem der Menschen in den Entwicklungsländern zurückgestellt werden, wie schon einmal beim Ost-West-Konflikt geschehen. Doch eine neue schauerlich-menschenverachtende Vertröstung wird sich die Welt nicht leisten können, wenn Rebellionen oder Eruptionen derer vermieden werden sollen, die ihr Recht auf menschenwürdiges Leben einfordern.

Verzweiflung wäre erklärlich, aber nicht erlaubt, wenn das Kommen und Gehen der Konzepte verfolgt wird, durchweg außerstande, die alten Probleme zu lösen, bevor die neuen auftauchen. Kohäsion und globale Strukturpolitik sind die neuen Begriffe. Die Konferenz für Umwelt und Entwicklung in Rio 1992 hat den Begriff der globalen menschlichen Sicherheit geprägt. Er umfaßt die komplexe Aufgabe, Entwicklungshilfe hinter sich lassend wie ein Düsenflugzeug einen Doppeldecker. Die Wahrscheinlichkeit, daß aus dem richtigen Begriff eine erfolgreiche Politik wird, ist gering, solange nicht der qualitative Sprung gewagt wird und gelingt, an die Stelle globaler Deklarationen Schritt für Schritt globale Regeln zu setzen, gleichermaßen gültig für alle Staaten dieser einen Welt.

Vergleiche

Nur mit großer Vorsicht darf das Gebiet des Unausgesprochenen betreten werden. Es ist ein Wagnis, Gefühle, Schwingungen, Motive zwischen Personen in Worte zu fassen. Anspruch auf Objektivität kann kaum erhoben werden. Welche Rolle das Unausgesprochene für politisches Verhalten spielt, ist die Einschätzung des Zeitzeugen. Ihrer Natur nach fehlt sie in den Akten. Als ob allein die Sachlichkeit für sachliche Entscheidungen den Ausschlag gibt und die beteiligten Menschen frei von Neigungen und Abneigungen sind. Sehr vergröbert wird nach der »Chemie« gefragt, die stimmiges oder unstimmiges Verhalten von Handelnden vielleicht erkläre.

Chemie ist nicht parteigebunden. Ob zwei Menschen miteinander »können« oder nicht, beantwortet ihre Psyche und nicht ihre Parteizugehörigkeit. Verwandte politische Auffassungen können verwandten Seelen helfen, daß unterschiedliche Überzeugungen durch ähnliche Empfindungen gemildert werden, während unversöhnliche Charaktereigenschaften auch nicht durch gleiche parteipolitische Bindungen zu harmonisieren sind. Die Psyche ist stärker, als zugegeben wird und der Öffentlichkeit bewußt ist. Der Einfachheit halber nenne ich das existierende, schwer zu fassende Geflecht von Schwingungen den »Faktor S«.

Daß Brandt vermied, in seinem alten Amtszimmer mit dem Nachfolger zu sprechen, war verständlich. Er suchte ihn im neuen Kanzleramt auf und ließ seinen Blick über die Einrichtung eines noch geschichtslosen Zimmers schweifen, in das er hatte ziehen wollen oder sollen; denn sein Herz hing nicht an dem Neubau. Im Vergleich zum Elysée, dem Kreml, der Downing Street Nr. 10, der Hofburg, sogar dem Oval Office ist er ein Symbol der Bundesrepublik: traditionslos, zweckmäßig, modern, perfekt und gar nicht provisorisch. Die passende Veredelung durch die Plastik von Henry Moore fehlte noch. Den Inhalt des abendlich entspannten Gesprächs habe ich vergessen, nicht aber die Bemerkung, die dem neuen Kanzler sehr menschlich aus der Seele zu kommen schien: »Nach den wenigen Wochen im Amt muß ich dir, Willy, manches abbitten. Ich werde kaum mit dem fertig, was ich hier zu erledigen habe. Die Doppelfunktion als Kanzler und Parteivorsitzender hätte ich nie geschafft.« Daß Schmidt damit schmeicheln wollte, glaube ich nicht, und ich zweifle nicht, daß Brandt diese Äußerung nicht vergessen hatte, wenn Schmidt später seinen Fehler bedauerte, nicht auf eine Personalunion von Parteivorsitz und Kanzlerschaft gedrängt zu haben. Doch wer dürfte den Faktor Zeit und dadurch zuwachsende Erfahrungen übersehen für den »Faktor S«? Als Bundesminister hatte Schmidt den Kopf geschüttelt, wenn Brandt am Ende einer Kabinettssitzung fragte, ob da jemand einen Witz wisse. Der hanseatische Preuße empfand das offenbar irgendwie als unpassend. Nach wenigen Wochen Mitgliedschaft im Kabinett Schmidt hörte ich den Chef überraschend fragen: »Kennt hier noch jemand einen guten Witz?« Aber eigentlich war es gar nicht überraschend, daß sachlicher Dauerdruck in gleicher Weise nach einer entspannenden Atmosphäre durch befreiendes Lachen suchte.

Die Kabinettssitzungen wurden kürzer, was in den Zeitungen lobend hervorgehoben für Brandt nachlesbar war. Schmidt zeigte eine Fülle von Detailwissen auf sehr vielen Gebieten und zog es vor, seine dazu gebildete Meinung am Anfang kundzutun. Soweit sie mit der des Ressortministers insgesamt übereinstimmte, kürzte dieses Verfahren die Schlußfindung wohltuend. Wenn der Fachminister eine abweichende Auffassung vertrat, ergaben sich Spannungen, die unterschiedlich gelöst wurden. Gegenüber sozialdemokratischen Kollegen drückte der Kanzler oft seine Meinung durch, die Richtlinienkompetenz im Alltag nutzend, was sich gegenüber Kollegen des Koalitionspartners meistens verbot. So fühlten sich Sozialdemokraten als Staatssekretäre behandelt im Gegensatz zur respektierten Eigenverantwortung ihrer FDP-Ministerkollegen. Brandt liebte es, alle Ressortchefs ihre Sache vortragen zu lassen, bei der Einführung des Tagesordnungspunktes seine Neigung allenfalls vorsichtig anzudeuten und erst nach einer allgemeinen Diskussion das gemeinsam Erreichte als Beschluß zu formulieren, der nicht mehr umstritten war, auch kaum noch Bauchschmerzen machte.

Er dachte auch nicht daran, seine Methode der längeren Leine, mit der er die Sitzungen des Parteivorstands leitete, zu ändern. Was für den Kanzler »Palaver-Veranstaltungen« waren, zu oft Zeitverschwendung, wenn er an die unerledigten Papierberge auf seinem Schreibtisch dachte – trotz der zwei dicken Mappen, die er sich nachtragen ließ, zügig bearbeitete, unbeirrt von plätschernden Platitüden, durch sie scheinbar gelangweilt –, war für den Vorsitzenden notwendige Integration der Partei im Interesse der Regierung. Beide führten, der eine geschäftsmäßig, der andere kollegial. Der eine empfand sich als Generaldirektor der Firma Bundesrepublik und verlangte von sich selbst das erstklassige Management eines leitenden Angestellten; der andere, instinktbegabt mit Antennen für kaum wahrnehmbare Möglichkeiten und Tendenzen, wollte überzeugen, gewinnen, möglichst viele Menschen einbeziehen und zu einem Konsens führen. Der »Faktor S« bestimmte ihren unterschiedlichen Stil, dessen Schwächen der eine beim anderen sah und erkennen ließ, daß er sie sah. Brandt konnte auch Kanzler sein, Schmidt wohl nicht Parteivorsitzender. Wenn man die Stärken beider kombinieren könnte, müßte eine unschlagbare Mischung herauskommen, phantasierte ich einmal dem befreundeten schwedischen Botschafter Backlund vor. »Um Gottes willen, das gäbe einen Napoleon. Einer war schon genug für Europa«, lautete das fröhlich-entsetzte Echo. Die Solidarität, mit der die beiden Sozialdemokraten zusammenstanden, trotz fortdauernder gegenseitiger Reserven, fiel nicht immer leicht. Die nötige Disziplin brachten beide auf.

Bis zuletzt. Als bekannt wurde, daß Brandt seine Erinnerungen schreibt, gab er mir eines Tages einen Brief von Schmidt zu lesen. Ich verstand ihn so: »Der möchte Frieden und wirbt, daß ihr euch gegenseitig nichts tut.« Willy nickte, und ich schmunzelte über zwei Helden, die sich schon zu Lebzeiten auf Denkmalssockel versetzt sahen und bestrebt waren, die nicht zu beschädigen. Es lebe der »Faktor S«! Auch mit zunehmendem Alter sterben die Schwingungen nicht, nur die Leidenschaft nimmt ab.

Die Gründungsväter der sozial-liberalen Koalition standen sich trotz aller unterschiedlichen Interessen ihrer Parteien gefühlsmäßig näher als Schmidt und Genscher. Ihre Gene enthielten erkennbar mehr Freude an der Leichtigkeit des Seins und Spurenelemente freundlich-skeptischer Erwartung, wie ihre Nachfolger es wohl machen würden. Denen Gefühlsarmut zu bescheinigen, wäre ganz falsch, sie sendeten nur weniger Signale, den »Faktor S« betreffend. Schmidt brummte, den Genscher hätte ihm schließlich Willy beschert, und Genscher entwickelte insgesamt ein größeres Gewicht gegenüber Schmidt, als Scheel gegenüber Brandt es versucht hatte. Wenn sozialdemokratische Mitglieder des Koalitionskreises etwas erstaunt zur Kenntnis nahmen, daß Genscher sich mehrfach persönlich gegen Schmidt durchsetzen konnte, so ergab sich aus der Summe solcher kleinen oder mittleren Ereignisse auch politisch eine Gewichtsverschiebung. Während der Ägide Brandt/Scheel hatte sich das ätzende Wort noch nicht eingebürgert, wonach der Schwanz mit dem Hund wedle. Beiden Parteien war nicht schlecht bekommen, was Schmidt für eine zu weiche Führung hielt. Ob eine kühlere geschäftsmäßige Gangart erfolgreicher sein würde, mußte sich erst noch zeigen.

Die Richtlinienkompetenz des Kanzlers ist dort zu Ende, wo der unentbehrliche Koalitionspartner nein sagt. Dieses Wissen reichte Brandt, um sein Verfassungsrecht in der hintersten Schublade abzulegen, allenfalls nur einmal brauchbar im Fall einer großen Krise am Vorabend des wahrscheinlichen Koalitionsendes. Schmidt erprobte mehrfach, wie weit er gehen konnte, testete die Belastbarkeit der Nerven seines Partners in dem Willen, seine Führungsfähigkeiten voll auszuschöpfen. Das neue Klima erwies sich wie geschaffen, um die Fähigkeiten Genschers voll zur Entfaltung kommen zu lassen. Seine Geschmeidigkeit war der Entschiedenheit Schmidts überlegen, nicht immer, aber oft genug für den »Faktor S« bei beiden.

Der Kanzler war aus Saudi-Arabien zurückgekommen. Eine engere Zusammenarbeit mit dem ölreichen Land konnte interessante Perspektiven eröffnen. Nicht förmlich, aber doch erkennbar erwarteten die Saudis Lieferungen deutscher Waffen, insbesondere moderner Panzer. Genscher drückte sein Unbehagen sehr vorsichtig aus. Schmidt insistierte, er habe das in Aussicht gestellt, sei nicht förmlich, aber doch mit seinem Prestige als Kanzler engagiert. Ich machte darauf aufmerksam, daß Panzerlieferungen in ein Spannungsgebiet der Beschlußlage der SPD widersprechen und großen Krach auslösen würden. Genscher gab eine Probe seines Könnens und schlug vor, die Sache zurückzustellen, bis die Freunde von der SPD das intern geklärt hätten. Er hatte seine Position durchgesetzt – das Thema Panzer für Saudi-Arabien war beendet –, besorgt um die Innereien des Partners und gesichtswahrend für den Kanzler.

Ich habe zu meiner Zeit in Bonn keine größere taktische Meisterschaft erlebt. Man hätte beobachten mögen, wie er mit Adenauer umgegangen wäre. Bis er Außenminister wurde, hatte die Bundesrepublik keinen besseren Innenminister gehabt. In den folgenden Jahren verfestigte sich mein Eindruck, daß Genscher seine Außenpolitik zu sehr in den Dienst seiner innenpolitischen Interessen stellte. Damit meine ich nicht nur die Pflege seiner Medienpräsenz, die im Amt den Spott umgehen ließ, der Fernsehtermin sei ihrem Minister zuweilen wichtiger als die Sitzungsteilnahme. Bisher hatten sich alle Außenminister einer scharfen Opposition gegenübergesehen; bei Brandt gab es eine Opposition in der Koalition. Genscher gab sich Mühe, der erste Außenminister zu sein, der zur jeweiligen Opposition ein gutes Verhältnis kultivierte. Er deutete Distanz zum jeweiligen Partner an. In der Koalition mit der SPD begann er zum Behagen der Union über die Notwendigkeit einer »realistischen Entspannungspolitik« zu reden, im Grunde beleidigend für diejenigen, die ihre Wirklichkeitsnähe durch die Ergebnisse bewiesen hatten. In der Koalition mit der CDU begann er zum Behagen der SPD, die »Kontinuität der Entspannungspolitik« zu betonen. Die Verurteilung seines Wechsels zu Kohl wurde milder, je verläßlicher er die

Grundlinien der Ostpolitik bewahrte, auch wenn Genscher kein potentieller Partner mehr für einen Wechsel war, der nur einmal in einem politischen Leben möglich ist, wie er wußte.

Persönliche, innen- und außenpolitische Interessen weitgehend deckungsgleich zu machen, ist eine unentbehrliche Fähigkeit; was daraus wird, auf der Skala zwischen Opportunismus und Staatskunst, entscheidet das Individuum durch die Priorität, die es jeweils leitet.

Zum Jahresende 1981 kam der Generalsekretär der FDP zum Bundesgeschäftsführer der SPD mit der Sorge, die Koalition sei ernsthaft gefährdet, wenn es nicht gelinge, das Verhältnis zwischen Schmidt und Genscher einigermaßen in Ordnung zu bringen. Ich beruhigte Günter Verheugen, nach den Feiertagen, wenn alle Beteiligten sich ausgeschlafen hätten, würde eine in der Tat notwendige Entspannung eintreten. Die Hoffnung trog. Nun sollen und dürfen die politischen Spannungen, die zum Bruch der Koalition führten, nicht verkleinert werden, aber daß Genscher den Ausdruck seiner »Verehrung für Brandt« auch für Schmidt benutzt, ist unvorstellbar. Ob die Koalition hätte gerettet werden können, wenn die Wellenlängen von Kanzler und Vizekanzler »gestimmt« hätten, ist eine müßige Frage; für das Ende dürfen sie jedenfalls nicht unterschätzt werden.

Nachdem Genscher 1985 die Bürde des Parteivorsitzenden losgeworden war, profitierte die deutsche Außenpolitik von der Konzentration des Ministers auf sein Amt. Es war zu spüren, daß er weniger der Partei und mehr dem Land diente. Sein immenses Talent verschaffte der Bundesrepublik zusätzliches Gewicht und Ansehen und, nun auch gestützt auf Erfahrung, Einfluß, der unsere Souveränitätsmängel vergessen machte. Er fühlte sich auch sicher genug, die früh erkannten Chancen, die sich durch Gorbatschow ergaben, gegen Widerstände und Zweifel in Amerika zu behaupten, auch wenn das als Genscherismus diskreditiert werden sollte. Sein Ziel fand er, als sich Gelegenheit bot. Das jahrelang gepflegte Netz von persönlichen und vertrauensvollen Verbindungen funktionierte, als es gebraucht wurde. Der völkerrechtliche Teil der deutschen Einheit mit mancherlei verbalen und sachlichen Balanceakten auf dem Hochseil wäre ohne ihn nicht denkbar gewesen.

Seltsam, daß ihn sein Instinkt im Stich ließ und er auf die Anerkennung Sloweniens und Kroatiens drängte, nachdem wir unsere völkerrechtliche Souveränität erreicht hatten. Vorher wäre ihm das wohl nicht passiert, den Partnern eine Zustimmung abzuringen, sich danach darauf berufen zu müssen und ihnen dennoch um Stunden zuvorzukommen. Das Ziel, den Frieden zu erhalten, wurde, wie von internationalen Kennern befürchtet, nicht erreicht, und der ganze Vorgang hat manche Freunde darüber nachdenken lassen, ob denn dieses Vorgehen als Muster für die neue Außenpolitik des vereinigten Deutschlands zu verstehen sei. Daß die Mehrheit der SPD ihn bei dieser ersten selbständigen Aktion nach der Einheit stützte, kann man in der doppelten Tradition sozialdemokratischer Fehler oder Genschers Fähigkeit sehen, sich die Zustimmung der Opposition zu sichern.

Der Rücktritt im Mai 1992 enthob ihn der Notwendigkeit, ein Konzept für die deutsche Außenpolitik in einer veränderten Welt zu entwickeln. Ob der richtige Rat befolgt wird, daß europäische Stabilität nicht ohne echte partnerschaftliche Einbeziehung Rußlands erreichbar ist, bleibt offen. Daß Deutschland, statt über seine gewachsene Verantwortung zu schwadronieren, darauf achten muß, Gewicht und Rolle nicht zu verlieren, die es sich in den zurückliegenden 25 Jahren erworben hat, drückte er viel sanfter aus, unangreifbar, ohne zu verletzen, unverkennbar genscherisch.

Während andere den »Faktor S« durchleben, erleiden oder genießen, setzt Helmut Kohl ihn ein. Er werde, sagte er mir nach Amtsantritt, die bedingte Selbständigkeit gegenüber Amerika, die Helmut Schmidt betrieben habe, erreichen, weil er die Amerikaner nicht vors Schienbein treten werde. Vor dem ersten Besuch Gorbatschows in Bonn hatte sich der Kanzler meine Einschätzung des Mannes geben lassen; bei der nächsten Gelegenheit erzählte er, wie die beiden ihre Frauen zum Kaffeetrinken geschickt und sich an der Mauer der Rheinpromenade ihre Jugend erzählt hatten. Was an Kindheitserinnerungen wichtig oder berichtenswert geblieben ist, schlägt nicht nur Brücken, sondern sagt etwas über den anderen Menschen und gestattet das fast durchweg beliebte Entkommen aus protokollarischen Zwängen. Das ist angenehm und nützlich. Die Vornamensbasis aktiviert positive Schwingungen, so unterschiedlich Herkommen, Bildung und Charakter auch sein mögen. Unterschiedliche Interessen können die Beteiligten darüber nicht vergessen, aber Gegensätze mildern und Übereinkünfte erleichtern. Selbst wenn daraus nur selten Freundschaft wird – sich Freund zu nennen, hilft auch schon.

11. KAPITEL

Bundesgeschäftsführer

In der Baracke

Auf den Zinnen der Partei zu stehen, zwischen dem Vorsitzenden und dem Kanzler, hatte ich mir niemals erträumt. Nur sehr ungern trennte ich mich von einer Aufgabe, die wie eine gerade begonnene Baustelle aussah, und einem Haus, das seinen Minister behalten wollte. Aber der entsprechende Brief an Brandt half nichts. In die Pflicht genommen, von Brandt wie Schmidt, erklärte ich mich bereit, für eine Legislaturperiode zu dienen; der Bundesgeschäftsführer sollte die Partei vor allem für den nächsten Bundestagswahlkampf vorbereiten und ihn gewinnen helfen. Ich könnte mir danach das Ministerium aussuchen, versprach der Kanzler. Der suchte noch einen Parlamentarischen Staatssekretär, neuerdings Staatsminister genannt, und ich schlug ihm Hans-Jürgen Wischnewski vor. »Glaubst du, daß der das macht?« Dessen Reaktion: »Glaubst du, daß der mich nimmt?« Ben Wisch erfüllte wichtige Voraussetzungen: Als ehemaliger Bundesgeschäftsführer war er mit dem Innenleben und den Notwendigkeiten der Partei vertraut, loyal zu Brandt und außerdem so gebaut, daß er zu den ganz wenigen gehören würde, von denen Schmidt sich auch unangenehme Wahrheiten sagen ließe. Aus dem Juso hatte sich ein Mann mit überaus gesundem Menschenverstand entwickelt, auch mit Bauernschläue, aber ganz unintrigant. Ich begann, in dieser Konstellation eine gute Voraussetzung des Zusammenwirkens zu sehen, um unnötige Spannungen zwischen Partei und Regierung zu verhindern, was nur bedingt gelingen sollte.

Die Vorstellung, mit dem Generalsekretär der CDU, Kurt Biedenkopf, die Klingen zu kreuzen, konnte sogar Spaß machen. Als ich ihn aufsuchte, waren wir uns einig: bei aller sachlichen Schärfe keine Gemeinheiten. Gerade diese kultivierte sein Nachfolger, Heiner Geißler, zu einer Qualität, daß er der einzige politische Gegner wurde, dem ich nicht mehr die Hand geben wollte. Da war die brillante Kälte des CSU-Kollegen Edmund Stoiber vorzuziehen, der nicht verhindern konnte, daß ich einen Prozeß gegen seinen Chef Franz Josef Strauß gewann. Zu Günter Verheugen, dem Vierten im Bunde der Oberfeldwebel ihrer Parteikompanien, entwickelte sich ein persönliches Verhältnis, das mich Brandt gegenüber vermuten ließ: »Wenn die FDP mal platzt, könnte der zu denen gehören, die zu uns kommen.« Verheugen empfand sozial und liberal.

Die neue Aufgabe war Herausforderung nicht nur in dem Sinne, zeigen zu wollen, daß ich sie, obwohl gar nicht auf den Leib geschneidert, befriedigend lösen könnte. Sie konfrontierte ständig mit dem, was Brandt »Mentalhygiene« nannte. Das begann mit der Notwendigkeit der Propaganda, wie Goebbels schon zutreffend verkündet hatte, möglichst simple Sätze auszudenken und zu wiederholen, im Interesse der Werbewirksamkeit, zu der Propaganda, entnazifiziert, inzwischen geworden war. Schwieriger wurde es mit einer anderen Versuchung: Der Grundsatz »right or wrong my country« konnte vielleicht noch vertreten werden; galt er auch für die Partei und – »richtig oder falsch« - ihr Interesse? Wenn daraus treffender »Recht oder Unrecht – meine Partei« würde, dann wären wir auf dem abschüssigen Weg, innenpolitisch aus dem Gegner einen Feind zu machen. Und uns in die Nähe derer zu begeben, die zu ihrem Machterhalt verkünden müssen, daß die Partei immer recht hat. Waren das typisch sozialdemokratische Skrupel, unter denen unsere christdemokratischen Konkurrenten fühlbar weniger litten? Zu weich für das harte Geschäft? Als Kollegen im Präsidium im Vorfeld des Wahlkampfes 1980 nahelegten, nicht zu vornehm zu sein und die Gangart zu verschärfen, tat ich das. Und habe dabei die Gefahr gespürt, nicht mehr ich selbst zu sein. Es tut mir leid, in dieser Phase andere Menschen verbal verletzt zu haben. Daß ein Pastor bei der morgendlichen Rasur möglichst einprägsame und unangreifbare Formulierungen überlegt, gegen die mindestens seine Intelligenz rebellieren müßte, fällt schwer zu begreifen. Ich hoffe, aus diesem Job relativ unbeschädigt hervorgegangen zu sein.

Alle Bezirke zu besuchen, brachte einigen das Erlebnis, erstmalig eines solchen Besuches teilhaftig zu werden, und mir die Bekanntschaft mit den Geschäftsführern, dem organisatorischen Rückgrat der Partei, die nicht nur Stärken und Schwächen ihrer Region, sondern auch ihrer Mandatsträger kannten und im besten Fall »ihren Laden« auch politisch verläßlich beurteilen, sogar lenken konnten. Diese Reise kräftigte auch meinen Respekt für Helmut Kohl, der in Rheinland-Pfalz aus einem Wahlverein eine Partei gemacht hatte, deren Organisationsdichte viele Landesverbände der SPD übertraf; während wir ein Programm zu entwickeln hatten, um weiße Flecken zu beseitigen, Gebiete, in denen es noch nie seit der Gründung der Partei einen sozialdemokratischen Ortsverein gegeben hatte. Der Zusammenhang von Organisationsdichte und Wahlergebnissen darf nicht übersehen werden.

Es lag nahe, in bewährter Planungsmanier mit den nächsten Mitarbeitern zu überlegen, wie denn eine moderne Struktur der Zentrale aussehen sollte. Das Ergebnis wich von der Realität beträchtlich ab und erforderte auch Neueinstellungen, also mehr Geld, was der Schatzmeister, ohne mit den Augen zu zucken, bewilligte. Ich hatte mir, insofern dem Vorsitzenden sehr ähnlich, kaum den Kopf über Geld zerbrochen, sondern die angenehme Arbeitsteilung vorausgesetzt, daß der Schatzmeister das Geld zur Verfügung zu stellen habe, das der Bundesgeschäftsführer sinnvoll ausgeben müßte. Als Wilhelm Dröscher, der immer viel mehr als nur »der gute Mensch von Kirn« gewesen war, plötzlich und dramatisch auf dem Parteitag in Hamburg 1977 starb und ich seine Aufgaben kommissarisch übernahm, hatte ich mich mit Ziffern vertraut zu machen. Das Ergebnis war so erschreckend, daß ich alle Planungen zu den Akten legte, mir selbst einen Einstellungsstopp verordnete und in Frankfurt mit Walter Hesselbach, dem Chef der Bank für Gemeinwirtschaft, unseren Kreditrahmen erweiterte, um die Dezembergehälter zu zahlen. Die unangenehme finanzielle Wirklichkeit konnte ich den überraschten Genossen im Präsidium nicht ersparen; sie stimmten gern einer eigentlich selbstverständlichen revolutionären Neuerung zu, künftig einen Haushalt mit Stellenplänen beraten und beschließen zu müssen, und folgten meinem Vorschlag, Fritz Halstenberg zum Schatzmeister zu wählen. Der, bislang Finanzminister in Nordrhein-Westfalen, begann energisch und kundig mit der nötigen einfühlsamen Brutalität das Geschäft des Sanierers.

Zwei Gefährten wurden mehr als nur enge Mitarbeiter. Der eine, Joachim Broudré-Gröger, vom Auswärtigen Amt ans Kanzlerbüro »ausgeliehen«, hatte sich danach als Leiter meines Büros im Ministerium für wirtschaftliche Zusammenarbeit (BMZ) so bewährt, daß ich ihn bat, mir als rechte Hand in der »Baracke« zu helfen. Er fand sich dort schnell zurecht dank seiner hohen Intelligenz, mit der Fähigkeit, schnell den Kern eines Problems zu erkennen, und eines empfindlichen Sensoriums, das Warnlampen aufleuchten ließ, wo andere Gefahren weder sahen noch vermuteten. Als er durch einen rumänischen Überläufer in den Verdacht der Spionage geriet, habe ich mich vor ihn gestellt. Unsere Sicherheitsbehörden nahmen ihn nach allen Regeln ihrer Kunst in die Mangel. Hätte meine Menschenkenntnis getrogen, wäre ich zurückgetreten. Später diente er unserem Land auch als erster Botschafter in Vietnam. – Den anderen, Bodo Buhse, hatte ich in Flensburg gefunden. Der Kapitänleutnant, Berufssoldat, wurde bis zu meinem Ausscheiden aus dem Bundestag von der Bundeswehr beurlaubt, pflegte die Verbindungen zum Wahlkreis und organisierte umsichtig und zuverlässig Reisen und Termine.

Ausgerechnet den Versuch, Frauen zu einem gerechteren Anteil von Parteiämtern zu verhelfen, verhinderte unsere Arbeitsgemeinschaft der Frauen (AsF). Nach dem Vorbild der Schweden wollte ich für eine begrenzte Übergangszeit Quoten einführen, um die Partei daran zu gewöhnen, daß ihre weiblichen Mitglieder immer mehr Funktionen und Mandate erhalten sollten. Die Gleichberechtigung in den eigenen Reihen zu verwirklichen, wie das Programm es im allgemeinen fordert, fiel der SPD schwer. Der Bundesausschuß der AsF tagte in unserer »Großen Halle des Volkes«, wie der Eingangsraum des Erich-Ollenhauer-Hauses bezeichnet wurde, und ich erprobte meine Argumente der Vernunft. Die lyrisch begabte Bonnerin Karin Hempel-Soos schmetterte in den Saal, imposant und nur bedingt lyrisch: »Egon, ich liebe dich! Aber, Egon, laß die Pfoten von den Quoten!« Das entschied knapp, aber klar, was ich als größte Niederlage in diesen vier Jahren empfand. Die Partei hat zehn Jahre auf dem Umweg verloren, bis sie die Quote beschloß, die inzwischen die Schweden schon abschaffen konnten, weil das Ziel erreicht ist und die Frauen aus eigenem Recht gewählt werden. Vierzig Prozent ihrer Mandate und Funktionen will die SPD bis 1998 Frauen geben. Das ist bald.

Mehr als einmal habe ich mich rasend geärgert über Dummheit, Verbohrtheit, Kleinlichkeit, Hinterhältigkeit, Rücksichtslosigkeit aus echtem oder vorgeschobenem guten Willen, Feigheit vor dem Freund wie dem Gegner, Heuchelei und Kleinmut. »Eine Scheißpartei« habe ich nicht nur einmal gedacht. Gleichzeitig ermutigten Beweise der Treue zu der Idee, eine bessere Gesellschaft zu schaffen, mehr Gerechtigkeit zu erreichen und vielen unauffällig und still zu helfen, die es nötig haben. Die kollektive Weisheit war zu bewundern, die sich in den Ergebnissen von Vorstandswahlen auf Parteitagen ausdrückte. Ermutigung und Kraft wuchsen bei eigenen Abstimmungsziffern, die nur zu erklären waren, weil Delegierte persönliche und sachliche Meinungsverschiedenheiten, sogar in wichtigen Fragen, zurückgestellt haben mußten. »Welch eine herrliche Partei«, dachte ich ebenso leise und oft.

»Man hat sich bemüht«, wollte Willy Brandt auf seinem Grabstein wissen. In der Bescheidenheit schwingt vielfacher Stolz. Er wollte die Partei in einem besseren Zustand übergeben, als er sie übernommen hatte. Das Bewußtsein, nur ein Glied in der Kette seit August Bebel zu sein, einer Partei vorzustehen, die älter ist als jede Regierung und länger wirken soll als jede Regierung, hielt die Partei für wichtiger als eine Kanzlerschaft. Gewiß kein Kostverächter der so lange und hart umkämpften staatlichen Macht, sah er die Menschen und ihre Wünsche als Quelle, von denen sich die Partei auch um den Preis von Ämtern nie zu weit entfernen darf.

Selten stellt sich die Alternative zwischen Erhalt der Perspektive oder der Macht eindeutig. Auch wenn das später beim Ringen um den NATO-Doppelbeschluß so aussah. Doch Spannungen zwischen Partei- und Regierungsführung waren eingebaut. Nicht nur in den beiden Männern und ihrem so unterschiedlichen Lebenshintergrund, sondern auch in dem verschiedenartigen Rollenverständnis für Partei und Regierung. Brandt hatte Perspektive und Machtverwaltung in seiner Person verkörpert, Schmidt hatte die Perspektive – gewollt oder ungewollt, gern oder ungern – dem Vorsitzenden überlassen. Schmidt erwartete selbstverständliche Solidarität und Rückendeckung, Brandt gab sie, zuweilen die Linie überschreitend, die ihn in seinem Verständnis Fehler decken ließ. Was dem einen nicht genug war, erschien dem anderen zuviel.

Dabei handelte es sich auch um etwas der SPD Angeborenes, was die

Partei im Vergleich zur Union oder FDP zum Verzweifeln weltfremd und hinreißend machte. Sozialdemokratische Tradition verlangt ein Programm, in dem nicht nur Ziele, sondern auch Wege dorthin festgelegt sind, beschlossen nach leidenschaftlicher Diskussion, sogar um Silben oder Kommas. Die Unteren wollen die Oberen darauf festnageln, weil sie schon erfahren haben, daß in der Praxis nötige, aber zuweilen miese Kompromisse beschlossen werden. Die Mitglieder, in moderner Abstraktion Basis genannt, reagieren empfindlich auf das Gefühl verdeckter oder unbegründeter Programmverletzung, selbst wenn sie es nicht gelesen haben. Das Programm gehört zur Seele der Partei. Wenn CDU und FDP kein Programm hätten, würde ihnen wenig fehlen. Sie können sich, gestützt auf einige Grundsätze, pragmatisch orientieren, was leichter ist. Die CDU schart sich im wesentlichen hinter einem Leitwolf, der ihnen Programm genug ist und die Aufgabe der Machtgewinnung und Machterhaltung hat. Adenauer und Kohl sind die Beispiele. Wer die Erwartungen nicht erfüllt, wird weggebissen, natürlich auch, wer sich an die Stelle des Leitwolfs setzen will. Erhard, Kiesinger und Barzel sind die Beispiele.

Selbst auf die Gefahr, daß wichtige Schattierungen fehlen: Der Union genügt Respekt und Achtung für die Leitwölfe; die SPD will ihre Vorsitzenden achten und lieben. Sie verzeiht eher Verbleib in der Opposition, wenn das Bemühen, der beschlossenen Linie zu folgen, erfolglos bleibt, als Verletzungen der eigenen hohen politischen Ansprüche. Sogar die Öffentlichkeit hat sich diese unterschiedlichen Maßstäbe zu eigen gemacht. Das Belügen eines Parlaments: in einem Fall, Kohl, als Blackout bezeichnet und hingenommen. Im Fall Engholm wurde diese Entschuldigung nicht einmal bemüht und ließ den Ehrlicheren dumm aussehen. Die für die SPD erstaunliche Ausnahme ist der Wechsel von Scharping zu Lafontaine, als solche bezeichnenderweise von den Medien registriert; ihre Nachsicht ist erst im Erfolgsfall zu erwarten.

Man kann sich unschwer vorstellen, was Bundeskanzler Kohl von der Mühe hielt, seiner Partei ein Programm zu erarbeiten, das mehr als wünschenswerter Schmuck sein sollte. Brandt mutete jedenfalls gerade nach dem Machtverlust 1982 der Partei zu, mit der Arbeit an einem neuen Programm zu beginnen, und setzte das gegen viele Widerstände durch. Der Zwang zu neuer Perspektive half, Rückschläge zu verkraften; der Diskussionsprozeß wurde fast wichtiger als das Ergebnis, das sieben Jahre später vorlag.

»Befreit von der Zucht des Kabinetts«, wie der verehrte Thomas Dehler es formuliert hatte, fühlte ich mich auf das Wohl der Partei verpflichtet. Die SPD kann nicht ertragen, bloßes Anhängsel der Regierung zu werden. Sie rebelliert oder verliert sich selbst, wenn sie wittert, sie könnte zum Instrument der Akklamation degradiert werden. Ich begann, öffentlich über den natürlichen Spannungszustand zu sprechen zwischen einer Partei, die die Regierung trägt, und der Regierung. Die Partei müsse ihre Ziele immer etwas weiter setzen, als die Regierung durchsetzen kann, die innen- wie außenpolitische Rücksichten zu nehmen hat. Ohne Futurologie müsse sie Ziele formulieren und dafür kämpfen, die sie für richtig und notwendig hält, über die laufende Legislaturperiode hinaus. Wenn sie das nicht schafft und profillos werde, würde sie zu Recht abgewählt werden. Der Kanzler beschwerte sich nicht. Aber je näher die Vorbereitungen des Wahlkampfes rückten – und strategische Entscheidungen fallen mindestens ein Jahr vor dem Wahltag –, wurde es zunehmend schwieriger, die unterschiedlichen Konzepte zu verschmelzen. Der Kanzler konnte nicht ohne Partei und umgekehrt. Letztlich mußte der Spitzenkandidat bestimmen und dem Ganzen seinen Stempel aufdrücken. Brandt, der wirklich schon einmal Wahlen gewonnen und 1976 erlebt hatte, daß Kohl dem Erfolg ziemlich nahe gekommen war, fühlte sich zu sehr an die Seite geschoben.

In einem handgeschriebenen drei Seiten langen Brief, zwei Wochen vor dem Wahltag, machte er sich Luft: »Ich bin und bleibe optimistischer als einige andere. Sollte ich mich irren, wird jedenfalls nicht schuld daran sein, daß mir zu viele Plakate zugedacht waren; ich habe auch um keine gebeten.

Daß eine für den Vorsitzenden und Dich vorgesehene Pressekonferenz durch eine mit dem Kanzler und Dir ersetzt worden ist, lese ich aus Vermerken der insoweit eigentlichen Wahlkampfleitung, also der Mitarbeiter im Bukaamt [Bundeskanzleramt]. Ich war und bin nicht auf eine Pressekonferenz scharf, ganz im Gegenteil. Aber die Art, in der mit dem Parteivorsitzenden umgegangen wird, ist schon bemerkenswert.«

Nach einigen weiteren Bemerkungen zu Plakaten, Fernsehspots und der zur Wahl herausgegebenen *Zeitung am Sonntag* kündigt er grollend an: »Es wird nach dem 5. 10. zu einer Frage der Parteihygiene, ob ein

Beamter oder ein Referent mehr zu sagen hat als der Vorsitzende. Das wird die Partei gegebenenfalls entscheiden...

Lieber Egon, ich mußte dies jetzt loswerden...

Dein W.«

Nach der Wahl hat er in großer Disziplin das alles und mehr unterdrückt, »im Interesse des ganzen Ladens«.

Das englische »to fall in love« trifft, was mir unverhofft widerfuhr. Das dankbar empfundene Verständnis meiner Frau, zu dem sie sich langsam durchrang, schloß die Fassadenpflege ein: Es hätte der Partei schaden können, wenn ihr Bundesgeschäftsführer im Anlauf des Wahlkampfes nicht durch politische Erklärungen, sondern durch sein Privatleben Schlagzeilen gemacht hätte. Der Parteivorsitzende mußte mit dieser möglichen Schwachstelle vertraut gemacht werden. Seiner diskreten Toleranz war ich sicher, auch wenn er nicht fast gleichzeitig eine ähnliche Erfahrung durchlebt hätte. Christiane, die seither mein Leben teilt, fand Gnade vor seinen Augen.

Der Wahlkampf 1980 wurde um zwei Pfeiler aufgebaut: 1. Es kann nicht schwer sein, sich zwischen Schmidt und Strauß zu entscheiden. 2. Wir wissen, wie Entspannung gemacht wird.

Zu meinem Entsetzen schlug der Kanzler den zweiten Pfeiler weg. Aus dem Radio erfuhr ich die Absage seines Treffens mit Honecker. Strauß nahm es als Beweis für das Scheitern der Entspannungseuphorie; wir kamen in die Defensive. Unsere Umfragen zeigten mir Woche für Woche 0,3 Prozent Verluste. Das Ergebnis war voraussagbar: Am Wahlsonntag liegen wir 0,3 Punkte besser als vier Jahre zuvor. Eine Woche später hätte der Unterschied zwischen Gewinn und Verlust null betragen. Etwas mehr als vier Prozent hatte die Union verloren; da Schmidts Kanzlerqualitäten nicht schlechter geworden waren, verdankten wir den Erfolg Strauß, genauer: seiner Ablehnung durch die Wähler. Mit dem Kandidaten Kohl wäre die sozial-liberale Koalition schon 1980 abgelöst worden.

Schließlich hatten wir gewonnen und konnten die Regierung bilden. Auch ohne zu wissen, daß ich für lange Zeit der letzte Bundesgeschäftsführer war, der zu einem solchen Erfolg beigetragen hatte, wollte sich die angebrachte Fröhlichkeit nicht einstellen. Nichts zog zurück ins Kabinett. Dem Angebot, Vorsitzender des Arbeitskreises I in der Fraktion zu werden, der alle außen-, sicherheits- und entwicklungspolitischen Angelegenheiten der Fraktion zu koordinieren hat, zog ich den Unterausschuß für Abrüstung und Rüstungskontrolle vor. Dieses Gremium, das zu je 50 Prozent aus Mitgliedern des Auswärtigen und des Verteidigungsausschusses zusammengesetzt wird, leitete ich bis zum Ausscheiden aus dem Bundestag 1990. Die Arbeit machte Spaß, wurde sogar von parteipolitischen Gegnern anerkannt und von der Regierung respektiert. 1980 war vorauszusehen, daß die Koalition auf dem Gebiet der Sicherheitspolitik in schwierige Gewässer kommen würde. Die Antwort auf vier Probleme sollte die SPD geben: militärische Bedrohung, Geschlossenheit der Partei, Glaubwürdigkeit und Regierungserhalt. Schon in den zurückliegenden vier Jahren hatte der Balanceakt geprobt werden müssen.

»Perversion des Denkens«

Der Bundesgeschäftsführer arbeitete an einem Theoriepapier und war mit sich zufrieden: Wenn man alle gesellschaftspolitischen Ziele der Partei eindampft, bleibt als Kern, daß der einzelne Mensch sich in Würde verwirklichen soll. Freiheit und Gerechtigkeit sind in der Würde enthalten. Der Mensch ist der Mittelpunkt der Politik.

Das nächste Blatt Papier, das ich aus dem Korb der Eingänge nahm, enthielt die Meldung einer Nachrichtenagentur. Danach sollte die NATO die Einführung einer »Neutronenbombe« beschlossen haben. Ihr Vorteil läge darin, daß sie Häuser, Brücken, Straßen weitgehend benutzbar erhalte und »nur« Menschen zerstöre. Das war das absolute Gegenteil dessen, was ich eine Minute vorher geschrieben hatte. Erste Reaktion: Es kann sich nicht um einen Beschluß handeln; denn das hätte ich vorher erfahren müssen. Zweite Reaktion: Es darf nicht wahr sein, daß als Fortschritt betrachtet wird, materielle Werte über den Menschen zu setzen, ihn »aus dem Mittelpunkt an den Rand« zu drängen. »Materialismus im triumphalen Exzeß oder Leben – was wollen wir schützen?« Es wäre eine Perversion des Denkens. »Ist die Menschheit dabei, verrückt zu werden?« Einen entsprechenden kleinen Artikel für den *Vorwärts* (21. Juli 1977) diktierte ich als Aufschrei der Empörung. »Das ist ein dicker Hund«, befand Brandt und riet, darüber noch einmal zu schlafen. Am nächsten Morgen sah ich keinen Grund, meinen Standpunkt zu ändern, Brandt also auch keinen, gegen den unveränderten Abdruck Bedenken zu erheben. Das Echo war beträchtlich. An einem der nächsten Abende meldete sich der Bundespräsident am Telefon – im Wahlkreis zu Hause hatte mich Scheel noch nie angerufen: »Ich gratuliere Ihnen zu diesem Artikel. Sie werden damit nicht durchkommen. Aber bleiben Sie dabei!«

Der Verstand bestätigte die Moral. Eine Woche später legte ich nach. Die Neutronenwaffe würde nicht nur den Verteidiger begünstigen, sondern wäre im Gegenteil eine ideale Angriffswaffe. Sie könnte das zu erobernde Gebiet von Verteidigern »säubern« und es im übrigen weitgehend unversehrt und benutzbar lassen. Die Fähigkeit der Sowjets, innerhalb von Monaten eine derartige Waffe auch zu entwickeln, konnte nicht bezweifelt werden. Nicht weniger wog ein Gesichtspunkt, den der amerikanische Erfinder dieser Waffe offen und treffend ausgedrückt hatte: »Der wahrscheinlichste Schauplatz wäre Westdeutschland, weil es dort liegt, wo es eben liegt.«

Deutschland ein atomarer Exerzierplatz, dieser Alptraum konnte Wirklichkeit werden, weil Neutronenwaffen die Versuchung vergrößern mußten, sie im Konfliktfall früh einzusetzen. Gerade weil sie begrenzt in ihrer Wirkung waren, würde sich dieser Atomkrieg begrenzen und alle Beteiligten entsetzt ob der Wirkung innehalten lassen, Amerikaner und Russen, Franzosen und Engländer. Neutronenwaffen wären das ideale Instrument zur Singularisierung der Deutschen, generell die große Gefahr für unser Volk, seine Abkopplung vom Sicherheitsrisiko anderer.

Ich hatte die Bundesregierung in eine unangenehme Lage gebracht. Sie kannte die Absicht in Washington, Neutronenwaffen zu produzieren, und hatte nicht widersprochen. Peinlich berührt von dem öffentlichen Gegenwind, der ein Sturm werden konnte, dachte sie sich das Modell eines Doppelbeschlusses aus: Die NATO würde von der souveränen Entscheidung der Amerikaner Kenntnis nehmen, solche Waffen zu produzieren, die aber erst stationiert werden sollten, wenn Rüstungskontrollverhandlungen ergebnislos blieben. Die Regierungsspitze war sicher nicht leichten Herzens bereit, innenpolitisch viel Ärger zu riskieren, um Amerika nicht zu verärgern. Um so verständlicher ihr Ärger, als Präsident Carter mitteilen ließ, er habe beschlossen, die Herstellung der Neutronenwaffen nicht zu beschließen. Die Erleichterung über diesen Vorgang, der unsere Sicherheit nicht verringerte, teilte ich mit vielen Freunden. Daß einige, mehr diesseits als jenseits des Ozeans, sich vornahmen, die Wiederholung einer derartigen Tragikomödie zu verhindern, ist verständlich. Der nächste, klassisch gewordene Doppelbeschluß wurde denn auch viel sorgfältiger vorbereitet. Übrigens hat mir Helmut Schmidt die »Perversion des Denkens« nie vorgeworfen.

Ist die Menschheit dabei, verrückt zu werden, würde ich heute nicht mehr fragen, wohl aber: Versäumt die Menschheit, der Vernunft zu folgen? Werden ihre Politiker mehr den legitimen Interessen der Macht als Einsicht und Gewissen folgen? Dann müßte man pessimistischer sein, als erlaubt ist.

Konventionelles Gleichgewicht – erreicht und verfehlt

Als Bundesgeschäftsführer konnte ich für den zweiten Teil der Ostpolitik, die europäische Sicherheit, bestenfalls eine Fehlentwicklung verhindern oder drängen, aber wenig bewegen. Um Kontrast und Zusammenhang zu erläutern, muß noch einmal auf den Herbst des Jahres 1971 zurückgeblendet werden. Die Verträge waren unterschrieben, aber ihr parlamentarisches Schicksal hing in der Luft, als die Öffentlichkeit mit der Ankündigung überrascht wurde, der deutsche Kanzler wolle den sowjetischen Generalsekretär auf der Krim besuchen. Die Gegend hatte Breschnew vorgeschlagen, weil er Kossygin und Gromyko ausschalten wollte, was in Moskau unmöglich gewesen wäre. Den Ort Jalta wollte Brandt nicht, um unangenehme Erinnerungen zu vermeiden. Der Name stand für europäische Teilung unter Ausschluß Frankreichs. Also wurde es Oreanda, der Sommersitz Breschnews.

Der 16. September war noch heiß; dennoch konnte sich Brandt als Eisbrecher fühlen, nicht nur weil zum erstenmal seit dem Krieg eine Maschine mit dem Balkenkreuz auf der Krim landete, sondern weil er relativ locker und in Freizeitkleidung mit dem Kremlgewaltigen umging, später gern nachgeahmt, damals zum Teil als schockierend empfunden. Verglichen mit dem Palast Ceauşescus am Schwarzen Meer, wirkte Breschnews Datscha wie eine modernisierte Baracke, mit Ausnahme seines Schwimmbads. Mit kindlichem Stolz führte er vor, wie sich die riesige gläserne Seitenwand versenken ließ, um gleichsam in der

Landschaft schwimmen zu können. Der Zarenpalast zeigte bei einem Essen ähnlich verblichenen, schnell aufgeputzten Glanz, wie zwei Jahre später der für Breschnew hergerichtete Petersberg. So ähnlich muß die Côte d'Azur 1910 ausgesehen haben, nur mit mehr Hotels. Während der Bootsfahrt zeigt Breschnew dem Gast die Stelle, wo der »weiße« General Wrangel das »rote« Rußland verlassen hatte. Als ich Breschnew danach auf einem Waldweg begegnete – Slawa und Leo hielten sich zur Unterstützung im Hintergrund –, drückte ich mein Empfinden aus: »Ich würde gern einmal mit Ihnen streiten.« Die fröhliche Antwort: »Gerade das wollen wir doch nicht mehr«, gab die Atmosphäre wieder: entspannt und bewußt, sie könne eigentlich jede Sekunde umschlagen. Willys Antennen signalisierten: »Der mag dich.«

In der Substanz sollte die zweite Begegnung die nächste Phase der Ostpolitik einleiten: Die Verträge waren als Ouvertüre gedacht, um im ersten Akt militärische Bedrohung abzubauen. Der letzte Akt würde die Einheit sein, eingebettet in europäische Sicherheit. Während die beiden Bosse sich zurückzogen, begannen der Sicherheitsberater Breschnews, Alexandrow, und ich über den ersten Akt zu diskutieren. Er lobte, der Kanal habe den Kreml in der Beurteilung der europäischen Dinge sicherer gemacht und sogar die Beziehungen zu den Amerikanern erleichtert. Wenn unsere beiden Länder einig seien, könne Europa ruhig schlafen. Natürlich würde Amerika in Europa bleiben, wie auch die NATO und der Warschauer Pakt, aber das müsse nicht der Perspektive »Europa den Europäern« widersprechen. Letzteres ging mir zu schnell und zu weit: Zunächst müsse mit dem Abbau konventioneller Truppen begonnen werden. Zwei Tage tüftelten wir an der Formel, assistiert von einem jungen Legationsrat, Andreas Meyer-Landrut, Balte, der – unanfällig gegen östliche wie westliche Propaganda und Vorurteile – später unserem Land zweimal als Botschafter in Moskau gedient und es bis zum Staatssekretär bei Bundespräsident v. Weizsäcker gebracht hat. Das Ergebnis: Die Truppen sollten reduziert werden ohne Nachteile für die Beteiligten. Wir hatten den Kern definiert, der später die Bezeichnung MBFR (Mutual Balanced Force Reductions, beiderseits ausgewogene Streitkräftereduktion) bekam. Ich empfand es als politischen Durchbruch und mutig, daß beide Bosse diese Linie absteckten, als ob die Verträge bereits hinter ihnen, ratifiziert und in trockenen Tüchern geborgen wären.

Dem dramatischen Jahr 1972 folgte das verlorene und dann das des Rücktritts Brandts. Als Schmidt, nach dem Krisenmanagement der zweiten Ölpreisexplosion fest im Sattel, seine Aufmerksamkeit dem Osten zuwenden konnte, fand er 1975 in Helsinki einen Breschnew, der bereits nur noch eingeschränkt aktionsfähig war, körperlich wie geistig. Die Zuwendung zu dem Polen Gierek konnte nicht ersetzen, was die Lähmung des Russen für die Veränderung der europäischen Sicherheitslage bedeutete. Aber noch konnte der Generalsekretär »bewegt« werden, durch seine Umgebung beeinflußt, seine für das System unentbehrlichen Entscheidungen zu treffen. Noch hatte er den schonungsbedürftigen Zustand nicht erreicht, der während seiner 78er Reise durch die Bundesrepublik unübersehbar und nach der er, unentbehrlich für sein Reich und unbegreiflich für die zweite Supermacht, zum Symbol der Stagnation und menschlich nur noch bemitleidenswert geworden war. Geschichte setzt sich auch aus persönlichen Schicksalen und verlorenen Gelegenheiten zusammen.

Als Ende Oktober 1973 die MBFR-Verhandlungen begannen, empfanden das einige Beteiligte als festliche Aussicht, den Rest ihres beruflichen Lebens im schönen Wien zu verbringen. Generale beider Seiten, wenig erpicht auf einen Sieg im Feld, wollten wenigstens den Sieg am Konferenztisch erringen und die Schwächen der anderen Seite teils erkennen, teils bestätigt erhalten. Sie erlebten den Fortschritt, dem potentiellen Gegner Auge in Auge nicht mehr gegenüber zu stehen, sondern zu sitzen, genossen die Unentbehrlichkeit ihrer fachlichen Kenntnisse und stellten fest, daß sie besser als die ihnen übergeordneten Diplomaten wüßten, was sie militärisch brauchten. Bei mehr als einem Besuch sagten mir die aus dem Osten wie ihre westlichen Kollegen, sie hätten sich längst verständigt, wenn es nur auf sie angekommen wäre. Abgesandte des sowjetischen Generalstabs verhielten sich zuweilen so, als ob sie auf Erfolg abgestellte Äußerungen ihrer Moskauer Führung nicht interessierten, was Signal wie Täuschung sein konnte. Außerdem war die Materie ihrer Natur nach kompliziert: Sollen Mannschaftsstärken oder Waffensysteme reduziert werden und wenn, dann welche? In welchem Gebiet: ohne Frankreich? Aber mit Rußland? Was soll mit Flugzeugen geschehen und den für das Gefechtsfeld so wichtigen Kampfhubschraubern? Und wie wäre das Ganze zu kontrollieren?

Schon dieser kümmerliche Bruchteil von Fragen und Problemen, die je nach der Beantwortung militärische und politische Auswirkungen hatten, macht deutlich, daß die ausführlichen Berichte bald nur noch von Fachleuten zu verfolgen waren. Ohne jede Bösartigkeit hatte das zur Folge, daß weder die Minister noch der Kanzler zeitlich dazu in der Lage waren. Die Arbeitsebenen in den verschiedenen Hauptstädten beschäftigten sich miteinander im Rahmen ihrer allgemeinen Anfangsweisungen, solange sie keine neuen bekamen, die sie schwerlich erhielten, weil ihre Oberen keine Experten werden wollten. So drehte sich das Karussell oder hielt. Die Sache kam jedenfalls nicht von der Stelle, während die Jahre schneller wegliefen. Als der Kanzler überzeugt wurde, einen politischen Lösungsvorschlag zu machen, stieß er bei Genscher auf Widerstand und gab es bald auf. Als der amerikanische Botschafter Dean, der verdienstvolle Helfer beim Vier-Mächte-Abkommen, vertraulich berichtete, eine wichtige Übereinkunft sei an der Ablehnung des deutschen Außenministeriums gescheitert, wollte ich das zunächst nicht glauben. Es stimmte aber. Auch andere Regierungen behandelten MBFR taktisch und bremsten oder beschleunigten je nach wechselndem Interesse. Ich schlug Schmidt vergeblich vor, die so erfolgreiche Methodik, verdeckte Verhandlungen zwischen Amerikanern, Sowjets und Deutschen anzuwenden, die Berlin gelöst hatte.

Im Rückblick auf den 1971 in Oreanda formulierten Ansatz konnte die unangenehme Erkenntnis nicht unterdrückt werden: Die politische Absicht drohte zu versanden, in Mitteleuropa um die beiden deutschen Staaten herum eine Zone zu schaffen, in der es keine konventionelle Überlegenheit mehr geben und Überraschungsangriffe »aus dem Stand« unmöglich werden sollten. Damit würde auch der Hebel nicht mehr greifen, politisch den Grundstein für die europäische Sicherheit zu legen. Sowjets und Amerikaner waren nur zu gewinnen, wenn und solange die Deutschen drängten. Nach den Erfahrungen seit 1974 gab ich die Hoffnung auf, daß Bonn auf diesem Gebiet die Entwicklung noch vorantreiben würde. Alle anderen, Polen und Tschechen ausgenommen, drückte nichts, wenn alles so blieb. Die Bundesregierung hatte ihre aktive Rolle im Entspannungsprozeß eingebüßt. Das bewegende Gewicht der Deutschen auf militärischem Gebiet, die konventionelle moderne Bundeswehr, war politisch nicht eingesetzt worden. Das zweite Kabinett Schmidt ließ da keine Änderungen erwarten.

Dreizehn Jahre später, 1986, hatten sich die Verhandlungen, von der

Öffentlichkeit schon lange kaum noch wahrgenommen, genug verknotet, um sie einzustellen. Gorbatschow gab der Sache neuen Schwung, indem er das Gebiet ausweitete, die Sowjetunion bis zum Ural einbezog. Schon vier Jahre danach, am 19. November 1990, wurde das neue Ziel erreicht. Die Staats- und Regierungschefs der Mitglieder beider Bündnissysteme unterzeichneten die erste große Vereinbarung über den Abbau konventioneller Streitkräfte in Europa (KSE). Zwei Tage später verabschiedeten alle 34 Delegationen der europäischen Staaten mit Amerika und Kanada die »Charta von Paris«, erklärten die Spaltung Europas für beendet und verpflichteten sich auf die Prinzipien gesamteuropäischer Sicherheit. Beide Akte erfolgten geschichtlich in der letzten Minute vor der Auflösung des Warschauer Pakts; sie drangen in Deutschland, das zwei Wochen später die ersten Wahlen nach seiner Einheit erleben wollte, kaum ins Bewußtsein.

MBFR sollte politisch den Ost-West-Konflikt zu einem Nebeneinander transformieren und militärisch entspannen. Gleichgewicht der Kräfte auf niedrigerem Niveau würde wiederum der Entspannung neuen Auftrieb geben, weil die Völker Zentraleuropas das gleiche Interesse hatten, die größte Dichte von Zerstörungspotential und Armeen, die es auf dem Globus gab, zu lockern. MBFR war militärisches Mittel zum politischen Zweck, einen Grundstein für europäisches Denken und eine europäische Sicherheit zu legen, die den Deutschen Selbstbestimmung erlaubt. Die Bundesrepublik hat diese Chance nicht vorangetrieben. Sie hätte den deutschen Einfluß indirekt auch auf den atomaren Sektor verstärkt; denn mit der Aussicht, konventionelle Überlegenheit des Ostens abzubauen, die eine wesentliche Begründung für westliche Atomplanungen war, hätte der Doppelbeschluß seine Dramatik verloren, vielleicht sogar Gorbatschows Reformprogramm erleichtert. Es war wohl ein Versäumnis, Mitsprache, vielleicht sogar Führung, nicht auf dem konventionellen Sektor, wo wir stark waren, sondern auf dem atomaren zu versuchen, wo wir immer mehr Objekt als Subjekt bleiben mußten.

Wie die Dinge liefen, wurde mit zu großer Verspätung – dank Gorbatschow – das Ziel, nun geographisch ausgeweitet, erreicht. Das kleinere wie das größere Modell hatten eine Gemeinsamkeit: Die Spitze, auf der die Balken der europäischen Waage ins Gleichgewicht gebracht werden sollten, war die deutsche Teilung. Das Prinzip des militärischen Gleichgewichts in Europa basierte auf andauernder Spaltung Deutschlands. Seine Einheit war nicht vorgesehen. Im Ergebnis wurde das Ziel in dem Augenblick verfehlt, in dem es erreicht war. Das Ende von Warschauer Pakt und Sowjetunion bewirkte etwas niemals Angestrebtes. Die 3:1-Überlegenheit des Ostens verwandelte sich innerhalb von fünf Jahren in eine 3:1-Überlegenheit der NATO gegenüber Rußland; Polen, Ungarn und Tschechien nicht eingerechnet.

Medien lieben zu fragen, was eigentlich aus Personen geworden ist, die längere Zeit aus dem Rampenlicht der öffentlichen Aufmerksamkeit verschwunden sind. Die Frage, was eigentlich aus dem KSE-Vertrag in den fünf Jahren seit seinem Abschluß im Dezember 1990 geworden ist, kann überaus ermutigend beantwortet werden. Alle Staaten haben sich an ihre Verpflichtungen gehalten und haben insgesamt 50 000 Waffensysteme zerstört. Die allermeisten Staaten nutzen nicht einmal die ihnen zugestandenen Höchstgrenzen aus. Noch wichtiger: Die vereinbarten Kontrollregeln funktionieren; mehr als 2400 gegenseitige Inspektionen haben stattgefunden. Die gegenseitige Überwachung ist wasserdicht auf einer gesamteuropäischen Ebene. Während auf diese Weise Sicherheit auf einer gesamteuropäischen Grundlage der Vergangenheit erreicht ist, von der Öffentlichkeit kaum zur Kenntnis genommen, kämpft die Politik mit dem Problem, darauf für die Zukunft gesamteuropäische Sicherheitsstrukturen aufzubauen. Noch ist unentschieden, ob zuletzt das Ziel verfehlt wird, daß Sicherheit gesamteuropäisch gedacht werden muß.

Verlorene Dynamik

Ende 1978 legte ich dem Kanzler schriftlich meine Befürchtungen dar, unsere ursprüngliche Absicht, die konventionelle sowjetische Überlegenheit zu beseitigen, könnte vereitelt werden, wenn wir den atomaren Mittelstreckenwaffen Priorität geben. Eine Stationierung derartiger Waffen würde »politisch und strategisch negative Auswirkungen haben: Zum erstenmal könnte von unserem Boden sowjetisches Territorium erreicht werden. Die MBFR-Verhandlungen werden sinnlos. Es müßte wie Betrug erscheinen, nach jahrelangen Verhandlungen über den MBFR-Raum mit Waffensystemen, von denen keines der Sowjetunion gefährlich werden kann, mit einem Ergebnis abschließen zu wollen, das natürlich (denn sonst machen wir es ja nicht) die sowjetischen Angriffspotentiale aus dem Stand reduziert, aber gleichzeitig in demselben geographischen Gebiet eine Waffe installiert, die potentiell für die Sowjetunion gefährlicher ist als alles Bisherige.«

In diesen wenigen Sätzen bündeln sich drei Punkte, die später zu den Kontroversen über den NATO-Doppelbeschluß führten, unser Verhältnis zur Sowjetunion belasten sollten und einen Kern meiner Auffassungsunterschiede zum Kanzler ausmachten. Beginnen wir mit dem letzten Komplex. Ich hatte große Achtung vor dem Denker des strategischen Gleichgewichts. Wir unterschieden uns auch nicht in der Bewertung der atomaren Abschreckung, die Europa wahrscheinlich vor einem Krieg bewahrt hat. Schmidt hatte bei einem unserer Gespräche gesagt, ich gehörte zu den dreieinhalb Leuten in Bonn, die etwas von Strategie verstünden. Unsere Differenz wurde mir klar, als ich von einem Gespräch mit Kissinger berichtete, bei dem ich mich nach dem Stand der strategischen Verhandlungen erkundigt hatte. Als der amerikanische Außenminister technische Einzelheiten zu erzählen begonnen hatte, stoppte ich ihn: Davon verstünden wir zuwenig, um es beurteilen zu können. Ich hätte volles Vertrauen, daß im Interesse des Westens keine Fehler gemacht würden. Mich interessiere seine Beurteilung, ob und wann mit einem Abschluß zu rechnen sei. Leidenschaftlich und ziemlich laut unterbrach Schmidt meinen Bericht: »Falsch! Du hättest Henry nach Einzelheiten fragen sollen. Wir sind daran interessiert, sogar vital.« Meinen Einwand ließ er nicht gelten, wir dürften nicht so tun, als wollten wir – aussichtslos – uns da einmischen.

Von diesem Erlebnis zog ich eine Linie zu dem folgenreichen Vortrag, den Schmidt im Oktober 1977 in London gehalten hatte. Daß die Sowjetunion mit ihrer Raketenmodernisierung Europa bedrohe, war unbestreitbar; daß der deutsche Kanzler sich damit in das strategische Geschäft der beiden Supermächte einmischte, ein Fehler. Die Amerikaner sahen nämlich keine Gefahr für das strategische Gleichgewicht durch ein paar sowjetische Raketen mehr. Es dauerte einige Zeit, ehe sie die Chance sahen, die ihnen der deutsche Regierungschef zugespielt hatte. Es würde ein strategischer Vorteil sein, wieder amerikanische Systeme in Europa zu stationieren, die nach der Kubakrise von Kennedy abgezogen worden waren – natürlich ohne daß deshalb unsere

Sicherheit verringert worden wäre. Der Urheber des NATO-Doppelbeschlusses hieß Schmidt; die Amerikaner wiesen uns darauf hin, als uns später Einzelheiten der Machart nicht paßten, und die Sowjets wiesen darauf hin, wenn wir ihnen vorwarfen, sie nähmen auf die Amerikaner mehr Rücksicht als auf die Europäer.

Daß Demokraten in Amerika den Sozialdemokraten in Deutschland näherstehen als Republikaner, ist selbst, was ihr Interesse für die Mehrheit der Schlechterverdienenden angeht, nur theoretisch. Außenpolitisch kühlten sich die Beziehungen ab, als Carter Präsident wurde. Sein Sicherheitsberater Zbigniew Brzezinski zeigte gar kein Interesse, als ich ihn im Weißen Haus von unserem Kanal nach Moskau informierte. Daß Brandt mit Wissen des Kanzlers Vizepräsident Mondale unterrichtete, fand auch kein Echo. Die Meinung, daß Carter von Strategiefragen keine Ahnung habe, wiederholte Schmidt zu oft, als daß sie hätte geheim bleiben können. Die Energien wurden in Bonn darauf gerichtet, die Amerikaner »atomar« zu bewegen, ohne über die Mittel zu verfügen, sie wirklich bewegen zu können, und verloren Kraft, die Sowjets »konventionell« zu drücken, wozu wir fähig gewesen wären. Guadeloupe hieß der Ort des Pyrrhus-Sieges. Obwohl es doch in der Logik seines Denkens lag, wurde Schmidt von Carters Vorschlag dort überrascht, durch Aufstellung amerikanischer Raketen in Europa den beklagten Verlust des Gleichgewichts wiederherzustellen. Zwischen den beiden stimmte nicht nur die Chemie nicht. Ein wichtiger Mann in den Administrationen demokratischer Präsidenten, den ich im Rahmen der Palme-Kommission näher kennenlernte, sagte mir: Mehr als irgendein anderer Ausländer hätte Schmidt die Wiederwahl Carters verhindert; das bliebe unvergessen. Umgekehrt sei der Doppelbeschluß eine angemessene Revanche gewesen; denn mehr als jeder andere außenpolitische Faktor hätte er zum Kanzlersturz geführt.

Die Kontakte mit dem Kreml liefen auf den eingefahrenen Schienen, aber sie transportierten immer weniger. Kredit und Gewicht, die ich persönlich gewonnen hatte, waren noch zu verwerten, indem ich das Milliardenprojekt für Stahl in Kursk direkt bei Breschnew flottmachte, der nun gar nicht mehr die Stimme des Kanzlers hörte. Für das Land aber wurde nicht mehr genutzt, daß ich in schwierigen und nicht angenehmen Verhandlungen in Moskau zum Beispiel das Rechtshilfeabkommen auf den Weg zu bringen hoffte oder den Rahmen für eine

Grundsatzerklärung der deutsch-sowjetischen Beziehungen in den nächsten zwanzig Jahren abstimmte; das Auswärtige Amt wollte es anders, und der Kanzler wollte keinen Ärger mit Genscher. Die Dynamik war weg, und die Routine wurde leer.

An einem Dezembertag 1979 rief Slawa an, es gäbe eine wichtige und dringende Sache für den Kanzler. Am Brahmsee trieb ich Helmut Schmidt auf, der vorweihnachtlich ungnädig reagierte. Wenn es sein müsse, würden wir am nächsten Morgen um zehn vielleicht sogar Kaffee bekommen. Am Abend holte ich Leo in Flensburg vom Bahnhof ab. Er war ungewohnt einsilbig und wollte Radionachrichten hören. Vor dem Sport und dem Wetterbericht fand auch eine Meldung Platz, daß nach amerikanischen Quellen über Afghanistan vermehrte Flugtätigkeit festgestellt worden sei.

In meinem damaligen Haus in Neukirchen angekommen, wollte Leo unbedingt die letzten Fernsehnachrichten verfolgen, die nichts darüber hinaus brachten. Er schüttelte den Kopf: »Wir sind in Afghanistan einmarschiert. Eine Einheit ist auf dem Flugplatz gelandet und hat den Palast gestürmt. Es ist alles schon erledigt. Der bisherige Machthaber Amin ist tot; der neue, Babrak Karmal, eingesetzt. Die Amerikaner müssen das längst wissen. Warum sagen sie nichts?«

Die Führung seines Landes wolle dem Bundeskanzler möglichst eine Vorunterrichtung geben. Er habe schon Sorge gehabt, zu spät zu kommen. Ich reagierte wie am nächsten Tag der Kanzler. Da würde wohl viel Zeit vergehen, ehe dieser Staub sich senkt und man sehen kann, wie die Welt dann aussieht. Es hätte nicht viel Sinn, im Augenblick weiterzureden. Das könne das Ende der Entspannung sein. Immerhin dankte Schmidt für die Mitteilung. Als ich mit ihm allein war, vermerkte er, daß wir von unseren Freunden in Washington nichts gehört hätten. »Mal sehen, wann die sich rühren.« Den Beweis für das Gewicht, das die sowjetische Führung dem Verhältnis zum Kanzler und dem Kanal zumaß, hätte man sich aus einem besseren Anlaß gewünscht.

Ein paar Wochen später war ich in Washington und suchte zunächst Marshall Shulman auf, den ebenso sympathischen wie kenntnisreichen und klugen Sachverständigen des Außenministeriums für die Sowjetunion. Als ich auf den Zeitunterschied zwischen dem Coup und dem Einmarsch verwies, erläuterte er, auch durch Graphiken und Karten, wie genau die Amerikaner über den Ablauf informiert gewesen waren.

Sie hatten gewissermaßen jedes Flugzeug auf ihrer Palette und kannten die Einheiten, die den Flugplatz besetzt und den Palast gestürmt hatten. Nach Vollzugsmeldung hatten sich die an der Grenze aufmarschierten sowjetischen Verbände ruhig und ohne auf Widerstand zu stoßen in Marsch gesetzt. Sie waren durch den neuen Mann gerufen worden. Wieder einmal. Eine Stunde später fragte ich Außenminister Cyrus Vance, warum die Amerikaner tagelang ihr Wissen über den vollzogenen Staatsstreich geheimgehalten hatten. Die Augen von Vance wurden klein und stechend: »Woher wissen Sie das?« Ich konnte glücklicherweise auf Shulman verweisen. Eine Erklärung für dieses seltsame Verhalten habe ich bis heute nicht.

Wir bekamen dann über den Kanal die jeweils wechselnden, sich widersprechenden Interpretationen nachgereicht. Zum Teil hatten sie vergessen, was Inhalt der voraufgegangenen Mitteilungen gewesen war. Das war nicht überzeugend. Daß Breschnew nicht gedrängt habe, sondern gedrängt worden sei, machte die Sache auch nicht besser.

Eines Tages saßen Schmidt, Leo und ich in dem kleinen privaten Eßraum im Bonner Bungalow. Plötzlich bittet der Kanzler, beim Generalsekretär zu fragen, wie dessen Reaktion wäre, wenn die Bundesrepublik einen Teil ihrer Währungsreserven aus Amerika nach Moskau verlagern würde. Nach der Verabschiedung konnte ich Leo nur versichern, ich hätte keine Ahnung von dieser Idee des Kanzlers gehabt. Daß Brandt an eine solche Dimension nie gedacht hätte, sagte ich natürlich nur dem Kanzler und seinem Vorgänger. Die Frage, ob er denn Karl Otto Pöhl, den Präsidenten der Bundesbank, dafür gewinnen könnte, beantwortete Schmidt, das solle ich mal seine Sorge sein lassen. Bei seinem nächsten Besuch meldete Leo, daß Breschnew die Frage des Kanzlers begrüße und ohne Vorbehalt positiv beantworte. Das war nun keine Überraschung. Schmidt dankte; er käme darauf zurück. Beim nächstenmal ließ Breschnew nachfragen, wann und wie er mit einem Schritt des Kanzlers rechnen könne, und der richtete aus, er sei noch nicht so weit. Endlich überbrachte Leo eine Botschaft, in der Breschnew seine Ungeduld erkennen ließ: Schließlich habe er diese Frage nicht dem Kanzler zwischen die Zähne geschoben. Der gab sich hinhaltend. Danach war der Kremlherr feinfühlig genug, nicht mehr nachzufragen. Doch eine Erörterung in Moskau, wie verläßlich dieser Mann am Rhein sei, blieb bestimmt nicht aus.

Sehr vorsichtig äußerten Slawa und Leo Zweifel über die eigentlichen Absichten des Kanzlers; wollte er die neuen amerikanischen Raketen haben, oder wollte er sie verhindern? Dabei interessierten die öffentlichen Erklärungen weniger, weil sie taktisch innen- wie außenpolitisch motiviert sein konnten, und dafür hatte Moskau volles Verständnis; schwerer wog, daß aus dem internen Briefwechsel mit Breschnew keine Eindeutigkeit herauszulesen war. Wenn das im Sinne eines Drucks gemeint war, um die sowjetische Position zu beeinflussen, dann wäre der Charakter des Kanals gefährdet, der ja gerade direkt und verläßlich die ehrlichen Absichten vermitteln sollte. Oder mußte man gar eine Täuschung befürchten; innerlich hätte der Kanzler sich längst mit den Raketen abgefunden und täte nur so, als führe er halbherzig noch einen Kampf gegen sie? In meinem oben erwähnten MBFR-Brief hatte ich die Vokabel »Betrug« benutzt, bevor ein Jahr später der Doppelbeschluß in Guadeloupe gefaßt wurde. Nun, danach, konnte in Moskau die Frage des Vertrauens aufgeworfen werden. Daß wir zeitweilig in eine Phase latenten Mißtrauens zu Washington hineingeraten waren, wurde besser den Moskowitern nicht dargelegt. Der Kanzler selbst spürte das, indem er Breschnew bei dessen Besuch in Bonn und Hamburg versicherte: »Ich habe Sie nie betrogen.« Breschnew bestätigte ihm das. Das Wort Betrug wäre zwischen Brandt und Breschnew unvorstellbar gewesen.

Auch ich war von dem politischen Raketengift infiziert. Mitte Mai 1979 hatte Schmidt einer Spitzengruppe aus Regierung, Fraktion und Partei im kleinen Sitzungssaal des Kanzleramtes dargelegt, in welcher Form er Carter seine Zustimmung zum Doppelbeschluß geben wollte. Nur Ehmke unterstützte mich in dem Bedenken, die Zusage der Stationierung wäre stark, die auflösende Bedingung der Verhandlungen schwach formuliert. Gerade darauf bezog sich ein Brief (2. Juni 1979), in dem ich dem Kanzler die Grenzen deutlich machte, in denen ich unsere Politik noch mittragen konnte. »Die Dimension der Entscheidung, vor der wir stehen können, ist so, daß ich mich jedenfalls zu der Bemerkung veranlaßt gesehen habe, daß ich dies nicht mitmachen würde. Der Kurs bei TNF« – ehrlicherweise wurden die Mittelstreckenraketen von den Amerikanern als Theatre Nuclear Forces bezeichnet, was nicht Theaterwaffen bedeutete, sondern ihre Verwendung auf dem Kriegsschauplatz beschrieb, bis sie aus Rücksicht auf die Psyche der Europäer in INF

(Intermediate-Range Nuclear Forces), atomare Mittelstreckenwaffen, umgetauft wurden – »würde nicht nur aufgeben, was du als historisches Verdienst von Willy bezeichnet hast, sondern auch meine Fähigkeit zerstören, in meiner gegenwärtigen Rolle zu dienen, auch soweit sie über die reine Funktion des Bundesgeschäftsführers hinausgeht.«

Loyal

Hier drohten Loyalitätskonflikte. Die Erfüllung der Treuepflicht ist selbstverständlich, solange der Arbeitgeber, ob Staat, Partei oder Betrieb, nichts verlangt, was das Gewissen verletzt. Die Raketendebatte stellte mich vor das Problem, die Rangfolge von Loyalitäten abzuwägen. Der Eid auf die Verfassung, bindend auch nach dem Ausscheiden aus der Regierung, setzte das Wohl des Landes an die Spitze, nicht das Wohl der NATO. Das Bündnis war unentbehrliches Mittel zum Zweck der Sicherheit. Jede neue Rakete auf deutschem Boden würde ein weiteres Ziel schaffen, also wachsende Bedrohung des Landes bedeuten. Die Priorität war klar.

Auf der nächsten Ebene konnte die Regierung Loyalität erwarten. Mein Kanzler hatte sie erleichtert, weil vier Jahre lang verhandelt werden sollte, bevor stationiert werden konnte. Er war im Wort, als die SPD zu ihrem Parteitag 1979 in Berlin zusammentrat. Wir durften ihn und den Verteidigungsminister nicht zum Rücktritt zwingen. Nicht leichten Herzens setzte ich mich für die Annahme des Doppelbeschlusses ein, was Schmidt zu schätzen wußte und Erhard Eppler zu der persönlichen Bemerkung veranlaßte, ich hätte damit eine große Verantwortung gegenüber dem Land und der Partei übernommen. Sein Zweifel, ob die Verhandlungen die Raketen verhindern würden, sollte sich bestätigen. Die Brücke bildete eine Entschließung, in der die Partei den Prozeß mit der auflösenden Bedingung versah, das Verhandlungsergebnis nach vier Jahren zu prüfen, und sich vorbehielt, dann ja oder nein zu sagen.

Die Loyalität gegenüber der Partei verlangte diese auflösende Bedingung; sonst wäre mindestens ein tiefer Riß, möglicherweise das Ende der Koalition ein Jahr vor den Wahlen nicht zu verhindern gewesen. Das Vertrauen der Delegierten, daß ihre Führung sich loyal, das heißt nicht nur den Buchstaben, sondern auch dem Geiste der beschlossenen Resolution gemäß verhalten werde, durfte keinesfalls enttäuscht werden. Der Bundesgeschäftsführer fühlte sich jedenfalls im Wort und ist dieser inneren Bindung treu und unbeirrt gefolgt, die zuletzt folgerichtig zur Ablehnung der Stationierung führte.

Der Konflikt war programmiert; denn die große Regierungspartei konnte zwar sich, aber nicht die Regierungen, schon gar nicht die amerikanische, binden. Und während Schmidt den Druck auf Washington und Moskau aufrechterhielt mit der Möglichkeit, am Ende die Stationierung ablehnen zu können, gab sein Nachfolger im Frühjahr 1983 seine Zustimmung im voraus; die Amerikaner brauchten sich um eine Verständigung mit den Sowjets nicht mehr zu bemühen.

Die Loyalität gegenüber dem Kanzler wurde nicht gebrochen – gegenüber Brandt, der ähnlich dachte, war sie nie gefährdet; schon bevor ich wie vorgesehen die Baracke verließ, teilte ich Schmidt mit, daß ich künftig »die politische Seite der Rüstungsbegrenzung zum Schwerpunkt machen werde, weil ich sie für eine Schlüsselfrage der nächsten Jahre – übrigens auch für die Partei – halte«. Wir konnten uns immer in die Augen sehen.

Die Aufrichtigkeit verlangte, daß ich die Amerikaner zu keinem Zeitpunkt im unklaren über mein Denken ließ. Zuletzt mußte bei uns wie bei ihnen das Wohl des eigenen Landes entscheiden. In einem Gespräch mit dem Bundespräsidenten Richard v. Weizsäcker empfand ich dankbar, daß ihm die Sorge nicht fremd war, amerikanische Interessen könnten einmal vital den deutschen zuwiderlaufen. Diese Situation ist uns glücklicherweise erspart geblieben. Die Redlichkeit verlangte auch, die russischen Partner nicht im unklaren zu lassen. Auch wenn ein Deutscher, dessen Einfluß nachließ, für sie weniger wichtig wurde, durften sie seine Aufrichtigkeit nicht bezweifeln. Ehrlichkeit verlangt Äquidistanz zu Verbündeten und Gegnern.

Die Partei hat immer recht – ist eine Auffassung, die Mitglieder und Untertanen in die Pflicht nimmt. Im fundamentalen Gegensatz dazu steht die Loyalität, die der einzelne, abgeleitet aus der Würde des Menschen, seiner jeweiligen Obrigkeit und den Mitmenschen schuldet. Und sogar diese moralische Verpflichtung ist letztlich dem Gewissen unterworfen.

12. KAPITEL

Gemeinsame Sicherheit und Gorbatschow

In der Palme-Kommission

Es traf sich gut. Indem ich gern ins Glied zurücktrat, gewann ich zweierlei: einen Vorsprung gegenüber den Gefährten, die erst zwei Jahre später die Erfahrungen des Umzugs ins Parlament – und dann gleich auf die Bänke der Opposition – machten, und vor allem Zeit, um wieder dickere Bretter zu bohren. Ende 1980 holte mich Olof Palme in seine »Unabhängige Kommission für Abrüstung und Sicherheit«, die der Brandt-Kommission folgte, und 1981 berief mich die konservative schwedische Regierung in den Aufsichtsrat des angesehenen »Stockholm International Peace Research Institute« (SIPRI). Dort blieb ich, nach der einmal möglichen Wiederwahl bis 1989, lernte interessante Menschen kennen, wie Professor Karlheinz Lohs aus der DDR, den ich später in der SED-Delegation wiedertraf, als wir über die chemiewaffenfreie Zone sprachen, und der im Vertrauen auf mein Urteil den ersten deutschen Direktor, Walter Stützle, mitwählte, obwohl der einmal Planungschef bei Verteidigungsminister Schmidt gewesen war. Auf meinen Vorschlag wurde Gyula Horn, der mir mehr bedeutete als ein guter kommunistischer Funktionär, in den Board aufgenommen, bevor der ungarische Außenminister Stacheldraht zerschneiden ließ.

Den Zeitmangel, ständiger Begleiter seit dem Einzug ins Schöneberger Rathaus, wurde ich nicht los. Zum Vorsitzenden der Arbeitsgruppe »Neue Strategien« für die Partei gemacht, versuchte ich sogar erfolgreich, alles zu koordinieren und zu einer gemeinsamen Meinungsbildung zusammenzuführen, was auf diesem Gebiet mitsprechen wollte

511

oder konnte oder durfte, von Oskar Lafontaine bis Hans Apel. Für die SPD nahm ich an den regelmäßigen Treffen der Scandilux-Gruppe teil, in der Bruder- oder Schwesterparteien der kleinen NATO-Länder aus Norwegen, Dänemark, Belgien, den Niederlanden und Luxemburg sich in der komplizierten Raketenfrage orientieren wollten unter Berücksichtigung von Meinungen und Informationen von Beobachtern aus Paris und Bonn. Das brachte langjährige Freundschaften mit Menschen, die nicht nur Regierungsämter gewannen, sondern auch international bekanntgeworden sind wie der Norweger Thorvald Stoltenberg.

In schwierigen und interessanten Begegnungen konnten die Auffassungen der SPD und der französischen Partei angenähert werden. Das war auch nötig, weil die Franzosen die Behandlung Mitterrands durch Schmidt nicht vergaßen, der sich seinem Freund Giscard d'Estaing näher fühlte. Mitterrand brachte das wieder ins Lot, als er im Bundestag Kohl unterstützte und sich für die Raketenstationierung – natürlich nicht in Frankreich – aussprach. Die Pershing II in der Bundesrepublik werde für die nächsten zwanzig Jahre die deutsche Einheit verhindern, hatte mein französischer Partner schon verkündet. Den Vorsitz in dem zuständigen Gremium des Bundestages hinzugenommen, wird das Geflecht von persönlichen und politischen Verbindungen deutlich, durch das ich nun, frei von jedem Amt, die Idee der Entspannung auf militärischem Gebiet weiterzutreiben suchte.

Am fruchtbarsten wurde die Palme-Kommission. Sie begann ihre Arbeit für die Abrüstung, nachdem Ronald Reagan gerade Präsident geworden war und die Weichen in Richtung Aufrüstung stellte. Eine solche Kommission paßte nicht in die weltpolitische Landschaft. Und besonders zwei Mitglieder, die ehemaligen Außenminister Cyrus Vance und – schon damals in seinem Windschatten – David Owen, fühlten sich zur Vorsicht veranlaßt, um zu Hause nicht für unseriös gehalten zu werden. Das für notwendig Erkannte dennoch zu formulieren, nahmen sich alle vor, unabhängig von Regierungsweisungen und gestützt auf ganz unterschiedliche Erfahrungen. Der Nigerianer Olusegun Obasanjo war nicht mehr Staatschef, die Norwegerin Gro Harlem Brundtland noch nicht Regierungschefin, der Pole Józef Cyrankiewicz nicht mehr und der Niederländer Joop den Uyl noch nicht Ministerpräsident, um nur einige zu nennen. Der spätere norwegische Außenminister Johan Jörgen Holst trat als Berater dazu. Erstmalig durfte ein Sowjetmensch

schnew hatte gehofft, Brandt
n Rücktritt abhalten zu können.

die Antwort entwarf ich wie
ner einen kurzen Brief, den er in
ner typischen Art »schliff« und
änzte, bevor er zur Reinschrift
Sekretärin gegeben und abge-
ickt wurde.

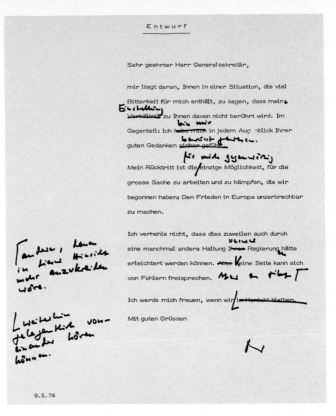

Entwurf

Sehr geehrter Herr Generalsekretär,

mir liegt daran, Ihnen in einer Situation, die viel
Bitterkeit für mich enthält, zu sagen, dass mein
Verhältnis zu Ihnen davon nicht berührt wird. Im
Gegenteil: Ich habe mich in jedem Augenblick Ihrer
guten Gedanken sicher gefühlt.

Mein Rücktritt ist die einzige Möglichkeit, für die
grosse Sache zu arbeiten und zu kämpfen, die wir
begonnen haben: Den Frieden in Europa unzerbrechbar
zu machen.

Ich verhehle nicht, dass dies zuweilen auch durch
eine manchmal andere Haltung Ihrer Regierung hätte
erleichtert werden können. Aber keine Seite kann sich
von Fehlern freisprechen.

Ich werde mich freuen, wenn wir im Kontakt bleiben.

Mit guten Grüssen

9.5.74

ben dem fortgesetzten Briefwechsel kam es 1981 in Moskau zu einem Treffen. Brandt war nicht mehr Kanzler
d bemüht, den schon reduzierten Breschnew nicht durch Ansprache in Verlegenheit zu setzen. Ein Ergebnis des
suchs war die erste Formel einer Null-Lösung für die Mittelstreckenraketen.

Daß Indira Gandhi über die Erläuterung des deutschen Ministers nicht begeistert war, die Bundesrepublik wer die Entwicklungshilfe für Indien nicht mehr erhöhen, konnte nicht verwundern.

Nicht alle führenden Persönlichkeiten der Welt sind so bescheiden, integer und prinzipientreu geblieben wie Jul Nyerere, der den Bundeskanzler im Palais Schaumburg mit seinem Finanzminister (im Hintergrund), An Jamal, aufsuchte. Jamal wurde später Mitglied der Brandt-Kommission.

…wischen dem Bundeskanzler und dem Bundesgeschäftsführer wurde nicht nur »gesäuselt«. Dennoch gingen sie …n Gleichschritt.

Unvergleichlich zu früher war die Atmosphäre entspannt, direkt freundschaftlich, als Michail Sergejewitsc Gorbatschow erster Mann im Kreml geworden war. Hinter ihm Alexander Jakowlew, Valentin Falin und Vikto Rykin.

Bei seinem ersten Aufenthalt in Deutschland nach dem Machtwechsel wollte Michail Gorbatschow auch da Institut für Friedensforschung und Sicherheitspolitik (IFSH) in Hamburg besuchen. Den Rat, sich zu Haus innenpolitisch einige Jahre nicht zu äußern, ließ sein Temperament nicht zu.

»Gemeinsame Sicherheit« hieß 1982 das Ergebnis der Palme-Kommission, an der erstmalig auch Vertreter des Ostblocks teilnehmen durften/konnten. Von links nach rechts: der Pole Józef Cyrankiewicz, die Inderin C. B. Lakshmuthamma, der Russe M. Milstein, zwischen mir und Olof Palme der Niederländer Joop den Uyl, der Russe Georgi Arbatow, hinter ihm der spätere norwegische Außenminister Johan J. Holst, der Nigerianer Olusegun Obasanjo, hinter ihm der Kanadier Robert Ford, die Norwegerin Gro Harlem Brundtland, hinter ihr der Brite David Owen, aus Guyana der Generalsekretär des Commonwealth Shridath Ramphal, der Mexikaner und Nobelpreisträger Alfonso Garcia Robles, die Engländerin Emma Rothschild und der Japaner Haruki Moro. Auf dem Foto fehlen der Amerikaner Cyrus Vance, der Tansanier Salim Salim und der Indonesier Sedjatmoko. Die Idee des atomwaffenfreien Korridors in Mitteleuropa gehörte zu den Vorschlägen der unabhängigen Kommission.

Aus Anlaß des 75. Geburtstages hatte sich der Bundespräsident ein großartiges Geschenk für Willy Brandt ausgedacht. Es gelang, weil so viele so unterschiedliche Menschen trotz ihrer Verpflichtungen kamen, um Respekt und/oder Freundschaft zu bezeugen. Zu denen, die es nicht schafften, gehörte der Spanier Felipe González, der dann bewegend für die Sozialistische Internationale im Reichstag von dem aufgebahrten Freund Abschied nahm.

Das Foto zeigt in der unteren Reihe: Marianne v. Weizsäcker, François Mitterrand, Brigitte Seebacher-Brandt, Willy Brandt, Richard v. Weizsäcker, Mário Soáres (Portugal) und Shimon Peres (Israel).

Zweite Reihe: Helmut Kohl, Gro Harlem Brundtland (Norwegen), Mieczyslaw Rakowski (Polen), Franz Vranitzky (Österreich), Kalevi Sorsa (Finnland), Hans-Dietrich Genscher.

Dritte Reihe: Johannes Rau, Layachi Yaker (Algerien), Jacques Delors (Frankreich), Hans-Jochen Vogel, Shridath S. Ramphal, Allan Boesak (Südafrika), Georg Leber, Rainer Barzel.

Oberste Reihe: Björn Engholm, Peter Glotz, Holger Börner, Ingvar Carlsson (Schweden), Shepard Stone (Exdirektor des Aspen-Instituts), Walter Scheel, Oskar Lafontaine, Bruno Kreisky (Österreich), Carlos A. Pérez (Venezuela), Ernst Breit, Karel van Miert, Belgien, Altbischof Kurt Scharf, Egon Bahr, Valentin Falin (Sowjetunion), Basil Mathiopoulos (Griechenland) und Hans Katzer.

Die Arbeitsgruppe der SPD war umstritten. Die Deutschen (von links nach rechts): Hermann Scheer (MdB)
Erwin Horn (MdB), Karsten Voigt (MdB), Hermann Axen (Mitglied des Politbüros), Uwe Stehr (kenntnisreiche
Assistent der SPD-Fraktion) und Manfred Uschner (unkonventioneller Leiter des Büros Axen.)

Die letzte Begegnung mit Erich Honecker auf einem
internationalen Kongreß in Berlin.

Welch ein Wandel. Im Juli 1990 meldet dpa: »Bahr is
mit sofortiger Wirkung auf Eppelmanns Wunsch hi
Berater der Nationalen Volksarmee der DDR.«

an einer solchen Kommission teilnehmen, Georgi Arbatow. Sein militärischer Berater, der ehemalige General Milstein, sorgte wohl mit dafür, daß Selbständigkeit und Bindung in einer für Moskau annehmbaren Balance blieben.

Palme bat mich, über Sicherheit im atomaren Zeitalter nachzudenken. Beide Großmächte verfügten über die Fähigkeit, nach einem tödlichen Schlag des einen tödlich für den anderen zurückzuschlagen. Das war wirklich verrückt und wahnsinnig, im Englischen mad; mit diesen drei Buchstaben MAD (Mutual Assured Destruction) bezeichneten die Amerikaner die gegenseitig gesicherte Zerstörung. Diese Zweitschlagsfähigkeit löschte jede Hoffnung aus, in einem Atomkrieg siegen zu können. Das elementare Bedürfnis der Menschheit nach Sicherheit, durch eigene Stärke oder mit Verbündeten den Gegner zu beherrschen oder schlagen zu können, also die Hoffnung auf Sieg, hatte zu der Geschichte der Kriege geführt. Da das nicht mehr geht, weil die Gegner im Untergang vereint wären, sie nur noch gemeinsam überleben können, ist Sicherheit nicht mehr vor dem Gegner, sondern nur noch mit ihm zu erreichen. Das nukleare Zeitalter verlangte die Doktrin der Gemeinsamen Sicherheit.

Die gültige Idee der Abschreckung ist eine Übergangstheorie. Sie will Kriegsverhinderung mit der Führbarkeit von Kriegen verbinden, falls Krieg nicht zu verhindern wäre. In diesem Widerspruch liegt auch die Gefahr. Nicht die Idee der Abschreckung, sondern der Schrecken der Waffen selbst hat den Krieg verhindert. Wenn Waffen durch die Begrenzbarkeit ihrer Zerstörungskraft den Schrecken vor sich mindern, wird auch die Wirksamkeit der Abschreckung vermindert werden. Die Akzeptierung der Gemeinsamen Sicherheit ersetzt auf Dauer die Doktrin der Abschreckung. Gemeinsame Sicherheit ist also ein Mittel, qualitativ wie quantitativ Rüstung zu stoppen und dann zu reduzieren. Es ist billiger und schafft Mittel, um Unterentwicklung und Hunger zu bekämpfen.

Auf Europa bezogen wäre es wirklichkeitsfremd, von den Atommächten ihre atomare Entwaffnung zu verlangen. Sie entscheiden über ihre Atomwaffen in eigener, nicht teilbarer Verantwortung. Die beiden Bündnisse sind nicht nur Instrumente der Sicherheit voreinander, sondern auch Faktoren der Stabilität geworden. Die Mehrzahl ihrer Mitglieder verfügt nicht über Atomwaffen, deren Stationierung sie auf ihrem Boden zugelassen hat. Die Friedensbewegung in diesen Ländern drückt den Unwillen aus, daß andere Staaten die Macht haben, im Ernstfall mit der Entscheidung über den Einsatz von Atomwaffen über die Existenz von Völkern und Staaten zu entscheiden, die das umgekehrt nicht können. Diese Ungleichheit ist nicht zu beseitigen.

Unter dem Gesichtspunkt der Gemeinsamen Sicherheit ergibt sich der Vorschlag:

– Alle Atomwaffen werden aus Staaten in Europa abgezogen, die nicht über sie verfügen.

– Für konventionelle Streitkräfte wird ein annäherndes Gleichgewicht zwischen NATO und Warschauer Vertrag hergestellt.

– Die beiden Bündnisse mit ihren Verpflichtungen und Garantien bleiben unverändert.

Da dieses – hier zusammengefaßte – Ergebnis des Nachdenkens etwas historisch Beispielloses verlangte, nämlich den Gegner als Partner zu sehen und zu behandeln, legte ich das Papier drei Monate in den Schreibtisch. Als ich dann immer noch keinen Fehler entdeckte, schickte ich es Carl Friedrich v. Weizsäcker, um es dem Test seines unbestechlichen Gehirns auszusetzen. In einem Gespräch erklärte er, der einzige Fehler daran sei, daß es nicht ihm eingefallen sei, und machte sich die Mühe einer akribischen Durchsicht. So erhielt Palme das Papier.

Auf der nächsten Kommissionssitzung in Tokio ergab sich eine fast spaßige Situation. Alle stimmten dem Grundgedanken der Gemeinsamen Sicherheit zu, die als orientierender Gedanke der Kommission angenommen wurde und ihrem Bericht den Titel gab. Aber die Konsequenz für die Europäer lehnten die Vertreter der vier Atommächte ab, die der drei westlichen definitiv, der Russe mit Einschränkungen. Vance, unterstützt von Owen, erklärte kategorisch, wenn mein Vorschlag Teil des Berichts würde, gäbe es keine Unterschrift von ihm. Das wog schwerer als meine kategorische Ablehnung, ihn zurückzuziehen. Es war gar nicht lustig, aber interessant zu beobachten, gewissermaßen in einer Nußschale, welche Macht die Mehrheit der atomaren Habenichtse gegenüber der Minderheit der glücklichen Atombesitzer hätte, wenn sie wollte. Die Kommission wäre geplatzt, wenn die Mehrheit die Sympathie für ihre Atomwaffenfreiheit am Sitzungstisch verbindlich gemacht hätte. Da das niemand wollte, blieb es Palme überlassen, in schwierigen Gesprächen mit Vance, Owen und mir einen Ausweg zu finden.

Die Lösung: Mein Vorschlag wurde als persönliche Anmerkung,

»unterstützt von einer Reihe ihrer Mitglieder« – um nicht »Mehrheit« zu sagen – dem Bericht der Kommission angefügt. Für den Bericht selbst schlug Vance, unterstützt von Owen, vor, in der Mitte Europas eine Zone zu schaffen, frei von atomaren Gefechtsfeldwaffen, 150 Kilometer tief, beiderseits der Grenze zwischen den beiden Bündnissen. Natürlich hatte Vance sich vergewissert, daß dies mit den Sicherheitsbedürfnissen der NATO zu vereinbaren war. Nun kam Arbatow, dem die politische Brisanz klar war, und äußerte Zweifel, ob nicht wirksamere Maßnahmen bis zu einem vollständigen Verbot der taktischen und der Mittelstreckenwaffen nötig seien. Moskau wollte die politische Entscheidung zu einem atomwaffenfreien Korridor an einem internationalen Konferenztisch und nicht in einer unverbindlichen internationalen Kommission treffen. Als der Bericht im Januar 1982 der UN-Sondersitzung über Abrüstung in Genf vorgelegt wurde, war ich zufrieden. Getreu dem Versprechen, jedes Mitglied sollte zur Verbreitung unserer Ideen das ihm Mögliche tun, griff ich die für Mitteleuropa relevanten Vorschläge, Chemiewaffenfreiheit und atomwaffenfreier Korridor, etwas später gern auf. In den Gesprächen mit Hermann Axen lag auch der Versuch, was aus der Mitte Europas heraus zu bewegen wäre.

Langsam sickerte das Denken in der Kategorie der Gemeinsamen Sicherheit in die internationalen Diskussionen, in Reden von Politikern und sogar Bündniskommuniqués. Schmidt sprach sogar von Sicherheitspartnerschaft, einer Konsequenz der Gemeinsamen Sicherheit, die sich die SPD zu eigen machte. Meinungsführerschaft nennt man so etwas.

Während der siebten Kommissionssitzung in Paris im Oktober 1981, Mitterrand war schon, Breschnew noch an der Spitze, erörterten Arbatow und ich, wie wir uns angewöhnt hatten, den Lauf der Dinge im allgemeinen und in unseren Ländern im besonderen. Dabei erwähnte Arbatow einen Mann, den er als seinen Freund bezeichnete, der außergewöhnlich begabt sei und Zukunft habe. Neugierig fragte ich nach dem Namen. »Michail Sergejewitsch Gorbatschow.« – »Habe ich nie gehört. Was macht der?« – »Der ist für Landwirtschaft zuständig.« Da ich keinen Mann der Landwirtschaft mit politischer Zukunft kannte, entschied ich, den Namen zu vergessen. Das war falsch.

Sechs Wochen nach seinem Amtsantritt im März 1985 saß ich Gorbatschow gegenüber, um einen Moskauer Besuch Brandts im darauffolgenden Monat vorzubereiten. Es war Sympathie auf den ersten Blick. Fast erschreckend, welches Vertrauen der neue Kremlherr mit seinen braunen Augen, die nicht auswichen, sofort weckte. Mußte man nicht auf der Hut sein vor einem anscheinend guten Menschen, der schließlich nicht grundlos und nicht schuldlos an die Spitze der mächtigen Sowjetunion gekommen sein konnte? Der Mann sprühte vor Vitalität und geistiger Beweglichkeit und diskutierte im Stil eines westlichen Staatsmanns. Was er sagte, war frappierend. Neues Denken sei nötig; Überlegenheit, atomar wie konventionell, sinnlos geworden, Abschreckung gefährlich; Sicherheit könnten Ost und West nur gemeinsam finden und dann auch abrüsten. Kurz: Zu meinem Erstaunen entwickelte Gorbatschow mir die Idee der Gemeinsamen Sicherheit. Sie war seine außenpolitische Konzeption, fertig zur Durchführung. Nach zwanzig Minuten erklärte ich meine völlige Übereinstimmung und bat um seine innenpolitischen Auffassungen. Die waren viel weniger konkret und nicht fertig zur Durchführung, kreisten um die Begriffe Perestroika und Glasnost und mündeten in die Vorstellung, wenn die Verkrustungen des Stalinschen Systems zerbrochen seien, würden die Ideen Lenins aufs neue in alter Anziehungskraft strahlen. »Jetzt verstehe ich, was Sie sich vorgenommen haben.« Er lächelte verschmitzt. – Arbatow, dem ich die Überraschung dieses Zweistundengesprächs berichtete, war nicht erstaunt; er habe seinen Freund über die Arbeiten der Palme-Kommission laufend unterrichtet, durch die Diskussionen habe Gorbatschow den Kern so verinnerlicht, daß der Ursprung versunken sei.

Noch zwei Episoden gehören in diesen Zusammenhang. Im Januar 1986 wollte die Kommission in Neu-Delhi ihre Arbeit bilanzieren. Arbatow kam direkt aus Moskau, wo Gorbatschow am Tag zuvor der Welt vorgeschlagen hatte, bis zum Jahr 2000 alle Atomwaffen abzuschaffen, und erläuterte den ehrgeizigen Plan: Er entspreche den Ideen unserer Kommission. Ich machte auf den Pferdefuß aufmerksam: Die für Europa so wichtige konventionelle Seite fehle. Hier würde nachgeliefert werden, beteuerte der Russe; Amerika gehe vor. Olof leitete unsere Sitzung zum letztenmal. Sechs Wochen später wurde der Freund erschossen.

Einige Wochen danach diskutierte die illustre Bilderberg-Gruppe auf Einladung des klugen Fiat-Chefs Agnelli am Comer See. Kissinger und ich referierten unsere unterschiedlichen Auffassungen, wann und wie der Westen auf die Initiativen Gorbatschows antworten, vielleicht mehr als nur reagieren solle. In der Kaffeepause setzten wir unseren Disput fort. Daß der Russe auch bereit sein konnte, seine konventionelle Überlegenheit in Europa aufzugeben, weil dies für gemeinsame Sicherheit zwingend in der Logik seines neuen Denkens liege, wollte Henry nicht glauben. »Wenn aber doch«, insistierte ich. »Dann stehen wir am Beginn einer neuen Epoche«; mit dieser Prophezeiung behielt Kissinger recht.

»Raketenschach«

»Tödliche Spiele« oder »Tricks« hätte die Titelübersetzung des Buches von Strobe Talbott auch lauten können. Doch *Raketenschach* trifft nicht weniger genau die Schilderung der amerikanischen Strategie und Taktik bei den Genfer Verhandlungen zwischen 1981 und 1983. Der Verfasser, Schwiegersohn des Delegationsleiters für die Mittelstreckenwaffen Paul Nitze, später stellvertretender Außenminister unter Clinton, hat Geschichte zu Lebzeiten geschrieben, die strategische Konfrontation seines Landes gegenüber der Sowjetunion und die daraus erwachsenden Motive und Absichten. Als sein Buch 1984 erschien, belegte es, daß die Reagan-Administration den Doppelbeschluß sabotiert hatte und ein Ergebnis nicht erzielen wollte. Es bestätigte den Eindruck, der sich während der Verhandlungen verdichtet hatte, mit entsprechenden Konsequenzen für mich: Die Amerikaner haben uns betrogen.

Es begann damit, daß aus den vorgesehenen vier Verhandlungsjahren nur zwei wurden: Im ersten Jahr war Amerika gelähmt durch den Wahlkampf, den Carter verlor, und in London wurde James Callaghan abgelöst. Ronald Reagan und Margaret Thatcher interpretierten und behandelten den Doppelbeschluß anders als ihre Vorgänger. Weder Schmidt noch Giscard d'Estaing konnten das im voraus wissen. Die neuen Leute nahmen sich Zeit, ihr neues Konzept zu entwickeln. Als ich im Frühsommer 1981 Paul Nitze in seinem Haus aufsuchte, schwankte dieser liberale Falke noch, ob er das Angebot zur Verhandlungsführung annehmen sollte. Wenn er noch einmal in den Ring steigen würde, dann um ein Ergebnis zu erzielen. Falls das nicht möglich sei, würde er zurücktreten. In den fast zwanzig Jahren unserer Bekanntschaft hatte er sich als ehrenhaft und unabhängig erwiesen; auch im Namen von Schmidt und Brandt versicherte ich ihm unser Vertrauen. Er hat das Kunststück fertiggebracht, seinem Ruf gerecht zu werden, ohne ein Ergebnis zu erreichen. Der berühmt gewordene Waldspaziergang mit seinem Kontrahenten Kwizinski ist ein Zeugnis dafür. Diesen Kompromiß hätte Schmidt angenommen, wenn die Amerikaner ihn gefragt hätten; als er die Ablehnung Washingtons aus der Zeitung erfuhr, lief die Sache auf Abbruch und Stationierung zu. Daß die Sowjets ihre Modernisierung über den bloßen Ersatz alter Systeme hinaus fortsetzten und damit die Bedrohung verschärften, darf nicht vergessen werden.

Es wäre sinnlos, die verschlungene und komplizierte Geschichte der Verhandlungen nachzeichnen zu wollen. Einige Schlaglichter der Erinnerung sollen die Problematik erhellen, die bis jetzt nachwirkt. In einem schönen Hotel in den Bergen außerhalb Oslos beriet die Scandilux-Gruppe und traf mit Richard Perle zusammen, der gerade Norwegen auf seine Linie einstimmen wollte. Dieser zweite Mann im Pentagon war der hervorragende Kopf, der alle Fäden in der Hand hielt, genauer: durch seine intellektuellen und administrativen Fähigkeiten das Weiße Haus, das Außenministerium und seinen eigenen Verteidigungsminister zu lenken verstand. Der Prinz der Finsternis, wie er hinter vorgehaltener Hand genannt wurde, wollte die Überlegenheit der USA, keine Kompromisse mit dem Feind, und würde im Ernstfall, so meine Einschätzung, nicht zittern, den Rat zum tödlichen Schlag zu geben. Ich entwickelte ihm, mit der Stationierung der Pershing II könne Moskau erreicht werden, aber solange die sowjetische Weltraumüberwachung zeigen würde, daß die Amerikaner ihre strategischen Raketensysteme nicht aufsteigen lassen, müßte Moskau zu dem Schluß kommen, der große Atomkrieg könne vermieden, der Schlagabtausch auf Europa begrenzt werden. Dies sei das Interesse der beiden Supermächte. Aber das bedeute die Abkoppelung Europas von Amerika. Da die offizielle Lesart gerade das Gegenteil behauptete, erwartete ich, Perle würde wütend, entrüstet, beleidigt reagieren. Statt dessen blieb er ganz ruhig und entgegnete: »So kann man das sehen.«

Fatal an unserer Lage war, daß wir sogar Verständnis für die Interessen der beiden Großen aufbringen mußten; schließlich konnten wir nicht à la Hitler sagen: Wenn wir zugrunde gehen, soll bitte der Rest der Welt unser Schicksal teilen. Eine gewaltige Veränderung war seit der heroischen Berliner Zeit eingetreten. Auch wenn die Androhung der massiven Vergeltung immer fragwürdiger geworden war, bewahrte sie die Stadt vor dem östlichen Zugriff: Die ungeteilte Sicherheit wirkte für die Deutschen wie für die Amerikaner. Nun wollte sich die Führungsmacht die Instrumente verschaffen, flexibel die Sicherheit zu teilen. Diese Gefahr hatte Schmidt inzwischen erkannt. In Gesprächen mit zwei hochrangigen Vertretern des Pentagon haben wir, unabgesprochen, vorgeschlagen, die vorgesehenen Marschflugkörper auf U-Booten zu stationieren. Unsere Argumente, auf dem Boden leicht treffbare Ziele auf die See zu verlagern, waren im deutschen Interesse gut, sogar militärisch kaum zu widerlegen; gegen das Argument der Besucher, dies sei technisch nicht möglich, gab es keinen Einwand mehr. Eineinhalb Jahre danach konnte man der Fachpresse entnehmen, daß die Amerikaner Marschflugkörper auf U-Boote eingebaut hatten – ohne daß die landgestützten abgezogen oder verringert werden sollten.

»Wir dürfen nicht zulassen, daß Deutschland in eine singuläre Lage gerät«, war das Argument des Kanzlers. Doch nur auf deutschen Boden wurden die Pershing II gebracht. »Wir dürfen nicht zulassen, daß die Deutschen den Kopf aus der Schlinge ziehen«, erklärte Richard Burt, Staatssekretär für Europafragen im State Department, bevor er Botschafter am Rhein wurde, Paul Nitze; denn dann würden auch alle anderen davonlaufen und sich in Sicherheit bringen. Im Ernstfall konnten wir nicht entkommen, und die Amerikaner versuchten es. Nur durch ein Nein zur Stationierung wäre diese Teilung des Risikos zu verhindern gewesen. Ob im übrigen die amerikanische Rechnung, die Eskalation anhalten zu können, oder die sowjetische aufgegangen wäre, Krieg in Europa würde bis zum globalen atomaren Abtausch führen, haben wir glücklicherweise nicht erfahren. Wir hätten es auch nie erfahren; denn diese Streitfrage wäre erst nach der deutschen Vernichtung entschieden worden.

»Wir leben in einer Vorkriegs-, nicht in einer Nachkriegszeit«, verkündete in jenen Monaten der Leiter der amerikanischen Rüstungskontrollbehörde, Eugene Rostow. Die französischen Freunde boten da auch keinen Trost. In unseren internen Strategiegesprächen stellte sich heraus, daß sie gar nicht daran dachten, das Sicherheitsrisiko atomar zu teilen, wenn die Sowjets die Elbe oder die Weser hinter sich lassen und den Rhein erreichen würden. Erst wenn sie diesen Strom überschritten, würde der Präsident eine schwere Entscheidung zu erwägen beginnen.

Die Frage, wann der Vorkrieg beginnt, also ein Ereignis, nach dessen Eintritt die Entwicklung kaum aufhaltbar außer Kontrolle gerät, darf nicht nur Historiker interessieren. Wer für das Schicksal des eigenen Volkes Mitverantwortung fühlt, wird nach Entscheidungen suchen, die Katastrophen ausgelöst oder verhindert haben und nach den Eigenschaften der Beteiligten fragen. Christa Wolf hat in ihrer Erzählung *Kassandra* – vielleicht gar nicht systemübergreifend gemeint – empfohlen: »Laßt euch nicht von den Eigenen täuschen.« Bei potentiellen Gegnern rechnet man damit; von Verbündeten will man nicht betrogen werden. Einsicht, Loyalität und Gewissen sagten einstimmig: Du mußt ohne Wenn und Aber die Stationierung ablehnen, wenn die Entscheidung fällig ist im Herbst 1983; bis dahin mußte der Verhandlungsdruck auf die Sowjets und die Amerikaner aufrechterhalten werden, das mögliche Ja wie das mögliche Nein.

Die Entwicklung enthob die Partei einer Entscheidung, an der die Regierung zerbrochen wäre, wenn es sie noch gegeben hätte; denn im Herbst 1982 war Helmut Kohl Kanzler geworden und hatte mit der Selbstverpflichtung im Frühjahr 1983, im Herbst zu stationieren, jedes deutsche Eigengewicht zur Einwirkung auf diese Frage aufgegeben.

Dabei wuchs die Gefahr für das Land voraussehbar zusätzlich; denn Moskau würde die Verschlechterung seiner strategischen Lage gegenüber den Amerikanern nicht einfach hinnehmen. Die Sowjetunion begann, ganz moderne Kurzstreckenraketen in der DDR zu stationieren. Die hätten weniger als zwei Minuten gebraucht, um zu verhindern, daß die Pershing II ihren acht Minuten dauernden Flug nach Moskau beginnen könnte. In einem Krisenfall würde jede Seite bemüht sein, rechtzeitig auf den Knopf zu drücken, bevor ihre Waffen am Boden zerstört werden; eine Prämie für den, der zuerst schlägt. Bei einer sicherheitspolitischen Konferenz der Friedrich-Ebert-Stiftung in Moskau war Kwizinski – die Verhandlungen in Genf waren abgebrochen – unvorsichtig genug, mir das zu bestätigen: »Sie können so viele Pershing stationieren, wie Sie wollen; wir sind darauf vorbereitet, sie zu unterlaufen.« Die beiden Staaten waren zu atomaren Geiseln geworden. Menschliches Versagen oder Fehler der Instrumente durften nicht passieren. – Wir haben Glück gehabt, mehr als den Menschen bewußt geworden ist. Wenn Staatskunst einen Krieg vermeidet, gehen die Geschichtsschreiber mit einem solchen Ergebnis stiefmütterlich um.

Für die Arbeit im Wahlkreis blieb viel zu wenig Zeit; nicht nur das Verständnis dafür, dankbar erfahren, gab Kraft. Keine noch so erstklassige Information in der Käseglocke der Bundeshauptstadt kann die Tuchfühlung mit den Sorgen der Menschen ersetzen. Manche Anregung war für unmittelbare Umsetzung in Bonn wichtig. Ich konnte mir keinen interessanteren Wahlkreis vorstellen als die Nummer 1 »Flensburg-Schleswig« mit der dänischen Minderheit, ohne die ich nie das direkte Mandat gewonnen hätte; der Werft, der ich noch mehr hätte helfen wollen; den Bauern auf den guten Angelner Böden und den kargen der Geest, die fast immer mit der Union nachsichtiger als mit der SPD waren; dem Marinekommando, das aus atomsicherem Bunker alle Schiffe auf dem Bildschirm verfolgte, die sich aus den Häfen der Gegner von Leningrad bis Rügen zu bewegen begannen; die Bundeswehr, der hochwillkommene Arbeitgeber in dem strukturschwachen Gebiet einschließlich eines Raketenbataillons. Da bewachten die Amerikaner ihre Atomsprengköpfe vor einem unerlaubten Zugriff der Bundeswehr und die Bundeswehr die Amerikaner vor den Deutschen, die besorgt waren, was passiert, wenn die deutschen Lance-Raketen, mit den amerikanischen Sprengköpfen bestückt, Ziele werden, und was passiert, wenn sie schießen.

Beim Queren der eleganten Brücke über den Nord-Ostsee-Kanal dachte ich nicht nur daran, nun bald in »meinem« Wahlkreis zu sein, sondern auch an die nahegelegenen Feuerstellen, in die »meine« Batterie im Kriegsfall einrücken würde. Ich diskutierte die seelische Not, die Soldaten und Offiziere teilten bei der Vorstellung, daß ihre Waffen gerade Lübeck und darumliegende Ziele erreichen würden. Ob das Gewissen nicht befehlen würde, den Befehl zu verweigern, blieb eine offene Frage. Sie stellte sich vom Geschützführer bis zum Oberbefehlshaber im Kriegsfall; von den beiden sozialdemokratischen Kanzlern weiß ich das, von den christdemokratischen nehme ich es an. Die atomare Zuverlässigkeit der Bundeswehr war mit einem Fragezeichen zu versehen.

Mit diesem Widersinn zu zerstören, was geschützt werden sollte, weil die militärisch vernünftigere Planung, den Angreifer im Raum aufzuhalten, politisch unerträglich war und wir auf der Verteidigung vorn bestanden, mußte sich die Armee der DDR nicht auseinandersetzen. Die sowjetische Armee hielt alle Verbündeten streng und konsequent von jeder Berührung mit Atomwaffen fern, auch ihre treuen deutschen. Selbst im Kriegsfall war, anders als im Westen, die atomare Integration der verbündeten Streitkräfte nicht vorgesehen. Wir kannten die militärischen und politischen Auswirkungen genau, die sich aus einem atomwaffenfreien Korridor von 150 Kilometern Tiefe ergeben würden, die DDR nicht; sie mußte die Führungsmacht konsultieren, als wir das Mitte der achtziger Jahre in der Arbeitsgruppe mit der SED vorschlugen. Umgekehrt: Ihr Interesse, die ganze DDR atomwaffenfrei zu machen, war nur zu verständlich; unsere Ablehnung ergab sich logisch, solange westliche strategische Planung den Erstgebrauch atomarer Waffen gegen die konventionelle Überlegenheit des Ostens vorsah. Auch diesen Zusammenhang sollte MBFR auflösen.

Blieb die Frage, ob der Warschauer Pakt überhaupt einen Angriff beabsichtigt hat. Meine Arbeitshypothese, daß die Sowjetunion zu viel Schwierigkeiten hatte zu verdauen, was ihr durch das Kriegsende zugefallen war, um nach Westen expandieren zu wollen, wurde zwar von hervorragenden westlichen Experten wie George Kennan geteilt, war aber nicht beweisbar. Auf der anderen Seite blieb unbestreitbar, daß Stärke und Aufstellung der östlichen Streitkräfte sie in kürzester Zeit befähigt hätten, konventionell einen strategischen Angriff zu führen. Planungen und Doktrinen waren darauf angelegt. Stolze, fast prahlerische Äußerungen der Überlegenheit gab es genug. Daß der Westen nicht angreifen wollte, wußten wir, aber wer als erster angegriffen hat, entscheidet erst der Sieger.

Würde die Nationale Volksarmee (NVA) den Angriffsbefehl gehorsam befolgt haben? Diese Frage stellte ich dem letzten Oberbefehlshaber der Volksmarine, Vizeadmiral Hendrik Born, der mich mit seiner russischen Frau, einem Ergebnis seiner Ausbildung in der Sowjetunion, bewirtete, als ich 1990 eigene Eindrücke für die Probleme der Überführung von Volksmarine zur Bundeswehr gewinnen wollte. Ich hatte ihm von unseren Überlegungen in Berlin erzählt, 1962 während der Kubakrise, im schlimmsten Fall die bewaffneten Streitkräfte der DDR zur Befehlsverweigerung aufzurufen. »Hätte das Erfolg gehabt?« Der Admiral dachte lange nach, bevor er antwortete: »Ich glaube, damals schon. Aber in den letzten Jahren wäre die NVA marschiert, unzweifelhaft, wenn der Befehl gekommen wäre.« Wir haben Glück gehabt, mehr als die Politiker zugeben.

Bei einem sonntäglichen Frühschoppen im Wahlkreis hatte ich strategische und technische Zusammenhänge erläutert, bis eine Frau unterbrach: Sie könne das nicht mehr aushalten und verstehe nicht, daß ich kalt, sachlich, fast zynisch über solche schrecklichen Dinge reden könne. »Wo bleiben da die Menschen?« Ich war zu einem Experten geworden, der genug wissen mußte, um jedem Verhandlungsführer oder General gewachsen zu sein, und hatte mich daran gewöhnt, Raketenschach zu spielen. Die Menschen, die täglich damit umgehen, sind weder gefühl- noch gewissenlos; aber wie Chirurgen scherzen, um sich vor der Belastung des dauernden Umgangs mit Schmerz und Tod zu schützen, haben die Mitglieder der internationalen Atomgemeinde ihre Abkürzungen und ihren nüchternen Ton gefunden, hinter dem der Schrecken verborgen wird, der ihr Alltagsgeschäft ist.

Ein gutes Drama bietet auch Komisches. Slawa und Leo wollten erklärt bekommen, was ich mit der Idee einer Null-Lösung gemeint hätte. Wir nahmen noch den letzten Schluck Krimsekt auf dem Flughafen Scheremetjewo, und ich zeichnete auf einer Serviette ein Schaubild, das die amerikanischen und sowjetischen Systeme auf Null brachte und nur noch die französischen und britischen übrigließ, die schließlich keine Bedrohung für Moskau bedeuteten. Das wäre doch ein guter sowjetischer Vorschlag. Aus Moskau zurück erklärte Brandt, er könne sich auch eine Null-Lösung vorstellen. Interne Reaktion: Völlig wirklichkeitsfremd! Ein halbes Jahr später verkündete Reagan im Bewußtsein einer sicheren Ablehnung durch die Sowjets seinen Vorschlag einer Null-Lösung. Interne und öffentliche Reaktion in Bonn: Ein genialer Schachzug! Ich freute mich: Jedenfalls kann es nicht mehr antiamerikanisch sein, für die Null-Lösung einzutreten. Jahre später bewies Gorbatschow sein neues Denken und setzte den Westen mit dem Vorschlag einer Null-Lösung in Verlegenheit.

Der NATO-Doppelbeschluß bleibt für mich ein interessantes Beispiel: Es mußte nicht so kommen, wie es gekommen ist. Der kostspielige, risikoreiche Fehler wäre vermeidbar gewesen. Er hat dazu beigetragen, das Gewicht des militärischen Komplexes in der Sowjetunion zu stärken, und hat damit die Reformpolitik Gorbatschows zusätzlich erschwert. Auch wenn das alle Beteiligten bis ans Ende ihrer Tage leugnen werden: Der Umweg, aufzurüsten um abzurüsten, war sinnlos; denn nicht die Nachrüstung und die dann folgende Nach-Nachrüstung im Osten, sondern erst ein rein politischer Ansatz hat die Lösung ermöglicht. Dem Doppelbeschluß ist nicht zu verdanken, daß Gorbatschow an die Spitze kam.

Ein Termin mit dem Kanzler im Herbst 1981 wurde abgesagt. Er habe einen Zusammenbruch erlitten und falle für wenige Tage aus. Eine Woche später wurde ich zum Abendbrot in den Bungalow gebeten – wir saßen mit Loki –, und ich wollte an das letzte Gespräch anknüpfen. Mit großen ängstlichen Augen sagte Helmut: »Du, ich weiß nichts mehr. Ich bin länger als eine Minute bewußtlos gewesen. Mein Kurzzeitgedächtnis hat gelitten. Ich muß viele Vorgänge erst wieder aus den Akten lernen.« Ich war erschrocken. Sein elementares Pflichtgefühl mußte den Kanzler an Rücktritt denken lassen. Aber wie das in diesem harten Geschäft so ist, wurde später gelästert: Der ist fein raus; wann immer ihm etwas unangenehm ist, kann er begründet behaupten, es sei ihm entfallen. Oder ein Beispiel schwarzen Humors: Der elektromagnetische Impuls einer Atomexplosion in großer Höhe würde nicht nur Fahrstühle und Kühlschränke, sondern auch die Herzschrittmacher Breschnews und Schmidts zum Stillstand bringen, medizinisch ein Gleichgewicht zwischen Ost und West. Mein Erschrecken war zu tief gewesen, als daß nicht jedesmal, wenn Schmidt im Lauf des Jahres 1982 mit Rücktritt drohte, die Erinnerung wieder aufgetaucht wäre. Als es soweit war, hielt ich den Rücktritt für vermeidbar; »da mußt du dich aber beeilen«, meinte Brandt, und Schmidt erläuterte mir eine halbe Stunde später, wie weit die Absprachen zwischen Genscher und Kohl schon gegangen seien. Auch wenn der Abgang eine großartige Inszenierung genannt werden kann, erschien mir die Bezeichnung »Staatsschauspieler«, mit der Klaus Bölling seinen Freund in dieser Situation beschrieb, nicht angemessen. Den Versuch, ihn für die vorgezogenen Neuwahlen im März 1983 noch einmal zur Kandidatur zu bewegen, hielt ich für aussichtslos: Von allem anderen abgesehen, verboten Gesundheit und Verantwortung gegenüber dem Land jede ernsthafte Erwägung. Turbulenzen und Emotionen damals verboten auch jede selbstkritische Erörterung der Ursachen, welche Fehler, wohl mehr nach 1974 als nach 1972, von der SPD gemacht worden sind, die nach 13 Jahren zum Ende der sozial-liberalen Koalition geführt haben.

13. KAPITEl

Neue Ostpolitik

Was 1969 Machtwechsel genannt worden war, wurde 1982 als Wende bezeichnet. Innenpolitisch wurde es ein tiefer Einschnitt, zumal das Land statt geschäftsmäßiger Verwaltung geistige Führung erhalten sollte. Außenpolitisch konnte von Wende keine Rede sein, mit der Ausnahme, daß Amerika in der Raketenfrage von der Rücksicht auf Bonn befreit war. Statt einen Kurswechsel anzukündigen, Ergänzung zu den Verträgen zu verlangen, Revisionen zu überlegen, Verbindungen abzuschneiden, versprach der neue Kanzler Kontinuität. Die Interessen des Landes wogen schwerer als die Erklärungen vor der Wahl, zum innenpolitischen schnellen Verbrauch bestimmt.

Die wachsende Frostigkeit zwischen Washington und Moskau hatte die Kleinen dazu veranlaßt, auf ihre Führungsmächte einzuwirken, auf dem Teppich zu bleiben und die Ergebnisse der Entspannung nicht zu gefährden. In den kleinen Ländern beider Bündnisse wurde gelernt, daß Verständigung zwischen den beiden Großen weniger zu fürchten war als ihre Konfrontation, daß Spannung die Lager disziplinierte und Entspannung ihnen mehr eigene Bewegungsmöglichkeiten schaffte. Aus dieser Art einer neuen Interessen-Gesellschaft mit sehr beschränkter Haftung brach Kohl nicht aus. Im Gegenteil: Gerade mit dem Blick auf die im Herbst beginnende Raketenstationierung mußte er seinen Wunsch, Eiszeit zu verhindern, handfest beweisen.

Die Premiere der neuen Ostpolitik fand mit dem ungebundenen Kredit von einer Milliarde D-Mark für die DDR statt, den Helmut Kohl pikanterweise durch den bekannten Entspannungspolitiker Franz Josef Strauß einfädeln ließ, beide in ähnlich herzlicher Freundschaft einander zugetan wie Brandt und Wehner. Dem neuen Chef des Bundeskanzleramts drückte ich Bewunderung und Kritik aus: Die Vorgänger hätten diesen Mut wohl nicht aufgebracht; ich hielt es für einen Fehler, die DDR nicht durch die Erweiterung des Kredits im Rahmen des innerdeutschen Swings an uns gebunden zu haben. Die Vorgänger wären von der Opposition in der Luft zerfetzt worden; die Nachfolger brauchten mit Kritik der Opposition für diese schöpferische Weiterentwicklung der Deutschlandpolitik nicht zu rechnen. Philipp Jenninger nahm beides befriedigt zur Kenntnis.

Die neue Ostpolitik der SPD leitete sich aus zwei Überlegungen ab. Zum einen konnte man nicht sicher sein, ob und wie dauerhaft die versprochene Kontinuität eingehalten würde. Zum anderen wollten wir die Erfahrung praktisch nutzen, daß in den kommunistisch regierten Ländern die Partei entscheidet und die Regierungen nichts Wesentliches ohne Billigung ihrer Politbüros tun. Sofern wir unsere Kontakte von der bisherigen Regierungsebene auf die der führenden Partei verlegen würden, ergäbe sich die ungewöhnliche und neue Situation, auf diesem Weg die dortigen Regierungen beeinflussen zu können. Das wiederum könnte operativ ein Hebel werden, die eigene Regierung an das Versprechen der Kontinuität zu binden, mit neuen Vorschlägen die Diskussion zu beleben und vielleicht sogar zu bestimmen. Das steckte hinter der Idee der Arbeitsgruppen, für die Brandt wie Vogel eintraten.

Es funktionierte auch. Der Ärger in der Bundesregierung über diese Art von Nebenaußenpolitik war verständlich, obwohl sie informiert gehalten wurde, davon auch profitierte und diese Verbindungen sogar zuweilen nutzte. In bewährter Reihenfolge schlug Hans-Jochen Vogel zuerst eine Arbeitsgruppe mit der KPdSU vor. Mehr als einmal hatte ich den Verdacht, er wollte mich bestrafen; denn die Erörterungen mit dem Internationalen Sekretär der KPdSU, Boris Ponomarjow, schienen wie eine unerwünschte Reise in die Vergangenheit, jedenfalls was ihren Stil anging. Umgekehrt genoß ich die Vorstellung, welche gerechte Strafe für diesen alten Bolschewiken die Zumutung sein mußte, seine jahrzehntelangen Verteufelungen zu unterdrücken und mit einem Sozialdemokraten Tee zu trinken. Als er mit Stolz erzählte, in diesem Raum sei nichts verändert, seit Dimitroff, der Vorsitzende der Komintern, darin gearbeitet habe, konnte ich wiederum den Gedanken nicht abweisen, wie oft Herbert Wehner hier seinen früheren Chefs vorgetragen habe.

Sein Nachfolger, Anatoli Dobrynin, zeigte keine Ehrfurcht und stattete den Raum mit der modernen Sachlichkeit aus, die der jahrzehntelange Botschafter in Amerika schätzengelernt hatte. Dafür bewies er eine derartig unglaubliche, fast beleidigende Unwissenheit und Unvertrautheit in europäischen Gegebenheiten, daß ich ihn schleunigst in die Bundesrepublik einlud. Als ich endlich dem altvertrauten Valentin Falin die Hand schüttelte – nun von Gorbatschow für die Außenpolitik der Partei verantwortlich gemacht –, mußte ich an den weiten Weg denken: damals, im Januar 1970, der fremde, unnahbar erscheinende Abteilungsleiter im abweisenden Außenministerium, jetzt, dem Zentrum der Macht ganz nahe, der Mann, dem ich mich freundschaftlich verbunden fühlte. Kein Gedanke daran, die Sowjetunion würde nicht mehr existieren und ich würde ihm einmal in einer schwierigen Situation in Deutschland helfen können! Statt dessen dachte ich, was jetzt mit so guten persönlichen Verbindungen zur Spitze der zweiten Supermacht bewegt werden könnte, wenn wir an der Regierung wären.

In der Wirklichkeit dienten die Kontakte mit meinen jeweiligen Partnern Ponomarjow und Dobrynin im wesentlichen der Absicherung und Förderung der Arbeitsgruppe mit der SED. Darin spiegelte sich eine Verlagerung unseres Interesses auf Fortschritte und Veränderungen der Sicherheit in Mitteleuropa. Das ging natürlich nicht ohne Moskau, aber Ostberlin, Prag und Warschau wurden für uns gleichrangige Partner, sehr nahe in dem Bemühen, die Entspannung weiterzutreiben. Als Falin die Spitze seiner Parteikarriere erreicht hatte, begann Gorbatschow, die Rolle der Partei zu verkleinern, und der bisherige »Nur-Funktionär« Schewardnadse verstand an der Spitze des Außenministeriums, sich von der Partei zu emanzipieren, vom Generalsekretär gedeckt. Gorbatschow schlug dann Brandt vor, die Arbeitsgruppe zu beleben; Falin und Bahr sollten überlegen und vorschlagen, wie ein »europäisches Haus« zu konstruieren wäre. Das war konsequent im Sinne der Gemeinsamen Sicherheit und blieb unerledigt, gedanklich wie in der Wirklichkeit; aber die Aufgabe, für ganz Europa Sicherheit zu schaffen, ist seither nur dringlicher geworden.

Hermann Axen, Sekretär für Internationale Verbindungen seiner Partei und damit höherrangig als der Außenminister der DDR, war ich zum erstenmal 1981 begegnet, als ich die Reise Schmidts in die DDR vorbereitete, und fand ihn der Vorstellung entsprechend: doktrinär, hartleibig, unbeweglich, eng an den papierenen Texten klebend. 1984 saßen wir uns wieder gegenüber, um über Chemiewaffenfreiheit Mitteleuropas zu sprechen. Zunächst schien sich meine Einschätzung zu bestätigen: Der hätte sich solange an der Spitze halten können, weil er als bloßer Diener des jeweiligen Herrn keine persönlichen Machtambitionen verfolgte, sich wahrscheinlich aus Gruppen- oder Fraktionskämpfen herauszuhalten verstanden hatte und außenpolitisch ein Experte war, geübter Künstler in der kommunistischen Tugend, Linientreue in der Kurve zu beweisen.

Die neue Kurve ergab sich aus dem Bestreben beider Staaten, Schadensbegrenzung zu versuchen, nicht unnötig Porzellan durch die beiden großen Freunde zerschlagen zu lassen. Ein zuweilen kurioser Streit zwischen Bonn und Ostberlin, wer das Wort Verantwortungsgemeinschaft erfunden habe, endete in gemeinsamem Fleiß, es zu nutzen. Es war ein Zeichen gemeinsamen Willens, gemeinsamer, vorsichtiger, ungefährlicher, kritischer Distanzierung zu den Führungsmächten. Im Grundlagenvertrag hatte ich diese Perspektive »legalisiert«. In der Grundhaltung trafen sich Regierung und Opposition. Das Interesse beider Staaten, nicht im Untergang vereint zu werden, führte zum deutschen Interesse der Gemeinsamen Sicherheit.

Mit diesem Grundgedanken der Palme-Kommission, seiner Philosophie wie seiner praktischen Folgerungen, machte ich Axen vertraut und erlebte, wie er allmählich immer mehr Geschmack daran gewann. Alt und erfahren genug waren wir beide, um jegliche Andeutung eines Bekehrungsversuchs zu unterlassen; gerade deshalb konnte ich über sozialdemokratische Überzeugungen, er über kommunistische Erinnerungen an die Geschichte der Arbeiterbewegung erzählen, bei ihm mit mehr als nur kritischen Untertönen versehen. Meine Wünsche 1986 zu seinem siebzigsten Geburtstag erwiderte er handschriftlich: »Ihre Worte und Grüße haben mich und die Meinen aufrichtig erfreut. Es ist gut und human, wenn wir bei allen Gegensätzen und Unterschieden uns gegenseitig achten und für die vernünftige Sache zusammenarbeiten.«

Auf Achtung hatte ein Mann Anspruch, dem die Häftlingsnummer in die Haut seines linken Unterarms gebrannt war; die Zusammenarbeit empfand ich als Verpflichtung; das Wort »patriòtisch« konnten wir beide in den Mund nehmen, trotz inhaltlicher Unterschiede. Die Jahre der Zusammenarbeit stärkten meine Hoffnung, auf der anderen Seite Menschen zu finden, deren Loyalität zu 51 Prozent deutsch und nur zu 49 Prozent kommunistisch bestimmt wäre. Dies wage ich nicht für Axen zu behaupten, aber auf dem Weg war er. Ohne ein Wendehals zu werden, starb er 1992 als einer, der sich für einen guten deutschen Kommunisten hielt.

Die Landsleute in den beiden Delegationen begannen, sich zu verstehen und zu duzen, wenn sie unter sich waren; in der Öffentlichkeit verbot sich das, sie wären von beiden Seiten unter Feuer geraten. Axen und ich zogen schließlich nach, gar nicht aus dem Grund, der Willy Brandt Axen duzen ließ, als sie sich bei einem Essen in Bonn trafen. Beide hatten sich seit ihrer Begegnung in Paris während der Volksfrontperiode vor fünfzig Jahren nicht mehr gesehen. Axen merkte das zunächst nicht, siezte ihn und machte sich danach Vorwürfe, Willy könnte das mißverstanden haben. Ihn Hermann zu nennen – obwohl er Hermann dem Cherusker sicherlich kaum glich –, fiel nicht schwer; das Persönlichkeitsbild war zu korrigieren: Er war gebildet, literarisch interessiert, feinfühlig und wurde milder. Während ich die Mitglieder der Arbeitsgruppe vor falscher Kameraderie warnte, soll er, wie ich hörte, seine Mitarbeiter und deren Frauen gemahnt haben, nicht zu vergessen, daß diese Westdeutschen schließlich Klassenfeinde seien. Dennoch wurde er »hilfreich«. Diese Vokabel deckte Kompromißformulierungen und handfeste Erfolge: Obwohl Axen sich zunächst geweigert hatte, humanitäre Fragen zu behandeln, weil dies nicht unser Auftrag sei, konnte ich mit ihm viele schon abgelehnte Wünsche auf Ausreisen und Besuche regeln, letztere in beiden Richtungen. Die Bereitschaft unserer Städte zu Partnerschaften machte der DDR auch Schwierigkeiten, weil sie nun einmal nicht so viele hatte; es wurden mehr als fünfzig. Die Förmlichkeit, zu der die östlichen Stadtoberhäupter angehalten waren, sich in jedem Fall die Staatlichkeit der DDR wieder bestätigen zu lassen, wirkte etwas lächerlich, schadete nicht und hat insgesamt dazu geführt, daß viele Westdeutsche ihre Blicke näher auf die fremd gewordenen Landsleute richteten.

Ein Präsidiumsmitglied der SPD kennt den Sog der Kollektivität. Es gibt selten Widerspruch, wenn die oder der für bestimmte Fragen Zuständige und Sachkundige etwas vorschlägt; man stimmt zu, zuweilen trotz kleiner Bedenken, und trägt die Entscheidungen mit. In wichtigen Punkten, etwa der Parteienfinanzierung, ist die Verantwortung jedes Mitglieds aufgerufen, in dem kleinen Gremium Zivilcourage zu zeigen. Im Politbüro würde Mut verlangt sein, die eigene abweichende Auffassung zu vertreten, dachte ich. Den hatte Axen nicht. Er erschien zu intelligent, um nicht die für seinen Staat und seine Überzeugung fatalen Fehler zu sehen, die er durch Schweigen deckte. So menschenfern sein Leben zwischen Wandlitzer Ghetto und Büro verlief, konnte er doch nicht die Augen verschließen vor den Schlangen Anstehender oder bröckelnden Fassaden. Wie mochte er mit seinen sozialistischen Vorstellungen im Kopf umgehen, wenn er Zeitungen las, die der Masse seiner Mitbürger verboten waren, um nur eine von vielen Fragen zu erwähnen, über die ich nach der Wende gern mit ihm noch gesprochen hätte? Menschliche Unanständigkeit ist ihm nicht vorgeworfen worden, bereichert hat er sich nicht; gemessen an anderen Spitzenfunktionären in der DDR oder Bruderländern bescheiden im Lebensstil, blieb seine Schuld, feige gewesen zu sein. Und das wog in seiner Position schwerer als gleiches bei den vielen, die sich anpassen mußten oder wollten. Ich habe ihm das noch gesagt, und er nickte: »Da hast du wohl recht.«

Bei unseren Verhandlungen bemerkte Axen schnell den Pferdefuß: Die Opposition konnte sich nicht an die Stelle der Regierung setzen; die SED saß über der Regierung. Ergebnisse bekamen für die DDR größere Verbindlichkeit als für die Bundesrepublik. Damit mußte sich Axen abfinden. Wenn nicht, müßten wir abbrechen, argumentierte ich. Das wollte er nicht. So folgte jede Seite ihrer Kalkulation der gegenseitigen Beeinflussung. Die SPD würde im Fall der Regierungsübernahme gebunden sein und das vorher Vereinbarte schnell umsetzen. Die SED hätte bereits jetzt die notwendigen Abstimmungen und Konsultationen in den sicherheitsrelevanten Verpflichtungen mit ihren Verbündeten, vor allem der Sowjetunion, vorzunehmen.

Für eine chemiewaffenfreie Zone in Deutschland war das einfach. Unser Dokument, in vertragsähnlicher Form ausgearbeitet, hat nicht nur die internationalen Verhandlungen in Genf beeinflußt, wie man im Auswärtigen Amt bestätigte, sondern der Bundesregierung zu einem Erfolg verholfen. Die Behauptung Axens, es gäbe keine sowjetischen Chemiewaffen mehr auf dem Boden der DDR, war durch Kenntnisse unserer Dienste, bei denen ich mich erkundigte, nicht zu widerlegen. Das war überraschend und gestattete der Bundesregierung, den Abzug der amerikanischen chemischen Waffen zu vereinbaren und zu feiern, natürlich nicht als einseitige Vorleistung; denn es handelte sich nur um die Herstellung der Gleichheit, was den gängigen Bedrohungsvorstellungen nicht entsprach.

Der atomwaffenfreie Korridor sollte am liebsten die ganze DDR einschließen, vielleicht sogar Teile Polens, begann Axen. Diese Vorstellung entsprach nicht nur dem Bestreben der DDR, das Teufelszeug loszuwerden, sondern dem wachsenden Bedürfnis der Führung, den Verdacht Verbündeter zu zerstreuen, die SED könnte aus der Koalition der Vernunft für den Frieden eine Koalition nationalen Interesses entwickeln. Eine Tapetentür zwischen den Schlafzimmern der getrennten Wohnungen im europäischen Haus – soviel traute ein tschechischer Diplomat 1987 den Deutschen schon zu. Ich durfte die 150 Kilometer nicht ausdehnen, aus den gleichen NATO-Gründen, die für Vance bereits bestimmend waren. Aber das Territorium der ČSSR mußte einbezogen werden.

Ziemlich lange verhandelte Axen – mit unserem Einverständnis – auch für Prag. Doch vor dem Abschluß verlangte das kommunistische Protokoll eine Sitzung mit der Partei der ČSSR. Es wurde mein erster und einziger Einblick in die Umgangsformen der Brüder im sozialistischen Lager. Gegen die Förmlichkeiten dort muteten unsere Treffen mit Franzosen oder Amerikanern verwandtschaftlich intim an. Axen wirkte weltoffen und gewandt, vor allem überaus sachkundig gegenüber dem steifen und unsicheren Vasil Bilak. Und noch etwas: Die beiden Deutschen waren sich näher und spielten sich die Bälle zu; ich hatte das eigentlich zwischen den beiden Verbündeten des Warschauer Pakts vermutet.

Die Idee eines atomwaffenfreien Streifens zwischen den beiden Bündnissen quer durch Europa vom Nordkap bis zum Schwarzen Meer wurde, auch als die drei Parteien ihre Grundsätze für das Mittelstück vorlegten, heftig kritisiert und erst 1990 vereinbart – zwischen Bundeskanzler Kohl und Generalsekretär Gorbatschow. Sechs Jahre später gibt es einen Raum, atomwaffenfrei und ohne fremde Truppen; er umfaßt das Glacis der ehemaligen Sowjetunion mit den darinliegenden Staaten, die ehemalige DDR eingeschlossen, als ob sie noch dazugehörte. Westlich davon, in der alten Bundesrepublik, gibt es amerikanische, östlich davon, hinter der alten sowjetischen Grenze, sowjetische Atomwaffen. Das ist ein weites Feld.

Daß Gorbatschow eine neue Epoche herbeiführen kann, stand für mich außer Zweifel, nicht nur weil der junge Vierundfünfzigjährige durch das sowjetische System die Chance hatte, anders als alle westlichen Kollegen noch im Jahr 2000 seinen Staat zu lenken, sondern weil mir die historische Tragweite seiner Sicherheitspolitik bewußt war. Die Vorstellung, daß eine Supermacht aus dem Prinzip der Gemeinsamen Sicherheit praktische Politik macht, elektrisierte; denn sie würde die andere Supermacht zwingen, das sinnlose Rennen um Überlegenheiten einzustellen. Ein stabiles Gleichgewicht, vertraglich kontrolliert, würde die militärische Bedrohung aus dem Osten beenden und die europäische Sicherheit schaffen, die Voraussetzung war, um die deutsche Frage auf die Tagesordnung setzen zu können.

Westliches Mißtrauen und Zögern gegenüber dem Kremlchef waren zum Verzweifeln. Hier könnte eine Chance verpaßt werden. In der schon erwähnten Bilderberg-Konferenz drängte ich zur Eile, weil niemand wissen könne, wohin die inneren Reformen des Systems führen und bis zu welchem Grad die politische Differenzierung zwischen den Staaten des Warschauer Pakts wachsen würde. Der Westen müßte den Reformkurs stärken und Gorbatschow stützen, wenn er die bisherige Trumpfkarte militärischer Stärke aus der Hand legen will. Es könnte zu spät werden, wenn er erfolglos bleibt. Zu kleinlich, zu wenig und zu spät fand ich langatmig zögernde Beratungen des Westens über Kredite und beschämend die Prozeduren, ob und wann und wie Gorbatschow von den Chefs der industriellen Großen Sieben gehört wird. Ich sah mich wieder an der Seite des deutschen Außenministers, dessen ganz ähnliches Werben für die Chance des Westens als Werben für Gorbatschow, was dasselbe war, herabsetzend als Genscherismus bezeichnet wurde. Der ließ sich dadurch nicht von seinem mühsamen Erziehungsprozeß abbringen, zunächst mit geringem Erfolg.

In der Realität wurden neue Atomwaffen entwickelt, genau unterhalb der 500-Kilometer-Reichweite, über die noch keine Vereinbarung erzielt worden war. Es darf nicht vergessen werden, daß die USA noch im April 1989 Bonn drängten, statt der alten Lance, die gerade über 100 Kilometer weit fliegen konnte, 120 neue Systeme zu bestellen und ab 1996 zu stationieren, die mit 480 Kilometer Reichweite in Polen die zweite Angriffswelle treffen sollten. Auf dem internationalen Forum Anfang 1987 im Kreml erteilte mir Gorbatschow das Wort, und ich rief auf: »Testet nicht neue Atombomben, testet Gorbatschow!« Sich einem Test unterwerfen zu sollen, fand der nur begrenzt komisch.

Man kann auch heute noch die Auffassung vertreten, daß der Westen durch sein Zögern sich und Gorbatschow geschadet hat und unwiederbringliche Jahre für den Reformprozeß verloren worden sind.

In einem kleinen Buch *Zum europäischen Frieden* warb ich darum, »eine europäische Antwort auf Gorbatschow« zu geben. Nach langer Dürre schien die Zeit für Visionen wieder gekommen. Neue Perspektiven eröffneten sich, wenn eine Weltmacht Verkrustungen zerbricht, für sie wie für ihre Nachbarn. Auf dem Weg über konventionelle Angriffsunfähigkeit könnte nun ein stabiler Frieden die europäischen Nationen verbinden. Um die inneren Reformen Gorbatschows zu unterstützen, wäre außenpolitische Entspannung zu sichern, und zwar rechtzeitig; denn »gerade wenn in einigen Jahren eine Krise des Systems denkbar wird, darf es keinen Ausweg in militärische Abenteuer mehr haben«. So vorsichtig glaubte ich, die Meinung ausdrücken zu sollen, daß Gorbatschow von der bedrückenden Rücksichtnahme auf die Forderungen der militärischen Führung nach immer neuen Waffen gegenüber neuen westlichen Waffen befreit werden müsse. Die Sicherheit war der Schlüssel für eine Perspektive, die noch vorsichtiger formuliert werden mußte: »Natürlich ist Gorbatschow ein gläubiger Kommunist. Auch der Reformator Martin Luther war ein Gläubiger. Aber auch Gorbatschow kann am Ende etwas anderes erreichen als die bloße Reform seiner bisherigen Kirche; nur, daß diesmal deren Papst der Reformator ist. Wenn die Flamme des neuen Denkens, der Verantwortung des einzelnen und der Offenheit erst einmal entzündet ist, wer will dann bestimmen, in welche noch heute dunklen Ecken sie nicht leuchtet?«

Als das Büchlein, 1987 geschrieben, Anfang 1988 erschien, gab es schon genug Grund zur Sorge, ob Gorbatschow die Kräfte, die er durch seine Revolution von oben in Gang gesetzt hatte, noch beherrschen könnte. Helmut Schmidt war von seiner ersten Begegnung mit dem Eindruck zurückgekommen: »Von der Wirtschaft haben die keine Ahnung, für ihre Notwendigkeiten und Möglichkeiten kein Programm.« Damit lag er richtig; ich hatte zu erklären versucht, wenn Altes außer Kraft gesetzt wird, die neuen Regeln aber noch nicht funktionieren, ist

Rückgang von Produktion und Versorgung unvermeidlich, freilich selbst für russische Geduld nur kurze Zeit erträglich. Brandt hatte in einem Gespräch mit Falin gewarnt, zuviel gleichzeitig schultern zu wollen: Demokratisierung, also Glasnost, und wirtschaftliche Umstellung, also Perestroika, und dann noch Fundamente der Vergangenheit in Frage stellen, indem ein Kampf um die geschichtliche Wahrheit des schändlichen Ribbentrop-Molotow-Protokolls geführt wird, das sei mehr als ein Volk vertragen und verarbeiten könne. Falin erwiderte, das eine zöge das andere nach sich; auf Rehabilitierung ihrer Toten hätten die Nachfahren Anspruch. Glasnost könne nicht rationiert werden. Nach den Gesetzen der Logik stimmte das, ob es klug, ob es unvermeidbar war, konnten nicht wir beantworten, was die Sorge nicht verringerte.

Außerdem registrierte ich noch anderes: Gorbatschow begann sich zu verändern. Knapp, kurz und prägnant am Anfang, wurde er in seinen Ausführungen bei jedem Treffen länger, ausschweifender, bis er zuletzt wie gehetzt von Thema zu Thema sprang und nur von Zeit zu Zeit zu alter verbindlicher Präzision fand. Unüberhörbar die Premiere der zaristischen Form des »Wir«, wo er bisher »ich« gesagt hatte. Der Eindruck verwischte sich nicht, als er mich bald nur noch mit dem Vornamen und du ansprach, was einige Freunde, die ihm zum erstenmal begegneten, süffisant machte: »Das ist wohl die Beförderung an die Spitze der Moskau-Fraktion.« Oskar Lafontaine zeigte sich souveräner. Von allen Kanzlerkandidaten, die ich in den Kreml begleitete, verstand er sich mit Gorbatschow fast auf Anhieb am besten. Die Wellenlänge stimmte, und die Mahnung des Russen, wir sollten die Spitzen der bald ehemaligen DDR gut behandeln, erhielt die lachend akzeptierte Antwort, das solle er besser seinem Freund Helmut sagen. Kohl hatte mir geschildert, daß und wie er schon während des ersten Besuchs in Bonn den persönlichen Kontakt und das »Du« mit Gorbatschow gefunden hatte. Er war weitsichtig genug und hängte es nicht an die große Glocke.

Bei einem Besuch in Moskau lästerte ich über einen neuen Stern am sowjetischen Himmel, der Schatalin hieß. Dieser reklamierte für sich, daß in seinem Namen die Buchstaben des großen Stalin enthalten seien, und behauptete, in fünfhundert Tagen funktionierende Marktwirtschaft einführen zu können. Ich fand, das sei Scharlatanerie; in fünfhundert Tagen könnte es gelingen, auch unter Einsatz der Armee, die

30 Prozent Verluste durch Lagerung und Transport zu beseitigen, die jährlich die sowjetische Ernte dezimiere. In eineinhalb Jahren könnte das Land mit einer großen Anstrengung seine Unabhängigkeit von Getreideeinfuhren erreichen. Die kaum glaubliche Antwort Jakowlews: Das Problem habe kürzlich das Politbüro in einer Sondersitzung erörtert, aber ohne Ergebnis. Jede weitere Diskussion war da sinnlos. Verständlich, daß er seinen Sitz in einem solchen Politbüro leicht zugunsten eines Sitzes im Beraterkreis des Präsidenten aufgeben wollte.

Aber es markierte einen gewaltigen Einschnitt in die Struktur des Systems, wenn das Machtzentrum von der Partei auf den Staat, vom Politbüro zum Präsidenten verlagert wurde. Nur der Generalsekretär der Partei, gestützt auf traditionelle Autorität des Amtes und den eingespielten Apparat, der gehorsam und verläßlich nach unten umsetzte, was von oben kam, konnte die Partei vorsichtig und allmählich entmachten. Sie folgte wie gewohnt. Nur mit Hilfe der Partei konnte Gorbatschow die Partei ihrer führenden Rolle entkleiden und an ihre Stelle den Staat und sich selbst mit einem einigermaßen funktionierenden Parlament setzen. Schon an diesem Punkt wird deutlich, daß die Revolution in der Sowjetunion nur von oben kommen konnte. Von unten war kein Druck auf Veränderung erkennbar. Für die Dauer dieses Prozesses brauchte er die Partei, mißbrauchte er sie oder verriet sie gar, wie Kritiker ihm danach vorwarfen. Zu all dem hing Erfolg oder Mißerfolg dieses gigantischen Experiments nicht nur davon ab, ob die einzelnen Maßnahmen richtig oder falsch, insgesamt schlüssig oder überzeugend waren, sondern von der Wahl des richtigen Tempos. Falin etwa ging vieles zu langsam, während ich gelernt hatte, daß zwar eine Mindestantriebskraft nötig ist, um die Schwere der Erdanziehung zu verlassen, aber bei zu starkem Antrieb die Kapsel in den Weltraum entschwindet, statt auf die gewünschte Umlaufbahn einzuschwenken. Es durfte kein Irrtum bei der Dosierung von Antrieb und Tempo eintreten, und nur der Verantwortliche konnte und mußte das entscheiden.

Schließlich wurden die Nationalitätenprobleme – erst geleugnet, dann unterschätzt – virulent, sobald die Zentrale sich unsicher zeigte und überzeugen statt disziplinieren wollte. Präsident Bush sah staatsmännisch den Sprengstoff der baltischen Staaten und schonte Gorbatschow soweit er konnte. »Wenn es in der Ukraine beginnt, ist er weg«, meinte Brandt. Schließlich blieb den Menschen nicht verborgen, daß sie vorher wenig hatten und nichts sagen durften, während sie jetzt fast alles sagen durften, aber fühlbar weniger hatten. Die Produktion sprang nicht an, und Gorbatschow wurde von einem, der den Gang der Ereignisse bestimmte, zu einem, der auf sie mit hastigen Aushilfen reagieren mußte. Der Dompteur begann, den Tiger zu reiten.

Als er die auseinanderstrebenden Kräfte bändigen und aus der Union eine Föderation machen wollte, wurde geputscht. Und nach seiner Niederschlagung demütigte der »Truppenoffizier« Jelzin den »Strategen« Gorbatschow, von dem er Gleiches erfahren hatte und zerschlug die Union, statt die Föderation in Kraft zu setzen. Unter diesem Fehler werden ihre Völker noch lange zu leiden haben. Auf einer Reise 1984 durch Sibirien hatten Christiane und ich in Swerdlowsk Station gemacht, um die gewaltige Waffenschmiede mit 40 000 Arbeitern zu besichtigen. Inzwischen trägt die Stadt wieder ihren alten Namen Jekaterinburg. Am Bahnhof entschuldigte der Stellvertreter den Gebietschef, der als Mitglied des ZK an einer wichtigen Sitzung in Moskau teilnehmen mußte. Nun gab es bekanntlich keine unwichtige Sitzung dieses wichtigen Gremiums, und die übermittelten Grüße interessierten auch wenig, bis der Stellvertreter hinzufügte, sein Chef sei eine Hoffnung der Partei. Nun erkundigte ich mich nach dem Namen – Boris Nikolajewitsch Jelzin – und bat um eine Charakterisierung des Hoffnungsträgers. Der sei ein moderner Kommunist, ein bißchen hart, und bestimme selbst, was für den Distrikt gut sei; man könne keinem raten, sich ihm zu widersetzen. Ich hatte das Persönlichkeitsbild des starken Mannes von Swerdlowsk später wenig zu ändern.

Der Präsident der Sowjetunion ist an der Aufgabe gescheitert, zu reformieren, was 1917 begonnen worden war; der Staatsmann Gorbatschow hat die Welt von der gefährlichen Konfrontation zwischen Ost und West befreit. Das Verdienst daran sichert ihm einen Ehrenplatz in der Geschichte dieses Jahrhunderts. Und die Deutschen können nicht vergessen, daß er für die staatliche Einheit unersetzbar gewesen ist.

Die Göttin Nemesis galt als Feindin des allzu großen Glücks, eine Rächerin des Frevels und Wahrerin des rechten Maßes. Sie hat Stalin wohl übersehen und erst Gorbatschow bei seinem fast übermenschlichen Versuch eingeholt, dafür aber sanft behandelt. Horst Teltschik organisierte den ersten Deutschlandbesuch des Gestürzten, der mich im Hamburger Institut für Friedensforschung und Sicherheitspolitik besuchen, aber dabei nicht Falin begegnen wollte, der dort zwei Jahre mitarbeitete. Dem Gast tat ein Termin wohl, bei dem er etwas hören konnte und nicht nur etwas von sich geben mußte. Während der gemeinsamen Fahrt zur Elbe spürte ich, wie wenig er die Lust an der Macht vergessen konnte, und riet ihm, sich an Charles de Gaulle zu erinnern. Wenn der nach seinem Rückzug nach Colombey-les-deux-Églises nicht jahrelang eisern geschwiegen, sondern die Politik des jeweiligen Präsidenten kommentierend begleitet hätte, wäre er nie wieder ins Elysée zurückgekehrt. Einen Augenblick guckte Michail Sergejewitsch ernst, dann lachte er fröhlich: »Egon, das kann ich nicht.«

Für die Chance »zum europäischen Frieden«, die Gorbatschow eröffnet hatte, entwickelte ich in dem Büchlein Argumente und Vorschläge, die viel weniger beachtet wurden als die Konsequenz für die beiden deutschen Staaten. Gesamteuropäische Sicherheit würde die Mitte, also die beiden Deutschlands, einschließen; denn Deutschland könnte sich gar nicht verweigern und darauf beharren: erst Einheit, dann Sicherheit für Europa. Mit dem Erreichen des europäischen Friedens war nicht mehr einsehbar, warum Deutschland dann noch in seiner Selbstbestimmung eingeschränkt bleiben sollte. Die Logik führte zu zwei Friedensverträgen für die beiden deutschen Staaten, die ihre volle Souveränität herstellen würden. Erfolgloser als die Vier Mächte vierzig Jahre lang gewesen waren, die nach einem Brandt-Wort nicht im Bewußtsein lebten, uns die Einheit zu schulden, würden die Deutschen auch kaum sein. Im Gegenteil: Wenn wir die deutschen Chancen in der Teilung suchten, vom Nebeneinander zu einem Miteinander kommen würden, bekämen wir das Recht, die Grenze zwischen uns aufzuheben, wenn beide es wollen. Zwei Friedensverträge wären ehrlich.

Außerdem trieb mich eine andere Sorge. Am 1. Januar 1992 sollte der Gemeinsame Markt unrevidierbar werden. Deutsche Einheit würde dann nur noch durch Anschluß der DDR möglich sein, und das war damals nicht vorstellbar. In Bonn wurde über eine Europäische Union nachgedacht, aber nicht über eine Deutsche Union.

Was als wirtschaftlich notwendiger Flankenschutz der NATO begonnen hatte, auch ein Kind des Kalten Krieges, war zu der großen Erfolgsstory der Nachkriegszeit schlechthin geworden: Die Westeuropäische Wirtschaftsgemeinschaft hat ihren Ursprung vergessen lassen und sich zu einem übernationalen Organismus aus eigenem Recht entwickelt, unvorstellbaren Wohlstand geschaffen und Krieg zwischen ihren Mitgliedern unmöglich gemacht. Ein Traum, gewaltlos verwirklicht, für den Jean Monnet ohne Amt, nur Kraft seiner Persönlichkeit und Klugheit Politiker aller Parteien in sechs Staaten überzeugt hatte, nationale Souveränitätsrechte aufzugeben. Die Wirtschaftsgemeinschaft hatte eine Sicherheitsgemeinschaft geboren. Ein Königsweg.

Dennoch konnte ich damit nicht froh werden, solange ein Teil des eigenen Landes, DDR genannt, nicht nur nicht dazugehörte, sondern Brüssel der Bundesrepublik näher rückte als Dresden. Und überhaupt Straßburg. Im Kabinett Brandt hatte irgend jemand vor irgendeiner der vielen europäischen Konferenzen ohne Aussicht auf Fortschritt die Idee gehabt, doch europäische Wahlen vorzuschlagen. Das würde eine überzeugende Erfolgsmeldung werden. Mein Einwand, es würde zu einer europäischen Enttäuschung und Wahlenthaltung führen, wenn die Menschen bis zur nächsten Wahl feststellten, daß dieses Parlament nichts zu sagen hätte, wischte mein Kanzler beiseite: »Jedes Parlament holt sich seine Kompetenzen.«

Bekanntlich wurde der deutsche Vorschlag ein Konferenzerfolg. Und seither kämpfen die Europa-Abgeordneten. Je mehr Geist und Geld und Zeit und Beamte Bonn Europa (West) zuwandte, um so weniger blieb für unseren Osten und Europa insgesamt. Ich war ganz zufrieden mit de Gaulle und seinem Europa der Vaterländer, das Platz für das eigene ließ, und dann mit der Erweiterung der EG, die ihre Vertiefung unmöglich machte, solange Deutschland geteilt blieb. In dem stillen Wettrennen zwischen Europäischer Union und deutscher Einheit setzte ich auf den Außenseiter. Seit der als erster durchs Ziel gegangen ist, sieht die Sache anders aus.

Damals, 1988, erschienen mir die zwei Friedensverträge kurzfristig eine akademische Kopfgeburt, aber mittelfristig vernünftig. Wandel durch Annäherung, bislang Konzept für die Nation, solange sie geteilt, würde zum Rezept mit dem Ziel der Selbstbestimmung. Den Status quo anerkennen, um ihn zu verändern, das hatte schon bisher funktioniert, es würde wieder funktionieren, wenn die andere Seite sich dafür gewinnen ließ. Diese Chance schätzte ich inzwischen höher ein als die Kalkulation Anfang 1970, Moskau zu bewegen, die auch mit einer Kopfgeburt begonnen hatte.

Die Maxime der Gemeinsamen Sicherheit entwickelte politische Wirkungen, und zwar nicht nur auf der internationalen Ebene durch Gorbatschow, sondern auch innerdeutsch. Es war eben unbestreitbar, daß im Falle eines Konflikts Deutschland das erste Schlachtfeld würde. Das zu vermeiden, wurde als wirklich vitales Interesse beider Staaten erkannt und führte allmählich und vorsichtig in die Richtung einer Emanzipation. Entsprechend der unterschiedlichen Lage hatte Honecker den längeren und schwierigeren Weg zurückzulegen, mutig genug, vor einem Raketenzaun in Deutschland zu warnen, öffentlich kritischer gegen die sowjetische Nach-Nachrüstung als Kohl gegen die amerikanische Nachrüstung. Abrüstung nach den Regeln der Gemeinsamen Sicherheit – die Empfehlungen der Palme-Kommission dienten sehr unterschiedlichen Personen und Gruppen: Gorbatschow für seine Entspannungspolitik, Honecker für zunehmende eigene Initiativen zur Unterstützung Gorbatschows, während er – ohne Tapetenwechsel – innenpolitisch auf kritischen Abstand gehen konnte, und sogar den Regimekritikern zur unangreifbaren Begründung ihrer Olof-Palme-Friedensmärsche. Und nicht zuletzt der Friedensbewegung in der Bundesrepublik, gegen deren eindrucksvolle Demonstrationen die Regierung um so weniger vorgehen konnte, als sie Demonstrationen für dieselben Prinzipien in der DDR zu schätzen wußte. Die Priorität des Friedens – dieser Orientierung konnte sich keine Seite entziehen: SPD und SED entwickelten daraus Regeln für die Streitkultur, die den ideologischen Gegensätzen übergeordnet werden mußten. Kohl und Honecker probten Schadensbegrenzung bei aller Loyalität zu ihren Bündnissen; Honecker konnte am Ende seines zweimal durch Moskau verschobenen Staatsbesuches, der nur nicht so bezeichnet wurde, den Tag prophezeien, »an dem Grenzen uns nicht mehr trennen, sondern vereinen«. Erstaunlich, wie die Deutschen sich aufeinander zu bewegten, bei allen weiter bestehenden Gegensätzen, die wirklich bestanden. Sie wurden ausgesprochen, mußten auch ausgesprochen werden, um nirgendwo falsche Hoffnungen im Land oder Verdächtigungen »außerhalb« zu nähren.

Die Vernunft, die es schwer hat, mehrheitsfähig zu werden, wie Sozialdemokraten besonders gut wissen, versammelte unter dem Banner der Gemeinsamen Sicherheit eine blockübergreifende und in Deutschland eine grenzübergreifende Koalition. Kohl und Honecker gehörten dazu, Schäuble und Schalck-Golodkowski, Strauß nicht zu vergessen und die beiden evangelischen Kirchen. Die Ebene Axen–Bahr wurde innenpolitisch bekrittelt, aber daß da Deutsche über Waffen sprachen, die nicht ihnen gehörten, sondern den Amerikanern und Sowjets, gewann den Charakter der Normalität.

Seit der Hamburger Bürgermeister Klaus v. Dohnanyi mich 1984 gewonnen hatte, das Institut für Friedensforschung und Sicherheitspolitik zu leiten, hatten wir die Idee der Gemeinsamen Sicherheit wissenschaftlich durchgearbeitet, in Symposien diskutiert und stellten fest, im Institut für Internationale Politik und Wirtschaft der DDR (IPW) wurde parallel gedacht. Mein Vorgänger, General Wolf Graf Baudissin, hatte die Zusammenarbeit begonnen, ich vertiefte sie und erkannte, wie breit, konsequent und ideenreich das Feld gemeinsamer Sicherheit dort beackert wurde. Ein Mitarbeiter, der später im Stab des Ministerpräsidenten de Maizière seinen Platz fand, hatte zum Beispiel eine Dissertation über »Strukturelle Angriffsunfähigkeit in Europa« geschrieben. Die richtigen Leute zur richtigen Zeit am richtigen Platz: In diesem Fall schlossen Klaus v. Dohnanyi und Wolfgang Berghofer – letzterer unterstützt von Hans Modrow – die Partnerschaft der Elbestädte Hamburg und Dresden. Bei jedem Treffen wurden deutsche Sicherheitsinteressen diskutiert, und der Oberbürgermeister Wolfgang Berghofer demonstrierte Geschick und Mut, unangreifbar wie unüberhörbar seine systemkritische »versöhnlerische« Position.

Nun war nicht einzusehen, warum die Verteidigungsminister und die obersten Soldaten der Amerikaner und Russen sich begegneten, aber ihre jeweiligen deutschen Verbündeten sich weiterhin mieden. Das fand der Bundesverteidigungsminister, Rupert Scholz, auch, zog es aber vor, nicht aktiv zu werden. Axen verabredete eine Zusammenkunft mit Heinz Kessler, dem Verteidigungsminister der DDR, der mich in voller Uniform, umgeben von seinen engsten Mitarbeiter, empfing. Er entwickelte dem »Kollegen Bahr«, daß die Armeeführung bereit sei, das Prinzip der Gemeinsamen Sicherheit voll zur militärisch-politischen Perspektive der beiden deutschen Staaten zu machen: Entsprechend der neuen Doktrin der Warschauer-Pakt-Staaten würde die NVA auf hinlängliche Verteidigung umgestellt. Ich könnte mich davon bei der Truppenausbildung überzeugen. Das war die nachträgliche Bestätigung, daß die bisherige Strategie im Konfliktfall den Gegner auf dessen eigenem Territorium »vernichtend schlagen« wollte. Es sei an der Zeit, Vorurteile abzubauen, das Verhältnis zwischen NVA und Bundeswehr zu

540

versachlichen und Vertrauensbildung auf alle Teilstreitkräfte, auch zur See und in der Luft, auszudehnen. Auf meine Frage erklärte er sich bereit, den »Kollegen Scholz« zu treffen, »wo auch immer«, und bat, ihn das wissen zu lassen. Auch der Leiter seines Hauptstabes könnte mit dem Generalinspekteur zusammenkommen, um planmäßig Sachfragen zu erörtern, einschließlich solcher von Ausrüstung und Stationierung, um Unfähigkeit zu Angriff und Prävention zu gewährleisten. Mit den Karten auf dem Tisch würde er mit Scholz erörtern, welche politisch-militärischen Vorleistungen die eine und die andere Seite dazu brauchten. Wenn man wolle, könnten Militärattachés, an den Vertretungen in Bonn und Berlin eingerichtet, auch Militärexperten genannt werden. Das war handfest, aufgeschlossen und vielversprechend für einen Minister, der seine Herkunft als Maschinenschlosser nicht vergessen hatte. Er gab gern seine Zustimmung zu einem Probelauf, dem dann auch Scholz zustimmte.

So kam die Premiere zustande, daß hohe Offiziere der NVA und der Bundeswehr von der Führungsakademie in Hamburg und der Militärakademie in Dresden in unserem Institut in Blankenese zusammenkommen durften. Sie durften sogar ihre Generalsuniformen tragen, nicht nur im Interesse des Fernsehens. Ein Oberst der Bundeswehr teilte mir vor Beginn der Gespräche mit, er nehme nur auf Befehl teil; danach drückte er seine Hoffnung aus, beim nächstenmal wieder dabeizusein. Ich hielt den Hinweis für nötig, daß die Gäste aus der DDR verstehen, wie belastend Schüsse an der Grenze bleiben. »Ich habe mich manchmal gefragt, wie schnell berechtigte Empörung über das Schießen zurücksinken darf hinter das berechtigte Interesse an einer Politik, die dafür sorgen will, daß nicht mehr geschossen wird. Die Frage bleibt für unsereinen bedrückend.« Unsere Zusammenkunft könne analysieren, Interessen der Streitkräfte auf beiden Seiten definieren und Anregungen entwickeln, die dann auf anderer Ebene um so aussichtsreicher zu verhandeln wären, je fachlich überzeugender sie ausfielen.

Am Anfang so kalt und etwas verlegen, wie sich das unter Feinden gehört, selbst wenn sie Brüder sind, entwickelte sich bis zum Abendessen eine Atmosphäre unter Kameraden mit verschiedenen Feldpostnummern. Das lag daran, daß alle Teilnehmer nicht nur ihr Handwerk, sondern auch die Sprache verstanden, was den Gebrauch ihrer Werkzeuge betrifft, was man damit macht und wie es wirkt. Das eigentlich nicht überraschende, aber in seiner sachlichen Unwiderlegbarkeit doch erschütternde Ergebnis: Im Kriegsfall würden beide Seiten innerhalb von Stunden gelähmt sein, auch ohne Atomwaffeneinsatz. Hamburg zum Beispiel wäre im klassischen Sinn nicht zu verteidigen, funktionstüchtig selbst nicht für zwei Tage zu halten. Die Fähigkeit beider Armeen, anzugreifen und zu verteidigen, hatte jeden vernünftig begründbaren Zweck verloren. Ein Ostdeutscher brachte es auf die Formel, Armeen seien nur noch dazu da, im Frieden zu sichern, daß es Krieg nicht gebe. Das klang bei der NATO nicht viel anders. Wenn sich das herumspricht, dachte ich, würden beide Armeen nicht mehr kriegsverwendungsfähig werden; wenn beide deutschen Armeen ihre Waffen nicht gegeneinander einsetzen ließen, wäre das gemeinsam mehr Sicherheit, sogar für die Bündnisse. Ob Kohl und Honecker an diese Logik dachten, wenn sie forderten, daß Frieden von Deutschland ausgehen solle, blieb zweifelhaft.

Im Frühjahr 1988 hatte ich mehreren Abiturklassen in Flensburg Ost- und Deutschlandpolitik erläutert, ziemlich überzeugend, wie ich fand, bis ein junger Mensch aufstand und fragte: »Glauben Sie denn noch wirklich an die Wiedervereinigung?« Nach der Antwort meinte ich zu spüren, wie meine Glaubwürdigkeit zerbröckelte. Sie wäre auch nicht wiederhergestellt worden, hätte ich erläutert, daß und warum es in der SED Reformkräfte gebe und Menschen mit nationaler Identität und daß die Deutschen, wenn sie das Vehikel der Gemeinsamen Sicherheit bestiegen, ein ziemliches Stück vorankommen könnten. Axen glaubte die Zeit gekommen, daß unsere Delegationen, begleitet von ihren jeweiligen besseren Hälften, sich nach all der Arbeit an militärischer Entspannung auch menschlich näherkommen und entspannen dürften und hatte zu einem Ausflug ins Elbsandsteingebirge eingeladen. Das war immer noch so schön wie letzthin vor fünfzig Jahren bei einem Klassenausflug. Als Axen sich am späten Abend zurückgezogen hatte, saßen wir mit seinem Bürochef, Manfred Uschner, noch auf der Terrasse des Gästehauses und plauderten über die beiden Großen Freunde der beiden Deutschen und deren Interessen und unsere Interessen, die nicht immer übereinstimmten, wo unsere übereinstimmen. Man dürfe nicht aus den Augen verlieren, daß unsere Länder doch wieder zusammenkommen wollten, befand Uschner, und war sicher, ich würde sein parteiketzerisches Bekenntnis nicht mißbrauchen.

Der Mann hatte auch auf den Sitzungen zuweilen eine kesse Lippe riskiert. Bei der Gegeneinladung erkundigte sich Axen während des Besuches im Storm-Museum in Husum nach einer Novelle, deren Titel ich noch nie gehört hatte, in deren Rahmenhandlung ein Bürgermeister Axen vorkomme. Ob der geschichtlich sei, was der Museumsdirektor bejahte und Uschner zu der gut hörbaren halblauten Bemerkung veranlaßte: »Axen sucht seine Westverwandtschaft.« Ich erhielt verläßlich Hinweise über die Starrheit der älteren Herren, ihren Unwillen vor neuen und jüngeren Gesichtern, Spannungen zu den Sowjets, Enttäuschung in den SED-Kreisen, die mit dem Reformer Gorbatschow zusammenwirken mochten, wie etwa Modrow, den wir in Dresden kennengelernt hatten; nur sein sozialdemokratisches Elternhaus entdeckte mir Uschner erst nach der Wende, in der Annahme, er würde in der Partei seines Vaters willkommen sein. In dieser Hoffnung wurde er enttäuscht. Aber das ist ein Thema einer anderen Zeit.

Damals arbeiteten die beiden Delegationen an ihrem dritten Papier über die Angriffsunfähigkeit, die hinlängliche Verteidigung und die Idee eines europäischen Satelliten im Weltraum, der allen Regierungen zeitgleich dieselben verläßlichen Informationen und dabei Sicherheit geben würde. Damals entwickelte sich aus der Hoffnung die Überzeugung, auf diesem evolutionären Weg zu den Dingen der Deutschen zu gelangen. Die Ironie der Geschichte zog den revolutionären Weg vor. Die letzte Arbeit hätten wir Ende August 1989 vorstellen können. Die dafür vorgesehene Pressekonferenz sagte Axen ab. Die erstarrte DDR traute sich nicht mehr.

Ohne die Ost- und Entspannungspolitik wäre Gorbatschow nicht die Nummer eins im Kreml geworden, sagte Falin später. Es gibt keinen Grund, die Neue Ostpolitik zu verleugnen, von ihren Motiven und Früchten abzurücken. Sie hat den ihr möglichen Beitrag zu dem unerwarteten Ergebnis geleistet.

Schlicht und großartig ehrte und erfreute der Bundespräsident Willy Brandt, indem Richard v. Weizsäcker den 75. Geburtstag des ehemaligen Bundeskanzlers zum Anlaß nahm, eine Schar seiner Freunde und Weggefährten zu einem Mittagessen in die Villa Hammerschmidt einzuladen, an ihrer Spitze den französischen Staatspräsidenten François Mitterrand. Die Idee runder Tische, an denen es kein Oben und Unten gibt, verwischte die Rangunterschiede zwischen amtierenden und ehemaligen Staats- und Regierungschefs und »Sonstigen« aus Ost und West und Nord und Süd. Die Reden hielten das Gleichgewicht zwischen humorig und würdig; der des Gastgebers war anzumerken, daß er sich keiner Pflicht unterzog, und der so Angesprochene gab in seinem Dank den Hinweis, da sei für den Nachruf auf ihn das eine oder andere verwendbar.

Die Überlegungen zu diesem Buch schlossen den Versuch zu einem Brandt-Porträt ein. Statt dessen zwang die Schilderung des eigenen Weges über mehr als drei Jahrzehnte die Wiedergabe so vieler persönlicher Erlebnisse, daß sich aus diesen Facetten wohl mein Bild dieses Mannes formt. Sehr Unterschiedliches bleibt zu ergänzen. Etwa die Unterscheidbarkeit zwischen mehreren beruflichen Leben, des Bürgermeisters, der hohen bundespolitischen Verantwortung, des internationalen und des Nord-Süd-Einflusses, die jedes für sich die Mühen gelohnt hätten, die Partei Bebels nicht zu vergessen, die er seinem Nachfolger in besserer Verfassung übergeben wollte, als er sie übernommen hatte. Subjektiv empfand er nach zwei tiefen Einschnitten das Geschenk eines neuen Lebens. Das mag zu der Souveränität beigetragen haben, die zunehmend sein Altersgesicht prägte.

Nach Andrzej Szczypiorski beruht das Wunder der Demokratie darauf, daß die Politik sich ein wenig am Rande des Lebens befindet, anders als im totalitären System, in dem das Melken von Kühen, das Kaufen von Brot und manchmal sogar das Atmen politische Handlungen darstellten. Für Brandt war Politik Mittelpunkt, trotz des schönen Dichterwortes gleichbedeutend mit Demokratie, doch zu seiner Bestätigung gewissermaßen immer bestrebt, die Ränder des Lebens nicht verkümmern zu lassen. Den Wunsch, die Dauerspannung der Verantwortung durch befreiendes Lachen, auch über sehr anspruchslose Scherze, zu lockern, teilte er mit vielen Berufskollegen; ich habe dieses kurzfristige Seelensalben erst allmählich und begrenzt schätzengelernt. Während die Neigung zu den schönen Künsten so ziemlich bei der Folklore aller Art endete, hielt er sich am Geschriebenen schadlos. Ich könnte niemanden nennen, der ihn an Leselust übertroffen hätte. Er erholte und entspannte sich, tankte auf durch einen imposanten Konsum, Gourmet wie Gourmand, nicht nur von Biographien, Memoiren, historischen Romanen, Geschichtsschreibung, gesellschaftswissenschaftlichen Darstellungen; er blieb auf dem laufenden der internationalen und deutschen Literatur und ließ mich profitieren, indem er die Neuerscheinungen, auch wenn sie nicht leicht zugänglich oder gefällig waren, empfahl: »unbedingt«, »solltest du«, »kannst du« oder »muß nicht sein«. Eine beachtliche Bandbreite von seiner Empfehlung des deftigen Zwerenz, *Der kleine Herr in Krieg und Frieden* bis zu den Brüningschen *Erinnerungen* mit der kürzesten Widmung: »So nicht!« (Unter dieser Weisung für die heutige politische Generation wieder nachlesenswert.) Auch wenn er ungewöhnlich schnell las und dabei das ihm Wesentliche fixierte, als hätte das Gedächtnis es photographiert – woher er die Zeit nahm, blieb unerklärlich. Sein Respekt vor dem Neuen, selbst wo es ihm nicht lag, ging weit über das Literarische hinaus.

Das war ein Teil der Toleranz, die seine Stärke und seine Schwäche bildete. Wenn Hermann Höcherl, früherer Innenminister, bedauernd und nicht herabsetzend meinte: »Ihr Willy ist zu weich für das harte Geschäft«, traf er einen Kern. Brandt nahm eher persönliche Nachteile in Kauf, als daß er anderen unrecht tat. Er liebte es, in heiklen Fragen frühe Festlegungen zu vermeiden. Manchmal erwies sich das als klug, zuweilen war es Unsicherheit oder Scheu vor Entscheidungen und vermeidbarem Ärger. Auch insofern stieß ihn das Totalitäre ab, als ihm dessen Hang zu Superlativen fremd und zuwider war: »alles oder nichts«, »er oder ich«, »um jeden Preis« – solche Formeln wird man lange in seinen Reden suchen müssen. »Es bleibt keine andere Wahl«, zu oft die Entschuldigung des Überlegenen für eine Aggression, widerstrebte ihm; seine große Fähigkeit, einen Ausweg zu finden, verfahrene Situationen durch ein Umordnen der einzelnen Faktoren aufzulösen, entsprang einem Charakterzug, geschliffen und erhärtet in vielen Erfahrungen. Horst Ehmke hatte eine Erklärung gefunden, die nicht an der Oberfläche blieb: Willy sei so oft in seinem Leben »geboßt« worden, daß er andere nicht »bossen« wolle. Lieber überzeugen als befehlen und behutsam im Umgang mit Menschen wie mit Wörtern, solche Eigenschaften paßten zu seinem Geiz, die Vokabel »ich« zu benutzen, solange er Staatsämter innehatte. Dabei durchaus machtbewußt – und ohne Sinn für Taktik kann sich niemand fast dreißig Jahre an der Spitze einer Partei behaupten.

In einem Punkt zögerte er nie: »Im Zweifel für die Freiheit.« Demokratie war kein bloßer Begriff, sondern Lebensgefühl, dessen Bescheidenheit sich durchaus mit dem Bewußtsein des eigenen Wertes vertrug.

Die Menschen spürten, daß da einer war, dem es um die Sache und nicht um persönliche Vorteile ging. Er gab das seltene Beispiel, daß Politik nicht den Charakter verderben muß.

Die Persönlichkeit war zu stark, als daß sie unter den selbstbestimmten Rückzügen von der Macht gelitten hätte. Ein Bedauern höchstens war zu spüren, frei von Melancholie, sich auf dem Altenteil zu finden, wo er glaubte, noch etwas bewegen zu können. Gebraucht hätten sie ihn schon, die Enkel, aber sie gebrauchten ihn kaum. Doch weise verstand er deren Wunsch nach eigener Verantwortung.

Zuweilen formulierte er frappierend einfach, woran ich laborierte, zuweilen artikulierte ich, was ihm nicht bewußt war oder was er längst wußte. Noch immer fehlt der Abstand. Wir konnten uns unterhalten, ohne zu sprechen. Dieses Gefühl ist nicht gestorben.

14. KAPITEL

Sozialdemokratismus

In den fünfziger Jahren konnte sich der Kommunismus als eine Kraft fühlen, der die Zukunft gehört; in den sechziger Jahren sogar von der Hoffnung getragen, die Eliten der Dritten Welt für sich zu gewinnen und so, militärisch ebenbürtig mit Amerika, den Kapitalismus in die Schranken fordern zu können. Das bedrohliche System ruhte auf zwei Säulen: der Ideologie und den Streitkräften. Vor der militärischen Angriffsfähigkeit schützte sich der Westen durch eigene Anstrengungen und durch kontrollierte Rüstungsbegrenzung oder Abrüstung. Der Schutz vor ideologischer Anfälligkeit wurde ein Lebensstandard, der den Wohlstand für die große Mehrheit hier schneller steigen ließ als östlich von uns. Das war eine sehr wirkungsvolle Abwehr, die zu einem indirekten Angriff gegen die Ideologie wurde, ohne sie zu erschüttern.

Auf diesem Gebiet hatte die SPD etwas zu leisten, was nur sie leisten konnte; denn nur sie war der ideologische Hauptgegner. Die Spaltung der Arbeiterbewegung hatte zu einem Kampf geführt, in dessen Verlauf die Sozialdemokraten durch die Kommunisten härtere Schläge erhielten als umgekehrt. Obwohl auch das zu der herablassenden Attitüde beitrug, mit der Kommunisten Sozialdemokraten behandelten, blieb ihre Sorge vor »Sozialdemokratismus«. Das war erstaunlich; denn die Sozialdemokratie verfügte gegenüber den Regierungen des Lagers nicht über Panzer und Flugzeuge, sondern nur über die Waffen der Argumente und Ideen. Aber gerade das war für eine Ideologie gefährlich, die das Fundament der Macht darstellte. Die Sorge vor Sozialdemokratismus war berechtigt.

Hier spielte die SPD die Schlüsselrolle. Nicht nur, weil schon Lenin glaubte, der entscheidende Faktor der Revolution würde aus dem entwickelten Deutschland kommen, so daß ihre Konzentration auf ein Land, die Sowjetunion, ein erzwungener Aus- oder Umweg wurde; die Sozialdemokraten konnten, den Nationalsozialisten gleichgesetzt, zu Sozialfaschisten erklärt werden – ideologisch begründet und realpolitisch falsch. Wo immer in Perioden der Schwäche und der Bedrohung Volksfronten nötig wurden, sollten Sozialdemokraten manipuliert und benutzt werden, nicht anders als die nützlichen kapitalistischen Idioten, die zuletzt noch den Strick liefern würden, an dem man sie aufhängt.

In Deutschland konnte Moskau seine Besatzungszone politisch nur konsolidieren, indem es sozialdemokratische Bluttransfusion zur Blutsbruderschaft veredelte: Die Einheit der Arbeiterbewegung sollte endlich wiederhergestellt werden und wurde es doch nicht, weil da jene aus der Geschichte sattsam bekannten Mehrheitssozialdemokraten mit ihrem Nein das große Spiel zerstörten. Schumacher war verhaßt, bevor Adenauer Grund zum Haß geben konnte. Er war in kommunistischen Augen dafür verantwortlich, daß der Makel des SED-Geburtsfehlers unvergeßlich blieb. Und damit blieben Sozialdemokraten das Krebsleiden, schleichend tödliche Bedrohung, allenfalls operativ beherrschbar, indem jedes Glied radikal entfernt wurde, das davon befallen war. Die Furcht vor dieser ansteckenden Krankheit war so groß, daß sie sogar im täglichen Machtkampf gegen unbequeme, kritische, aber ehrliche Kommunisten mißbraucht werden konnte. Drei Schlüsselprobleme begleiteten die SED bis zu ihrem Ende: Sozialdemokratismus, Treue zum großen Bruder, der KPdSU, und die Nation.

Wer sich als Sozialdemokrat in die Position des Verhandlungsgegners hineinzudenken hatte, mußte anders als sein konservativ geprägter Kollege dem ideologisch bestimmten Faktor besonderes Gewicht geben. Die langjährige Debatte über die Reformfähigkeit des sowjetischen Systems enthielt ein ideologisches Element, das für Nichtsozialdemokraten untergeordnet bleiben durfte.

International wurde diskutiert, ob dieses schwerfällige Planungssystem objektiv und sachlich fähig zur schnellen Anpassung an moderne Technologie wäre, was beruhigend zweifelhaft war. Uns stellte sich die Frage: Stärkt man das System, wenn es von Krankheiten geheilt wird, oder schwächt man es, weil die Änderungen, auch wenn zunächst kosmetisch, immer mehr in die Substanz gehen und schließlich den

Kern des Systems selbst angreifen und es verändern? Der politische Streit darüber konnte nicht akademisch gewonnen werden; denn erst die Wirklichkeit würde ihn entscheiden.

Abwehr und Eindämmung des Gegners (»Containment«) waren Mittel des Westens zur verständlichen Selbstbehauptung; sie hatten so gut wie keine Wirkung auf die kommunistische Überzeugung. Die Rüstungsspirale zwang den Gegner schon zu Anstrengungen, die ihn schwächen mußten dank seiner geringeren wirtschaftlichen Potenz, wobei es bei diesen Überlegungen eine Rolle spielt, wer diese Spirale ausgelöst hatte. Die erhöhte Gefährdung beider Seiten durch die schließlich erreichte gegenseitige Zerstörungsfähigkeit verlangte erhöhte Vorsorge, daß sie nicht eingesetzt wurde. Das sich entwickelnde gemeinsame Interesse am Überleben, an der Einhegung des potentiellen Konfliktes, die Sorge, den Kalten Krieg nicht zum heißen werden zu lassen, erzwang Begegnungen, Konferenzen, Abmachungen – die Pugwash-Konferenz hat daran spät anerkannte große Verdienste. Sie förderten das Verständnis für den anderen und brachten wiederum auf beiden Seiten Anpassungen hervor, Änderungen bisher verfolgter Dogmatik. Das anpassungsfähigere System des Westens wurde damit leichter fertig.

Aber das alles ließ den Kern unversehrt, mit dem Amalgam von Ideologie, Glauben und Marxismus-Leninismus über den einzigen wissenschaftlichen Schlüssel für die Zukunft der Menschheit zu verfügen. In der DDR hieß der Satz: Von der Sowjetunion lernen, heißt siegen lernen; es vergingen viele Jahre, ehe aus dieser Überzeugung Zynismus wurde. Klassenfeinde waren alle, die aus dem Kapitalismus kamen. Aber der wirkliche Feind war der Sozialdemokratismus, die Reformideologie, die Überzeugung, für Menschen und Gesellschaft durch Demokratie mehr erreichen zu können, Wahlen statt Diktatur des Proletariats, die Menschen zu gewinnen statt den »Neuen Menschen« zu machen, zu seinem vom System erkannten Glück zu zwingen. Der Erzfeind Sozialdemokratismus, das war in Moskau gar nicht mehr diskutierte Gewißheit; für Ulbricht, dem dieses Erzübel zeitlich und geographisch näher war, eine nie zu vergessende Warnung. Er hatte recht, alarmiert zu sein, als er bemerkte, wie eng das Verhältnis zwischen Bonn und Moskau wurde, und mußte erleben, daß die Interessen der Sowjetunion höhergestellt wurden als die der KPdSU. Insofern wurde der Moskauer Vertrag ein erster sozialdemokratischer Triumph über kommunistischen Dogmatismus. Um keinen Preis durfte auch nur eine Silbe davon öffentlich werden.

Daß Sozialdemokraten den Kommunismus überwinden könnten, erschien uns, als wir das 1960 diskutierten, möglich, aber vermessen. Das Ergebnis dieser Diskussion hat Brandt ein einziges Mal öffentlich 1960 auf dem Parteitag in Hannover formuliert: »Ich bin überzeugt, wir können die Herausforderung des Kommunismus annehmen. Wir müssen den Frieden sichern und die Spielregeln finden, um wirtschaftlich, politisch und geistig frei zu sein für das Ringen mit der anderen Welt, das man Friedliche Koexistenz nennt. Diesen Kampf werden wir gewinnen.« Die strategische Überzeugung hat er danach nicht mehr angedeutet. Und erst in seinen *Erinnerungen* aufgegriffen und begründet: Es hätte blauäugig ausgesehen.

Ich zitterte davor, daß meine Bemerkung in einem Interview während der Großen Koalition, es sei unser Ziel, Osteuropa von der Krankheit zu befreien, die Kommunismus genannt wird, als die eigentliche Absicht des Feindes entlarvt würde. Brandt erinnerte mich mit einem leisen Vorwurf an den Vorsatz, darüber nicht zu sprechen. Das Moltke-Wort ist zeitlos richtig geblieben: Alles, was man sagt, muß wahr sein; man muß aber nicht alles sagen, was wahr ist. Cato, der Ältere, konnte sein »Ceterum censeo, Carthaginem esse delendam« in der Gewißheit der römischen militärischen Überlegenheit schmettern; die täglich gedruckte Springersche Version »Im übrigen sind wir der Meinung, daß Deutschland wiedervereinigt werden muß«, war nicht zu verhindern und wirkte wohl nicht entscheidend gegen seine Hohlheit; doch wäre es verrückt gewesen, sich am Verhandlungstisch danach zu richten.

Wandel durch Annäherung hatte der Außenminister der DDR als Aggression auf Filzlatschen bezeichnet; das war richtig, aber verhallte zum Glück. Regierende Kommunisten setzten sich an den Tisch, nicht weil, sondern obwohl ihnen Sozialdemokraten gegenübersaßen. Das konnte nur funktionieren, wenn wir ihnen Entwarnung signalisierten. Fürchtet euch nicht! Wir sind genau wie ihr daran interessiert, daß ideologische Koexistenz nicht ins Spiel kommt, wenn von friedlicher Koexistenz zwischen den Staaten die Rede ist. Das war sogar innenpolitisch unser Interesse; denn es durfte keine Veranlassung gegeben

werden, die Keule angeblicher kommunistischer Nähe noch schwung-
voller zu nutzen, als es ohnehin innenpolitisch geschah. Dieses innenpolitische Risiko konnte nicht eliminiert, sondern nur verringert werden, wenn Sozialdemokratismus subkutan im Kommunismus wirken
sollte.

In der Praxis hörte ich also unzählige Male: Keiner kann, wird oder
will den anderen bekehren, zum Sozialdemokraten oder Kommunisten
machen. Das Thema spielten in Variationen Brandt und Breschnew,
Schmidt ein bißchen weniger, weil er nicht als einer erschien, der aus der
Arbeiterbewegung stammte, Wehner schied aus, Vogel, Engholm,
Scharping und Lafontaine, solange sie noch regierende Kommunisten
als Gesprächspartner fanden. Brandt dann wieder mit Gorbatschow.
Kohl brauchte das nicht; denn es war kein Thema für ihn. Nur zwischen
Sozialdemokraten und Kommunisten schwang beiderseitig eine kleine
oder große Unaufrichtigkeit mit; denn beide hofften, vielleicht den
anderen doch irgendwann einmal zu bekehren. Bei mir war das jedenfalls so, bei meinen Gesprächspartnern glaubte ich es zu fühlen.

Nicht auf der inoffiziellen Ebene. Der Kanal wäre nicht nur tot
gewesen, wenn von der einen oder anderen Seite staatliche Loyalität in
Frage gestellt, sondern schon dann, wenn ideologische Festigkeit auch
nur getestet worden wäre. Man nahm sich zum gegenseitigen Nennwert
als guter Kommunist und guter Sozialdemokrat. Die Erfahrung genügte, daß beide dennoch verläßliche Menschen waren, im Umgang so
offen, wie es die unterschiedliche Loyalität gestattete oder verlangte,
wenn Unangenehmes mitzuteilen war. Es ging so weit, dem anderen
verborgene oder verheimlichte Schwächen der eigenen Seite zu sagen,
im Interesse wachsenden Vertrauens wie im Interesse, Mißverständnisse zwischen den beiden Führungen zu vermeiden. Die freundschaftliche Verbindung, die so neben dem Auf und Ab der staatlichen Beziehungen entstand, überdauerte die Existenz der alten Bundesrepublik
und der Sowjetunion. Sie erforderte gar keine ideologischen Dispute.
Daß ich keine kommunistischen Neigungen entwickelte, wußten die
Partner; daß ich sie umgekehrt nicht ganz unbeeinflußt ließ, meinte ich
an kleinen Bemerkungen zu spüren. Als ich von Palmes Frage erzählte,
was er denn für seinen nächsten Wahlkampf nach allem Erreichten noch
fordern könne, bemerkte Leo: »Die Schweden haben eigentlich schon
den Sozialismus, von dem wir träumen.« Eigene Schwächen nicht zu

verbergen, empfand ich als Stärke. Diese Durchsichtigkeit unseres demokratischen Systems war Teil des Sozialdemokratismus, lange bevor die sowjetische Variante des Glasnost ihr folgte.

Als ich Breschnew in dem Park von Oreanda über den Weg lief, löste eine Bemerkung von mir sein Echo aus: »Wir werden auch noch fortschrittlicher werden, so Gott will.« Eine Berufung auf Gott hatte ich aus dem Munde des KP-Häuptlings nicht erwartet. Selbst wenn das seine Gesprächsgewohnheit war, blieb es jedenfalls nach außen verborgen. Aber kommunistische Fortschritte an sozialdemokratischen zu bemessen, konnte nur einer, der in seinem Innersten schon Zweifel am eigenen Wertesystem barg, vielleicht verbarg, vielleicht fest überzeugt, ein guter Kommunist zu sein; wenn er es nicht mehr war, es aber kraft seiner Aufgabe zu sein hatte, war Zynismus die Folge. Anzeichen für zynische Haltung konnten wir in der Folge auch erkennen. Brandt mit seinem Feingefühl für Schwingungen und Unausgesprochenes fand das genauso aufregend. Es könnte vielleicht doch möglich sein, den Prager Frühling nach Moskau zu bringen. Darüber redeten wir schon deshalb nicht vor anderen, weil wir verlacht worden wären ob solcher Spökenkiekerei von Spurenelementen ideologischer Aufweichung ganz oben.

Ein Erfolg war es schon, die Ideologie, also das, was die kommunistische Welt im Innersten zusammenhielt, von der Spitzenposition zu entfernen und der Erhaltung des Friedens unterzuordnen. Die Brandt-Formel, wonach Frieden nicht alles, aber ohne Frieden alles nichts sei, las sich als Botschaft an die Kommunisten so: Nur wenn wir am Leben bleiben, könnt ihr wie wir hoffen, noch ideologisch zu gewinnen. Die Degradierung der Ideologie, auch wenn sie schon mehr Disziplinierungsinstrument geworden war, bedeutete die Abwertung des inneren Wertekerns und ihren Ersatz durch die Sachlichkeit nüchterner staatlicher Zusammenarbeit für mehr Stabilität. Die bei uns zuweilen verachtete Raketenzählerei war Gift in kleinen Dosen gegen den Kommunismus.

Kontraproduktiv mußte jener schreckliche kleinbürgerliche Antikommunismus wirken, der im Grunde erwartete, am Beginn jeder Verhandlung sollte mindestens klargemacht werden, für wie verachtenswert man einen Kommunisten hielt, wenn dieser nicht bereit war, seinem Irrglauben abzuschwören und zu geloben, künftig ein netter, guter Demokrat zu werden. Kissinger war zu intelligent, um so vorzugehen, wie es sich die stärkste Macht zwar leisten konnte; aber selbst ihr Präsident, der gute Carter, mußte lernen: Er war nicht imstande, mit verbalen Kraftakten der Menschenrechte oder daraus abgeleiteten Drohungen und Verhandlungsverzögerungen, Sacharow zu befreien. Ohne demonstrative ideologische Herausforderung erreichte die kleine Bundesrepublik mehr. Und die deutschen Sozialdemokraten leisteten, was nur sie, die international führende Partei mit ihrem Präsidenten der Sozialistischen Internationale leisten konnte, indem sie den inneren Wertekern durch ihren Einfluß, ihr Verhalten, ihre Argumente zersetzte.

»Niederringen können wir sie nicht, nicht einmal mit den Waffen anderer drohen«, sagte der Freund der politischen Judotaktik, Willy Brandt, die den Schwung des Stärkeren nutzt. Lebensstandard erkannten wir wie die Amerikaner als einen Schlüssel; sie sahen darin eine Waffe gegen das Regime, wir mehr ein Stärkungsmittel für Menschen. Die sollten so gut leben wie wir; dann würden sie wie wir, nicht zufrieden mit dem Erreichten, immer mehr verlangen. 1970 notierte ich: »Verstopfte Straßen und Staus sind zu wünschen, nicht nur als Zeichen eines gehobenen Lebensstandards, nicht nur weil ein eigenes Auto ein Stück Freiheit ist, täglich zu ›erfahren‹, wie und wohin man lenkt, sondern auch, weil die Überfüllung von Straßen nicht durch Ideologie zu beseitigen ist.« Die schwachen Menschen würden die starke Ideologie schwächen, zuletzt überwinden. Damit sie das konnten, mußte ihnen geholfen werden.

Folgerichtig sprach sich eine sozialdemokratisch geführte Regierung für erweiterte Wirtschaftsbeziehungen, für mehr Kredite, für Anbindung an den weltwirtschaftlichen Strom aus und traf dabei oft auf die entgegengesetzte amerikanische Auffassung. Die nämlich kalkulierte, wenn die Listen von Waren, die nicht geliefert werden sollten, auch über strategische Güter hinaus erweitert und die Meistbegünstigung verweigert wird, die binnenwirtschaftlichen Probleme in der Sowjetunion verschärft würden. Selbst abgesehen von den unterschiedlichen Interessen, daß der Osthandel für uns eine unvergleichlich größere Bedeutung hatte als für die Amerikaner, habe ich es immer für politisch falsch gehalten, die Tendenzen zur Autarkie in der Sowjetunion zu verstärken, gar zu erzwingen. Eine Atmosphäre des fortgesetzten Kriegssozialismus, der seine Provisorien mit der fortgesetzten Bedrohtheit begründete, mußte psychologisch die Bedeutung der Ideologie verstärken, statt den disziplinierenden Druck dieser Klammer zu erleichtern. Das Gefühl der Belagerung vertreibt liberale Ansätze.

Amerika, ohnehin distanziert gegenüber den weltanschaulich geprägten Parteien Europas, konnte unsere ideologischen Motive um so weniger ernst nehmen, als sie sich einer nüchternen Kalkulation, was wann passiert, entzogen. Es mußte auch gar nicht; Amerika war stark. Es konnte sich in seinen Aktionen gegen einen anderen Starken auf berechenbare Ergebnisse in überschaubarer Zeit stützen. In diesen Kategorien war die Bundesrepublik schwach. Die Waffen des Schwachen erschienen dem Starken als schwächlich, zu Recht von seinem Standpunkt; ob sie auf Dauer nicht wirksamer sein würden, war ein müßiger Streit, solange Washington dem Sozialdemokratismus nicht in den Arm fiel. Und das tat es nicht, vielleicht weil man diese Seite des Ringens nicht ernst nahm, vielleicht in der Gewißheit, schaden kann es ja nicht, solange die Hardware unangetastet bleibt.

Die europäischen Sozialdemokraten hatten daran Anteil, aus Schweden und Norwegen, Dänemark und den Niederlanden, Belgien und nicht zuletzt Österreich, sogar Frankreich und England, weniger Italien und bewundernswert Finnland, das ohne den Schutz der Entfernung oder eines Bündnisses die Verständigung mit dem Koloß erreichen mußte. Sozialdemokratische Familienbande wurden in Europa gelebt und empfunden, unberührt vom Wechsel ihrer Mitglieder zwischen Regierung und Opposition, ungleich enger als das Verhältnis der Commonwealth-Staaten, zwischen einzelnen Parteien mal näher oder gespannter, intimer oder kühler, wie es halt in einer großen Familie zugeht. Die wärmende Gewißheit der Zugehörigkeit litt nicht, wenn die eine mal eine Mesalliance in den Augen der anderen einging oder sich einen politischen Seitensprung leistete; sie hing auch nicht von der Mitgliedschaft in westlichen Bündnissen und Organisationen ab. Der deutsche Einfluß war bedeutend und Brandt, durch die Milde seiner Autorität, orientierend auch in seiner kooperativen Einstellung gegenüber regierenden Kommunisten. Was Konservativen, in der Bundesrepublik besonders, als Lockerung westlicher Geschlossenheit oder Gefährdung der Bündnissolidarität schien, wenn die Scandilux-Gruppe ihre eigenen Raketenstandpunkte verkündete, löste verwandtschaftliche Affinitäten überall in Osteuropa aus, wo individuelle oder geschichtlich noch sozialdemokratische Erinnerungen existierten.

554

Das sah Moskau nicht gern, aber es erschien angesichts seiner unangetasteten Machtstellung vernachlässigenswert, bis es zu spät war. Wer läßt sich schon von einem verlockenden Ausflug durch einen lästigen Mückenstich abhalten? Daß es kein Serum gegen Sozialdemokratismus gab, merkten die Moskowiter noch nicht einmal, als sie sich schon damit infiziert hatten.

Auch die Kongresse der Sozialistischen Internationale dürfen nicht vergessen werden, auf die eine wachsende Zahl von Beobachtern kommunistischer Parteien drängte, um erstaunt zu verfolgen, angezogen wie abgestoßen, wie nun diese Vertreter des demokratischen Sozialismus miteinander umgingen und wie sie dachten.

Es war relativ leicht, wenn – im Gespräch mit Brandt – der alte Sozialdemokrat in Cyrankiewicz auflebte, obwohl inzwischen Chef einer kommunistischen Regierung. Oder wenn Brandt mit dem späteren Ministerpräsidenten Rakowski umging wie mit einem Sohn, der ehrlich auf einem Reformkurs war, wenngleich noch nicht heimgekehrt. Ich lernte Gyula Horn als Außenpolitischen Sekretär der Kommunistischen Partei Ungarns und als einen Menschen kennen, der nicht einmal mehr überzeugt war, noch Kommunist zu sein. Gerade weil Kádár seinen schrecklichen Weg hinter sich gebracht, Reformen eingeführt hatte, ohne das Vertrauen Moskaus zu verlieren, könnte Ungarn aus seiner außenpolitischen Passivität heraustreten und als kleines Land eine wichtige europäische Rolle für Entspannung in Europa übernehmen, glaubte ich Horn überzeugt zu haben.

Niemand kann leugnen, daß es geistige Überläufer von West nach Ost gegeben hat. Mir ging mehr als einmal der kameraderiehafte Ton zu weit, mit dem einige Sozialdemokraten oder auch die Jusos, ohne überzulaufen, mit den »Genossen« auf der anderen Seite umgingen. Aber was tat's? Es hat sehr viel mehr Überläufer von Ost nach West, vom Kommunismus zum Sozialdemokratismus gegeben. Vor allem saßen diese Überläufer an entscheidenden Stellen. Gerade systemnahe Menschen zu treffen, war für mich aufregend und interessant. Pastoren, denen wir die Argumente für ihren Friedenskampf geliefert und ein Stück Bewegungsfreiheit verschafft hatten, weil sie sich auf Helsinki oder auch auf das Papier zwischen SPD und SED berufen konnten, waren ohnehin die Verbündeten. Ihre kritische Haltung war vertraut und bekannt.

Es war ein langer Weg, ehe der Generalsekretär der KPdSU von sich sagte: »Ich bin Sozialdemokrat.« Dieser Ausspruch konnte nicht das Ergebnis von Reagan oder den Pershing II sein, sondern wohl nur das Ergebnis von Sozialdemokratismus. Wenn der Papst verkünden würde, er sei zur Lehre Martin Luthers bekehrt, wäre das eine vergleichbare Sensation, sicher gefolgt von Beschuldigungen einiger Kardinäle, das sei Verrat, ohne damit die Folgen verhindern zu können. Jede Organisation mit dem Anspruch, über den alleinigen und einzigen Weg zu Gott, zur Erklärung der Welt, zur Wahrheit zu verfügen, muß zusammenbrechen, wenn sie ihre Substanz verliert.

Daß Sozialismus als Programm an der Wirklichkeit gescheitert ist, hat Mitterrand geleugnet; er beharrte darauf, daß die regierenden Kommunisten gescheitert sind samt ihrem mißbräuchlich usurpierten Sozialismus. Sozialismus als Idee kann ebensowenig untergehen wie der Traum von der Gerechtigkeit in der Gesellschaft oder der Freiheit, Gleichheit und Brüderlichkeit, die gegeneinander ausgewogen werden müssen, in jeder Generation neu, und denen man zustrebt, ohne sie je voll verwirklichen zu können.

An drei Gesprächen zwischen Brandt und Gorbatschow habe ich teilgenommen (1985, 1988 und 1989) und konnte verfolgen, wie aus einem Mann ohne Scheuklappen und Voreingenommenheiten gegenüber Sozialdemokraten einer wurde, der sozialdemokratische Standpunkte übernahm, nicht stillschweigend, sondern ausdrücklich.

Die erste Annäherung ergab sich aus Gründen der Vernunft und nicht irgendwelchen ideologischen Erwägungen. Gorbatschow bezog sich auf die Berichte der Brandt- und der Palme-Kommission. Nord-Süd-Probleme auch unter dem Gesichtspunkt, daß eine globale soziale Frage entstanden ist, was vor hundert Jahren in Westeuropa im Gefolge der ersten industriellen Revolution aufgebrochen war, und Sicherheit durch neues Denken: Beide Komplexe hatten ihn beschäftigt, bevor er an die Spitze kam; auf beiden Gebieten glaubte er, Parallelitäten zu eigenen Überlegungen zu entdecken, und unbestreitbar kamen sie von zwei Sozialdemokraten. Als Gorbatschow das feststellte, zog Brandt die Fühler ein: Auch wenn der Mann unvergleichbar zu den Vorgängern offen und sympathisch schien, blieb Vorsicht geboten. Zu oft hatten Kommunisten versucht, Sozialdemokraten zu täuschen oder zu manipulieren. Brandt hatte keine Lust, sich im Spiel wechselnder taktischer Interessen als Bauer schieben zu lassen. Und von grundsätzlicher Neuorientierung konnte keine Rede sein bei einem, der hoffte, die Ideen Lenins wieder zum Erblühen zu bringen, wenn nur die Entartungen Stalins beseitigt sein würden.

In seinem ersten Buch über die Perestroika zwei Jahre danach, nannte Gorbatschow zwei deutsche Namen, Brandt und Bahr. Als er, viel zitiert, erklärte: »Wir brauchen Demokratie wie die Luft zum Atmen«, sagte ich Brandt, damit sei nun der geschichtliche Kampf zwischen Revisionismus und Diktatur des Proletariats entschieden. Lächelnd legte der den Finger auf die Lippen: »Psst, nicht darüber reden. Wir wollen es ihm nicht noch schwerer machen, als er es ohnehin hat.« Nun spürte Brandt, daß es bei Gorbatschow nicht mehr um Taktik ging.

In der nächsten Begegnung war man sich in den großen Fragen noch näher gekommen. Gorbatschow packte den Stier bei den Hörnern und schlug vor, ein paar Leute beider Parteien sollten versuchen, die Geschichte des Bruchs in der Arbeiterbewegung aufzuarbeiten. Das war eine faszinierende Idee mit sehr weitreichenden Perspektiven. Meine Antennen signalisierten, daß Willy sich im hintersten Winkel uneingestandener Träume angesprochen fühlte und seine Antwort abwog. Laut sagte er: »Der Egon rutscht ganz nervös auf seinem Stuhl. Ich glaube, er will etwas sagen.« Erleichtert begann ich mit einem Lob des Vorschlags, um dann loszulegen: Vielleicht wäre es leichter, nach vorn zu sehen. Wenn beide Parteien für die vor uns liegenden konkreten Aufgaben wie Abrüstung und europäisches Haus immer mehr gemeinsame Standpunkte fänden, würden wir dann vielleicht feststellen, daß die Vergangenheit nicht mehr so wichtig ist und ihre Relikte leicht zu beseitigen sind. Das schien beiden annehmbar.

Daß es Gorbatschow ernst war, ließ sich aus einer erstaunlichen Premiere schließen. Zwei Dutzend Wissenschaftler aus Instituten von Partei und Universitäten hatte man dem Präsidenten der Sozialistischen Internationale gegenübergesetzt. Eigentlich konnte es doch gar nicht lohnen, mit einem Revisionisten zu diskutieren. Wollte man ihn erschüttern oder den einen oder anderen Hohenpriester des Marxismus-Leninismus zum Nachdenken bringen? Von der alten Sicherheit und Überheblichkeit war jedenfalls keine Spur mehr. Die Fragen nach dem Grund für die Erfolge der Sozialdemokratie in Westeuropa, nach dem geschlossenen sozialdemokratischen System erfuhren die Antwort, es bestünde darin, kein geschlossenes System zu haben, sondern eben evolutionär das jeweils Nötige möglich zu machen. Ob er denn noch Marxist sei, veranlaßte Brandt zu dem Bekenntnis, er habe *Das Kapital*, besonders den zweiten Band, nie ganz gelesen. Ein solcher Nichtkenner konnte in den Augen der Schriftgelehrten nicht besonders gefährlich sein. Aber die Fortsetzung, er schätze Marx als einen großen Denker, der freilich weder vom Elektromotor noch von der Spaltung des Atoms gewußt habe, also Faktoren, die Gesellschaft und Welt neben anderem bedeutend verändert hätten, wies ihn als reinen Revisionisten aus. Schon Schumacher hatte von der weiterwirkenden Methodik Marxschen Denkens gesprochen. Schließlich hat Marx den Mehrwert nicht erfunden, sondern entdeckt. Ich kann bezeugen, daß wir jedenfalls nicht von den kommunistischen Koryphäen beeinflußt wurden.

Für die dritte Begegnung hatten wir ein besonderes Geschenk vorbereitet, den Entwurf unseres neuen Grundsatzprogramms, das Ende des Jahres beschlossen werden sollte. Es war für Gorbatschow ins Russische übersetzt worden. Er las die Überschriften und reagierte enthusiastisch: »Das sind meine Themen.« Und – in der Zusammenfassung meiner Notizen – sprudelt er fast los: »Bei dem geistigen Niveau des Einvernehmens ist es leicht, über die sozialistische Idee in dieser interessanten Etappe unserer Welt zu sprechen, für die er und seine Kollegen Antworten durchdenken. Wenn man von Lenin ausgeht und der Entwicklung der menschlichen Zivilisation von einer zur nächsten Phase, sollte der Sozialismus alle positiven Erfahrungen aufnehmen, über die die Zivilisation verfügt. Wenn wir nebeneinander leben wollen, dann ist es Gottes Rat, Zusammenarbeit mit der Sozialdemokratie zu suchen, auch in der gesellschaftlichen Entwicklung. Wir spüren Ihre Solidarität und Ihr Verständnis. Statt Zeit zu verlieren, um zu beweisen, ob der eine oder der andere Weg besser ist, sollten wir Gemeinsamkeit suchen und mit höchster Aufmerksamkeit die Veränderungen bei uns und in sozialdemokratisch geführten Ländern verfolgen. So werden wir der Welt wichtige Einsichten für das 21. Jahrhundert geben.

Es ist schrecklich wichtig, daß Sie Erfolg haben, erwidert Brandt. Er wäre dankbar, wenn wir im gemeinsamen Interesse hilfreich sein könnten. Statt des vielen Geredes über das Ende des Sozialismus, wird man, geschichtlich gesehen, einmal sagen, daß er auf einen Großteil der Erde bezogen neu anfängt. So richtig es ist, daß eine entwickelte Gesellschaft nicht auf den Markt verzichten kann – die großen Probleme können nicht liberalistisch gelöst werden. Zur pragmatischen Ausweitung der Zusammenarbeit schlägt er einen gut vorbereiteten Besuch der Vizepräsidenten der Sozialistischen Internationale in Moskau vor und berichtet von den Überlegungen für eine theoretische Zeitschrift, die zweimal jährlich erscheinen soll und die Gorbatschow und er einleiten könnten.

Gorbatschow stimmt zu, lädt eine Delegation der SI zum Parteitag der KPdSU ein und fügt an: Wir dürfen nicht so tun, als sei alles zwischen uns geklärt. Doch bei der Überlegung, was Vertiefung der Perestroika bedeutet und eine neue Qualität der Gesellschaft, wird der Gedankenaustausch mit Ihnen ein Grund mehr sein, furchtlos nach hinten und vorn zu sehen. Beim Bedenken der eigenen Identität genieren wir uns nicht mehr vor der Zusammenarbeit mit Ihnen. Der Prozeß des Zusammenrückens sollte vorangehen. Die Spaltung von 1914 ist überwindbar.«

Auf dem Rückflug sinniert Brandt: »Das kann weit führen. Was werden deine Brüder in Ostberlin dazu sagen?« Ich erzähle ihm den Ausspruch eines bekannten sowjetischen Journalisten: »Man könnte sagen, Bernstein hat Lenin besiegt.« Auch die Gewaltlosigkeit Gandhis konnte nur so stark werden, weil sie das Denken des Gegners wandelte – aufgeschlossen, flexibel, überzeugungstreu.

Wie ist aus Schwäche Stärke zu machen? Das ist die deutsche Nachkriegsgeschichte. Das war der Kern der Entspannungspolitik. Geistiger Inhalt der Ostpolitik. Das war auch der ideologische Kampf, den schwache Sozialdemokraten, der eigenen Stärke sicher, friedlich und still, mit regierenden Kommunisten führten.

Ich will keinen falschen Eindruck erwecken: Für mich war der Kommunismus kein Feind, sondern der Bruder, der schrecklich in die Irre gegangen war und darunter selbst am meisten litt. Aus einer großen Idee war ein gigantisches Experiment geworden mit Hekatomben von Opfern. Nicht die Idee, sondern die Panzer und Raketen waren zu fürchten, wenn die Idee sie zur Verbreitung der Weltrevolution nutzen wollte. Deshalb war es wichtig, daß die Waffen nicht zur Durchsetzung der Ideologie eingesetzt wurden, sondern immer Befehlen des Staatskalküls folgten. Also mußten Ideologie und Staatskalkül getrennt werden. Dann konnte man hoffen, der Bruder würde in die Arme der großen sozialdemokratischen Mutter zurückkehren. Das war jedenfalls die Erwartung von Willy Brandt, der eine große Verstärkung, sogar Erneuerung der europäischen Sozialdemokratie nach dem Zusammenbruch des Kommunismus erwartete. Auf der westeuropäischen Parteienskala schien das folgerichtig: »Wer von ganz links kommt und sich zur Mitte bewegt, trifft erst mal uns.«

In der Wirklichkeit wurde das anders. Besonders in der DDR hatten es die Menschen nach vierzig Jahren satt, von unterschiedlichen »Sozialismen« zu hören. Inzwischen scheint die Talsohle durchschritten. In den osteuropäischen Ländern entwickelt sich der erwartete Prozeß, der die ehemaligen Kommunisten zu Parteien führt, die sich jedenfalls demokratisch nennen und die schrecklich schöne Vielfalt zeigen, die es rechts wie links von der SPD gibt. Soweit sich daraus neue Staatsführungen entwickelt haben, begegnen wir ihnen mit viel größerer Toleranz und Achtung als den eigenen Landsleuten, die sich in der PDS gefunden haben. Doch das liegt neben anderem daran, daß kein anderes Land so viele Spitzenkräfte aus dem Westen bekam wie die DDR. Niemand, der dort »ersetzt« werden konnte, war in den anderen Staaten des Warschauer Vertrages »überflüssig«. Die Wendehälse, die hier als Last erschienen, waren dort die Hoffnung. In Rußland bezeichnen sich viele als Sozialdemokraten oder den Gedanken der Sozialdemokratie nahestehend, durch sie beeinflußt, die ganz unterschiedlichen Parteien angehören, von weit rechts bis ganz links in dem neuen Spektrum. Das sozialdemokratische Element ist eine geschichtliche Kraft gewesen; wie es sich in einem neuen Abschnitt entwickeln wird, ist nicht einzuschätzen.

Der Erfolg hat viele Väter. Der wirtschaftliche Druck, militärischer Rüstungswettlauf, die öffentlichen Anprangerungen, das hat alles eine Rolle gespielt, sogar wahrscheinlich eine größere, aber der ideologische Zusammenbruch, soweit er eben nur durch den ideologischen Erzfeind, den Sozialdemokratismus, herbeigeführt wurde, wird unterschätzt. Es gibt keine monokausale Erklärung, aber die Auflösung des ideologischen Kitts des Ganzen gehört sicher nicht zu den unwesentlichsten Faktoren. Dabei kann es durchaus sein, daß gerade dies für die erstaunliche Gewaltlosigkeit gesorgt hat; denn die Wahrscheinlichkeit, daß bei gefestigter ideologischer Struktur statt einer Implosion eine Explosion, jedenfalls ein Blutbad erfolgt wäre, ist ziemlich groß. Machthaber, die den Kern ihres Glaubens verloren hatten, sahen keinen Sinn mehr darin, die Waffen und ihre Macht zu benutzen, über die sie noch verfügten.

Mit einem Winseln verabschiedete sich die KPdSU aus der Weltgeschichte. Hätte Lenin das schmähliche Dokument gelesen, mit dem die angeblich führende Partei den Putsch 1991 kommentierte, hätte er erklärt, sie gehöre auf den Müllhaufen der Geschichte. Soll heute die Vogelscheuche noch dieselbe Angst einjagen wie der Riese zu seinen Lebzeiten?

Mehr als hundert Jahre ihrer Geschichte war die Sozialdemokratie erst auf den Kampf zwischen Evolution und Revolution, dann auf einen Gegner fixiert, der nun weg ist. »Wir werden euch das Schlimmste antun; wir werden euch den Feind rauben.« Damit hatte Georgi Arbatow das Ende der bewaffneten Konfrontation zwischen Ost und West gemeint. An das Ende des ideologischen Kampfes hatte er nicht gedacht. Die alte Lage kann nicht durch Castros Kuba, nicht einmal von dem großen China wiederhergestellt werden. Wer kann noch von dem Kommunismus träumen, wie er existiert hat?

In Osteuropa suchen vielerlei Reformer ihren Weg durch die Wirren der kommunistischen Hinterlassenschaft. Das Vakuum an Werten und Macht hat alte Kräfte wiederbelebt, Glauben und Irrglauben, Nationalismus und Partikularismus. Die Diktatur des Proletariats will niemand mehr. Neue Ideologiepapiere sind nicht gefragt, weder über wachsende Nähe noch über eine Kultur des Streits. Es gibt nichts mehr zu streiten, wenn ehemalige Kommunisten an zerbrechlichen Krücken aus den Ruinen alter Hoffnungen und Zweifel schlurfen und sich in vielerlei Gruppierungen auf Sozialdemokratisches berufen. Auszuschließen ist nicht, daß sich manche auf der politischen Skala orientieren, wie es Brandt – nur zu früh – erhoffte.

Auch Deutschland hat das Ende des Kommunismus nicht verarbeitet. Wie unter einem Phantomschmerz nach der Amputation wird die PDS behandelt, ohne damit das Häuflein der aufrechten kommunistischen Plattform zu einer Mehrheit zu machen. Als hätte sich nichts verändert, werden die vertrauten Rollen weitergespielt. Als gäbe es kein neues Zeitalter, werden die alten Reflexe gepflegt. Die einen versuchen, die anderen in die Nähe der SED-Rechtsnachfolger zu stellen, und die anderen reagieren, als müßten sie davor noch Angst haben. Die werten und unwerten alten Gewohnheiten mögen sich noch eine Weile an der

Vergangenheit ausrichten – sie werden sie nicht auferstehen lassen können. Uneigennützig ist das konservative Bemühen nicht, die SPD vor dem Vergessen ihrer Geschichte zu bewahren und mehr auf Grotewohl und Pieck als auf Brandt und Gorbatschow zu verweisen.

Es gibt keinen Grund, die eigene Geschichte zu verleugnen und sich von den Wurzeln abzuschneiden. Überlieferte Geschichte ist der Bruchteil dessen, was vergessen wurde. Wer kann ohne die Fähigkeit, vergessen zu können, einen Neuanfang wagen? Das neue Zeitalter wird von der SPD, nicht zum erstenmal, eine Entrümpelung verlangen, Bewahrenswertes von Erledigtem, Überlebtem zu unterscheiden. Zu letzterem gehört die Befreiung vom Kampf gegen den Kommunismus, auch programmatisch. Hinter Gysi stehen nicht mehr Ulbricht und Stalin, hinter Bisky nicht mehr Honecker und Breschnew. Nachdem die Bedrohung aus dem Osten weg ist – militärisch wie ideologisch –, erblicken wir Partner, fast durchweg gleicher Herkunft. Mit denen östlich unserer Grenzen diskutieren wir über die Architektur des europäischen Hauses; aus den früheren Partnern der deutschen Verantwortungsgemeinschaft sind parteipolitische Konkurrenten geworden, auch um innenpolitische Macht. Solange sie theoretisch und praktisch auf dem Boden des Grundgesetzes bleiben, entscheiden über ihre Koalitionsfähigkeit zuallererst die Wählerinnen und Wähler. Im Parlament zählen alle Stimmen. Alles andere wäre undemokratisch.

Als Sozialdemokraten den Prozeß der Parlamentarisierung der Grünen förderten, wurden sie angegriffen. Bei einer Wiederholung mit der PDS ist nichts anderes zu erwarten. Wegen der Machtfrage wird das viel heftiger, noch bevor sich überhaupt die Frage stellt, welche Partei mit welcher anderen will und kann. Im Prinzip wird die innere Einheit gescheitert sein, wenn die PDS in zehn Jahren in Ostdeutschland immer noch so stark und dann immer noch kein demokratischer, linker, verläßlicher Partner ist, mit dem konkrete Regierungsprogramme zu vereinbaren sind. Dann würde auch die Möglichkeit vertan sein, alle in der Mutterpartei aufzunehmen oder zu vereinen, die sich zum Programm der SPD bekennen, wie es seit Schumacher und Brandt Tradition gewesen ist.

Das ist nicht bequem. Aber der schwierigen Aufgabe, zu definieren, was sich die SPD in dem neuen Zeitalter zum Beispiel unter dem demokratischen Sozialismus ihres Programms vorstellt, wird sich die

Partei ohnehin stellen müssen. Welche Prinzipien sollen das Zusammenleben einer friedlichen Welt bestimmen? Welche Wertvorstellungen sollen uns leiten außer denen der Gewinnmaximierung im freien Spiel der Kräfte, und wie sollen sie durchgesetzt werden? Wo ist die Balance zu suchen zwischen unaufhaltsamer Technisierung und dem Prinzip Verantwortung, zwischen dem Prinzip Hoffnung und einer gerechteren Gesellschaft, in der auch Schwächere ihre Würde behalten? Was wird aus der Arbeit, wenn die Maschinen immer weniger Menschen brauchen, um immer mehr zu produzieren? Und das Ganze in einem zusammenwachsenden und sich erweiternden Europa? Brandt kam zu dem Ergebnis: »Die Idee kann nicht sterben, solange so viele Menschen verhungern.«

15. KAPITEL

Schicksalsjahre

Der Frieden ist nicht alles

»Lieber rot als tot« lautete das Bekenntnis zum Leben, leicht zu verteufeln in der kältesten Zeit des Kalten Krieges, eine Alternative, die den Menschen im Westen erspart blieb, während sie im Osten ihre wirklichkeitsfremde Radikalität bewies. Dieselbe Sache formulierte Willy Brandt unangreifbar, holprig und einprägsam: Der Frieden ist nicht alles, aber alles ist ohne den Frieden nichts. Diese Wahrheit ist zeitlos.

Damals übersetzte ich sie, eine Etage tiefer, in die Mahnung, nicht bei der Raketen- und Waffenzählerei stehenzubleiben. Friede verlangt mehr als die Abwesenheit von Krieg, durch die Zwillinge von Rüstung und Abschreckung in labilem Gleichgewicht gehalten. Nun, in dem neuen Zeitalter nach der Ost-West-Konfrontation, besteht Grund, auf den zweiten Teil der Brandtschen Wahrheit zu verweisen. Die kurzsichtige Hoffnung, sich mit unangenehmen militärischen Fragen nicht mehr beschäftigen zu müssen, machte nur widerwillig der Einsicht Platz, wie fragwürdig alles ist, wo Friede fehlt.

Das Wort »Sicherheit« anstelle der abstrakten Vokabel »Friede« bringt die Realität näher. Wird »Sicherheit« durch »Macht« ersetzt, so ertönt der Dreiklang einer Wirklichkeit: Friede ist Sicherheit durch Macht. Das ist für das Leben nicht alles, aber zum Überleben das Entscheidende. Wer Sicherheit durch Macht nicht mag, muß Sicherheit durch Recht erstreben.

Es liegt in der historischen Entwicklung der Menschheit, Formen des Zusammenlebens zu entwickeln, die Sicherheit durch einen Rechtsfrieden schaffen, der durch Macht garantiert wird. Das Recht des Stärkeren, täglich in vielen Teilen der Welt erlitten, sollte durch die Stärke des Rechts ersetzt werden.

Von diesem Ergebnis jahrzehntelangen Nachdenkens über die zentrale Bedeutung der Sicherheit hatte ich noch keine Ahnung, als ich die Leitung des Instituts in Hamburg (IFSH) übernahm. Wir entwickelten aus der Idee der Gemeinsamen Sicherheit ein Konzept, wissenschaftlich durchgearbeitet und den Tests der politischen Erfahrung unterworfen, die ich mitbrachte. Die Philosophie Immanuel Kants zum ewigen Frieden in eine Anleitung für die Gegenwart zu übersetzen, ist in einem Arbeitstag möglich; das Ergebnis wäre genauso unwiderlegbar wie abstrakt. Weniger Maximen von Verhaltensnormen oder theoretischen Erfordernissen, sondern das Mögliche, in zwei oder drei Legislaturperioden Erreichbare, ist das Feld der Friedensforschung, die nicht bloße Futurologie werden will. In den jährlichen Friedensgutachten seit 1986 stellten sich drei Institute (die Hessische Stiftung für Friedens- und Konfliktforschung, HSFK, und die Forschungsstätte der Evangelischen Studiengemeinschaft, FEST, neben dem IFSH) der Eigenkontrolle wie der öffentlichen Kritik, wie zutreffend ihre Fähigkeiten sind, Krisen rechtzeitig zu erkennen und Lösungen vorzuschlagen. Im Vergleich zu den Prognosen der wirtschaftswissenschaftlichen Institute schneiden sie nicht schlecht ab. Daß die Politik zu wenig nutzt, was die Wissenschaft ihr bietet, wird nicht durch das richtige Argument aufgehoben, daß die Wissenschaft versagt hat wie die Politik: Das Ende der Sowjetunion wurde weder prognostiziert noch vorgedacht.

Das Institut hatte die Arbeit an der Gemeinsamen Sicherheit, die den Ost-West-Gegensatz voraussetzt, gerade abgeschlossen, als diese Konfrontation verschwand. Die Überlegung, welchen Regeln die Sicherheit in dem neuen Zeitalter folgen sollte, führte zur Wiederentdeckung der Idee, von der 1945 die Vereinten Nationen getragen waren: Um künftig Kriege zwischen Staaten unmöglich zu machen, mußte Sicherheit global gesehen und kollektiv organisiert werden. Bei der Gründung der Vereinten Nationen hatte Präsident Truman erklärt, daß diese großartige Vision Wirklichkeit werden könnte, »wenn die Regierungen es wollen«. Alle Instrumente der kollektiven Sicherheit wurden entworfen, bis hin zu einem Generalstab und gemeinsam übenden Kontingenten nationaler Streitkräfte, um notfalls die Einhaltung der Regeln erzwingen zu können; aber der aufdämmernde Ost-West-Konflikt verhinderte, unterstützt vom Vetorecht, daß die Regierungen sich den Regeln unterwarfen.

Nun, nach seinem Ende, konnte es zwar lange dauern, bis sich die Vereinten Nationen reformieren, so dachten wir in Hamburg, aber Europa habe die phantastische Chance, die Sicherheit seiner Staaten so zu organisieren, daß Kriege zwischen ihnen unmöglich werden. Sicherheitspolitisch ist der Raum zwischen Lissabon und Wladiwostok als Einheit zu betrachten. Diese Sicht wurde im November 1990 in der »Charta für ein neues Europa« von Paris formuliert und feierlich bekräftigt. Wir arbeiteten Grundzüge eines kollektiven Systems aus, das jedem teilnehmenden Staat, unabhängig von seiner Größe, dieselbe Sicherheit gegen jeden Angreifer gibt: Die Gemeinschaft aller steht gegen Bedrohung von außen, und alle Mitglieder sind verpflichtet, gegen jeden Staat innerhalb des Systems vorzugehen, der seine Regeln bricht. Nur einer Sicherheitsgemeinschaft, die nicht durch Veto blockiert werden kann, können die Staaten vertrauen. Das verlangt im Kern einen Souveränitätsverzicht auf nationale Kriegführung. Der Gedanke, Entscheidungskompetenzen auf eine übernationale Gemeinschaft zu übertragen, ist den Mitgliedern der Europäischen Union nicht fremd. Amerika und Rußland, die aus unterschiedlichen Gründen keine Mitglieder der Europäischen Union werden, würden für die Sicherheit Europas unentbehrlich bleiben, der atomare Faktor – Schirm oder Bedrohung – unberührt.

Eine europäische Sicherheitsgemeinschaft würde der Europäischen Union gestatten, sich politisch und wirtschaftlich zu entwickeln, zu vertiefen, auszuweiten, wie es ihren Wünschen und Fähigkeiten entspricht, während auf dem Sektor der Sicherheit gesamteuropäische Organe geschaffen würden, die Rußland einschließen. Ob dieses Land in zehn oder fünfzehn Jahren Demokratie und Marktwirtschaft entwickelt, ob es das überhaupt will und kann, an westeuropäischen Kriterien gemessen, ist offen, unausweichlich ungewiß; doch auf Rußlands Stabilität zu warten, ehe Sicherheit organisiert wird, wäre ein Jahrhundertfehler. Denn schon vorher wird in geschichtlicher Dimension entschieden, ob für das 21. Jahrhundert europäische Sicherheit mit Rußland erreicht werden kann oder vor Rußland geschützt werden muß.

Das Prinzip der Ostpolitik, daß bestehende Grenzen nicht gewaltsam verändert werden dürfen, hat viele segensreiche Veränderungen bewirkt. Es muß das Fundament der Stabilität in ganz Europa werden, zu ergänzen durch verpflichtende Regeln, die jeder Minderheit auf jeder Seite jeder Grenze dieselben Rechte und Pflichten geben. Auch wenn die Umrisse des Frescos hier unausgefüllt bleiben müssen und der Zeitzeuge die Diskrepanz zwischen Konzept und praktischer Politik zuweilen schmerzhaft lernen mußte: Eine europäische Sicherheitsgemeinschaft ist die Summe meiner Erfahrungen, angewandt auf die unerhörte geschichtliche Chance. Dieses Ziel erscheint utopisch angesichts der Wirklichkeit mit ihrer schwachen Organisation für Sicherheit und Zusammenarbeit in Europa (OSZE). Das Ziel, aus Entspannung Einheit zu machen, war unwirklicher, bei gefährlichen Gegnern und hochgerüsteten Bündnissen; die sind weg, und nun müßte es einfacher sein, »wenn die Regierungen wollen«.

Daß die Regierungen in einer veränderten Welt Zeit brauchen, um Vorstellungen für eine Neuordnung zu suchen und ihre Rolle darin, ist verständlich. Überzeugende Klarheit ist weder in Washington und Moskau noch in Paris und Bonn erkennbar. Aber zunächst ist die Frage an die eigene Regierung zu stellen, ob sie dem Ziel gesamteuropäischer Sicherheit die zentrale Bedeutung gibt, die ihr zukommt, und an die deutsche Politik, verläßlich und berechenbar darauf orientiert, die Stärke des Rechts zu etablieren, nicht im Namen Europas, sondern im Dienst Europas.

Sofern sie das will, gestützt darauf, keine territorialen Ansprüche zu haben, ist zu fragen, ob sie das kann und sich Kraft und Augenmaß dafür zutraut. Daß Deutschland aus der langen Periode der Machtvergessenheit in das Extrem der Machtversessenheit zurückfallen könnte, ist nicht zu befürchten; denn in einem Punkt haben die Sieger des Jahres 1945 ihr Ziel erreicht: Deutschland kann keinen Krieg mehr beginnen. Sicherheit für und vor Deutschland – diese große Aufgabe ist gelöst. Die NATO bedeutet auch Kontrolle über Deutschland. Seine unauflösbare Integration in der Europäischen Union entspricht den eigenen Interessen. Mit der Einheit ist Deutschland Macht zugewachsen, unabweisbar und unleugbar, und damit Verantwortung; sie auszuüben, schließt das Risiko, Fehler zu machen, ein; sie unausgenutzt zu lassen, könnte neue Schuld bedeuten.

Die Entscheidungsfreiheit ist der Preis der Selbstbestimmung, die

Deutschland erreicht hat, befördert oder verurteilt zur Normalität jedes souveränen Staates. Das ist das Land noch nicht gewohnt. Mehr als vierzig Jahre war Anpassung geboten, auf beiden Seiten, unterschiedlich bequem; sie wurde geübt, bis sie in Fleisch und Blut überging. Für Überleben im Evolutionsprozeß der Natur ist ständige Anpassungsfähigkeit der Arten Voraussetzung, im deutschen Mikrokosmos war sie das einzige Mittel der Besiegten – Rebellion schied aus –, Schritt für Schritt mehr Kompetenzen zu bekommen. Ein Wesenselement der Ostpolitik war immer, wie der Schwache gegenüber Stärkeren seinen Willen zum Tragen bringen kann. Die Nacht im März 1991, in der das Zwei-plus-Vier-Abkommen in Kraft trat, bescherte uns völkerrechtliche Souveränität, aber nicht automatisch souveränes Denken. Die staatliche Volljährigkeit beendete nicht die Scheu, sich sofort wie ein Erwachsener zu verhalten.

Ein Kind der Anpassung ist die Furcht vor dem Wort »Alleingang«. In der Ohnmacht der fünfziger Jahre hätte sich lächerlich gemacht, wer es auch nur in den Mund genommen hätte. Der Schutz des Bündnisses ließ die Ungleichheit verschmerzen, im Hafen Westeuropas winkte Gleichberechtigung. In den elementaren Fragen der Sicherheit lag die Verantwortung bei anderen; das ersparte eigene Entscheidungen und gebot Gefolgschaft. Im Wohlstand angenehm lebend, konnte amerikanische Führung gleichzeitig kritisiert und genossen werden. Fünfundvierzig Jahre lang hat sich die Mentalität entwickelt, die ihre Verkümmerung nicht mehr empfindet.

Aus der Unfähigkeit zum Alleingang wurde eine Tugend gemacht. Diese Tugend ist verloren, wenn die gewachsene Verantwortung des gewachsenen Landes keine Worthülse bleiben soll. Wer Alleingang im Prinzip ablehnt, stellt Deutschland zur Disposition und ist eben nicht so souverän, wie Deutschland geworden ist. Zur Normalität der Verantwortung gehört auch, daß unser Land, wie fast alle Staaten, in wichtigen Fragen nein sagt, wenn unsere Interessen das verlangen. Die Partner wären überrascht, vielleicht verärgert, sogar besorgt; wer diesen Ärger scheut, bleibt besser bei der bisher bequemen Haltung. Sie ist auf die Dauer abnorm. Wer Alleingang im Prinzip ablehnt und nach Krücken ruft, obwohl er allein gehen kann, macht sich selbst zum Behinderten. Ein Volk muß sich nicht entschuldigen, so zahlreich und wirtschaftlich stark in der Mitte Europas zu liegen, zumal Deutschland noch nie so klein und eingebunden war; Furcht vor Deutschland ist eine Vogelscheuche geworden.

Die Vergangenheit, nur zu verständlich, hat den Begriff einer deutschen Führung tabuähnlich werden lassen. Das wird auf Dauer unnatürlich werden. Verschiedene Länder haben in den letzten vierzig Jahren in Europa geführt, sei es durch das Gewicht ihrer Länder, teils durch den Einfluß von Ideen. Die Namen de Gaulle und Monnet, Adenauer und de Gasperi, Rapacki und Palme, Thatcher und González stehen dafür. Die deutsche Führung durch Brandt, sorgfältig verhüllt, ist Europa nicht schlecht bekommen; auch Kohl hat 1990 geführt, ohne sich dessen zu rühmen. Anregungen aus vielen kleineren Ländern sind nicht so augenfällig geworden, aber haben bestimmend gewirkt. Führung durch Überzeugungskraft, Qualität der Ideen statt der Qualität der Waffen – an dieser Zukunft Europas sollte Deutschland teilhaben, ohne Furcht vor gleichberechtigter Verantwortung.

Zur Neuorientierung gehört das Bewußtsein, daß Europa weder Rand noch Vorfeld zweier Supermächte geblieben ist. Das ihm mögliche Eigengewicht wirtschaftlich und politisch zu entwickeln, zwischen Amerika und Ostasien, kann als Aufgabe begriffen werden. Aus der globalen Sicht der sich vernetzenden industriellen Welt abgeleitet, wird es seine Chance in der Mobilisierung seines vielfältigen Reichtums zu suchen haben und nicht in dem vergeblichen Versuch, seine Staaten zu einer europäischen Nation in einem Bundesstaat zusammenzuführen. Die Nationen werden Europas Elemente bleiben. Da es jenseits deutscher Möglichkeiten liegt, andere Nationen zu einer europäischen Identität zu verschmelzen, ist der Besinnung auf die eigene Nation nicht zu entkommen. Es wäre aussichtslos, sie in Europa einschmelzen zu wollen. Mit Stolz ohne Überheblichkeit kann Deutschland seinen Interessen folgen, wie andere Nationen auch. Sein zentrales Interesse ist, die Stabilität, deren sich der alte Westen erfreut, auf ganz Europa auszudehnen. Das kann es nur erreichen, wenn es dafür genug andere Staaten gewinnt. Aber es ist stark genug, eine Entwicklung zu verhindern, die diesem Interesse nicht dient. Ob wir uns das zutrauen, entscheiden wir selbst.

1989 – *klug und blind*

Anfang des Jahres suchte ich den amerikanischen Botschafter Vernon Walters auf. Ich schlug dem bewährten diplomatischen Schlachtroß vor, im April durch offizielle Beteiligung den Jahrestag herauszuheben, an dem sich Amerikaner und Sowjets 1945 in Torgau begegnet waren. Kalt und schlau dachte er ein paar Sekunden nach. Das sei keine gute Idee; »denn es wäre nicht gut, die Deutschen an ihre Niederlage zu erinnern.« Soweit waren wir also gekommen! In dem anschließenden Gespräch verkündete er seinen Glauben, noch während seiner Botschafterzeit die deutsche Einheit zu erleben, und ergänzte diese Überraschung durch die Überzeugung, das werde wie eine Flut kommen; wer sich ihr entgegenstelle, werde fortgespült. Er war der einzige Mensch, den ich getroffen habe, der sie vorausgesehen hat.

Im März machte mich ein Parteifreund aus Berlin auf *Die Troika* von Markus Wolf aufmerksam. Als ich sie gelesen hatte, eilte ich zu Brandt: »Das mußt du lesen. Wenn ein solcher Mann mit seinen Kenntnissen so etwas schreiben darf, dann kann die DDR wie ein Kartenhaus über Nacht zusammenbrechen.« Willy verzog das Gesicht: »Übertreib nicht.« – »Na gut, aber in Monaten.«

Die eigene Einschätzung war längst im Gehirn verschwunden und tauchte auch nicht wieder auf, als die Botschaftsbesetzungen begannen. Inzwischen hatte die Arbeitsgruppe mit Falin wieder einmal am Europahaus gewerkelt, und seine Darlegungen des demokratischen Reformprozesses, die den Abschied vom Einparteienstaat einschloß, ließen einen Parteifreund herausplatzen: »Wo bleibt denn da der Sozialismus?« Wir genossen die Seltenheit, Falin verlegen zu sehen.

Im August erläuterte ich Rudolf Seiters, dem Chef des Bundeskanzleramtes, eine Möglichkeit, wie das sich zuspitzende Problem der Botschaftsbesetzungen mit der DDR dauerhaft geregelt werden könnte. Er holte den Verfassungsrechtler des Amtes und stimmte dann nach unserer Diskussion zu, ich könnte das auf meinem Weg sondieren. Die telegraphische Bitte an Axen, dringend einen Termin bei Honecker zu erwirken, erhielt die Antwort, der läge im Krankenhaus und Fragen dieser Qualität könnten nicht ohne ihn behandelt und entschieden werden. Aber auch dieser Beweis für die unglaubliche Lähmung eines Staates in einer Krise löste nur Kopfschütteln und keinen Alarm aus.

Im September kam das Präsidium zu dem Ergebnis, daß es nicht zu verantworten wäre, zur Neugründung der SPD in der DDR aufzurufen. Wir dürften nicht mit dem Schicksal von Menschen spielen, die dem Zugriff des Staates praktisch ungeschützt ausgesetzt seien. Jürgen Schmude hatte schon vorher den Eindruck vermittelt, die einzelnen Gruppen der Regimekritiker seien inzwischen so vernetzt, daß sie innerhalb eines Tages aus allen Teilen der DDR unter dem Dach der Kirche zusammengerufen werden könnten. Das war qualitativ neu.

Zu Anfang des Oktober beriet ich mit Falin die Schwierigkeiten der Rede, die Gorbatschow zum vierzigsten Jahrestag der DDR in Berlin halten mußte. »Wenn er die Unbeweglichkeit des Regimes lobt, wird er Hoffnungen enttäuschen und spätestens auf dem Rückweg zum Flugplatz von einem Pfeifkonzert begleitet werden. Wenn er zu einer Wende aufruft, wird er die Explosion auslösen.« Nicht nur mit diesen Empfehlungen für den verbalen Drahtseilakt versehen, eilte Falin nach Moskau zurück. Soweit den öffentlichen Reden zu entnehmen war, hielt sein Chef die Balance. Eine Formulierung veranlaßte mich zu der Bemerkung: »Wenn unseren Landsleuten bewußt wird, daß die sowjetischen Truppen in den Kasernen bleiben, geht der Laden hoch.« Willy pendelte mit dem Kopf wie ein Metronom, das auf Lento gestellt ist: »Aber sicher können die nicht sein. Wir auch nicht.«

Am 7. Oktober war die SDP gegründet worden. Wir bewunderten den Entschluß und wußten, daß kein Vorwurf westdeutscher Lenkung berechtigt sein würde. Einige Tage später meldete sich der erste Sozialdemokrat aus der DDR. Steffen Reiche und ich waren gleichermaßen bewegt. Welch ein Gefühl, dies noch erleben zu können. Er fragte, ob er das Ideologiepapier von SPD und SED in größerer Zahl mitnehmen könne. »Das brauchen wir.« Über Nacht wurde es nachgedruckt; denn es war längst vergriffen. Wenn immer ich seither kritisch gefragt werde, ob dieses Papier nicht ein Fehler gewesen sei, erinnere ich mich an den Wunsch im Oktober 1989 von einem, der es besser wissen mußte.

In der zweiten Oktoberhälfte begleitete ich Brandt nach Moskau, um Einschätzungen aus erster Hand zu bekommen. Am Sonntag abend empfing uns Alexander Jakowlew, die rechte Hand Gorbatschows, zu einem Essen und fragte mich, wen ich als Nachfolger von Honecker wünschte. Schon die Frage war sensationell. Meine Antwort, darauf käme es nicht an, aber ich wüßte, daß Krenz es werde, veranlaßte ihn zu einer wegwerfenden Handbewegung. »Wollen wir erst mal abwarten, wie es morgen abend in Leipzig abläuft«, schloß er besorgt. Es wurden 70 000 Demonstranten. Aber daß Moskau auf Leipzig blickte und nicht umgekehrt, war schon erstaunlich. Im übrigen waren wir uns einig, daß in dieser sich zuspitzenden Lage alles vermieden werden müßte, was die Entwicklung außer Kontrolle geraten lassen könnte. Auch mit dem ersten Mann: »Ihre Verbündeten sehen das genauso.« Wir verwiesen auf unser Verhalten bei der Gründung der Sozialdemokratischen Partei der DDR (SDP), über die wir uns freuten, und baten, darauf in Ostberlin hinzuweisen. Der Vorsitzende der Sozialistischen Internationale kündigte auch an, diese Bruderpartei im doppelten Sinn bei nächster Gelegenheit als Beobachter unter den Schirm dieses internationalen Gremiums zu nehmen.

Wieder in Bonn vermitteln Brandt und Vogel ihren Eindruck, unter den Freunden in der DDR sei Ibrahim Böhme der begabteste. Ich treffe ihn im Berliner Dom-Hotel. Nach anfänglicher Befangenheit äußert er sich zufrieden, daß die SDP natürlich der bevorzugte Partner in der DDR sei und vor jeder Begegnung mit Axen oder anderen konsultiert und danach informiert werde. Als ich das Axen im Anschluß sage und hinzufüge, wenn er nicht akzeptiere, würde ich unseren Arbeitskontakt abbrechen, versteht er diese Art von Schutzbrief für die SDP. Abbrechen will er nicht. Das ist das stille Ende der neuen Ostpolitik, wird mir am 18. Oktober bewußt; denn Egon Krenz ersetzt Honecker, und Axen verliert den Sitz im Politbüro.

Am 4. November fasziniert die Übertragung der größten Nachkriegskundgebung auf dem Alexanderplatz. Das Wichtigste: Die Menschen haben die Angst verloren. Das Regime scheint gelähmt, vielleicht auch durch die Beteiligung von Reformkräften in der SED. Witzig und friedlich bewegen sich die Demonstranten wie auf einem Fest. Die Spannweite der Redner weckt Hoffnung, das Volk könne die DDR erneuern.

Am Abend des 9. ist die Tagesordnung im Bundestag so uninteressant, daß ich früher nach Hause gehe. Das Wunder der Maueröffnung. Unbeschreiblich, es wenigstens am Fernsehen verfolgen zu können. Warum bin ich nicht in Berlin? Das ist der Anfang vom Ende der DDR. Willy ruft an: »Das hast du auch nicht geglaubt, oder?« Vor Freude würde ich fast alles zugeben. Momper hat ihn und mich eingeladen, an einer Kundgebung vor unserem Schöneberger Rathaus teilzunehmen. (Daß die Dienste weder den Bau der Mauer noch ihr Ende gemeldet haben, fiel erst später auf.)

Im Flugzeug pinselt Willy an den Stichworten für seine Rede. Auf der Treppe im Rathaus treffe ich Teltschik. An Kohl und Brandt hat Gorbatschow telegraphisch seine Sorge übermittelt, ob die Entwicklung unter Kontrolle und unblutig bleibe. Dafür trage jeder Verantwortung. Fröhlich stellen wir fest, daß wir auch unabgestimmt die gleiche Antwort für unsere Chefs formuliert haben. Ich stehe an demselben Fenster, an dem ich 1961 gezittert habe, ob die Rede unsere Ohnmacht übertönt, und nun sagt dieser Momper einfach, er habe mit seinen Kollegen in Ostberlin neue Übergänge vereinbart. Ich brauche dringend einen Cognac, wie damals. Daß der Kanzler die Reformpolitik der DDR unterstützen werde, ist in Ordnung; die Pfiffe gegen ihn nicht. Daß nun wieder zusammenwächst, was zusammengehört, weist darüber hinaus, gleichgültig wie viele Jahre es dauern mag.

Wenige Tage später, nach einer gemeinsamen Veranstaltung, erzählt Stefan Heym, er überlege mit anderen einen »Aufruf für unser Land«. Entsetzt, nicht ohne Ekel, verfolge er einen Ausverkauf moralischer und materieller Werte. Ich warne, es sei den Menschen doch nicht zuzumuten, nach dem grandiosen Fehlschlag noch einmal Jahre ihres Lebens – und wie viele eigentlich? – zu opfern. Warum sollten sie glauben, daß es nun keine Irrtümer mehr geben werde? Die Antwort: »Es kann doch nicht alles sinnlos gewesen sein, woran unsereins sein Leben gehängt hat.«

Die Zehn Punkte des Kanzlers (28. November) verdienen Unterstützung. Konföderative Strukturen entwickeln mit dem Ziel einer Föderation, das ist vernünftig und läßt Zeit fürs Zusammenwachsen. Das Ziel der Einheit, »eingebettet in den gesamteuropäischen Prozeß«, wiederholt die allgemeine Überzeugung.

Am 20. Dezember beschließt die SPD das »Berliner Programm«. »Die Menschen in den beiden deutschen Staaten werden über die Form institutioneller Gemeinschaft in einem sich einigenden Europa entscheiden.« Das entspricht den Zehn Punkten Kohls und bleibt hinter dem Brandtschen Zusammenwachsen zurück. Einen Tag später dokumentiert Mitterrand mit dem einzigen Besuch eines französischen Staatspräsidenten in der DDR sein Interesse.

Im kritischen Rückblick auf das Jahr 1989 ist festzustellen: Die Antennen hatten genügend Signale empfangen, aber die Auswertung war mangelhaft. Zeichen der hochgradigen Lähmung und Zersetzung des SED-Regimes sind gesehen worden, ohne die Phantasie zu mobilisieren. Ich erkannte nicht, daß reif wurde, was mit dem Wandel durch Annäherung angestrebt war. Auch wenn sich niemand konkret vorstellen konnte, wie das einmal passieren würde. Ich war blind für die Situation, als sie unvermutet eintrat. Auch wenn sich niemand vorstellen konnte, was dann am 9. November geschah, auch wenn die Zahl jener besonders hoch ist, die nach dem Ablauf so klug tun, wie sie vorher nicht waren, auch wenn Historiker akribisch beweisen, daß es nicht anders sein konnte und daß es erkennbar war – der Zeitzeuge muß bekennen: Bei aller Lebendigkeit haben die grauen Zellen das schnelle Ende der SED nicht für möglich gehalten. Macht- und Autoritätsverlust der führenden Partei – nach diesem Ergebnis des Jahres 1989 wurden ihre Repräsentanten Konkursverwalter, die möglichst viel Substanz in etwas Neues retten wollten, eine DDR, in der die SED die Macht würde teilen müssen. Die Einheit stand Ende 1989 nicht auf der Tagesordnung.

Damit sind auch die kritischen Fragen nach dem Verhältnis zwischen SPD und SED aufgeworfen. Haben wir uns zu eng mit denen eingelassen? Soweit damit Stilfragen gemeint sind, hätte ich es für unnatürlich, sogar unehrlich gehalten, wenn Jüngere plötzlich so täten, als hätten die freundschaftlichen Begegnungen zwischen Jusos und FDJlern nie stattgefunden. Der Stolz auf die frühen Jahre war unverkennbar, wenn etwa Karsten Voigt erklärte, wie lange er sich schon mit Egon Krenz duzt. Oskar Lafontaine redete in Ostberlin, übrigens auch in Moskau, genauso locker wie in Saarbrücken oder Bonn. Angst vor ideologischer Überlegenheit der Partner war nie zu spüren. Einsicht und Verständnis zu gewinnen, war erwünscht, und das ging nur auf Gegenseitigkeit. Wer die andere Seite dabei mehr beeinflußt hat, ist am Ergebnis abzulesen. Peinlichkeiten, auch auf beiden Seiten, hat es gegeben. Das Risiko mißverständlicher Äußerungen, insbesondere im nachhinein aus dem Zusammenhang gerissen oder einseitig wiedergegeben, bin ich gern eingegangen. Im übrigen haben wir über Frieden geredet, während andere über Geld sprachen. Schalck-Golodkowski habe ich nicht kennengelernt.

Hätten wir früher umschalten sollen, auf Wandel durch Abstand? Im

Präsidium der SPD ist diese Frage nie gestellt worden. Sie wäre auch seltsam gewesen angesichts eines Kanzlers, der seit Amtsantritt Wandel durch Annäherung mit wachsendem Einsatz und wachsendem Erfolg fortsetzte und die Annäherung mit seinem vollen Gewicht so weit trieb, daß die DDR sich bis zur Unkenntlichkeit wandelte, ehe sie verschwand. Unsere Verbindungen zur SED wurden von Kontakten zur Bundesregierung, sogar Absprachen begleitet, zuweilen von ihr genutzt. Die Informationen gaben den Beteiligten größere Sicherheit in der Beurteilung der Entwicklung. Vom Informationsfluß zwischen Regierungen abgeschnitten zu sein, schwächt jede Opposition; das Jahr 1990 hat da harte Lehren erteilt.

Das ganze Jahr 1989 gingen Regierung und Opposition von der zeitlich nicht begrenzbaren deutschen Teilung aus und zielten, jeder auf seine Weise, nicht auf Abschaffung durch Zusammenbruch der DDR, sondern auf Lebensfähigkeit und Erleichterungen für die Menschen. Es wäre unverantwortlich gewesen, hätte der Kanzler nicht telefonisch den neuen Kollegen Egon Krenz und Hans Modrow den Puls gefühlt. Die gewiß geringere Verantwortung der SPD spiegelte sich in dem Besorgnistelegramm Gorbatschows. Das Tempo der rasanten Entwicklung war auch für unsere Verbündeten beunruhigend genug. Innerhalb von zwei Wochen könnten wir die DDR destabilisieren, hatten wir Falin Anfang Oktober gesagt. Das war nicht übertrieben. Aber eine Beschleunigung der Vorgänge, die zum Fall der Mauer führten, um einen Monat oder eine Woche, hätte niemand verantworten können. Nur weil keiner der relevanten Faktoren im Westen seine berechenbare Position umschaltete, das Regime nicht unter Druck von außen gesetzt wurde, konnte der Druck von innen zu einer friedlichen Revolution werden. So stellt es sich heute dar. Damals, ohne den Ausgang zu wissen, haben wir weniger klug als blind das Richtige getan und kooperativ dem Regime den Vorwand genommen, scharf gegen eine erkennbar von außen gesteuerte Bewegung vorzugehen.

Haben wir die Bürgerrechtsbewegung vernachlässigt und unsere Freiheitstradition durch »gouvernementales« Zusammenwirken geschwächt? Den ersten Teil der Frage muß ich selbstkritisch bejahen. Ich bin durch bittere Erfahrungen geprägt worden: das Scheitern am 17. Juni 1953, unsere Hilflosigkeit 1956 gegenüber Polen und die Tragödie in Ungarn, die Ohnmacht 1968, wo nicht eine Opposition, sondern eine Volksbewegung der Tschechen und Slowaken unterdrückt wurde. Ich hatte den Stolz unbekümmerten Mutes unterschätzt, mit dem 1980 Solidarność agierte; aber Polen sind nicht Deutsche. Daß Landsleute in einem deutsch, preußisch und kommunistisch perfektionierten Überwachungsstaat ähnliches fertigbringen könnten, habe ich nicht geglaubt.

Jedenfalls hat es weder einen deutschen Walesa noch einen deutschen Havel gegeben. Aber wer hätte garantieren wollen, daß das Regime davor zurückgeschreckt wäre, Panzer rollen zu lassen, wie es auf dem Platz des Himmlischen Friedens in Peking geschehen ist? Ich fühlte mich da weniger sicher als diejenigen, die fast schizophren der DDR-Führung alles Böse zutrauten und gleichzeitig dennoch die friedliche Zwangsläufigkeit des abgelaufenen Prozesses behaupteten. Es ist eben einfach, die Vergangenheit zu prophezeien.

Unter den spezifisch deutschen Gegebenheiten hatte die Vernunft den Weg gewiesen: von der Schlußakte in Helsinki über die blocküberwölbenden Ansätze Palmes und die Friedensmärsche unter seinem Namen bis zu dem systemübergreifenden Ideologiepapier. Auf diese Weise sind Freiheitsräume entstanden, innerhalb derer Bürgerrechtler, noch immer mutig und riskant, ihre Aktivität erst entfalten konnten. Durch gouvernementales Zusammenwirken haben wir unserer Freiheitstradition gedient. Für öffentlichkeitswirksames Aufrollen von Plakaten auf dem Alexanderplatz konnte ich keine besondere Achtung aufbringen, besonders nicht bei Bundestagsabgeordneten, die sicher waren, danach im Schutze ihrer Immunität die Hauptstadt der DDR wieder verlassen zu können. Der Brockhaus des Jahres 1968 kennt das Wort »Dissidenten« nur aus der Religionsgeschichte; der politische Begriff ist erst im Gefolge der Entspannungspolitik entstanden, die mit dem Namen der finnischen Hauptstadt verbunden bleibt.

Die Regimekritiker waren die erwarteten selbstverständlichen Verbündeten. Und umgekehrt fühlte ich mich als solcher betrachtet und behandelt, wenn ich kritische Menschen traf oder Nischenbürger oder Besucher von Kirchen und Kirchentagen. Der Instinkt sagte, wo Vertrauen möglich war, und der ist glücklicherweise nicht getäuscht worden. Ohne die evangelische Kirche in der DDR wäre deutsche Geschichte anders verlaufen. Die Treffen mit Manfred Stolpe, schon sehr früh bei Richard v. Weizsäcker oder dem evangelischen Kirchenbeauftragten in Bonn oder allein, waren wertvoll: Seine Informationen waren verläßlich und wichtig; niemand wollte wissen, was und wem er berichten müßte. Wenn ich anderen Männern der Kirche bei Formulierungen der Entspannungspolitik half, so geschah das stets bei offiziellen Treffen, über deren Inhalt die Staatsorgane bestimmt nicht umfassend informiert wurden. Gerade die Nichtkonspiration deckte Konspiratives. Charakter und Aufgabe der offiziellen Verbindung mit der SED verboten eine Vermischung. Die Arbeitsteilung mit den Parteifreunden, die direkte Kontakte zu oppositionellen Gruppen pflegten, mußte eingehalten werden. Vielleicht ist sie zu gut eingehalten worden. Erst von dem CDU-Minister Eppelmann habe ich ein Jahr später erfahren, daß er ohne Echo dem »Bruder Jürgen Schmude« noch zur Zeit der DDR seine sozialdemokratischen Erwartungen dargelegt habe.

Ich sehe keinen Grund, irgend etwas zu verleugnen, Motiv oder Tat, was das eigene Verhalten in den zurückliegenden Jahrzehnten bestimmt hat. Fehler und Unterlassungen sind erkennbar. Bisher fehlt, daß die Gegner von einst einmal Laut geben, daß keine ihrer Befürchtungen eingetreten ist, mit denen sie ihre Attacken gegen die Ostpolitik begründet haben. Seltsam: Die Regierungsparteien hatten sich nicht mit Vorwürfen mangelnder Nähe zur Opposition in der DDR auseinanderzusetzen.

Mit der Einheit hatten Bürgerbewegung und SPD ähnliche Schwierigkeiten. Aber das wurde erst 1990 deutlich.

Einheit – Seitenwechsel, ohne die Seite zu wechseln

Auch wenn es gar keinen Spaß macht, möchte ich mit der durchwachsenen Bilanz dieses ersten Halbjahres beginnen. Seit Mitte Dezember 1989 war ich zu der Auffassung gelangt: Die Menschen in der DDR werden unzweifelhaft durch ihr Verhalten entscheidend sein, und zwar zugunsten der staatlichen Einheit. Deshalb sind erfahrbare schnelle Wirtschaftshilfe und die erkennbare Perspektive auf eine Konföderation nötig. Da Revolutionen besonders in der zweiten Phase nicht allianzversichert sind, können unkontrollierbare Erdrutsche den weltpolitisch ungleich wichtigeren Reformkurs Gorbatschows zum Scheitern bringen. Ohne die Sowjetunion keine Einheit; deshalb schließen NATO und

Einheit sich aus, weil Moskau nicht die Ausdehnung der NATO bis zur Oder akzeptieren kann. Die wiederholten Erklärungen der sowjetischen Spitze bis in den Sommer hinein waren logisch. Ihren Umfall habe ich nicht vorausgesehen. Daß Teltschik ihn ein Wunder nennt, ist keine Entschuldigung, erklärt höchstens die innenpolitische Wirkung des außenpolitischen Informationsvorsprungs der Regierung.

In denselben Zusammenhang gehört: Nach allgemeiner Überzeugung konnte deutsche Teilung und europäische Teilung nur in einem Prozeß überwunden, deutsche Einheit also nicht ohne gesamteuropäische Sicherheit erreicht werden. Gerade daraus hatte ich meine irrtümliche Kalkulation abgeleitet, aus Gemeinsamer Sicherheit und wirtschaftlicher Zusammenarbeit würden sich demokratisch-politische Freiheiten fast automatisch entwickeln. Die Geschichte ist anders gelaufen. Die Bundesregierung hat sich um ihre feierlichen Erklärungen wenig gekümmert und – richtigerweise – das Mögliche getan, die Schularbeiten zur europäischen Sicherheit verschoben. Diese Aufgabe ist noch zu lösen.

Durch Patrick Süskind wurde mir bewußt, wie stark der Generationenunterschied die Einstellung zur Einheit bestimmen kann. Der Autor des Bestsellers *Das Parfum* beschrieb in einem *Spiegel*-Essay (17. September 1990), wie er in Paris am Abend des 9. November im Rundfunk den Regierenden Bürgermeister Momper hörte: »Heute nacht ist das deutsche Volk das glücklichste Volk der Welt.« Seine Reaktion: »Hat der Mann nicht mehr alle Tassen im Schrank?« Hier äußerte ein Vierzigjähriger, der vierzig Jahre lang in die Normalität der Teilung hineingewachsen war, aufrichtig sein Gefühl: Der früher verehrte Brandt schien mit seiner Äußerung vom Zusammenwachsen offensichtlich senil geworden; die Lebensgrundlage der faden, kleinen, praktischen Bundesrepublik drohte wegzurutschen. Die Mehrheit der Westdeutschen verbindet keine persönliche Erinnerung mehr mit einem einigen Deutschland. Ihr erscheint das ganz andere Gefühl der Minderheit sentimental. Und selbst für eine Mehrheit in der Minderheit, eingeschmolzen in die Realität westlichen Lebens, hat die Erinnerung nostalgische Züge angenommen. Die Westdeutschen drängten nicht auf Einheit. Während die Umrisse eines gemeinsamen Staates auftauchten, wurde die Teilbarkeit der Nation sichtbar.

Der Mentalitätsunterschied der Generationen, im Volke latent, wurde in der SPD virulent, also politisch zu einer Belastung, wo zielgerichtete Geschlossenheit nötig gewesen wäre. Die Spannung zeigte sich auf dem Parteitag, wo trotz des zitierten Kompromisses im Grundsatzprogramm eben doch noch eine aktuelle Erklärung notwendig wurde. Sie trug den Titel »Die Deutschen in Europa« und betonte die enge Verbindung zwischen der europäischen und deutschen Einigung. Bei der Einführung vor dem Plenum betonte ich unsere Tradition zur Frage der Nation seit dem Moskauer und dem Grundlagenvertrag mit den Briefen zur Einheit und folgerte: »An diesem Ziel halten wir fest.«

Mir war die seltsame Gemengelage bewußt. Daß Entspannungspolitik und Sicherheitspartnerschaft die beiden Bündnisse überflüssig machen und damit die Voraussetzungen für die Einheit schaffen sollten, hatte sich die ganze Partei zu eigen gemacht. Dabei meinten die einen, rechts von der Mitte, daß wohl nicht einmal die Bündnisse zu überwinden sein würden, während die anderen, links von der Mitte, das Ziel der Einheit nicht so ernst nahmen, das vor den ungeliebten Bündnissen stand. Beide waren durch die unerwartete Situation überrascht. Die Älteren, oft konservativeren, erblickten das Ziel ihrer Wünsche, die Einheit, während die Jüngeren, meist »linkeren«, sich als Patrioten der alten Bundesrepublik empfanden.

Sie drängten nicht auf Einheit, sondern nahmen an, daß der demokratische Sozialismus in der DDR nun eine echte Chance bekäme. Sie hatten der Partei größere Nähe zu den Regimekritikern gewünscht und fühlten sich an deren Seite; denn die Bürgerrechtler wollten ihren Staat nicht aufgeben, sondern reformieren. Während ich gerade deshalb die Opposition in der DDR reservierter betrachtete, sahen viele in der mittleren Generation der Partei sie aus eben diesem Grunde als Verbündete.

Die Spannung personalisierte sich in Willy Brandt und Oskar Lafontaine. Der Ehrenvorsitzende wollte die Deutschen nicht »auf einem Abstellgleis verharren lassen, bis irgendwann ein gesamteuropäischer Zug den Bahnhof erreicht hat«, während der Kanzlerkandidat seine Politik auf dem Hintergrund des traditionellen Internationalismus formulierte. Beide waren ehrlich, und beiden war es ernst. Dem Vorsitzenden Hans-Jochen Vogel, im Alter zwischen beiden stehend, blieb nach dem Parteitag die fabelhafte Aufgabe, zwei Flügel zu verbinden, mit denen die Partei nicht fliegen konnte.

Anfang Februar 1990 schrieb ich Günter Grass: »Noch immer ist es so, daß Willy in seinem Hintern mehr Instinkt hat als die meisten unter Einschluß aller ihrer Extremitäten.« Ich erinnere mich an eine Präsidiumssitzung, in der wir Oskar eindringlich baten, fast bettelten, er möge doch einmal sagen, daß er sich über die Einheit freue. So empfinde er nicht, war die ehrliche Antwort eines Mannes, der sich nicht verbiegen lassen wollte, und der schließlich nicht anders als die westdeutsche Mehrheit fühlte. Die Partei wußte, welche Position sie mit der selbstverständlichen Disziplin unterstützte, auf die der Kandidat Anspruch hatte, nach dem Attentat erst recht. In einer fulminanten Rede griff er die Bundesregierung an und ihre Fehler, womit er recht behielt. Meine Begeisterung wich lähmendem Entsetzen, als Wolfgang Schäuble die ganze Wirkung dieser Rede mit dem Bedauern wegwischte, daß der Kollege Lafontaine nicht einfach gesagt hätte, er freue sich über die Einheit.

Nun hätte niemand, auch nicht Brandt und Schmidt in einer Person, einen Kanzler schlagen können, der die Einheit bringt. Aber daß die Partei sich besonders gequält hat an den nationalen Generationsspannungen, erschien mir fast tragisch; denn Brandt hatte zu mir bemerkt, je älter er werde, um so linker fühle er. Und Lafontaine war jedenfalls auch links von der Mitte zu finden. Für die Ostdeutschen mußten solche Spannungen schwer verständlich sein. Für sie, abgesehen von vielen Bürgerrechtlern, war die Frage entschieden, als sie gestellt wurde. Auf der ersten Sitzung des gemeinsamen Ausschusses der beiden sozialdemokratischen Parteien (4. Februar 1990) erklärte Harald Ringstorff in seiner bedächtigen Entschiedenheit für seine Mecklenburger und Vorpommern: »Wenn ihr weiter über Form und Tempo diskutiert, werden wir einfach nach Artikel 23 des Grundgesetzes beitreten.«

Durch eine Fernsehdiskussion in Potsdam lernte ich im Januar Gregor Gysi kennen. Einerseits erschien er mir ein Produkt der SED-Erziehung: Das Wort »Zwangsvereinigung« wollte er nicht gelten lassen, und ich bat ihn, gestützt auf einige Tatsachen, sich ohne Scheuklappen mit dem genauen Ablauf vertraut zu machen. Andererseits konnte er mich nicht von dem Urteil abbringen, daß es ein Fehler der PDS gewesen sei, die Rechtsnachfolge der SED reklamiert zu haben. Diese Belastung würde der Partei mehr schaden als das finanzielle Vermögen ihr Vorteile einbringen könnte. Ich empfand Gysi als zu intellektuell für einen

Parteiführer, vielleicht den Richtigen für den halsbrecherischen Balanceakt, das Alte zu verdammen und zu bewahren, einiges loszuwerden und anderes zu erhalten, etwas Neues zu schaffen, ohne alles Vergangene zu liquidieren. Außerdem hielt ich ihn für aufrichtig, einen Weg gehen zu wollen, den er noch nicht kannte. Dazu gehörte, wie ich in einigen Gesprächen feststellte, seine Bereitschaft zu einer Wiedergutmachung an der SPD, jedenfalls zunächst, was das 1946 angeeignete Vermögen, auch Archive, anging, dann wohl sogar mit dem Hintergrund zu einer prinzipiellen Bereinigung, mindestens Entgiftung des Verhältnisses von Parteien mit denselben Uraltwurzeln.

Bestimmt nicht auf kurze, wohl aber auf längere Sicht konnte es für die Machtverhältnisse in Deutschland eine interessante Perspektive werden, mit einer linkssozialistischen demokratischen Partei zusammenzuwirken und damit der SPD den Kampf um die Mitte zu erleichtern, dachte ich. Brandt waren solche Überlegungen nicht fremd. Vogel blieb mißtrauisch, vorsichtig, bedacht, der Union keine Angriffsflächen zu öffnen und geradlinig gegenüber den Freunden der SDP, die mit einer derartigen Linie überfordert wären, sie jedenfalls nicht wollten. Daran änderte sich nicht einmal etwas, als der stellvertretende Vorsitzende der PDS, Wolfgang Berghofer, gewissermaßen zum Beweis seiner Ehrlichkeit auch ohne Absprache mit der SPD, aus der Partei mit einer Gruppe reformerischer ehemaliger SED-Mitglieder austrat.

Zusammenarbeit mit regierenden Kommunisten unter den Gesetzen der friedlichen Koexistenz hatte Brandt »Zwang zum Wagnis« genannt. Auf der deutschen Ebene war nun der Zwang weg. Die Wende hatte die Chance zum Wagnis gestattet. Vorher hatte Andrang zu Terminen mit Honecker geherrscht, gern mit Kameras. Das hatten die Dogmatiker der SED sogar genossen. Ihren revisionistischen Nachfolgern der PDS blieb diese Art der Anerkennung versagt. Sozialdemokraten, gleichsam als hätten sie sich nachträglich für die Annäherung zu entschuldigen, die doch zum Wandel geführt hatte, zeigten Berührungsängste. Das konnte ich nur schwer verstehen. Innenpolitische, taktische Opportunitätserwägungen konnten vorgebracht werden. Genützt haben sie nichts.

Anders als Spielernaturen hatte Brandt Sinn für Wagnisse, sofern sie kalkulierbar waren und innenpolitischen Machtzuwachs versprachen. Die Öffnung der Partei für junge Menschen, natürlich linker als die SPD, aus dem Feld der 68er Generation, war nicht unumstritten; auch dieses Element schwang in der ebenfalls nicht nur begeistert aufgenommenen Formel seiner ersten Regierungserklärung mit, mehr Demokratie zu wagen. Doch nicht einmal ein großes Wagnis, sondern notwendig und vernünftig, empfand Brandt, würde es sein, Versöhnungsbereitschaft gegenüber früheren SED-Mitgliedern zu zeigen; »es kann ja nicht schaden, wenn uns das außerdem etwas nützt.« Er hatte das Beispiel vor Augen, wie großzügig und erfolgreich Spanien die Hinterlassenschaft vierzigjähriger Franco-Herrschaft gemeistert hatte. Dennoch zeigte ich ihm, was ich in Gotha zur Gründung des thüringischen Landesverbandes (27. Januar 1990) sagen wollte, und nur die Berufung auf Schumacher fand er unnötig.

Auf die Sorge spielte ich an, »vor solchen, die jetzt zur SPD kommen oder kommen wollen. Da gibt es Ehrliche, die endlich dürfen, Überzeugte aus Enttäuschung, Opportunisten, Wendehälse, vielleicht sogar U-Boote, letztere sind am schwersten zu erkennen und geben sich am überzeugtesten. Ich habe Guillaume nicht vergessen. Ich finde die Entscheidung richtig, sich jeden einzelnen anzusehen, übrigens auch aus einem Grund, den ich hinzufügen möchte: um dem Land zu helfen«. Dann erinnerte ich an Kurt Schumacher, der 1951 heftig und kontrovers diskutiert, sich für Rehabilitierung ehemaliger Wehrmachtoffiziere und Kontakte zu früheren Angehörigen der Waffen-SS ausgesprochen hatte, und erklärte mich, bei allen Unterschieden zwischen den zwölf und den bald 45 Jahren seit der Zwangsverschmelzung für überzeugt, »daß kaum eine andere politische Kraft so viel urdemokratische und gefestigte Tradition aufbringen kann wie die Sozialdemokratie, befreit von Verfolgung und Unterdrückung, eine solche Haltung einzunehmen. Das ist auch ein Stück Verantwortung. Dabei sollten wir uns nicht fürchten vor Verunglimpfung oder Verdächtigung durch politische Gegner. Die kommen so oder so, je stärker die SPD wird. Wir haben eine Tradition der Toleranz, der Nichtausgrenzung, und ich glaube, daß es eine ganze Menge Ehrlicher, Schwacher, sogar Beschämter gibt, deren Wert und Substanz nicht verlorengehen sollten«. Das fand Beifall, blieb aber folgenlos.

Auf dem Parteitag im September in Berlin bedankte sich der Ehrenvorsitzende »bei den Frauen und Männern, die im vorigen Jahr in der DDR noch im Widerstand zum Regime der SED und ihrer Blockparteien das Banner der Sozialdemokratie neu entrollt haben« und erinnerte an die »stumme Armee« derer, die 1946 politisch gefangengenommen wurden. »Ich möchte, auch wenn deren Zahl klein geworden ist, daß der Ruf dieses Parteitages sie, ihre Kinder und Enkel erreicht: Ihr könnt aufrechten Ganges zu uns kommen... Wir wenden uns mit gleicher Offenheit an die Jungen, die von der Einheitspartei schwer enttäuscht wurden und die, was ich gut verstehen kann, sogar begrüße, gegenüber raschem Etikettenwechsel mißtrauisch bleiben... Es gilt ganz entschieden, meine ich, Bitterkeiten zu überwinden, zur Aussöhnung bereit zu sein, Zusammenwirken nicht unnötig zu erschweren.«

In der Praxis setzten die wirklich neuen Mitglieder, aus ihrer kurzen Erfahrung begreifbar, aus der längeren Tradition der alten SPD falsch, das Gegenteil durch. Brandt sah keinen Grund, seine Empfehlung zurückzunehmen.

Nur wenige Wochen vergingen zwischen den beiden Vorschlägen: Helmut Kohls »Vertragsgemeinschaft« und »Konföderation«, sowie Hans Modrows »Einig Vaterland«. Als Gorbatschow erklärte, er würde dem deutschen Recht auf Selbstbestimmung nicht im Weg stehen, war für Brandt Anfang Februar »die Einheit gelaufen«. Die außenpolitischen Bedingungen und vor allem der Zeitbedarf blieben offen. Als ich diese Probleme mit Genscher erörterte, erzählte der Außenminister von einem kürzlichen Gespräch beim Kanzler. Darin habe Graf Lambsdorff die wirtschaftliche Entwicklung der DDR nach der Währungseinheit als derartig katastrophal eingeschätzt, daß Wahlen dort für die Koalition nicht mehr zu gewinnen seien, wenn sie, wie vorgesehen, im Frühjahr 1991 stattfänden. Sie müßten unbedingt auf das Ende des laufenden Jahres vorgezogen werden. Genscher hatte große Sorgen, ob die Zwei-plus-Vier-Verhandlungen überhaupt rechtzeitig für eine solche Planung abzuschließen seien. Es reiche doch, meinte ich, die Verträge zu unterzeichnen oder sogar nur die Verhandlungen förmlich zu beenden, um die gesetzlich vorgeschriebenen Fristen zu erreichen. Wir waren uns einig, es wäre kein Unglück, wenn die Verträge dann erst im darauffolgenden Frühjahr in Kraft träten. Auch wenn der Strom von Menschen, der trotz der von Mai auf März vorgezogenen Wahlen in der DDR immer weiter nach Westen floß, die verbliebenen Rechte der Vier Mächte ihrer Substanz beraubt hatte: Mehr als Notare waren sie noch immer, und Männlein und Weiblein, so heiß sie sich lieben, können die Ehe nicht ohne Standesbeamte legalisieren. Völkerrechtlich legal mußte die Rückgabe der Souveränität, der Friedensvertrag, der so nicht genannt wurde, sein. Ich nahm aus diesem Gespräch den Eindruck mit, aus innenpolitischen Gründen wird die Einheit noch auf dieses Jahr vorgezogen, und die Außenpolitik muß sich dem anpassen, wenn es irgend geht. Die Sturzgeburt muß möglichst normal erscheinen. Lambsdorff hat die wirtschaftliche Entwicklung der DDR richtig vorhergesehen, noch bevor Bundesbankpräsident Pöhl von Desaster sprach und v. Dohnanyi in seiner weitsichtigen Analyse *Das deutsche Wagnis* einen Monat vor der Einheit seinen Realitätssinn dokumentierte. Daß nicht abgeschätzt werden konnte oder nicht überschaubar war, was dann in der DDR eintrat, ist eine Beleidigung westlicher Prognosefähigkeit. Nur vor den Mentalitätsschwierigkeiten wurde nicht gewarnt. Ich habe sie auch nicht gesehen.

Natürlich habe ich den Vorsitzenden von dem Gespräch mit Genscher unterrichtet. Erkennbare Folgen hatte das nicht. Dafür machte ich ohne Einwand mit, was ich nachträglich als Fehler sehe: Die Partei würde im Wahlkampf drüben – so hieß es noch eine ganze Weile – den Freunden nur soweit helfen, wie sie es wollten. Inhalt und Richtung würden im Zweifel durch sie entschieden. Das war edel und respektvoll. Sehr viel wirkungsvoller entschieden Kohl und sein Generalsekretär Rühe, daß sie besser wüßten, wie man Wahlen gewinnt, unter Nutzung aller verfügbaren Strukturen der willigen Blockparteien. Das konnte ich im Wahlkampf sehen. Aber nicht unsere, daran gemessen embryonale Organisation war ausschlaggebend, obwohl diese Schwäche von Woche zu Woche wirksamer wurde, sondern ich spürte etwas viel Entscheidenderes: Auf den Veranstaltungen wollten die Menschen auf den Flügeln bunter Träume bleiben und nicht auf dem Boden realistischer Erwartungen absteigen. Und fast glaubte ich, sehen zu können, wie Ohren und Gesichter sich verschlossen, wenn ich die Silben »sozial-« in den Mund nahm, ohne zu warten, ob da die Silben »-demokratisch« anschlossen und nicht »-istisch«. Dennoch war das Ergebnis am 18. März ein Schock.

Im Frühjahr wurde klar, in der nächsten Legislaturperiode würde die Einheit auch staats- und völkerrechtlich vollzogen werden und das Thema meines Lebens »erledigen«. In dem neuen Abschnitt der Geschichte sollten sich die nachdrängenden Talente entfalten. Deshalb beschloß ich, für den Bundestag und die Parteigremien nicht wieder zu kandidieren und rechtzeitig für die Nachfolge im Wahlkreis zu sorgen. Kein Bedauern konnte mich umstimmen; um Anfragen aus Thüringen und Mecklenburg positiv zu beantworten, mich ähnlich wie Kurt Biedenkopf in Sachsen zu engagieren, fühlte ich mich zehn Jahre zu alt. Das galt nicht, als Brandt nahelegte, dem natürlich unerfahrenen Markus Meckel im Außenministerium zu helfen. Stark war die DDR in den Zwei-plus-Vier-Verhandlungen ohnehin nicht, aber so schwach, wie sie sich dann gab, hätte sie nicht sein müssen, solange ihre Zustimmungen zu den völkerrechtlichen Vereinbarungen unentbehrlich waren. Ich erspare mir, die Eindrücke auszubreiten, die ich in der Ministeretage empfing. Sie schwankten zwischen komisch, tragisch und kläglich, jedenfalls beklagenswert. Die Unterstützung, die eine kontinuierliche Tätigkeit im Haus verlangt hätte, war nicht gefragt. Unsicherheit, ob das dem Ministerpräsidenten recht wäre, konnte nicht ich beseitigen.

Um so mehr überraschte die Anfrage des Ministers Rainer Eppelmann, ob ich ihn beraten würde. Mein vorsichtiger Hinweis, ich könnte zwar jedes Wort der Regierungserklärung Lothar de Maizières unterschreiben und nicht nur seine Formel, daß Teilung durch Teilen überwunden werden müsse, aber ob der Ministerpräsident dem zustimmen würde... erhielt die erfrischende Antwort: »Wen ich mir hole, bestimme ich selbst.« Zusammenarbeit der beiden großen Parteien hatte in der Ausnahmesituation des Landes ohnehin nahegelegen; Mißverständnisse, daß ein Sozialdemokrat einen Christdemokraten unterstützt, fürchteten meine westlichen Freunde nicht, zumal in der DDR eine Große Koalition arbeitete. In der zweiten Maihälfte trafen wir uns wieder, und Eppelmann bot mir einen Zweijahresvertrag an. Der hätte bis Mitte 1992 gegolten. Meine Reaktion: Da wir bei aller auf Gegenseitigkeit beruhender Neigung nicht wüßten, wie wir miteinander »könnten«, sollte der Vertrag zunächst einmal bis zum 31. Dezember laufen. So wurde beschlossen. Auch der Minister wußte Ende Mai 1990 nicht, was am 3. Oktober geschehen würde.

Dennoch war ich erstaunt, als ich mich Anfang Juli zum Dienstantritt – wie es sich gehört – melden wollte, um die Arbeit zu besprechen, im Vorzimmer zu hören, der Minister sei in Urlaub. Aber gut, dachte ich, bei allem, was er hinter sich hatte, und dem, was ihn in den nächsten zwei Jahren der DDR erwartete, konnte er etwas Erholung brauchen. Bis zu seiner Rückkehr Anfang August hätten wir Zeit, lernte ich von

Staatssekretär Werner Ablass, alles zu planen, was dem Ministerium für die Verhandlungen mit der Bundesregierung wichtig ist. Diese Papiere müßten dem Ministerpräsidenten entscheidungsreif Ende August vorliegen. Im übrigen sollte ich die Interessen des Ministeriums für die Zwei-plus-Vier-Verhandlungen im Außenministerium vertreten.

Den Papieren waren die Überlegungen im Sommer 1990 zu entnehmen: Das Ministerium ging von einer Übergangszeit von zwei bis vier Jahren aus. In dieser Zeit sollte die DDR ein Vorbild der Abrüstung sein, die Nationale Volksarmee reformiert werden, während der deutsche Einigungsprozeß im Einklang mit dem europäischen Einigungsprozeß vonstatten geht. »Es wird auch nach der Vereinigung auf DDR-Territorium eine zweite deutsche Armee geben, die, in kein Militärbündnis integriert, eigene territoriale Sicherheitsfunktionen ausüben wird und dementsprechend strukturiert, ausgerüstet und ausgebildet werden muß.« Die Wiedergabe dieser Erklärung des Ministers vor den Kommandeuren veranlaßte mich in einem Interview, die Überzeugung auszudrücken, daß es in einem vereinten Staat nur eine vereinte Armee geben werde. Zu Meinungsverschiedenheiten kam es deshalb nicht, denn das Ergebnis im Kaukasus zwischen Gorbatschow und Kohl am 16. und 17. Juli machte alle bisherigen Planungen zu Makulatur. Als de Maizière von seinem Besuch beim Kanzler am Wolfgangsee zurückkam, gab es gewaltigen Zeitdruck: Die Verhandlungen über den Einigungsvertrag sollten nun Ende August bereits beendet werden.

NVA – diese drei Buchstaben rangierten als Symbol des Abschreckenden nicht weit hinter den Abkürzungen Stasi und Vopo. Als ich zum erstenmal die Einfahrt zum Verteidigungsministerium der DDR in Strausberg passierte, dachte ich, vor wenigen Monaten hätte dem Westler wohl Verhaftung gedroht, der sich den Toren nur genähert hätte. Ich hatte noch zu lernen, daß dort Menschen arbeiteten, die verantwortungsbewußt waren, Patriotismus, Opportunismus, Überzeugungstreue, Unsicherheit, Aufgeschlossenheit, Angst, Hoffnung und Hoffnunglosigkeit zeigten, in spezifischer Armee-Ausprägung also alle Eigenschaften in der Endzeit der DDR.

Doch zunächst Befremdliches: Ein Major saß im Eingang zum Ministerbau; auf der Hardthöhe schaffte das ein Feldwebel oder ein Zivilangestellter. Die Schneidigkeit in Ton und Stil bei Begrüßung, Meldung, Bericht erinnerte an die Wehrmachtszeit, von den Uniformen abgesehen. Ein hoher Offizier sprach ganz ernsthaft statt von »Verteidigung« von »Kriegskunst«; das Wort hatte ich seit der Kriegsschule vor fast 45 Jahren nicht mehr gehört. Generalmajor Hans-Werner Deim hatte ich im Unterausschuß kennengelernt, als wir nacheinander Delegationen der Warschauer-Pakt-Staaten zu Stand und Aussicht der Wiener Verhandlungen anhörten. Er war bei dieser militärischen Premiere eines DDR-Auftritts vor einem Gremium des Bundestags positiv aufgefallen, und nun berichtete er stolz, was die beste Armee im Pakt alles könnte – nach der sowjetischen selbstverständlich, aber in einigen Punkten sogar besser. Ein Lagezentrum demonstrierte Selbstbewußtsein mit Karten, vielleicht fünf mal sechs Meter, abfahrbar, in gewünschten Ausschnitten vergrößerbar, bis weit nach Frankreich. So etwas hatte ich in Bonn nicht gesehen, aber die Bundeswehr wollte ja auch nicht nach Warschau marschieren. Über das Erlebnis mit dem unbekannten militärischen Geheimdienst habe ich im Kapitel »Dienste« berichtet.

Nachdem ich in vielen Gesprächen Einblicke in die Psyche der Partner gewonnen hatte, bat ich General Klaus Naumann, den späteren Generalinspekteur der Bundeswehr, in mein Bonner Büro und erzählte von meinen neuen aufregenden Eindrücken. »Ich glaube«, meinte er zu seinem Adjutanten, »es würde sich lohnen, da einen eigenen Eindruck zu gewinnen.« Ich bereitete seinen Besuch vor, und er kam, beeindruckt von Deim, zu dem Urteil, vieles von dem, was er als eigene Schwächen vermutet habe, sei nun bewiesen. Im übrigen habe er in Deim einen fähigen und begabten Soldaten kennengelernt. Im Bundesverteidigungsministerium war ursprünglich an die schlichte Auflösung der NVA gedacht worden, psychologisch erklärbar, daß man sich das Schicksal der Armee ähnlich vorstellte wie das der Stasi. Vielleicht hat Naumanns Besuch dazu beigetragen, sich statt dessen auf die undankbare Aufgabe ohne Vorbild einlassen zu müssen, zwei Armeen aus zwei Bündnissen zusammenzuführen.

Schon vor dieser Perspektive gab es gewaltige Barrieren. Sie wurden überdeutlich bei der eindrucksvollen Feier aus Anlaß des 20. Juli, als die Namen v. Stauffenberg und v. Tresckow in die Tradition der NVA aufgenommen wurden. Ich traf den Sohn des Widerstandsteilnehmers und Mitbegründers der CDU in Berlin, Andreas Hermes, und der angesehene ehemalige Botschafter gestand seine Skrupel, überhaupt an dieser Veranstaltung teilzunehmen, und fügte mit sichtbarer Erregung hinzu: »Ich werde niemals akzeptieren, daß meine Kinder von Offizieren dieser Partei-Armee befehligt werden.« Ich mußte ihm sagen, daß bei einer solchen Einstellung die Einheit nicht zu machen sei.

Nicht weniger tief die psychologischen Brüche auf der Seite derer, die sich als Verlierer fühlten, ohne besiegt worden zu sein. Wer würde ihren Stolz verstehen, militärische deutsche Tradition gegenüber den Russen besser bewahrt zu haben, als die Bundeswehr es gegenüber den Amerikanern geschafft hatte? Ich glaubte, versichern zu können, daß die NVA ein Teil der deutschen Militärgeschichte unseres schwierigen Vaterlands bleiben werde, und konnte mir die unverständliche Entscheidung, fast verfassungswidrig, nicht vorstellen, die einige Jahre später ehemaligen Offizieren das Führen ihrer Rangbezeichungen außer Dienst versagte, weil sie einem »fremden Heer« angehört hatten. Wie war das mit der Treue zu alten Bindungen? Konnte man den bisherigen Waffenbrüdern noch in die Augen blicken, ohne das Wort Verrat unausgesprochen zu sehen? Was das Bundesverteidigungsministerium unter umgekehrten Vorzeichen fürchtete, formulierte ein Stabsoffizier der NVA: Es sei unzumutbar, von heute auf morgen in der Sowjetunion den Gegner sehen zu sollen. Mein Argument stieß auf Mißtrauen, die Freundschaft zur Sowjetunion könne sich nun unbelastet von der deutschen Teilung entwickeln, Moskau sei unentbehrlicher Partner der europäischen Sicherheit, und Kenntnisse und Verbindungen aus der NVA-Zeit seien wertvoll für unser Land.

Ein anderer bekannte, er habe seinen politischen Irrtum im Laufe der Jahre eingesehen und die Schuld, nicht mutig genug den Zweifeln gefolgt zu sein. Nun wolle er nicht in eine Armee, »wo ich mich wieder anpassen muß und besser den Mund halte. Ich bin nicht frei geworden, um die Freiheit gleich wieder wegzugeben«. Gerade einen solchen Unbequemen habe ich vergeblich versucht, für die Bundeswehr zu gewinnen.

Es gab auch Wendehälse, die sich andienten, Unverbesserliche, die leise grollten, Aufrechte, die alte Überzeugungen unterdrückten, aber nicht aufgaben, Aufbegehrende, die sich bei dem ständigen Wechsel verkündeter Perspektiven verschaukelt oder getäuscht fühlten. Letztere spielten mit der Neigung, die neue Freiheit zu demonstrieren und ihren Forderungen Nachdruck zu verleihen: Rollende Panzer (vollbetankt und munitioniert waren sie jederzeit einsatzfähig) würden mehr Eindruck machen als Bauern, die vor der Volkskammer ihre Milch verschütteten. In einer aufgebrachten Versammlung Unzufriedener überzeugte ich, das würde dem Ansehen einer Armee schaden, die vor der Wende der politischen Führung verweigert hat, sich gegen das Volk einsetzen zu lassen, um danach eine gewählte Führung unter Druck zu setzen. Der Minister werde sich in Bonn voll einsetzen, um die gegebenen Zusagen durchzudrücken. Materielle Anliegen standen im Vordergrund, insofern der Bundeswehr vergleichbar, nur verschärft durch die Sorge um die weitere berufliche Existenz.

Alle diese sehr unterschiedlichen Motive verschwanden hinter dem Stolz einer Armee, sich diszipliniert und geordnet einzubringen, zu übergeben oder aufzulösen, jedenfalls ihre Geschichte zu beenden.

Unter dem Eindruck des kaum entwirrbaren Knäuels von Schicksalen und Verstrickungen, gesuchten wie erduldeten, äußerte ich in einem Interview den naheliegenden Gedanken einer Amnestie aus Anlaß der deutschen Einheit, schwere Verbrechen ausgenommen. Auch wenn das Wort Amnestie unzutreffend war, weil es nicht um Straferlaß für rechtmäßig Verurteilte gehen konnte – die Idee eines solchen politisch-psychologischen Aktes könnte ein wichtiger Beitrag zur inneren Einheit sein und befreiend für die ehrliche Auseinandersetzung mit der Vergangenheit wirken. Die ähnliche Idee Schäubles zur gleichen Zeit war, bezogen auf die Spione beider Seiten, wohl zu eng. Selbst sie hätte uns den unbefriedigenden Nachweis erspart, daß Justiz Geschichte nicht bewältigen kann.

Es ist zweifelhaft, ob alles so ruhig abgelaufen wäre, wenn den Betroffenen in vollem Umfang die Konsequenzen der Regelungen klargewesen wären, die am 12. September die westdeutsche Seite vorlegte und die im wesentlichen nur noch angenommen und durch den Minister, der sich immer noch als verantwortlich bezeichnete, verkündet wurden. Ein Teilnehmer der Sitzungen beschrieb, wie die erarbeiteten Vorschläge der Ostdeutschen von Schäuble behandelt wurden, genauer, wie der spätere Bundesminister Krause sie behandeln ließ. Als ob Schäuble mit sich selbst verhandelte; ein solches Erlebnis war mir leider nicht vergönnt. Unwillkürlich fühlte ich mich auf der ostdeutschen Seite gegenüber dem Unverständnis und der Kälte mancher Westdeutscher, während alle eigentlich auf derselben Seite für dieselbe Sache zu arbeiten hatten.

Es war nicht die Stunde der Exekutive, sondern ihr monatelanger Rausch. Es hat meine Bewunderung für die exorbitante Leistung der Beamten nicht geschmälert, wenn ich mich fragte, ob denn das Parlament bei dem einmaligen Vorgang der deutschen Einheit noch wichtig wäre, von der prozedural notwendigen Zustimmung abgesehen. Der Bundestag hatte sich unter den Termindruck setzen lassen, unter den sich die Regierung selbst gesetzt hatte, und die Abgeordneten erhielten das ganze Werk des Einigungsvertrages, rund 900 Seiten, erstmals an einem Donnerstagabend. Am Freitag früh sollten sie es verabschieden. Die meisten hatten das Konvolut über Nacht nicht einmal durchlesen, geschweige denn durchdenken können, von der Möglichkeit ganz abgesehen, für diese Wegmarkierung unseres Landes vielleicht Änderungen vorzuschlagen, sie beraten zu wollen. Weniger als ein Notar, der seine Mandanten berät und alles vorliest, ehe sie unterschreiben, hat der Bundestag nur formal seinen parlamentarischen Stempel gegeben. Es war eine meiner letzten Aktivitäten als Abgeordneter, meinen Arm in der Schlußabstimmung zu heben, überzeugt bei Zweifeln.

Innerlich amüsiert habe ich mich bei dem Gedanken, daß hier die Grundlage der Einheit für alle Verfassungsorgane geschaffen wurde, mit einer Ausnahme: Das Verfassungsorgan Bundespräsident erhielt keine neue Legitimierung für die Einheit. Daß danach nicht gefragt wurde und Richard v. Weizsäcker auch ohne Wahl durch die Menschen in den neuen Bundesländern ganz selbstverständlich in dem größeren Land amtierte, legitimiert durch sein Ansehen, war die größte Auszeichnung, die er unverliehen erhalten konnte.

Die NVA war ein ungeliebtes Kind der Einheit, trotz und wegen des beträchtlichen Mitgifts. Rund 80 Milliarden D-Mark (West) betrug der Wert ihres beweglichen Materials. General Naumann ließ mich wissen, es wäre verdienstvoll, wenn wir soviel wie möglich bis zum 3. Oktober loswerden könnten. Aber auch dem Abrüstungsminister Eppelmann lag nicht daran, Waffen an die interessierten, weniger gut ausgestatteten ehemaligen Verbündeten oder andere Staaten zu verscherbeln oder zu verschenken. Mein Hinweis, wir bekämen die MIG 29 nun umsonst, deren gefürchtete Qualität ein Argument für die Entwicklung des Jägers 90 gewesen war, wurde nicht gern gehört. Wenigstens diese Rosinen nebst einigen anderen waffentechnischen Leckerbissen wurden »gerettet«. Wie bestellt zur rechten Zeit kam die Einheit, um der Bundeswehr (alt) und der westdeutschen Wirtschaft Abrüstung zu ersparen. Das Material der NVA leistete im wesentlichen die Abrüstung für Deutschland, zu der wir im Rahmen des Wiener Verhandlungsergebnisses verpflichtet wurden. Die alte Bundeswehr schränkte sich um zehn Prozent ihrer Berufs- und Zeitsoldaten ein, bei der NVA blieben zehn Prozent übrig, darunter nicht ein einziger General oder Admiral.

Ich war mit dem Minister einig: Wenn hohe Offiziere der Wehrmacht, die dem »Führer und Reichskanzler« bis zuletzt trotz innerer Bedenken loyal gedient hatten, für geeignet gehalten worden waren, bei dem Aufbau der Bundeswehr mitzuwirken, sollte das im Prinzip auch für Offiziere der NVA gelten. Das Land würde abermals gute Erfahrungen machen. Analog zu damals, ausgewählt und handverlesen, stellten wir eine Liste von sechs bis acht Namen zusammen. Es war nicht durchzusetzen, wurde später gesagt. Der Rasierschnitt schloß jeden von der Bundeswehr aus, der bei der NVA mehr als Oberst geworden war.

Nicht einmal Ähnliches gelang für das Außenministerium. Da wurden alle »Offiziere«, Angehörigen des Höheren Dienstes, nach Hause geschickt. Genscher verzichtete darauf, wertvolle Erfahrungen von Menschen für den Auswärtigen Dienst zu sichern, auch bei jenen, die man in den zurückliegenden Jahren als kooperationswillig, klug, für die deutschen Belange aufgeschlossen kennengelernt hatte. Das mag Ärger erspart haben. Als unzureichende Wiedergutmachung empfand ich die Frage des Abrüstungsbeauftragten der Bundesregierung, ob ich nicht den einen oder anderen hervorragenden Mann am Institut in Hamburg unterbringen könnte.

Für die Verbindungsstäbe hatte das Bundesverteidigungsministerium hochbegabte Menschen abgeordnet, voll guten Willens und mit Bewußtsein für die einmalige Aufgabe. Sie haben schnell Verständnis für ihre Kameraden, auch Vertrauen gewonnen, zuweilen um den Preis, Unverständnis »zu Hause« zu erregen. Aber sie, wie der Befehlshaber des Bundeswehrkommandos Ost, General Jörg Schönbohm, mit allen erwünschten Fähigkeiten begabt, konnten nur in dem abgesteckten Rahmen Schlimmeres verhindern; die Chance, innere Einheit am Modell Bundeswehr zu demonstrieren, war vorbei.

Zwei Armeen zusammenzuführen, zusammenwachsen zu lassen, entsprach nicht der Logik des Beitritts nach Artikel 23 des Grundgesetzes. Es wurde übernommen, verschrottet, eingeschmolzen, abgewickelt, aufgelöst, übergeben. Insofern passierte der NVA nichts anderes als dem Land und seinen Menschen insgesamt, die mit großer Mehrheit so schnell wie möglich Bundesbürger werden wollten.

Am letzten Tag verweigerte die westdeutsche Seite der ostdeutschen den symbolischen Akt der Würde, die alte Flagge einzuholen, die neue zu hissen, den Einschnitt auch musikalisch durch das Abspielen der alten und dann der neuen Hymne zu markieren. Die Rede des alten Ministers anläßlich der Übergabe der NVA vergaß man zu drucken. In der Nacht wurde die Ehrenformation in die neuen Uniformen eingekleidet; es kostete Überzeugungskraft, daß wenigstens diese neuen Bundeswehrsoldaten die übliche Uniform tragen durften, also nicht nur die Kampfanzüge, in die man alle stecken wollte. Um psychologische Verletzungen zu vermeiden, verkleideten sich die hohen Offiziere aus Bonn, die zum Akt der Übergabe Minister Stoltenberg begleiteten, in Kampfanzüge, in denen sich die meisten noch nie gesehen hatten, was sie recht komisch fanden, zumal einige Herren unübersehbar voller geworden waren. Die neuen Kameraden, erstmals äußerlich ununterscheidbar, konnten das Gefühl der Komik nicht teilen. Viele aus Bonn hatten ihre Damen mitgebracht; es war ja auch ein toller Anlaß. Die neuen Bundeswehroffiziere waren ohne weibliche Begleitung; vielleicht hatte man vergessen, sie einzuladen; denn niemand wollte die fremden Landsleute verletzen. Dann gab's Sekt.

Ich räumte den Schreibtisch, gab die Schlüssel ab und fuhr nach Berlin, etwas vergrübelt, ob wir wohl die Kraft aufbringen würden, Fehler zu vermeiden oder zu korrigieren, die sich nicht durch die Hinterlassenschaft des SED-Regimes entschuldigen lassen. Ich hatte die Einladungen zum Reichstag und zum Staatsakt abgesagt, um die gedämpfte Freude über diesen großen Tag in den Straßen meiner Stadt und unter ihren Menschen still zu genießen. Ein Reporter gabelte mich auf und fragte, was ich mir denn für das neue Deutschland wünschte: »Ein Land, aus dem niemand mehr auswandern muß.«

Statt eines Nachworts

Die Geschichte der Ostpolitik zwischen Bau und Fall der Mauer mit dem Anspruch auf weitgehende Vollständigkeit ist noch nicht geschrieben. Dazu müßten alle Dokumente veröffentlicht werden, die zwischen den drei deutschen Kanzlern und ihren Partnern in Ost und West ausgetauscht wurden, außerdem die relevanten Aufzeichnungen innerhalb der beiden Lager. Die bisher zugänglichen Ausschnitte, etwa von Gesprächen Gromykos mit der DDR-Führung aus dem Frühjahr 1970, haben mir den Eindruck vermittelt, daß wir damals mit nachtwandlerischer Sicherheit die richtige Sprache und den rechten Weg gefunden haben; aber da fehlt zu vieles, um eine wissenschaftlichen Ansprüchen gemäße Analyse zu versuchen. Das gilt nicht weniger für die etwa letzten zehn Jahre der DDR, in denen die beiden deutschen Regierungen Verantwortungsgemeinschaft praktizierten. Daraus ergab sich die Beschränkung auf die subjektiven Wahrnehmungen zu meiner Zeit. Auch dafür erwies es sich als große Hilfe, daß Andreas Vogtmeier meine Unterlagen, die im Archiv der Friedrich-Ebert-Stiftung lagern, geordnet und aufgearbeitet hat.

Ein Buch persönlicher Erinnerungen hätte Begegnungen mit vielen Menschen enthalten, Trägern großer Namen im In- und Ausland wie öffentlich wenig Bekannten, besonders im Wahlkreis, die für mich wertvoll waren und bleiben. Auch Erfahrungen, gesammelt auf Reisen zwischen China und Südamerika, Israel und Ägypten, mußten im Interesse der Konzentration auf das zentrale Thema leider ausgeblendet werden.

Christiane half mit bohrenden Nachfragen und ihrem Sinn für Genauigkeit, Stil und Sprache. Danken möchte ich Heinke Peters, die Vorarbeiten, und vor allem Marianne Jahnke, die das gesamte Manuskript und seine Korrekturen geschrieben hat.

Königswinter, im Juli 1996

Namensregister

Bildnachweis